公認心理師

必携テキスト 改訂第2版

改訂第2版 はじめに

　2018年4月に出版しました本書の初版は，おかげをもちまして大変好評をいただきました．「そもそも受験そのものを諦めていたけれど，この本に出会って（懐しい先生方の写真も掲載されていて）やる気になり，合格できた！」という嬉しい便りもいただきました．振り返れば本書の最初の企画は2017年の公認心理師法の施行に伴って立案されました．当時は，もちろん類書はなく，試験でどのような出題がされるかも皆目見当がつきませんでした．そのため2016年から厚生労働省において約10回にわたって開かれた「カリキュラム等検討会」を全て傍聴したり，主要学会や職能団体が発表しているカリキュラム案等，参考にできるものは全て参照しました．

　その結果，やや遅れ気味だった本書の編集最終段階を待っていてくれたかのように発表された，出題基準（ブループリント）にほぼ沿った構成にすることが可能になりました．出版した当時は「類書がたくさん出されるだろう」と思っていましたが，シリーズものや試験対策本は出版されても，本書のような本格的かつ体系的に最新情報を盛り込んだ一冊もののテキストは，今日に至るまで出版されていません．そして，いよいよ第1回，第2回と試験が実施されると，事例問題はともかく，知識問題に関してはそのほとんどが本書の記述範囲から出題されていたと言っても過言ではありません．また，今後の傾向として事例問題であっても見解が分かれがちな「臨床的判断」を求める問題よりも，「事例に関連する知識」を求める傾向が強まっています．

　初版出版以来，いくつかの誤植や誤表記に関するご指摘もいただき，増刷を重ねるごとに修正してきました．今回それらを含め，さらに重複した記述をカットし，最新の情報を加えました．また，各方面からのご要望にお応えして，索引を充実させて内部参照を丁寧に案内しました．予想事例問題は，すでに過去問がたまってきていますので，その意義はなくなったと考えて削除し，その分，テキストの記述を増やしました．これらにより，事典としての利便性もぐっと高まったと思います．また，内容的にも今回の改訂によって，より出題基準にマッチした「深く広い」知識が得られるものとなったと確信しています．

　初版の序に書きましたように，「不完全な人間が，同じく不完全な悩み苦しむ人をどのように専門家として支援できるのだろうか」という問いは絶えません．「人の心が人の心を支える」ということの尊さと難しさを今日まで感じなかったことはありません．そのためにはやはり支援者側は「祈りをこめて学び続け」「勇気と誠意を持って実践する」という他はないでしょう．その祈りは，今回の改訂に携わった執筆陣の中で今も絶えることなく続いています．

　ぜひ本書を心理支援の専門家としての最初の乗り越えるべき「ハードル」への補助具として活用していただき，その後に続く本格的な専門家への道の道標として，末長くご利用いただければ幸いです．また，国家試験対策としては，同じく学研メディカル秀潤社刊の「国家試験問題解説集」と併用していただくことでより一層の「知の定着化」がはかられると思います．

　最後になりましたが，本書の改訂に多大なる貢献をいただきました学研メディカル秀潤社の黒田周作氏，瀬崎志歩子氏，須川真由美氏，合田敬子氏に重ねて感謝して，序の言葉とさせていただきます．

2020年春

編集責任
福島　哲夫
（大妻女子大学教授・成城カウンセリングオフィス所長）

初版 はじめに

　公認心理師は，新たに国家資格化された「心の問題の専門家」である．そして，この資格は「汎用性」と「統合性」を期待された資格である．すなわち保健医療，福祉，教育，司法・犯罪，産業・労働をはじめとする各分野で活躍し（汎用性），そのためには対象者の特性や状況に応じて様々な種類の支援ができなくてはいけない（統合性）．言葉をかえて言うならば，「対象と問題と関係に応じて，アセスメントを踏まえて，柔軟に対応できる専門家」として期待されていると言っていいだろう．そして同時に，「対象者の痛みに寄り添い，より安全で肯定的な変容を促す専門家」としても期待されている．

　しかし，この期待に応えるのは簡単ではない．不完全な存在である人間が，同じく不完全な悩み苦しむ人をどのように専門家として支援できるのだろうか．そもそも人は不完全であるし，この世界には不条理が絶えない．さらに近年，テクノロジーの発達に反比例して，世界中に不条理性と分断・孤立化が増している．地球温暖化，戦争，政治・経済等々を通じてその様相は否定しがたくわれわれに迫りつつある．そして，心理支援を志す私たちも，その私たちの前に登場する個々の人々も，このような世界的な苦しみと無縁ではありえない．とくに現代人の「孤独感」は，たとえ表面上は取り繕えたとしても，深刻なレベルまで深まっていると感じる．

　このような状況において，支援者側は「祈りをこめて，学び続け」「勇気をもって実践する」よりほかに手立てはない．最新の理論，心理学に限られない諸学問，そして何より目の前の悩み苦しむ人から学び続け，支援者側がリスクテイクしながらも支援し続けなくてはならない．このような「祈りながらの学びと実践」の態度と必要性を本書の行間から感じ取っていただけたなら幸いである．

　今回，第一線の編集委員と執筆者陣に恵まれて，本書を上梓できたことは，このうえない幸せと表現するほかない．また，本書の編集委員，執筆陣のほとんどが，狭義の「臨床」をはじめとする実践活動に勤しんでいる現役の専門家たちである．このような執筆陣の「臨床的姿勢」，そして「祈り」を感じながらお読みいただければ僥倖である．

　とくにこの度，出版間近になってブループリント（国家試験出題範囲とそのキーワード）が公表された関係で，急な加筆と照合をお願いした執筆者・編集委員には厚く感謝したい．集中的に急ぎの加筆作業に取り組んでいただいた山蔦圭輔先生，本田周二先生，なかでもブループリントとの照合作業に特別ご尽力いただいた山蔦圭輔先生に重ねて深く感謝したい．おかげでブループリントに示された国家試験出題範囲を完全に網羅した，本邦初のテキストとなった．

　本書はカラー刷りで，写真や図表も豊富に取り入れた．なかにはユーモラスなものも，必ずしも必須ではないものもある．これらはすべて，読者諸氏の理解と記憶の助けになることをめざして，あるいは「楽しく読める」ことをめざしての，あえての挿入である．ぜひとも楽しみながら，画像記憶や情動記憶とともに内容の理解と記憶を進めていただきたい．

　最後に，学研メディカル秀潤社の皆様，とくに編集部の黒田周作氏，坂本暁子氏に心より感謝の意を表したい．

2018年4月

編集責任
福島　哲夫
（大妻女子大学教授・成城カウンセリングオフィス所長）

公認心理師必携テキスト 改訂第2版
CONTENTS

1章 公認心理師としての職責の自覚

1. 公認心理師の役割／福島哲夫 … 2
2. 公認心理師の法的義務と必要な倫理／金沢吉展 … 9
3. 支援を要する者などの安全性の最優先と利用者中心の立場／金沢吉展 … 16
4. 守秘義務と情報共有の適切性／金沢吉展 … 25
5. 保健医療，福祉，教育そのほかの分野における公認心理師の具体的な業務 … 32
   ① 保健医療分野における具体的な業務／西野入 篤 … 32
   ② 福祉分野における具体的な業務／平野貴大 … 33
   ③ 教育分野における具体的な業務／鍋谷聡子 … 34
   ④ 司法・犯罪分野における具体的な業務／村尾泰弘 … 35
   ⑤ 産業・労働分野における具体的な業務／種市康太郎 … 36

2章 問題解決能力と生涯学習

1. 自己課題発見と解決能力／福島哲夫 … 39
2. 生涯学習への準備／福島哲夫 … 46

3章 多職種連携・地域連携

1. 多職種連携・地域連携による支援の意義とチームにおける役割／古田雅明 … 53
2. 実習における関係者の役割分担とチームの一員として参加すること／古田雅明 … 57
3. 医療機関における「チーム医療」の体験／古田雅明 … 60

4章 心理学・臨床心理学の全体像

1. 心理学の成り立ち／本田周二 … 62
2. 人の心の基本的なしくみと働き（心の理論）／本田周二 … 66
3. 臨床心理学の成り立ち／山蔦圭輔 … 68
4. 臨床心理学の代表的な理論／山蔦圭輔 … 73

5. 研究倫理／山蔦圭輔 … 77

5章 心理学における研究

1. 心理学における実証的研究法／本田周二 … 80
2. 質的データを用いた実証的な思考法／福島哲夫 … 87

6章 心理学統計法

1. 統計に関する基礎的な知識／紺田広明 … 96
2. 心理学で用いられる統計手法／紺田広明 … 111

7章 心理学に関する実験

1. 実験の計画立案／本田周二 … 122
2. 実験データの収集と処理／本田周二 … 128
3. 結果についての適切な解釈と報告書の作成／本田周二 … 132

8章 知覚および認知の心理学

1. 人の感覚・知覚などの機序とその障害／井上和哉 … 137
2. 人の認知・思考の機序とその障害／井上和哉 … 146

9章 学習および言語の心理学

1. 経験をとおして人の行動が変化する過程／生駒 忍 … 153
2. 言語習得の機序／生駒 忍 … 161

10章 感情および人格の心理学

1. 感情に関する理論や感情喚起の機序／望月 聡 … 168
2. 感情が行動に及ぼす影響／望月 聡 … 175
3. 人格の概念と形成過程／望月 聡 … 181
4. 人格の類型や特性など／望月 聡 … 188

公認心理師必携テキスト 改訂第2版
CONTENTS

11章 脳・神経の働き

1. 脳神経系の構造と機能／山田一夫 ... 195
2. 記憶・感情などの生理学的反応の機序／山田一夫 ... 205
3. 高次脳機能障害と必要な支援／望月聡 ... 212

12章 社会および家族・集団に関する心理学

1. 対人関係や集団における人の意識や行動についての心の過程／本田周二 ... 218
2. 人の態度や行動についてのさまざまな理論／市村美帆 ... 227
3. 家族や集団および文化が個人に及ぼす影響／市村美帆 ... 237

13章 発達心理学

1. 誕生から死に至るまでの生涯における発達と各発達段階の特徴／外山美樹 ... 244
2. 認知機能の発達や感情・社会性の発達／外山美樹 ... 251
3. 自己と他者の関係性の在り方と心理的発達／外山美樹 ... 258
4. 発達障害など，非定型発達についての基礎的な事項や考え方／外山美樹 ... 264
5. 高齢者の心理社会的課題と必要な支援／外山美樹 ... 269

14章 障害者・障害児心理学

1. 身体障害，知的障害および精神障害／佐藤美幸 ... 274
2. 障害者・障害児の心理的特徴や必要な支援／佐藤美幸 ... 281

15章 心理的アセスメント

1. アセスメントに有用な情報（生育歴や家族の状況など）とその把握の手法／山蔦圭輔 ... 288
2. 心理検査の種類，成り立ち，特徴，意義および限界／山蔦圭輔 ... 296
3. 心理検査の適用および実施，解釈／城月健太郎 ... 304
4. 生育歴などの情報，行動観察および心理検査の結果の統合と包括的な解釈／藤井靖 ... 312

16章 心理に関する支援

1. 代表的な心理療法やカウンセリングの歴史，概念，意義および適応／鍋谷聡子 ... 318
2. 訪問や地域支援の意義／萩原豪人 ... 327
3. 心理に関する支援を要する者の特性や状況に応じた適切な支援／福島哲夫 ... 333
4. 良好な人間関係のためのコミュニケーション能力／種市康太郎 ... 340
5. 心理療法やカウンセリングの適用の限界／福島哲夫 ... 347
6. プライバシーへの配慮／萩原豪人 ... 352

17章 健康・医療心理学

1. ストレスと心身の疾病との関係／山本賢司 ... 358
2. 医療現場における心理社会的課題と必要な支援／山本賢司 ... 367
3. さまざまな保健活動において必要な心理社会的支援／山本賢司 ... 377
4. 災害時などに必要な心理に関する支援／山本賢司 ... 384

18章 福祉心理学

1. 福祉現場において生じる問題とその背景／平野貴大 ... 393
2. 福祉現場における心理社会的課題および必要な支援／平野貴大 ... 400
3. 虐待，認知症に関する必要な支援／平野貴大 ... 407

公認心理師必携テキスト 改訂第2版
CONTENTS

19章 教育・学校心理学

1. 教育現場において生じる問題とその背景
   /佐藤史緒　414
2. 教育現場における心理社会的課題と
   必要な支援/佐藤史緒　422

20章 司法心理学（犯罪心理学を含む）

1. 犯罪，非行，犯罪被害および家事事件に関する
   基本的事項/嶋田洋徳，田部井三貴　430
2. 司法・犯罪分野における問題に対して必要な
   心理的支援/嶋田洋徳，田部井三貴　439

21章 産業・組織心理学

1. 職場における問題に対して必要な心理的支援
   /尾久裕紀　446
2. 組織における人の行動/尾久裕紀　453

22章 人体の構造と機能および疾病

1. 心身機能と身体構造およびさまざまな疾病と障害
   /矢野 広　460
2. 心理的支援が必要な主な疾病/矢野 広　472

23章 精神疾患とその治療

1. 代表的な精神疾患/尾久裕紀　479
2. 向精神薬をはじめとする薬剤による心身の変化
   /尾久裕紀　488
3. 医療機関との連携/尾久裕紀　493

24章 関係行政論

1. 公認心理師法—公認心理師の法的責任
   /野村和彦　499
2. 保健医療分野に関する法/野村和彦　505
3. 福祉分野に関する法/野村和彦　512
4. 教育分野に関する法/野村和彦　519
5. 司法・犯罪分野に関する法/野村和彦　526
6. 産業・労働分野に関する法/野村和彦　536

25章 力動論に基づく心理療法の理論と方法

1. 力動論に基づく心理療法の理論と方法
   /福島哲夫　544

26章 行動論・認知論に基づく心理療法の理論と方法

1. 行動論・認知論に基づく心理療法の理論と方法
   /山蔦圭輔　558

27章 心の健康教育に関する理論と実践

1. 心の健康教育に関する理論と実践/山蔦圭輔　572

付録

公認心理師試験出題基準（令和元年版）　586
公認心理師法（平成二十七年法律第六十八号）594
公認心理師法第42条第2項に係る
主治の医師の指示に関する運用基準について　604

編集担当：黒田周作，瀬崎志歩子，須川真由美
表紙デザイン：野村里香
本文デザイン：青木 隆デザイン事務所
本文DTP：学研メディカル秀潤社制作室
本文イラスト：日本グラフィックス，
　　　　　　　青木 隆デザイン事務所

編集者・執筆者一覧

編集責任

福島　哲夫	大妻女子大学人間関係学部人間関係学科社会・臨床心理学専攻教授 成城カウンセリングオフィス所長

編　集

尾久　裕紀	大妻女子大学人間関係学部人間福祉学科 教授
山蔦　圭輔	神奈川大学人間科学部人間科学科 准教授
本田　周二	大妻女子大学人間関係学部人間関係学科社会・臨床心理学専攻 准教授
望月　　聡	法政大学現代福祉学部臨床心理学科 教授

執筆者（執筆順）

福島　哲夫	上掲
金沢　吉展	明治学院大学心理学部心理学科 教授
西野入　篤	浦和南カウンセリングオフィス 主宰
平野　貴大	沖縄大学人文学部福祉文化学科 助教
鍋谷　聡子	大妻多摩中学高等学校 カウンセラー
村尾　泰弘	立正大学社会福祉学部子ども教育福祉学科 教授
種市康太郎	桜美林大学リベラルアーツ学群 教授
古田　雅明	大妻女子大学人間関係学部人間関係学科社会・臨床心理学専攻 教授
本田　周二	上掲
山蔦　圭輔	上掲
紺田　広明	福岡大学教育開発支援機構 講師
井上　和哉	東京都立大学人文社会学部 准教授
生駒　　忍	川村学園女子大学文学部 非常勤講師
望月　　聡	上掲
山田　一夫	筑波大学人間系 教授
市村　美帆	和洋女子大学人文学部心理学科 助教
外山　美樹	筑波大学人間系 准教授
佐藤　美幸	京都教育大学教育学部発達障害学科 准教授
城月健太郎	武蔵野大学人間科学部人間科学科 准教授
藤井　　靖	明星大学心理学部心理学科 准教授
萩原　豪人	人間総合科学大学人間科学部心身健康科学科 准教授
山本　賢司	東海大学医学部総合診療学系精神科学 教授
佐藤　史緒	神奈川工科大学教職教育センター 准教授
嶋田　洋徳	早稲田大学人間科学学術院 教授
田部井三貴	津家庭裁判所 家庭裁判所調査官
尾久　裕紀	上掲
矢野　　広	特定医療法人清輝会 国府津病院 精神科・心療内科
野村　和彦	日本大学法学部法律学科 准教授

公認心理師必携テキスト 改訂第2版

1章	公認心理師としての職責の自覚	1
2章	問題解決能力と生涯学習	2
3章	多職種連携・地域連携	3
4章	心理学・臨床心理学の全体像	4
5章	心理学における研究	5
6章	心理学統計法	6
7章	心理学に関する実験	7
8章	知覚および認知の心理学	8
9章	学習および言語の心理学	9
10章	感情および人格の心理学	10
11章	脳・神経の働き	11
12章	社会および家族・集団に関する心理学	12
13章	発達心理学	13
14章	障害者・障害児心理学	14
15章	心理的アセスメント	15
16章	心理に関する支援	16
17章	健康・医療心理学	17
18章	福祉心理学	18
19章	教育・学校心理学	19
20章	司法心理学（犯罪心理学を含む）	20
21章	産業・組織心理学	21
22章	人体の構造と機能および疾病	22
23章	精神疾患とその治療	23
24章	関係行政論	24
25章	力動論に基づく心理療法の理論と方法	25
26章	行動論・認知論に基づく心理療法の理論と方法	26
27章	心の健康教育に関する理論と実践	27

1章 公認心理師としての職責の自覚

1 公認心理師の役割

> **この章で学ぶこと**
> - 公認心理師の役割
> - 公認心理師の法的義務と必要な倫理
> - 心理的支援を必要とする人の安全を最優先し，その人中心の立場となること
> - 守秘義務および情報共有の重要性と適切に情報を扱うこと
> - 保健医療，福祉，教育やそのほかの分野における公認心理師の業務の内容

> この法律は，公認心理師の資格を定めて，その業務の適正を図り，もって国民の心の健康の保持増進に寄与することを目的とする．
> 公認心理師法　第1条

「公認心理師法」第1条に示されているように，公認心理師は，その適正な業務のなかで国民の心の健康の保持増進に寄与しなければならない[1]．**コーチン Korchin, S.**による「臨床心理学は臨床的態度，つまり心理的に苦しんでいる個人を理解し援助することへの関心によって，最もはっきりと定義される．臨床家は苦悩する人間に直接働きかけ，彼らがより満足のいく有益な生活を送れるように援助しようと努める」[2]という営みによって，国民の心の健康の保持増進に寄与するのである．そして，これらを実現するために，心理アセスメント，心理支援，多職種連携，地域連携がある（➡ p.53 第3章参照）．

さらに，同法第44条において「公認心理師でない者は，公認心理師という名称を使用してはならない．（中略）公認心理師でない者は，その名称中に心理師という文字を用いてはならない」とある．これは，業務独占ではなく名称独占であり，同様の業務をほかの資格をもった専門家が行うことはあるが，心理師という名称は，この法律の定めに従って資格を取得したものでなければ使ってはならないということである．つまり，この資格は業務独占ではないので，類似の業務をほかの専門家も行うこととなる．

では，その際の心理師の独自性は何であろうか．

1 公認心理師の役割の根幹と独自性

公認心理師の役割は「対象者との関係のなかで，その関係を使って，ときに関係そのもので問題に対応する．そしてそれらは，基本的にすべて対象者や関係者との（非言語的なものをも含む）対話を通じて行われる」というものである．さらに「すべて心理師自身と，対象者との関係の両方を対象化して振り返るなかで行われる」といえる．

ここで「関係」を「信頼関係」と言い替えることは可能ではある．ただし単なる信頼関係ではなく，「横並びの関係や，対象者の主体性を引き出す関係」になったり，

ときには反発されたり，お互いが対峙するような関係をも含む，より広い意味をもつ．

類似の業務を行う専門家は複数あり，専門家でなくとも同じ業務をできる能力を有する場合もありうる．しかし，公認心理師の独自性は，まさに心理師自身と対象者との関係性にあり，さらにその関係を対象化することにある．公認心理師の専門性も，具体的な日々の業務のなかで，その独自性をいかに質の高い形で実現できるかにあるといえる（図1）．

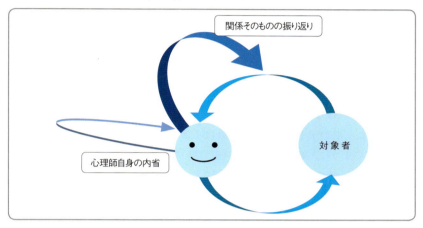

図1　公認心理師と対象者との関係，さらにその関係を対象化すること

2　公認心理師の基本的な職務と職責

前述した公認心理師法第1条における公認心理師の「国民の心の健康の保持増進に寄与する」という目的は，どのような行為を通じて果たされるべきであろうか．そのことを考えるために，公認心理師の業務を定めた同法第2条を確認する．

> この法律において「公認心理師」とは（中略）公認心理師の名称を用いて，保健医療，福祉，教育その他の分野において，心理学に関する専門的知識及び技術をもって，次に掲げる行為を行うことを業とする者をいう．
> 1　心理に関する支援を要する者の心理状態を観察し，その結果を分析すること．
> 2　心理に関する支援を要する者に対し，その心理に関する相談に応じ，助言，指導その他の援助を行うこと．
> 3　心理に関する支援を要する者の関係者に対し，その相談に応じ，助言，指導その他の援助を行うこと．
> 4　心の健康に関する知識の普及を図るための教育及び情報の提供を行うこと．
> 　　　　　　　　　　　　　　　　　　　　　　　　　公認心理師法　第2条

以下に「業として行う行為」の概要（公認心理師の定義）について解説する．

①心理に関する支援を要する者の心理状態を観察し，その結果を分析すること

これは，単なる行動観察ではない．それは，たとえば人の「瞬（まばた）き」が，単なる「瞬き」なのか，あるいは誰かに向けての「ウインク」なのかの違いをとらえることに似ている．本人の動機や意図，周囲の（対人的なものも含めての）環境との相互性を，いかに正確に観察し，それを一連の文脈として分析できるかということである．

また，その際，**サリヴァン Sullivan, H.** の「関与しながらの観察」[3)]が大切であ

▲サリヴァン，ハリー・スタック（1892-1949）
アメリカの精神科医．アイルランド移民の孫として，ニューヨークの貧しい家庭で育つ．統合失調症の治療から対人関係論的精神医学，社会精神医学の開拓者となった．（写真：PPS通信社）

る（→ p.288 第15章1節参照）．これは，対象者（以下，クライエント）の苦悩や葛藤に共感的理解などを示しながらもかかわるという「関与」をしながら，クライエントの表情や態度，状況を客観的に「観察」する態度のことである．

ここからも明らかなように，観察するこちら側もすでに対象になんらかの影響を及ぼしていることを十分に認識したうえでの観察でなければならない．この際に，観察する側とされる側の関係をも観察しながら，そこでやりとりされる「主観」をも排除せずに，できるだけ客観的に観察することが大切となる．

たとえば，担任教師から依頼されて，ある児童のいる教室に観察に行ったとしよう．その児童は普段の振る舞いに加えて，さらに心理師の来訪に反応して，より緊張や興奮の度合いを高めているかもしれない．あるいは，心理師に対して何かをアピールしようとしているかもしれない．もちろん反対に「よく知らない人」を見かけて，静かにしているかもしれない．心理師はそれらの「関係性」をも含めて観察しなければならないのである．

さらには，「この子を見ていると，妙にイラつかされる」とか「どこか憎めない感じ」などのように，観察するこちら側に湧いてきた主観的な反応もとても重要な情報になる．そのため，それに振り回されたり決めつけたりすることなく，客観的に記録・記憶しておくことが大切である（図2）．

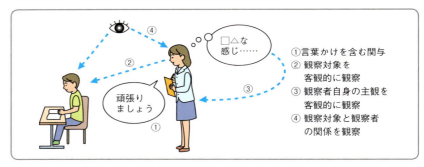

図2　観察者の主観・観察対象と観察者の関係も観察する

②心理に関する支援を要する者に対し，その心理に関する相談に応じ，助言，指導その他の援助を行うこと

この「助言」は「アドバイス」ではない．一般に誤解されているような「アドバイス」という言葉から連想される「簡便で，即効性のある」あるいは「どこにでもありがちな，一般的・常識的な」ものでも一方的なものでもない．ここで求められている「助言，指導その他の援助」とは，クライエントの特性やプロセスに応じた，きめ細やかなものである．そのためには「相談」も不可欠となるが，この「相談」も，また単なる日常的な相談ではない（図3）．

たとえば，親に対する暴言が激しくなっているという問題行動を考えてみよう．その問題行動は，最近ようやくできるようになった自己主張がやや過剰になってしまっているものなのか，あるいは深刻な精神の病からくるものなのか明らかにするためには，ていねいな聴き取りを含むゆっくりとした「相談」が不可欠である．このような相談のなかで初めて正確な見立て（アセスメント）ができ，それをふまえた真に役に立つ「助言，指導」が可能となる．

図3　対象者の相談
対象者の過去，現在，これからをふまえて行う．また，相談時の様子にも注意する．

また，このような心理師の助言をクライエントがどのように受け取り，それを取り入れたどのような行動をするのかを予測しながら助言，指導しなければいけない．たとえば，「自分の本当の気持ちを相手に伝えることは大切ですよ」と助言した結果，クライエントによっては相手を怒鳴ってしまうなどの極端な言動をとる場合もありうる，ということを十分に意識したうえでの助言が大切になるということである．

③心理に関する支援を要する者の関係者に対し，その相談に応じ，助言，指導その他の援助を行うこと（図4）

これも，単なる家族や関係者への一般的・一方的なアドバイスではない．②と同じように「相談，指導，助言」は，きわめて微妙に調整されたものでなくてはならない．やはり，関係者もこちらの助言を取り入れた結果，極端な言動で実行しようとする場合や，まったく取り入れない場合もあり，さまざまな反応があるためである．

また，この関係者を家族や近隣の人だけでなく，他職種の専門家まで広げてとらえた場合には，多職種連携やコンサルテーション（図5），職場や地域内研修の講師役までの業務が含まれる．その場合には，当事者の家族や関係者，さらには多職種へのカウンセリングマインド[*1]や心理療法的アプローチに関する解説と指導，職場内・地域内での教育研修が必要となる．また，地域連携をとおして要支援者の関係者と力を合わせることも求められる．

この際のカウンセリングマインドとは，共感的傾聴に代表されるものである．さらに心理療法的アプローチでほかの職種に伝えやすいものとしては，認知行動療法，リラクセーション法や自律訓練法，マインドフルネス瞑想法などであろう．

また，多職種連携が必要とされる保健医療分野，福祉分野，教育分野，司法・犯罪分野，産業・労働分野の現場では，ほかの職種の見落としている点に気づき，心理師ならではの異なる角度からのアプローチを行ったり，その内容を伝えることも大切である．

上から下への指導になったり，知識やサービスを一方的に提供するという関係になりがちなほかの専門家と異なり，冒頭で述べたように心理師が「横並びの関係や，対象者の主体性を引き出す関係」となって，その独自の視点とアプローチによって，効果的な相談，助言，指導やそのほかの支援が可能となる道が開けるのである．

④心の健康に関する知識の普及を図るための教育及び情報の提供を行うこと

従来，わが国では「心の健康教育」は，医学・心理学・保健学を学問的背景として保健体育に位置づけられてきた．とくに学校教育のなかでは小学校から高校まで，教員や養護教諭，校医などが，教科のなかや行事，日常業務のなかで折に触れて行ってきている．また，スクールカウンセラーや教育相談員は，学校内の教職員研修などの場において講師を務め，不登校やうつ，発達障害に関する健康教育を行ってきている．

今後は，さらに職場や地域社会，そのほかの場面で広く心の健康教育を担っていく期待と責任を負っているのが公認心理師である．主な内容は「心身の機能の発達と心の健康」「ストレス対処」「リラクセーション」「カウンセリングや相談」

図4　関係者の相談
関係者の特性や傾向をふまえて行う．

図5　コンサルテーション

用語解説

[*1] カウンセリングマインド
「受容」「共感」「傾聴的態度」などのカウンセリングに求められる態度と心構えのこと．

「アサーション」「子どもの不登校・暴力・いじめ」「心の病と予防」「自殺予防」「事件・事故・災害時の心のストレスとその対処法」などが考えられる．

これらについて，公認心理師自らも広報と教育プログラムの作成を含めて，貢献しなければならない．その際には，やはり公認心理師の独自性を活かし，硬直化した一般情報を一方的に伝えるのではなく，常に更新された最新情報をもって，対象者との良好な関係のなかで，より個別化しやすい柔軟な教育を実践するように心がけるべきである．

3 プロフェッション（専門職）とは？

専門職，つまりプロフェッション（profession）[*2] とは何かということについて考えてみたい．profession という言葉には，専門職という意味のほかに，公言や宣言の意味がある．また，もともと西洋社会においては，聖職者，医師，弁護士の3職種に対して用いられる言葉であり，非常に限定的な意味合いを有していた．この言葉には，社会からの尊重や権利付与，経済的な保証を伴うと同時に，その特権に見合う実力はもちろんのこと，道徳心と誠実さをはじめとする義務が伴うことを意味する．

一方で，土居健郎は，このプロフェッションという言葉には，本来職業としてではなくプライベートな営みであったはずのものが，職業化された意味合いもあるとしている[4]．たしかに，人が人の心理に関する支援を行おうとするとき，必然的にきわめてプライベートな領域に立ち入ることを意味する．その意味で，公認心理師においても自らの欲望や権威・権力に対して自覚的であることが強く求められる．

ちなみに，このプロフェッションと対照的な言葉に，「スペシャリスト」や「アマチュア」がある．スペシャリストは，特殊な知識や能力をもち，巧みに遂行する人という意味であり，プロフェッショナルが仕事に向かう姿勢や生き方を含むのに対し，スペシャリストは専門的な技術や知識，能力に焦点をあてた言葉といえる．

さらに，アマチュアはその語源 "amator"（愛する人）という意味のラテン語からもわかるように，日本語でいう「愛好家」であり，お金を稼げるかどうかにかかわらず，ただそれが好きで行う人のことである．

1 ● プロフェッショナリズムと非専門家（非専門家の時代に）―フロイトの「素人（非医師）による精神分析」

フロイト Freud, S. は論文「素人による精神分析の問題」とその「あとがき」において，非医師による精神分析の実践の問題について論じている[5]．多少複雑な論が展開されているが，本項ではフロイトが述べた「精神分析という領域の独自性」の問題を，「公認心理師の独自性」のアナロジーとして紹介したい．

フロイトは，医学教育とはかなり別のものとしての精神分析の訓練の必要性を強調して，まずは魔術師（効果の迅速性や突発性を強調する代表例）の否定，言葉の重視などをあげた．そして，医師でも素人でもない，精神分析独自の専門性の

用語解説

[*2] プロフェッション（profession）

「修道会に入る者によって立てられる誓い（宣誓して修道会に入ったこと）」を意味し，宗教的な性格をもつ言葉であった．

▲土居健郎（1920-2009）

精神科医，精神分析家．日本の精神分析の歴史の初期を代表する人物．「甘え理論」は精神分析的な日本人論として，国内はもちろん，海外でも広く認知されている．（写真：共同通信社）

重要性を強調して，以下のように述べている．

「精神分析教育には，医師とは無縁な，医師の仕事においてはそういう知識を必要とする場面には全く出会うことのないような学科目も，つまり文化史，神話学，宗教心理学，文芸学といった学科目も含まれることになるでしょう．」

ここで，われわれの学ぶべきは，医師であるかないかという問題でも精神分析の問題でもなく，公認心理師の独自性という視点である．医師や看護師にも教師にもなく，さらに福祉職にもない公認心理師の独自性とは何だろうか．もちろんこれらの対人援助職との相互理解や連携の重要性は当然であるが，独自性を失ってしまっては公認心理師の存在意義も失われる．

たとえば，医療機関のなかで医師のようにふるまう公認心理師，教育機関のなかで教師のようにふるまう公認心理師などが社会のニーズに沿うことができるであろうか．医学・看護学・教育学・福祉学のどれにも還元されない，あるいは，心理学者の視点だけにも還元されない公認心理師の独自性とは何だろうか．

河合隼雄は，心理療法とは何かという文脈のなかではあるが，以下のように定義している．「心理療法とは，悩みや問題の解決のために来談した人に対して，専門的な訓練を受けた者が，主として心理的な接近法によって，可能な限り来談者の全存在に対する配慮をもちつつ，来談者の人生の過程を発見的に歩むのを援助すること，である」[6]．この定義においては「可能な限り来談者の全存在に対する配慮をもちつつ」という点と「来談者の人生の過程を発見的に」という部分を含む後半部がとくに重要である．

河合は，不登校の生徒の例をあげ，両親はもちろん本人も学校に行くことを望んでいても，その子がその家族の何代かにわたる重荷を背負っているような場合は，その問題について本人はもちろん，それを避けてきた両親も共に直面してゆくことが必要となってくるとしている．

さらに「発見的(heuristic)」という部分に関しては，「万人共通の方法や法則が決まっていてそれを『適用』するのではなく，そのつど，適切な道を『発見』しなくてはならぬことを意味している」としている[6]．

2 ● 科学者－実践家モデル（scientist-practitioner model）

このモデルは，心理師は実践家(practitioner)であるだけでなく，科学者(scientist)でもあることが必要だという考え方を示す．公認心理師は直接人と会って，専門的な対人援助をする実務家としての側面と，対象となるクライエントやその状況を専門知識に照らし合わせて，最適なサービスを検討する理論家(科学者)としての側面をもつ．

通常は前者が注目されがちではあるが，ほかの対人援助サービスの専門家との差別化という意味においては，後者の科学者としての側面のほうが重要であるともいえる．さらに科学者として研究活動も行える対人援助サービスの専門家として，心理師は大いにその独自性を発揮できるはずである．

ただし，その際に大切なことは，すでに十分に実証されたエビデンスに縛られるのではなく，エビデンスを十分に参照しながら，目の前のクライエントに最適なサービスを選択することが，科学者としての実践家のあるべき態度であるとい

▲フロイト，ジークムント（1856-1939）
オーストリアの精神科医．精神分析家．神経科学者を経て精神科医となり，無意識の影響力を重んじる精神分析を創始した．（写真：PPS通信社）

▲河合隼雄（1928-2007）
日本人として初めてユング派（分析心理学）分析家としての資格を取得し，ユング心理学の実践的理解と応用に貢献した．さらに，箱庭療法や夢分析などのユング派の技法にとどまらず，日本の臨床心理学全体の発展を牽引した．（写真：朝日新聞社／PPS通信社）

う点である．エビデンス・ベイストということは，原田隆之が明らかにしているように，数字だけを重視し人間性を軽視した方法などではなく，その定義のなかに「クライエントのナラティブ」を丹念に聞いて，それを尊重しながら，科学的なエビデンスを適用するということが含まれている[7]．したがって，いくらエビデンスのある治療技法であっても，それがクライエントの価値観や好みに合致しないのであれば，押し付けるようなことがあってはならないとしている．

　以上のように，非常に高度なバランスを備え，難しい職業として期待されるのが公認心理師である．そのため，次節の「自己課題発見・解決能力」も大いに求められるところとなる．

■ 引用・参考文献
1) 厚生労働省：公認心理師法（平成29年9月15日施行）
2) コーチンSJ：現代臨床心理学―クリニックとコミュニティにおける介入の原理（村瀬孝雄監訳）．弘文堂，1980
3) Sullivan HS：Conceptions of modern psychiatry. Washington Alason White Psychiatric Foundations, 1947
4) 土居健郎：専門性と人間性．心理臨床学研究9（2）：51-61，1991
5) フロイトS：フロイト著作集11―文学・思想篇Ⅱ．素人による精神分析の問題，第6版（池田紘一訳）．p159-235，人文書院，1999
6) 河合隼雄：心理療法序説．p3，岩波書店，1992
7) 原田隆之：エビデンス・ベイスト・プラクティス．臨床心理学17（4）：536-537，2017

2 公認心理師の法的義務と必要な倫理

1章 公認心理師としての職責の自覚

公認心理師の資格を有していれば，誰でも好きなように業務を行うことができるというわけではない．ルールに則って業務を行わなくてはならないのは当然である．心理師には2種類のルールが課せられている．法律上の義務と職業倫理上の要請である．

ここではその2つのルールについて取り上げる．

1 法的義務

1 ● 公認心理師法に明記されている義務

国家資格である心理師には，法律上，さまざまな規定が示されており，そのなかには義務も含まれている．公認心理師法(以下，法)第4章には「義務等」として，心理師が果たすべき義務が示されている．このうち，第44条(名称の使用制限)と第45条(経過措置等)を除いた義務を表1に示す．

法第4章に続く第5章では「罰則」が定められている．この罰則もあわせて表1に示すが，これをみると，心理師に求められている義務に対応する罰則は，第41条の「秘密保持義務」に違反した場合のみとなっている．

■ 表1 公認心理師の法的義務

	条文	罰則
(信用失墜行為の禁止) 第40条	公認心理師は，公認心理師の信用を傷つけるような行為をしてはならない．	
(秘密保持義務) 第41条	公認心理師は，正当な理由がなく，その業務に関して知り得た人の秘密を漏らしてはならない．公認心理師でなくなった後においても，同様とする．	第46条　第41条の規定に違反した者は，1年以下の懲役又は30万円以下の罰金に処する． 2　前項の罪は，告訴がなければ公訴を提起することができない．
(連携等) 第42条	公認心理師は，その業務を行うに当たっては，その担当する者に対し，保健医療，福祉，教育等が密接な連携の下で総合的かつ適切に提供されるよう，これらを提供する者その他の関係者等との連携を保たなければならない． 2　公認心理師は，その業務を行うに当たって心理に関する支援を要する者に当該支援に係る主治の医師があるときは，その指示を受けなければならない．	
(資質向上の責務) 第43条	公認心理師は，国民の心の健康を取り巻く環境の変化による業務の内容の変化に適応するため，第2条各号に掲げる行為に関する知識及び技能の向上に努めなければならない．	

そうなると，心理師にとって注意すべきことがらは，クライエントやその関係者の秘密を守ることだけではないかと思われる方もいるかもしれない．しかしそれは大きな誤解である．心理師には，第5章の罰則以外に「登録の取消し等」と「信用失墜行為の禁止」という処分が科せられる場合がある．

2 • 公認心理師法に明記されている罰則・処分

まず，心理師としての登録の取り消しについて説明する．心理師の試験に合格して心理師としての資格を取得した者は，「公認心理師登録簿に，氏名，生年月日その他文部科学省令・厚生労働省令で定める事項の登録を受けなければならない．」(法第28条)．そして，表2のいずれかに該当するような事態に陥った場合は，文部科学大臣および厚生労働大臣は，その心理師の登録を取り消すなどの処分を行わなくてはならないと定められている(法第32条)．

■ 表2　公認心理師法第32条における「登録の取消し等」について

第1項	一　第3条各号（第四号を除く．）のいずれかに該当するに至った場合
	二　虚偽又は不正の事実に基づいて登録を受けた場合
第2項	文部科学大臣及び厚生労働大臣は，公認心理師が第40条，第41条又は第42条2項の規定に違反したときは，その登録を取り消し，又は期間を定めて公認心理師の名称及びその名称中における心理師という文字の使用の停止を命ずることができる．

第3条には「欠格事由」が定められている．

法第32条第1項第一号に定める欠格事由と，第二号に定める虚偽または不正による登録については理解が容易であるものの，同条第2項について理解するためには，表1にも示した心理師の法的義務(以下の①〜③)について知る必要がある．

①信用失墜行為の禁止

「信用失墜行為」とは，もともと公務員について定められていたことがらである．公務員は英語で public servant とよばれることからわかるように，特定の個人や団体のために職務を行うのではなく，社会全体の公共の利益のために職務を遂行することが期待される職種である．そのため，職務の内外を問わず，高い基準に基づく公正な行為と生活態度を要求されており，公務員としての信用を傷つけるような行為や，あるいは，公務員全体の不名誉となるような行為は禁止されている[1]．同様の規定は，公務員ではないものの，心理師の関連職種である社会福祉士・介護福祉士(社会福祉士及び介護福祉士法第45条)や精神保健福祉士(精神保健福祉士法第32条)など，さまざまな職種に対し定められている．

法律には，この信用失墜行為が具体的に何をさすかは明記されていない．しかし，同様に信用失墜行為が法律上禁止されている国家公務員については，人事院が次のように示している．

人事院は「信用失墜行為には，職務上の行為だけではなく，勤務時間外の私生活上の行為も含まれる」として，5つの例をあげ，それぞれについて懲戒処分の内容を示している．たとえば，「帰宅途上の電車内において，他の乗客と口論と

なり，相手の顔面を殴るなどして傷害を負わせた」場合は「減給処分」，「自らが購入したマンションについて架空の賃貸借契約書を作成して職場に提出し，住居手当を不適正に受給した」場合は「停職処分」と明示されている[2]．これをもとに考えると，心理師は，業務上のみならず私生活においても，社会人として，また一個人として，自己の行動には十分に注意し，さまざまな法律を守り，常識ある行動をとらなくてはならないことがわかる．

②秘密保持義務

法第41条において秘密を守る義務が課せられている．この義務に違反すると，「1年以下の懲役又は30万円以下の罰金」(法第46条)という刑罰が科せられる．それに加えて，文部科学大臣および厚生労働大臣による処分である，心理師の登録取り消しなどの処分の対象となる．したがって，秘密を守ることは心理師にとってきわめて重要な義務であることがわかる．

秘密保持は法律上の義務だけではなく，後述するように，職業倫理上も重要な義務である．しかし，法律上の秘密保持と職業倫理上の秘密保持とのあいだには違いがある．そこで，秘密保持については本章4節(➡ p.25 参照)において詳しく説明することとする．

③連携など

法第42条第1項では，心理師は，クライエントへの適切な援助を行うため，他職種や関係者などとの連携を保つことが義務づけられている．そして第2項においては，クライエントに主治医がいるときには，その主治医の指示を受けなければならないこととなっている．第1項に関連する罰則はないが，第2項に違反した場合は心理師としての登録取り消しなどの対象となってしまう．

この条項では，クライエントが当該の支援に関して医師の治療を受けている場合は，心理師はその医師の指示を受けなければならないと定められているが，実際の業務のなかでこの義務を履行することは必ずしも容易ではない．

医療機関において，医師の治療を受けているクライエントに対して心理師が同時並行で援助を行う場合や，医師から紹介を受けて訪れて来たクライエントの場合は，そのクライエントに主治医がいることが容易に判断できる．しかし，心理師の職域は幅広く，教育機関を訪れたクライエントや，産業領域のクライエントの場合など，医師の治療と同時並行的に援助を行うとはかぎらないのが業務の特徴である．また，主治医の有無について心理師が尋ねたとしても，医師の治療を受けているか否かはクライエントのプライバシーにかかわることがらであり，クライエント自身がその旨を回答しないことも十分にありうる．そもそもクライエントは，自分自身のプライバシーを他人に話すことを強要されない権利を有している．さらには，クライエントが複数の医師の治療下にあることも考えられる．そうなると，主治医の指示を受けるというこの条文の規定を遂行することは，実務上は難しい場合もあろう．

この点について厚生労働省では，「公認心理師法第42条第2項に係る主治の医師の指示に関する運用基準について」[3]を作成している[*1]．それによれば，心理師が把握した状況に基づき，クライエントに主治医がいることが合理的に推測される場合には，心理師は，クライエントが不利益を受けることのないよう十分

 用語解説

＊1 主治の医師の指示に関する運用基準

巻末の付録(p.604)にもあるように，運用基準4の(3)「指示への対応について」において「公認心理師が，心理に関する知識を踏まえた専門性に基づき，主治の医師の治療方針とは異なる支援行為を行った場合，合理的な理由がある場合は，直ちに法第42条第2項に違反となるものではない．」とされている．心理師の側から過剰防衛的になったり，「指示が得られるまではクライエントに会えない」などの指示待ちになって，結果的にクライエントの不利益になることのないよう主体的な判断が求められる．

に注意を払いながら,主治医の有無を確認することが必要とされている.そして,クライエントの同意を得たうえで,クライエントに関する情報などを主治医に提供することによって主治医と密接に連携し,その指示を受けることが求められている.

この運用基準は今後改定される可能性が考えられることから,最新の運用基準を厚生労働省のホームページなどで確認する必要がある.

3 ● 資質向上の責務

ここまで述べてきた義務とは異なり,資質向上の責務(法第43条)には罰則が定められておらず,努力義務となっている.日本および海外の臨床心理学や関連する心理学諸分野において,さまざまな研究が日夜重ねられており,その成果として新たな技法が開発されたり,心理療法が適用される問題や症状がより明確となったり,より効果的な援助を行うための方法が明らかになるなど,多くの変化が今後も期待される.そのため,心理師は,常に最新の研究に接し,成果を吸収しながら,クライエントやその関係者への援助をよりよいものにしていく責任を有している.

2 職業倫理

心理師は単なる「職」や「仕事」ではなく,専門職であり,一人ひとりの心理師は専門家である.読者にとってはあたり前のことかもしれないが,このあたり前のことをまず吟味してみたい.

ある職種が単なる「職」ではなく「専門職」として社会から認められるためには,その分野に関する知識やスキルを有しているだけでは不十分である.表3に示すように,社会学的・組織論的にも,また法的にも,一定の条件を満たす必要がある.

■ 表3 「専門職」とみなされるための要件

・その業務に関する一般的原理が確立されており,体系的知識・技能を有している
・その理論的知識に基づいた体系的な知識・技術の習得に長期間の高度な訓練を要する
・免許資格制度が採用されている
・仕事へのコミットメントが強く,私利私欲ではなく公共の利益促進を目標としている
・職業全体(あるいは職能団体)としての倫理規範をもち,それを遵守する
・その職業集団(あるいは職能集団)に属する人々の訓練や行動を集団内でコントロールする自律機能を有している

文献4)5)6)7)8)9)をもとに作成

つまり,心理学についての知識やスキルを有しているだけでは「専門家」とよぶことはできない.職業倫理[*2]を職業集団内に周知徹底することは,ある職業が専門職として成立するための要件の1つである.「専門家」となるには,職業倫理の確立遵守など,一定の条件を満たしたうえで,周囲に認知されなくてはならないのである.

用語解説

＊2　職業倫理とジレンマ
　たとえば,スクールカウンセリングを担当する際,その対象である子どもから「絶対に言わないで」という条件つきで,自傷(あるいは他害)の状況を知らされたとする.このとき,心理師としての秘密保持義務を十分認識していたとして,現実的な"危険"をも認識している状況である.ここで秘密保持とリスクへの対応とのあいだに迷い(ジレンマ)が生じる.これは倫理的ジレンマである.この状況における対応のしかたについては本章の4節(p.25)を参照していただきたい.

1 ● 職業倫理の7原則

それでは心理師の職業倫理とはどのような事柄なのだろうか．メンタルヘルス領域の職業倫理は**表4**に示す7つの原則にまとめることができる[10]．

表4からわかるように，職業倫理的な義務・責任は法的義務よりも広範囲にわたる．これらの原則のうち，次節にて第1，第2，第3，および第6の原則について，第5の原則については4節において詳しく説明したい．

■ 表4　職業倫理の7原則

第1原則：相手を傷つけない，傷つけるようなおそれのあることをしない
相手を見捨てない，同僚が非倫理的に行動した場合にその同僚の行動を改めさせる，など

第2原則：十分な教育・訓練によって身につけた専門的な行動の範囲内で，相手の健康と福祉に寄与する
効果について研究の十分な裏付けのある技法を用いる．心理検査の施行方法を順守し，マニュアルから逸脱した使用方法（たとえば，心理検査を家に持ち帰って記入させる）を用いない．自分の能力の範囲内で行動し，常に研鑽を怠らない．心理師自身の心身の健康を維持し，自身の健康状態が不十分なときには心理師としての活動を控える．専門スキルやその結果として生じたもの（たとえば，心理検査の結果）が悪用・誤用されないようにする．自身の専門知識・スキルの誇張や虚偽の宣伝は行わない．専門的に認められた資格がない場合，必要とされている知識・スキル・能力がない場合，自身の知識やスキルなどがその分野での規準を満たさない場合は心理師としての活動を行わず，ほかの専門家にリファーするなどの処置をとる，など

第3原則：相手を利己的に利用しない
多重関係を避ける．クライエントと物を売買しない．物々交換や身体的接触を避ける．勧誘（リファーなどの際にクライエントに対して特定の機関に相談するよう勧めること）を行わない，など

第4原則：一人ひとりを人間として尊重する
冷たくあしらわない，心理師自身の感情をある程度相手に伝える，相手を欺かない，など

第5原則：秘密を守る
限定つき秘密保持であり，秘密保持には限界がある．本人の承諾なしに心理師がクライエントの秘密をもらす場合は，明確で差し迫った生命の危険があり相手が特定されている場合，虐待が疑われる場合，そのクライエントのケアに直接かかわっている専門家などのあいだで話し合う場合（たとえば，相談室内のケース・カンファレンスなど），などにかぎられる．ただし，いずれの場合も，クライエントの承諾が得られるようにしなければならない．また，記録を机の上に置いたままにしない，待合室などでほかの人にクライエントの名前などが聞かれることのないよう注意する，といった現実的な配慮も忘れないようにする必要がある．なお，他人に知らせることをクライエント本人が自身の自由意思で強制されることなく許可した場合は守秘義務違反にはならない

第6原則：インフォームド・コンセントを得て，相手の自己決定権を尊重する
十分に説明したうえで本人が合意することのみを行う．相手が拒否することは行わない（強制しない）．記録を本人が見ることができるようにする，など

第7原則：すべての人々を公平に扱い，社会的な正義と公正・平等の精神を具現する
差別や嫌がらせを行わない．経済的理由などの理由によって援助を拒否してはならない．一人ひとりに合ったアセスメントや援助を行う．社会的な問題への介入も行う，など

〔文献11）12）をもとに作成．金沢吉展：公認心理師の法的義務及び倫理．公認心理師現任者講習会テキスト．2018年版（一般社団法人日本心理研修センター監），p17，金剛出版，2018より転載〕

2 • 法と職業倫理の違い
①最低限の基準という法的な考え

　法と職業倫理はどちらも社会的規範，社会的なルールである点は共通しているものの，いくつかの重要な点で違いがある．まず，法は国家権力を背景にもち，最終的に国家の強制力が法の規範を実行することを保障している[13]．一方職業倫理とは，ある特定の職業（または職能）集団が自分たちで定め，その集団の構成員間の行為，あるいは，その集団の構成員が社会に対して行う行為について規定し，律する行動規範である[10]．

　法を犯した場合は，結果として死刑さえもありうるのであるから，法が人々に理想を課すことは難しい．法が要求することはどうしても最低限の基準になってしまう．「これさえもできないようであれば」国が刑罰をもって制裁を加えるという考え方になる．資格に関していえば，法律的には「免許」とは，「一般には許されない特定の行為を特定の者が行えるようにする行政処分」[13]と定義されている．一般の人には許されていないが，人々の益になる行為について，その行為を行うための最低限の基準を定め，その基準を満たすことのできる人のみに法的資格を与えることによって，一般市民を保護することが資格を定める目的である[14]．

②職業倫理の2つのレベル

　こうした最低限の基準という法的な考えとは異なり，職業倫理には2つのレベルがある．すなわち，命令倫理（「しなければならないこと」「してはならないこと」という最低限の規準に従って行動するレベル）と理想追求倫理（職業倫理原則についての理解のうえに立ち，専門家として目指す最高の行動規準を目指すレベル）の2つのレベルである[15]．「すべき」「してはならない」といった，禁止や命令というレベルだけではなく，それとは対極に位置する，理想追求という側面も有するのである．したがって心理師には，命令倫理の基準は当然満たしたうえで，クライエントや社会の多くの人々の幸福や安寧の追求，基本的人権の尊重といった，心理職としての理想を常に目指して業務を行うことが求められる．

　法律を犯した場合は，国家による罰が科せられる．一方，職業倫理は，その職業（または職能）集団が自分たちで定めるルールであるから，職業倫理に反した場合は，その集団によって処分が科せられることになる．本書執筆現在，心理師の職能集団はいくつか設立されているが，全国的レベルの心理師の職業倫理綱領はまだ作成されていない．現時点で日本の心理職の最大職能集団である一般社団法人日本臨床心理士会は，その倫理規程第10条において，厳重注意，教育・研修の義務づけ，一定期間内の会員活動の停止，退会勧告，除名を同会倫理綱領違反への処遇としてあげている[16]．今後，心理師の職能団体が同様の処分を検討する可能性がある．

　職能団体による処分だけではない．国家資格である心理師は，職業倫理に違反することにより，先述の信用失墜行為を行ったとみなされ，心理師としての登録取り消しなどの処分を受ける可能性もある．したがって心理師は，公認心理師法・職業倫理，両方の義務と責任を十分に自覚し，その責務を果たさなくてはならない．

　法的義務と職業倫理的責任は，現実場面においてどちらも複雑な判断を要求さ

れることがらであり，単に概念的知識を有しているだけでは対応できない．心理師は，教育研修を通じて，適切な判断と行動ができるよう，職業倫理的スキルを身につけることが必須である．

■ 引用・参考文献
1) 高橋和之ほか編：法律学小辞典．第5版，有斐閣，2016
2) 人事院：義務違反防止ハンドブック，2017
   https://www.jinji.go.jp/fukumu_choukai/handbook.pdf より2020年1月30日検索
3) 文部科学省・厚生労働省：公認心理師法第42条第2項に係る主治の医師の指示に関する運用基準について，2018
   https://www.mhlw.go.jp/file/06-Seisakujouhou-12200000-Shakaiengokyokushougaihokenfukushibu/0000192943.pdf より2020年1月30日検索
4) Goode, WJ：Encroachment, charlatanism, and the emerging profession: psychology, sociology, and medicine. American Sociological Review 25：902-965, 1960
5) Hall RH：Occupations and the social structure. 2nd ed. Prentice-Hall, 1975
6) 河上正二：「専門家の責任」と契約理論―契約法からの一管見．法律時報 67（2）：6-11, 1995
7) 下森定：日本法における「専門家の契約責任」．専門家の責任（川井健編），p9-50，日本評論社，1993
8) 田尾雅夫：組織の心理学．有斐閣，1991
9) 弥永真生：「専門家の責任」と保険法論の展望．法律時報 67（2）：12-17, 1995
10) 金沢吉展：臨床心理学の倫理をまなぶ．東京大学出版会，2006
11) Pope KS et al：Ethics of practice. The beliefs and behaviors of psychologists as therapists. American Psychologist 42（11）：993-1006, 1987
12) Redlich F et al：Editorial-ethics of mental health training. Journal of Nervous and Mental Disease 168（12）：709-14, 1980
13) 法令用語研究会編：有斐閣法律用語辞典．第4版，有斐閣，2012
14) Association of State and Provincial Psychology Boards：The purposes of the examination. Association of State and Provincial Psychology Boards, 1997
15) ジェラルド・コウリーほか：援助専門家のための倫理問題ワークブック（村本詔司監訳）．創元社，2004
16) 日本臨床心理士会：一般社団法人日本臨床心理士会倫理規程．日本臨床心理士会，2017
   http://www.jsccp.jp/about/pdf/sta_4_rinrikitei20170512.pdf より2020年1月30日検索
17) 金沢吉展：公認心理師の法的義務及び倫理．公認心理師現任者講習会テキスト，2018年版（一般社団法人日本心理研修センター監），p15-20，金剛出版，2018

3 支援を要する者などの安全性の最優先と利用者中心の立場

本章の 2 節において，公認心理師は専門職であること，専門職として認められるためには一定の条件を満たす必要があることを述べた．その条件の 1 つに，心理師自身の私利私欲のためではなく公共の利益への奉仕を旨とすることが含まれていた（➡ p.12 本章 2 節 表 3 参照）．

それでは，利用者の安全を守り，利用者の利益を最優先させた業務を行うために，心理師はどのようなことに注意すればよいのだろうか．以下，p.13 の**表 4**「職業倫理の 7 原則」に照らしながら述べていく．

1 クライエントへの援助について，十分な知識・スキルを有しているか（第 2 原則）

心理師が，そのクライエントや周囲の人々への援助について，適切かつ十分な知識やスキルを有していない場合，どのようなことが起こるだろうか．心理療法の効果に関する研究によれば，クライエントの 5 〜 10％ に状態の悪化が生じることが示されており，悪化をもたらす要因の 1 つに，心理職側の不十分なスキルがあげられている[1]．心理師は投薬や手術を行うわけではなく，言葉による援助を行う．しかし，言葉による援助であるからといって，クライエントを傷つけることがないというわけではない．相手に対する誹謗中傷や，言語的・身体的な暴力は決して許されないが，それだけではなく，知識やスキルという点についても注意が必要である．

したがって心理師は，クライエントやその周囲の人々が抱える問題が自分自身の専門的な知識・スキルの範囲内のことがらなのか，的確かつ迅速にアセスメントを行い，範囲外のことがらについては，そのことがらについて適切に対応できる人・機関に依頼しなければならない[2]．たとえば，クライエントが意欲を失い意気消沈している場合，それは心理師である自分が対応できることがらなのか，医師の対応が必要な抑うつ状態なのか，正確かつ迅速に判断しなくてはならない．

ここで問題となるのは，そのクライエントや周囲の人々への援助に関する，「適切かつ十分な知識やスキル」をどのように判断するか，その判断基準である．この判断については，主として法的な判断基準である「注意の標準」と，倫理綱領にみられる基準をもとにした判断の 2 つがある[2]．

1 注意の標準

この判断基準は，医療における「医療水準」の考え方に準じた判断のしかたである．医療水準とは，その診療時点で医師に求められる医学的知識・技術とされ，実際の治療の指針となる医療実践の水準をさす[3,4]．したがって医師は，医学の進歩に伴う新たな知識・技術を修得し，常にその時点の水準に達すべく研さんを積む義務を負うことになる．

その時点でのその職業における水準を満たすことは，医師以外の職にも求めら

れており,「注意の標準」とよばれている.「注意の標準」とは,「特定の情況のもとでの過失の有無を判定するための標準」であり,通常は,「その情況におかれた通常人が払うと考えられる注意の程度が基準となる」が,「医師のように特別の技量を要する職業にある者の業務に関しては,その職業に従事する者としての通常人の基準による」とされている[5]).

心理師の場合,「注意の標準」の判断基準に該当するのは,心理師が教育を受けるテキストに記載されていることがらや,テキストよりもさらに専門的な内容から構成されている,国内外の学会などによるさまざまなガイドラインと考えられる.これらは,臨床心理学などにおける研究と実践の蓄積の上に立ち,どのようなクライエントに対してどのように対応することが有効なのか,分野全体としてある程度の統一見解を示すものである.心理師は上記の医師と同様に,分野の進歩に伴う新たな知識・技術を修得し,国内外のさまざまのガイドラインや実証的研究の内容を吸収して,常にその時点の知識やスキルの水準に達すべき義務を負っているといえる.

2 ● 教育・訓練・経験に基づく専門的能力

心理学の職業倫理として示される基準は,自身の教育や訓練,経験に基づく専門的能力である(表1).

法的な「注意の標準」も倫理綱領にみられる「教育・訓練・経験に基づく専門的能力」も,一般的な判断ではなく個別具体的な行為に関する判断である.したがって後者の基準も,たとえば児童虐待については児童虐待に関する教育,訓練,経験をさし,犯罪被害者への援助については,犯罪被害者への援助についての教育,訓練,経験をさす.

自身の専門的能力の範囲内で援助を行うこと,そして,常に実践上の水準に達するよう研鑽を怠らないということは職業倫理上の要請である.一方,前節で述べたように,「公認心理師法」には,資質向上の責務(法第43条)が規定されている.この責務には罰則が定められておらず,努力義務となっているものの,職業倫理上も法律上も,心理師は,常に新たな研究の成果を吸収し,クライエントやその関係者などへの援助をよりよいものにしていく責任を有しているのである.

■ 表1 教育・訓練・経験による基準

教育	座学で行われる教育であり,大学院レベルでの講義や演習,卒後研修での講義などが考えられる
訓練	科目分類でいえば実習と考えてよい
経験	スーパーヴィジョンを受けて得られた実務経験および専門的な経験が含まれる

〔文献2)をもとに作成.金沢吉展:心理に関する支援を要する者等の安全の確保.公認心理師現任者講習会テキスト,2018年版(一般財団法人日本心理研修センター監),p22,金剛出版,2018より転載〕

2 相手を見捨てるような言動を行っていないだろうか(第1原則)

上記に,自身の専門的能力の範囲内で援助を行う必要があることを説明した.

そうなると，自身の範囲外のことがらを抱えたクライエントについては，その問題に対して適切な援助を行うことができる人あるいは機関に紹介しなければならない．この「紹介」は「リファー」とよばれている．

ここでは，リファーについての注意点[2)]を説明したい．

1 • リファーの時期

クライエントは，自分自身がどの機関で援助を受けるかについて決める権利を有している．したがって，他機関あるいはほかの専門家へのリファーが必要と判断される場合は，できるだけ早い時期，可能なかぎり初回面接の時点で行う必要がある．クライエントの立場から考えると，何度も通った後でリファーを言われた場合，それまでの時間・労力・費用を返してほしいという気持ちになるのは当然である．早い段階でのリファーを可能にするためには，初回面接の時点における的確なアセスメントが不可欠である．

他機関にリファーを行う場合には，インフォームド・コンセントの原則から，複数のリファー先を心理師が提示して，クライエントが次の機関・専門家を自身で決めることができるよう，援助する必要がある[2)]．また，この場合には，次の機関・専門家へクライエントについて情報提供を行う場合があるが，この情報提供についても，インフォームド・コンセントの原則から，クライエントの承諾を得たうえで行わなければならない（インフォームド・コンセントについては➡本節p.22および4節p.30参照）．

2 • 心理師の不在時における対応

早期の段階でのリファーとは異なり，クライエントの状態・状況の変化が生じた場合のように，クライエントとある程度の期間面接などを行ってからリファーについて判断しなければならない場合もある．なかでも，心理師が不在となる状況については注意すべき点がある．

心理師あるいは心理師の家族が急病に罹患する，事故にあうなど，心理師自身が急に不在とならざるを得ない場合もある．そのような場合，社会的な常識として，当該心理師の不在を伝えられた職場の同僚などは，その心理師のその日の予約を変更し，クライエントに連絡するなどの対応が必要となる．

しかし，心理師の不在が長期にわたる場合や，最悪の場合は心理師が亡くなるという事態もありうる．したがって，心理師が突然不在となった場合にどうするか，ふだんから突然の不在時の対応マニュアルを作成し，クライエントに関する記録を最新の内容にしておくこと，相談室のほかのスタッフもクライエントの氏名や予約・連絡先などがわかるようにしておくこと，そして，不在の場合の対応についてクライエントが希望する方法を明確にしておき，実際に不在という事態が生じた場合は，クライエント一人ひとりの意思を尊重して対応することが大切である[6)7)8)]．

一方，退職や異動，出産・育児のための休暇などのように，心理師の不在がある程度の時間的余裕をもって判明する場合もある．このような場合は，心理師の退職などが確定後，できるだけ早い時点でクライエントに説明し，心理師の不在

がクライエントにとってどのような意味や影響があるか，当初に設定した目標はどの程度達成することができたのか，クライエントにとって今後の課題はどのようなことかなどについて，話し合うことが必要である[2]．それによって，他機関などへのリファーを行うか，その時点で終結とするか，クライエントの意向を尊重しながら，もっとも適切な対応は何か，話し合うことが求められる．

3 自分自身の都合や利益，欲求のために援助を行っていないだろうか（第3原則）

1 ● 多重関係

クライエントは援助を受けるために来談しており，自分自身にとって最善の対応を受ける権利を有している．心理師が相手に対して最善の対応を行うためには，クライエント–心理師関係が個人的な関係になってしまったり，利害の対立するような関係に陥ってはならない．

この原則に関する状況として，多重関係の問題が知られている．多重関係とは，心理師が複数の専門的関係のなかで業務を行っている状況だけではなく，心理師が，専門家としての役割とそれ以外の明確かつ意図的に行われた役割の両方の役割を行っている状況をさす．これらの役割・関係が同時に行われる場合も，相前後して行われる場合も，両方が多重関係に含まれる[9]．たとえば，心理師とクライエントという同じ2人の人間が，相談室でのカウンセラー–クライエント関係だけではなく，友人あるいは知人，学校の教員と生徒，あるいは，2人の子どもが地元のサッカークラブで一緒，といった具合に，心理師とクライエントが，心理師–クライエント関係に加えて，それ以外の関係をもってしまう場合である（図1）．また，心理師やその関係者への利益誘導と解されるような行為〔たとえば，リファーの際に，特定の機関（たとえば，心理師自身が勤務している別の相談機関）にクライエントのリファーを行う〕，商取引および物々交換も多重関係と解される行為であり，いずれも禁止されている[2]．

心理師–クライエント関係には，客観性や中立性が必須の条件である．しかし，

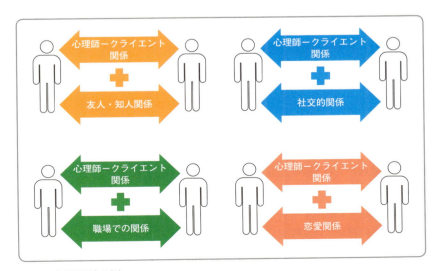

図1　多重関係の例

同じ2人の人間がほかの関係ももつことによって，中立性や客観性が侵されてしまい，利害の対立や個人的な意見がからんでしまうおそれがある．自分がすでに知っている人物をクライエントとして受け入れた場合，心理師の側には，以前からもっている関係や知識や印象から，すでに「予断」や「偏見」をもっている可能性がある．心理師の側がすでにバイアスをもって接しているのであるから，正確なアセスメントを行うことは不可能である．また，クライエントの秘密や心理的葛藤などを知ることによって，クライエントを一層弱い立場に陥れる可能性がある．

一方，クライエント側からみると，心理師に知られることがらがどこまで心理師−クライエント関係以外の自分自身の生活にかかわってくるか混乱し，十分に打ち明けることができないおそれがある．仮に教員が生徒をクライエントとして対応した場合，生徒の側は，自身の困難を心理師（教員）に話すことによって，成績評価の点で不利な影響がもたらされるのではないかという懸念をぬぐうことはできないであろう．その結果，最善の対応を受ける機会を失ってしまう可能性がある．このようにさまざまなリスクが生じることから，多重関係は問題とされ，禁じられている[9)][10)]．

多重関係の問題のなかで，とりわけ，心理職−クライエント間の性的な関係は，クライエント側にしばしば精神医学的問題を引き起こすことが報告されており[11)][12)][13)]，重大な倫理違反である．そして，性的多重関係を含む多重関係の問題は，心理学における職業倫理的問題としてもっとも多いことが知られている[14)]．

しかし，性的多重関係と非性的多重関係はまったく異質のものではない．多重関係に関する研究によれば，性的多重関係の問題が生じた当事者間には，性的多重関係の前にさまざまな非性的多重関係あるいはさまざまな境界越え行動（たとえば，心理職が自分自身の個人的ことがらについて話をする，相談室にほかに誰もいない時間に面接を行う）が行われていたことが示されている[10)][15)][16)]．したがって，友人・知人関係，社交的関係といった非性的多重関係を避けることが，性的多重関係の防止につながるといえる．

2 • 心理師側の動機

上記に説明した問題以外にも，心理師側の利益について吟味すべきことがある．その1つは，自分が心理師になろうとした動機，そして，現在心理師として仕事を行っている動機である．世の中にはたくさんの職種があるが，それらの膨大な選択肢のなかで，なぜ自分はこの仕事を選び，また，なぜ今もこの仕事を続けているのだろうか．心理職の人々が心理職を志し，また，仕事を続ける動機についての研究は興味深いことを教えてくれる．

これらの研究では，心理職の人々の多くが，自分自身や自分の身近な人々が問題を抱えていたという経験を有しており，それに対して自分が十分に対応を行うことができなかったという不全感や，人の心への興味関心といった，主として個人的な理由から心理職を志していること，そして，クライエントの変化・成長をみることへの喜びだけではなく，経済的な理由からも心理職を継続していることが示されている[17)][18)][19)]．そうなると，クライエントにかかわることによって自分自身の有能感を得たり，クライエントとのあいだに形成される密接な関係に充

実感を覚えたり，必要以上に近い関係をクライエントとのあいだに形成して自分自身の不全感を充足させることは，心理師側の動機を満たすことにつながる．さらには，主訴が解決されているにもかかわらずクライエントが来談し続けることによって心理師側の経済的な必要性が満たされるなど，心理師自身の動機はさまざまな形で心理師側の利益優先につながってしまう可能性がある．

3 ● 心理師がおかれている立場

心理師がおかれている立場も心理師の行動に影響を与える．自分自身の職場での立場，周囲との人間関係，「空気を読む」ことや，自身の仕事のやりやすさなどを優先させて対応してしまうことがある．「する側」の都合とクライエントの保護を比べると，後者を優先すべきなのは当然であるが，組織の一員である心理師には必ずしも容易ではない．

さらには，心理師の感情も実際の援助活動に影響する．自身の家庭内でのいざこざがあると，クライエントへの援助に集中できないだけではなく，自身の抱えている問題と類似した問題を訴えるクライエントについて客観的に対応することは難しくなるかもしれない．クライエントに対して「かわいそう」「うらやましい」など，心理師もさまざまな感情を抱くが，それが自身の行動になんらかの影響を及ぼす可能性は大きい．

こうした心理師側の要因について，心理師は気づいていないことも多いのである．そして，ともすれば，自分は正しいという自己正当化に陥ってしまうこともある．本来であれば自分ではなくほかの専門家が対応すべきであるにもかかわらず自分が対応してしまうこともある．

心理師も人間である．クライエントとのかかわりにおける自分自身の動機，欲求や感情などに気づき，吟味し，それをコントロールすることは，心理師にとって不可欠の責務である[20]．加えて，心理師がクライエントに対する適切な援助を行い，自身の抱える課題についても客観的に判断することができるよう，スーパービジョン(➡ p.46 第2章2節参照)やコンサルテーションは欠かすことができない．

4 相手に十分に説明して同意を得ているだろうか(第6原則)

心理師はクライエントに対して，心理師が行う援助の内容や情報の扱い方などについて十分に説明を行ったうえで(表2)，クライエントが強制されることなく自由意思で同意する(あるいは拒否する)権利を保障しなければならない．

インフォームド・コンセントは，心理師とクライエントのあいだの契約にかかわることである．援助契約を結ぶかどうかを決めるのはクライエントである．一方，説明を行う責任は心理師が有している．したがって，心理師が援助を行うためには，両者の関係のできるだけ早い時点で表2に示されることがらについて心理師が説明し，クライエントから同意を得ること，インフォームド・コンセントのやりとりについてたとえば図2のような同意書[*1]を作成し，明確に記録しておくことが必要である[21]．

用語解説

*1 同意書

同意書をはじめ，面談の記録など業務に関する記録を適切に保管することが求められる．たとえば「医師法」によれば，診療録の保管期間は5年と定められており，これらの法は参考となる．

クライエントとのあいだでインフォームド・コンセントを得ることは，職業倫理上の要請だけではない．十分に説明を行ってインフォームド・コンセントを得ることは，心理職に対するクライエントからの評価を高め[22)23)]，心理的援助に対するクライエントの理解を促進する[24)]ことが示唆されている．インフォームド・コンセントは，職業倫理的にも心理的支援の実践上も，不可欠な要素なのである．

■ **表2　インフォームド・コンセントの具体的内容**

1	**援助の内容・方法について**
	①援助の内容，方法，形態，及び目的・目標は何か
	②その援助法の効果とリスク，及びそれらが示される根拠は何か
	③他に可能な方法とそれぞれの効果とリスク，及び，それらの他の方法と比較した場合の効果などの違い，及びそれらが示される根拠は何か
	④公認心理師が何の援助も行わない場合のリスクと益は何か
2	**秘密保持について**
	①秘密保持のしかたと限界について
	②どのような場合に面接内容が他に漏らされる・開示されるのか
	③記録には誰がアクセスするのか
3	**費用について**
	①費用とその支払い方法（キャンセルした場合や電話・電子メールでの相談などの場合も含めて）はどのようにすればよいのか
	②クライエントが費用を支払わなかった場合，相談室はどのように対応するか
4	**時間的側面について**
	①援助の時・時間，場所，期間について
	②予約が必要であれば，クライエントはどのように予約をすればよいのか
	③クライエントが予約をキャンセルする場合や変更する場合はどのようにすればよいのか
	④予約時以外にクライエントから相談室あるいは担当の公認心理師に連絡をする必要が生じた場合にはどのようにすればよいのか
5	**公認心理師の訓練などについて**
	①公認心理師の訓練，経験，資格，職種，理論的立場などについて
	②当該の相談室（等）の規定・決まりごとなどについて
6	**質問・苦情などについて**
	①クライエントから苦情がある場合や，行われている援助に効果が見られない場合には，クライエントはどのようにしたら良いか
	②クライエントからの質問・疑問に対しては，相談室・臨床家はいつでもそれに答えるということ
	③カウンセリング（など）はいつでも中止することができるということ
7	**その他**
	①当該相談室は，電話やインターネット，電子メールでの心理サービスを行っているかどうか
	②（クライエントが医学的治療を受けている最中であれば）当該相談室は担当医師とどのように連携をとりながら援助を行うのか

〔金沢吉展：臨床心理学の倫理をまなぶ．p214-215，東京大学出版会，2006を一部改変，および金沢吉展：情報の適切な取扱い．公認心理師現任者講習会テキスト，2018年版（一般社団法人日本心理研修センター監），p31，金剛出版，2018より転載〕

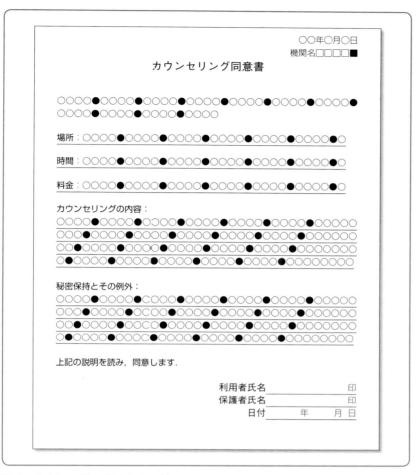

図2 カウンセリング同意書の例

■ 引用・参考文献

1) Lambert MJ: The efficacy and effectiveness of psychotherapy. Bergin and Garfield's handbook of psychotherapy and behavior change, 6th ed (Lambert MJ), p169-218, Wiley, 2013
2) 金沢吉展:臨床心理学の倫理をまなぶ. 東京大学出版会, 2006
3) 大谷實:医療行為と法(新版補正版), 弘文堂, 1995
4) 田中実ほか:医療の法律紛争—医師と患者の信頼回復のために, 有斐閣, 1986
5) 田中英夫ほか編:英米法辞典. 東京大学出版会, 1991
6) 金沢吉展:心理に関する支援を要する者等の安全の確保. 公認心理師現任者講習会テキスト, 2018年版(一般財団法人日本心理研修センター監), p21-26, 金剛出版, 2018
7) Guy JD et al: Impact of therapists' illness or accident on psychotherapeutic practice: Review and discussion. Professional Psychology: Research and Practice 17: 509-513, 1986
8) Pope KS et al: Ethics in psychotherapy and counseling: A practical guide for psychologists. Jossey-Bass, 1991
9) Sonne JL: Multiple relationships: does the new ethics code answer the right questions? Professional Psychology: Research and Practice 25 (4): 336-343, 1994
10) Borys DS et al: Dual relationships between therapist and client: A national study of psychologists, psychiatrists, and social workers. Professional Psychology: Research and Practice 20 (5): 283-293, 1989
11) Disch E et al: Sex in the consulting room, the examining room, and the sacristy: Survivors of sexual abuse by professionals. American Journal of Orthopsychiatry 71 (2): 204-217, 2001
12) 小此木啓吾:治療者・患者間のセックス. 精神療法 18 (5): 422-433, 1992

13) Pope KS：Sexual involvement with therapists：Patient assessment, subsequent therapy, forensics. American Psychological Association, 1994
14) American Psychological Association, Ethics Committee：Report of the Ethics Committee, 2010. American Psychologist 66（5）：393-403, 2011
15) Lamb DH et al：Sexual and nonsexual boundary violations involving psychologists, clients, supervisees, and students：Implications for professional practice. Professional Psychology：Research and Practice 29（5）：498-503,1998
16) Somer E et al：Therapist-client sex：Clients' retrospective reports. Professional Psychology：Research and Practice 30：504-509, 1999
17) 金沢吉展ほか：心理臨床家を志した当初の動機と現在の動機に関する質的分析．明治学院大学心理学紀要 23：137-147，2013
18) 上野まどか：カウンセラーを志望する大学院生の動機と臨床実践で感じる困難との関係．明治学院大学心理学研究科心理学専攻紀要 15：9-26，2010
19) 上野まどかほか：心理臨床家の志望動機のタイプと属性の関連についての探索的検討．心理臨床学研究 33（2）：105-115, 2015
20) マリアン・コーリィほか：心理援助の専門職になるために—臨床心理士・カウンセラー・PSWを目指す人の基本テキスト（下山晴彦ほか訳）．金剛出版, 2004
21) American Psychological Association：Ethical principles of psychologists and code of conduct. American Psychological Association, 2017
22) Sullivan T et al：Practical benefits of informed-consent procedure：An empirical investigation. Professional Psychology：Research and Practice 24：160-163, 1993
23) Walter M I et al：Informed consent for mental health counseling：Effects of information specificity on clients' ratings of counselors. Journal of Mental Health Counseling 18：253-262, 1996
24) Dauser PJ et al：Effects of disclosure of comprehensive pretherapy information on clients at a university counseling center. Professional Psychology：Research and practice 26（2）：190-195, 1995
25) 金沢吉展：情報の適切な取扱い．公認心理師現任者講習会テキスト，2018年版（一般財団法人日本心理研修センター監），p27-32，金剛出版, 2018

1章
公認心理師としての
職責の自覚

4 守秘義務と情報共有の適切性

　本章第2節においてすでに説明したように，クライエントやその周囲の人々について見聞きしたこと，知ったことを，本人以外にはもらさないということは，公認心理師にとって法的にも職業倫理上もきわめて重要な責務である．このことは，「守秘義務」や「秘密保持」という言葉としてすでにご存知であろう．海外での調査では，クライエントを含む一般の人々は，心理職が秘密を保持するのは当然のことと考えており，心理職による他者への開示や漏洩については強い批判があることが示されている[1)2)3)]．

　その一方で，状況によっては，クライエントの周囲の人々と協働してクライエントへの援助を行うことがむしろ有益である場合もある．たとえば，産業領域において，仕事上のストレスに悩んでうつ状態に陥っているクライエントを援助する場合を考えてみよう．心理師とクライエントとのあいだで，認知行動療法を用いてクライエントに援助を行うことが考えられる．しかし，クライエントへの援助のみによって，クライエントが抱えている職務上の問題が解決あるいは緩和されるとはかぎらない．クライエントの職場の上司が状況を理解して，クライエントの業務自体を勘案したり業務内容を変更したりすることがなければ，仮に心理師-クライエント間で援助効果がみられたとしても，結局クライエントは元の状態に戻ってしまうおそれがある．また，復職にあたっては，そのクライエントが勤務する職場の産業医が復職について判断を行い，すこしずつ業務を増やしていくという職場での現実的な対応も必要である．

　あるいは，学校での問題を抱えている生徒に対してカウンセリングを行うという状況を考えてみると，ここではその生徒の担任教諭の役割も大きいといえる．その生徒を取り巻くクラスの状況に変化をもたらすことが，その生徒にとって大きな意味をもつことも多い．

　さらに，「公認心理師法」第42条では，クライエントへの援助を行う際，「保健医療，福祉，教育等が密接な連携の下で総合的かつ適切に提供されるよう，これらを提供する者その他の関係者等との連携を保たなければならない」として，他職種との連携が義務づけられている．

　このように，心理師には，クライエントやその周囲の人々についての秘密を守ることと，必要な場合は，当該の援助にかかわる関係者や他職種とのあいだで情報共有を行い，クライエントの最大限の福祉を目指すという，矛盾する義務が課せられていることになる．

　この相反する義務について正しく理解するためには，まず，「秘密を守る」ことについて理解する必要がある．

1　守秘義務とは何か

　「守秘義務」（秘密保持義務）という言葉を知っているだけでは，「守秘義務」を

理解したことにならない．そもそも，なぜ心理師はクライエントやその周囲の人々に関する秘密を守らなければならないのだろうか．秘密を守ることの本質を理解するためには，次のように，秘密を守らなかったらどうなるかを考えてみることが役に立つ[4]．

仮に，心理師がクライエントが話す内容や氏名などを他者に話したとしよう．世間は狭い．早晩，クライエント本人の耳にも，心理師が話したことが伝わってしまう．するとどうなるだろうか．きっとクライエントは激怒し，落胆し，心理師を信用しなくなってしまうだろう．心理師全員がこのようなことを行ったらどうなるだろうか．心理師は職を失うが，それだけではない．心理師の援助を必要としている人々が援助を受けられなくなってしまうことになる．秘密が守られないのであれば，現在のクライエントのみならず，心理師による援助が今後必要となる人々も，援助を求めることを諦めてしまうかもしれない．そうなると，支援を必要とする人々は行き場を失くし，孤独で追い詰められた状況になってしまうおそれがある．どのような社会になるだろうか．

人々は，そもそも他人にはなかなかいえないような悩みや困難を心理師に相談する．絶対にもらされることがないという心理師に対する絶大な信頼がなければ，心理師としての役割を果たすことができない．クライエントやその周囲の人々について，心理師が知り得たことがらを他者にもらさないということは，人々が心理的援助を受け，問題が緩和され，より多くの人々が幸福に生きることができるようにするために不可欠かつ最低限の条件である．

この説明からわかるように，秘密保持ということがらの根幹は，「秘密を守る」ことではなく，人々やクライエントが心理師に対して絶対的な信頼を寄せることである[4]ということを忘れてはならない．

秘密保持や守秘義務については，こうした絶対的秘密保持の考え方が長く維持されてきた．しかし現在では，条件によっては，クライエントなどの秘密を他者に伝えることが認められる（場合によっては必要とされる）という条件つき（あるいは限定的）秘密保持の考え方が主流となっている[5,6]．

現時点における秘密保持の例外状況は**表1**に示すとおりである[4,7]．

■ 表1　秘密保持の例外状況

①明確で差し迫った生命の危険があり，攻撃される相手が特定されている場合
②自殺など，自分自身に対して深刻な危害を加えるおそれのある緊急事態
③虐待が疑われる場合
④そのクライエントのケアなどに直接かかわっている専門家同士で話し合う場合（相談室内のケース・カンファレンスなど）
⑤法による定めがある場合
⑥医療保険による支払いが行われる場合
⑦クライエントが，自分自身の精神状態や心理的な問題に関連する訴えを裁判などによって提起した場合
⑧クライエントによる明示的な意思表示がある場合

〔文献4〕をもとに作成．金沢吉展：情報の適切な取扱い．公認心理師現任者講習会テキスト，2018年版（一般財団法人日本心理研修センター監），p28，金剛出版，2018より転載〕

2 秘密保持の例外状況

表1に示される例外状況のうち，本稿では以下の5点について説明したい．

1 • 明確で差し迫った生命の危険があり，攻撃される相手が特定されている場合

この原則は，有名な「タラソフ判決」から導き出された警告義務（あるいは保護義務）が適用される状況である．タラソフ事件は，アメリカのカリフォルニア州で起こった殺人事件である．この事件の被害者の両親が起こした民事裁判において，カリフォルニア州最高裁は，その判決のなかで，患者（クライエント）が他者に対する暴力という点で深刻な危険を呈していると判断される場合は，専門家に対して表2に示す義務を履行するよう求めた[8]．

■ 表2　警告義務

①犠牲者となりうる人に対してその危険について警告する
②犠牲者となりうる人に対して危険を知らせる可能性のある人たち（家族や親しい友人など）に警告する
③警察に通告する
④ほかに，その状況下で合理的に必要と判断される方法を，どのような方法であっても実行する

〔文献8）をもとに作成．金沢吉展：心理に関する支援を要する者等の安全の確保．公認心理師現任者講習会テキスト．2018年版（一般財団法人日本心理研修センター監），p23，金剛出版，2018より転載〕

タラソフ判決においては，犠牲者となりうる人に対する警告を重視していた（警告義務）が，それ以後のアメリカにおける判決では，犠牲者となりうる人を積極的に保護することを専門家に対して求めていることから，「保護義務」とよばれるようになっている．また，生命の危険という点では自殺も同様であるため，この義務は現在では自殺についても適用される[4]．

どのような場合に保護義務が発生するか，その判断の際に有用なポイントは，ⓐ当事者間に特別の信頼に裏付けられた関係が存在する状況において，ⓑ犠牲者となりうる人が特定できること，かつ，ⓒ明確で切迫した危険が存在する，また，その危険が予測できる場合，の3点である[10]．したがって心理師は，状況に応じて，他殺についての危険[11]に関するアセスメントを行い，危険が明確かつ切迫していると判断された場合は，最終的に上述の保護義務を履行する必要がある．

しかし考えてみると，明確で切迫した生命の危険にさらされている人を保護し，警察に通告することは，心理師でなくとも可能な行動である．保護義務の履行にとどまらず，医師との連携を密にする，危険行為を行うことが可能な状況や機会を与えない，心理的援助をより集中的に行うなどのリスクマネジメントと，自身が行ったことがらの明確な記録が心理師には求められる[12]．

人々やクライエントから心理師に対して寄せられる絶対的な信頼を裏切らないこと，そのために心理師は秘密を守ること，こうした絶対的な秘密保持の考え方が通説であったにもかかわらず，秘密保持に例外が設けられたということはきわ

めて重大なことである．タラソフ判決以後，**表1**の②以下の例外状況が考えられるようになってきたが，いずれも，①のように生命にかかわるような重大状況に匹敵する状況であることを銘記しておく必要がある．

2 ● 自殺など，自分自身に対して深刻な危害を加えるおそれのある緊急事態の場合

前項は他殺に関する状況であるが，生命にかかわるような重大な事態という点では自殺や自傷も同様である．前述のⓐ～ⓒの3点[10]のうち，心理師が援助を行う相手とのあいだにはすでにⓐの関係が存在していると考えられる．また，自殺の場合，相手は特定されていることから，ⓑの条件は満たされている．したがって心理師にはⓒについての判断が求められる．他殺の場合と同様，状況に応じて，自殺についての危険[13][14]のアセスメント（リスクアセスメント）を行い，危険が明確かつ切迫していると判断された場合は，クライエントの安全を確保し，家族に連絡を行うなど，最終的に上述の保護義務を履行する必要がある．

むろん，前項と同様，単に保護義務の履行にとどまらず，医師との連携を密にする，医師に入院についての依頼を行って，クライエントが危険行為を行うような場所から離す，心理的援助をより集中的に行うなどのリスクマネジメントと，自身が行ったことがらの明確な記録を行うことはいうまでもない[12]．

3 ● 虐待が疑われる場合

今日，虐待にはさまざまな状況があることが知られているが，虐待が疑われる状況を秘密保持の例外状況とみなすようになった背景には児童虐待の悲惨な状況が関係している．児童虐待が疑われる場合，その状況を知り得た専門家に対して，その情報を関係機関に報告することを求めたのは，タラソフ原則と類似した考え方である．つまり，相談内容というクライエント自身のプライバシーを保護するか，それとも，児童を守るかという，個人の利益と公共の利益を比較した場合，クライエント個人のプライバシーを侵したとしても，児童を守ることのほうが社会にとってより重要であり，公共の利益に適うという考え方である[4]．

このように，虐待に関する状況は，もともとは職業倫理的な観点から，秘密保持の例外状況として扱われていた．しかし今日の日本においては，児童虐待（児童虐待の防止等に関する法律），障害者への虐待（障害者虐待の防止，障害者の養護者に対する支援等に関する法律），高齢者への虐待（高齢者虐待の防止，高齢者の養護者に対する支援等に関する法律），配偶者への虐待（配偶者からの暴力の防止及び被害者の保護等に関する法律）について，それぞれ，虐待の被害者を守ることが法律上求められており，そのために，関係機関などと情報を共有することが法的にも必要となっている．

このように，危機介入を的確に行うことも心理師の役割である．

4 ● そのクライエントのケアなどに直接かかわっている専門家どうしで話し合う場合（相談室内のケース・カンファレンスなど）

これは**表1**の状況のうち，もっとも対応が難しい状況であるといえる．本来は秘密にされるべき情報を知る人が増えることは，その情報がもれてしまう危険性

が高くなることにつながる．実際，職場の同僚からクライエントについての情報が口外された例が報告されており[15]，専門家間の情報共有には細心の注意が必要である．

　心理師は，教育現場や産業領域，虐待にかかわる状況など，さまざまな場で業務を行っており，クライエントとのあいだの1対1の援助だけではなく，ほかの人々と協働してチームで援助を行う機会が増えている．この場合の援助チームは，心理師のみならずさまざまな職種の人々で構成されている．これらの人々のなかには，法律上，秘密保持が定められた職種の専門家だけではなく，職業倫理や守秘義務に関する規定が設けられていない職種や，場合によっては一般の人がチームに加わることもある．また，一口に法律上の秘密保持を定められている職種といっても，各職種の教育訓練内容の違いや個々人のとらえ方の違いなどによって，クライエントの「秘密」をどのように扱うか，違いがあることも事実である．このような状況もあり，いわゆるチーム内守秘義務については法律上課題があることが指摘されている[16]．

　「個人情報の保護に関する法律」は，個人に関する情報を取得する際に取得目的を特定することや，本人の同意なしに本人に関するデータを第三者に提供することの禁止などを定めている．さらに，アメリカ心理学会（APA：American Psychological Association）の倫理綱領では，他者への報告やコンサルテーションに際しては，その目的に必要な情報のみを伝え，当該の問題に明らかに関係していると判断される人々とのあいだでのみ，また，科学的あるいは専門的な目的のためにのみ，秘密の情報を話し合うこと[17]，情報を開示する場合はクライエントの同意が必要であること．本人の同意なしに開示する場合は，法律によって義務づけられている場合または法律上認められている場合にかぎる[17]と明記されている．心理師がスーパービジョンを受けている場合も同様に，クライエントに対して，心理師がスーパービジョンを受けていることと，スーパーバイザーの氏名を伝える必要がある[17]．

　すなわち，クライエントに関する情報を第三者に提供する必要のある場合は，クライエント本人にその理由・目的を伝えて同意を得ること，提供する情報は，その目的のために必要な情報に限定し，提供する相手を当該の問題・対応に明らかに関係していると判断される人々に限定すること，提供される内容と提供される相手についてクライエントの同意を得ること，すなわちインフォームド・コンセントが必須である[4]．したがって心理師は，援助チームに誰がかかわっているのか，クライエントやクライエントの周囲の人々に関する情報を知るのは誰なのか，クライエントに説明を行い，同意を得たうえで業務を行う．クライエントの同意を得ない情報提供は職業倫理上も法的にも違反行為である．これらに加えて，援助チームの構成者から情報がもれることのないよう，援助チーム内において，情報の取り扱いに関する明確かつ具体的なルール作りが求められる[16]．

5 ● クライエントによる明示的な意思表示がある場合

　クライエントやその周囲の人々について心理師が知り得たことが，すなわちクライエントのプライバシーを保護することは大切であるが，クライエント自身

が他者への開示を許可した場合は，心理師には秘密保持を主張する理由がなくなってしまう．

しかし，たとえクライエント本人が許可したとしても，クライエントに関する情報を心理師が他者に伝えるということは重大なことである．仮にクライエント本人が許可した場合，心理師は，誰になら話してもよいのか，誰が問い合わせてきたら伝えてもよいのか，心理師が知り得たことがらのうち具体的に何について，どの範囲までなら開示してもよいのか，そして，何の目的であれば他者に話してよいのか，この3点を吟味することが必要である[4) 18)]．

3 インフォームド・コンセントの重要性

心理師は，クライエントに対して，情報の扱い方や他者との共有について説明を行ったうえで，クライエントが強制されることなく自由意思で同意する(あるいは拒否する)権利を保障しなければならない．

インフォームド・コンセントの内容(➡ p.22 本章3節表2参照)のうち，秘密保持に関する状況は，心理職がとくにとまどいやすい状況である．たとえば，初回面接のすぐ後に，クライエントについての問い合わせが心理職に寄せられるかもしれない．このような相談室外の人からの問い合わせは頻繁に起こり，その対応に心理職は頭を悩ませる[19)]．ある調査によれば，過半数の心理職が，クライエントの周囲の人々からクライエントに関する問い合わせを受けた経験があるという[15)]．このことを考えると，少なくとも秘密の扱われ方に関する説明は，クライエントとの関係の開始時点において行うことが必要である[17)]．

4 職業倫理的「秘密保持」と法的「秘密保持」の違い

「秘密保持」や「守秘義務」という言葉は，現在では職業倫理上も法律のうえでも用いられているが，この両者には違いがある(図1, 2)．そもそも「秘密保持」は古くから職業倫理上の義務であり，法的な義務はその後で用いられるようになっている[20) 21)]．

「秘密」についての考え方も職業倫理と法律では異なる．法的な意味での「秘密」とは「もっぱら限定された人的領域でのみ知られ，その当事者が，彼の立場上，秘匿されることにつき実質的利益を有し，かつ，本人のみが知っているだけの利益が存すると認められる事柄」[22)]，「一般に知られていない事実であって，かつ，知られていないことにつき利益があると客観的に認められるもの」[23)]と定義されており，本人が隠しておきたいと考えるだけではなく，隠すことに客観的・実質的な利益のあることがらが法的な保護の対象となる「秘密」と定義されている．

一方，職業倫理的な「秘密保持」とは，相手が専門家に対して完全なる信頼を有していることが本来の意味である．その信頼をもとにして打ち明けられたことがらを，相手を裏切ることのないよう，誰にももらさないことが専門家に求められている義務である[4)]．一般市民やクライエントから寄せられる，この絶対的な信頼を裏切らないことが，職業倫理的義務としての秘密保持の根幹をなす．ここに

図1　法的な秘密
隠すことに客観的・実質的な利益のあることがら．

図2　職業倫理的な秘密
専門家に寄せられる絶対的な信頼をもとにして専門家が知りえたことがら．

は秘密の価値についての判断はまったく含まれない．職業倫理的秘密保持の方が法的な秘密保持よりも厳しいのである．

■ 引用・参考文献

1） Miller DJ et al：Confidentiality in psychotherapy：History, issues, and research. Psychotherapy 24：704-711, 1987
2） Rubanowitz DE：Public attitudes toward psychotherapist-client confidentiality. Professional Psychology, Research and Practice 18（6）：613-618, 1987
3） VandeCreek L et al：Client anticipations and preferences for confidentiality of records. Journal of Counseling Psychology 34（1）：62-67, 1987
4） 金沢吉展：臨床心理学の倫理をまなぶ．東京大学出版会，2006
5） Dickson DT：Law in the health and human services：A guide for social workers, psychologists, psychiatrists, and related professionals. Free Press, 1995
6） Herlihy B et al：Confidentiality. ACA ethical standards casebook. 5th ed（Herlihy B et al），p205-209. American Counseling Association, 1996
7） 金沢吉展：情報の適切な取扱い．公認心理師現任者講習会テキスト，2018年版（一般財団法人日本心理研修センター監），p27-32, 金剛出版, 2018
8） Tarasoff v. The Regents of the University of California, 17 Cal. 3d 425, 551 P.2d 334, 131 Cal. Rptr. 14（Cal. 1976）
9） 金沢吉展：心理に関する支援を要する者等の安全の確保．公認心理師現任者講習会テキスト，2018年版（一般財団法人日本心理研修センター監），p21-26, 金剛出版, 2018
10） Knapp S et al：Application of the duty to protect to HIV-positive patients. Professional Psychology, Research and Practice 21（3）：161-166, 1990
11） Webster CD et al：HCR-20（ヒストリカル／クリニカル／リスク・マネージメント-20）—暴力のリスク・アセスメント．第2版（吉川和男監訳），星和書店，2007
12） Monahan J：Limiting therapist exposure to Tarasoff liability：Guidelines for risk containment. American Psychologist 48（3）：242-250, 1993
13） 松本俊彦：もしも「死にたい」と言われたら—自殺リスクの評価と対応．中外医学社，2015
14） 高橋祥友：自殺の危険—臨床的評価と危機介入．第3版，金剛出版，2014
15） 日本心理臨床学会倫理委員会：倫理問題に関する基礎調査（1995年）の結果報告．心理臨床学研究 17（1）：97-100, 1999
16） 秀嶋ゆかり：「秘密保持」と「手続の透明性」を巡って．臨床心理学 17（1）：38-43, 2017
17） American Psychological Association：Ethical principles of psychologists and code of conduct. American Psychological Association, 2017
18） Bennett BE et al：Professional liability and risk management. American Psychological Association, 1990
19） 田中冨士夫：心理臨床における倫理問題：調査報告．心理臨床学研究 5（2）：76-85, 1988
20） Koocher GP et al：Ethics in psychology：Professional standards and cases. 2nd ed, Oxford University Press, 1998
21） Remley TP et al：Ethical, legal, and professional issues in counseling. 2nd ed, Pearson Education, 2005
22） 佐久間修：医療情報と医師の秘密保持義務．現代医療と医事法制（大野真義編），p40-53, 世界思想社，1995
23） 法令用語研究会編：有斐閣法律用語辞典．第4版，有斐閣，2012

5 保健医療，福祉，教育そのほかの分野における公認心理師の具体的な業務

1 保健医療分野における具体的な業務

　公認心理師が勤務しうる保健医療分野の職場は，総合病院，精神科病院，小児科，内科，外科など多岐にわたる．当然，職場によって心理師に求められる業務は異なる．

　保健医療分野の多くの職場で中心になりうる業務は「心理に関する支援・相談（いわゆるカウンセリングや心理療法の施行）」，「心理検査」であろうが，それ以外にも実に多様な業務がある．そのなかの代表的な業務として「グループアプローチ」と「教育活動」を取り上げ，以下に紹介する[1]．

1・グループアプローチ

　主に同じ病気や障害を抱えた患者同士が，さまざまなかかわりを通して，症状の安定や回復，対人スキルなどの能力獲得や向上を目指す方法である．具体的には，次のようなものがある．

①デイケア

　安全に，ゆったりと過ごせる場を提供しつつ，生活習慣を作っていったり，体調を整えつつ，病状回復や社会参加のためのプログラムに参加したりする．プログラムには，たとえば卓球やバドミントンなど軽めの運動，あるいは，料理作りや絵画作成などさまざまなものがある（**図1**）．

　デイケアの主たる機能を，「ゆったりとした居場所の提供」とするか，社会参加を念頭に置き，さまざまなプログラムへの積極的参加にするかは，職場によって異なる．

②ソーシャルスキルトレーニング（SST：social skills training）

　精神障害患者の自立などを目指すプログラムである．とくに，社会生活のなかで対人関係を円滑にしていくために必要なスキルの習得を目標としている．たとえば，誰かにお願いするときの伝え方や，相手の心情に配慮した断り方などを練習したり，モデルを見て学んでいく（➡ p.159 第9章1節，p.286 第14章2節，p.309 第15章3節参照）．

③就労支援

　アルバイトを含め就労を目指している患者に，働くうえで必要な基礎的スキルを伝えていく．身だしなみ，自己主張の仕方，よく起こる対人葛藤を解決する仕方のほかに，パソコンの基礎的な使い方なども教える．

④院内レクリエーション

　病院では，たとえば年に数回の外出（旅行など），クリスマス会のような季節に合わせた催し物など，さまざまなレクリエーションがある．患者らがプログラムを考えるなど中心業務を担いつつ，背景でスタッフが彼らを支えて実施することが多い．

図1　デイケアのプログラム例

2 • 教育活動

教育活動には，具体的に次のようなものがある．

①家族教育

さまざまな症状をもつ患者の病状，心理的特性や状態への理解を促しつつ，家族としてどのようにかかわればよいか，といったことを伝えたり提案したりしていく．

②実習生や若手スタッフへの教育

実習生を受け入れている職場や，若手スタッフがいる職場では，彼らへの指導・教育を求められることもある．

③保健医療スタッフへの研修

さまざまな患者の心理的な特徴や状態，それに基づいたかかわり方の留意点を伝えるといった患者理解のためのものから，スタッフのメンタルヘルス（たとえば，燃え尽き症候群）にかかわるものまである．

上記のように，保健医療分野の業務は多岐にわたり，何をどの程度求められるかはそれぞれの職場によって異なる．また，ほかの職種と連携したチーム医療に携わることも求められる．自分にどういった業務が求められているかを把握しつつ，仕事にあたることが重要である．

2　福祉分野における具体的な業務

福祉分野における公認心理師の役割として考えられるものとして，「公認心理師法」第2条一号「心理に関する支援を要する者の心理状態を観察し，その結果を分析すること」，二号「心理に関する支援を要する者に対し，その心理に関する相談に応じ，助言，指導その他の援助を行うこと」とあるとおり，実際に福祉サービスの利用者本人に対する，心理査定などが主な業務となる．

しかし，同時に，三号「心理に関する支援を要する者の関係者に対し，その相談に応じ，助言，指導その他の援助を行うこと」，四号「心の健康に関する知識の普及を図るための教育及び情報の提供を行うこと」とあり，福祉サービス利用者の家族など，周辺にいる関係者，またはほかの専門職への助言や指導，場合によっては心理教育も重要な業務となる．

福祉分野の当事者への心理的な支援については，年齢や認知症などによって当事者本人への説明が困難な場合がある．また，家族などの関係者については，心理的な支援に関する知識を有しているかは明確ではない．また，ほかの専門職（社会福祉士，介護福祉士，精神保健福祉士，保育士など）は，各資格取得課程において，心理学に関する知識を獲得しているが，あくまでもそれぞれの専門性を発揮する際に必要な範囲であり，心理査定の実施などを行うこともなく，心理学に特化した専門性は有していない．

そのため，福祉現場における公認心理師の役割は，支援対象者への心理的アプローチの部分を担うだけでなく，心理学に関する専門知識をもった専門職として，ほかの職種への助言や情報提供，必要に応じて関係者間の連携の促進や環境調整

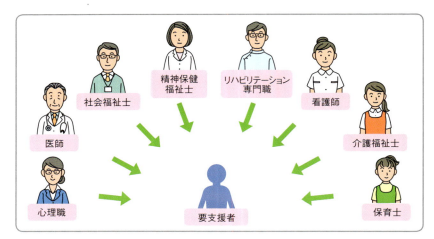

図2　利用者を取りまく専門家

など，広範な役割が求められるだろう(**図2**)[2]．

　しかし，現在の福祉分野において明確に心理職が配置されている施設は少ない．福祉分野で心理職が働く現場としては，児童相談所，婦人相談所，身体障害者更生相談所，知的障害者更生相談所などの行政系の相談所と，肢体不自由者更生施設において，心理判定員として配置されているケースがあげられる．

　このほかには，児童養護施設において虐待への対応など児童のメンタルケアを行うために臨床心理士が配置されている．また，精神保健福祉分野では，精神障害者生活支援センターや障害者就労支援センター，ハローワークなどの就労支援機関において，心理検査などの実施，生活や就労に関する相談員として心理職が配置されている．これ以外の分野では，まだ積極的に配置されていないのが実情といえる[3]．しかしながら福祉分野で心理職の必要性が明確に認識されたのは近年になってからでもあり，昨今，社会的な問題となっている虐待への対応においても心理職の果たす役割は大きい．今後の動向が注目される．

　公認心理師の将来的な役割として直接援助に限定せずに，各専門職との連携のなかで心理学の視点から助言や指導，場合によってはコンサルテーションや地域住民に対する心理教育などを行うことが考えられる．

　つまり，公認心理師は福祉分野で福祉サービス利用者に対する直接的な援助と合わせて，その周辺に対する間接的な心理援助が期待されることになる．

3 教育分野における具体的な業務

　子どもの健全育成のために，教育現場では学校内の相談(スクールカウンセリング)や，公立教育相談所(教育センター)における相談が，いずれも無料で行われている．教育現場では，不登校，いじめ，友人関係，家族関係，発達，学業の問題など，多岐にわたる主訴に対応するため，幅広い知識と柔軟な対応力とが求められる．

①スクールカウンセラー

　学校が抱える問題の複雑化，多様化へ対応するため，1995年からスクールカ

ウンセラー（以下 SC とする）の配置が開始された．

SC の業務として，まずは学校アセスメント*1 が重要となる4)．それを基盤に，児童生徒へのカウンセリング，保護者への助言や援助，教職員へのコンサルテーション，特別支援教育*2 に必要な合理的配慮の検討5)，危機対応などが主な職務となる．

SC の活動は教職員との協働体制によって支えられているため，学校というチームの一員*3 であるという意識をもち，相談室が閉鎖的にならないように心がける必要がある．生徒の理解を深め，支援体制作りに役立てることを念頭に，教員との連携や情報交換を行い，学校全体へと働きかけていく（図3）．

また，学校で引き受けることが難しいケースについては，医療機関や教育相談所などに紹介（リファー）し，必要に応じて連携していくことが求められる．

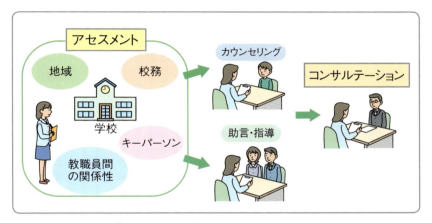

図3　アセスメントとコンサルテーション

②公立教育相談所

公立教育相談所は，各自治体に設置されている教育全般にかかわる相談機関である．自治体によるが，相談対象は，在住・在学・在勤の幼児・児童・生徒とその保護者および教員とされている．

教育相談所で行われる児童，生徒および保護者へのカウンセリング（来所相談）では，親子並行面接の構造をとることが多く，保護者への面接と子どもへのプレイセラピーなどが行われる．さらに，心理検査（知能検査など）が実施されることもある．そのため，親担当者と子ども担当者とのあいだでの情報共有が欠かせない．ケースによっては，学校と連携をとりながら相談活動を行う必要がある．

また，教育相談所には，適応指導教室が併設されていることが多く，不登校や学校不適応の児童生徒への対応の一助となっている．そのほかに，電話相談，就学相談，関係機関との連携会議，学校派遣などが業務となる．

4　司法・犯罪分野における具体的な業務

ここでは犯罪や少年非行にかかわる心理職について具体的に解説したい．この分野の心理職は，法務省関連，裁判所関連，厚生労働省関連，警察関連などに大

用語解説

*1　学校アセスメント

地域特性，校務分掌，スクールカウンセラーへのニーズや期待，教職員間の関係性，キーパーソンなどをアセスメントする．

用語解説

*2　特別支援教育

特別支援教育は，2007年に学校教育法に位置づけられた．現在では，共生社会の形成に向けて，インクルーシブ教育システムのための特別支援教育を発展させることが推進されている．

用語解説

*3　チーム学校

心理師が学校において児童生徒や保護者など要支援者を支援するとき，教師をはじめとした学校関係者と連携しチームとなって支援する方針．平成27年，中央教育審議会が「チームとしての学校の在り方と今後の改善方策について（答申）」としてまとめた．

別することができる．

①法務省関連

法務省関連としては，少年鑑別所，少年院，刑務所などの心理職があげられる．この心理職は法務技官（心理）とよばれる．このなかでも心理職がもっとも活躍する場は少年鑑別所である．

主な職務は心理検査などを駆使して，収容された少年（女子も含む．女子少年という）の心理や行動面の理解を深め，処遇意見を検討することである．この職務には，動機の解明や犯罪・非行行動の分析，生活上の問題点の把握，処遇についての意見などが含まれている．

そのほか，少年鑑別所ではいわゆる外来の相談も行っている．少年院や刑務所にも心理職が配置されており，主に心理・行動傾向などの把握のほかに改善に向けての対応にも携わっている．

法務省には，保護観察所などに保護観察官という職種が配置されている．少年や成人の保護観察に携わるが，保護司（法務大臣から委嘱された民間篤志家）と協働して保護観察を遂行する．保護観察官が処遇計画を立て，保護司が直接的な生活指導を行う．もちろん保護観察官が直接，少年や成人に対応して保護観察に当たる場合もある．

②裁判所関連

裁判所関連の心理職としては，家庭裁判所調査官がある．家庭裁判所調査官は，心理学，社会学などの人間関係諸科学のエキスパートであり，少年の犯罪・非行の事件にかかわるほか，離婚問題，親権者問題，そのほか広汎な家庭問題にも，その専門知識を用いてかかわる．少年非行では軽微な非行から重大犯罪まで対応することになり，少年非行にかかわるさまざまな関連職種のなかでは，もっとも中心的な職種といえる．

③厚生労働省関連

厚生労働省関連の心理職としては，児童相談所の児童心理司があげられる．心理検査などを用いて，児童の心理面のアセスメントを行うほか，心理的な支援の担い手でもある．ソーシャルワーカーである児童福祉司と協働して児童福祉問題にかかわっている．

そのほか厚生労働省関連では，非行に関係する福祉施設として児童自立支援施設があるが，そこでも心理職が活躍している．心理的なアセスメントや遊戯療法，カウンセリングなどを行っている．

図4　非行防止対策の例

④警察関連

最後に警察関連の心理職として，少年相談専門職員をあげることができる．警察は全都道府県警察に少年サポートセンターを設置し，そこに少年補導職員や少年相談専門職員を配置して，非行防止対策を推進している（図4）．

5　産業・労働分野における具体的な業務

産業・労働分野における臨床心理士の業務は幅広く存在する．精神疾患やメンタルヘルス不調（精神疾患だけでなく，ストレス，不安，悩みなどの精神的また

は行動的問題を含む)を抱えた者から健康な者までを対象とし,個別労働者だけではなく職場組織への対応も行う(**図5**).

活動内容には,一次予防(未然防止を目的とする.教育研修や職場環境改善など),二次予防(重症化の予防を目的とする.早期発見・早期対応,個別相談など),三次予防(各種機能障害の発生や再発の予防を目的とする.職場復帰支援など)という予防的支援も含まれる.

企業などでの業務は,これまでは個別労働者の相談やカウンセリングが主であり,対象は精神疾患やメンタルヘルス不調を抱えた者が多かった.しかし,近年ではそのような対象者の職場復帰支援にかかわるなかで,外部医療機関などとの連携,不調者を抱えた上司へのコンサルテーション,職場環境の整備,調整にも携わるようになった.

また,労働者のメンタルヘルス不調の未然防止を目的としたストレスチェックについて,公認心理師は所定の研修を受ければ実施者となることができるようになった.さらに,未然防止を目的とした研修を担当するようにもなっている.研修は,管理者によるラインケア(職場環境改善,相談対応),一般社員のセルフケア,より健康的に働けるポジティブ・メンタルヘルスへの対策も注目を集めている.

個別相談では,精神疾患ではないが職場への適応が困難なことに対する相談や,ワーク・ライフ・バランスの問題,ハラスメント(パワーハラスメント,セクシャルハラスメント)に関する相談も増えてきている.

労働分野では,キャリアプランと仕事内容が合わないなどの問題や,精神障害や発達障害を抱える対象者の就労支援にもかかわるようになっている.ほかにも

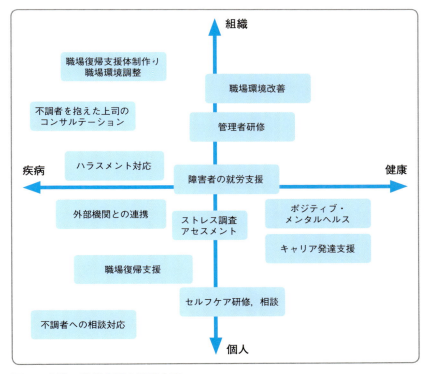

図5　産業・労働分野の活動内容

がんサバイバーなどの病気治療と就労の両立支援が注目されており，こういった局面にも，今後，公認心理師がかかわることが期待される．

産業・労働分野でのより詳しい活動内容を理解するには，文献[6)7)]をあたるとよいだろう．

以上の通り，公認心理師の職域は多様である．こうしたなかで，医師の指導のもといわゆるカウンセリングや心理療法を実施することは，すべての領域に共通する重要な心理師の役割であり，それらの能力を高めるよう日々研鑽することが求められる．

■ 引用・参考文献

1) 日本臨床心理士会 第1期医療保健領域委員会：医療保健領域における臨床心理士の業務，2011
   http://www.jsccp.jp/suggestion/sug/pdf/iryogyoumu2011.05.15.pdf より 2020年1月31日検索
2) 佐藤泰正ほか編：福祉心理学総説．田研出版，2011
3) 桑田直弥：アセスメントから活きてくる本人・家族支援―他職種・他領域にどう伝えるか．岡山県臨床心理士会相互研修会資料，社会福祉法人みささぎ会，2017
4) 岩倉拓：心理臨床における精神分析的実践―治療0期の「耕し」と「治水」．事例で学ぶアセスメントとマネジメント―こころを考える臨床実践(藤山直樹ほか編)，p91-105，岩崎学術出版社，2014
5) 文部科学省：共生社会の形成に向けたインクルーシブ教育システム構築のための特別支援教育の推進(報告)，2012
   https://www.mext.go.jp/b_menu/shingi/chukyo/chukyo3/044/houkoku/1321667.htm より 2020年1月31日検索
6) 金井篤子編：産業心理臨床実践―個(人)と職場・組織を支援する．ナカニシヤ出版，2016
7) 川上憲人：基礎からはじめる職場のメンタルヘルス―事例で学ぶ考え方と実践ポイント．大修館書店，2017

2章 問題解決能力と生涯学習

1 自己課題発見と解決能力

この章で学ぶこと
- 自分の力で課題を発見し，自己学習によってその課題を解決する能力
- 社会の変化をとらえ，生涯にわたり自己研鑽を続ける意欲と態度

> 公認心理師は，国民の心の健康を取り巻く環境の変化による業務の内容の変化に適応するため，第2条各号に掲げる行為に関する知識及び技能の向上に努めなければならない．
> 公認心理師法 第43条（資質向上の責務）

　上記の法文で定められていることを達成するために，心理師は自分の力で課題を発見し，自己学習によってそれを解決するための能力を身につけなければならない．そして，その結果として，常に成長発展し続けていかなくてはいけない．それは前章で述べたような科学者−実践家モデル(scientist-practitioner model)（→ p.7 第1章1節参照）に基づけば，常に新しい科学的知見に触れ続けながら，自らも研究と実践を続けるという形で実現されるはずである．

　しかし，心理師は科学的であるだけでは十分といえない．科学者−実践家モデルの「実践家」の部分に関しては，以下の「反省的実践家」の考え方がとても重要となる．そして，さらに本節以下に述べるような専門家像に近づいていく必要がある．

1 反省的実践家と技術的熟達者

　前章1節の冒頭でも述べたように，心理師の業務は「すべて心理師自身と，対象者との関係の両方を対象化して振り返るなかで行われる」ところにある．これは**ショーン** Schön, D. の反省的実践家(reflective practitioner)の考え方が参考になる．

　ショーンによれば，この反省的実践家とは教師や看護師，カウンセラーなどの対人サービスの専門家の独自性である．一方で，機械工学や法学の専門家は「科学的知を実践に適用する技術的熟達者(technical expert)」とし，反省的実践家と対比する概念としている．技術的熟達者が特定の科学的知を実践に応用していく者であるのに対し，反省的実践家は「行為のなかの知」をもって「行為のなかで省察」し，「状況との対話」を通じて実践を行っていく専門家である[1]．

　しかしながらショーンが述べているように，従来の実践家の多くは技術的熟達者として自分自身をとらえる見解に自らを閉じ込める傾向にあるため，実践世界のなかで省察をもたらすものを見出すことができずに，理論に当てはまらない現象を排除してしまいがちになるという．またその一方で「省察に熟達した者は，自分たちの方法について知っていることを言葉にできず，自分たちの思考の特性や厳密性を正当化して述べることができない」[1]という状況にあると考えられる．

図1　反省的実践家

したがって，心理師が反省的実践家(図1)であるならば，その反省・省察(reflection)の当然の結果として，常に成長発展していくはずである．つまり自己を振り返ることは，常に自己の抱える問題に気づくことでもあり，それに取り組むことでもあるからである．

なお，公認心理師が職場で業務として目指すことには表1のような項目があると考えられる．

■ 表1　公認心理師が業務として目指すこと

1	クライエントのストレスや葛藤への対処能力を高める
2	クライエントの症状を取り除く（そして本来のライフサイクル上の課題に取り組めるようにする）
3	それまでのクライエントの対人関係パターンを修正し，対人関係能力を伸ばす
4	クライエントの問題の根底にある人格や愛着の問題を修正する
5	クライエントの心理的成熟を助ける
6	クライエントの自己実現を助ける
7	クライエント本来の生の苦しみを苦しめる（本来の人生のテーマに取り組める）ように手助けする

そして，これらの業務を達成するためには，表2で示すような資質が必要である．

■ 表2　公認心理師に求められる資質

1	共感能力と傾聴する態度
2	客観的かつ中立的態度
3	対象者を全体的な人間としてとらえ，部分的画一的なとらえ方をしない
4	対象者や関係者，社会に対する説明力やその意思をもっている
5	個別性と一般性の両方を大切にし，広く柔軟な視野とバランスのとれた思考力がある
6	主観を大切にしつつ，対象者との関係のなかで，その関係そのものを含んだ主観をさらに客観視する態度
7	曖昧さに耐える態度*1
8	必要なときに「本気」でかかわろうとするコミットメント
9	さまざまな人生に関心をもち，敬意を示す態度
10	すべての現象を「仮説検証的」な視点でとらえ，実践家であると同時に，その実践をよりよいものにしていくという目的に奉仕する科学者でもあること
11	悲劇的事態の前でも絶望せず，対象者や関係者と対話し続ける態度

①間主観性と逆転移の活用

間主観性(intersubjectivity)とは，**ストロロウ Stolorow, R.** によれば「観察者の主観的世界と被観察者のそれという，それぞれ別個にオーガナイズされた2つの主観的世界の相互作用」である[3]．これは心理支援においても非常に重要な概念である．たとえば支援者と対象者が，相手に対してお互いに「何となく好ましい」

用語解説

＊1　曖昧さに耐える態度
たとえば精神科医，精神分析家の神田橋條治は，この世に存在するものはすべて輪郭が曖昧であるとし，「輪郭を明確にするのは動きを止めるのに役立ち，輪郭を取っ払うのは動きを引き起こすのに役立つ．これはあらゆる心理的操作の基本である」[2]と述べている．

あるいは逆に「何となく嫌な感じがする」という主観をもち，影響し合って相互作用を発展させるということは，避けがたいからである．

また，支援者の側が対象者に対して特別な思い入れや感情を抱くことを「逆転移」という．これも極端なものは例外としても，肯定的・否定的感情を含めて，ある程度のものは避けがたいので，それを上手に活用することが欠かせない．

簡単に述べれば，逆転移や間主観性を，乗っ取られたり振り回されたりするのではなく，対象者への理解を深めるヒントとして生かしながら，「今ここで何が起こっているのか」という事態の本質を把握することに活用するのである．

②つなぎ役としての心理師

下山晴彦は，心理支援の大切な一側面として，「関係をつなぐ」ことを重視する「つなぎモデル」を提唱している[4]．無気力学生やひきこもり青年などの当事者に「悩む」ことを求めずに，当事者の行動化を積極的に認め，回避という「行為」を媒介として関係をつなぎ直していくことを試みる．そして，当事者が「悩める」ことを前提としないが，「悩めるようになる」ことが援助の目標になるとしている．さらに，この「つなぎモデル」は当事者と支援者，当事者自身のなかの矛盾したり異質だったりする部分とのつなぎも促進する役割を果たす．

2　心理師はどのように成長発展していくのか

心理職の成長モデルとして，世界的に有名なのは**スコウフォルト Skovholt, T.** と**ロンスタット Rønnestad, M.** の発達モデルである（**表3**）[5]．これは主に北アメリカの大学院生やセラピストたちへのインタビュー調査から導き出されたモデルである．

また，このスコウフォルトとロンスタットによる研究をふまえて，日本の現状に即した研究をした割澤靖子による発達の個人差を整理すると，**表4**のようになる[6]．割澤は，省察（自身を振り返る）の際に，視点を分散させることで一つひとつの事象の多面性・多層性をとらえられ，また主体的に省察を重ねることができるとして，視点の分散を推奨している．視野を狭めて，学習対象とする理論や技法を排他的に厳選しようとする傾向が強いと，特定の知識を絶対視する傾向が強まり，臨床場面において知識と実感に乖離が生じた場合に，自分で感じ考えることを抑制したり自身の気づきを過小評価しやすく，結果的に混乱に陥りやすいとしている．

しかし，実際には単に視野を分散させた結果，核となる視点がないままに臨床場面における実感を生かせずに迷い続ける場合も少なくない．それらの問題をふまえて福島哲夫は「ウナギの育ち」という比喩的表現を使って，心理師の理想的な発達をとらえている[7]．

それは，まず南太平洋の大海原で生まれるウナギのように，大学院修士課程では，さまざまな理論や技法に触れて育つ．そして，次にある程度育ったウナギが，特定の湖沼や河川に住み着くように，修士課程を修了してしばらくのあいだは，特定の理論と技法に集中する．さらに，そののち大海原に戻って産卵に向かうウナギと同じく，再び多様な理論と技法，現実に向き合いながら，後進の指導にも

▲福島哲夫（1959-）
日本における統合的心理療法の牽引者の1人．とくにクライエントの適性に応じてセラピストの技法を変えていく統合モデルを開発し，心理師の養成にも力を注いでいる．

あたるようになるという発達モデルである（図2）．

図2　ウナギの育ち

■ 表3　ロンスタットとスコウフォルトによる6期発達モデル

①素人援助者期
専門的な訓練を受ける前に，家族や友人，同僚として相談相手になり，ものごとの決断や問題解決，対人関係改善を手助けしようとする．自分の体験から得た知識による常識的な判断をもとにしてアドバイスなどを与え，過剰な同一視や動揺を体験しがちである
②初学者期
修士課程在学中にあたる．専門的なトレーニングが始まり，熱意は強いが不安も高い．理論・クライエント・教員やバイザー・同僚や個人生活，さらに文化からも影響を受け，しばしばそれらに圧倒されやすい
③上級生期
インターンや受付業務を兼ねる形で，継続的に正式なスーパービジョンを受けている状態．強い向上心をもっているために，間違いを恐れ，それまでよりもより強いプレッシャーを感じて，完璧主義的になりやすい．スーパービジョンがとても強い影響をもたらす
④初心者専門家期
博士課程修了から5年程度．スーパーバイザーや試験などの評価から自由になり，自分自身がこれまで受けてきた訓練の有効性を固める時期．それまでの専門家像を脱錯覚し，自分自身や専門的環境を深く探求しようとする
⑤経験を積んだ専門家期（臨床経験15年程度）
自分自身の自己認識（価値観，関心，態度）と高い一致度をもったカウンセラー役割を作り出そうとし，そのことが真正な有能感をもつことを可能にする．治療関係の重要性を十分に理解し，理論や技法を柔軟に使いこなす
⑥熟練した専門家期（臨床経験20年から25年）
自己受容感と職務満足感が増し，同時に謙虚さも高まる．さらにクライエントに対する不安やおそれが減少し，あらゆる技法を広く使うことへの安心感が増す．また，自身や家族の健康状態の悪化やエネルギーの低下，喪失体験によって，徐々に引退に向かう場合もある

文献5)を参考に作成

■ 表4　割澤による初学者の成長・発達のプロセス

段階	特徴（訓練生段階以降は大きく2つに大別される）	
素人援助段階 （大学生ボランティア経験者）	実践経験をとおして自身を振り返る視点を多様化させていく．ただし，その程度にはすでに個人差がある	
訓練生段階 （大学院修了者）	知識と助言に依拠する学び（知識を絶対視する傾向）	自身の感覚や判断に依拠する学び
初心者段階 （実務経験5年未満）	省察する際に視点を定める傾向が強い人	省察する際に視点を分散させる傾向が強い人
その後の自分	専門家として未熟な自分の感覚を信頼できず混乱を強める．知識と経験を重ねても漠然とした不全感や負担感に戸惑いを感じる	現時点での自分の感覚や判断を信頼し活用しながら学びを発展させていく．統合的・多面的に思考をめぐらせる力を培う

文献6)を参考に作成

3　心理師自身のバーンアウトと停滞を防ぐために

①感情労働と共感疲労

　心理師を含む対人援助職においては，働き手にも顧客にも感情はつきものであ

り，働き手は自身の感情をうまくコントロールしなければならない．このように職務上，感情のコントロールが不可欠な職業を「感情労働(emotional labour)」とよぶ．この感情労働は「第三の労働形態」として，アメリカの感情社会学者のホックシールド Hochschild, A. によって見出された概念である[8]．

感情労働(図3)の主な感情作業に表層演技(図4)，深層演技(図5)というものがある．表層演技とは他者に表出する感情を適切なものにしようと努力することで，深層演技とは自らが表出する感情を(本当に自分が)感じるように努力するというものである．どちらも他者に対してその場に適した感情を表出する行為であるが，表層演技と深層演技の違いは，表層演技が自分と役割を分離しているのに対して，深層演技は自分と役割を一致させようとしている点にある．

②自己課題とその解決としてのセルフケアと自己点検

心理師はその業務のなかで自信喪失や無力感・孤立感などをはじめとする困難に突き当たることがしばしばある．にもかかわらずバーネット Barnett, J. の指摘にもあるように心理師は自身の心理的困難や機能不全は盲点になりやすいとされている[9]．それゆえ，ガイ Guy, J. が指摘しているとおり，心理師が困難への対処法を身に付けることは，理論的学習や介入技法の習得と同様に重要であると考えられる[10]．

この点については，働く人全体に関していえる「バーンアウト(燃え尽き)」の視点が重要となる．マスラック Maslach, C. とジャクソン Jackson, S. は，バーンアウトを「人を相手とする仕事を行う人々に生じる情緒的消耗感，脱人格化，達成感の減退の症候群」と定義した[11]．また，対人援助職に特有の「感情労働」という意味においても，心理師は常にバーンアウトの危険性をもっているといえる．

このようなバーンアウトを防ぐためには，ソーシャルサポートやリラクセーションを取り入れるなど，一般的な対処法に加えて，福島はスーパービジョン(以下，SV)や教育分析，さらに職場内や仲間との相互研鑽という専門職としての訓練が，訓練であると同時にケアと自己点検にもなるとしている[12]．

③心理師の理想的態度と課題

フロイト Freud, S. は「分析医に対する分析治療上の注意」と題する論文のなかで「患者の連想に対して『差別なく平等に漂う注意(free floating attention)』を向けること」が重要だとしており，受け身的で中立的な態度を推奨していた[13]．フロイト自身の治療がそうであったかどうかは，それを否定するような証拠や証言も多く，簡単にはいえないところである．

一方で，初期の精神分析家のなかにも，上記のようなフロイトの勧めとは異なる考えを提唱する者もあらわれた．その代表であるフェレンツィ Ferenzi, S. の治療的態度を，小此木啓吾は以下の5側面として要約している[14]．

①能動性と柔軟性
②人間的温かみと情緒交流
③治療者のパーソナリティと逆転移の重視
④慣習的価値観にとらわれない超越的態度
⑤外界指向的態度

他方，認知行動療法においては治療者の課題を評価するために「認知療法尺度

▲ホックシールド，アーリー
（1940 - ）
アメリカ・サンフランシスコの感情社会学者．感情もほかの行為と同じく，社会的なものであり，その表現に関しては，内面的あるいは相互作用のなかで制御されるということを証明した．（写真：Getty Images）

図3　感情労働
他者に対して，自身の感情をコントロールし，表情や態度を演出する労働．

図4　表層演技
感情(内面)とは異なる表情(表面)をしている状態．

図5　深層演技
内面と表面が一致している状態．

➡フロイト p.7 参照

▲フェレンツィ，シャーンドル(1873-1933)
ハンガリーで生まれ，ウィーンで医学を学んだ精神分析の先駆者の1人．フロイトから「親愛なる息子」とよばれ，後継者とみなされたが，後に革新的な技法の試みを始めたためフロイトと袂を分かった．(写真：PPS通信社)

▲小此木啓吾
　(1930-2003)
日本の医学者，精神科医，精神分析家．精神分析理論の紹介と実践のみならず「モラトリアム人間」など，青年期の心理について一般向けの著作も多い．日本の精神分析を代表する門下生を多数輩出した．(写真：朝日新聞社/PPS通信社)

用語解説

*2　アジェンダ
　面接で話し合う話題・課題のこと．

(CTRS, CTS：cognitive therapy scale)」が作られている．このCTRSは，認知療法の創始者ベックBeck, A.とその弟子のヤングYoung, J.が，認知療法の治療者を教育するときに，研修生の面接の内容を評価するために作った専門家向けの評価表である[15]．

CTRSでは，①アジェンダ*2，②フィードバック，③理解力，④対人能力，⑤共同作業，⑥ペース調整および時間の有効使用，⑦誘導による発見，⑧重要な認知または行動への焦点づけ，⑨変化に向けた方略，⑩認知行動的技法の適用，⑪ホームワークの11項目が評価される(表5)．

この評価表から，認知行動療法においては，心理師がどのようなスキルをもつべきか，またどのような課題をもっているかを明確にすることができる．さらにこの評価表の，①，⑩，⑪は認知行動療法独自のものであるが，それ以外はどのような心理支援にも共通するものとして，心理師の誰もが意識する必要のある課題である．

また，神村栄一は，行動療法の立場から「行動療法家は『深層にある心理的な要因』が明らかにならなくとも，行動変容によって一定の成果を上げることができることをその経験から了解している」とし，この「深層にある心理的な要因」を明らかにしようとするための負担とリスクを強調している．また，「ターゲットとしてどの行動に焦点をあてているか」「そこでの行動をどのような随伴性のなか

■ 表5　認知療法尺度

治療者名：		セッション日：	
患者名：		セッション番号：	
項目	コメント	評点（0〜6点）	
パートⅠ　基本的な治療スキル			
1. アジェンダを話し合って適切に設定できたか？			
2. 患者からのフィードバックに基づき必要に応じて自分の行動を修正したか？			
3. 患者の考えや気持ちを理解し，それを伝えているか？			
4. 暖かさ，自信，関心，誠実さをもって接しているか？			
5. 患者と共同して面接を進めているか？			
6. ペース配分や時間の使い方は適切か？			
パートⅡ　概念化，方略および技術			
7. 治療者の質問は気づきを助けるようなものだったか？			
8. 重要な認知や行動について話し合えているか？			
9. 適切な認知・行動的技法を選んで，変化に向けての作戦を立てられているか？			
10. 認知行動的技法が上手に使えているか？			
11. 患者の問題や治療の流れにあったホームワークが出されているか？			
総評		合計点	点

文献15)を参考に作成

でとらえたのか」という点に焦点化することの大切さも述べている[16]．

そして，このような「ぶれない姿勢」のためには「患者の多様なニーズに対応するため，さまざまなアプローチを貪欲に学び続けること」や「（続々と発表される）解説マニュアルの乱読や紹介するワークショップへの『はしご』が，かえって『問題把握の技術』の未習熟への気づきを妨げているケースがよく見受けられる」としている[16]．

さらに集団療法における治療者に必要なクオリティとして鈴木純一[17]は，オープンさと民主的であること，つまりメンバーの誰もが平等であり，どんなことでも言えるという保証を与える能力を重視している．

以上のように，立場によって見解はさまざまであるが，共通する態度は「自他に対する温かさ」と言っていいだろう．これがうまく機能することで，バーンアウトと停滞の両方を防ぐことができるのである．

▲ベック，アーロン
（1921-）
　アメリカの精神科医．約10年にわたって精神分析の訓練を受け，その後うつ病の研究に取り組むが，精神分析的な仮説と研究結果が合致しないことに気づき，認知療法を創始するに至った．（写真：ZUMA Press/アフロ）

■ 引用・参考文献
1) ショーン D：専門家の知恵—反省的実践家は行為しながら考える（佐藤学ほか訳），ゆみる出版，2001
2) 神田橋條治：精神科診断面接のコツ．p32-33，岩崎学術出版社，1984
3) ストロロウ RD：間主観的アプローチ—コフートの自己心理学を超えて（丸田俊彦訳），岩崎学術出版社，1995
4) 下山晴彦：臨床心理学研究の理論と実際—スチューデント・アパシー研究を例として，p95-103，東京大学出版会，1997
5) Rønnestad MH et al：The journey of the counselor and therapist-Research findings and perspectives on professional development. Journal of Career Development 30：5-44, 2003
6) 割澤靖子：臨床家の成長と発達．臨床心理学 17（4）：548-549，2017
7) 福島哲夫：心理療法統合—常に探求を続ける姿勢そのもの．臨床心理学 17（4）：472-473，2017
8) ホックシールド AR：管理される心—感情が商品になるとき（石川准ほか訳），世界思想社，2000
9) Barnett JE：The ethical practice of psychotherapy—easily within our reach. Journal of Clinical Psychology 64（5）：569-575, 2008
10) James DG：The personal life of the psychotherapist—the impact of clinical practice on the therapist's intimate relationships and emotional well-being, John Wiley & Sons, 1987
11) Maslach C et al：Maslach Burnout Inventory. Consulting Psychologists Press, 1987
12) 福島哲夫：カウンセラーのセルフケアと自己点検をどう進めるか？—セルフケア．臨床心理学 17（1）：87-89，2017
13) フロイト S：分析医に対する分析治療上の注意．フロイト著作集 9—技法・症例篇（小比木啓吾訳），p78-86，人文書院，1983
14) 小比木啓吾：フェレンツイ的態度．精神分析事典，p422-423，岩崎学術出版社，2002
15) 大野裕：はじめての認知療法，講談社，2011
16) 神村栄一：行動療法を選ぶということ．精神療法 41（5）：667-672，2015
17) 鈴木純一：集団療法の治療者に必要なクオリティ．精神療法 41（5）：673-678，2015

2章 問題解決能力と生涯学習

2 生涯学習への準備

「公認心理師法」の第43条(資質向上の責務)には,「公認心理師は,国民の心の健康を取り巻く環境の変化による業務の内容の変化に適応するため,第2条各号に掲げる行為に関する知識及び技能の向上に努めなければならない.」とある.

公認心理師は常に社会の変化をとらえながら,生涯にわたり自己研鑽を続ける意欲および態度を身につけておく必要がある.

大学・大学院における教育は,「生涯にわたる自己研鑽を積むための能力」そのものを身につけるための期間である.あるいは「自ら学ぶ力を身につける」ための課程であるといっていいだろう.事実,この課程をしっかりと歩んで専門家になった人は,領域は違っても共通して「その後も学び・研鑽を続ける人」,あるいは「自ら進んで学び・研鑽し続ける人」となっている.

条文にある,「国民の心の健康を取り巻く環境の変化による業務の内容の変化」という点においては,たとえば自殺死亡者数の推移(図1)や,児童虐待の件数の変化,さらには不登校や引きこもりの人の推移などの直接的な状況から,性の指向の多様化やSNSなどのコミュニケーション・ツールの変化,さらには現代人の抱える孤独や現代社会の市場主義経済やグローバリズムなどの変化,あるいは格差拡大や非寛容の社会をとらえながら,それらの変化に即した自己研鑽を積む必要がある.

以下,心理師の自己研鑽の出発点であり,最重要項目ともいえるスーパービジョンと,本格的な自己研鑽の1つのピークであるともいえる教育分析,さらに継続的な事例検討会について解説したのちに,さまざまな立場から心理師に求められる心性,成熟した人格に関する考え方を紹介する.

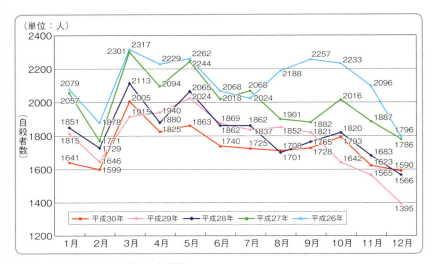

図1　月別自殺者数の推移（総数）
文献1)を参考に作成

1 スーパービジョンの重要性と必要性

　スーパービジョンとは，セラピストが，自分がもつ事例の理解と支援方針の立案，具体的な支援遂行のために受ける個別指導のことである．鑪幹八郎らは，スーパービジョンを「現実的な技術レベルで一般論から特定例への橋渡しができているかどうかをチェックし，吟味する役割をとる」と述べている[2]．また，スーパービジョンなしに臨床活動を行うことは，一般的な理論と特定事例間の溝を無視しており，その結果，大きな危険を冒し，クライエントに不利益を与えることになるとしている．その意味で，スーパービジョンは「受けなければならない必須の訓練」であり，また，さらに初心者セラピストのスーパービジョンにおいては技術よりも情緒的な支えが大事になると論じている（図2）[3]．

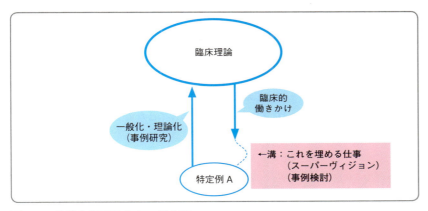

図2　一般性と個別性のあいだの溝
〔鑪幹八郎：スーパービジョンの意義と課題．スーパービジョンを考える（鑪幹八郎ほか編），p8，誠信書房，2001〕

　一方でフリードランダー Friedlander, M. ら[4]は，心理臨床におけるスーパービジョンには以下に示すようないくつかのスタイルがあるとしている．
① バイザーが親しみやすさ，バイジーとの類似性，好ましさなどの要素をもち，サポーティブで同僚どうしのような「魅力的なスタイル (attractive style)」
② 精神力動的アプローチやヒューマニスティック・アプローチによるスーパービジョンで，関係指向的，敏感かつ直観的で，思慮深く臨機応変さなどを特徴とする「対人関係に敏感なスタイル (interpersonally sensitive style)」
③ 認知行動療法に代表されるような，目的指向的で，時間的にも構造化された「課題に焦点化したスタイル (task-oriented style)」

　これらはたとえば大学院生の訓練課程であれば，task-oriented style が interpersonally sensitive style よりもより効果的であり，現場における研修生 (intern) 対象には interpersonally sensitive style のほうが task-oriented style よりもより効果的であるとしている．これは上記の鑪幹八郎[2]の考えや，それを図解した**図3**とは交差する説であり，力動的なアプローチやヒューマニスティック・アプローチでは，interpersonally sensitive style がすなわち高度な技法の伝授となるという点を考慮する必要がある．

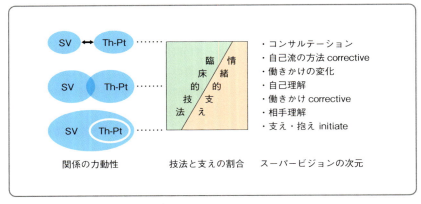

図3　経験によるスーパービジョン・レベルの違い
SV：スーパーヴァイザー，Th：治療者・カウンセラー，Pt：患者・クライアント
(鑢幹八郎：スーパヴィジョンとコンサルテーション —心理臨床の現場から．精神医学 39（8）：876，1997)

　いずれにしても，スーパーバイジーの発達段階に即したスーパービジョンの重要性は多くの研究者が強調しており，たとえば平木典子[5)6)]は，とくに初心者カウンセラーの訓練では，いつ，どのようなスキルをどのような方法で伝えるかは，その後の専門家の一生を左右するといっても過言ではないほど重要なテーマであるとしている．

2　スーパービジョンのいくつかの種類と形態

　上記のように，一口にスーパービジョンといってもそのスタイルや種類と形態はいくつかあり，訓練課程に応じてそれらを複数体験することが望ましい．

1・スーパービジョンの種類[7)]

①マネジメントスーパービジョン
　勤務時間や記録，配置や担当ケース数などの管理や人事評価に加え，所属組織の方針や運営などに添いながらバイジーの福利厚生や提供するケアの質を確保することなどを目的として行われる．「ライン・マネジメントスーパービジョン」や「administrative スーパービジョン」ともよばれる．

②クリニカルスーパービジョン
　同職種間に限定されないスーパービジョンで，バイジーが援助職としてのスキルや知識，態度などの能力を高めるために指導やサポートをするとともに，迷いや傷つき体験などへの対応や管理をする．

③プロフェッショナルスーパービジョン
　同職種間で行われるスーパービジョンで，専門領域における能力や倫理規定の遵守など，その専門家としての成長に焦点化される．
　なお，バイジーが修士課程在籍中の場合は，1人のスーパーバイザーの役割はマネジメントスーパービジョンとクリニカルスーパービジョン，そしてプロフェッショナルスーパービジョンを兼ねる必要があるともいえる．

▲平木典子（1936-）
　個人療法と家族療法を効果的に組み合わせる統合的心理療法の第一人者．統合的スーパービジョンやアサーション・トレーニング（自他を尊重しながらの自己表現）においても著名である．

2 • スーパービジョンの形態

個別と3者，グループとがある．また対面か，ライブでのワンウェイ・ミラーを介した観察によるものか，コ・セラピストとしてバイザーが同席するなどの形態もある．さらには非対面のものとしては電子メールやSkype，Zoom[*1]などのTADS（technology-assisted distance supervision）もありうる．スーパーバイザーは教員であるか，研修先や臨床現場の上司やスーパーバイザーか，あるいはピア（同僚）かの違いがある．

ただし，日本の臨床現場においてスーパービジョンといわれているものに，職場の上司との立ち話的な指導が含まれている場合がある．これは倫理的にもトレーニングという意味からもスーパービジョンに含めるべきではない．

スーパービジョンの素材としてはバイジーのセルフ・レポート，逐語録やセッション記録，録画や録音，ライブ，コ・セラピー（同席や共同セラピストとして）などがある．

用語解説

*1　Zoom
　Skypeのプロフェッショナル版ともいえるインターネット通信機能．有料だがSkypeよりも機密保持機能が強いとされており，同時に複数の画像を映しながらやりとりできる．

3　スーパービジョンの進め方

具体的には1回ごとの心理面接に関して，50分から1時間のスーパービジョンを個別で受ける「個人スーパービジョン」や，2〜3人あるいは4〜5人で1人のスーパーバイザーに交代で事例を提出してスーパービジョンを受ける「グループ・スーパービジョン」がある．また，資格取得後数年を経たら数回のセッションをまとめて指導を受ける方法もあるが，録音や録画をもとにノンバーバルな側面も含めて緻密なスーパービジョンを受けるやり方もある．この録音や録画をもとにしたスーパービジョンはクライエントとのペース合わせやノンバーバルな波長合わせ，さらには心理師の発言の速度やトーンなどがわかるので，実際にどのようなセッションであったかを把握しやすく，それらに即したより実際的な指導が可能となる効果的な方法である．

しかしながら，日本ではスーパービジョンの重要性に関する認識不足，スーパーバイザー不足やその養成や評価課程の曖昧さなどに加えて，資格取得後のスーパービジョンが義務化されていないこともあって，このスーパービジョン体験が不足したまま心理師としての仕事を続ける場合が少なからずあり，問題とされている．

4　教育分析（教育カウンセリング）

教育分析（教育カウンセリング）とは，心理師自身がその訓練課程において，心理療法やカウンセリングを受けることをいう．通常は少なくとも数十時間から数百時間が望ましいとされている．

この教育分析について河合隼雄[8]は，歴史的にはまず**ユング　Jung, C.**がその必要性を提案しフロイトが賛同したとし，さらに，次のように述べている〔（　）は引用者による〕．

●河合隼雄 p.7参照
●フロイト p.7参照

▲ユング，カール
（1875-1961）

スイスの心理学者・精神科医．ユングはフロイトの精神分析と同様に意識，無意識の分析をするが，それに加え，個人をこえて人類に普遍的な集合的無意識を想定する点が特徴である．また心理療法におけるフロイトとの相違は，治療者が対話を重視し，クライアントと治療者がともに無意識からのメッセージを解き明かすという態度で治療することである．（写真：PPS通信社）

「（心理師が）自ら生きることの意味を求めて苦闘し，解決への努力を払っていないで，どうして他人の生きることの意味を見出す仕事に役立てることができようか．ここにおいて，たんに他人を治療するとか，他人をよくするとかいったことよりも，治療者(心理師)自身の自己教育，その人格の発達ということが，治療の中心課題となってくるとさえいえる」

また，東山紘久[9]はカウンセラーに必要な純粋性について，以下のように述べ，教育分析を受けることの必要性を訴えている．

「純粋性は自分自身であることである．自分自身でいられれば，相手も自分自身でいられる．自分自身の相手に対する感じが純粋に表現されれば，相手はまさに鏡に映った自分自身の歪みのない姿を見る．そこに純粋な相手の像と純粋な自分の像を得る．自他は区別され，自分の存在と相手の存在が，平等な地位と場所をもち，存在する」

この記述からもわかるように，教育分析は臨床家の個人的・職業的な成長に資すると考えられる．それはたとえば，自分自身の問題を知って解決することができるということから始まって，クライエントの立場から心理療法を体験できるという利点がある．さらにこのような営み自体がセルフケアの1つの方法であり，経験豊富な臨床家と面接を行うことによって技法や介入のしかたについて体験的に学べる，などのさまざまな利点がある．

わが国においても，教育的に心理療法を受けることは，心理臨床家の必要条件であるといわれており，心理師が心理療法を受けることは望ましいと考えられる．

5　教育分析に関する研究

セラピストが自らセラピーを受けることに関しては，世界中の臨床家を対象とした大規模な量的研究が行われている．なかでも14か国約5,000人のセラピストを対象にした**オーリンスキー Orlinsky, D.**ら[10]の研究の結果からは，セラピストが受ける心理療法は有益であり，セラピストの約8割が心理療法を受けていることや，個人的問題の解決や職業的訓練を目標としていることが明らかにされている．

6　停滞を避けるために：事例検討会と臨床研究・学会発表・論文執筆

スーパービジョン，教育分析とならんで，心理師がそのキャリアを通じて一貫して取り組むべき研鑽に事例検討会や自主研究会がある．

事例検討会にもさまざまな形態があり，単なる担当者どうしの情報提供から，アセスメントや方針に関する検討や確認，さらにはPCAGIP (person-centered approach group incident process)法[11]とよばれるエンカウンター・グループ的な事例検討会から，指導者をおいたグループスーパービジョン的な事例検討会

まである．

とくに近年注目されているのが PCAGIP であり，これは人間中心療法 (PCA：person centered approach) の考え方をもとに開発された新しい事例検討法で，「批判しない」，「メモをとらない」というルールのもと，守られた空間のなかでグループ成員の相互作用から問題解決に役立つヒントを生み出し，事例提供者の心理的成長を目指すものである．教育，福祉，看護などの幅広い対人援助職のための事例検討法として注目されている．

また，自主研究会も読書会的なものから，心理検査を含む何らかの技法習得的なもの，さらには臨床研究を実施するような研究会までさまざまな会が考えられる．心理師は，関連学会への参加や発表も含めて，そのキャリア全体を通じてこのような会に参加し続け，さらに可能であれば研究成果を論文としてまとめて学術雑誌に投稿することで，停滞を防ぎ，常に情報と技法を更新し続けることが可能となるのである．

ここまで，心理師の生涯にわたる自己研鑽について述べてきたが，その到達点や目標として考えるべき人格の成熟と超越性に関しては，アメリカの心理学者であるシュルツ Schultz, D.[12]の健康な人格という考え方が参考になる．シュルツはこれまでの主な心理学者たちの唱えてきた人格の成熟性を，さまざまな角度か

■ 表1　主な心理学者が唱えた人格の成熟性と超越性

心理学者	人格の成熟性と超越性
オルポート, G.	自己感覚の拡大，自己が他者と暖かい関係をもつこと，情緒的安定性，現実的知覚，技能と課題，自己客観化，統一的な人生哲学をもつこと
ロジャーズ, C.	経験に対して開かれていること，実存主義的生活（実存のあらゆる瞬間を完全に生きている），自分自身の有機体（心身全体）への信頼，自由の感覚，創造性をもつこと
フロム, E.	連帯性，超越性（生物としての受け身の役割から立ち上がり，これを超越しようとする人間の欲求．破壊性も含む），根源的（人と人との）つながり，アイデンティティの感覚，構えの構造
マズロー, A.	現実についての有効な認知，自然・他人・自分自身についての全般的な受容，自発性・純真さと自然性，自己の外にある問題に対する熱中，プライバシーや独立に対する欲求，自律的機能，不断の斬新な鑑賞眼，神秘的経験あるいは「至高」体験，社会的関心，対人関係，民主的な性格構造，手段と目的との区別，善悪の識別，敵意のないユーモアの感覚，創造性，文化受容に対する抵抗（個人的に重要な場面での社会的慣習や規範に対する挑戦）
ユング, C.	意識の世界と無意識の世界を統合した，個性化した人間．つまりそれまで無視してきた自己の諸側面に気づき，内的に調和した存在となること．すなわち，人格の全側面が調和的な均衡状態を成し遂げていること
フランクル, V.	意志の自由（生物学的本能や幼児期の葛藤など，あるいは外的な力に決定されるのではなく，それらを処理する自由），意味への意志（自らの存在に目的を与える意味への探求），人生の意味（自分自身のやり方を探し，いったんそれをみつけたら責任をもって堅持すること）
パールズ, F.	自らの衝動や願望をほかの人間に投影するのではなく，自由に表出できること．唯一の現実として「現在」に注目すること．自分の人生を方向づける責任をもっているとともに，他人の人生に対して責任をとらないこと

文献12）を参考に作成．

ら比較しており，非常に興味深い(**表1**).

■ 引用・参考文献
1) 警察庁：平成30年中における自殺の状況，平成31年3月28日
   https://www.npa.go.jp/safetylife/seianki/jisatsu/H30/H30_jisatunojoukyou.pdf より2020年1月10日検索
2) 鑪幹八郎ほか：スーパーヴィジョンを考える，誠信書房，2001
3) 鑪幹八郎：スーパヴィジョンとコンサルテーション ―心理臨床の現場から．精神医学39(8)：876，1997
4) Friedlander ML, et al：Development and validation of the supervisory styles inventory. Journal of Counseling Psychology 31(4)：541-557, 1984
5) 平木典子：心理臨床スーパーヴィジョン ―学派を超えた統合モデル．金剛出版，2012
6) 平木典子：スキルアップにつなげるスーパーヴィジョンとは何か？．臨床心理学 15(6)：704-708，金剛出版，2015
7) 五十嵐透子：心理臨床家の養成課程におけるスーパーバイザーに求められること ―関連文献による主要概念の整理から．心理臨床学研究 35(3)：304-314, 2017
8) 河合隼雄：ユング心理学入門．p251．培風館．1967
9) 東山紘久：教育分析の実際．創元社．2007
10) Orlinsky D et al：Outcomes and impacts of the psychotherapist's own psycho-therapy ―A research review. The Psychotherapist's own psychotherapy―Patient and clinican perspective(Geller J et al)，Oxford University Press，2005
11) 村山正治ほか：新しい事例検討法 PCAGIP 入門．創元社，2012
12) シュルツ D.：健康な人格―人間の可能性と七つのモデル(上田吉一監訳)，川島書店，1982

多職種連携・地域連携による支援の意義とチームにおける役割

この章で学ぶこと

- 多職種連携・地域連携による支援の意義とチームにおける役割
- 実習における関係者の役割分担の理解とチームの一員として参加すること
- 医療機関における「チーム医療」の体験

1 多職種連携とチームアプローチ

近年，保健医療，福祉，教育，司法・犯罪，産業・労働などあらゆる分野において多職種連携や地域連携，家族との連携が，非常に重要になっている（図1）．

そもそも多職種からなるチーム医療が成立した背景には，医師や看護師など医療専門職の技能が高度化し，専門分野が細分化したことや，生物-心理-社会モデル[*1]にスピリチュアルな面も含めた全人的なケアへの志向などがある（図2）．そして質が高く，安心・安全な医療を求める患者・家族の声が高まったことも要因にある．その一方で，医療の高度化・複雑化に伴う業務の増大により，医療現場の疲弊が指摘されるなど，医療の在り方が根本的に問われる時代となり，より一層チーム医療への期待が高まっている．

チーム医療とは医療に従事する多種多様な医療スタッフが，各々の高い専門性を前提に，目的と情報を共有し，業務を分担しつつも互いに連携・補完し合い，患者の状況に的確に対応した医療を提供することを意味する[1]．

同様に教育分野でも，多職種連携によるチームアプローチ（チーム学校）の必要性が謳われている．その背景として，学校が抱える課題が従来よりも複雑化・困

> **用語解説**
>
> *1　生物-心理-社会モデル
> 1970年代にジョージ・エンゲルが提唱した精神医学のモデル．患者の訴える問題や精神現象について，生物学的側面，心理学的側面，社会学的側面も含めて統合的に理解していくものとした．

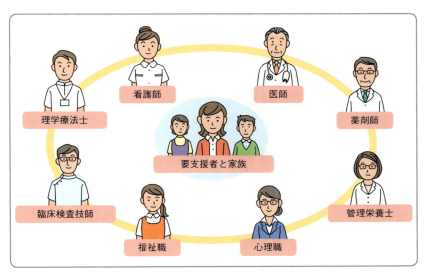

図1　多職種連携

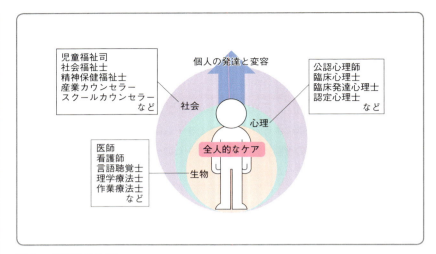

図2　多職種の分類

難化し，心理や福祉など教育以外の高い専門性が求められるような事案も増えてきており，教員だけで対応することが，質的・量的にも難しくなってきていることがあげられる[2]．

2 地域連携

全人的なケアを目指すうえで，同じ施設内の多様な専門職に加えて，近隣のさまざまな支援施設の専門職が連携して対応する場合を地域連携とよぶ．福祉分野の児童虐待ケースを例に考えてみよう．

酒に酔った夫からドメスティックバイオレンス(DV)[*2]を受けた妻が110番通報したことから，警察が家庭に介入するケースがあったとする．子どもに傷があれば病院で一時保護をして治療をし，その後で児童相談所で引き続き一時保護されることもある．

児童相談所では，医師，弁護士，福祉職，心理職など，多職種でケース検討を行い，警察や病院からの情報も含め総合的に判断して，組織としての支援方針を決定することになる．児童相談所の心理職は子どもの心理アセスメントを担当し，行動観察や知能検査などを行ったりするが，アセスメント結果は，児童相談所だけでなく，地域のほかの公的機関が支援方針を検討するための資料ともなりうる．

また，児童相談所は子どものケアだけでなく，ケースワーカーが虐待の再発を防ぐために両親の面接を行ったり，ほかの行政機関と連携して生活保護や医療費助成などの生活支援をすることもある．母親を女性相談センター[*3]の相談につなげたり，父親をアルコール使用障害の治療のために専門医療機関へつなげたりといった多彩な支援も行う．

このように，複雑な課題を同時に抱える困難ケースには，ケースを取り巻く多様な専門機関における多職種が連携してかかわる必要が生じるので，支援にかかわる専門職と組織[*4]についての理解が欠かせない(表1，図3)．

＊2　ドメスティックバイオレンス(DV)
家庭内で行われる近親者からの暴力行為．殴る，蹴るなどの身体的暴力や，罵りや脅迫などの心理的虐待，性的虐待，軟禁や通信手段を取り上げる社会的な隔離も含まれる．また，交際相手からの同様の行為はデートDVともいわれる．

＊3　女性相談センター
もとは婦人相談所とよばれ，売春行為のおそれのある女性を保護し，更生を支援する施設だったが，2001年のいわゆるDV法成立により，配偶者からの暴力などで緊急の保護や自立の支援が必要な女性の相談も受けるようになった．

＊4　支援にかかわる専門職と組織
公認心理師は保健医療，福祉，教育，司法・犯罪，産業・労働など主要5分野で多職種と連携して支援を行う．そのため，それぞれの分野で連携する多様な専門職の専門性を理解するとともに，病院，診療所，福祉施設，学校など，連携先の組織・機関の役割や機能を熟知することが求められている．どの時期にどのような組織との連携が必要であり，いかなる専門職と情報や目的を共有するかを常に念頭に置くことが連携の要となる．

■ 表1　児童虐待ケースの地域連携の例

機関	主な専門職	役割
保健所	保健師・栄養士・歯科衛生士など	親支援・家庭訪問・医療費の助成
医療機関	医師・看護師・薬剤師など	医療サービスの提供
小中学校	教諭・養護教諭・スクールカウンセラー・特別支援教育支援員	家庭訪問・子どもの教育と支援・親対応・カウンセリング
女性相談センター	社会福祉士・心理職	DV家庭への相談・保護
児童相談所	児童福祉司・児童支援員・保育士・児童心理司・弁護士など	市町村との連携・一時保護・心理アセスメント・施設措置・里親措置
警察	警察官	緊急対応
市町村生活支援課・児童福祉課など	市町村職員	連絡調整やとりまとめ・生活保護など生活支援

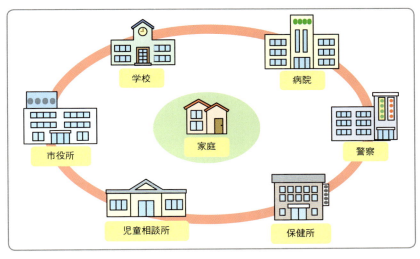

図3　地域連携

3　多職種連携・地域連携による支援の意義

　多職種連携・地域連携による支援は，ひとりの専門職や一施設による支援よりも，要支援者に多角的，多面的にかかわることができ，さまざまな支援の相乗効果を期待できるところに意義がある．

　このとき，多職種からなるチームが確実に機能することが鍵となる．チームを形成する目的やチームの支援方針やアセスメントを共有できないと，各専門職種や各施設のあいだで認識や支援法に齟齬(そご)が生じ，かえって要支援者が混乱することも起こりうる．

　このチームの機能をバランスよく保つうえで，心理職の専門性が有用となる．公認心理師が保健医療，福祉，教育に加え，司法・犯罪，産業・労働も含む領域横断的な資格であると同時に，集団におけるリーダーシップ[*5]やコミュニティアプローチ[*6]についての知識を有しているからである．この知識を有効に実践的に活用するために公認心理師にはどのような役割が求められているのだろうか．

用語解説

[*5]　リーダーシップ

　グループの目的を達成するために，グループメンバーが自発的に集団活動に参加し，目的達成に導くための機能のこと．リーダーシップには放任主義型，権威主義型，民主主義型などがある．三隅二不二のPM理論も有名である(p.457 第21章2節 参照)．

用語解説

[*6]　コミュニティアプローチ

　コミュニティ心理学の視点に立った心理支援のことであり，クライエントの問題をクライエントが生活を営む地域・社会・組織など生活環境システムとの関係で理解し，そのシステムとのかかわり合いのなかで支援することをいう．

4 チームにおける公認心理師の役割

　まず公認心理師に求められるのは,心理面接と心理検査の力量である.そして,この中核的な専門性をチーム内で有効に活用するためには,常識的な社会人としてのコミュニケーション能力やマネジメント能力が必要である[3)4)].心理職の内輪だけで通用する専門性はチームでは活用されない.とはいえ,一般の大学生が就職活動をしているあいだ,公認心理師を目指す人は大学院受験の準備をする場合も多いと考えられ,社会人としての常識といわれても意外に難しいのかもしれない.

　花村温子[5)]はチーム医療において支援を円滑に行うために心理職として大切にしていることとして次の7点をあげている.①チームとは何かを知ること,②アクセスしやすい専門職であること,③常にチーム全体を含むアセスメントをすること,④患者,家族もチームの一員とみなし,必要な関係職種が集まってチームを組むこと,⑤ほかの専門職を知ること,相手を尊敬すること,⑥自分の役割と限界を知ること,⑦他職種協働だけでなく,同じ職種間での協働,連携,交流にも気を配ること,である.

　これは医療に限らず,どの分野においても多くの関係者がチームとして役割分担しつつ,要支援者にかかわるときにも役立つだろうし,社会人としての基礎も含まれている.

　チームは常によい関係を維持し続けられるような万能なものではない.むしろチームのあり方は多様で,それぞれに自立した専門職どうしにおける意見の違いや,メンバー間の情緒的なわだかまりも生じうる.こうした事態は,要支援者が抱えている困難な問題がチーム内の葛藤として力動的に表現されている,と理解できる場合もある.

　1章でも述べられているように,心理職はこのようなときに,チームのほかのメンバーが見落としている点に気づき,ほかの職種とは異なる角度からアプローチを行ったり,それを伝えたりすることができる.チームに関与しながら観察をしつつ,チーム間の葛藤や混乱を整理し,解決に導くところにも心理職の専門性があるといえるだろう.

■ 引用・参考文献

1) 厚生労働省:チーム医療の推進について(チーム医療の推進に関する検討会 報告書), 2010
　https://www.mhlw.go.jp/shingi/2010/03/dl/s0319-9a.pdf より2020年1月30日検索
2) 文部科学省:チームとしての学校の在り方と今後の改善方策について(答申), 2015
　https://www.mext.go.jp/b_menu/shingi/chukyo/chukyo0/toushin/__icsFiles/afieldfile/2016/02/05/1365657_00.pdf より2020年1月30日検索
3) 壁屋康洋:他職種との協働.病院で働く心理職(野村れいか編), p16-28, 日本評論社, 2017
4) 下平憲子ほか:フロンティアとしての葛藤と成長—総合病院の非常勤臨床心理士としての経験から.心理臨床家の成長(乾吉佑編), p141-163, 金剛出版, 2013
5) 花村温子:心理的支援における連携・協働の心得—チーム医療における連携・協働.臨床心理学 15 (6):727-731, 2015

2 実習における関係者の役割分担とチームの一員として参加すること

3章 多職種連携・地域連携

1 実習の意義

それでは公認心理師を目指している大学生や大学院生が多職種連携や地域連携を理解するには，どうすればよいのだろうか．また数多い職種のそれぞれの専門性や独自性，チームにおける役割分担について理解し，参加できるためにはどうすればよいのだろうか．

この学びにおいて必須のものが実践的な実習である．科学者-実践家モデル（→p.7 第1章1節参照）に依拠する公認心理師は，実践なくしてその生業は成立しえず，かといって実践ばかりで科学者としての態度がなくては，単なる素人の相談になりかねない．よって公認心理師を目指す人には，実践と科学的な理論をつなぐ体験が必須となり，その中心が実習といえる．表1に実習科目として定められている内容を示す．

■ 表1 大学と大学院における実習科目

	大学における実習科目（心理実習）	大学院における実習科目（心理実践実習）
実習内容	実習生が，心理に関する支援を要する者（以下「要支援者」という）などに対して，実際に面接や検査を実施することを通じて，心理状態の観察および分析ならびに必要な支援を行う	
	次の（ア）〜（ウ）について，見学などによる実習を行いながら，実習指導者または教員による指導を受ける． （ア）要支援者へのチームアプローチ （イ）多職種連携および地域連携 （ウ）公認心理師としての職業倫理および法的義務への理解	次の（ア）〜（オ）について，見学だけでなく，要支援者などへの支援を実践しながら，実習指導者または教員による指導を受ける．医療機関以外の施設では，見学を中心とする実習も含む． （ア）要支援者などに関する知識および技能の習得 （イ）要支援者などの理解とニーズの把握および支援計画の作成 （ウ）要支援者へのチームアプローチ （エ）多職種連携および地域連携 （オ）公認心理師としての職業倫理および法的義務への理解
実習施設	保健医療，福祉，教育，司法・犯罪，産業・労働の5分野（以下「主要5分野」という）に関する学外施設．ただし，経過措置として法施行後当分のあいだは医療機関（病院または診療所）での実習を必須とし，医療機関以外の施設での実習は適宜行う．	学内施設または主要5分野に関する学外施設．学外施設については，主要5分野のうち，3分野以上の施設で行うことが望ましい．なお，医療機関（病院または診療所）における実習は必須とする
実習時間	80時間以上	450時間以上〔担当ケースに関する実習時間が270時間以上（うち学外施設の実習が90時間以上）〕

文献1）を参考に作成

2 心理実習

学部生対象の心理実習では,主に見学実習などをしながら,保健医療,福祉,教育,司法・犯罪,産業・労働の主要5分野で,要支援者へのチームアプローチと多職種連携および地域連携の実際を学ぶ.この見学実習の事前学習として,具体的には,以下の項目の学習があげられている[2]).

①正式名称・所在地(公共交通機関などを利用した際の行き方を含む),②設置主体(国立・県立・市立・私立),③設置目的と業務内容,④施設の設置と業務にかかわる関連法規,⑤職員構成(どのような職種で構成されているのか),⑥心理職の役割と具体的な業務,⑦施設の利用方法と料金ならびに利用者の概要,⑧見学実習における目的(見学すべきポイントや質問の事前整理),である.

また,見学後に事前学習した内容と見学実習で学んだ内容とを照合して,理解を深めることも心理実習に含まれている.

この心理実習は,いわば間接体験による実習ではあるが,大学で講義や文献購読を通じて得た知識を現場の実際と照らし合わせて考える実習には大きな意味がある.

3 心理実践実習(学外実習)

大学院の心理実践実習(学外実習)においては,学部の心理実習よりも質量ともに充実した実習が求められる.保健医療,福祉,教育,司法・犯罪,産業・労働の主要5分野のうち,保健医療を含む3分野以上の施設において270時間以上,要支援者へのチームアプローチと多職種連携および地域連携の実践を学ぶことになる.

たとえば,精神科病院ではデイケア*1や回想法*2のスタッフの1人として患者への支援を行い,教育分野では教育支援センター*3で不登校児童・生徒と交流したり,福祉分野では発達障害児を対象としたグループに参加したりといった実習をそれぞれ90時間以上行うプログラムなどが考えられる(ただし,医療機関以外の施設では見学実習も含んでよいとされている[1]).

この心理実践実習の事前学習はもちろん必須だが,実習先の指導者からオン・ザ・ジョブ・トレーニング*4を受けたり,事後学習として大学院におけるカンファレンスやスーパービジョンにおいて,臨床指導を受けることも大切である.実習前,実習中,実習後の学習の繰り返しが心理職としての基礎作りには欠かせない.

4 心理実践実習(学内実習)

実習に関して,日本心理臨床学会の提言によると,大学院の心理実践実習(学内実習)では学内施設における心理面接や心理検査などの実習を180時間以上行うことが求められている.ここでは要支援者(クライエント)と実習生が主に1対1になり,心理的コミュニケーションを通じた個別性の高い支援の実践を体験することになる.具体的には,3ケース以上,または45セッション以上の心理面

用語解説

*1 デイケア
精神科では,主に精神障害者を対象とし,再発・再入院の防止や生活リズムの維持などを目的に行う通院治療の一形態.医師,看護師,作業療法士,心理職などによって集団心理療法や創作活動,生活指導などが行われる.

用語解説

*2 回想法
高齢者や認知症患者を対象とした心理療法であり,個人回想法とグループ回想法がある.思い出を振り返ってほかの人と共有することで,自己効力感を高めたり,孤独感を和らげたりする方法.

用語解説

*3 教育支援センター
適応指導教室ともいう.不登校の児童や生徒の心の安定をはかり,集団への適応,生活習慣の安定などのための支援を行うことで,学校への復帰を促す.教職経験者による学習指導に加え心理職による支援もある.

用語解説

*4 オン・ザ・ジョブ・トレーニング
職業の実地訓練のこと.On the Job Trainingの頭文字をとってOJT(オー・ジェー・ティー)ともいう.実際の臨床現場で仕事を経験することによって,専門職としての業務に必要な知識や技術を学ぶ訓練法である.

接を体験し，同時にスーパービジョンを受けることが期待されている[3]．

　主に心理職のみによって構成される学内施設(図1)において，固有の関係性をベースにした心理療法を学ぶことは，心理職の専門性の中核を学ぶことでもある．ここで心理職としての軸足を確かなものにすることが，将来的にチームの一員として専門性を発揮することになり，ひいては心理職ならではの多職種連携・地域連携のための基盤を築くことになると強調しておきたい．

図1　学内実習施設の例

5　チームの一員としての心構え

　心理実践実習において実習生は，実際に要支援者への支援を行うことになる．このとき，実習生自身は学生という身分だが，支援を受ける側からすると，実習生であっても支援チームの一員である．インフォームド・コンセントや守秘義務等，公認心理師に求められる倫理(➡ p.9 第1章2節参照)を守りながら，医療スタッフ，教育スタッフなど，実習先のスタッフの一員としての立ち居振る舞いが求められる．

　自分に何ができるのか，何ができないのかを見極め，実習生として行ってもよいこと，他職種の業務に立ち入ってはいけないことを考えながら実習を行う．そして迷ったら躊躇せずに現場の実習指導者の指示を仰ぐことが必要である．安全で質の高いサービスを提供するチームの一員としての心構えをもって実習に臨むことが大切である．この心構えが，将来公認心理師として働く際に自分の専門的能力の限界を知り，自己責任で支援[*5]にあたるための基礎となる．

用語解説

*5　自己責任と自分の限界
　公認心理師が支援を行う際，自らの判断がもたらした結果に対して責任を負う必要がある．そのため，心理療法の効果や限界など専門的能力の限界を知る必要がある．この見極めに必要なのが心理的アセスメントであり，要支援者だけでなく，自分自身の能力に加え，所属する組織の受入れ可能性をも適切にアセスメントする必要がある．専門家としての自分を客観視する冷静な視点をもつことが求められる．

■引用・参考文献

1) 文部科学省・厚生労働省：公認心理師養成に係る実習生の受入れに関する御協力のお願いについて(依頼)，2017
https://www.mhlw.go.jp/file/06-Seisakujouhou-12200000-Shakaiengokyokushougaihokenfukushibu/0000177886.pdf より2020年1月30日検索
2) 宮崎昭：心理実習．公認心理師入門―知識と技術(野島一彦編)，p104-108，日本評論社，2017
3) 日本心理臨床学会：公認心理師養成カリキュラムにおける実習についての提言，2017
https://www.ajcp.info/pdf/20170220.pdf より2020年1月30日検索

3章 多職種連携・地域連携

3 医療機関における「チーム医療」の体験

1 多職種カンファレンスへの参加

　チームによる多職種連携を体験できるのは心理実習，心理実践実習のどちらにおいても必修の保健医療分野における学外実習がメインとなる．

　表1は，精神科病院における大学院実習生のある1日のスケジュールである．

　表1では，午前に病棟の申し送り[*1]に参加，続いて，心理職間でも申し送りをするなど，情報共有の時間が多く設けられていることがわかるだろう．

用語解説

*1　申し送り

　スタッフが，日勤，準夜勤，夜勤など交代で勤務している病院や施設において，勤務交代のときに患者の病状や状況など，業務上の必要事項を次の担当者に伝達すること．

■ 表1　精神科病院における大学院実習生の1日

罰則	罰則
8：00	実習先の病院に到着
8：00〜8：20	白衣に着替えるなどの準備をする
8：25〜9：10	全体朝会に参加する
	精神科急性期治療病棟の申し送りに参加する
	認知症治療病棟の申し送りに参加する
9：15〜10：40	心理職の申し送りに参加する
	事務作業の手伝いをし，空き時間に専門書を読んで事前学習をする
10：40〜11：00	精神科急性期治療病棟で患者さんと交流する
11：00〜11：30	精神科医の初診に陪席する
11：30〜12：30	認知症治療病棟で昼食の様子を見学する
12：30〜13：30	昼休み
14：00〜14：30	多職種カンファレンスに参加する（医師・看護師・薬剤師・心理職・精神保健福祉士・理学療法士・作業療法士・管理栄養士・医療事務員などが参加）
14：35〜16：30	認知症治療病棟の作業療法に参加する
16：30〜17：00	精神科急性期治療病棟で患者さんと交流する
17：00〜17：30	1日の実習の振り返りを心理職の先生と一緒に行い，指導を受ける
18：30	病院から帰宅
20：00〜21：00	大学院に提出する実習記録を作成する

　たとえば午後に開催される多職種カンファレンスには院内のほとんどの職種が参加している．このカンファレンスでは，入退院する患者や特段の配慮が必要な患者についてチームで情報を共有する（図1）．医師の診断や心理アセスメントだけでなく，治療計画を病院全体で共有し，チーム医療の目標実現のために，身体的なケアに加え，心理的なケア，退院後の社会的ケアなどの治療方針が総合的に検討される時間である．

　この実習生は週に1回，半年間の実習を体験した．このように医療機関におい

図1　多職種の　　　カンファレンス

て申し送りや多職種カンファレンスに参加し，その雰囲気を感じながら，各専門職の共通点や独自性，専門性を間近で学ぶことになる．また，医療機関でチームの一員として活躍する際，医療安全の視点をもつこと，そしてその知識を十分に蓄えることも求められる．

ここでは，インシデント(事故が生じるリスクが高い出来事，ヒヤリハット体験)やアクシデント(事故)への対応や報告のプロセス，感染症(院内感染)予防策(血液や体液，排泄物などの扱い方)の理解なども求められる．

2　日常的交流から学ぶ

これ以外にもぜひ，実習生に学んでほしいことがある．それはスタッフ同士の雑談や「ながら会議」，そして通常業務以外のイベントでの交流である．

医療スタッフはいつも非常に忙しくしているが，廊下や食堂でのすれ違い時に，挨拶のほかにも情報交換を行ったりする．職員食堂で昼食時のミニ会議もある．心理面接室にひきこもることなく，アクセスのよい専門職として，折に触れての雑談や「ながら会議」で，普段から多職種とコミュニケーションをとることがチーム医療に活きるのである[1]．

同様に病棟で入院患者と一緒のクリスマスのイベントに参加するなどの通常業務以外のかかわりで，多職種間でパーソナルな交流をもつこともチーム医療の潤滑油となる．このようなイベントに誘われたら，ぜひ，実習の一環と考えて積極的に参加してみてほしい．

■ 引用・参考文献

1) 三橋由佳ほか：心理士の連携．医療心理臨床の基礎と経験(馬場謙一監)，p178-207，日本評論社，2010

1 心理学の成り立ち

4章 心理学・臨床心理学の全体像

この章で学ぶこと
- 心理学と臨床心理学の成り立ち
- 人の心の基本的なしくみと働き

　心理学(psychology)の語源は，"psyche"（精神，魂）＋"logos"（論理，言葉）からつくられた用語であり，その起源は，古代ギリシャの哲学者まで遡ることができる．

- 医学の祖といわれたヒポクラテスの四体液説の影響を受け，四気質説を唱えたガレノス
- 人間だけではなく植物や動物にも心の機能を仮定したアリストテレス
- 心は人間にのみ生まれつき備わっているものであり（生得説），心と身体は分離して存在しており（心身二元論），その両者が脳の特定の部位において相互作用し合うという心身相互作用説を論じたデカルト
- 生まれながらの人の心は白紙（タブラ・ラサ）のようなものであり，知識は個人の経験を通じて獲得される（経験説）ことを主張したロック

などさまざまな哲学者によって心に関する考察がなされてきた．
　これらの考えは，後世の心理学に多大な影響を与える一方で，哲学者たちが書斎の肘掛け椅子に座って考えたものであり「肘掛け椅子の心理学」とよばれることもある[1]．

1 心の科学としての心理学の誕生

　19世紀に入ると，自然科学全般がめざましい発展を遂げるとともに，その影響を受けて，科学としての心理学が誕生することとなる．たとえば，身体と精神あるいは物理的世界と心的世界との関係を数量的に検証する精神物理学を提唱した**フェヒナー Fechner, G.**や，視覚や聴覚に関する多くの研究を行った**ヘルムホルツ Helmholtz, H.**はともに物理学者であり，実験心理学の発展に大きく貢献している．
　このようななか，**ヴント Wundt, W.**がドイツのライプチヒ大学でゼミの授業を心理学実験室において行いはじめた1879年を，心の科学としての心理学の誕生とすることが多い（図1）．ヴントは，生理学の観点から，人の意識を心理学の対象とし，人の意識は一つひとつの感覚や感情の結合によってとらえることができるという立場（要素主義）に立ち[2]，実験法の手続きを用い，その結果生じる意識内容を内観とよばれる自己観察に基づき明らかにした．ヴントは，実験法の適用範囲を感覚や知覚に限定し，記憶や思考のような「高次精神過程」については実験的な研究が不可能であると考えたが[3]，**エビングハウス Ebbinghaus, H.**は記

図1 ライプチヒ大学の心理学実験室でのヴントと弟子
ライプチヒ大学の心理学実験室でのヴントと弟子たち．中央の椅子に座っているのがヴント．（写真：PPS通信社）

憶の領域に実験法を用い，記憶の保持過程など重要な知見を明らかにしている．

なお，ヴントのもとで研究をし，その後，様々な領域で活躍する心理学者は，児童研究運動に力を入れた**ホール Hall, G.S.** やメンタル・テストの生みの親である**キャッテル Cattell, J.M.**，構成主義を唱えた**ティチナー Titchener, E.B.**，アメリカにおいて臨床心理学の領域を切り開いた**ウィトマー Witmer, L.** など数多く存在する[4]．

2 ゲシュタルト心理学

20世紀に入ると，ヴントの要素主義に基づく心理学に対する批判が生じ，さまざまな心理学の立場が現れてきた．その1つが，ゲシュタルト心理学である．ゲシュタルト心理学は，心理的現象は要素に還元するのではなく，1つのまとまりとしての全体（ゲシュタルト）としてとらえることが重要だという立場であり，**ウェルトハイマー Wertheimer, M.**，**ケーラー Köhler, W.**，**コフカ Koffka, K.** といった研究者が中心的な役割を果たした．当初，知覚の研究を主に扱っていたが，次第にその研究領域を拡大し，思考や発達心理学などさまざまな領域にまで対象を広げていった．

そして，**レヴィン Lewin, K.** は，ゲシュタルト心理学の前提である力学的「場」の構想を，個人の生活空間をめぐる諸問題や集団行動の分野にまで拡張し，集団力学とよばれる社会心理学の展開に大きなインパクトを与える考え方を提唱した[3]．

3 行動主義

アメリカの心理学者である**ワトソン Watson, J.** は，意識を心理学の対象にする考え方ではなく，外部から客観的に観察可能な行動を対象とすることが科学としての心理学において重要だと主張した．ワトソンは，**パヴロフ Pavlov, I.** の条

▲ワトソン，ジョン
（1878-1958）
アメリカの心理学者．行動主義心理学の創始者．1913年にコロンビア大学における講演を機に行動主義宣言を行い，動物実験を含め，数々の特徴的な実験を行った．（写真：PPS通信社）

▲パヴロフ，イワン
（1849-1936）
ロシアの生理学者．1904年にノーベル生理学・医学賞を受賞した．ヒトの精神疾患を動物実験から類推する動物モデルの先駆けとなった．イヌの実験神経症の発見者でもある．（写真：PPS通信社）

件反射と同様の考え方で，刺激（S：stimulus）と反応（R：response）を用いて人の行動をとらえることを目指した．

ワトソンの実験として，アルバート坊やの実験が有名である（➡ p.560 第26章参照）．

この実験では，恐怖のような情動的な反応も強い刺激によって条件づけられることを示したが，このような刺激と反応のみを扱う行動主義の心理学は，極端なものであったため，その後，**トールマン Tolman, E.** や**ハル Hull, K.**，**スキナー Skinner, B.** らによって刺激（S）と反応（R）のあいだに生活体（O：organism）を位置づけた新行動主義が出現し，記憶や学習，思考などの高度な認知過程まで研究対象として扱われることとなった．

4 精神分析学

人間の精神生活において重要な役割を果たしているのは「無意識」であるため，意識を分析するだけでは人の心の理解につながらないと主張したのが**フロイト Freud, S.** である．フロイトは，幼児期の受け入れられない願望が意識から閉め出されて無意識の一部になり，それらが思考，感情，行動に影響を及ぼすと考え，自由連想や夢分析を用いて無意識をとらえる精神分析学を提唱した．

精神分析学の考え方は，当時の精神医学界ではあまり受け入れられなかったが，次第にフロイトの考えに賛同する研究者が増えていき，現在では，臨床心理学や性格心理学の分野において重要な位置を占めている[1]．

5 個人差研究

上記の流れとは別に，多様な個人差を科学的な方法で適切に診断するための個人差研究が発展した．知能検査を最初に開発したのはフランスの心理学者**ビネー Binet, A.** であり，彼は精神発達遅滞児診断のための知能テストを用いることで，子どもの発達を量的にとらえることを可能とした．その後，**ターマン Terman, L.** や**ウェクスラー Wechsler, D.** などさまざまな研究者により多様な知能検査が開発されており，これらは現代も使用されている．また，知能検査の発展に伴い，知能の理論的研究も行われるようになり，相関分析や因子分析など多変量解析に関する技法が生み出されている．

6 認知心理学，認知神経科学

これまで述べてきたように，さまざまな観点から心の科学としての心理学が形づくられてきたが，20世紀後半からは，コンピュータを含む情報科学の発展によって人間の行動を一種の情報処理システムとみなす認知心理学が台頭してきた．認知とは認識すること，理解すること，思考することなど，高度な知的活動を包括的に表す言葉であり，認知心理学では，知覚，注意，表象，記憶，言語，問題解決，推論などについて研究が行われている．マサチューセッツ工科大

▲スキナー，バラス
（1904-1990）
アメリカの心理学者．行動主義心理学の領域で活躍した研究者．スキナー箱（スキナーボックス）を用いた実験などが有名であり，数々の研究成果は応用行動分析へとつながっている．（写真：PPS通信社）

フロイト p.7参照⬅

▲ビネー，アルフレッド
（1857-1911）
フランスの心理学者．フランス政府からの依頼により医師シモンとともに，ビネー式知能検査を開発した．当時，知能指数（IQ）の導入は画期的であったといえる．（写真：PPS通信社）

学で開催されたシンポジウムにおいて，**ミラー Miller, G.A.** の短期記憶の情報保持容量に関するマジカルナンバー 7（±2），**ニューウェル Newell, A.** と**サイモン Simon, H.A.** の GPS とよばれる人工知能による問題解決のプログラム，**チョムスキー Chomsky, N. A.** による生成文法の理論が報告された 1956 年 9 月 11 日は認知心理学の始まりとして知られ，認知革命の記念日ともよばれている．その後，1967 年に**ナイサー Neisser, U.** が認知心理学という題名をもつ最初の教科書を出版したことで，認知心理学の名が世の中に広がっていった．1980 年代半ばから認知心理学はさらに変化していく．神経系の生理学的研究の発展により，マクロな神経系の構造と行動レベルの機能との対応の解明，脳画像技術によるリアルタイムでの構造と機能のダイナミクスの解明などが進み，人間の行動の基盤にある脳の働きが解明されるようになった．認知心理学はこれら脳神経科学との融合をはかり，これは認知神経科学とよばれる領域として近年，研究が盛んに行われている[5]．ほかにも言語学の発展に伴って生じた心理言語学，心理学に進化論の視点を当てはめた比較心理学に基づく進化心理学など，領域横断的な研究によって，日々，さまざまな研究が蓄積されている．

■ 引用・参考文献

1）森敏昭：心理学の理論と方法．よくわかる心理学（無藤隆ほか編），p2-21，ミネルヴァ書房，2009
2）北尾倫彦：心理学とは―心の科学の生い立ちと歩み．グラフィック心理学，p1-10，サイエンス社，1997
3）鳥居修晃：心理学の歴史．心理学，第 4 版（鹿取廣人ほか編），p301-330，東京大学出版会，2011
4）サトウタツヤ・高砂美樹：流れを読む心理学史 - 世界と日本の心理学，有斐閣アルマ，2003．
5）道又爾：第 1 章 認知心理学 誕生と変貌．認知心理学 - 知のアーキテクチャを探る（道又爾ほか編），p1-26，有斐閣アルマ，2003．

2 人の心の基本的なしくみと働き（心の理論）

4章 心理学・臨床心理学の全体像

　ここでは心の基本的なしくみおよび働きのなかでも，心の個体発生（発達）において重要な，心の存在や働きについての理解である「心の理論（theory of mind）」について説明する．

　ふだんの生活のなかで，私たちは人の行動を理解したり，予測するために，人の行動の背後にある，なんらかの意図や好み，信念について推測している．心は直接的に観察することができないため，特定の心の状態と特定の行動のあいだに存在する法則性を見出し，対応していくことが日常生活を円滑に営むうえで必要となる．このような法則性の集まりを理論とみなし，心の理論と名づけられている．この概念は，チンパンジーがほかの個体の内的状態を読みとる能力を有しているのか否かを問う研究のなかで生まれてきたものであるが，すぐに乳幼児にも適用されることとなった[1]．

　心の理論を当人がもっているかどうかを検証する方法として，誤信念課題（false belief task）が考案されている．ここでは，**バロン＝コーエン Baron-Cohen, S.** らが用いたサリーとアンの誤信念課題について説明する（図1）．

　これは，「サリーがカゴの中にビー玉をしまって退室した後に，アンがビー玉を箱に移してしまう．その後で，サリーが部屋に戻ってくる」という話を聞かせ，サリーはビー玉がどこにあると思っているのかを尋ねる課題である．当然，サリーはビー玉が入れ換えられた場面を見ていないので，「カゴの中に入っていると思っている」が正解である．

　しかし，誤信念課題に関する数多くの研究の結果，4歳より下の子どもは正しく回答できないことが明らかにされてきた．たとえば，**ウェルマン Wellman, H.** ら[2]は，誤信念課題を用いた178の研究を取り上げて，メタ分析を行っている．その結果，3歳での課題の正答率は低いこと，また信念や思考の理解よりも欲求や感情の理解のほうが先に獲得されることが明らかとなっている．また，自閉症児を対象とした誤信念課題の研究結果により，自閉症の人々には心の理論の欠如，つまり他者の情動や行為を適切に解釈することが難しく，その結果，他者の精神状態や意図をきちんと判断評価することができないのではないかと主張する研究者も存在している[3]．しかし，心の理論の獲得時期については非言語的なものであれば15か月児においても誤信念を理解していることが明らかにされるなど，その後，さまざまな研究結果が出てきており，一致した見解がみられていないのが現状である．

　最後に，心の理論に類似した概念としてメンタライゼーションについて紹介する．メンタライゼーションとは，イギリスの精神分析家**フォナギー Fonagy, P.** によって提唱された概念であり，自他の行為が個人的な欲求，感情，信念などの心的状態に基づいてなされるものとして，黙示的また明示的に解釈する心的なプロセスのことをさす[4]．

　この概念は自己や他者を意図や感情をもった個別の存在として認識し，その

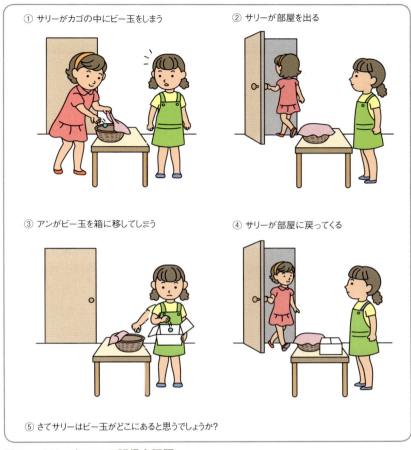

図1　サリーとアンの誤信念課題
(小嶋智幸編：図解やさしくわかる言語聴覚障害．ナツメ社，2016を参照して作成)

心的状態を想像できる能力としてとらえることもでき，養育者との安定した愛着形成とのかかわりが指摘されている．メンタライゼーションは内省機能（reflective functioning）尺度を用いて個人差を測定することができる．また，境界性パーソナリティ障害の治療法として，メンタライゼーションに基づく治療（mentalization-based therapy）の有効性が確認されている．

■ 引用・参考文献
1）遠藤利彦：感情と情意理解の発達．現代の認知心理学5（日本認知心理学会監），p129-169，北大路書房，2010
2）Wellman HM et al：Meta-analysis of theory-of-mind development － The truth about false belief．Child Development 72（3），655-684，2001
3）Baron-Cohen S et al：Does the autistic child have a 'theory of mind'？．Cognition 21（1）：37-46，1985
4）ベイトマン A ほか：メンタライゼーションと境界パーソナリティ障害－MBT が拓く精神分析的精神療法の新たな展開（狩野力八郎ほか監訳），岩崎学術出版社，2008

3 臨床心理学の成り立ち

1 臨床心理学とは

　臨床心理学(clinical psychology)はベッドサイドの心理学である．人間の心理・行動的問題や各種不適応のメカニズムの解明，心理的側面の測定法の開発と測定の実施，効果的支援法の開発と実施などを担う学問領域である．また，心理学辞典では，「主として心理・行動面の障害の治療・援助，およびこれらの障害の予防，さらに人々の心理・行動面のより健全な向上を図ることをめざす心理学の一専門分野」と定義づけられている[1]．

　臨床心理学におけるベッドサイドとは，心理的支援を担う者が活躍することが期待されている，いわゆる5領域(保健医療，教育，福祉，産業・労働，司法・犯罪)における活動の場をさし(図1)，広くはクライエントや患者とよばれる「よくなること」を目指した支援対象者が存在する場といえるだろう．ここでの「よくなること」とは，病気の回復のみならず，自己の成長や自己実現などを含む．したがって，臨床心理学という学問領域では，精神疾患や心理的障害のみならず，半健康な人(たとえば新しい環境で不適応を感じている人など)や健康な人も，研究や実践の対象者となる．

2 臨床心理学の誕生

　哲学や精神物理学といった人間理解を目指した学問領域や人間の心理的不調を治療することを目的とした学問・実践領域である精神分析学[*1]に加え，1879年にはドイツのライプチッヒ大学において，**ヴント** Wundt, W. により心理学実験室が創設された．ここでは，人間の内的事象をより客観的に把握する取り組みが行われ，この年が，心理学がほかの学問領域から独立した年であるとされる．心理学を誕生へと導いたヴントは「心理学の父」と形容される．心理学が誕生した当

> **用語解説**
>
> ***1　精神分析学**
> 　フロイトにより，19世紀末に確立された一学問領域．精神分析もまた，臨床心理学の土台となるさまざまな理論を提供している．

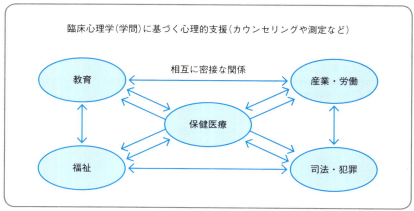

図1　臨床心理学と5領域

初，ドイツで独自の展開をみせるが，アメリカなどドイツ国外の多くの研究者もヴントに師事，あるいは影響を受け，心理学ならびに応用心理学(臨床心理学など心理学を土台とした学問体系)の発展に貢献している．

こうしたなか，アメリカの研究者**キャッテル Cattell, J.**は，ヴントに師事し，個人差を測定する多くのアイデアを提唱し，知能や性格を測定する重要な知見を提供している．キャッテルは，ドイツから帰国した後，1889年にはペンシルバニア大学で心理学教授に就任し，アメリカにおける心理学が本格的に展開することとなる．そのころ**ウィトマー Witmer, L.**[*2]は，ペンシルバニア大学を卒業し，教師として教鞭をとっていたが，ペンシルバニア大学大学院に進学しキャッテルに師事しながら，ライプチッヒ大学において1892年にはヴントから学位を得て，1896年には母国アメリカに帰国しペンシルバニア大学に心理クリニックを開設した．このクリニックでは，とくに知的障害や学習障害などをもつ子どもを対象に，心身の障害の程度を測定することや，効果的な支援・教育が実践・研究されるとともに，支援者を育成するなど，教育機関としての役割も担っていた．教師として生徒の教育にあたっていたウィトマーの経験(学習が困難な生徒への指導経験)が，知的障害や学習障害の支援や各種測定への興味につながったものといえる．

ウィトマーの取り組みにより，アメリカにおいて臨床心理学が本格的に展開するとともに，人間の心理・行動的問題のメカニズムを検討することや心理的治療法(心理療法)の開発や，治療効果の検討などをテーマする学問領域として知名度も高まりをみせる．ウィトマーが心理クリニックで行った支援や心理測定は，臨床心理学の中核ともいえる内容であり，これらの発展は臨床心理学の発展と密接に関係している．

 用語解説

[*2] ウィトマー，ライトナー
アメリカにおいて臨床心理学を創始し，「臨床心理学の父」と形容される．

3 臨床心理学と支援・心理測定

臨床心理学領域における支援は，カウンセリング(臨床心理面接)や心理療法をさすことが多いといえる．カウンセリングといったとき，クライエントの成長を促す開発的カウンセリングと症状や不適応を改善に導く治療的カウンセリングに大きく分けることができる．

開発的カウンセリングは，たとえば来談者中心療法(➡ p.322 第16章1節参照)の理論や方法論に基づき実施される，自己実現をうながすカウンセリングに該当する．一方，治療的カウンセリングは，体系的な方法に基づき実施され，場合によっては心理療法を適用することも重要な役割といえる．いずれにしても，クライエントの問題を軽減することや解決することがねらいとなり，カウンセリングを実施する実施者は，専門的知識を十分に蓄積するとともにカウンセリングの方法や心理療法の成り立ちを十分理解し，修得することが求められる．また，生物-心理-社会モデル(BPS: bio-psyco-social model) (➡ p.53 第3章1節参照)に基づくクライエントの多面的な理解と支援も重要である．

カウンセリングの歴史をみると，1904年の**ソーンダイク Thorndike, E.**による教育測定運動，1908年の**パーソンズ Parsons, F.**による職業指導運動や，ビアー

▲パーソンズ，フランク
(1854-1908)
アメリカにおける職業指導運動の中心的な人物．特性・因子論に基づき，職業選択に際し，適性の測定の重要性をアピールした．
(写真：PPS通信社)

ズ Beers, C. による精神衛生運動が源流とされる[2]．

教育測定運動では，教育に心理測定の概念を導入し，より効果的な教育を実現することが目指された．また，教育測定運動と同時期の1905年には，フランスのビネー Binet, A. らにより，児童の知的側面を測定する検査が開発され，アメリカでも大きく注目された．さらに，知的側面の客観的測定の有用性が認められ，教育測定運動にも大きな注目が集まった．

ビネー p.64参照

一方，職業指導運動では，「丸い穴には丸い釘を」をスローガンとして掲げ，ボストンに職業相談所が開設され，現代でいうところのキャリア心理学の発展に大きく貢献している．くわえて，精神衛生運動は，1908年，アメリカのコネチカット州に精神衛生協会が設立されたことに始まる．精神衛生運動の中心的人物であったビアーズは，『わが魂に出会うまで』(1908年)[*3]を著し，入院患者の精神衛生環境の向上，すなわち1人の人間として治療する大切さを訴えた．

以上のようなカウンセリングの3大源流では，自己実現や改善，適応を目指す個人を十分に支援すること，また，適切に測定することを重視しているといえる．そして，これらを土台として，1950年代以降，さまざまな臨床心理学（臨床心理学の理論）が提唱され，人間を理解すること（検査を用い測定することなど）や支援すること（カウンセリングを行うことで自己実現や適応をうながすことなど），治療すること（心理療法を適用して不調を改善することなど）が続けられている．図2は，とくにカウンセリングや心理療法，あるいは人間のとらえ方に関する展開をまとめたものである．

用語解説

*3 『わが魂に出会うまで』
ビアーズ自身が精神病院へ入院した実体験から記した著書で，当時の劣悪な精神衛生環境を訴えるものである．

ウィットマーによる創成期の臨床心理学では，子どもを対象とした支援や測定，適応の研究・支援が盛んに行われたものの，その後子どものみならず，青年期以降の成人に至るまでが対象となり，精神医学をはじめとする医学領域や各種応用

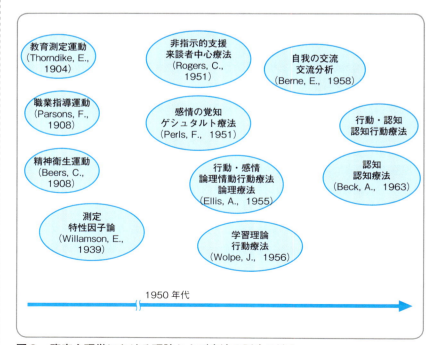

図2　臨床心理学における理論および療法の誕生の流れ

心理学（たとえば社会心理学など）と融合することで広がりをみせている．また，臨床心理学が展開するなかで，心理査定で用いられる各種検査や心理療法の開発も盛んに行われ，一学問領域として現在もなお研究・実践が続けられている．

また，とくにアメリカにおいて第二次世界大戦時，兵士の適性を測定することに臨床心理学の知見が適用できること，戦争神経症（現代における心的外傷後ストレス障害）の治療に，精神分析的治療法よりも臨床心理学的面接法が効果的であることなどを背景として臨床心理学の有用性や知名度が上がったとされる．こうしたなか，現代では，適性や能力，性格の測定や各種支援法・治療法の開発はより科学性を担保（evidence based practice）（➡ p.296 第 15 章 2 節参照）することが求められる時代となっている．

4 臨床心理学とカウンセリング，心理療法

臨床心理学領域では，カウンセリングや心理療法に関する研究や実践も数多く行われている．カウンセリングは，「傾聴することや受容することで，相手の話に熱心に耳を傾け，表面的な事実にとらわれることなく，その背後にある気持ちに焦点を当て，相手の立場に立ってその心情を理解しようとつとめること」とされる[3]．また，心理療法は，「行為が極めて広範に渡り，定義付けることは難しい．限定した意味合いでは，『相談』やカウンセリングなどを除外し，あくまでセラピーつまり治療である」[4]と定義づけられる．

以上から，カウンセリング[*4]は，支援対象者に傾聴し受容し寄り添う対人支援の基盤となる営みであり，心理療法は不調や症状，不適応を改善に導く方法論と整理することができる．そして，人間の心理・行動的問題の解明やカウンセリング（臨床心理面接），心理療法の理論や方法論を検討する学問領域が臨床心理学と整理することができる．このような明確な区分は国際的にもスタンダードなものであり，カウンセリング，心理療法，臨床心理学の目的と機能は分化している[6]．

以上のように，臨床心理学は応用心理学の1つに分類され，とくに人間の心理・行動的問題の解決を目指した学問であるといえる．また，心理学が一般性・科学性を重視する学問であることから，臨床心理学においても一般性・科学性を重視した研究と実践が行われることが望まれる．

■ 引用・参考文献

1) 高山巌：臨床心理学．心理学辞典（中島義明ほか編），p892，有斐閣，1999
2) 楡木満生：カウンセリング理論の歴史．心のケアのためのカウンセリング大事典（松原達哉ほか編），p52-56，培風館，2005
3) 沢崎達夫：傾聴と受容．臨床心理学入門事典（岡堂哲雄監），p154，至文堂，2005
4) 中村伸一：精神療法．心理学辞典（中島義明ほか編），p495-496，有斐閣，1999
5) Wolman BB ed：The Encyclopaedia of Psychiatry, Psychology, and Psychoanalysis. Henry Holt and Company, 1996
6) 下山晴彦：臨床心理学をまなぶ 1 これからの臨床心理学．東京大学出版会，2010
7) 岩壁茂ほか：臨床心理学入門 ―多様なアプローチを越境する．有斐閣，2013
8) 金沢吉展編：カウンセリング・心理療法の基礎―カウンセラー・セラピストを目指す人のために．有斐閣アルマ，2007
9) 國分康孝：カウンセリングの理論．誠信書房，1981

用語解説

*4 カウンセリング

アメリカでは，カウンセリングの理論や技法を扱う学問領域は「カウンセリング心理学」とよばれ，人間の問題心理・行動的問題を扱う学問領域は臨床心理学とよばれる．また，カウンセリングは「人間の健康的なパーソナリティをターゲットに，心理的安定と成長をうながす援助をすること」であり，心理療法は「心理的問題や苦しみの軽減を目指した，カウンセラーとクライエントとの専門的関係の下で行われる支援」とされ，臨床心理学は「心理・行動的問題をアセスメントし，介入し，コンサルテーションを行い，問題解決を目指す支援」とされる[5]．

10) 國分康孝：カウンセリングの技法. 誠信書房, 1979
11) 下山晴彦：よくわかる臨床心理学. ミネルヴァ書房, 2009
12) 霜山德爾監：心理療法を学ぶ─基礎理論から臨床まで. 有斐閣選書, 2003
13) 氏原寛ほか編：心理臨床大事典. 培風館, 2004

4 臨床心理学の代表的な理論

1 臨床心理学領域における理論の変遷

　臨床心理学領域で構築された理論は数多く存在する．たとえば，個人差の測定を主たるテーマとした特性因子論は，臨床心理学あるいはカウンセリング心理学の源流の1つであり，因子分析法をはじめとした統計的手法を用いて，人間理解を促進し，人間の心的側面*1をとらえ理論化することに寄与している．また，知能検査や性格検査をはじめ，援助対象者を理解する有用なツールを提供する土台となっている．

　臨床心理学の誕生以前から，人間理解や不適応をテーマとしてきた精神分析学に代表される精神力動アプローチ(➡ p.544 第 25 章参照)では，局所論や構造論，力動論(防衛機制)，発達論とよばれる理論を事例に基づき体系化し，現代にいたるまで，人間の心理・行動的問題の治療に奏功している．

　さらに，より客観性を重視した人間理解が求められるようになり，**ワトソン Watson, J.** を中心とした行動主義心理学が誕生し，ここで提唱された学習理論(S-R 理論)は，複雑な人間をよりシンプルに理解することに貢献し，ワトソンに師事した**スキナー Skinner, B.** らは，オペラント条件づけといった観点から，学習理論に生体(organism)を想定し，1950 年代には S-O-R 理論を提唱し，こうした理論は行動・認知行動アプローチの土台となっている(➡ p.558 第 26 章参照)．

　客観性を重視した臨床心理学的な考え方や方法に相反して，社会における人間の営み・交流が現実世界を構成していると考える社会構成主義や，社会構成主義の流れを受け継ぐナラティブ・アプローチ*2(ナラティブは「語り」という意味)は，人間の語りが現実世界やクライエントの問題を構成していると考え，臨床心理学の領域に大きく影響を与えている．

　くわえて，1950 年代半ば以降には，認知心理学*3の発展に伴い，これまでブラックボックスとして扱われていた認知的側面が心理学領域において研究対象となり，臨床心理学領域においても，**エリス Ellis, A.** による論理情動行動療法や**ベック Beck, A.** による認知療法などの心理療法が提唱され，独自の理論に基づく心理療法として体系化されている．

　以上のように，臨床心理学の領域に関係する各種学問領域では，人間理解を促進することや心理・行動的問題を治療することを目的に，人間の心理・行動的側面を理論化することが重要なテーマとして扱われてきた．

　こうしたなか，1960 年代に入ると，人間の「成長」や「自己実現」をテーマとした人間性心理学*4が誕生した．そして，人間性心理学領域の中核を担った**ロジャーズ Rogers, C.** は，自己理論*5を提唱し，来談者中心療法を体系化する．来談者中心療法では，これまでの治療法*6の「指示的」な方法から，「成長する力」や「自己実現する力」を向上させる「お手伝い」，すなわち「支持的」な支援を行うことに重点をおいており，当時のアメリカの社会文化的風潮とのマッチング*7もよく，来談者中心療法がアメリカ全土に広がり，日本においてもカウンセリング

用語解説

*1　心的側面
　ここではとくに，知能や性格などといった特性的な側面をさす．

➡ ワトソン p.63参照
➡ スキナー p.64参照

用語解説

*2　ナラティブ・アプローチ
　代表的な姿勢に「無知の姿勢」と「物語の書き換え」を重要視する立場とがあるとされている．前者はクライエントに起こっている問題やクライエントが生きている現実については，クライエント自身が専門家であり，セラピストはそれについて何も知らないので教えてほしいとする態度のことである．また，後者は会話を通じて支配的な物語(ドミナント・ストーリー)とは異なる新しい物語(オルターナティブ・ストーリー)が生成され，それを通じて現実に変化がもたらされることを期待するという姿勢である．

用語解説

*3　認知心理学
　人間の認知的側面(記憶や思考など)を情報処理のメカニズムになぞらえてとらえる心理学領域．記憶の情報処理モデルなどは心理臨床場面において支援対象者を理解するうえでも重要なものである(p.64 第 4 章 1 節参照)．

▲エリス，アルバート
（1913-2007）

アメリカの心理学者．論理情動行動療法の創始者．ベックの認知療法とともに，人間の認知的側面を扱う心理療法を開発した．なお，カレン・ホーナイに精神分析を学んだ歴史もある．（写真：Getty Images）

ベック p.45 参照

▲ロジャーズ・カール
（1902-1987）

アメリカの臨床心理学者．来談者中心療法の創始者であり，グループセラピーの基本ともなったエンカウンター・グループの提唱者でもある．その後ロジャーズ自身がこれらをまとめてパーソンセンタードアプローチ（PCA）と総称した．また心理療法の面接内容の客観的研究を始めた一人である．精神分析には批判的であった．（写真：Getty Images）

 用語解説

*4 人間性心理学

ロジャーズやマズローなど，自己実現をテーマとした心理学領域．マズローの欲求5階層説も有名な理論である．この領域を背景とした支援法は人間性アプローチとよばれる．

の方法論のひとつとして浸透している．

また，こうした各種臨床心理学理論や方法論は，日本にも導入され，現代に至るまで心理臨床場面において用いられている．こうしたなか，日本独自の理論的背景をもつ心理療法である森田療法や内観療法などは世界的にも治療効果が認められる方法である．

森田療法とは1919年，森田正馬により創始されたものであり，森田神経症（現代におけるうつに類似する状態）の治療に用いられる方法である．森田療法では，絶対臥褥期（1週間程度），軽作業期（1週間程度），重作業期（1か月～2か月程度），退院準備期（1週間～1か月程度）が設定されており，絶対臥褥が必須となるため，入院治療で実施されることが多い．ヒポコンデリー気質（自分自身の不調についてより悲観的に受け止める傾向．精神交互作用を引き起こしやすい傾向）や精神交互作用（不調へ注目しながら固着する状態．森田神経症を引き起こしやすい）といった独自の用語を用い，不調を理論化している．

内観療法は吉本伊信により創始された．1960年代以降臨床心理学領域における治療法として用いられるようになる．重要な他者とのかかわりについて「回想すること」が求められる．全国にある内観道場に1週間泊り込みで行われる集中内観と集中内観の後，日常的に内観を行う日常内観に分けられる．

以上のように，臨床心理学領域における理論の変遷を概観すると，心理療法の理論や歴史，心理測定の理論や歴史と密接に関係することがわかる．臨床心理学領域における理論は本章で紹介した限りではなく，多様なものが存在する．心理的支援を行う際，多様な理論を十分に理解したうえで，ユーザー（患者やクライエント）にとって最適な方法（心理療法）を提供できることが求められる．また，多様な理論の共通項と相違点を理解することで，いくつかの方法を統合し最適化することも可能となり，高い治療効果が望めるだろう．

こうしたなか，あらゆる理論・方法論に共通する，「傾聴すること」や「共感すること」をテーマとした来談者中心療法の理論を概観する．

2 臨床心理学と自己理論

来談者中心療法の背景には，自己理論とよばれる理論が存在する．来談者中心療法は，1960年代アメリカで発展し，その後，日本に導入され，カウンセリング場面で用いられる理論として全国的に広まる．カウンセリングそのものが来談者中心療法であるように扱われることもあるが，来談者中心療法の理論を十分に理解することで，カウンセリングの質も高まることが期待できる．

自己理論を理解する際，自己理論を構成する来談者中心療法特有の理論を理解することも求められる．ここでは，現象的場ならびに内的準拠枠，自己構造を紹介し，自己理論との関係を紹介する．

①現象的場

現象的場とは，一般的な表現では自己概念，つまり自分自身に関する詳細な情報のまとまりであり，この情報には客観的情報と主観的情報が含まれる概念に該当するものといえる．誕生から現在に至るまでの多様な個人の体験は，現象的場

に蓄積される．したがって，現象的場には膨大な量の情報が蓄積されており，他者がそのすべてを知ること[*8]は困難といえる．

②内的準拠枠

内的準拠枠とは，個人が有する固有な評価基準，価値基準といえる．多様な個人の体験は，内的準拠枠で評価され，現象的場に蓄積される．したがって，他者からみると"positive"な体験であったとしても，その個人の内的準拠枠により"negative"に評価されるのであれば，その体験は"negative"なものとして現象的場に蓄積されることになる．

③自己構造

自己構造とは，現象的場のなかから抽出した情報のまとまりであるといえ，一般的な表現では，自己イメージと表現できるだろう．ここでの自己イメージは，1つに留まるのではなく，情報抽出の仕方により複数の自己イメージ[*9]を有することが想定できる．

④自己理論

自己理論は，現実の体験と自己構造(自己概念と表現されることもある)との一致・不一致の程度から，適応状態を考えるものである．ここでの自己構造とは，「～であるべき」や「～でならねばならぬ」など，やや固く自分自身を苦しめるような理想的なものであり，一致度の高まり(自己一致状態)は心理的安定や適応をうながすものである．

以上が，来談者中心療法の中核をなす理論であるが，こうした考え方に基づき，傾聴や共感，無条件の肯定的配慮や純粋性などといった技法がまとめられている．したがって，傾聴とはただ単に耳を傾けることではなく，支援対象者の内的準拠枠や自己構造に耳を傾けることであり，共感とは支援対象者の内的準拠枠を「使って」リアルに体験することをさす．そのためには，支援者が自分の評価基準で評価することなく，支援対象者を受容[*10]することも求められる．

このように，臨床心理学領域における理論は，実践的技法と密接に関連する．したがって，研究(人間の事象を一般化する手続き)と実践も密接に関係することが求められる．

3　臨床心理学と理論化

臨床心理学領域における理論とは，複雑な人間の事象(とくに心理・行動的問題)や支援対象者の心理・行動的問題の改善を目指す方法を一般化することをさす．一般化のためには，客観性をもって因果関係や関連性(相関関係)を明示することが求められる．したがって，臨床心理学研究において，統計的手法を駆使しながら結果を導き出すことが重要視される．

しかしながら，臨床心理学研究では，単にデータを収集し統計的手法を用いて結果を示すことのみならず，事例を検討することにより一般性を担保することも特徴である．こうした方法に，事例研究法とよばれ，古くから重要な臨床心理学的研究法として用いられている．

こうしたなか，1990年代に入ると，科学者−実践家モデル(scientist-practitioner

用語解説

*5　自己理論
とくに環境への不適応状態にある者や自分の生き方に課題をかかえている者などを理解するうえで重要な役割を果たしている．

用語解説

*6　これまでの治療法
たとえば，精神分析療法による解釈投与や行動療法による強化子の提供などは，「指示的」と表現されることがある．

用語解説

*7　社会文化的風潮とのマッチング
当時，アメリカでは，人種差別や男女差別をなくし，「人間らしく生きる」ことが志向される風潮があった．たとえば，「I am OK. You are OK.」などという発想も当時の心理学・臨床心理学の重要なテーマであり，交流分析などの理論・方法もこの時期に体系化された．

用語解説

*8　他者がそのすべてを知ること
自己概念も現象的場も，そこに含まれる情報は膨大であり，すべて知ることは難しい．したがって，他者の自己概念や現象的場を知ることを目的とすると，事情聴取をしているような印象を与えることもある．

model)が提唱されるようになる．ここでは，科学的な方法論を用いて実践する支援者の重要性が指摘され，「本当に治療効果がある方法」を用いた臨床心理学的支援の必要性が強調されている．また，現代における臨床心理学教育の基本モデルにもなっており，臨床心理学の実践を担う担い手は，科学的姿勢をもった研究者であることも同時に求められている[1]．

ここで支援者に求められる科学性とは，実証的な証拠(エビデンス)に基づく介入[*11]を行うことをさす．また，科学者-実践家モデルでは，evidence based practice (EBP)が重視される．EBPは，臨床心理学の実践では，とくにクライエントにとって最適な方法を用いて根拠に基づくかかわりをもつこと，研究では，たとえば支援法を開発した場合，本当に介入効果があるのかなどを検証することなどを意味し，ここでも一般性の担保[*12]が重要な課題となる[3]．

臨床心理学領域におけるEBPを実践する際，妥当な研究計画を立案し，客観的なデータを収集する必要がある．ここでは，心理的指標を測定するために心理検査が用いられることや生理的指標として心拍や血圧，脳波などが測定されることもある．一方で，ナラティブ(語り)データを扱うこと，伝統的な事例研究をより客観的な方法論に基づき行うことも課題であり，質的研究法[*13]を修得することも求められる．質的研究法をはじめ，支援対象者の「生の声」を扱う研究法は，「客観的なデータ」を扱う量的研究法と対峙するわけではなく，研究者あるいは実践家が，両者の特徴を上手に使うことが求められる．たとえば，心理的支援を実践する現場で生じている現象を客観的に測定することや，実証的な視点を持ち検討する研究は実践的研究といえる．なお，実践的研究を遂行するうえで，量的研究法・質的研究法のいずれであっても，妥当な研究計画を立案する必要がある．

臨床心理学の理論を概観すると，とくにカウンセリング(心理相談)や心理療法，心理測定法(心理検査法)に関する理論や考え方を学ぶことができる．そしてこれらは，臨床心理学の中核に位置づけられるものであり，多様なものが含まれる．一方，臨床心理学に近接する領域(多くの応用心理学，医学など)も数多く存在する．有益な実践や研究を遂行するためにも，臨床心理学はもちろんのこと，近接する学問領域の知識と理論，方法論を十分に学び用いることが求められる．

■ 引用・参考文献

1) 下山晴彦：臨床心理学を学ぶ1 これからの臨床心理学．東京大学出版会，2010
2) 東山紘久：心理療法．心理臨床大事典(氏原寛ほか編)，p185-434，培風館，2004
3) 岩壁茂ほか：臨床心理学入門—多様なアプローチを越境する．有斐閣，2013
4) 金沢吉展編：カウンセリング・心理療法の基礎—カウンセラー・セラピストを目指す人のために．有斐閣アルマ，2007
5) 國分康孝：カウンセリングの理論．誠信書房，1981
6) 國分康孝：カウンセリングの技法．誠信書房，1979
7) Rogers CR : A theory of therapy, personality, and interpersonal relationship as developed in the client-centered framework. In Koch, S.(Ed.), A study of a science. Vol.3. Formulations of the person and the social context. McGraw-Hill, 1959 (ロジャーズ CR, 伊藤博編訳：パーソナリティ理論．ロジャーズ全集第8巻，岩崎学術出版社，1967)
8) 佐治守夫ほか：カウンセリングを学ぶ—理論・体験・実践．東京大学出版会，1995
9) 下山晴彦：よくわかる臨床心理学．ミネルヴァ書房，2009
10) 霜山徳爾監：心理療法を学ぶ．有斐閣，2000
11) 氏原寛ほか編：心理臨床大事典．培風館，2004
12) 山蔦圭輔：こころの健康を支える臨床心理学．学研メディカル秀潤社，2012

用語解説

*9　複数の自己イメージ

たとえば，仕事中の自己イメージと家庭にいるときの自己イメージは多少の相違があるだろう．これは，その環境で抽出する情報の相違と考えることもできる．

用語解説

*10　受容

無条件の肯定的配慮をもって支援対象者を受け入れる．このとき，支援者自身の価値基準で個人的な評価をすることを最小限にする，あるいは支援者が自身で行う評価を自覚する必要がある．

用語解説

*11　実証的な証拠(エビデンス)に基づく介入

伝統的な心理的治療をみると，支援者の個人的な体験に基づく治療が行われてきたと指摘されることがあり，近年では，より一般性をもった効果的な介入の必要性が強調される(p.7 第1章1節参照)．

用語解説

*12　一般性の担保

一般性を担保するために，無作為化比較試験(RCT：randomized controlled trial)などを駆使した介入研究を行うことも求められる．

用語解説

*13　質的研究法

客観的データを収集して統計的検討を行う研究は「量的研究法」とよばれる(p.87 第5章2節参照)．

5 研究倫理

1 研究倫理の目的と倫理指針

　心理学は人間理解を目的とした客観的科学であり，臨床心理学は人間の心理・行動的問題や不適応をテーマとした学問領域である．このような人間を対象とした学問領域において研究を実施する際，研究対象者に対して十分な配慮*1を行うことが求められる．これらのことがらは，一般的に研究倫理としてまとめられ，近年とくに重視されている．

　たとえば文部科学省ならびに厚生労働省では，研究者が研究対象者の尊厳や人権を守り，適正かつ円滑に研究を行うことを目的に，日本国憲法や個人情報の保護に関する諸法令，ヘルシンキ宣言*2などの倫理規範をふまえ『研究に関する指針について』[3]が策定されている．このなかでは，利益相反の管理や医学研究に関する指針の一覧がまとめられており，各学問領域において研究を遂行する際，参考とすべき情報を入手することが可能である．とくに，心理学・臨床心理学領域の研究者・実践家が参考とすべき倫理指針として「人を対象とする医学系研究に関する倫理指針」がある．ここでは，本指針に沿って研究倫理の概要をまとめる．

　「人を対象とする医学系研究に関する倫理指針」では，第1章総則第1目的および基本指針として7つの項目がまとめられている．これらは広く人間を対象とした研究を行う際の指針となるが，とくに心理支援者として研究を遂行する際にどのような視点が求められるか表1にまとめる．

■ 表1　基本指針とケース

指針	ケース
①社会的および学術的な意義を有する研究の実施	臨床的意義の明確な研究の実施（その研究を実施することで，実際の心理的支援に活かすことができることが望ましい）
②研究分野の特性に応じた科学的合理性の確保	evidence based practiceの理念に基づき，科学性を担保した研究計画に基づき研究を行う
③研究対象者への負担ならびに予測されるリスクおよび利益の総合的評価	たとえば不安を喚起させることやストレスを負荷する介入などの場合，十分な配慮とアフターフォローを行う
④独立かつ公正な立場にたった倫理審査委員会による審査	所属機関における倫理審査委員会などで第三者による十分な評価が行われる
⑤事前の十分な説明および研究対象者の自由意思による同意	調査や実験の目的や方法を説明する．同意をした場合であっても，中断できることを保証するなど，研究対象者の意思を尊重することを十分伝える
⑥社会的に弱い立場にある者への特別な配慮	たとえば，差別を受けるような病歴，犯罪や犯罪を被った経歴がある者を対象とした研究を行う際，個人情報の扱いに十分な配慮を要する
⑦個人情報等の保護	個人情報の記入を求めることや個人特定が可能なデータを入手した際，匿名化することで個人情報を保護するとともに流出しないよう留意する
⑧研究の質および透明性の確保	十分に妥当な研究計画・研究手法を用いた研究を実施し，再現性を担保することが求められる
⑨アフターフォロー	たとえば不安が生じた場合に不安を軽減させるために介入を行う（デブリーフィング）

文献3)を参考に作成

用語解説

*1　研究対象者に対する配慮
　患者の権利（良質の医療を受ける権利や選択の権利，自己決定の権利など）を担保することが求められる．こうしたことは，リスボン宣言（1981年9月採択，1995年9月修正，2005年10月修正）[1]でまとめられている（p.370 第17章2節参照）．

用語解説

*2　ヘルシンキ宣言
　1964年6月にフィンランド（ヘルシンキ）で採択された世界医師会による倫理規範[2]．とくに医学研究において人間を対象とした研究を実施する際のガイドラインとなるものであり，心理学や臨床心理学を含め，人間を対象とした研究を実施するうえで欠かすことができないルールである．

用語解説

＊3　同意文書

　侵襲を伴わない場合，必ずしも文書によりインフォームド・コンセントを受ける必要はないとされているが，説明のプロセスと同意の事実を客観的に確認できるかたちで保管することが望ましい．

用語解説

＊4　代諾者

　研究対象者が未成年の場合や死亡している場合，なんらかの理由により成年であっても本人からの同意を得ることができない場合が代諾を必要とするケースとなる．また，代諾者の選定方針や説明内容についても研究計画書に明記することが必要である．

用語解説

＊5　対応表

　研究で取得したデータセットの内容は匿名化され，対応表には個人情報が記載される（たとえば，データセット記載のNo.と対応表のNo.とのマッチングにより個人の特定が可能な状態）といったケースが想定できる．

用語解説

＊6　検査用紙の保管

　一般的な原則はないものの，「どのようなデータ等をどの程度の期間保存するかは，将来それらを利用する可能性及び有用性と，保管・保存のために投入する資源（労力，スペース及び費用）との兼ね合いで決めるべき事柄であろう」[4]とされている．

　研究者の責務として「研究者は研究対象者の生命，健康及び人権を尊重して研究を実施しなければならない」とされており，研究を実施するうえで，インフォームド・コンセント（説明と同意）を行うことは必須の事項である．なお，インフォームド・コンセントを受ける能力に欠けると客観的に判断できる研究対象者の場合，その理解力に応じたわかりやすい言葉で説明し，同意を得ることがあり，これはインフォームド・アセントとよばれる．

　また，侵襲を伴う研究の場合，同意は文書で受ける[＊3]ことが必要である．ただし十分な説明の後に同意を得ることができたとしても，研究対象者の意思により，いつでも撤回できることを保証することも重要である．研究の実施途中に体調不良や心理的変化が生じた場合の対応（保健管理室や医師などとの連携）についても十分に体制を整える必要がある．

　研究によっては，研究対象者に直接同意を得ることが難しいケースもある．こうした場合，代諾者[＊4]（研究対象者が未成年である場合はその保護者など）からインフォームド・コンセントを得る必要がある．

2　個人情報の取得方法と利益相反

　研究が開始され，データ（情報）が収集されたとき，その情報の扱いにも細心の注意が求められる（プライバシーの保護）．たとえば，個人が特定できる情報を入手した場合，本人から開示の要請がなされた場合，遅滞なく該当の個人情報を提示する必要がある．仮にその本人を識別できるような情報が存在していない場合には，その旨を通知することが必要となる．また，個人情報を取得する際，個人の特定が可能な情報の全部または一部を削除することを匿名化とよび，場合によっては，対応表[＊5]を用い，必要に応じて研究対象者を識別できるように工夫されることもある．また，取得した個人情報を復元することができない状態に加工した情報は，匿名加工情報とよばれる．

　個人情報の取得方法は，研究の目的に依存するため，研究計画立案時点で十分に検討する必要がある．たとえば，横断的な調査を実施する際に個人情報を取得し，匿名加工情報として扱ったとしても一定の研究成果を得ることは可能であるが，縦断的な調査や継続的な個人に対する介入を実施する場合などは，匿名化の方法にも工夫が必要となる．

　取得した情報は個人特定の可否によらず，漏洩することのないよう，十分な管理を要する．質問紙調査を実施することや介入効果を測定するために自己記入式の検査用紙に回答を求めた場合，その用紙は一定期間保管[＊6]し，その後，溶解処分など適切な処理が必要となり，こうしたことも研究計画に記載すべき内容である．

　また，近年，利益相反がクローズアップされることも多い．利益相反とは，利害（利益と責務）が対立することであり，個人としての利益相反，研究機関としての利益相反，責務相反がある（表2）．

　利益相反の状態（とくに個人としての利益相反および研究機関としての利益相反）は，そのものが望ましくないというわけではなく，こうした状況で不正が生

■ 表2　利益相反の例

個人としての利益相反	自身が外部取締役を務める会社の依頼で学術研究を行うなど
研究機関としての利益相反	機関として研究助成を受けている企業が開発した製品の性能テストを行うなど
責務相反	外部機関での経済的活動により本属の職務に支障をきたすなど

じることを避け，正当な科学的研究を遂行することが望まれる．したがって，利益相反の状態にある場合，それを明示することがスタンダードとなっている．また，責務相反については，本属の機関などでルールをもち，適正な労働を鼓舞する必要もあるだろう．

　加えて，成果を公表する際，二重投稿や剽窃*7 など，学術論文の執筆時に不正が生じることもある．こうした問題が生じることのないように，倫理教育をとおした自己点検も必要不可欠である．

■ 引用・参考文献

1）The World Medical Association, Inc.：World Medical Association Declaration of Lisbon on the Rights of the Patient. 2005
2）World Medical Association Declaration of Helsinki：Ethical Principles for Medical Research Involving Human Subjects. 2013
3）文部科学省，厚生労働省：人を対象とする医学系研究に関する倫理指針．2014
　　https://www.lifescience.mext.go.jp/files/pdf/n1443_01.pdf より 2020 年 2 月 5 日検索
4）日本学術会議：科学研究における健全性の向上について．2015
　　http://www.scj.go.jp/ja/info/kohyo/pdf/kohyo-23-k150306.pdf より 2020 年 2 月 5 日検索

用語解説

*7　二重投稿, 剽窃
　二重投稿とは，学会Aへ論文を投稿し，審査中に別の学会Bへ投稿することをさし，剽窃とは，ほかの論文などの内容を引用することなく盗用することをさす．なお，自身が執筆した論文であっても，引用を明示することなく転載した場合は自己剽窃となる．また，原則，1データセット（たとえば，1回の調査研究で取得したデータ）で1研究をすることが望ましいとされ，1データセットを細切れにする研究は倫理的に望ましくないとされている．

5章 心理学における研究

1 心理学における実証的研究法

> **この章で学ぶこと**
> - 心理学における実証的研究法と統計法
> - 質的研究法によって得たデータをもとにした実証的思考法

1 科学的研究の要件

　公認心理師は，近年の臨床心理学教育における基本モデルの1つである科学者−実践家モデルに示されているように，実践家としての能力と科学者としての能力の双方が重要である．実証的研究法を学び，科学としての心理学を理解することをとおして，科学者としての能力の基盤を形成することができる．

　表1は，科学として認められるための要件をまとめたものである．心理学で扱う心の働きは，目に見えない形のないものである．その目には見えず，形のないものを科学的研究の対象とするために，心理学者は多くの努力を費やしてきた．心理学における実証的研究法にはさまざまなものがあるが，「公共客観性」「追体験可能性」「測定可能性」「操作的定義」「理論的説明」という5つの要件を満たすことが科学的研究では重要になるということをまずは覚えておくことが大切だろう．

■ 表1　科学的研究の要件

1 公共客観性	当事者だけではなく，誰にでもわかるもののこと
2 追体験可能性	同じ手続きをする限り誰でも同じことが体験できること（再現性）が担保されていること
3 測定可能性	追体験可能性が満たされるための前提として測定可能であること
4 操作的定義	測定可能性が満たされるための前提であり，概念を観察・測定する手続きにより定義するもののこと
5 理論的説明	個々のデータや事例から一般に通用するような原理や法則を導き出す（帰納）際の説明の枠組み（理論）があること

文献1)を参考に作成

2 研究法の種類

　心理学における実証的研究法は量的研究と質的研究とに分けることができる．量的研究とは，孤独感尺度の得点や相手との距離，笑顔の表出回数などのように，数量で示されるデータ（量的データ）を扱いながら，心の働きについて科学的に実証する研究のことであり，定量的研究ともよばれる．質的研究とは数量化される前の言語で記述されたデータ（質的データ）を扱いながら，心の働きに迫る研究のことであり，定性的研究ともよばれる．

公認心理師を目指すものは，両者の知識を身に付け，状況に応じて臨機応変に両者を使いこなせるようになることが重要であろう．質的研究（定性的研究）については，次節の「2　質的データを用いた実証的な思考法」（➡ p.87 参照）で詳細に説明されているため，本節では量的研究に軸足をおき説明する．

上記の前提を踏まえ，以下では心理学における5つの研究法（「実験法」「調査法（質問紙法）」「観察法」「検査法」「面接法」）について説明する．**表2**に各研究方法の長所と短所をまとめたものを示す．

■ 表2　各研究法の長所と短所

研究法	長所	短所
実験法	・因果関係を検証できる	・実施する際のコストが高い ・生態学的妥当性が低い
調査法	・手軽で実施する際のコストが低い ・倫理的に実験で操作できないテーマも検証できる	・回答する際に一定の言語能力が必要となる ・自己報告のため虚偽の回答をされる可能性がある ・因果関係を検証することが困難である
観察法	・生態学的妥当性が高い ・乳幼児などの調査が困難な対象にもアプローチできる	・観察者の主観が入りやすく，観察したい行動が必ず出るとは限らない ・因果関係を検証することが困難である
検査法	・回答者が普段意識しにくい点をデータとして収集できる	・検査の実施や結果の解釈に専門的知識・技能が必要である
面接法	・状況に応じた対応が可能であり，非言語の情報が得られやすい ・調査法よりも一人ひとりに対して深い内容をたずねることができる	・一度に取れるデータに限りがある ・面接参加者の反応に面接者の影響が出る

1 ● 実験法

実験法とは，心理現象の因果関係を明らかにするために行われる研究法である．実験条件を設定し，原因であると考えられる要因を操作したうえで，その結果，生じた反応を測定することにより因果関係を検証していく．実験には，独立変数の操作，統制群の設置，各条件への実験参加者の無作為割り当て，従属変数の測定，統計的検定といったいくつかの手順がある（実験の具体的な手順については➡ p.122 第7章参照）．そして，実験法のなかには，「実験室実験」「質問紙実験」「単一事例実験」「ランダム化比較試験（RCT：randomized controlled trial）」などさまざまなものがある．

実験室実験は，実験法のなかで最もイメージしやすいものであろう．前述したように，実験では因果関係を明らかにするために原因と考えられる要因（独立変数）を操作し，その結果生じた反応（従属変数）を測定するという手順で因果関係を検証していく．因果関係を証明するためには，従属変数に影響を与えているものはほかの変数ではなく，独立変数であるということを証明する必要があるため，実験室など日常的な環境とは異なる場所で，独立変数以外の変数はすべて統一するといった厳密な環境設定を行う．

たとえば，うつ状態を軽減する介入法を開発したときに，その効果を確認するために，実験参加者[*1]のうち，介入法を用いて介入する群と，介入を行わない群との2群に分類し，介入前後におけるうつ状態の程度を比較する研究計画を立

用語解説

＊1　実験参加者
実験に参加する人たち，すなわち実験の協力者は，かつて論文などで被験者（subject）と記されることが多かったが，現在は実験参加者（participant）と記載される．

案したとする．この場合，群が独立変数となり，うつ状態の程度が従属変数となる．独立変数は説明変数，従属変数は目的変数ともよばれる．

また，ある介入を実施する群と比較するために，介入を実施しなかったり，別の介入法を実施する群を統制群とよぶ．

質問紙実験は，質問紙上において独立変数の操作や従属変数の測定を行うものである．実験室などで環境を設定することが適切でない場合に，いくつかの場面を提示し，その場面における反応を測定する場面想定法(図1)などが用いられる．

場面1：遊ぶ約束をしていた友だちから「寝坊したので遅くなる」と連絡がきました．
問1：そのときの，あなたの相手に対する気持ちについて当てはまるものに1つ○をつけてください．

場面2：遊ぶ約束をしていた友だちから「電車のトラブルで遅くなる」と連絡がきました．
問2：そのときの，あなたの相手に対する気持ちについて当てはまるものに1つ○をつけてください．

図1　場面想定法の例

単一事例実験とは，一個人あるいは一事例を調査の対象として実施するものである．一個人あるいは一つの事例を時の流れのなかで，ある特定の実験条件(一般には処遇)下に置く時期と，それとは別の実験条件(一般には処遇しない状態でベースラインとよばれる)下に置く時期を連続して作り出すという仕方で独立変数を操作する[2]．臨床や教育など，多くの実験参加者を集めにくい領域での研究や個人内の変化に着目する研究で広く用いられる．

ランダム化比較試験(RCT：randomized controlled trial)とは，心理療法などの介入，治療効果を検証するために用いられるものである．検証する際に，どのグループが介入を受けるかを実験者が乱数表などを用い，ランダムに割り付ける．介入を受けるほうに割り付けられたグループを介入群，介入を受けないほうに割り付けられたグループを統制群とし，介入効果を調べる．客観性，内的妥当性の高い研究方法として，主に，臨床領域や医学領域において用いられる．しかし，統制群に割り当てられた人たちに対して介入を行わない点について倫理的問題が生じる可能性がある．そのため，統制群に対してはウェイティングリスト法とよばれる，効果検証が終わった後に介入する方法をとることで，倫理的問題に対応するといった工夫が必要である．

2 調査法（質問紙法）

調査法(質問紙法)は，調査対象者が，一連の質問項目で構成された調査票を読み，回答するものであり，集合調査法，郵送調査法，留置調査法，インターネット調査法，電話調査法など，さまざまな種類がある．回答の形式(図2)も，単一回答法，順位法，一対比較法，リッカート法[*2]，評定法(質問項目ごとに「1．当てはまらない」〜「4．当てはまる」などの選択肢が用意され，そのなかから1つを選択する)，SD (semantic differential)法[*3]，自由回答法など多様である．

調査法(質問紙法)は，一度に多くの回答を集めることができるため，コストがあまりかからない点でメリットがあるが，調査票を作成する際に気をつけなければならない点がいくつかある．

用語解説

＊2　リッカート法
リッカート Likert, R. によって提唱されたもの．評定加算法ともよばれる．個人の態度測定のために用いられるものであり，それぞれの項目について「反対」から「賛成」まで数段階の選択肢のなかから1つを選択する方法．

用語解説

＊3　SD法
オズグッド Osgood, C. によって提唱されたもの．反対の意味をもつ形容詞が尺度の両端に置かれ，そのなかから1つを選択する方法．

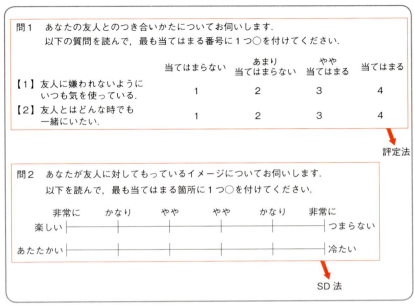

図2 回答の形式

心理学における調査票では，目には見えない形のない心理的概念（仮説的構成概念ともよぶ）をいくつかの質問項目で測定することになるため，その質問項目が研究者の測定したいものを測定できているのかという点をまずは気をつけなければならない．この点に関しては，7章2節（→ p.130 参照）の信頼性と妥当性の部分に詳しく書かれているため，ここではそれ以外の2つの注意点について説明する．

①ワーディング

調査票における，質問の教示文や選択肢の言い回しのことである．不適切な用語や多義的な表現があると，回答に影響が出てしまう．たとえば，「学校で音楽を流すのはよいと思いますか？」という教示だと，音楽の幅が広すぎて，回答者がイメージする音楽が多様なため，回答に偏りが出ることがある．

また，「大学で文化祭や体育祭に参加しますか？」という教示だと，文化祭には参加するけれども体育祭には参加しないという回答者は回答ができなくなるため，1つの質問に2つ以上の意味が含まれてしまう質問（ダブル・バーレル質問）を用いないようにすることも大切である．

②キャリーオーバー効果

前の質問と回答が後続の質問の回答に影響することである．たとえば，(1)「あなたは，日本が今よりも高齢者に優しい社会になる方がよいと思いますか，思いませんか」という質問をした後に，(2)「あなたの住んでいる街に介護施設を増設することに賛成ですか，反対ですか」という質問をした場合，(2)の質問に対する賛成の割合は，(2)の質問のみをたずねた時よりも高くなる可能性がある．

(1)は「高齢者に優しい社会」という抽象度が高いものであるため，多くの人が「よいと思う」と回答する可能性が高い．ここで，「よいと思う」と回答した人は，次の質問を回答する際も，自分自身の前の回答との整合性を取ろうとするため，

「賛成」と回答してしまうかもしれない．このように質問の順番によって回答が歪む可能性があることを意識しなければならない．

3 • 観察法

まず，観察とは，対象や目的をある程度絞り込んで「目を凝らし」「耳をそばだて」，それらにかかわる情報を能動的に取りに行くことであり，そのうえで，情報を体系的に整理・分析し，単に現象の外的側面のみならず，ときに，その背後に潜む内的側面にも迫ろうとするものである[3]．そして，観察法とは観察者が被観察者を客観的に観察し，行動や言動を記録していく研究法である(図3)．

図3　観察法

観察法には，状況に手を加えずに日常の自然な行動や言動を把握する「自然観察法」と，研究者がある特定の状況を設定し，そこでの行動や言動を把握する「実験的観察法」がある．子どもの養育者に対する愛着の型を測定するために開発されたストレンジ・シチュエーション法(図4)などは実験的観察法の一例である．

図4　ストレンジ・シチュエーション法
子どもを見知らぬ部屋に見知らぬ人と置き去りにして，親との再会時の反応を観察することで愛着の型の個人差を測定する．

4 • 検査法

検査法とは，心理検査(心理テスト)を用いて，個人の知能や性格などの心理学的特性や状態を測定する方法である[4]．検査法には，人格検査，知能検査，発達検査などいくつかの種類がある．人格検査としては，YG（矢田部ギルフォード）性格検査，TEG（東大式エゴグラム），ロールシャッハテスト，内田クレペリン検査などがある．また，知能検査には，WAISやWISC，WIPSSIといったウェクスラー式知能検査，ビネー式知能検査，発達検査には，新版K式発達検査というようにいくつもの心理検査が開発されている(➡ p.296 第15章2節参照)．

検査法は臨床や発達の領域において有益な研究法であるが，1つの検査結果に基づいて判断することは難しく，複数の検査の組み合わせ(テストバッテリー)が必要である．また，検査の実施や分析，解釈に関して，相応の訓練を行わなければならない．

5 • 面接法

面接法(図5)とは，一定の場所で特定の目的のもと，面接者が面接参加者と直接顔を合わせ，会話をとおして，量的データや質的データを収集する方法である[1]．面接法には，あらかじめ面接の内容や順序が決められている「構造化面接」と，

図5　面接法

面接の目的を決めてはおくが，その順序や内容は面接参加者とのやり取りに応じて柔軟に変化させる「非構造化面接」，あらかじめ面接の内容や順序は決めておくが，必要に応じて更に質問を付け加える「半構造化面接」に分けられる．半構造化面接は，構造化面接と非構造化面接の中間に位置付けられる(➡ p.288 第 15 章 1 節参照)．

3　心理学における研究倫理

　ここでは，心理学にかかわるものとして遵守すべき研究倫理について考えていく．心理学者は心の働きについて科学的に明らかにすることで人々の福祉に寄与することを目指しているが，その研究対象は私たちと同じ人間や動物などの命あるものである．そのため，心理学にかかわる者は，研究を遂行するにあたり，常に倫理的な配慮について意識していかなければならない．

　心理学の世界では，アメリカ心理学会(APA：American Psychological Association)が作成した倫理規定が最も有名である．アメリカ心理学会は1953 年に最初の倫理規定である「サイコロジストのための倫理規準(Ethical standards for psychologists)」を出版し[5]，それ以降，必要に応じて改訂を重ねて現在に至っている．ここでの規定の第一原則は，最小リスク(minimal risk)である．これは，研究において予想されるリスクは，ほぼどのような場合であれ，日常生活で通常遭遇する危険性を上回ることがあってはならない，というものである[6]．

　日本においても 2009 年に公益社団法人日本心理学会が倫理規程を公表しており，多くの研究者がこの指針に基づき研究を行っている[7]（**表 3**）．倫理規程には，研究の計画段階から，研究の遂行，研究成果の公表，データの管理，研究終了後の対応といった幅広い内容の指針が記載されている．

　研究者は自身の研究に伴う倫理的な問題について個人的責任を負っているため，細心の注意を払いながら研究を進めていくことが求められているが，一研究者のみでの倫理的配慮には限界も伴う．そこで，倫理上の指針にも記載されているように，研究を行う際には，所属する組織の倫理委員会などの承認を得ることが重要であろう(➡ p.77 第 4 章 5 節参照)．

■ 引用・参考文献

1) 西村純一ほか：これから心理学を学ぶ人のための研究法と統計法．ナカニシヤ出版，2016
2) 芝野松次郎：単一事例実験法における評価手続─AR モデルの臨床への応用．関西学院大学社会学部紀要 52：33-42，1986
3) 遠藤利彦：第 11 章 観察法．心理学研究法─心を見つめる科学のまなざし(高野陽太郎ほか編)，p212-235，有斐閣，2004
4) 南風原朝和：第 12 章 検査法，心理学研究法─心を見つめる科学のまなざし(高野陽太郎ほか編)，p236-256，有斐閣，2004
5) Sabourin, M.：心理学における倫理規準の発展─アメリカ心理学会倫理規定の一省察．心理学研究 70（1）：51-64，1999
6) スーザン・ノーレン・ホークセマほか編：ヒルガードの心理学，第 16 版(内田一成監訳)．金剛出版，2015
7) 公益社団法人日本心理学会：公益社団法人日本心理学会倫理規程．2011
　https://psych.or.jp/wp-content/uploads/2017/09/rinri_kitei.pdf より 2020 年 1 月 31 日検索

■ 表3　研究一般に共通する倫理上の指針

1. 専門家としての責任と自覚	研究にたずさわる者は，心理学的技能の研鑽，専門的知識の蓄積および更新にむけて努力を怠ってはならない．また，研究の実施にあたっては，研究対象者，他の研究者，各自が所属する組織，指導学生などに対してそれぞれの立場に配慮して，倫理的に適切な行動をする必要がある．
2. 研究計画の倫理的配慮	研究を計画する段階においては，あらかじめ倫理的問題が生じる可能性について慎重に検討しなければならない．すなわち，研究対象者の選定，研究方法の選択，研究期間や研究を行う場所の設定，研究成果の公表の方法，研究成果の社会への影響など，研究上のさまざまな面において起こりうる不適切な事態を想定し，それらを予防する手だてを事前に講じておく．
3. 倫理委員会等の承認	研究にたずさわる者は，原則として，研究の実施に先立ち，自らが所属する組織および研究が行われる組織の倫理委員会等に，具体的な研究計画を示し承認を受けなければならない．
4. 研究対象者の心身の安全，人権の尊重	研究にたずさわる者は，研究対象者の心身の安全に責任をもたなければならない．研究に参加することによって心身の問題や対人関係上の問題が研究対象者に生じないよう真摯に対処する必要がある．また，年齢，性別，人種，信条，社会的立場などの属性にかかわらず研究対象者の人権を尊重しなければならない．
5. インフォームド・コンセント	研究にたずさわる者は，研究対象者に対し，研究過程全般および研究成果の公表方法，研究終了後の対応について研究を開始する前に十分な説明を行い，理解されたかどうかを確認した上で，原則として，文書で同意を得なければならない．説明を行う際には，研究に関して誤解が生じないように努め，研究対象者が自由意思で研究参加を決定できるよう配慮する．
6. 代諾者が必要なインフォームド・コンセント	たとえば，子ども，障害や疾患を有する人，外国人など，認知・言語能力上の問題や文化的背景の違いなどのために，通常の方法の説明では研究内容の理解を得られたと判断できない研究対象者の場合には，理解を得るために種々の方法を試みるなど最善を尽くす必要がある．その努力にもかかわらず自由意思による研究参加の判断が不可能と考えられる場合には，保護者や後見人などの代諾者に十分な説明を行い，原則として，文書で代諾者から同意を得なければならない．
7. 事前に全情報が開示できない場合の事後の説明の必要性	研究計画上，事前に研究対象者に対して研究内容の全情報が開示できない場合には，原則として，その理由を倫理委員会等に説明し，承認を得る必要がある．事前に開示しないことが承認された場合には，事後に情報を開示し，また，開示しなかった理由などを十分に説明し，誤解が残らないようにする．
8. 研究計画の変更に伴う手続き	研究を遂行する過程において，なんらかの理由で研究計画の変更が必要になった場合には，原則として，その変更内容を倫理委員会等に事前に提示して承認を得なければならない．また，研究対象者にも変更内容を説明し，研究開始時に行われたインフォームド・コンセントと同様のやり方で，研究参加を継続するかどうかを確認する．
9. 適切な情報収集の手段	研究対象者に関する情報を収集する場合，研究にたずさわる者はその手段が対象者に不利益をもたらすことはないかどうか，事前の吟味を怠ってはならない．質問紙調査やインタビューにおける質問項目，実験やフィールドにおける観察項目などを作成する際には，研究者の観点からだけでなく研究対象者の観点からも，それらの項目が内容的にまた形式的に適切であるかどうかを検討する必要がある．
10. 個人情報の収集と保護	研究にたずさわる者が収集できる個人情報は，研究目的との関係で必要なもののみであり，収集する個人情報の量や範囲をむやみに広げてはならない．収集する個人情報とその入手目的，利用方法に関しては，インフォームド・コンセントの手続きによって研究対象者から同意を得ておく．また，知りえた個人情報は，研究対象者の関係者や所属する集団・組織に漏洩することがないように保護・管理を厳重に行わなければならない．なお，研究対象者の個人情報は，研究上の必要性が消失した場合には，すみやかに廃棄する．
11. 研究成果公表時の個人情報の保護	研究にたずさわる者は，研究成果が公表されることによって，研究対象者に不利益が生じないようにする責任がある．不利益を回避する方法を成果の公表前に十分に検討し，公表した後不利益を生じる事態が生じた場合には，すみやかに対処する．研究成果を公表する場合には，研究対象者や周囲の人々，あるいは団体・組織名が特定できる情報は匿名化するなどの工夫を行う．
12. 研究データの管理	研究で得られたデータは，紛失，漏洩，取り違えなどを防ぐために，厳重に保管し管理しなければならない．紙媒体による研究データの保管には施錠できる場所を利用し，電子媒体による保管の場合にはアクセスできる者を限定するなどの工夫を施す．管理者の異動に際しても，研究データとともに管理責任が滞りなく委譲されるようなシステムを構築しておく．
13. 研究終了後の情報開示と問い合わせへの対応	研究にたずさわる者は，研究が終了した後も，たとえ追跡調査などの計画がない場合でも，研究対象者からの情報開示の要求や問い合わせには誠実に対応する．
14. 研究資金の適切な運用	研究にたずさわる者は，補助金（助成金）などを運用して研究や実践活動を行う際，補助金の運用規程がある場合にはそれに従い，不正に使用してはならない．研究や実践活動においては，補助をする特定の個人・団体の利益や価値観にかかわらず，研究者は学術的中立性を保ち，事実に即した正確な結果を報告する義務がある．

（日本心理学会：公益社団法人日本心理学会倫理規程．p10-13, 2011
https://psych.or.jp/wp-content/uploads/2017/09/rinri_kitei.pdf　より2020年1月31日検索）

2 質的データを用いた実証的な思考法

5章 心理学における研究

1 心理師にとっての質的研究法とは

　私たち心理師が実際にクライエントと会っているとき，私たちは実践者であると同時に「質的(定性的)研究者」でもある．なぜなら，心理師が個々のクライエントに直接対面しているときに，クライエントからは量的(定量的とも言う)で有効なデータをほとんど期待できないからだ．

　クライエントの「抑うつ感」や「不安」はもちろんのこと，「孤独感」や「苦悩」，そして反対に「カウンセリングへの期待感」や「成長への動機づけ」などの，臨床上とても大切な要素については，クライエントの言動をもとに質的に推測するしかない．もちろん事後的に抑うつの程度や不安の高さを心理検査で測定することはできるが，それですら1回のみの測定で十分に信頼できるデータを手にすることは難しい．そこで心理師は，より細やかな支援の方針を，クライエントの様子から質的に判断して立てていくしかない．

　また，研究そのものに関しても**マクロード McLeod, J.**が述べているように，「研究とは量的なもの」「統計を使ったものでなくては論文とはいえないのでは」などと恐れている臨床家はまだまだ多い[1]．たしかに従来は，臨床心理学における研究と，臨床行為そのもののあいだにはある種の乖離があった．そして，この乖離のために研究成果や方法論が，そのままでは目の前のクライエントの理解や介入に役立たないことも多かった．こうした乖離を橋渡しし，さらに研究力も実践力も高めていけるような好循環を生み出すことが期待されているのが，質的研究法でもある(図1)．

　このようにデータを数値に置き換えずに言語的データのまま，「今，この瞬間にどのような介入をすべきか」について最も参考になるような「実践モデル」を生成し，それをさらに実践のなかで検証し精緻化していくという営みが，臨床現場における質的研究の代表的なものである．また，心理学における実践的研究はこのような質的研究を含むものである場合が多い．

　以下に代表的な質的研究法をいくつか紹介する．

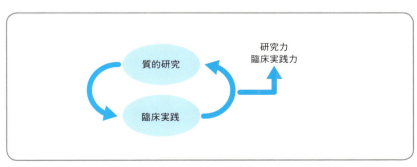

図1　質的研究と臨床実践の高め合い・相乗効果

2 具体的な質的研究法

1 • KJ法

　代表的な質的研究法の1つであるKJ法は，1967年に日本の川喜田二郎によって「発想法」として発表され発展したもので，川喜田の名のイニシャルをとってKJ（Kawakita Jiro）法と名づけられた．川喜田は，地理学，民俗学，文化人類学の領域で名を残すなど研究者としては独創的な存在であり，彼の提案したKJ法は，創造性開発，問題・課題発見のための新技法として認知され，主に実践的な領域で注目されることになった．また，その応用は産業界や教育界へと広がっていくようになっていた[2]．

　KJ法の根底にあるのは，川喜田が述べる「データそれ自体をして語らしめよ」という考え方である．つまり，あるがままの現象を個別的に観察し，そのデータを積み重ねる方法でボトムアップ的に法則性を理解しようとするものである．上から俯瞰し，すでにある法則や枠組みを適用するトップダウンの演繹[*1]的な研究法ではない．

　さらに川喜田は，KJ法をW型問題解決モデルとして説明し，そのプロセスを「人間が未知の問題に直面して，これを問題提起からはじめて，首尾一貫して達成する探求の全過程のなか」にあると位置づける[3]．このW型問題解決モデルは，まずは「思考レベルから経験レベル」を経過して再び「思考レベル」へと達し，「問題提起」を行う．そして，それを野外観察に代表される経験レベルで情報収集し，その収集した情報を「発想と統合」によってまとめる．次にその「発想と統合」の結果生じた「推論」を，さらなる実験や観察によって検証し，再び思考レベルまで抽象化していく．つまりは「思考レベル」と「経験レベル」のあいだを，繰り返し行き来するW型のプロセスをたどるモデルである．

　心理学研究では量的研究を行う場合，質問紙を使用することが一般的であるが，これまでKJ法は，その質問項目を設定するための予備的研究として用いられることが多かった．しかし現在では，研究者や実践家が自らの思考を整理し，問題解決にたどりつくための方法としても活用されるようになってきた（**表1**）．

　KJ法は，「ラベル作り」「グループ編成」「図解化」「文章化」の4段階から構成されるが，**表2**にその具体的な手順を示す．

用語解説

＊1　演繹
　演繹とは，論理学における帰納に対立する手続き．1つまたはそれ以上の命題から論理法則に基づいて結論を導出する思考の手続きで，演繹的推理ともいう．三段論法はその代表例である．つまり既存の「理論」から，ある「情報」を加味して，新たな「予想」を立てる形式の推論方法である．

■ 表1　KJ法の活用場面

・心理療法の成功と失敗に関連する諸要因の探索
・実践で出会う困難への効果的な対処法の探索
・次々と現れる新しい臨床的課題に取り組む際の実践的な指針の探索

表2 KJ法の手順

手順		特徴
第1段階	ラベル作り（カード作り）	・面接や観察などで収集したデータ（発言・自由記述など）を1行程度にまとめる ・1枚のラベル（カード）を内容ごとに作成
第2段階	グループ編成 ①ラベル広げ ②ラベル集め ③表札作り のスモール・ステップ	①ラベル広げ ・第1段階で収集したラベルを広いテーブルや床などに全体を見渡せるように並べる ・ラベル1枚1枚をよく読む ②ラベル集め（図2） ・内容が類似したラベル同士を近くに配置してグルーピングする ・できるだけ先入感をもたないように分類をするとよい ・このとき，感じることを重視することが重要で，知的に考えてグルーピングにしない ・グルーピング時に迷うもの，どのグループにも属さないものが生じる際は，その都度，熟慮する ③表札作り ・グルーピング完成後，そのグループ全体を表わす1文を記した表札を作成する
第3段階	空間配置と図解化（図3） ①空間配置 ②図解化 のスモール・ステップ	①空間配置 ・1枚の大きな紙やホワイトボード上にグルーピングされたカードと表札を空間配置して図を作成する ・意味的に近いと感じられる表札とカード群は近くに配置する ・大グループ（ユニット）と小グループ（カテゴリー）が多すぎる場合，配置に困難が生じやすいため，大グループ（ユニット）は10個以内であるとまとめやすい ・空間配置は直感的に見てわかりやすいものがよいため，試行錯誤を繰り返す ②図解化 ・カードや小グループ（カテゴリー），大グループ（ユニット）などの関係を示すために，それらのあいだに関係線（たとえば，→など）を引いたり，関係づけの記号（たとえば，＝，≒など）を使う ・関連づけによって視覚的・直感的に全体構造がわかるようになり，オリジナルデータの複雑さから生じる苦しみから解放される ・この段階で，データから仮説生成への見通しがつく ・ただし，図解だけでは全体構造における各要素の関係性が明らかにならないため，次の第4段階で文章化が必要となる
第4段階	文章化	・図解化された結果を文章化する ・うまく文章化できない場合は，論理性やカテゴリーの関係性になんらかの問題があると考えられ，分析段階に戻って再分析を実施する ・KJ法で導き出された結果と研究者の考察を混同させないよう注意深く書く

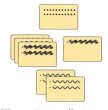

図2 ラベル集め
似た内容のラベルを重ねてグループ化する

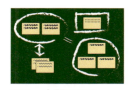

図3 空間配置と図解化
グループ間の関係を示す線や記号を記入する

2 ● グラウンデッド・セオリー・アプローチ（GTAとM-GTA）

グラウンデッド・セオリー・アプローチ（GTA：grounded theory approach）とは，主に看護学研究を中心に進めていた社会学者である**グレイザー Glaser, B.**と**ストラウス Strauss, A.**によって考案された方法である[4]．グラウンデッドというとおり，まさにデータに根差し密着した（grounded on data）理論を生成する質的研究法である．

表3に示したように，グラウンデッド・セオリー・アプローチはその発展過程のなかで，主に4種類があるとされている．なかでも，世界的に最もよく使われているのは**コービン Corbin, J.**とストラウスによる方法である[5]．これら4つは重要視する点や基本的立場などが異なるが，分析方法や手続きが大きく異なるのは，M-GTA（modified grounded theory approach）のみである．

■ 表3 GTAの種類

GTAの種類	特徴	本書での略称
グレイザー＆ストラウス版	1960年代にそれまでの社会学研究への批判として考案された.	GTA
ストラウス＆コービン版	解釈を重んじ，新たな理論と方法論の構築を試みる.	GTA
グレイザー版	研究方法としての確立に焦点をあて，言語データの厳密な分析を目指す.	GTA
修正版GTA	質的研究として徹底しながら，より使いやすくした.	M-GTA

どの種類のGTAも，データに根ざして概念をつくり，概念同士の関係性をみつけて理論を生成する研究手法であることに変わりはない．KJ法にも似ているが，新しい概念や理論を生成する力とプロセス性を描出しやすいという点でより優れている．また，その分析対象とする現象や分析の手順を開示しやすいという意味で，既成の理論の検証や仮説検証にもある程度耐え得る質的分析法だといえる．

対人援助や社会的相互作用をもちながら活動している人であれば，どんな人の活動でもGTAの対象になりうる．したがって，看護師や医師，臨床心理士や公認心理師，教師などヒューマンサービスに携わっている人を対象にインタビューをし，それを逐語化したテキストデータを分析する場合が多い．サービスの受益者や当事者なども対象にできる．さらにインタビューに限らず，自由記述式の質問紙，手記や実習記録，ある程度の詳しさをもった日記などでも分析の対象にできる．

オリジナルGTAの一連の手順[*2]の最大の特徴は「データの切片化」にある．これは言語データを分析単位に分割することを指す．その目的はデータを文脈から切り離すことで，分析者が言語データから距離をとるためだとされている．

一方，木下康仁によるM-GTAは，GTAをより質的研究法として徹底させ対象者ごとの比較やデータの切片化を廃止し，「分析ワークシート」（表4）を活用しながら，データのもっている文脈性とデータを解釈する「研究する人間」の主体性を大切にしている[6]．

M-GTAでは研究そのものの目的を「理論生成」という点に特化し，その理論の

■ 用語解説

＊2 オリジナルGTAの一連の手順

オリジナルGTAの分析の流れは，データ収集とテキスト化⇒データの切片化⇒オープンコーディング⇒軸足（アキシャル）コーディング⇒選択的コーディング⇒理論的飽和⇒ストーリーラインの作成，となる．

▲木下康仁（1953-）

エイジングとケア，老年社会学を専門とする社会学者．修正版グラウンデッド・セオリー・アプローチを開発し，質的研究に関してわが国の心理学にも多大な影響をもたらした．

■ 表4 M-GTAの分析ワークシートの実例

概念名1	めんどうくさくて言えない
定義	母親への要望や気持ちを言わずにわかってほしくて，めんどうで言えないこと
バリエーション	♯76 C1 なんで私から言わなきゃいけないのっていう気持ちがあって……． C2 言って，断れたら嫌だし． C14 言わなくてもわかっているはずなのに． C36 言ってしぶしぶやってもらっても，ちっともうれしくないんです……．
理論的メモ	拒絶がこわい？　それとも言わずにやってくれないと価値が下がる？「めんどうくさい」という言葉の裏にある気持ちを表しているデータはないか？（12/5）

データのなかから類似する部分を集めて，概念化する．

検証は実践への応用において行うことで，研究と現実世界との緊張関係を確保していく．さらに，データの不完全性と，調査者の「関心」がデータに与える影響も認め，そのうえで，このことによる限界や影響を積極的に明示化する．

　M-GTAではこのように質的研究としての姿勢を徹底することによって「意味の深い解釈」が可能になり，分析対象に関する説明力と予測力をもった，実践的活用が可能な研究結果が得られやすくなるといえる．

　質的研究法としての考え方や，研究結果の実践的活用などに関しては，オリジナルGTAよりM-GTAの方が優れているともいえるが，結果の示し方に関しては，オリジナルGTAの方が臨床現場にふさわしい場合もある．とくに「意味の深い解釈」をそれほど必要としない「セラピストの介入技法」や，クライエントの不適応的行動などの行動レベルに関する分析は，従来の階層的コーディング(**図4**)[7]の方が明確である．

　さらに，対象者ごとに主な特徴を書き出した「ケースマトリックス」などのクロス表や対象者ごとのカテゴリー出現対応表などは，臨床研究にとても有益である．

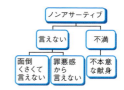

図4　階層的コーディング

結果の示し方

　M-GTAでは，通常「結果図」と「ストーリーライン」によって結果を示す．**図5**は細谷祐未果・青木みのり・福島哲夫・岩壁 茂による「カウンセリング場面における肯定的介入のプロセス」に関する研究の結果図とストーリーラインである[8]．

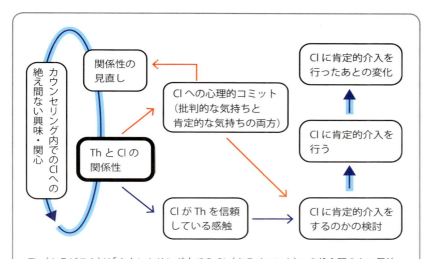

図5　研究の結果図とストーリーライン
(第36回日本心理臨床学会にて細谷祐未果先生がご発表された図を許可を得て改変)

3・事例研究法

　原則として1事例についてのプロセスから詳しいデータを収集し，収集された

データの分析から，何らかのパターンや構造仮説，理論モデルなどを生成することを試みるタイプの研究法である[9]．その歴史は古く，日本独自の傾向や異なった考え方もあり，単純に語ることは難しい．

たとえば，河合隼雄[10]によると，臨床心理学の事例研究は「臨床の知」[11]を大切にするもので，それは近代科学が備えてきた「普遍性」「客観性」「論理性」によって無視され，排除されてきた「現実」の側面をとらえなおす重要な原理として，「コスモロジー」や「シンボリズム」，「パフォーマンス」[*3]を重視するものであるとする．そして，優れた事例研究は絵画や描画，小説といった芸術活動に似ていて，読み手は新たな意欲をかきたてられたり，多くの新しいヒントを得たり，新しい感動を与えられたりするとした．

対して，岩壁らによれば，カウンセリングにおける事例研究は大きく3つに分類されるという[12]．その1つが臨床的事例研究であり，客観的な指標を集めずにセラピストが面接記録をもとに面接のプロセスを考察するものである．次に1事例実験であり，定期的に変化の測定を続けて，介入に対する反応を検討する研究である．これは主に行動療法的なアプローチにおいてよくみられる事例研究である．そして，最後が後述する系統的事例研究である．

さらに岩壁は，日本ではとくに臨床的事例研究が多く，そのほとんどは明確なリサーチ・クエスチョン[*4]が設定されないばかりか，効果に関する量的なデータもほとんど提示されることなく，データ収集や分析の大部分がセラピストの直観的な判断に依拠しているとした[13]．

系統的事例研究法

カズディン Kazdin, E. は，系統的事例研究に不可欠な要素として，①変化を客観的に示すことができるよう，何らかの測定法を取り入れること，②セラピーの開始前に，クライエントの心理的状態が安定したベースラインを査定しておくこと，の2点をあげている[14]．これによってセラピー開始後に変化が起こった場合，その変化はセラピーの影響によるもので，ほかの要因によるものではないことも示唆される．

この点を整理した野田亜由美によれば，系統的事例研究の中核をなす原則は以下の2点に集約できるとする[15]．①リサーチ・クエスチョンが明確に設定され，単なる事例報告ではないこと，②一定の原則に従い，量的データと質的データの両方が収集され分析されること，である．**表5**に研究目的別の系統的事例研究法の特徴を示す．さらに，そのほかの臨床心理学として有効な質的研究法を**表6**に示す．

表6の研究法以外にも，心理師が習得して使えるようになると便利な質的研究法はさまざまある．しかし，何よりも大切なのは，これらに共通する質的研究法のエッセンスを体得することである．それは量的なものに換算されず，主観に偏らず，事象の本質に迫ることを可能にする示唆に満ちている．

河合隼雄 p.7参照

用語解説

*3 コスモロジー・シンボリズム・パフォーマンス
コスモロジーはここでは「世界観」，シンボリズムは「事物の多義性」，パフォーマンスは「身体性をそなえた行為」と説明されている．つまり，芸術活動のように，新たな概念や技法そのものよりも，「演奏行為」としていかに独特の多義性をもった世界観を伴ってパフォーマンス（実践し表現する）ができるかということである．

▲岩壁茂（1968-）
心理療法プロセスと効果の研究，心理療法の統合に関する研究と実践におけるわが国の第一人者の一人．

用語解説

*4 リサーチ・クエスチョン
研究の主なテーマをさらに具体化して焦点づけたものである．先行研究を参考にしつつ，研究方法を勘案しながら設定していくべきものである．

■ 表5　研究目的別の系統的事例研究法

名称	特徴
成果指向事例研究（outcome-oriented case study）	ある事例において心理療法はどんな効果があったのか，クライエントの変化に心理療法がどの程度貢献できるのか，といった問いに関連する事例研究法
理論指向事例研究（theory-oriented case study）	ある事例での心理療法のプロセスは，理論的な用語でどのように理解することができるか，既存の理論モデルをテストし，より良いものにするために，この事例のデータはどう活用できるか，あるいは新しい理論的枠組みを構築するのにこのデータはどう活用できるか，といった問いを探索する際に用いられる事例研究法である
実践指向事例研究（pragmatic case study）	どのような治療計画や介入が心理療法に良い結果をもたらしたのか，そのクライエントに必要な治療的方法をセラピストはどう適応させ修正していったのか，といった問いを扱う事例研究法．実践指向事例研究の第一の目的は，特定の治療アプローチが，特定のクライエントに対しどのように展開していったのかを詳細に提示することにある．伝統的な事例研究に似ているが，事例に関する量的および質的な情報を幅広く提示することと，一貫した方法に固執して研究を進めることが研究者に求められる点において従来の事例研究と異なる
体験・ナラティブ指向事例研究（experiential or narrative case study）	この事例で，クライエントもしくはセラピストはどんな体験をしたのか，この事例にはどのような意味があったか，といった問いを扱う事例研究法．クライエントやセラピストの視点から，事例のストーリーを伝えることが目的の研究法である．伝統的な質的研究法

文献15)を一部抜粋して作成

■ 表6　そのほかの代表的な質的研究法

名称	特徴
現象学的分析	ある現象の体験を既存のカテゴリーや理論的概念にあてはめたり，抽象化するのではなく，体験をそのまま描写する．先入観やふだんのものの見方（自身の価値観）は排除し，現象そのものを理解しようと努める分析法
課題分析	面接での重要なやりとりに注目し，場面の変容が起こるために必要な要素を抽出し，プロセスモデルを構成するための方法．また，この方法で構成したモデルをさまざまなアプローチの心理療法に取り入れることによって，研究知見をどのように実践に活かすのかを示す統合的な分析法でもある．データとしては，純金サンプリング（pure gold sampling）とよばれる典型例や成功例を用いる
テキスト・マイニング	樋口耕一が開発し提供するテキスト型データ分析用フリー・ソフトの1つであるKHコーダーがその代表例．インタビューや心理療法面接の逐語録を用い，セラピストとクライエントの頻用した語やその特徴を分析できる．特定のセッションの性格を客観的に浮き上がらせることができ，面接やインタビュー内で用いられた言葉を，主にその言葉と言葉の関連性の観点から，客観的にとらえることのできる有効な方法．自由記述や日記，手記などの分析にも活用できる（図6a b）
PAC分析	個人がものごとに対して，意識的あるいは無意識的に感じている心構え（personal attitude）の構造（construct）を分析するソフト．まずなんらかのテーマを研究協力者に示し，連想されることをいくつかの項目に分ける．項目間の心理的な距離を評定したデータをもとに，研究協力者があげた項目を，クラスター（群）に分類することで個人の心のなかの構造を明らかにしようとする方法

文献16) 17)を参考に作成

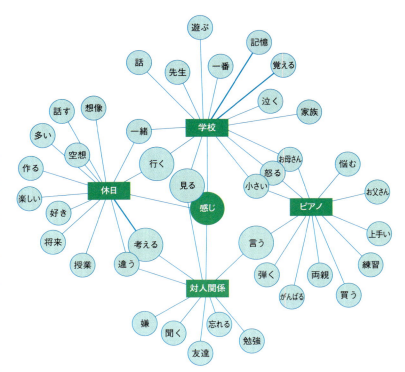

図6a　KHコーダーの分析例：共起ネットワーク分析（クライエントの語り）
クライエントが同時に発することの多かった言葉を抽出し，関連づけて示す．出現の多い言葉ほど太い線になる．

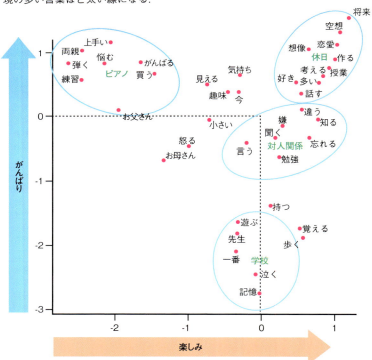

図6b　KHコーダーの分析例：対応分析（クライエントの語り）
クライエントの発する言葉を散布図で示す．言葉の分布から，言葉の関係や特徴を分析し，成分1（横軸）と成分2（縦軸）を命名する．

■ 引用・参考文献

1) McLeod J：Qualitative Research-In counselling and psychotherapy. 3rd ed, SAGE Publications, 2013
2) 川喜田二郎：発想法—創造性開発のために．中央公論新社，1967
3) 川喜田二郎：続・発想法—KJ法の展開と応用．中公新書，1970
4) グレイザー BGほか：データ対話型理論の発見—調査からいかに理論をうみだすか．後藤隆ほか訳，新曜社，1996
5) コービン Jほか：質的研究の基礎—グラウンデッド・セオリーの技法と手順．第3版(操華子ほか訳)，医学書院，2011
6) 木下康仁：グラウンデッド・セオリー・アプローチ—質的実証研究の再生．弘文堂，1999
7) 木下康仁：グラウンデッド・セオリー・アプローチの実践—質的研究への誘い．弘文堂，2003
8) 細谷祐未果ほか：カウンセリング場面における肯定的介入のプロセス—M-GTAを用いたセラピストへのインタビューデータの分析．日本心理臨床学会第36回大会発表論文集，478，2017
9) 斎藤清二：事例研究というパラダイム—臨床心理学と医学をむすぶ．p 238, 岩崎学術出版社，2013
10) 河合隼雄：事例研究の意義．臨床心理学 1 (1)：4-9, 2001
11) 中村雄二郎：臨床の知とは何か．岩波書店，1992
12) Iwakabe S et al：From single-case studies to practice-based knowledge：Aggregating and synthesizing case studies. Psychotherapy Research 19 (4-5)：601-611, 2009
13) Iwakabe S：Introduction to case study special issue-case studies in Japan: Two methods, two worldviews. Pragmatic Case Studies in Psychotherapy 11 (2)：65-80, 295, 2015
14) Kazdin AE：Drawing valid inferences from case studies. Journal of Consulting and Clinical Psychology 49 (2)：183-192. 1981
15) 野田亜由美：研究法としての事例研究—系統的事例研究という視点から．お茶の水女子大学心理臨床相談センター紀要(16)：45-56, 2015
16) 岩壁茂：はじめて学ぶ臨床心理学の質的研究—方法とプロセス．岩崎学術出版社，2010
17) 福島哲夫ほか：臨床現場で役立つ質的研究法—臨床心理学の卒論・修論から投稿論文まで．新曜社，2016
18) Fishman DB：The Pragmatic case study method for creating rigorous and systematic, practitioner-friendly research. Pragmatic Case Studies in Psychotherapy 9 (4)：403-425, 2013

[初出]
本章の一部は下記の書籍から抜粋し，加筆・修正し再構成したものを掲載いたしました．
福島哲夫著，修正版グラウンデッド・セオリー・アプローチ—ミクロな実践プロセスの分析・記述，p.35-49（新曜社『臨床現場で役立つ質的研究法』2016年）

6章 心理学統計法

1 統計に関する基礎的な知識

> **この章で学ぶこと**
> - 心理学のデータと記述統計の関係
> - 心理学における統計学の必要性
> - 推測統計で必要な道具である正規分布と統計的仮説検定

1 記述統計

心を明らかにしようと，観察や実験などによってデータをとるが，漠然とデータそのものを眺めているだけでは，その特徴を見出すことは困難である．そのため，得られたデータを整理し要約する方法を用いる．それは，統計学に基づいた可視化や統計分析となる．

統計学の1つが「記述統計」とよばれ，対象とする集団のデータに対して分析を加え，集団としての特徴を記述するためのものである．ここでは，記述統計を理解するために必要な概念を中心に説明する．

1 心理学のデータ

心理学のデータは，心理測定や調査，心理実験に参加した者が記入した数値(あるいは記号)からなる．また，1人の参加者がすべての質問に記入した内容をまとめて「調査票」とよぶ．ここで，調査に参加した総人数をN，調査で行った質問(変数)の数をnで表す．そして，統計処理のためのデータを，「調査参加者(N)×調査変数(n)」の行列の形式でまとめる．このデータ行列の1つの行が個人iさんの調査票に対応し，行列の1つの要素は，個人iさんの変数jへの回答に対応する(図1)．

参加者は，数値あるいは記号から回答の選択肢を選ぶことになる．統計的なデータ処理の前処理として，この回答を数値に置き換える操作を行うことがある．これを「コーディング」とよぶ．なお，測定で使用した質問などを「変数」といい，変数にはコーディングされたN人の回答が数値として入ることになる．

2 尺度水準

統計的分析は，対象となる変数の性質によって異なり，テストの得点のような「量的変数」と，性別のような「質的変数」に大きく分けることができる．心理学では，これを4つの「尺度水準」に分類する(図2)．データの特徴の表し方や変数の操作，分析の方法は，この分類に従って行うことになる．

①名義尺度

個人あるいは集団を特定するために与えられた記号や数値のことである．数値を与えられたとしても，その大小を取り扱うことも演算することもできない．該

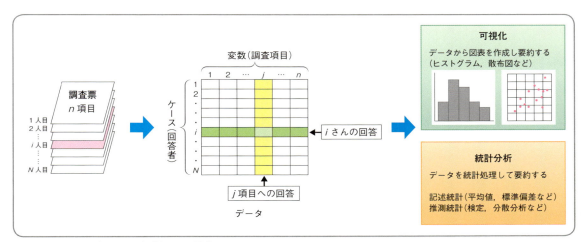

図1　調査票，データ，統計処理の対応
全体をイメージで示すためにデータは空欄としているが，実際のデータは1つ1つのセルに数値や文字が入っている

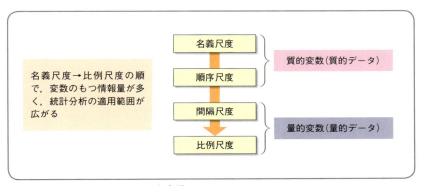

図2　変数における4つの尺度水準

当する参加者が何人いるかという「度数」からデータの特徴を説明することになる．この尺度水準の例としては，性別，電話番号，学籍番号などがある．

②順序尺度

ある対象がほかの対象より大きい(小さい)，あるいは，より多い(少ない)という判断を数値に置き換えたものである．大小の順序を反映しているが，それらの間隔を数値として計算することはできない．たとえばマラソンの順位を想像するとわかりやすく，2位は3位よりも順位は前だが，その差が3位と4位との差と同じとはかぎらない．

③間隔尺度

ある個体はほかよりもある単位によって～だけ多い(少ない)といえる判断を数値に置き換えたものである．間隔尺度は，心理的反応に割り当てられた数値間の間隔が等しいことを条件とする．学力を測定する試験の得点を例としてみると，90点と80点の差は，50点と40点の差と同じである．この水準の得点間での足し算や引き算は可能だが，絶対ゼロがないため，掛け算や割り算はできない．

心理学では，多くの場合，この間隔尺度を想定し，測定を行い，平均や標準偏差あるいは偏差値のような統計分析からの報告を行っている．なお，間隔尺度で

は絶対ゼロを基準とはできないため，平均を相対的な基準とすることがある．

④比例尺度（比率尺度）

　ある個体はほかよりある単位によって〜倍だけ多い(少ない)といえる判断を数値に置き換えたものである．測定した数値間が等間隔であることに加えて，絶対ゼロがある．何もないということを尺度の目盛りのはじめに置くことができる．物の長さ，重さなど物理的な測定は，この尺度水準に相当する．測定した結果は加減乗除などの四則演算が可能であり，心理学でも，年齢などが比例尺度に該当する．

　比例尺度水準と間隔尺度水準にある変数を量的変数としてまとめることがある．これに対して，名義尺度水準にある変数を質的変数とよぶことがある．順序尺度水準の変数も，加減という演算ができないため，質的なカテゴリーに入れる場合がある．また，外向性の得点を高群と低群に群分けする場合など，量的変数はときに質的変数に変換される．

3・1つの変数におけるデータの可視化

　データを図表にすることはデータを要約することであり，適切な統計分析を行うための最初のステップである．よい図表は，データがどのようにちらばっているのかに関する情報を提供してくれる．ちらばり具合を示すのは「分布」とよばれ，変数の内容が大小さまざまな値をとっている様子をさす．観測値のとりうる値をいくつかの「階級」（区間)に分け，各階級に観測値がいくつあるかの度数を数えてその分布を示したものを「度数分布表」とよぶ．度数分布表には「相対度数」を含めることがあり，これは観測値の総数を1としたときの各階級に属する個数の割合を示す．データの大きさが異なる場合の比較に適している．

　度数分布表をグラフ化する際に，変数の性質によって異なるグラフとなる(**図3**)．質的変数の場合は度数を棒の高さで示した「棒グラフ」に，量的変数の場合は棒グラフではなく「ヒストグラム」を作成する．ヒストグラムは，データの範囲を階級に分けて，各階級に対応するデータの数を表示することによってデータの分布を示す．棒グラフは横軸が質的変数，ヒストグラムは横軸が量的変数(連続的な数値)となり，棒と棒のあいだに隙間があるかないかが見た目の違いとなる．このほかにもさまざまな可視化がある．

4・代表値

　前項では，個人のたくさんの測定値を得たときに，分布として図に描くことを行った．次に，その分布(集団)の特徴を示すことを考えてみよう．データの分布を知るための主な指標として「代表値」がある．

　代表値とはデータ全体を要約する値のことで，いちばん多くの値が当てはまる値や，最もよく含まれている値などである．代表値として最もよく知られているのは，「平均値(算術平均)」とよばれるもので，平均値の式は以下のとおりである．

　　　平均値＝(個々のデータ)の合計÷(データ数)

与えられたデータをすべて足してデータ数(人数)で割った値である．ほかの代表値としては，データを大小順に並べたときに真ん中に位置する値を「中央値(メ

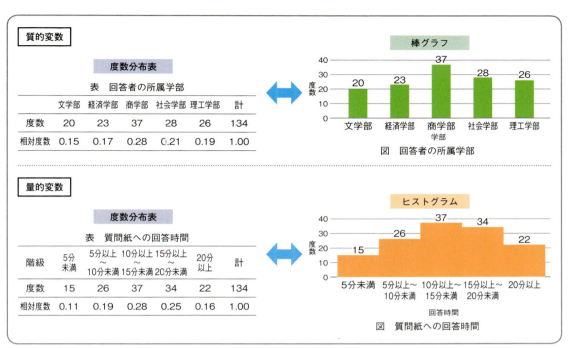

図3 棒グラフとヒストグラムの例

ディアン)」といい，最も度数の多い値を「最頻値(モード)」とよぶ．

平均値が最も頻繁に使用されるが，「外れ値」(極端に大きかったり小さかったりする値)の影響を受けやすいことが知られている．たとえば，心理学実験の反応時間においては，少数だが極端に遅い被験者がいた場合に，実態より遅めの平均値が出ることがある．中央値は，端の値がどのような値であるかには関係なく真ん中の値であるので，外れ値の影響を受けにくいとされる．このように，変数ごとの性質を考慮して代表値は使い分ける必要がある．

5・散布度

データ全体の概要を知るためには，平均値などの代表値に加えて「散布度」を検討することになる．散布度とはデータ全体のちらばりを表す値である．これにより，同じ代表値であっても，代表値の近くに値が多くある場合(散布度が小)や，代表値から遠くばらばらに広がっている場合(散布度が大)を知ることができる．

最もよく使用される散布度の指標として「分散」がある．分散は，平均を基準としたデータのばらつき具合を示す指標で，計算式は以下となる．

$$分散 = \{(個々のデータ) - (平均値)\}^2 の合計 \div (データ数)$$

個々のデータと平均値との差を2乗した合計をデータ数で割ったものである．個々のデータと平均値との差は「偏差」とよばれ平均値との距離の指標となるが，この偏差を単純に合計すると0になるために2乗してから合計している．分散は平均値からどれくらい平均的に離れるかを示している指標となる．分散では2乗しており，測定単位が変わるため，単位をそろえるときには分散の平方根をとった「標準偏差」が用いられる．

標準偏差の意味するところを考えてみる.標準偏差など得点のちらばり具合は,個人を対象とした心理学の測定において,個人差の程度を知ることにつながる.たとえば図4では,平均値が70点であるテストで,自分が83点を得たとした場合,平均値よりも高い得点であることがわかる.これが,どのくらい高い得点であるといえるのかは標準偏差によって異なる.標準偏差が16の場合は,標準偏差は平均値からの離れ具合を平均化した値のため,83点はその平均的な離れ具合の範囲(54〜86)に入っていることになる.そのため,83点は標準的な値と判断される.一方で,標準偏差が8の場合は,83点はその範囲(62〜78)からはずれているために,高い値と判断することができる.このように,標準偏差を基準としてどの程度平均から離れているのかを検討することができ,ある個人の結果のもつ意味がより明らかになる.また,テストや項目の性質の観点でも,標準偏差はヒントを与えてくれるものといえる.「そのテストに回答すると,どの程度個人の値がちらばるのか」ということがわかる.

　ここまでの説明でわかるように,平均値や標準偏差が異なる測定の得点を同列に比較することはできない.比較を可能にするためには,平均値や標準偏差が特定の値になるように変換することが必要となる.すべてのデータ(個々の得点)が同じ基準に従うように値を変換することを「標準化」とよぶ.標準化された得点を「標準得点(z値)」とよぶ.一般的には,次の計算式によって,平均値を0,標準偏差を1にする.

　　標準得点＝{(個々のデータ)−(平均値)}÷(標準偏差)

　このことで,それぞれのデータの平均値の位置がそろい,得点のちらばりが統一される.また,「偏差値(Z得点)」は,平均値を50にして標準偏差を10とし

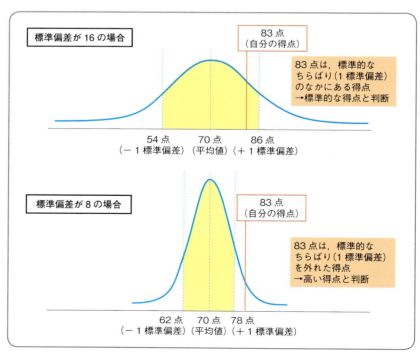

図4　標準偏差が異なる場合における得点の判断の違い

た標準化である．

6 • 2つの変数におけるデータの可視化

2つの変数の関係について考えよう．まず，2つの変数がともに量的変数の場合について考える．たとえば，外向性の得点と自尊心の得点の関係性をみようとするときには散布図を描く．「散布図」は，2つの量的変数の関係性を図示する方法である．2次元の図であり，横軸（x軸）と縦軸（y軸）に各変数の目盛りをとり，各得点を対応するところに点で示したものである．個人ごとのデータであれば，1つひとつの点は個人のデータを表すことになる．

図5で示しているように，散布図では2つの量的変数の関係性をおおまかに知ることができる．一方が高いともう一方も高い，あるいは一方が低いともう一方も低いというような直線的な関係性を「相関関係（相関）」という．

たとえば，図5の左は，横軸の得点が高ければ，縦軸の得点が低い傾向がみてとれ（左上がりの楕円で囲めるような点のまとまり），それは「負の相関関係がある」といわれる．図5の中央は，横軸の得点が高くても低くても縦軸の得点は関係なく（漠然とした円を描くような点のまとまり），2つの変数に関係性はなさそうである．これは「無相関（相関はない）」とよばれる．図5の右は，横軸の得点が高ければ，縦軸の得点が高い傾向がみてとれ（右上がりの楕円のような点のまとまり），それは「正の相関関係」とよばれる．

また，相関関係に関する注意点としては，相関関係は因果関係を意味するものではないことである．相互の関連性が示されても，原因と結果の関係性が示されているものとは限らない．

個人の属性などの質的変数（片方の変数が量的変数でない場合）ではクロス集計表を作成する．「クロス集計表」は，2つの変数をクロスさせて両者の対応する度数を示したものであり，「分割表」ともよばれる．図6で示しているように，2つの条件を満たす度数がすぐにわかるので，2つの変数の関係性を理解しやすくなる．また，量的変数の場合でも，階級に分ければクロス集計表を作成することができる．

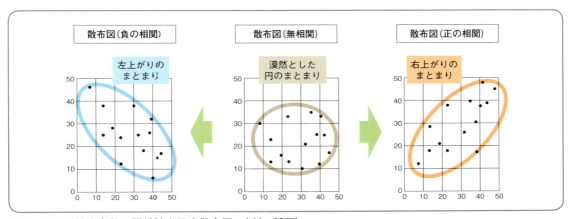

図5　2つの量的変数の関係性を示す散布図の例（3種類）

データ

表　アルバイトとの関係を示すデータ

ID	アルバイト	クラブ活動	予習時間
1	している	加入	20
2	していない	非加入	35
3	している	加入	15
4	していない	加入	90
5	している	非加入	40
6	していない	加入	30
7	していない	加入	80
8	していない	加入	20
9	している	非加入	50
10	している	非加入	40

・アルバイト，クラブ活動は，名義尺度の質的変数(実際には数値化して入力してある)
・予習時間は，比例尺度の量的変数

アルバイトとクラブ活動の関係性をみたい

アルバイトと予習時間の関係性をみたい

クロス集計表(分割表)

表　アルバイトとクラブ活動のクロス集計表

		クラブ活動	
		加入	非加入
アルバイト	している	2	3
	していない	4	1

表　アルバイトと予習時間のクロス集計表

		予習時間		
		30分未満	1時間未満	1時間以上
アルバイト	している	2	3	0
	していない	1	2	2

・予習時間は，比例尺度の量的変数であるが，階級に分けて質的変数にすることでクロス集計表にすることができる．

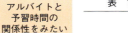

図6　クロス集計表(分割表)の例

7•共分散と相関係数

散布図では全体のおおまかな様子がわかるが，２つの変数の関係性の程度を表す指標としては，共分散と相関係数がある．「共分散」は，２つの変数が平均値からみて正負のどちらにばらついているかを示す指標である．共分散の計算式は以下である．

共分散＝(２つの変数の偏差の積)の合計÷(データ数)

この計算式について説明すると，２つの変数を x と y とすると，その平均値を $\bar{x}$ と $\bar{y}$ として示す．このとき，２つの変数の偏差の積 $(x-\bar{x}) \times (y-\bar{y})$ の平均を求めたものが，共分散となる．共分散は，散布図で２つの変数に右上がりにまとまる傾向がある場合は正の値，右下がりの傾向がある場合は負の値，どちらともいえない場合は０に近い値となる．ただし，共分散の値は測定の単位の大きさに依存する．

「相関係数」は，相関関係の程度を表す指標である．さまざまな種類があるが，そのうち最もよく用いられるのは「ピアソンの積率相関係数」であり，単に「相関係数」とよぶときは一般にこれをさしている．相関係数の計算式は以下である．

相関係数＝(共分散)÷(２つの変数の標準偏差の積)

共分散を標準偏差で割ることで測定の単位の影響を除いている．相関係数は，－１～＋１の範囲の値となる．相関係数が１に近いと正の相関があることを示し，**図5**で示しているように散布図では基本的には右上がりの分布となる．－１に近いと負の相関があることを示し，散布図では基本的には左上がりの分布となる．相関係数が０に近いときには，相関はない(無相関)ことを示し，散布図は漠然とした円を描くように分布する．

ほかの変数の影響があることによって，２つの変数間の相関係数がみかけ以上

に大きくなることがある．これを「擬似相関」といい，たとえば，図7で示しているような場合がある．一見すると無関係である足のサイズと英語能力の関係についても，正の相関が示されることがある．しかし，年齢という共通の理由を考えれば，その相関は，擬似相関である可能性を考えることができる．このような可能性がある場合に，第3の変数の影響を取り除いた「偏相関係数」を求めて，擬似相関があるかを確かめることが行われる．そのほか，相関係数で気をつけなければならない点は，外れ値の影響を受けやすいことである．また，相関係数が0であっても，直線的な比例関係を示していないだけで，規則性がないというわけではないことにも注意が必要である．

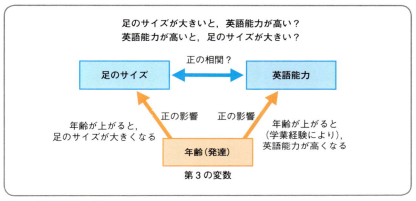

図7 擬似相関の例

2 推測統計

　前項では，対象とする1つの集団のデータに対して分析を加える記述統計で対象とするデータの特徴を明らかにすることを説明した．しかし，そもそも調査や実験に参加してデータを提供してくれる参加者は，研究で明らかにしたいと考えている集団の一部の人である．たとえば，日本の大学生の外向性の程度を明らかにしたいと考えているときに，日本の大学生全員からデータを集めることは不可能に近い．手元にある一部のデータから集団全体についてどのように明らかにしていくのか，それが推測統計とよばれる統計学で行っていることである．ここでは，推測統計の基礎に関して説明していく．

1 ● 母集団と推定

　われわれが関心をもっている集団全体は「母集団」とよばれる．研究対象が，日本の大学生全員であれば，それが母集団ということになる．その母集団の一部として，「サンプル(標本)」を私たちは手にすることができる．サンプルは，母集団の性質を反映していて，たとえば日本の大学生からのデータを400名分集めていれば，それがサンプルとなる．サンプルに含まれる個数(人数)は「サンプルサイズ(標本の大きさ)」とよばれる．また，母集団から標本をとることを「サンプリング(標本抽出)」とよぶ．「ランダムサンプリング(無作為抽出)」とよばれる恣意性なくランダムにサンプルを抽出する手法が一般的である．

サンプルから母集団の性質を推測するが，母集団の性質を特徴づける分布を決定する定数は，「パラメータ（母数）」とよばれる．サンプルから算出される平均値（標本平均）のように，サンプルを要約して，母集団のパラメータの推測に使用されるものを「統計量」とよぶ．統計量の確率分布は「標本分布」とよばれる（確率分布に関しては➡ p.105 参照）．標本分布の標準偏差を「標準誤差」といい，小さければ統計量がパラメータ近くにちらばることを示す．統計量から母集団の平均値や分散といったパラメータを推測していく．このように，母集団から抽出したサンプルをもとに母集団に関する統計的な推測を行うのが，「推測統計」とよばれるものとなる（図8）．

　上述のように，母集団の平均値や分散といったパラメータがわかれば母集団の特徴を知ることができるが，実際には母集団を特徴づけるパラメータの値はわからない．そのため，サンプルをもとに定める必要があり，これをパラメータの「推定」という．母集団を特徴づけるパラメータは，具体的には母集団の従う分布の平均値や分散のことで，これらをとくに「母平均（μ と表記される）」「母分散（σ^2）」という．母数を推定するためにサンプルから求めた統計量を一般に「推定量」という．この際に，どのような統計量を推定量とするのかが重要である．母数に近いことが望ましいが，その1つとして，推定量の平均値が母数に一致するという基準がある．これは「不偏性」とよばれ，不偏性を有する推定量を「不偏推定量」とよぶ．上述の母数の不偏推定量としては，標本平均（$\bar{X}$），不偏分散（s^2）が用いられる．標本平均は，（算術）平均値と同様の計算式である．一方で，母分散の不偏推定量である不偏分散は，通常の分散とはやや異なる以下の計算式となる．

　　不偏分散＝{（個々のデータ）－（平均値）}^{2} の合計÷（データ数－1）

　分散の計算式は，母分散より小さい値になることが知られている．そのため，データ数ではなく（データ数－1）で割る．これが「不偏分散」とよばれるパラメー

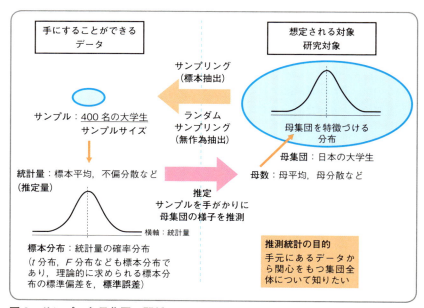

図8　サンプルと母集団の関係

タの推定量である．

また，推定方法には大きく2種類がある．パラメータをある1つの値で指定する方法を「点推定」[*1]とよび，パラメータの値の範囲を推定することを「区間推定」[*2]という．

2 • 確率分布と正規分布

推測統計を考えるうえで必要となるのが確率分布の理解である．ここではまず確率について考えてみる．「確率」とは，起こりやすさの度合いを0～1のあいだの値で示したものである．よく使用される確率に関する身近な例としてコイン投げがある．たとえば，コインを投げてオモテなら1，ウラなら2という値をとる変数Xを導入する．この変数は，オモテやウラをとる確率まで決まってくる．精確につくられているコインであれば，どちらも0.5である．このように，コイン投げなどの結果として値が決まる変数で，しかも確率も付与された変数のことを「確率変数」とよぶ．そして，確率変数のとる値に確率がどのように分配されているかを示したものは「確率分布」とよばれる．

図9に確率分布の例を示した．確率変数の種類によって確率分布の示し方が異なる．コイン投げやサイコロのように，1，2，……という飛び飛びの値をとる確率変数を「離散型確率変数」という．一方で，時間などのように切れ目ない値をとる確率変数を「連続型確率変数」という．心理学の統計的仮説検定などで使用するt分布やF分布などの確率分布は連続型確率変数の確率分布である．この場合，確率は，ある範囲(区間)の値をとる面積によって示されることが特徴である．確率分布は，確率の分配の全容を示し，その確率変数の値がどの程度の確率で出現するのかを知ることができるものである．

いろいろな確率分布の中でも心理学で最も使用されるのは，「正規分布」である．

> **用語解説**
>
> *1 点推定
> 母数をある1つの値で指定する方法である．サンプル平均を用いて，母平均を推定することが該当する．

> **用語解説**
>
> *2 区間推定
> 最初からある程度の誤りがあることを認めて，真の母数の値が入る確率を，ある値(たとえば95％)であると保証される区間を求める方法．この例で示した95％などの確率を「信頼度」とよび，区間のことを「信頼区間」とよぶ．「母平均の95％信頼区間は，4.5 ≦ μ ≦ 8.5」などと表記される．

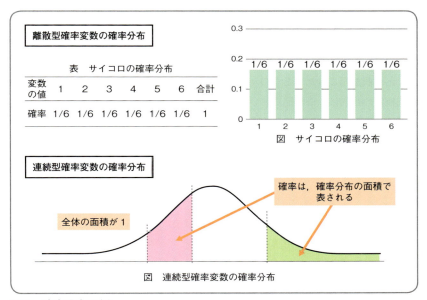

図9 確率分布の例

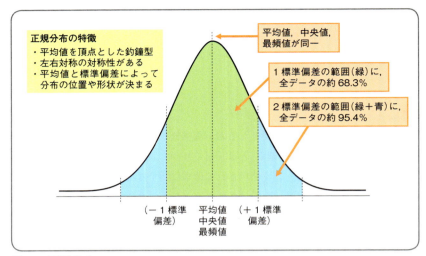

図 10　正規分布

図 10 で示しているように，正規分布は，連続型確率変数の分布であり，平均値を中心として左右対称の釣鐘型の形状をしている．平均値と標準偏差によってその分布の位置や形状が決まる．標準偏差が大きくなると横に広がったような形になり，標準偏差が小さくなると上に伸びるような形状になる．

正規分布に従うデータは，平均値をはさんだ 1 標準偏差の範囲（−1 標準偏差〜＋1 標準偏差の面積）に全体の約 68.3％が入ることがわかっている．また，2 標準偏差の範囲に約 95.4％が入る．たとえば，日本人の身長を考えてみよう．平均値あたりに多くの人がいて，そこから離れるにつれて人は少なくなっていく．そして，平均値から大きく離れた身長の人はほとんどいない．この身長の分布が正規分布に従うと仮定すると，1 標準偏差の範囲にいる身長の人たちは約 68.3％いるということになる．

3 • 統計的仮説検定

2 つの母集団における平均値に差があるかどうかを調べたいときなどに用いられるのは，「統計的仮説検定」である（単に「検定」ともよばれる）．これは，数値の差などが偶然起こったことなのか否かを統計的に評価する手続きである．統計的仮説検定の目的は，母集団において仮定される命題（仮説）を，手元にある標本に基づいて検証して判断をくだすことである．

統計的仮説検定は大きく 2 種類に分けられる．データが正規分布に従う母集団から抽出されているなど，母集団の特性を規定するパラメータに特定の確率分布を設ける検定を「パラメトリック検定」という（t 検定，分散分析など）．一方で，母集団に特定の確率分布を仮定しない検定を「ノンパラメトリック検定」とよぶ．ここでは，パラメトリック検定を中心に説明する．統計的仮説検定ならではの用語が出てくるので，先に用語を説明して，検定の手順（流れ）に関して後に説明を加えることにする．

2 つのサンプルの平均値の比較を例として，統計的仮説検定で用いられる独特の用語について説明しよう．まず，誤差の範囲内ではない，その結果は偶然に起

こっていないことを「有意」という．「有意な差（有意差）がある」といった場合，統計的に偶然ではない差があることを表している．検定の最初に仮定される仮説は，「帰無仮説」（H_0 と表記される）とよばれる．特別なことは生じていない，偶然生じたとする内容の仮説である．2つの平均値を比較する場合には，「2つの平均値は同じ」（差はない）という仮説となる．一方で，帰無仮説とは反対の仮説を「対立仮説」（H_1 と表記される）という．「2つの平均値は同じではない」（差がある）という研究者が示したい仮説であることが多い．対立仮説の設定の仕方で，検定は2種類に分けられる．「両側検定」は，上記のような2つの平均値は同じではないと対立仮説を設定した場合である．一方，「片側検定」は，片方が大きい，片方が小さいなどの方向性をもたせた対立仮説を設定した場合である．

　統計的仮説検定を行うときに仮説を検討するために使用する統計量を「検定統計量」という．t 検定では t 分布に従う t 統計量，分散分析では F 分布に従う F 統計量など検定の種類によって検定統計量は異なるが，対立仮説に合致するほど基本的には数値は大きくなる．また，有意水準（α）は，有意と判断する基準となる確率のことである．心理学では慣例上，0.05（5%），0.01（1%），0.001（0.1%）が用いられる．その水準ごとに「5%水準で有意（$p < 0.05$）」などと表記される．「有意確率（p 値）」は，帰無仮説を仮定した場合に検定統計量の実現値（データから計算される値）以上が生じる確率である．有意水準はあらかじめ決めた値だが，有意確率はデータから計算される値である．

　統計的仮説検定には手順（流れ）がある．ひと言でいえば，ある仮説を設定して，その仮説のもとで起こりにくいことが起こっていたならば，その仮説が間違っていると考える流れである．統計的仮説検定がどのように行われるのかをイメージするため，裁判での有罪か無罪かの判断になぞらえて説明する（**図11**）．統計的

	裁判		統計的仮説検定	
	手順		手順	用語の説明
目的	裁判官は，有罪であるかどうかを判断したい	…	研究者は，有意であるかどうかを判断したい	有意：誤差の範囲内ではない，その結果は偶然に起こっていないこと
①	無罪と有罪を検討して，無罪を推定	…	帰無仮説と対立仮説を立て，帰無仮説を仮定	帰無仮説：特別なことは起こっていないという仮説（差がないなど） 対立仮説：帰無仮説とは反対の仮説（差があるなど）
②	なにを証拠とするのかを決める	…	なにを検定統計量とするのかを決める	検定統計量：仮説を吟味するための統計量（t 統計量，F 統計量など）
③	有罪とする基準を決める	…	有意水準（α）を決める	有意水準：有意と判断する基準となる確率（0.05，0.01，0.001）
④	実際の証拠を集め，無罪である場合にその証拠が得られる可能性を確認する	…	データから検定統計量の実現値を求め，有意確率（p 値）を確認する	有意確率：帰無仮説を仮定した場合に検定統計量の実現値以上が生じる確率
⑤	有罪の判断 A：無罪の証拠を得られる可能性が，有罪の基準よりも低いならば，無罪推定を採用せず，有罪であるとする B：無罪の証拠を得られる可能性が，有罪の基準よりも高いならば，無罪推定を放棄せず，有罪であるとはいえない	…	有意の判断 A：有意確率が，有意水準よりも低い（$p < \alpha$）ならば，帰無仮説を棄却して，対立仮説を採択して，有意であるとする B：有意確率が，有意水準よりも高い（$p > \alpha$）ならば，帰無仮説を棄却せず，有意であるとはいえない	採択：採用すること 棄却：採用しないこと

図11　裁判との類似点で示した統計的仮説検定の手順

仮説検定の用語や流れを大まかにつかめるように，似ているところを強調して単純化したあくまでイメージである．また，実際の裁判がこのとおり行われているということでもない．

　裁判では，証拠に基づき，有罪であるか無罪であるかを判断する．基本的には，慎重を期すために，①無罪の推定のもとで審理を始め，②なにを証拠とするのかを決める．たとえば，指紋を証拠とすると，③無罪であるならば犯行現場に指紋が残されることはほぼないであろう(犯行現場に指紋が残されているのであれば有罪と考えよう)と，証拠の有罪とする基準を決める．④実際に証拠を集めると，凶器に指紋が残されていたことが示されたとする．⑤無罪であるならば，（先に決めた有罪の基準と比べて）凶器に指紋があるという可能性はかなり低いであろう．そうであるならば，無罪であるとの推定が間違っているのではないか．つまり，有罪であると考える．以上が裁判の流れである．次に，この流れにそって統計的仮説検定の大まかな手順を説明する．

　統計的仮説検定では，検定統計量に基づき，有意であるか有意であるとはいえないかを判断する．最初に，①帰無仮説と対立仮説を立て，帰無仮説を仮定する．②なにを検定統計量とするのかを決める(通常は t 検定であれば t 統計量というように検定ごとに決まっている)．そして，③有意と判断する基準である有意水準を，たとえば 0.05（5%）と決める．④実際にデータを収集して，検定統計量の実現値を計算しその値から示される有意確率を確認する．そして，⑤帰無仮説が正しいならば，（有意水準と比べて）検定統計量の実現値が得られる可能性はかなり低いであろう．そうであるならば，帰無仮説の仮定が間違っているのではないかと考える．このように，有意水準よりも有意確率が低い場合(帰無仮説の可能性がないと思われるほど十分に小さな有意確率であれば)，帰無仮説を「棄却」して，対立仮説を「採択」する．つまり，有意であると判断する．有意確率が有意水準よりも高い場合は，帰無仮説を棄却せず，有意であるとはいえないと判断する．

4●検定統計量の確率分布と棄却域

　前節では統計的仮説に関して概要を説明した．次に，図を用いた別の角度から検討してみよう．ここでは，t 検定を例として，検定統計量の確率分布と棄却域の関係において，統計的仮説検定の手順を説明してみる(t 検定に関しては➡ p.115 本章2節参照)．後述するように棄却域とは，帰無仮説を棄却できる範囲である．

　図12に統計的仮説の全体像を示した．①帰無仮説を仮定して，②検定統計量を t 統計量としている．t 統計量は t 分布とよばれる確率分布に従っている．確率分布は，t 統計量のとる値に確率がどのように分配されているかを示したものである(確率分布に関しては，➡ p.105 参照)．③有意水準を 0.05 と決める．t 分布から確率 0.05 となる t 統計量の範囲が求まり，棄却域が定まる．図12で示しているように，「棄却域」とは，境界値よりも極端な検定統計量が得られる領域である．棄却域以外の領域は「採択域」とよばれる．なお，図12では t 検定において一般的な両側検定において示している．④データから t 統計量の実現値を算出して，⑤データから計算された t 統計量の実現値と境界値(棄却域)を比較し

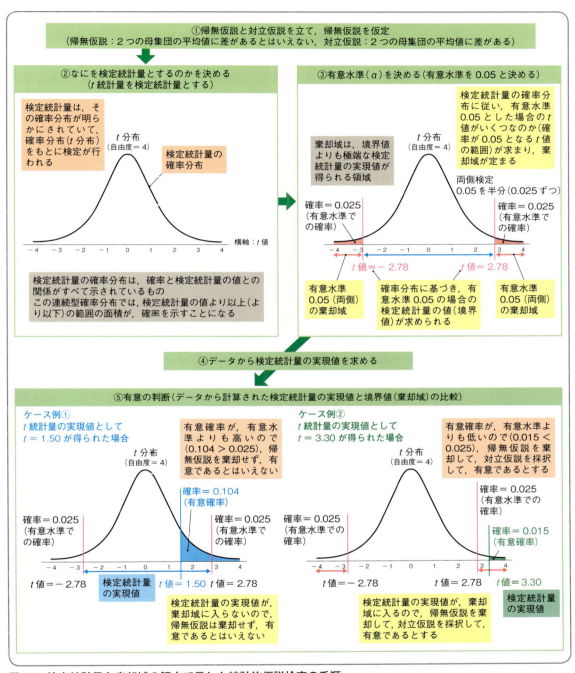

図12 検定統計量と棄却域の観点で示した統計的仮説検定の手順

て，有意の判断を行う．たとえば，t 統計量の実現値が $t = 1.50$ の場合（図12の左下）を考える．その値は棄却域に入らないので，帰無仮説は棄却せず，有意であるとはいえないと判断する．別の例として，t 統計量の実現値が $t = 3.30$ の場合（図12の右下）を考える．この場合は，その値は棄却域に入るので，帰無仮説を棄却して，対立仮説を採択して，有意であると判断する．検定統計量の確率分布において，統計的仮説は以上のような手順で行われている．

5 • 検定の誤りと効果量

手元のサンプルから，母集団における判断を行うことができるために，統計的仮説検定は心理学で非常に多く使用されている．ただし，統計的仮説検定は，上述のように確率的に有意であるかを検討しているので，有意であると判断しても，本当は有意であるとはいえないかもしれない．このように，本当は帰無仮説が正しいのにそれを棄却してしまう（有意であるとしてしまう）ことを「第一種の誤り（タイプⅠエラー，α）」という．この確率は有意水準と同じであり，そのため有意水準は「危険率」ともよばれる．一方で，本当は帰無仮説が誤っているのに，それを棄却しない（有意であるとはいえないとしてしまう）ことを「第二種の誤り（タイプⅡエラー，β）」とよぶ．これを図11の裁判との類似でいえば，タイプⅠエラーは「冤罪」，タイプⅡエラーは「真犯人取り逃がし」となる．また，帰無仮説が誤っているとき，それを正しく棄却できる確率のことを「検定力」という．検定力は，第二種の誤りの確率（β）を差し引いた確率（$1-\beta$）であり，有意差を正しく検出できる確率といえる．そのため，適度な検定力があることが統計的仮説検定を正しく行う1つの目安とされる（表1）．

統計的仮説検定のもう1つの注意点として，実質的に差がなかった場合でも，統計的に有意であるという結果が得られることがある．それは，有意確率（p値）を計算する検定統計量が，サンプルサイズ（人数）の影響を受けるためである．一般にサンプルサイズ（人数）を大きくすると検定力が高まるが，有意確率（p値）は小さくなり，統計的に有意であるという結果が得られる．たとえば，20人では有意ではなかったのに，100人のデータの場合においては有意になるということもありえる．そのため，検定結果だけではなく，その平均値の差の大きさなどの効果の大きさを量的に表した指標である「効果量」も同時に報告することが求められる．

■ 表1　統計的仮説検定における誤り

判断＼真実	帰無仮説が正しい	帰無仮説が誤り（対立仮説が正しい）
帰無仮説を棄却する（対立仮説を採択する）	第一種の誤り（α） 有意水準，危険率	正しい判断（$1-\beta$） 検定力
帰無仮説を棄却しない	正しい判断（$1-\alpha$）	第二種の誤り（β）

■ 引用・参考文献
1）南風原朝和：心理統計学の基礎 —統合的理解のために．有斐閣，2002
2）小島寛之：完全独習統計学入門．ダイヤモンド社，2006
3）Motulsky H：数学いらずの医科統計学．第2版（津崎晃一訳），メディカル・サイエンス・インターナショナル，2011
4）繁桝算男ほか編著：Q&Aで知る統計データ解析．第2版，サイエンス社，2008
5）東京大学教養学部統計学教室編：統計学入門—基礎統計学Ⅰ．東京大学出版会，1991
6）山田剛史ほか：よくわかる心理統計．ミネルヴァ書房，2004
7）山口陽弘：試験にでる心理学—心理測定・統計編．北大路書房，2002
8）山内光哉：心理・教育のための統計法．第3版，サイエンス社，2009
9）涌井良幸ほか：図解 使える統計学．KADOKAWA，2015

2 心理学で用いられる統計手法

1 心理学における測定の基礎

　本節では，統計手法（量的分析）を考えるうえで必要となる心理学の測定に関して解説する．心理学の測定に関する最も基礎的な理論は，「古典的テスト理論」とよばれており，測定したテスト得点が「真の得点」と「誤差得点」からなるとする理論である．観測得点は一定の値である真の得点に，そのつど異なる誤差得点が加算された得点であるとする．これは，心理尺度などのテスト結果で得られる観測された得点は，必ずしも測定したい得点（真の得点）そのものであるわけではなく，テストを受けた環境などの誤差の影響（誤差得点）とともに得られたものと考えるためである．この理論で示されるように，ある調査項目や実験結果には，無視できない誤差が混入していることも意味している．このような心理学の測定においては，信頼性と妥当性のある測定が求められる．

信頼性の推定と妥当性の検証

　測定値が偶然や測定誤差によって影響を受けない程度を「信頼性」とよび，同一テストの追試による安定性や一貫性を示す概念である．信頼性の値を報告するためには，理論的に定義された信頼性を実際のデータから推定することになる．代表的な推定方法を，表1に示す．詳細は，7章2節（→ p.130）を参照されたい．

■ 表1　信頼性の推定方法の種類

推定方法	概要
再テスト法	同じ集団に同一のテストを，一定期間おいて2度実施し，この2回の得点の相関係数を算出する（再テスト法で得られる信頼性を再検査信頼性という）
平行テスト法	同じ集団に形式や難易度などが等質と考えられる2つのテストを同時に実施し，2つの得点間の相関係数を算出する
折半法	1つのテスト項目を等質な2群に折半し，両者の得点の相関係数を算出する
α係数	折半法の考えに基づき，考えられるすべての折半パターンの相関係数を算出し，その平均値を求めた値（内的整合性とよばれる）

　「妥当性」とは，測定値が，測定したい心理的特性や行動をどの程度的確にとらえているか，その程度を表す概念である．端的にいえば，測りたいものを測れているか，ということを意味する．心理的特性を本当に測定できているのかを簡単に示すことは困難なため，妥当性はさまざまな視点から複合的に検討される．ここでは伝統的な妥当性についての3つの観点（全部で5つ）を紹介する（図1）．

①内容的妥当性：測定領域全体を偏りなく項目が代表しているかという観点で妥当性を検討するもの．テストの内容が対象である特定の行動領域の内容とどう関連しているのか，またその項目が領域をどうカバーしているのかを専門家が判断する．たとえば，依存性を測定する場合には，身体的依存，精神的依存などというように，測定領域の分類をリストアップしてそれが網羅的であるかを

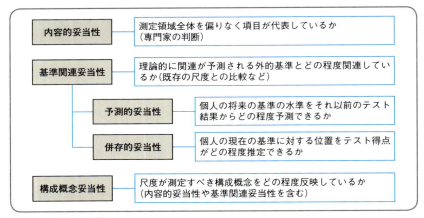

図1 妥当性の種類

専門家が判断して示す.
②**基準関連妥当性**：理論的に関連が予測される外的基準とどの程度関連しているかという観点で妥当性を検討するもの．これには，①個人の将来の基準の水準をそれ以前のテスト結果からどの程度予測できるかを表す「予測的妥当性」と，②個人の現在の基準に対する位置をテスト得点がどの程度推定できるかを表す「併存的妥当性」に分けられる．たとえば，新しい抑うつ尺度を開発して基準関連妥当性を検討するならば，既存の確立している抑うつ尺度との関連が高いことを示すことになる．
③**構成概念妥当性**：尺度が測定すべき構成概念をどの程度反映しているかという観点で妥当性を検討するもの．内容的妥当性や基準関連妥当性を含む最も重要な妥当性の概念と考えられている．

妥当性は，1度の研究ですべてが明らかになるものでなく，その後に続く研究者においてさまざまな角度から検討が続けられていくものであると考えられる．

2　心理尺度の構成

次に，心理学の測定道具である心理尺度の作り方に焦点をあてて，因子分析に関して説明する．心理尺度を構成する際に最も使用される方法として，因子分析に基づく方法がある．たとえば，パーソナリティのビッグファイブ理論に基づいた心理尺度を作成することを想定してみよう．ビッグファイブでは，パーソナリティが，情動性，外向性，開放性，誠実性，協調性の5つの領域からなることを想定している．心理尺度を作成する際には，それぞれの領域に沿った項目を作成する．たとえば，情動性を測定するだろう項目として「神経質な」「不安になりやすい」などをいくつか作成する．作成した項目が5つのまとまりとなるのか，想定したとおりの項目のまとまりとなっているかを検討する必要がある．この項目分析のために因子分析を使用する．

1・因子分析

「因子分析」とは，実際に観測したデータ（観測変数）から，直接観測することは

できないが，観測変数に影響を与えていると考えられる潜在変数を「因子」として抽出する技法である．因子分析は，観測変数の相関係数をもとに「ある項目（観測変数）の測定値＝共通の要因に基づく特性の値＋その項目独自の特性の値」と分解している．右辺の前者は「共通性」とよばれ，後者は「独自性」とよばれる．因子分析のイメージを図2に示した．ここでは，ビッグファイブ理論に基づく心理尺度「Big Five 形容詞版」[6]の12項目2因子を例に考えてみる．図2の四角の「神経質な」「不安になりやすい」などは，質問紙調査では各項目にあたり観測変数を示す．図2の楕円に示した「情動性」「外向性」は観測されない潜在変数である因子を示している．因子から観測変数への矢印は，因子から観測変数へと影響を与えていることを示していて，その影響の程度を図では線の太さで表現している．因子と因子との両矢印は，因子の相関関係を示す「因子間相関」を表す．そして，観測変数には，項目ごとの独自性からも矢印が伸びている．また，因子分析の結果は，図2の表のように示される．各数値は，因子から観測変数への影響を与えている程度を示す「因子負荷量（因子パターン）」とよばれるもので，一般に絶対値で0.4を超えるとその観測変数は因子と関連があると考えられる．

因子分析は，たくさんある観測変数間の関連を分解して，少数の仮説的な変動としての因子を求める．子分を束ねている親分を見出そうと考えるとわかりやすいかもしれない．その因子が，観測変数に影響を与えている程度（因子負荷量）を参考として，因子との関係が深い項目を探すことができる．子分の親分への忠誠心ともいえるのが因子負荷量となる．図2では，12項目は情動性と外向性という2つの因子によって説明されており，左側（青色）の6つの観測変数「不安になりやすい」～「神経質な」は，左側の因子と関連が深いとわかる．これら関連の深い観測変数の項目内容を吟味して，この因子は情動性を示すであろうと解釈することで，「情動性」と命名する（この作業を「因子の命名」とよぶ）．因子は，観測することができない構成概念と対応していると考えられるものである．因子分析によって，想定している構成概念を測定できる項目として，どの項目を採用すればよいのかという示唆が得られることになる．また，そもそもパーソナリティなどの構成概念が，いくつの領域（因子）から構成されるのかについても，因子分析からヒントを得ることができることにもなる．

因子分析には，大きくは「探索的因子分析」と「確認的因子分析（検証的因子分析）」がある．心理尺度の構成においては，探索的因子分析により因子数（次元数）と因子の関係を探索する（上記の説明は探索的因子分析にあたる）．次に，それに基づいて因子に関して明確なモデルを仮定して，データに適合するかどうかを，確認的因子分析において検証するという流れで用いられる．上記の例では，左側の6つの観測変数は情動性の因子，右側の6つの観測変数は外向性の因子だけに関連する項目であると仮定して，データがうまく説明されるかを検討する．

3　リサーチクエスチョン追究のための統計手法

因子分析結果から構成した尺度は，信頼性を確認する．次に，研究対象である構成概念としての妥当性の検討が行われることになる．このような妥当性研究に

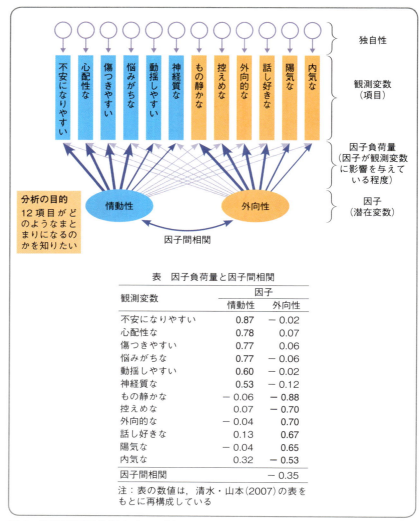

図2 探索的因子分析のイメージ

加えて，ほかの変数との関係を明らかにするなかで，さまざまな心理学的なリサーチクエスチョンを追究していくことになる．その際に使用される統計手法は，多数の変数を対象にした分析であり，総称して「多変量解析」とよばれる．ここでは，複数の変数間の関係を検討する基本的な統計手法について紹介する．他方，多変量データであっても，1つの研究であると偏った結論になりえるため，複数の研究成果を統合的に分析しようとする「メタ分析」や，個々の調査参加者の測定値が独立していないことに留意した「マルチレベル分析」など高度な統計手法も用いられている．これらは詳述しないが，ここでの基本的な多変量解析の考え方を身につけることで，応用していくことができる．

1 • χ^2 検定

「χ^2（カイ二乗）検定」は，クロス集計表で示される度数である名義尺度（質的変数）に関する検定である．検定統計量に χ^2 分布の χ^2 統計量を用いるためにそ

の名前がついている．χ^2検定には，①適合度の検定，②独立性の検定，③比率の等質性の検定の3種類がある．ここでは心理学で最も使用される独立性の検定をもとに説明する．独立性の検定は，クロス集計表で示されるような2つの質的変数に連関があるか否かを統計的仮説検定するものである．ここで，「連関」とは，質的変数同士の関連性のことをさす(相関は2つの量的変数の関連性をさす)．

χ^2検定の例として，アルバイトの有無(2区分)と予習時間(3区分)が独立であるのかを検定する．図3にχ^2検定の流れを示した．帰無仮説は「アルバイトの有無によって，予習時間は変わらない．つまり，2つの変数は独立である」で，対立仮説は「アルバイトの有無によって，予習時間が変わる．つまり，2つの変数に連関がある」である．

χ^2検定は，観測度数と期待度数を検討することで行われる．「観測度数」は実際に測定された度数であり，「期待度数」は2つの変数に連関がない場合に期待される度数である．該当する観測度数の「周辺度数」(それぞれの度数の合計)同士をかけて総度数で割った値で求められる．たとえば，図3の「アルバイトしている×予習時間30分未満」の期待度数は，80×210÷300＝56と求められる．χ^2統計量を求める計算式は次のとおりである．

χ^2値＝｛(観測度数)−(期待度数)｝^{2}÷(期待度数)の合計

観測度数と期待度数の差の2乗を期待度数で割ったものを求め，これらを足し合わせたものである．このχ^2統計量は，観測変数と期待度数との離れ具合を計算したものを検定統計量としている．観測度数が，連関がない期待度数から離れていればいるほど(つまり連関があるほど)大きな値を示すものである．

また，検定統計量に使用されるχ^2統計量が従うχ^2分布は，自由度という母数をもっている(正規分布は平均値と標準偏差で位置や形状が決まるが，χ^2分布は自由度で形状が決まる)．「自由度」は，自由に動ける変数の個数のことで，独立性の検定での自由度は次の計算式で求められる．

自由度＝(行数−1)×(列数−1)

図3の例では，2行×3列のクロス集計表なので(2−1)×(3−1)＝2となり，自由度は2である．クロス集計表の2個の値(たとえば，60，120)が決まると，周辺度数から残りのセルの値がすべて決まる．このように，自由に動ける変数の個数は2ということになる．

図3の例では，χ^2検定結果は，χ^2値が14.286，自由度が2，有意確率が0.001であり，1％水準で有意であった．アルバイトの有無と予習時間に連関が示唆された．連関が示された場合，どこのクロス部分が期待度数と異なっているのかを検討する．それは，残差(観測度数−期待度数)があるのかを検討するため「残差分析」とよばれる．また，質的変数の連関の大きさを示す指標としては，「クラメールの連関係数」がある．χ^2値を総度数などの関係で加工したもので，アルバイトと予習時間の連関係数は，0.218であった．

2・t検定

「t検定」は，2つの集団の平均値の差に関する統計的仮説検定の一手法である．たとえば，クラブ加入の有無(クラブ加入群と非加入群)でビッグファイブの外向

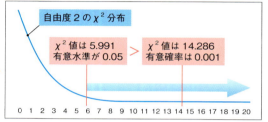

図3 χ^2検定の概要

性の平均値に差があるのかを検討する際に使用される．平均値の差を検討したい量的変数（ここでは外向性の得点）を対象として，2つの集団に分ける質的変数（クラブ加入の有無）に基づいて行われる．3つ以上の集団の平均値の比較は，t検定では扱えず，分散分析などを行うことになる．

統計的仮説検定の目的は，母集団において仮定される命題（仮説）を，手元にある標本に基づいて検証して判断をすることである．そのため，t検定においても，2つの母集団の平均値に差が存在するといえるかどうかを，それに対応する2つの標本の平均値の差を手がかりにして，差のあり様を推測し母集団について判断する．その際に，検定統計量がt分布のt統計量となるために，t検定とよばれている．t統計量の基本の構成は次のとおりである．

t値＝（2つの平均値の差）÷（差の標準誤差）

2つの平均値の離れ具合に関して，統計量の標準偏差である標準誤差を単位としたものを検定統計量としている．2つの集団の平均値が離れていればいるほど大きな値を示す．また，t検定の前提として，データが正規分布に従うなどとともに，「等分散性の仮定」がなされる．2つの母集団の分散が等しいとの仮定である．平均値を比較する際に，分散が大きく異なる場合には比較が困難になることを反映した仮定である．

t検定の帰無仮説は「2つの母集団の平均値に差があるとはいえない」とされる．対立仮説は「2つの母集団の平均値に差がある」である．このイメージを**図4**に示した．例として，クラブ加入者20名と非加入者20名の外向性を比較する内容である．帰無仮説の状況では，これらの2つの集団において同じ母集団（つ

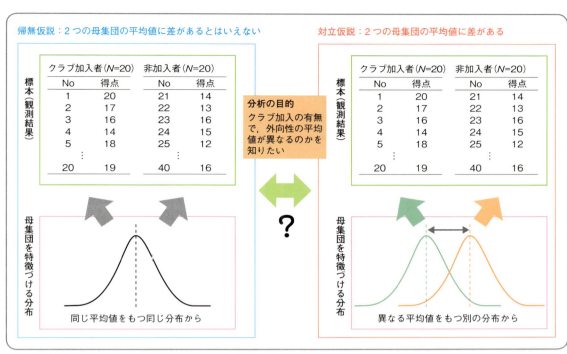

図4　t 検定における帰無仮説と対立仮説のイメージ

まり平均値に差がない)から抽出されたと考えている．一方で，対立仮説の状況では，平均値の異なる母集団から，それぞれが抽出されていると想定している．このどちらの状況がよりありうるのかを t 検定では検討していることになる．t 値が大きく，2つの平均の差が偶然のみから生じた可能性は低いと判断できれば（つまり有意であれば），2つの集団の平均値に差があると判断できる（検定の具体的な手順に関しては，➡ p96 本章1節参照）．

　t 検定は，集団を構成する標本の性質によって，対応のない t 検定と対応のある t 検定に分けられる．「対応のない t 検定」は，2つの集団が独立の標本である場合の t 検定である．ここでの説明のように，クラブに加入している人と加入していない人は別々の人たちであり，2つの集団が関連のない人たちによって構成されている．この場合は対応がないとされる．一方で，「対応のある t 検定」は，2つの集団の標本に関連がある場合の t 検定である．たとえば，同一の被験者を対象にして繰り返して得点を観測して，1回目と2回目の得点を比較する場合である．あるいは，夫婦の2人，同じクラスメイトの2人，同じIQをもつ2人など，2つの集団の標本間にペアとしての何らかの対応づけを行っている場合にも，対応があるとされる．詳細は述べないが，検定統計量の t 統計量の構成方法が異なるため，集団の標本の性質によって使い分ける必要がある．

3●分散分析

　分散分析は，3つ以上の集団(群)の平均値の差に関する統計的仮説検定の一手法である．たとえば，認知行動療法，精神分析，薬物療法の3つの療法を実施した集団を対象として，療法後の抑うつの得点が異なるのかを検討するときなどに

用いられる．平均値の差を検討したい量的変数(ここでは抑うつの得点)を対象として，3つ以上の集団に分ける質的変数(3つの療法)に基づいて行われる．実験計画の用語では，集団は「群」といい，群を分ける質的変数は「要因」，要因内の条件は「水準」とよばれる．1つの要因の場合は，「一要因分散分析」あるいは「一元配置分散分析」とよばれる．一要因分散分析を例として分散分析を説明する．

分散分析は，全体の分散を2種類に分けることで，平均値の差を検討する．では，平均値の違いを検討するために，なぜ分散(ちらばり)を検討するのだろうか．

図5のAは，縦軸に得点の高低を示し3つの集団(群)の平均値のちらばりの様子を示したものである．一見すると各群の平均値の高さは異なっていて，要因の水準によって平均値に違いがありそうである．次に，B1は，平均値に加えて，個人の得点の様子も示したものである．個人の得点のちらばりをみると，平均値のちらばりでは違いがありそうなA群とC群においても同程度の得点の個人がいるなど，必ずしも3群に違いがあるとはいえない．一方で，B2も個人の得点の様子を示したものだが，平均値のちらばりに対して個人のちらばりが小さい場合を示した．この場合，たとえばA群とC群に含まれる個人の得点の範囲は重なっておらず，3群の要因で平均値に違いがあるといえそうである．以上のことから，集団の平均値のちらばり具合，つまりは分散の大きさを考えることで，平均値の違いを検討できそうである．ただし，その際には，個人がどの程度ちらばっているのかも考慮して考えることが必要そうだとわかる．

平均値と個人のちらばりを考えることで，平均値の違いを検討できることがわかったが，前者は群間のちらばり，後者は群内のちらばりである．このように，全体のちらばりを，群間と群内の2種類に分けることで分散分析は行われている．

分散分析の結果，3つ以上の水準をもつ要因の効果が有意となった際には，どの群とどの群の間に差があるのかを検討する．これを「多重比較」という．また，2つ以上の要因があるとき，要因間の交互作用を検討することが行われる．「交互作用」は，ある要因への応答がほかの要因に依存していることである．このように，分散分析には各種のモデルがあり，データの性質や要因計画，検証したい仮説に応じて使い分ける必要がある．

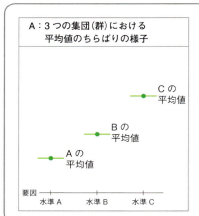
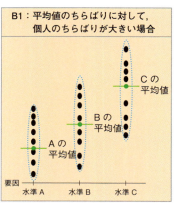
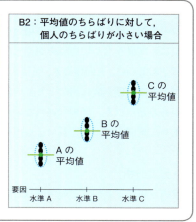

図5　平均値のちらばりと個人のちらばり

4 • 回帰分析

ビッグファイブの外向性が個人ごとで異なる理由を知りたいとしよう．たとえば，外向性は学業成績によって異なるのだろうか．その説明を試みる1つが「回帰分析」である．回帰分析とは，片方の変数(説明される変数)を他方の変数(説明する変数)で説明や予測をする分析手法である．回帰分析では，2つの変数を対象として，説明される変数(外向性)を「目的変数」，説明する変数(学業成績)を「説明変数」に区別する．目的変数は「従属変数」や「応答変数」などともよばれ，説明変数は「独立変数」などとよばれることがある．回帰分析の目的は，特定の(複数の)説明変数が目的変数へ与える影響を検討することや，特定の(複数の)説明変数で目的変数を予測することである．相関との主な違いは，相関は2つの変数を区別せずに関連する程度を定量化しているが，回帰分析では説明する側と説明される側として変数を区別していることである．

たとえば，ビッグファイブの外向性の得点を学業成績で予測するとしよう．説明変数が1つの場合は「単回帰分析」とよばれ，複数の説明変数の場合は「重回帰分析」とよばれる．目的変数はいずれにおいても1つである．図6は回帰分析を模式図にしたものである．

回帰分析の意味について，横軸(x軸)を学業成績の得点，縦軸(y軸)をビッグファイブの外向性の得点とした散布図で考えてみよう．図7のそれぞれの黒い点は，各個人の得点を表している．多くの場面では重回帰分析が用いられるが，理解のしやすさから単回帰分析をみてみる．単回帰分析の式は次のとおりである．

$y = \alpha + \beta x$ （目的変数＝切片＋回帰係数×説明変数）

この単回帰分析の式は，図7の左図のような直線(回帰直線)を表している．回帰分析は，このような回帰直線の切片と傾きの値を求めることに対応している．切片は，縦軸と交わるところの値(図7の左の図では約2.5の目盛りのあたり)である．回帰係数は，「説明変数を1単位動かしたときの目的変数の変化量の期待値(平均値)」を意味する．簡単にいえば，説明変数の目的変数への影響の程度を示していて，図7では直線の傾きに相当する．そのため，回帰式の切片と回帰係数がわかれば，ある個人の学業成績がこの得点(図ではたとえば4)である場

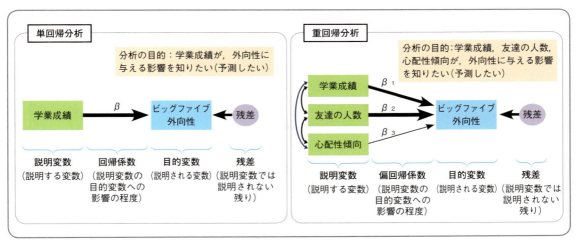

図6 単回帰分析と重回帰分析のイメージ

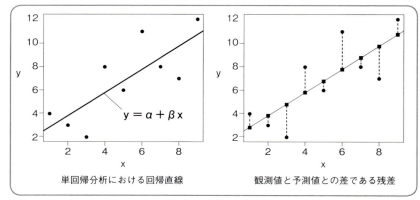

図7　単回帰分析についての図による説明

合に，外向性の得点がどれくらいなのか（図では6）を予測することができる．

　また，回帰係数は，有意に0と異なるのかが検討される．回帰係数が0ということは，その説明変数の影響があるとはいえないことになる．そのため，回帰係数を検討することで，当該の説明変数の影響があるのか，また影響がどの程度あるのかを示すことが可能となる．ただ，回帰係数は説明変数の単位に依存する．それを標準化した「標準化回帰係数」は，説明変数の影響の大きさを比較する際に用いられる．さらに，重回帰分析の場合は，説明変数が複数あり回帰係数 β も複数になる（**図6の右**）．この場合の回帰係数をとくに「偏回帰係数」という．この偏回帰係数は，ほかの説明変数の変動を固定（統制）して，当該の説明変数を1単位動かしたときの目的変数の変化量の期待値を示すものとなる．偏回帰係数を検討することで，たとえば，学業成績や友達の人数が外向性に影響を与えているが，心配性傾向は外向性には影響していない，とわかることになる．

　では，回帰直線（その切片と傾き）はどのようにして決められるのだろうか．それは，残差が最も小さくなるように決められる．残差は，「yの実際の値（観測値）」と「回帰式から計算されるyの値（予測値）」との差である．**図7の右図**は，斜めの実線は推定された回帰直線であり，その直線上の四角は各個人の予測値となる．同じxの値での観測値（丸点）と予測値（四角）の差を点線として描いている．これが回帰直線では説明できない残差である．つまり，回帰直線からの離れ具合（ずれ）を表す．回帰分析の切片と回帰係数（傾き）は，この点線（観測値と予測値とのずれ）が最も小さくなるように推定する．この方法を「最小二乗法」とよぶ．

　回帰分析の結果に関して注目されるのは，先に説明した偏回帰係数が有意であるかどうかやその大きさに加えて，全体としては決定係数を検討することになる．「決定係数」は，目的変数の変動（分散）のうち何%を説明変数が説明しているかを表す指標である．これは，回帰式の予測の精度の高さを表す．たとえば，決定係数が0.55であれば，外向性の全変動の約55%を説明することになる．

5 ● 構造方程式モデリング

　複数の変数の影響や関連をモデル化したい場合について解説する．例として攻撃性を取り上げる．たとえば，他者への悪意や疎外感，怒りの頻度，言語的攻撃

性が，どのように関係しているのかの全体像を示したいときに使用されるのが「構造方程式モデリング(SEM:Structural Equation Modeling)」である．これは，複数の変数間において，回帰分析や相関分析のように変数間の影響関係や相関関係のモデルを作成する分析手法である．しばしば変数の分散および変数間の共分散を用いる分析手法であることから，「共分散構造分析」とよばれることもある．

構造方程式モデリングの結果を示すために「パス図」がよく使用される．パス図は，変数やそれらを矢印でつないだ図のことである(図8)．矢印は「パス」とよび，その影響の大きさは「パス係数」で示す．また，丸で囲まれた変数は観測されない「潜在変数」を示し，四角で囲まれた変数は「観測変数」を示す．心理学では，構成概念と対応づけられる潜在変数の関係性に興味があることが多く，構成概念を実際に測定するものとして心理尺度の項目を観測変数に対応づけることが多い．これらの潜在変数と観測変数により，構造方程式モデリングでは柔軟で幅広い表現が可能であり，回帰分析や因子分析などを下位モデルとして表現することができる．

構造方程式モデリングでは，研究仮説を反映した変数の関連性をモデルとして柔軟に構成できるが，モデルとデータの有する情報(分散，共分散等)がどの程度適合しているか評価が必要となる．基本的には，χ^2値と自由度による検定を行うが，サンプルサイズに依存して上手く機能しないことなどの問題が知られており，評価方針が異なる多数の「適合度指標」が提案されている．よく使用される適合度指標としては GFI，SRMR，CFI，AIC，RMSEA などがある．

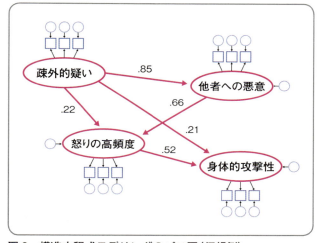

図8 構造方程式モデリングのパス図(仮想例)

図では，疎外的疑いなど構成概念を測定する潜在変数それぞれに観測変数が3つある場合の構成を例示している．小さな丸で囲まれた潜在変数は誤差変数を示す．疎外されていると疑うことが，他者への悪意や怒りの高頻度に影響を与えることを示しており，さらに怒りの高頻度は身体的攻撃性に影響している．ここで，疎外的疑いから身体的攻撃性へは，他の変数を経由しない直接のパスがみられ，これを「直接効果」とよぶ．一方で，他者への悪意や怒りの高頻度を経由して身体的攻撃性に影響する「間接効果」もある．直接効果と間接効果の和は「総合効果」とよばれる．

■ 引用・参考文献
1) 南風原朝和：心理統計学の基礎．有斐閣，2002
2) 平井明代編著：教育・心理系研究のためのデータ分析入門．第2版，東京図書出版，2017
3) 小島寛之：完全独習統計学入門．ダイヤモンド社，2006
4) Motulsky, H：数学いらずの医科統計学．第2版(津崎晃一訳)，メディカル・サイエンス・インターナショナル，2011
5) 繁桝算男ほか編著：Q&Aで知る統計データ解析．第2版，サイエンス社，2008
6) 清水和秋ほか：小包化した変数によるパーソナリティ構成概念間の関係性のモデル化—Big Five・不安(STAI)・気分(POMS)．関西大学社会学部紀要 38 (3)：61-96，2007
7) 靜哲人：基礎から深く理解するラッシュモデリング．関西大学出版部，2007
8) 東京大学教養学部統計学教室編著：統計学入門—基礎統計学Ⅰ．東京大学出版，1991
9) 山田剛史ほか：よくわかる心理統計．ミネルヴァ書房，2004
10) 山口陽弘：試験にでる心理学—心理測定・統計編．北大路書房，2002
11) 山内光哉：心理・教育のための統計法．第3版，サイエンス社，2009
12) 涌井良幸ほか：図解 使える統計学．KADOKAWA，2015
13) 豊田秀樹：共分散構造分析(入門編)．朝倉書店，1998
14) 狩野裕，三浦麻子：グラフィカル多変量解析(増補版)．現代数学社，2007

1 実験の計画立案

この章で学ぶこと

- 実験計画の立案
- 実験データの収集とその処理の方法
- 実験結果の解釈と報告書の作成

1 心理学実験とは

研究手法の1つである心理学実験は，心理現象の因果関係[*1]を明らかにするために行われる．研究手法には，質問紙法や観察法，検査法などさまざまなものがあるが，客観性の高い知見を導き出す手法である，心理学実験の考え方を理解することは，公認心理師として重要である．また，研究目的の設定と，それに合わせた材料や装置の準備も重要である．たとえば知覚に関する実験を行う場合，研究目的に合わせて聴覚や視覚，触覚などを喚起させる的確な刺激材料や実験装置を選択する必要がある．

本章では，「7章1節実験の計画立案」「7章2節実験データの収集と処理」「7章3節結果について適切な解釈と報告書の作成」の流れで，心理学実験の基本的な考え方について解説する．

なお，心理学実験には，実験室実験，質問紙実験，現場実験，自然実験，単一事例実験などさまざまな種類があるが（➡詳細は p.80 第5章1節参照），本章では実験室実験を中心に解説する．

2 計画立案

実験を行う際の第一段階は，実験の計画立案である．実験者は関心のあるトピックについてリサーチ・クエスチョン[*2]を立てたうえで，関連する著書や論文を読んで文献研究[*3]を行い，そのトピックにかかわる理論に基づき科学的な実験仮説を立て，実験を計画していく．表1に示す独立変数，従属変数，剰余変数は適切な実験計画を立てるうえで，知っておく必要のあるキーワードである．実験

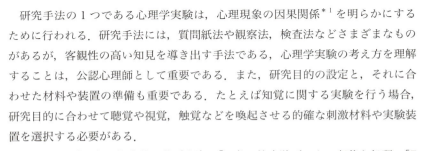

■ 表1　実験計画立案において重要な変数

独立変数	・因果関係における原因として考えられる変数 ・実験者が操作する変数のこと
従属変数	・因果関係における結果として考えられる変数 ・独立変数の操作によって変動する変数のこと
剰余変数	・独立変数以外で従属変数に影響すると考えられる変数 ・実験者が統制することが必要な変数のこと

用語解説

[*1] **因果関係**
ある2つ以上の事象のあいだに原因と結果というつながりがあることを指す．

用語解説

[*2] **リサーチ・クエスチョン**
リサーチ・クエスチョンとは，研究の出発点となるような自身の知りたいことを問いの形で言語化したものである．リサーチ・クエスチョンは，実際に測定が可能な具体的であるものが良い[1]（p.92 第5章2節参照）．

用語解説

[*3] **文献研究**
文献研究にはいくつかのスタイルがある．たとえば総説（レビュー論文とよばれる）は，多くの先行研究をまとめたものであり，先行研究における課題や問題点を明確にする有用な研究である．ほかにも量的・質的によらず実証性の高い研究を行うことも必要であるが，的確な手続きによる文献研究もまた必要不可欠である．

を計画する際には，この3つの変数について考えていく必要がある．また，これらの変数は研究計画立案時の目的や仮説に基づき設定し，目的や仮説に応じて実験手続きを決定する．

1・独立変数，従属変数，剰余変数

まずは独立変数，従属変数，剰余変数の関係について理解するために，「学習時に音楽を聴くことが英語テストの得点の向上に影響を与えるか」という実験をもとに説明する．

この実験では，音楽の有無(あるいは音楽の種類)が独立変数，英語テストの得点が従属変数となる．つまり，音楽に関する複数の条件(音楽あり，音楽なし)を設定し(独立変数の操作)，それぞれの条件における実験参加者の英語テストの得点(従属変数)を測定し，その数値を比較する．ここで，音楽に関する複数の条件以外がすべて統制されている場合に，複数の条件間で英語テストの得点に違いがみられるのであれば，英語テストの得点に違いをもたらしたものは音楽の有無であると考えることができる．

このように実験では，独立変数(要因ともよばれる)にいくつかの条件(水準ともよばれる)を設定し，条件ごとに実験参加者を割り当てたうえで，従属変数を測定し，比較するという手続きをとる．なお，この際に，音楽あり条件に割り当てられた実験参加者は，実験群(experimental group)とよばれる．

実験群とは，実験者による独立変数の操作が加えられた群のことである．一方，音楽なし条件に割り当てられた実験参加者は，統制群または対照群(control group)とよばれる．統制(対照)群とは，実験者による独立変数の操作が加えられていない群のことである．

それでは，剰余変数とはどのようなものであろうか．剰余変数とは，独立変数以外で従属変数に影響を及ぼすと考えられる変数のことである．今回の例で考えると，音楽以外に英語のテスト得点に影響を及ぼすと考えられるほかの変数が剰余変数に対応する．たとえば，参加者の英語に対する学力や興味の違いは剰余変数として考えられるだろう．

もし，今回の実験群は全員が帰国子女であり，統制群には全員英語に苦手意識をもっている人たちが割り当てられていたとしよう．その場合，英語のテスト得点で，実験群と統制群に違いがみられたとしても，それが音楽の有無という独立変数による影響なのか，英語に対する学力や興味による影響なのか区別することができない．

このように独立変数と剰余変数の双方が従属変数に影響を与えてしまうことを独立変数と剰余変数の交絡とよぶ．こうした交絡は実験を実施する際に避けるべき大きな問題の1つであり，実験者は実験計画を立てる段階で，独立変数以外に従属変数に影響を与える可能性のある剰余変数についても吟味し，剰余変数を統制する手だてを考えなければならない(**図1**)．

これ以外にも，媒介変数(独立変数と従属変数を媒介し，その値により独立変数と従属変数の関係が変化する変数のこと)などがあり，これらを総合的にみて，実験計画を立てていくことが大切である．

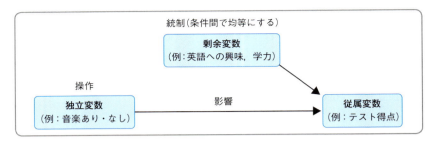

図1 独立変数，従属変数，剰余変数の関係

2 ● 要因計画

　独立変数，従属変数，剰余変数を決めることができたら，次は，実験参加者をどのように割り当てるのか(配置するか)について考えていく必要がある．

　配置の説明をする前に，まずは要因計画について説明する．実験では，独立変数を操作して従属変数を測定するという手続きをとるが，この場合の独立変数にあたる部分を「要因」とよぶ．

　上記の例では，「音楽を聴かせる」という操作を実験者が行っている．このように要因が1つの場合は，1要因の実験計画，要因が2つ，3つと増えていくと，2要因，3要因とよぶことになる．そして，上記の例では，「音楽あり，音楽なし」という2つの条件を設けているが，この条件のことを「水準」とよぶ．よって，この計画は，1要因2水準の実験計画となる．

3 ● 実験参加者の配置

　次に，実験参加者の配置について説明する．実験参加者の配置には2つの方法がある．1つ目は，同一の実験参加者を2つの水準のどちらにも配置するというやり方である．つまり，実験参加者全員に，最初に，音楽あり条件で勉強してもらい，英語テストを受けてもらう．その次に，音楽なし条件で再び勉強してもらい，先ほどと同レベルの別の英語テストを受けてもらい，その得点を比較するというやり方である．このように同一の実験参加者を要因のすべての水準に配置することを「参加者内配置」とよぶ(図2)．

　2つ目は，水準ごとに別の実験参加者を配置するというやり方である．これを「参加者間配置」とよぶ(図3)．どちらの配置を選ぶのかについては，実験計画によってさまざまであるが，どちらの配置の仕方でも気をつけるべき点があるため，それを理解したうえで計画を立てていく必要がある．

図2　実験のイメージ（参加者内配置）

図3　実験計画（参加者間配置）
独立変数（カメラあり・なし）におけるスピーチ以外は，同一条件に統制し，実験を行う．

実験参加者の配置における注意点

　では，気をつけるべき点とはどういったものであろうか．まずは，参加者内配置での実験計画において気をつけるべき点について説明する．先ほどの例では，最初に音楽あり条件で勉強してもらった後に，音楽なし条件で勉強するという手続きをとっていた．この場合，実験参加者は複数回参加することで実験やテストに慣れてしまい，その繰り返し自体が従属変数に影響を与えてしまう可能性がある．これを「練習効果」とよぶ．

　また，最初に音楽あり条件で聞いた音楽や，もしくはそこで学んだ内容が，音楽なし条件での状況に影響を与えてしまう可能性もある．このような条件の順番による効果を「順序効果」とよぶ．順序効果を防ぐためには，実験参加者の半分を逆の順番（音楽なし条件→音楽あり条件）で参加してもらうことで順序の効果を相殺する「カウンターバランス」とよばれる方法をとることで対処する．

　次に，参加者間配置での実験計画において気をつけるべき点について説明する．参加者間配置の実験計画では，剰余変数の説明において述べたように，実験群，統制群に別々の実験参加者を配置する際に，特定の偏りが出てしまうことで，従属変数の結果に影響を与える可能性が出てくる．この点に対処するために，特別な実験計画上の理由がない限りにおいては，実験参加者をランダム（無作為）に割り当てる必要がある．これを「無作為割付」とよぶ．このように両者の特徴を踏まえたうえで，実験参加者の配置を考えることが大切である．

4 ● 実験者効果，実験参加者効果

　これまで説明したもの以外にも，実験を計画する際に気をつけなければならないことがある．ここでは，「実験者効果」と「実験参加者効果」について説明する．

　実験者効果とは，実験者の存在，ふるまいが従属変数の変化に影響を与えてしまうことである．多くの場合，実験者は実験の目的や仮説を熟知しており，かつ，目的に合致した結果が得られることを望んでいる．そのため，意図せずとも実験参加者に対する期待が言動に表れてしまい，それが実験参加者に伝わってしまうことがある．

　実験者効果を防ぐには，実験者が適切な態度で実験参加者と接するように心がけることはもちろん大切であるが，それだけではなく，二重盲検法（double

図4 二重盲検法の例
新薬の開発過程で，薬剤の効果を確かめるために行われる．医師も患者も本当の薬剤かそうでないかわからないようにして実験（治験とよばれる）を行う．

図5 デセプションとデブリーフィング

blind)を用いることが有効である．二重盲検法とは，実験者，実験参加者双方とも研究の目的や実験の仮説(たとえば，どのような条件に参加者を割り当てているのかなど)がわからない(知らない)状況で実験を遂行する方法である(図4)．この方法を用いることで実験者が実験参加者に与える影響を極力減らすことができる．

一方，実験参加者効果とは，実験参加者が要求特性(ある特定の反応を要求する圧力をもたらす要素)や社会的望ましさによって従属変数の変化に影響を与えてしまうことである．実験は，実験室などで人為的に作られた状況で行われることが多いため，実験参加者にとっては，その状況で実験に参加していること自体が日常生活場面とは異なる．このような特殊な状況であるからこそ実験参加者は，実験者の意図を好意的にくみとり，反応をしてしまうかもしれない．

また，測定されているという意識が強く，社会的に受け入れられやすい望ましい反応をしてしまう可能性もあるだろう．このような実験参加者効果を防ぐためには，実験の教示において本来の目的や仮説ではなく，偽りの目的や仮説を伝えるデセプション(deception)が有効である．しかし，デセプションは倫理的問題を抱えてしまう可能性があるため，実験終了後に真実を伝え，なぜ偽りの情報を伝える必要があったのかについててていねいに説明するデブリーフィング(debriefing)を行う必要がある(図5)．

3 実験計画の内的妥当性，外的妥当性

上記のような実験計画の立案におけるさまざまな試行錯誤によって，実験者は，「内的妥当性」「外的妥当性」という2つの妥当性を確保することを目指している．内的妥当性とは，実験手続きにおいて剰余変数を統制することで，従属変数に影響を与えている要因は独立変数のみであり，両者には因果関係が存在すると証明できることである．そして，外的妥当性とは，実験で得られた結果が，実験に参加した人たち以外や，実験で設定した状況以外を対象にしても同様であると証明できることである．

とくに実験では，実験室のような非日常的な状況で行われることが多いため，そこでの結果が現実の状況でも再現されるか(生態学的妥当性)が大切となる．堀忠雄[2]は，実験における内的妥当性と外的妥当性を脅かす要因について表2のようにまとめている．

内的妥当性を脅かす要因としては，外的変化，内的変化，テスト効果，道具の変化，統計的回帰，被験者(実験参加者)の選抜，データの欠落，選抜と外的変化の交互作用の8つがあり，外的妥当性を脅かす要因としては，テスト効果と要因の交互作用，選抜と要因の交互作用，実験条件への割付に対する反応，多重処理の影響の4つがある．内的妥当性，外的妥当性の確保は，実験の価値を高めることになるが，両者をともに高めることはとても難しい．内的妥当性を高める工夫をすればするほど，外的妥当性が低くなってしまう可能性があり，実験者は緻密な実験計画を立てるための努力が欠かせない．

■ 表2 内的妥当性，外的妥当性を脅かす要因

内的妥当性	外的変化	実験期間やその直前に起きた出来事が影響を及ぼし測定値が変化すること
	内的変化	1回目と2回目の測定結果の違いが，加齢や疲労，飽きなどの内的変化によって生じること
	テスト効果	以前に1度測定されたという体験により，2度目の測定結果が影響を受けること
	道具の変化	計測システムが不安定なために生じる測定誤差や，実験者の判断基準が動揺することが原因の誤差
	統計的回帰	極端なデータが平均値の方へ戻る性質のこと
	被験者（実験参加者）の選抜	複数の群間比較を行う際に，被験者（実験参加者）に偏りがあることにより，「みかけの群間差」を作り，実験結果を歪めること
	データの欠落	データが不完全であったり，極端な逸脱データのために，何人かのデータを統計処理から外す場合，当初計画していた群間の等質性が崩れ，結果に歪みが現れること
	選抜と外的変化の交互作用	特別に選ばれた被験者（実験参加者）群は，それぞれほかの群とは異なる体験をもっており，その体験の違いが「みかけの群間差」を作ること
外的妥当性	テスト効果と要因の交互作用	事前テストの方法や測定環境が，自然な現実感から離れるほど，実験変数とは無関係な要因の影響が強まり，結果が歪められること
	選抜と要因の交互作用	志願して実験に参加してきた人は実験に協力的で，測定環境に対しても不要な不安や緊張を示さない．このような実験に対する意欲や期待は一般の人々とは異なっているため，得られる結果に対し慎重になる必要があること
	実験条件への割付に対する反応	ランダムにある特定の群に割り当てられており，自身が実験群や統制群のどちらか知らされていないにもかかわらず，実験者の意図を先取りして反応を示すこと
	多重処理の影響	同一被験者（実験参加者）に繰り返しさまざまな処理を行って測定をする場合，前に行った処理の影響が消し切れていないうちに次の処理が行われてしまうこと

文献2）を参考に作成

■ 引用・参考文献
1）山田一成：第10章 調査法 心理学研究法―心を見つめる科学のまなざし（高野陽太郎・岡隆編），p182-211, 有斐閣アルマ，2004
2）堀忠雄：第4章 実験を行なうにあたっての留意点. 心理学のための実験マニュアル―入門から基礎・発展へ（利島保ほか編著），p72-78, 北大路書房，1993

2 実験データの収集と処理

1 実験データの収集

心理学で扱う心の働きは，目に見えない形のないものであるが，それをできる限り客観的・数量的に測定できるように，心理学者はいくつもの測定手法を開発してきた．実験データと一口でいっても，扱うテーマ〔たとえば，ミュラー・リヤー錯視(図1)や大きさ知覚，触2点閾(図2)，パーソナリティテスト，パーソナルスペースなど〕によって測定するデータにはさまざまなものがある．ここでは，データの収集方法として，精神物理学(心理物理学)的測定法，行動観察法，反応時間測定法，質問紙法(リッカート法)について解説する．

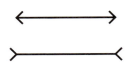

図1　ミュラー・リヤー錯視
同じ長さの線分の両端に内向きの矢羽を付けると，外向きの矢羽を付けた線分よりも短く見える．

1● 精神（心理）物理学的測定法

精神物理学(psychophysics)は，**フェヒナー Fechner, G.** が1860年に著した『精神物理学原論(原題は Elemente der Psychophysik)』に由来している[1]．フェヒナーは精神物理学を身体と精神，あるいは物理的世界と心的世界との関係についての理論として位置づけ，精神物理学的測定法(調整法，極限法，恒常法)を提唱した．

これらは，刺激閾(stimulus threshold)，弁別閾(difference threshold, difference limen)，主観的等価点(PSE：point of subjective equality)などを測定するためのものであり，宮谷真人[2]がその特徴についてまとめている(表1)．この測定法はミュラー・リヤー錯視や大きさの恒常性，重さの弁別(図3)といった感覚・知覚分野に関する実験などにおいて用いられる．

図2　触2点閾
皮膚を同時に2点刺激し，2点と感じられる閾値のこと．身体の部位などによって閾値が異なる．

2● 行動観察法

行動観察法は，ある一定の状況において生じる行動を直接観察し，記録することによって定量化(生起頻度や回数)する手法である．実験の場合は，実験者の存在自体が実験参加者の言動を歪めてしまうことがあるが，マジック・ミラーや監視カメラなどを用いながら行動を観察するといった工夫をすることで観察されているという実験参加者の意識を取り除くことができる[3]．また，発達心理学の領域において乳幼児や児童など，言語化したものを測定することが困難な場合に有益な測定法である．

図3　重さの弁別

3● 反応時間測定法

反応時間(reaction time, response time)測定法は刺激が与えられてから刺激に反応するまでの時間を測定する手法である．反応時間を用いて人間の内的処理過程を明らかにしようと試みたのは**ドンダース Donders, F.** が有名である[4]．古典的な反応時間の測定法としては，ドンダースの減算法，スタンバーグの加算要因法などがある[1]．反応時間測定法は，認知心理学の発展に伴い数多くの実験で

■ 表1　代表的な精神物理学的測定法とその特徴

	調整法	極限法	恒常法
方法の特徴	①刺激を（主として実験参加者が）一方向に変化させる．実験参加者の指示によって，実験者が調整する場合もある ②刺激の変化のさせ方として，通常，上昇系列（徐々に間隔を広げる方法）と下降系列（徐々に間隔を狭める方法）が適当な順序で用いられる ③実験参加者は反応の転換点を報告する	①刺激を，実験者が一方向に段階的に変化させる ②刺激の変化のさせ方として，上昇系列と下降系列の両方が用いられる ③実験参加者は，個々の刺激に対して所定の反応を行う	①通常4〜7段階の等間隔の刺激を，ランダムな順序で，20〜100回呈示する ②実験参加者は，個々の刺激に対して所定の反応を行う ③結果として得られる反応分布から，求める定数を推定するために，いくつかの理論とそれに基づく方法がある
測定される値	本質的にはPSEの測定法であるが，刺激閾，弁別閾などの測定にも用いられる	PSE，刺激閾，弁別閾などの定数測定のほかに，尺度構成法にも用いられる	刺激閾，弁別閾，PSEなど，適用範囲が広い
長所	①自然な方法であり，実験者や実験参加者にとって理解しやすい方法である ②実施が容易で，短時間に比較的多くのデータを得ることができる ③PSE測定法として原理的問題が少ない	①手続きが簡単で実施も容易であり，適用範囲も広い ②調整法に比べ，測定手続きの透明性および再現可能性の点ですぐれている	①反応の任意抽出という点では，最も優れている ②結果の処理法が理論的に洗練されており，適用範囲も広い
短所	①慎重な実験参加者では，所定の反応転換点を容易に決定できない場合がある ②測定操作が実験参加者に任されており，操作の反復性，透明性が不十分である ③実験参加者が意図的に測定値を左右することが容易にできる ④刺激の連続的変化が不可能または非常に困難な場合には適用できない	①測定値に含まれる誤差などに関する仮定にやや無理な点があり，それによって決められる系列の打ち切り方や測定値の決め方に問題がある ②測定手続きによって，系列誤差，時間誤差，空間誤差などの恒常誤差が混入する可能性が大きい	①多大の時間と労力を必要とする ②変化しやすい不安定な事象の測定には向かない

（宮谷真人：実験計画と実施―ミュラー・リェル錯視における錯視量の測定．心理学のための実験マニュアル―入門から基礎・発展へ（利島保ほか編著），p28-52，北大路書房，1993より改変）

用いられている．

4 ● 質問紙法（リッカート法）

　質問紙法（リッカート法）は，実験参加者の反応について数量化するための方法である．たとえば，複数の質問項目に対して，「1．当てはまらない」「2．あまり当てはまらない」「3．やや当てはまる」「4．当てはまる」などいくつかの段階に分けて回答を求めるものである．なお，上記のように4段階に分けられているものを4件法とよぶ．質問紙法（➡ p.82 第5章1節参照）において用いられることが多いが，実験における従属変数の測定にも用いられる．

2 信頼性と妥当性

上述したようにさまざまな収集方法が開発されているが,心理学実験では,これらの測定手法を用いて得られたデータから,目に見えない形のない心の働きを科学的に明らかにしていくこととなる.そのためには,測定したデータが研究者の明らかにしたい心の働きを適切に表しているかどうかという点が非常に大切である.このような測定したデータの適切さを担保するためには,信頼性と妥当性について考える必要がある.

1 • 信頼性

信頼性とは,同一の対象に対する測定を繰り返した際に測定値間が一致している程度のことである.つまり,何度測っても同じ値になる度合いのことで,同じような測定結果が出るほど,信頼性が高いと判断できる.信頼性には,安定性(同一の対象に同一の条件で同一の従属変数の測定を行った場合,同一の結果が得られるかどうか)と一貫性(同一の対象に同一の条件で同一ではないが同じような従属変数の測定を行った場合,同じような結果が得られるかどうか)という2つの視点がある.

信頼性を検討するための方法としては,再検査法,平行検査法,折半法,内的整合性などがある(表2).

■ 表2 信頼性を検討するための方法

再検査法	同一の集団に同一の検査をある程度の時間的な間隔をおいて測定し,測定値間の相関係数を求めるもの
平行検査法	同一の集団に,内容は異なるが類似している2つの検査を,同時期に実施し,2つの相関係数を求めるもの
折半法	1つの検査を前半の項目と後半の項目というように2つに分割し,それぞれの合計点を算出して,2つの相関係数を求めるもの
内的整合性	質問項目に対する反応の一貫性の程度を示す指標のことであり,クロンバックのα係数[*1]が有名である

用語解説

*1 クロンバックのα係数
ある概念を測定するための項目間に内的整合性が認められるかどうかを示す指標のこと.0から1までの値をとり,1に近いほど信頼性が高いと判断できる.

2 • 妥当性

妥当性とは,研究者が測定したいと考えている概念を正確に測定している程度のことであり,測りたいものを測れている度合いのことである.妥当性を検討するための方法としては,表面的妥当性,内容的妥当性,基準関連妥当性,構成概念妥当性などがある(表3).

図4は信頼性と妥当性の関係について表したものである.測定したい概念について複数の従属変数を用いて測定する際に,ⓐ信頼性と妥当性がともに低い,ⓑ信頼性と妥当性がともに高い,ⓒ信頼性は高いが妥当性は低い,という3つの可能性があり,ⓑの信頼性,妥当性がともに高いデータの収集を目指す必要がある.

注意すべき点としては,ⓒ信頼性は高いが妥当性は低い,という可能性があることを意識することである.たとえば,孤独感の程度を測定したいと考えている

■ 表3　妥当性を検討するための方法

表面的妥当性	測定したものが，測定しようとしている構成概念に対応しているかどうかについて測定を行う人や測定を受ける人が，その内容をもとに判断するもの
内容的妥当性	測定したものが，測定しようとしている構成概念に対応しているかどうかについて専門家が理論的・論理的に判断するもの
基準関連妥当性	測定したものが，それとは別の外的基準とどの程度関連があるのかによって判断するもの．併存的妥当性と予測的妥当性に分けられる
構成概念妥当性	測定したものが，測定しようとしている構成概念に対応しているかどうかについて因子分析などの多変量解析を用いて判断するもの

図4　信頼性と妥当性の関連

にもかかわらず，無力感の程度を測定するための従属変数が複数用意されている場合は，信頼性は高いが妥当性は低いこととなる．信頼性の高さは妥当性の必要条件ではあるが，十分条件とはならないのである．

3　データの処理と統計解析

データを収集した後に，得られたデータから仮説が実証されたかどうかを検証するために統計解析を行う．統計解析は6章（➡ p.96）に詳細な説明がなされているため，参照されたい．

■ 引用・参考文献
1) 片山順一ほか：実験心理学における測定法—精神物理学的測定法と反応時間．繊維製品消費科学 31（12）：567-571, 1990
2) 宮谷真人：実験計画と実施—ミュラー・リェル錯視における錯視量の測定．心理学のための実験マニュアル—入門から基礎・発展へ（利島保ほか編著），p28-52, 北大路書房，1993
3) 岡隆：第5章　従属変数の測定．心理学研究法—心を見つめる科学のまなざし（高野陽太郎ほか編著），p68-89, 有斐閣アルマ，2004
4) 市川伸一：6章　反応時間を使う—短期記憶の走査のモデル．心理測定法への招待—測定からみた心理学入門，第3版（市川伸一編著）．p72-82, サイエンス社，1993

結果についての適切な解釈と報告書の作成

1 結果についての適切な解釈

　心理学実験は，心理現象の因果関係を明らかにするための有益な研究手法であるが，そこで得られた結果について解釈する際には，飛躍しすぎたものにならないように慎重に考える必要がある．ここでは，結果の解釈の際に気をつけるべき，心理学実験に向けられる批判について亀田達也[1]を参考に説明する．

1 ● 実験の人工性・非日常性

　心理学に関する実験で最も代表的な批判は，「実験は人工的で結果に一般性がない，現実に一般化できない」というものである．実験では，要因と考えられる独立変数を操作し，従属変数を測定するという手続きをとるため，人工的にならざるを得ない面があるが，この批判は単に実験で設定された状況が日常の状況と異なっていることを問題にしているわけではない．

　この点について，ギブソン Gibson, J. やネイサー Neisser, D. などの心理学者は，実験室の人工性を生態学的な視点，すなわち人間や動物が生態系のなかで生きている事実を重視する視点の欠如という観点から問題にしている[1]．環境のもつ生態学的な特徴や，変数間の生態学的関係がどのようになっているのかという点を考慮しつつ研究を行わなければ，実験で得られた結果の妥当性は担保できないのである．

2 ● 母集団への一般化可能性

　心理学実験に対するもう1つの代表的な批判は，「実験の対象の多くが大学生であり実験結果が一般化できない」というものである．この点についても亀田[1]は，自分の理論やモデルのもとで研究結果に影響する可能性のある剰余変数を組織的に検討することが1つの方法ではないかと述べている．つまり，1つの研究で得られた結果を過度に鵜呑みにするのではなく，同一のテーマのもとで，いくつもの研究を積み重ねることによって得られた結果の「確からしさ」を上げていくことが大切である．そのためにも次に述べる，報告書を作成することが研究を実施する際に重要となる．

2 報告書作成について

　報告書を作成し公表することは，自身の研究結果を世の中に伝えることをとおして心理学の発展に寄与する大切なプロセスである．ここで気をつけなければならないのは，報告書を読んだ人が同じ研究を再現できるように記述することである．この点は，客観的で再現性の高い知見の蓄積という観点において重要である．

　2015年に雑誌「Science」において，過去の心理学に関する研究論文の実験に

ついて追試を行った結果,再現されたものは40%にも満たなかったという論文[2]が掲載されて以降,日本国内においても再現可能性についての議論が活発になっている(たとえば,藤島喜嗣・樋口匡貴)[3].報告書の適切な作成の仕方を学ぶことは,科学としての心理学にかかわる者として必須の条件である.

報告書は,大きく,表題,要約,問題(序論),方法,結果,考察,引用文献の順で構成される(図1).

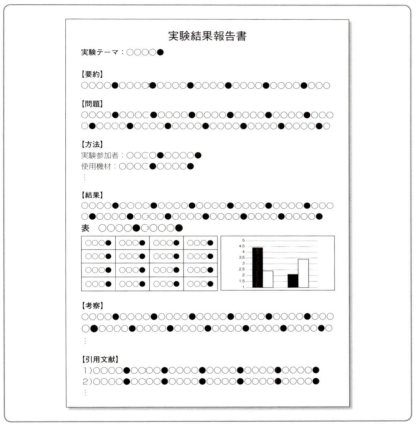

図1 実験結果報告書の例

まず,表題と要約のポイントについて説明する.

①表題

研究の内容を要約した簡潔なものにすることが大切である.実験における表題としては,「○○が□□に及ぼす影響」というような,研究で使用した独立変数と従属変数を明示することが多い.

②要約

問題(序論),方法,結果,考察について要点を包括的にまとめたものである.要約を読むだけで研究の全体像がつかめるように簡潔かつ具体的な記述を心がけることが必要である.

次に,報告書の構成のなかでとくに重要な,問題(序論),方法,結果,考察,

引用文献について説明する(表1).

■ 表1　報告書の構成とポイント

問題 (序論)	(1) 研究の目的を示し，その目的と関連づけて先行研究の概説を行う (2) 先行研究の問題点や制約，未解決の問題を指摘する (3) (1)，(2) をふまえ，研究の学問的意義，研究の目的を述べる (4) 研究の仮説を述べる ※研究で扱う用語について厳密に定義し，理論的根拠をもとに，客観的，論理的に論を進めることが必要である
方法	(1) 実験期日（期間），実験場所，実験参加者について記述する (2) 実験材料（実験装置，実験刺激，回答用紙など）について記述する (3) 実験計画（要因計画，独立変数，従属変数，剰余変数など）について記述する (4) 実験手続きについて記述する ※ほかの研究者が方法部分を読めば，研究を再現（追試）できるように，詳細に記述することが必要である
結果	(1) 目的に対応した適切な統計的手法で分析されたデータを提示する (2) 得られた事実から研究の仮説が支持されたかどうかについて記述する ※事実のみを記述し，得られた事実に対する解釈は考察で行う．研究の仮説に適した結果のみを載せるのではなく，すべての結果を公平に記述する必要がある
考察	(1) 研究結果の概略を述べたのちに，研究の仮説がどこまで検証され，研究の目的がどこまで達成されたのかについて自身の解釈を述べる (2) 研究結果がその研究領域においてどのように位置づけられるのかについて，ほかの研究の結果や解釈と比較しながら記述する (3) 研究の問題点や課題，今後の展望について記述する ※結果の解釈は，必ず根拠をもとに行う必要がある
引用文献	(1) 報告書に引用されたすべての文献をリストとして載せる ※引用文献の書き方については、公益社団法人日本心理学会が作成している『執筆・投稿の手びき 2015 年改訂版』を参考にするとよい

③問題（序論）

問題(序論)では，明らかにしたい研究テーマについて，冒頭から専門用語を用いて述べるのではなく，一般的な事柄(日常生活で経験している出来事など)を導入として取り入れるとよい．次に，一般的な事柄をより抽象的にした心理学の概念を定義とともに説明する．

ここで今回の研究で扱う概念について厳密に定義することが大切である．概念を定義したのちに，その研究テーマに関連した先行研究の概説を行い，これまでの研究で明らかになっていること，明らかになっていないことを明確にしていく．そして，本研究の学問的意義とともに，本研究の目的を示し，研究の仮説を述べる．

このように，研究はすべて自分自身の考えのみで進めていくわけではなく，先行研究をていねいに組み合わせていくことによって論理的に組み立てていくことが大切である(図2)．

④方法

方法では，実験参加者に関する情報や実験で使用した材料(実験装置，実験刺激，回答用紙など)，実験計画(要因計画，独立変数，従属変数，剰余変数など)，実験手続きについて詳細に記載する必要がある．上述したように，報告書を読んだ人が今回の研究を再現できることが大切であるため，その点を意識してていね

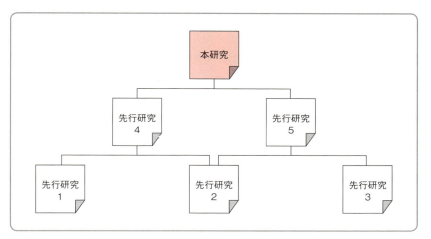

図2 研究の組み立てイメージ

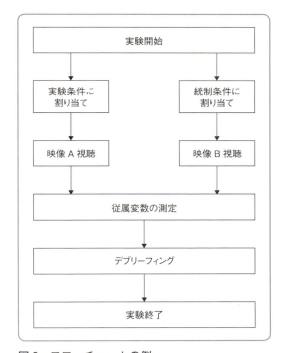

図3 フローチャートの例

いな説明を心がけることが大切である．たとえば，実験手続きについては文章のみで表現するのではなく，フローチャートを用いて視覚的にわかりやすく表現するなど工夫することが望ましい(図3)．

⑤結果

　結果では，収集したデータについて分析したこと(記述統計，推測統計)を順に示していく．ここでは，都合のよい結果だけを選択して記述するのではなく，得られた事実をすべて記述することが求められる．注意する点として，結果では得られた事実に対する自分自身の解釈はまだ行わないことがあげられる．結果の解釈は考察で行うこととする．

なお，分析した結果を書く際にも，必ず載せる必要のある数値など，詳細なルールが決まっている．また，図表を用いて視覚的に表現することで読む側の理解を促すことが可能となるため，日本語版が出版されているアメリカ心理学会(APA)作成の『APA論文作成マニュアル 第2版』[4]（医学書院，2011年刊）や，日本心理学会作成の『執筆・投稿の手びき2015年改訂版』[5]（日本心理学会のHPより閲覧可能）などを参考にするとよい．

⑥考察

　考察では，得られた結果をもとに，今回の研究の仮説が支持されたのか，研究の目的が達成されたかの有無を述べる．そして，今回の研究結果が，問題(序論)で紹介した研究テーマのどの部分に位置づけることができるのかを主張していく．

　考察は，自身の行った研究がその領域においてどのような貢献を果たしたのかを伝える部分であるため，ていねいに論を進めていくことが大切であろう．しかし，すべてにおいて課題のない研究はないため，自身が行った研究の問題点や今回の研究結果を踏まえた今後の展望について誠実に記述しなければならない．

⑦引用文献

　問題(序論)でも述べたように，研究を進める際には，一から自分自身の考えで進めることはなく，これまでその研究領域で行われてきた先行研究をもとにロジックを組み立てていくことが多い．そのため，先行研究でどこまでが明らかになっていることで，どこからが今回の研究で明らかにしたいことなのかについて明確にわかるように記述する必要がある．

　そのためにも，これまで明らかになっている部分については，本文中で先行研究を引用し，論文の最後に引用文献リストを作成し，明示する必要がある．引用文献の書き方にはルールがあり，専門領域によって多少ルールが異なるが，前述の『執筆・投稿の手びき2015年改訂版』[5]を参考にするとよいだろう．

■ 引用・参考文献

1) 亀田達也：結果の解釈．心理学研究法―心を見つめる科学のまなざし(高野陽太郎ほか編著)，p301-313，有斐閣，2004
2) Open Science Collaboration：Estimating the reproducibility of psychological science. Science 349：aac4716, 2015
3) 藤島喜嗣ほか：社会心理学における"p-hacking"の実践例．心理学評論 59(1)：84-97, 2016
4) アメリカ心理学会(APA)：APA論文作成マニュアル，第2版(前田樹海ほか訳)．医学書院, 2011
5) 日本心理学会：執筆・投稿の手びき2015年改訂版, 2015
https://psych.or.jp/wp-content/uploads/2019/02/The-JPA-Publication-Manual.pdf より 2020年2月5日検索

人の感覚・知覚などの機序とその障害

8章 知覚および認知の心理学 1

この章で学ぶこと
- 人の感覚と知覚などの機序とその障害
- 人の認知と思考などの機序とその障害

1 五感の機序の概要

1・視覚

①眼球と網膜の構造（図1）

　視覚とは，感覚器官である目を通じて外界を見ることである．視覚は，物体に反射された光が角膜や水晶体を経由し，網膜の視細胞に到達することで開始される．視細胞には錐体[*1]と桿体があり，前者は色の知覚や細かい形の弁別に関与しており，後者は明るさの知覚に関与している．

　錐体は網膜の中心部分に密に分布しており，桿体は網膜の周辺部分に分布している．光は視細胞で電気的な信号に変換され，盲点[*2]から視神経を通じて外側膝状体を経由し，後頭葉にある第1次視覚野に伝達される．網膜上で隣接した部位は第1次視覚野でも隣接して配置されており，このことは網膜部位再現といわれる．

②視覚の働き

　光は波の性質をもっており，波の周期的な長さを波長という．人間が知覚でき

> **用語解説**
>
> ***1　錐体**
> 錐体が密集している中心窩での視力が最も高く，網膜の周辺に行くに連れて視力が悪くなる．

> **用語解説**
>
> ***2　盲点**
> 網膜から視神経が出ていく場所のことである．盲点には視細胞がないため，物体を見ることはできない．

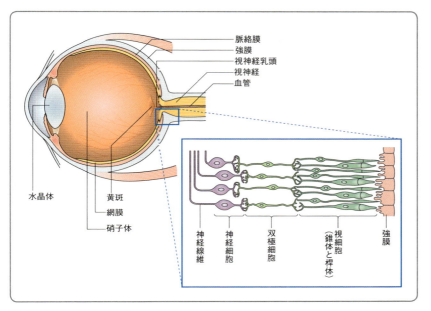

図1　眼球と網膜の構造

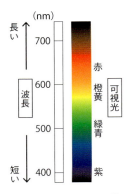

図2 光の波長と知覚される色

る光の波長範囲はおおむね400〜780nmである．単色光の場合，波長によって知覚される色が決まるが(図2)，通常は複数の光が組み合わされることによってさまざまな色が知覚される(加法混色)．これは，光の波長に対して異なる感度をもつ3種類の錐体が存在することによって可能になる(3色説)．また，赤−緑，青−黄という反対色の拮抗プロセスが存在することも多様な色の知覚に関与している(反対色説)．これらの2つのメカニズムは，排他的なものではなく，それぞれ異なる処理段階で働くと考えられている．

空間(運動や奥行き)の知覚や物体・シーンの知覚のためにさまざまな手がかりが利用される．なかでも，奥行きや物体の立体感の知覚のための手がかりは奥行き手がかりとよばれ，片眼で可能なもの(単眼性手がかり)と両眼が必要なもの(両眼性手がかり)に分類できる．両眼性手がかりの1つである両眼視差とは，右眼と左眼の網膜像のずれである．人間の左右の眼は約6cm水平方向に離れているため，左眼と右眼の網膜像に若干のずれ(視差)があり，この両眼視差を利用して人間は奥行きを知覚している．また，単眼性の手がかりとしては，遠近法や物体の遮蔽関係などの絵画的手がかりや物体と自身の移動に伴う網膜像の変化に関する運動視差などもある．

通常，物体が実際に移動しているときに物体の運動を知覚する．しかし，必ずしも物体に動きが伴わない状況でも，私たちは運動を知覚することがある．たとえば，踏切の信号のように空間的に離れた位置で2つの点が点滅しているとする．2つの点滅が同時に生じている場合は，2つの点が点滅しているようにしか知覚されないが，2つの点滅にある程度の時間間隔があると，2つの点があたかも移動したかのように感じられる(仮現運動)．また，移動する雲のなかで静止している月のように，背景の大部分が移動することによって，実際には静止した物体が動いているように知覚されることもある(誘導運動)．

視覚情報処理の目的は物体や情景(シーン)が何であるかを知覚・認知することである．網膜への入力情報は光のパターンに過ぎないため，様々な手がかりを利用し，物体に属する領域(図)と背景に属する領域(地)を分離する必要がある．物体認知において，網膜の入力から高次の階層へと至る処理のことをボトムアップ処理という．知識や文脈など，高次情報を利用し，物体認知を行うことはトップダウン処理とよばれる．

青果店の情景は野菜・果物からなるように，情景は複数の物体から構成される．情景のおおまかな印象情報，つまり情景がどのような場面かという情報(この場合は青果店)はジストとよばれる．情景のジストは，物体一つ一つに注意を向けるのではなく，ひと目で瞬間的に抽出される．

2 • 聴覚

聴覚とは，感覚器官である耳を通じて外界の音を聞くこと(音と音声の知覚)である．人間は主に空気の振動を音として知覚している．たとえば，手のひらで机を叩いたところを想像してみる．このとき机の表面が振動し，それによって空気の振動が生じる．この空気の振動は，人間の耳にある外耳および中耳を経由し，内耳にある蝸牛に伝達される(図3)．蝸牛には有毛細胞とよばれる細胞があり，

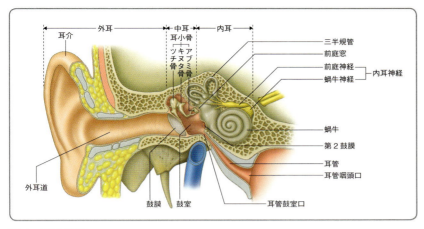

図3 耳の構造

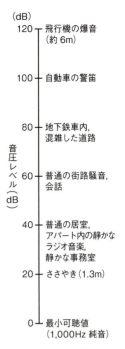

図4 日常生活における音の目安
(重野純:音の世界の認知.音の世界の心理学,第2版,p38,ナカニシヤ出版,2014)

空気の振動がこの有毛細胞を刺激することで,電気的な聴覚信号が生成される.その後,聴神経(内耳神経)を通じて電気信号が側頭葉にある第一次聴覚野やそれ以降の聴覚野に到達し,さまざまな処理を受けることで人間は音を知覚することができる.

人間が音として知覚できる振動の範囲には限界がある.空気の振動は波(音波)であり,1秒間あたりに何回の波が繰り返されるかを周波数とよぶ〔単位はヘルツ(Hz)〕.周波数が低い音は低音,高い音は高音として知覚される.人間はおおよそ20～2万Hzまでの音を知覚できる.ただし,この範囲は加齢とともに変化し,10代のころは高音(2万Hz程度)まで知覚できるが,80代になると8,000Hz付近の音でもかなり感度が低くなる[1].

周波数に加え,聴覚で重要な物理的属性として音圧がある.音圧は音の物理的なエネルギー量であり〔単位はデシベル(dB)〕,音圧が大きくなるほど大きな音として知覚される(図4).ただし,音圧は物理量であるため,音の主観的な大きさと単純には対応しない.音の主観的な大きさは周波数によって異なり,同じ音圧であれば中程度の周波数(1,000～5,000Hz程度)のときに最も大きくなる.

3・体性感覚

体性感覚とは,温度感覚・触覚・痛覚などの皮膚感覚や身体の位置感覚・運動感覚などの自己受容感覚のことである.触覚とは,皮膚に与えられた圧力や振動の知覚であり,人間の皮膚には4種類の触覚受容器(メルケル盤[*3],マイスナー小体,パチニ小体,ルフィニ小体)が備わっている(図5).これらの受容器は皮膚での密集部位や刺激に対する順応時間が異なる.

これらの4種類の受容器で処理された触覚情報は,頭頂葉にある第1次体性感覚野や第2次体性感覚野に送られる.これらの体性感覚野では,鼻と口のように身体上で隣接した部位は隣接した場所で表現されている(体部位再現性).体性感覚野では,身体部位によって対応する脳部位の大きさが異なり(図6),たとえば体性感覚野で大きな領域を占める手や顔などでは,触2点弁別閾[*4]はかなり小さくなる.

用語解説

*3 メルケル盤
点字のような細かい形の弁別に使用される.

用語解説

*4 触2点弁別閾
皮膚上の2点を刺激されたときに,2点であると区別できる最小の距離をさす.触2点閾ともいう(p.128 図2参照).

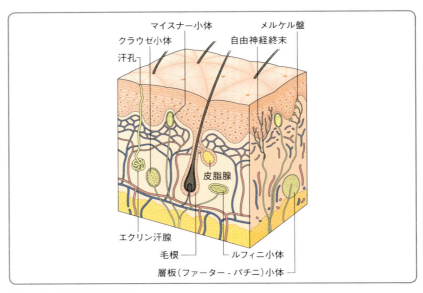

図5 皮膚の触覚受容器

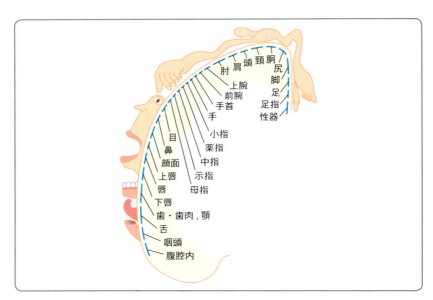

図6 体性感覚野の構造（ペンフィールドの地図）

4 • 嗅覚

　嗅覚とはにおいを感じる感覚のことである．私たちがカレーやシチューなどのにおいを感じることができるのは，これらからにおい分子（化学物質）が発され，そのにおい分子が鼻腔に届くからである（図7）．

　鼻腔には嗅上皮とよばれる部位があり，そこには嗅細胞とよばれる嗅覚受容体をもつ細胞がある．この嗅覚受容体ににおい分子が結合し，電気信号に変換されることで，嗅覚の情報処理が開始される．嗅覚受容体で生じた信号は嗅神経を通じて，嗅球とよばれる第1次嗅覚野やそれ以降の嗅覚野に伝達され，さまざまな処理を受ける．においの知覚にかかわる化学物質は約40〜50万種あるといわ

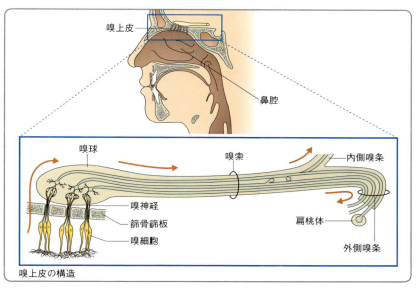

図7 鼻腔および嗅上皮の構造

れており，においの知覚体験は化学物質の種類の影響を受ける．しかし，においの知覚は化学物質のみで決まるわけではなく，接触経験・知識・ほかの感覚などの影響[*5]を強く受ける．

5 味覚

　味覚とは，口腔内で味を感じる感覚のことである．口のなかに食べ物を入れ，咀嚼することで，唾液中にさまざまな化学物質が溶け出す．この化学物質が舌や口腔粘膜上に存在する味覚受容器である味蕾によって電気信号に変換されることで，味覚の情報処理が始まる(図8)．

　味蕾で生じた電気信号は味神経を経由し大脳皮質の第1次味覚野に伝達され，その後にさまざまな処理が行われることで主観的な味覚体験が生じる．

用語解説

＊5 ほかの感覚
　嗅覚がほかの刺激の影響を受け，1つのまとまった感覚として統合されるように，五感についても感覚が統合される．これを多感覚統合とよぶ．

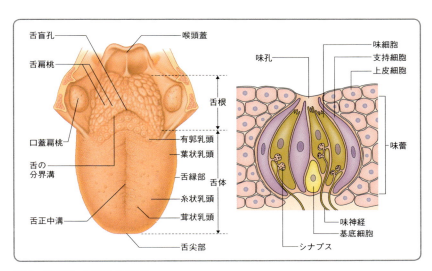

図8 味蕾および舌の構造

用語解説

＊6 うま味
　昆布に含まれるグルタミン酸や鰹節に含まれるイノシン酸などによって喚起される味である．東京帝国大学教授であった池田菊苗によって発見された．

用語解説

＊7 大きさの恒常性
　物体までの距離が遠くなると網膜像は小さくなるが，知覚的にはそれほど小さくなったように感じないこと．

①明るさの対比

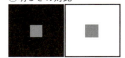

②明るさの同化

図9　明るさの対比と同化

　味覚は味蕾を刺激した結果生じる感覚であり，味覚には基本味とよばれる5種類がある(塩味，酸味，甘味，苦味，うま味[＊6])．辛味(カプサイシン)や渋味(タンニン)も食事には重要であるが，これらは味蕾で処理されないため，厳密には味覚に分類されない．また辛味や渋味は，温度感覚や痛覚などの体性感覚の一部である．

　以前は，基本味の知覚にかかわる舌の部位がそれぞれ異なる(たとえば，苦味は舌の後部で知覚され，甘味は舌の先端部で知覚される)とする味覚地図という考えが広く流布していた．しかし，この考えは現在では否定されており，舌の部位による感度の違いはあるものの，舌全体で5種類の基本味を感じるとされている．

2　複数の感覚に共通にみられる機序

1・恒常性

　人間の感覚系は，環境条件によって刺激の物理的属性が多少変化しても，同じ刺激をほぼ同じように知覚できる．このような特性は知覚の恒常性とよばれる．たとえば，白いA4用紙が反射する光の量は太陽光の下と室内の蛍光灯の下ではまったく異なる．それにもかかわらず，どちらの環境においてもA4用紙の明るさを同程度に感じ，その色は白であると判断できる．

　知覚の恒常性には，明るさや色の恒常性だけではなく，形や大きさの恒常性[＊7]などさまざまなものがある．

2・対比・同化

　同じ刺激であっても，周囲に存在するものによって知覚されるものは異なる．対比とは，周囲にある物体の特性とは逆方向に知覚が強調される現象であり，同化とは周囲にある物体の特性と類似する方向に知覚が変化する現象である．たとえば，明るさや色の対比と同化という現象がある．図9の①では，黒い部分に囲まれた灰色は白い部分に囲まれた灰色よりも明るく知覚される．②では，白い棒の下の灰色は黒い棒の下の灰色よりも明るく知覚される．実際には灰色はすべて同じ明るさである．

3・グルーピング

　外界はさまざまな刺激に満ちているが，これらはすべて独立に知覚されているわけではなく，さまざまな基準で知覚的にまとめられている．知覚的なまとまりがつくられることをグルーピング(群化)といい，このような際に用いられるものがグルーピングの要因(ゲシュタルト要因)である．近接の要因，類同の要因，閉合の要因，よい連続の要因など，さまざまなものがある(図10)．

4・順応

　感覚器官に持続的に刺激が与えられることによって，感覚刺激に対する感度が変化することを順応という．たとえば，明るいところから急に暗闇に移動すると，

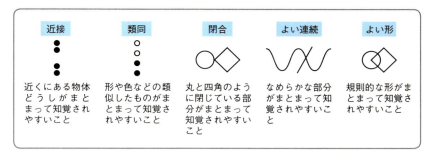

図10　グルーピングの要因
文献2)を参考に作成

ほとんど何も知覚することができない．しかし，しばらくすると視細胞の感度が変化(順応)し，次第に目の前のものが見えるようになる(暗順応)．反対に，暗いところから明るいところに急に移動した場合に生じる視覚系の感度の変化のことを明順応という．

5 知覚的補完

感覚系は背景となる刺激を利用して，実際にはない情報を補うことがある(補完)．たとえば，メロディの一部にノイズをかぶせた場合でも，ノイズの部分にメロディが流れているように知覚される(連続聴効果)．

6 多感覚統合

外界を把握する際に複数の感覚情報を統合することを多感覚統合という．たとえば，音声はテレビのスピーカーではなく，テレビ画面に表示される人物の口から発せられているように感じる(腹話術効果)．また，音声の知覚は発話者の口の形状の影響を受ける(マガーク効果)．

3 五感の障害

1 視覚障害

全盲とは，眼球，視神経，視覚野などの障害によって，視覚機能が完全に欠損した状態である．それに対し，視力が残存している状態をロービジョンといい，これは眼鏡やコンタクトによって屈折を矯正しても，日常生活で支障のある視覚の状態のことである．

ロービジョンは，視力の低下(細かいものが見えなくなる)，コントラストの低下(明暗の境界の区別がむずかしくなる)，視野の狭窄(視野が狭くなる)，視野の欠損(視野の一部に見えない部分が生じる)など，複数の症状から構成される[3]．

また，色の弁別能力が低下する，色の弁別ができないなどの色覚障害も代表的な視覚障害である．先天的な色覚障害の原因の多くは網膜の錐体の異常である．異なる波長に敏感な3種類の錐体のうち，どれかもしくは複数に異常がみられたり，欠損がみられたりすることで，色覚障害が生起する．日本人男性の場合5%未満，女性の場合1%未満程度の割合で色覚異常[*8]が生じる[4]．

📖 **用語解説**

＊8　色覚異常
色覚の遺伝子の一部は，男性が1つしかもたないX染色体に含まれているため，先天性の色覚障害は男性に生じやすい．

人間の脳は部位によって異なる機能をもっており(機能局在), 大脳皮質の視覚野も各部位が異なる視覚機能を担っている. このため, 損傷部位によって異なる障害が生じる. 色の知覚にかかわる中枢が損傷することで皮質性の色覚障害が生起し, 運動の知覚に関与する中枢や顔の知覚にかかわる部位を損傷することで, 運動視の障害(運動失認)や顔の知覚の障害(相貌失認)が生起する.

2 ● 聴覚障害

聴覚障害の代表的なものに難聴がある. 難聴とは, 聴覚刺激に対する感度や弁別能力が下がった状態であり, その原因によって伝音性難聴, 感音性難聴, 両者の混合である混合性難聴に分類することができる.

伝音性難聴は, 外耳や中耳などの内耳への音の伝達にかかわる部位での異常によって生じ, 主に聴覚刺激に対する感度の低下が生じる. 感音性難聴は, 内耳, 内耳から聴覚皮質までの経路, 聴覚皮質などの損傷によって生じる. 感音性難聴の場合, 聴覚刺激に対する感度の低下だけではなく, 音が歪んで聞こえ, 区別ができないなどの弁別能力の低下も生じる.

3 ● 触覚障害

視覚や聴覚と同様に, 末梢での受容器の損傷や体性感覚野の損傷によって, 触刺激の知覚や同定が困難になることがある. また, 触覚や体性感覚に特異的な障害に幻肢がある. これは事故や病気などで手足を失ってしまった患者が存在しない手足があるように感じたり, その手足に痛みを感じたりする現象である.

4 ● 嗅覚障害

嗅覚障害とは, においの知覚や同定が困難になることである. 嗅覚障害の原因の1つは鼻腔の異常を生じさせる疾患である. たとえば, アレルギー性鼻炎や慢性副鼻腔炎などにより, 嗅細胞のある嗅上皮ににおい分子が伝達されないことで, においの知覚が困難になる. また, 嗅細胞の損傷や第1次嗅覚皮質をはじめとする嗅覚野の損傷によっても, においの知覚や同定は損なわれる.

5 ● 味覚障害

味覚障害とは, 食物の味の知覚や同定が困難になることである. その1つの原因は, 味覚受容器である味蕾の異常である. たとえば, 亜鉛が不足することにより, 味蕾の再生が妨げられることで, 味覚障害が生じることがある. また, 味神経や第1次味覚野をはじめとする味覚の処理にかかわる脳部位を損傷することによっても, 味覚障害は生起する.

6 ● 知覚の可塑性

知覚感覚機能が弱くなったり, 失われた場合, ほかの知覚感覚機能をつかさどる神経が柔軟に変容し, 弱まった, あるいは, 失われた機能を補完する働きのこと. たとえば, 視覚が失われている場合, 触覚で点字を読むときに, 視覚野が機能する. また, 聴覚に障害がある場合, 人工内耳からの音(信号)により聴覚野が

機能する．こうした脳部位の柔軟な機能の変化こそが知覚の可塑性である．

4 五感の研究法

1 ● 精神（心理）物理学

　フェヒナー Fechner, G. が提唱した精神（心理）物理学とは，刺激と感覚との関係を明らかにする学問である．彼は，感覚的に弁別可能な最小の差異は標準刺激の大きさに比例するという**ウェーバー Weber, E.** の法則をもとに，感覚の大きさを刺激強度の対数で表すフェヒナーの法則を開発した．

　フェヒナーの研究法は現在でも使用されており，極限法，恒常法，調整法とよばれている．前者2つは実験者が刺激強度（たとえば，光の強さ）を調整し，後者では参加者自身が調整する．極限法では刺激強度を段階的に変化させるが，恒常法ではいくつかの選択肢からランダムな順番に提示する（➡ p.128 第7章2節参照）．

2 ● 脳機能計測技術

　心理学の研究でも脳の働き（機能）を測定する方法が用いられる．人間の脳は多数の神経細胞から構成されており，神経細胞内では電気的信号により情報を伝達している．この電気的信号の集まりを，頭皮上に置いた電極によって記録する方法が脳波測定である．機能的核磁気共鳴画像法（fMRI）とは，神経活動に伴う血流量や酸素代謝の変化を，磁場の変化を通じてとらえることで，脳の活動部位を画像化する方法である．脳波は時間精度が高いが（短時間の変化を測定可能），空間精度は低い（変化の原因部位の特定は難しい）．逆に，fMRIの空間精度は高いが，時間精度は低い．

■ 引用・参考文献
1）佐藤正美：老年期の感覚機能・聴覚．老年精神医学雑誌 9（7）：771-774，1998
2）Wertheimer M：Untersuchungen zur Lehre von der Gestalt II. Psychologische Forschung 4：301-335，1923
3）小田浩一：ロービジョン．新編 感覚・知覚心理学ハンドブック Part 2（大山正ほか編），p229-236，誠信書房，2007
4）松田隆夫：知覚心理学の基礎．培風館，2000
5）重野純：音の世界の心理学．第2版，ナカニシヤ出版，2014

人の認知・思考の機序とその障害

8章 知覚および認知の心理学
2

1 人の認知・思考の機序

1 • 注意

①聴覚と視覚の注意

心理学で用いられる注意という用語には複数の意味があるが，その1つは「情報の選択」である．世界は無数の情報に満ちており，人間の情報処理能力はかぎられているため，行動の目的に必要な情報を選択し，不要な情報は無視することが求められる．たとえば，パーティで大勢の人が会話をしている騒々しい状況を想像してみる．このような状況でも，友人の声を聞きとろうと努力し注意を向けると，その人の声は明瞭に聞こえ，ほかの人の声は聞こえにくくなるはずである．これはカクテルパーティ現象とよばれ（図1），注意による情報の選択（選択的注意）を反映した現象である．

図1　カクテルパーティ現象

選択的注意のメカニズムは，情報の選択を行うフィルターにたとえられる．たとえば，ブロードベント Broadbent, D. のフィルターモデルでは，音の高さや音源の位置などの刺激の物理的特性はすべて処理されるが，刺激の意味処理は注意のフィルターを通過した情報に対してのみなされると仮定する（図2）[1]．

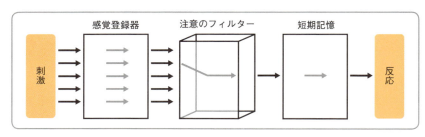

図2　ブロードベントのフィルターモデル
文献1)を参考に作成

比較的早い段階で情報の選択が行われると仮定することから，このモデルは初期選択モデルとよばれることもある．しかし，その後の研究で初期選択モデルと一致しない結果が報告されたため，注意のフィルターを通過していない情報は弱まるものの意味レベルまで処理されるとするモデル（減衰モデル）[2]やすべての入力情報は意味レベルまで処理され，選択は反応段階で行われるとするモデル（後期選択モデル）[3]などが提案された．

視覚の注意は聴覚とは異なり，スポットライトにたとえられる．つまり，コンテストの優勝者をスポットライトで目立たせるように，空間内に注意のスポットライトを動かし，必要な情報を選択するという考えである（図3）．スポットライトの考えは，標的を見つける状況の行動をうまく説明することができる．たとえば，見つけるべき標的（文字）の提示前に標的位置を示す手がかりとして，矢印を

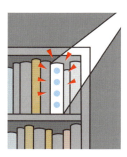

図3　注意のスポットライト

提示する．標的の位置と矢印の示す位置が一致していると，あたかも注意のスポットライトをあらかじめ動かしていたかのように標的の検出が早くなり，不一致の場合だと間違った位置から再び標的位置までスポットライトを戻しているかのように検出が遅くなる．

② 注意資源

電話で会話をしながらペンでメモをとるように，日常生活では複数の活動に注意を分割することがある．この際に重要になるのが，注意資源である．

人間がさまざまな認知活動を行うためには注意資源（課題を行うための心的エネルギー，つまり車にとってのガソリンのようなもの）が必要である．一度に使用できる注意資源はかぎられているため，複数の活動を同時に行うためには，それぞれの活動に効率的に注意資源を分配しなければならない．必要な注意資源の量は，課題の難易度や自動化[*1]の程度によって異なるため，容易な課題やすでに自動化された課題であれば，それほど費やすことなく複数の課題に同時に注意を分割することができる（図4）．しかし，難しい課題や自動化されていない課題の場合，一方の課題に注意資源のほとんどが費やされてしまうと，そのほかの課題に同時に注意を向けることが困難になる．この代表的な例として，外国語で会話する際に，一時的に理解力や思考力が低下する現象がある（外国語副作用）[4]．

用語解説

*1 自動化
処理が注意資源を必要とせず，無意識的にすばやく行えるようになることである．

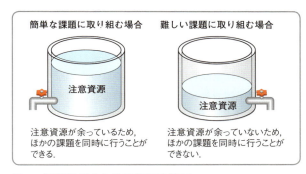

図4　課題難易度と注意資源の関係

2 • 記憶

① 短期記憶と長期記憶

自分の名前はほぼ永続的に覚えていられるのに対し，パーティで少し会話しただけの人の名前はすぐに忘れてしまうことが多い．このように，人間の記憶はどれくらいの時間，情報を記憶に保持できるかによって区別できる．

記憶の保持時間に基づく代表的なモデルに二重貯蔵モデルがある（図5）[5]．このモデルでは，外界からの情報は目や耳などの感覚器官をとおして感覚記憶に取り込まれる．これは感覚情報をそのまま保持する大容量の記憶システムであり，視覚の場合（アイコニックメモリ）は約1秒程度で，聴覚の場合（エコイックメモリ）は約2秒程度で失われてしまう．感覚記憶の情報の一部は注意を向けることによって短期記憶に送られる．

短期記憶（作動記憶[*2]）は感覚記憶よりも情報の保持時間が長いが，頭の中で情報を反復（リハーサル）しないかぎり，数秒から数十秒程度で失われてしまう．

用語解説

*2 作動記憶
作業記憶，ワーキングメモリともよばれる．短期記憶の情報の保持の機能に，情報の操作の機能ももたせたものである．たとえば，暗算を行うときには，数字を覚えるだけではなく，足したり引いたりする操作が必要である．

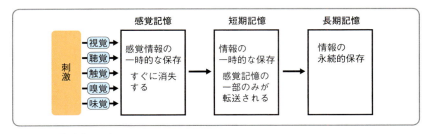

図5　二重貯蔵モデル
文献5)を参考に作成

また，短期記憶は一度に保持可能な容量が少なく，7±2チャンク[*3]程度しか保持できないと考えられている(近年では4±1程度であるともいわれている)．短期記憶でリハーサルされた情報の一部は長期記憶に送られる．長期記憶はほぼ永続的に保持可能な記憶システムで，保持容量もほぼ無限である．

②長期記憶の種類

　長期記憶は，言語化できる宣言的記憶と言語化が困難である非宣言的記憶(手続き的記憶)の2種類に分類できる(**図6**)[6]．また，宣言的記憶はさらにエピソード記憶，意味記憶に分類することが可能である．エピソード記憶は，「昨日の夜お好み焼きを食べた」といった，自分が経験した出来事に関する記憶である．意味記憶は，「psychology」という英単語の意味が「心理学」であるといったような，知識に関する記憶である．

　言葉で表すことが難しい長期記憶も存在し，そのような記憶は手続き的記憶とよばれる．たとえば，自転車の乗り方や卓球のラケットの振り方などを，正確に言葉で表現することは困難である．このような技能に関する記憶は手続き的記憶に含まれる．これ以外にもプライミングや古典的条件づけ(古典的条件づけについては➡ p.153 第9章1節参照)などが手続き的記憶に含まれる．

　プライミングとは，先行して提示した情報(プライム)が後続の情報の処理に影響を与えることである．技能やプライミングなどの記憶は意識的に思い出される記憶ではないため，潜在記憶とよばれることもある．それに対して，エピソード記憶や意味記憶などのように意識的に思い出すことが可能な記憶は顕在記憶ともよばれる．

図6　長期記憶の分類
文献6)を参考に作成

3・知識

　人間の脳には意味に関する記憶，つまり意味的な知識が保存されている．人間の意味的な知識をモデル化したものの1つに，活性化拡散モデルがある[7]．この

---

*3　チャンク
　情報のまとまりの単位である．NHKが日本のテレビ局であることを知っている人にとって，NHKという文字は1チャンクであるが，知らない人にとっては3チャンクである．

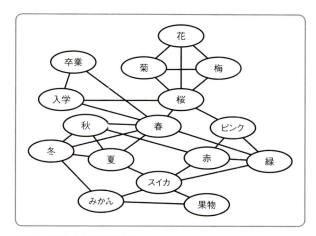

図7 活性化拡散モデル

モデルは，概念や概念がもつ特徴(属性)が意味的な関連性に基づいて配置されていると仮定する(図7)．

たとえば，桜という概念は，梅という概念やピンクという属性と意味的に関連が強いため，桜は梅およびピンクと直接的につながっている．一方で，果物という概念は桜との意味的な関連性が弱いため，直接的にはつながっていない．このモデルの重要な特徴として，ある概念が活性化すると，その活性化が隣接した概念や属性の活性化を高めるという点があげられる．

たとえば，桜という単語を見ると，桜という概念が活性化し，隣接した梅やピンクという概念および属性にも活性化が伝わる．この活性化の拡散という考えは，意味プライミング効果をうまく説明することができる．たとえば，桜を見た後に「う□」という文字を見て，空欄に何が入るかを埋める課題を想像してみる．おそらく多くの人は「うし」や「うみ」などではなく，「うめ」と答えるはずである．このようなプライミング効果が生じるのは，事前に桜を見ることによって，その概念が活性化し，活性化が隣接した梅という概念の活性化を生じさせ，梅という単語の利用可能性が高まるためであると考えられる．

4 ● 思考と推論
①問題解決の方略

私たちは，日常的にさまざまな問題解決の方略を用いている．代表的なものの1つはアルゴリズムとよばれるもので，これはある手順に従えば必ず問題が解決できるような手続きである．たとえば，ある出来事の生起確率を知るために，起こりうる出来事のすべてを列挙することはアルゴリズムである．

アルゴリズムを用いれば必ず正しい結果に到達することができるが，私たちは常にそれを用いているわけではない．というのも，アルゴリズムが不明だったり，アルゴリズムを適用することに多大なコストを伴ったりすることがあるからである．このため，日常生活ではヒューリスティックとよばれる経験則に基づいた簡便な問題解決法を用いることが多い．ヒューリスティックとは，必ず正解に到達することが保証されているわけではないが，おおむね成功する方略である．ヒュー

用語解説

*4 意味プライミング

医師という単語を見たあとに看護師という単語の認知が促進されるように，先行刺激の意味情報が後続刺激の意味処理を促進することである．

リスティックにはすばやく判断を行えるという特徴があるため，日常生活で用いられることが多い．

　ヒューリスティックはおおむねうまくいくことが多いが，ときとして間違ってしまうことがある．たとえば，その1つとして代表性ヒューリスティックがある[8]．これは，自分の知識と一致した典型的な事例の生起確率を過大に評価してしまう現象である．たとえば，さいころを3回投げたときに「2・5・3」が出た場合と「6・6・6」が出た場合を考えてみる．確率的にはどちらも216分の1である．しかし，前者のほうが典型的なランダムの印象に近いため，多くの人は前者の生起確率を高く判断してしまう．ヒューリスティックのバイアスにはほかにも，思い出しやすい情報の生起確率が高く評価される利用可能性ヒューリスティック[*5]などがある．

②演繹的推論と帰納的推論

　推論とは，与えられている情報に基づいて，それ以上のことを想起することである．推論は2種類に大別することができる．1つは演繹的推論である．これは，前提となる知識から論理的に帰結を導くものであり，前提が正しければ常に正しい結論を導くことができる．たとえば，「すべての動物は死ぬ（大前提）」，「人間は動物である（小前提）」という前提から，「人間は死ぬ（結論）」という結論を導くのは演繹的推論である（定言三段論法）．演繹的推論のバイアスを調べるための代表的な課題に，**ウェイソン Wason, P.**の「4枚カード」問題がある[9]．

　図8のように，アルファベットまたは数字が書かれた4枚のカードがあるとする．このとき，片面が母音であるならば，もう片面は偶数であるという規則が成立しているかどうかを調べたいとする．どのカードをめくればよいだろうか．正解は，「片面が母音であるカード」と「片面が奇数であるカード」を調べることであるが，多くの人は「片面が偶数であるカード」を選択してしまう．これは，仮説が成立しない可能性を調べるよりも，仮説が成立する可能性に人間が注目しやすいからである（確証バイアス）．

　4枚カード問題は，ある人がビールを飲んでいるのであれば，その人は20歳以上でなければならないといったように問題文を具体的にすると正答率が高くなる（主題内容効果）[10]．このことは，人間は必ずしも厳密な論理規則に従って推論を行っているわけではないことを示している．

　もう1つの推論は帰納的推論とよばれ，個別的な事例に基づいて一般的な法則

> **用語解説**
>
> **＊5　利用可能性ヒューリスティック**
> 　たとえば，航空事故のニュースをみたりすると，車よりも航空機のほうが危険であると判断してしまいやすい．

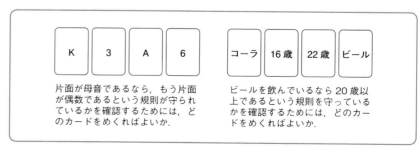

図8　4枚カード問題
文献9）10）を参考に作成

を導くものである．たとえば，ある子どもが何人かの友人が新しいゲームを買ってもらったのを見て，「みんな新しいゲームをもっている」というように，一般的な結論を考えるのが帰納的推論である．この例からも明らかなように，帰納的推論は一部の事例に基づく一般化であるため，推論の内容が常に正しいという保証はない．帰納的推論は，判断のための事例を収集する段階（事例収集），事例を一般化して仮説を形成する段階（仮説形成），形成した仮説を確かめる段階（仮説検証）の3段階から構成される．先ほどの子どもの例は仮説形成の段階で生じる過剰一般化である．

③意思決定

今日の夕食をどうするか，将来の職業として何を選ぶかなど，簡単なものから難しいものまで，さまざまな意思決定を行っている．意思決定の背後には確率的な判断があるが，確率的な判断は常に正確とは限らない．たとえば，コインを投げて3回表が連続した後に，もう一度コインを投げることを想定する．4回目にコインの表がでる確率はこれまでの内容とは無関係であるため，表が出る確率は50%と考えるのが正解である．しかし，3回連続で表が出ているため，多くの人は裏が出やすいと考えてしまう．このように過去の結果によって現在の確率判断が歪められることをギャンブラーの錯誤という．

人間の意思決定は必ずしも合理的なものとは限らず，現在の状況から得をするか損をするかによっても異なる[11]．たとえば，必ず3000ポンドが貰える場合と80%の確率で4000ポンドが貰える場合では，後者の期待値が高いにもかかわらず，多くの人は前者を選択した．一方で，常に3000ポンドを損する場合と80%の確率で4000ポンドを損する場合では，損をする期待値が高いにもかかわらず，多くの人は後者を選んだ．利得が生じる場合，人間は不確実性を避ける傾向（リスク回避）があり，損が生じる場合，人間は不確実性を好む傾向（リスク追求）がある．このような人間の特性を考慮した意思決定の理論としてプロスペクト理論が提案されている．

2 人の認知・思考の障害

1 ●注意の障害

脳損傷によって，注意の障害が生じることがある．その症状は多様であり，注意を集中し続けることが困難な持続性注意の障害，必要な刺激のみに注意を向けることが困難な選択的注意の障害，複数の刺激に注意を同時に分配することが困難になる注意の分配の障害などがある．

また，頭頂葉（とくに右の頭頂葉）の損傷によって，空間的な注意の移動が損なわれることがある（半側空間無視）．半側空間無視の患者は，損傷した脳部位とは反対の視野に注意を向けることができず，視野の半分が存在しないかのようにふるまう．たとえば，絵を模写することを求めると絵の半分のみを模写してしまい（図9），水平線分中央に印をつけるように求められると，線分の半分があたかも存在しないかのように，4分の1の部分（右半分の中央）に印をつけてしまう．

図9　半側空間無視の患者が模写した絵
〔稲川利光編：失認．リハビリテーションビジュアルブック．第2版（落合慈之監），p378．学研メディカル秀潤社，2016〕

2 ● 記憶の障害

　事故や病気などで脳を損傷することにより，記憶の障害が生起することがある．脳損傷による記憶の障害は時間的な点から大きく2つに分類できる．1つは前向性健忘とよばれるもので，新しいことがらを記憶できなくなる障害である．もう1つは逆向性健忘とよばれるもので，過去に経験した内容を思い出すことができなくなる障害である．

　記憶障害の有名な事例として，H.M.の症例がある．H.M.はてんかんの治療のために，海馬や扁桃体などの側頭葉内側部の一部を切除された．その結果，彼は新しい記憶を覚えることができなくなり，過去の出来事の一部を思い出すこともできなくなった．また，記憶障害が生じる代表的な疾患として，コルサコフ症候群がある．この疾患では，主にアルコールの多量摂取によって間脳に変性が生じ，前向性健忘・逆向性健忘に加えて，失見当識[*6]や作話などの障害が生じる．

＊6　失見当識
　季節や年月，時刻，場所，人物などがわからなくなってしまうこと．認知症の中核症状の1つでもある．

■ 引用・参考文献

1) Broadbent DE：Perception and communication. Pergamon Press, 1958
2) Treisman AM：Contextual cues in selective listening. Quarterly Journal of Experimental Psychology 12（4）：242-248, 1960
3) Deutsch JA et al：Attention: Some theoretical considerations. Psychological Review 70：80-90, 1963
4) Takano Y et al：Interlanguage dissimilarity enhances the decline of thinking ability during foreign language processing. Language Learning 45（4）：657-681, 1995
5) Atkinson RC et al：Human memory—A proposed system and its control processes. The Psychology of Learning and Motivation Vol.2（Spence KW et al），p89-195, Academic Press, 1968
6) Squire LR et al：The medial temporal lobe memory system. Science 253：1380-1386, 1991
7) Collins AM et al：A Spreading-activation theory of semantic processing. Psychological Review 82（6）：407-428, 1975
8) Tversky A et al：Judgment under uncertainty—Heuristics and biases. Science 185：1124-1131, 1974
9) Wason PC：Reasoning. New Horizons in Psychology（Foss BM），p135-151, Penguin, 1966
10) Griggs RA et al：The elusive thematic-materials effect in Wason's selection task. British Journal of Psychology 73（3）：407-420, 1982
11) Kahneman D et al：Prospect theory: An analysis of decision under risk. Econometrica 47：263-292, 1979

9章 学習および言語の心理学

1 経験をとおして人の行動が変化する過程

この章で学ぶこと
- 経験をとおして人の行動が変化する過程
- 言語習得の機序

1 行動主義と「学習」

　学習と聞くと，学校の教科の勉強のイメージが強いかもしれない．しかし，心理学では，学習を「経験による比較的永続的な行動の変容」と定義する．学習は広い概念であり，人生はほぼすべてが学習の積み重ねであるといえる．さらには，行動はヒト固有のものではなく，ほとんどの動物が学習を示す．たとえば，同じ刺激入力を繰り返すと徐々に反応が弱まる馴化[*1]も学習の一種であるが，これは脳をもたない無脊椎動物にも起こり，学習の生物学的基礎の研究材料となっている．

　外からみえない「心」自体は検討の対象とせず，客観的な観察で記述できる関係性に注意を向ける行動主義の心理学は，外部からの刺激（S：stimulus）によって生体の反応（R：response）が変容することを扱う学習の研究との相性がよい．ここから，ヒトを含む動物に広く連続する行動やその変容の原理が導かれ，また，種のあいだの異同に着目する比較心理学とのつながりも深い．もちろん，ヒトの高度な学びも，基礎的な側面はこの延長線上にある．一方で，「頭」のなかでの情報処理の解明を目指す認知心理学は，記憶の過程のモデル化を進め，行動主義とは異なる立場からの学習研究を行っている（➡ p.146 第8章2節参照）．

用語解説

[*1] 馴化
　たとえば音が鳴った方向を振り向く反応は，同じ音を繰り返すと生じなくなる．しかし，別の音を鳴らせばまた反応が起こる（脱馴化）ことから，反応がなくなるのは，身体的疲労のみが理由ではないことがわかる．

2 レスポンデント条件づけ（古典的条件づけ）

1 パヴロフの犬

　学習研究では，経験によって刺激-反応（S-R），あるいは刺激-刺激（S-S）が結びつく連合の成立や変容に関心をおくことが多く，連合学習と総称される．その1つに，レスポンデント条件づけ[*2]がある．これはパヴロフ Pavlov, I. による「パヴロフの犬」の実験（図1）でよく知られているので，これを例にして，今日の考え方を説明する（図2）．

　イヌにエサを呈示すると，唾液が出る．このS-Rの関係は生得的にもっていて無条件に起こる反射であり，エサは無条件刺激（US：unconditioned stimulus），唾液の分泌は無条件反応（UR：unconditioned response）と表現される．ここで，エサをベルの音と同時に呈示することを繰り返す．すると，ベルの音のみを呈示した場合にも唾液が出るようになる．このような，ある刺激に対する反射として起こる反応が，連合した別の刺激でも起きるようになる学習が「レスポンデン

用語解説

[*2] レスポンデント条件づけ
　レスポンデントは「反応（する）」という意味である．条件づけ研究で古くから基礎に置かれたことから，古典的条件づけともよばれる．

➡ パヴロフ p.63参照

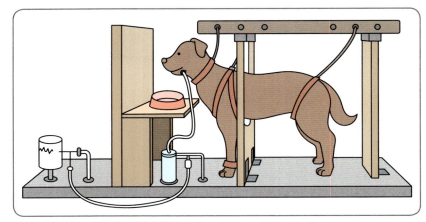

図1 パヴロフの条件反射理論
空腹の状態で,肉粉(エサ)を目前に呈示し,それと同時にベルの音(中性刺激)を呈示することを続けると,ベルの音を聞くだけで唾液が分泌されるようになる.

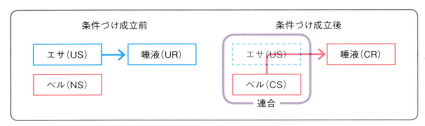

図2 レスポンデント条件づけのイメージ

ト条件づけ」である.実験開始前は,ベルの音はその反応を起こさない中性刺激(NS:neutral stimulus)であったが,学習によって条件刺激(CS:conditioned stimulus)と条件反応(CR:conditioned response)というS-Rの関係に変わったことになる.

　ベルの音に対して唾液が出るというCRは,CSであるベルの音のみを鳴らすことを繰り返すうちにだんだんと弱くなり,やがて唾液は出なくなる.これを「消去」とよぶ.ただし,完全に反応がなくなってからしばらくの期間をおくと,CSに対して条件反応がやや出るようになる,「自発的回復」という現象がみられる.

　学習が成立すれば,やや音色が異なるベルの音に対しても,ある程度の唾液分泌が生じる.これを「般化」という.般化の大きさは,CSとの類似度に対応する.ただし,特定のベルの音でのみエサを対呈示し,別のベルの音とはしないようにしていけば,対呈示しなかったほうの音にはCRがまったく生じなくなる.つまり,類似した刺激には反応しなくなり,これを「弁別」とよぶ.ただし,CSときわめて類似した刺激を用いて弁別の訓練をした場合,反応が生じなくなるとともに異常な行動が生じることがあり,パヴロフはこれを実験神経症とよんだ.

2 ● 応用範囲

　レスポンデント条件づけは,合わせて起こる物事を予測して行動を効率化することにつながっている.本稿では詳述しないが,意識や行動の数理モデル化を探

究する数理心理学という立場があり，そこではこの効率化の過程の表現として，レスコーラ＝ワグナー（Rescorla-Wagner）・モデル*3やコンパレータ仮説*4が提案され，さらなる改良もはかられている．

レスポンデント条件づけは比較的低次の学習とされるが，応用範囲は広い．快の反応を生じさせる音楽や，美男美女とともに商品や社名を呈示する広告手法は，快をCRとする条件づけを起こす．心理臨床では，持続的エクスポージャーや系統的脱感作法（➡ p.564 第26章1節参照）による恐怖症の治療のほか，夜尿症，性機能障害，嗜癖行動などの改善に役立てられている．

3 オペラント条件づけ

1●強化・弱化と正・負

反射や条件反応は特定の刺激に従って起こるが，多様な行動の多くはそれとは別の自発されるものである．**スキナー Skinner, B. F.** はそういった行動をオペラント行動とよび，これに関する条件づけであるオペラント条件づけの法則性を体系化し，行動の予測と制御を目指す行動分析学を創始した．

古典的な研究としては，教育心理学の父ともよばれる**ソーンダイク Thorndike, E. L.** による「問題箱」実験がある（図3）．ソーンダイクは，レバーを踏むと扉が開くようになっている箱にネコを入れ，箱の前にエサを置き，ネコの行動を観察した．ネコを箱に入れることを繰り返すと，初めのうちはレバーを踏むまでに時間がかかり，たまたま踏んでようやく出られて外にあるエサにたどり着くが，だんだんとすぐに踏みに行って脱出するようになっていく．レバーを踏む行動は反射ではなくオペラント行動であり，繰り返して次第に学習されるという，試行錯誤学習の実験として知られる．

この例は，レバーを踏む行動を起こりやすくする学習である．このようにして特定の行動の生起頻度を増やすことが強化であり，外へ出てエサを食べられるというような，強化をもたらす事象を「強化子」（または「報酬」）とよぶ．

今日のオペラント条件づけの基礎研究（実験的行動分析）では，ラットやハトを被験体として，スキナー箱とよばれる装置で実験を行うことが多く，ペレット状のエサを強化子として用いると簡便で有効である（図4）．逆に，動物実験ではしばしば電気ショックを用いるが，随伴させることでその行動の生起頻度を減らすような事象は「弱化子」とよばれ，これにより生起頻度を減らすことが弱化である．また，強化・弱化とも，環境中に事象が加わることで起こる場合と，それまでには得られていた事象が失われることで起こる場合とを，正・負で区別してよび分ける（表1）．

用語解説

*3 レスコーラ＝ワグナー・モデル

試行ごとの学習量を，被験体からみたUSの意外性と，CSの目立ちやすさとの積としてとらえる考え方．

用語解説

*4 コンパレータ仮説

学習よりもむしろCRの出力に注目し，このときのCSとUSとの連合と，そのCSと連合しているほかのあらゆる刺激からの影響との競合からCRの強度が得られるとする説．

➡スキナー p.64参照

図3 ソーンダイクの「問題箱」[1]

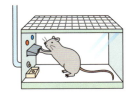

図4 スキナー箱の例

■ 表1 強化・弱化と正・負の対応関係

	行動が増加	行動が減少
事象が加わる	正の強化	正の弱化
事象がなくなる	負の強化	負の弱化

2 ● 般化，弁別，消去

オペラント条件づけにも，般化，弁別，消去がある．

ある場面で強化された行動が，類似した別の場面でも起こりやすくなるのが般化である．ある人に「おはよう」と挨拶してほめられたことで，別の人に会ったときも同じ挨拶をするようになるのは，般化といえる．

また，「おはよう」が朝方ならほめられて，夕方にはほめられないとしたら，朝方にだけ「おはよう」と言う頻度が高まる．このように先立つ場面（弁別刺激）によって起こりやすい行動の種類が制御されるようになるのが弁別である．

一方，海外に引っ越して，日本語の「おはよう」では誰にもほめられなくなったら，次第に言わなくなるだろう．これは消去にあたる．ただし，強化子が得られなくなってもすぐに行動が減るわけではなく，まずは一時的に反応が強く出る消去バーストという行動がみられる．たとえば，私たちは自動販売機のボタンを押すと目当ての商品が得られると学習しているので，押しても何も出てこない場合，機械が故障している可能性があるにもかかわらず，しばらくボタンを連打したり叩いたりする行為がそれにあたる．

3 ● 全強化と部分強化

ある行動に常に強化子が随伴するのを「全強化」，随伴したりしなかったりするのを「部分強化」とよぶ．

部分強化では，強化子が随伴するタイミングの決め方である強化スケジュールによって，その行動の起こり方が変わる．また，部分強化による学習は全強化に比べて遅いが，強化子が得られなくなっても消去が起こりにくく，生起頻度が保たれる．たまたま勝つ経験をするうちにギャンブルから抜け出せなくなる一因がこれである．

4　効率的な学習

生物の行動は進化の過程を経て合理的に整えられてきた．生得的に備わっている本能的行動[*5]だけでなく，条件づけも生存を有利にするよう効率よく機能する．

ブザー音の少し後に電気ショックを与える対呈示を繰り返すと，URである恐怖反応がブザー音に対しても起こるようになるレスポンデント条件づけが生じる（恐怖条件づけ）．恐怖場面に対しては本能的に逃避行動が起こることから，実験スペースを2区画に分けて，電気ショックをブザーが鳴ったときにいるほうの区画に流すようにすると，まずは電気ショックの直後にもう一方の区画に逃げる行動が獲得され（逃避学習），実験を続けると，ブザー音の直後に逃げる行動が，負の強化によって獲得される（回避学習）．

ところが，ある味覚の溶液を飲んだ後に電気ショックを与えても，ブザー音ほどには条件づけが起こりにくい．しかし，溶液の摂取後に注射で毒物を投与して体調不良を生じさせると，その味覚の溶液を避けるようになる学習（味覚嫌悪学習）がすばやく成立する．食や飲水が体調の変動とは連合しやすく，体表面の急

用語解説

*5　本能的行動
　なわばり，巣作り，抱卵などの定型的な行動は，単純な反射とは区別して，本能的行動とよばれる．内外の状況に刺激されて一連の行動を展開させる．生得的解発機構という生物学的メカニズムで生起を説明することが多い．

な痛みとは連合しにくいということは，条件づけが単なる機械的な結びつけではなく，必然性が高い組み合わせほど優先するような学習メカニズムであることを示唆している．

ほかにも，次項で紹介する刷り込みのような，誕生後すぐのあいだのみみられる初期学習も，ごく限られた時期にすばやく学習が成立する，特殊な学習メカニズムによると考えられている．

一方で，回数を重ねずに成立する学習は，認知の働きに支えられていることもある．ヒトや類人猿では，試行錯誤を経て行動が徐々に変化するのではなく，あるときに頭のなかで新しい行動を思いつき（洞察），以降はすぐに同じ行動ができるようになる洞察学習がみられる．

また，げっ歯類の実験で，ゴールにエサを置いて強化すると，迷路を抜ける時間が短くなっていくが，エサを置かない試行をしばらく繰り返してからエサを置くようにすると，抜ける時間は最初からエサがあった条件にすばやく追いつく．強化されていないあいだにも頭のなかに迷路の認知地図が「学習」されていたと考えられ，これを潜在学習とよぶ．

5 応用行動分析

1 • 行動の変容・維持

オペラント条件づけの理論を，ヒトを含む各種の動物の行動の制御に応用するのが，応用行動分析（ABA：applied behavior analysis）である．三項随伴性とよばれる弁別刺激 - オペラント行動 - 結果という3つの対応関係（図5）をとらえて，弁別刺激に対応させて強化や弱化の随伴性を操作することで，行動の変容や維持をはかる．これはペットのしつけや家畜の管理にも有用である．教育分野でも学習内容を細分化し，手がかりを調整することで正答を得て行動を強化していくプログラム学習が開発されている．また，人間の好ましくない行動を制御する行動療法的なアプローチにも活用されており，ABAというととくにこの行動療法的アプローチをさすことも多い．

図5 三項随伴性
3つの対応関係の把握を，各々の頭文字をとってABC分析とよぶ．

2 • 知的障害や発達障害の支援

ABAは，自傷，問題飲酒，慢性疼痛，強迫症の繰り返される行為，過食症の排出行動など，本人もなくしたいと思っているはずのさまざまな不適応行動が維持されてしまう場合に，そのメカニズムを，外からみることができない「心」の

用語解説

＊6 問題飲酒
アルコール使用障害を典型とする，自身の健康や社会生活を害するおそれのある飲酒傾向である．簡便にとらえる質問紙としてAUDIT（alcohol use disorders identification test，アルコール使用障害のスクリーニングテスト）がある．

なかを考えずに把握することができ，介入の糸口をつかむことが可能である．また，行動主義に徹する視点は，言語的対話をとおして「心」のなかへ迫ろうとする一般的な心理臨床の技法が成立しにくい対象者にも，合理的に行動変容を導き出せることから，知的障害や発達障害の支援の現場で人気が高い．

ただし，不適切な行動をなくすためとはいっても，弱化（罰）の使用には注意を要する．弱化子は苦痛を生じることが多く，倫理的に難点があるほか，逃避や攻撃など別の望ましくない行動をまねいたり，弱化が般化して行動を起こすこと自体が失われる（学習性無力感）危険がある．むしろ，なくしたい行動と同等の機能をもつ別の行動のみを強化する代替行動分化強化などの工夫が有効である．

たとえば，奇声を上げて振り向かせる行動には反応せず，適切なよびかけ行動に対して強化をするのである．また，シールを10枚集めると好きなゲームをさせてもらえるなど，こまめに随伴させて即時強化しやすい強化子であるトークン（代理貨幣ともよばれる報酬）の使用も有用である．

3 ● 子どものしつけや日常的な行動習慣の調整

ABAは，臨床的介入を要するレベルの問題行動の制御だけでなく，子どものしつけや，日常的な行動習慣の調整にも役立てることができる．繰り返しては自他を困らせる行動は，しばしば強化されることで維持されているため，その随伴性を変えることで解決がはかれる．

ただし，オペラント条件づけでは行動しか強化・弱化できないことには注意を要する．何がここでいう行動であるかを判断する簡明な基準として，「死人テスト」が知られている．これは，死んだ人にもできるなら行動ではない，と考えるものである．すると，**表2**のようなものごとは直接には強化・弱化できないとわかる．このようなものごとは，同時に起こりやすい行動を強化して誘導したり，同時にはできない行動を強化して拮抗させたりして制御する．

■ 表2　「死人テスト」からわかる，行動ではないものの例

受け身	体を動かされる，連れていかれる
状態	だまっている，横になっている
否定形	寝ない，食べない，友だちをたたかない

（小笠原恵ほか：発達の気になる子の「困った」を「できる」に変えるABAトレーニング，p.34, ナツメ社，2019, p.34を参考に作成）

6　観察学習（モデリング）

1 ● 代理強化

学習は，自分で経験した行動だけに起こるとは限らない．とくにヒトの場合，他者の行動を観察することをとおしても，その行動についての学習が容易に成立する．これによって，誰かが獲得した行動をすばやく社会のなかで共有できたり，弱化が表れる前に死にいたるような危険な行動の生起を未然に防ぐことができる．

バンデューラ Bandura, A. は，大人がバルーン人形に暴力を振るう映像を幼児

▲バンデューラ，アルバート
（1925-）
アメリカの心理学者．自己効力感やモデリングなどの研究を行い，人間の認知的側面や心的内容が行動をコントロールすることなどを実験的に明らかとした．
（写真：Getty Images）

が見たあとに，同様の暴力的行動が模倣されることを実験によって示した．このような観察学習は，それまでのオペラント条件づけの考え方では説明できず，S-R の関係のあいだにある認知過程の重要性を明らかにした．また，映像中のモデルが行動の後にほめられるなどして強化されるようにみえる場面を観察すると，より模倣が増える(代理強化)．これらの知見は，たとえよい結末にいたるストーリーであったとしても，暴力が登場するテレビ番組やゲームなどが社会的に有害な面をもつことも意味している．

2 ● 社会的学習理論

バンデューラはこういった研究や認知心理学の考え方から，社会的学習理論を提唱した．その理論のなかで学習とは，注意，保持，運動再生，動機づけの4つの過程からなるとした．また，自分がこれからしたい行動を適切に行って成果を手にできるという認識や信念である自己効力感の役割を重視している．

社会的学習理論もまた，心理臨床への応用が可能である．認知行動療法の一種としても位置づけられるソーシャルスキルトレーニング(SST：social skills training)(➡ p.32 第1章5節，p.286 第14章2節，p.309 第15章3節参照)は，特定の社会的スキルを含む行動をモデルが演じるのをみて，まねてみるリハーサルを行い，適切ならほめるなどのフィードバックで強化していくもので，精神障害者の社会復帰支援などに用いられている．

7 運動学習

1 ● 結果の知識（KR：knowledge of results）

運動スキルも学習によって獲得し，高めることができる．箸を使って食べるのも自転車の運転も，ゴルフクラブでボールを打つのも，経験を積むことで正確にできるようになる．

ここでは，実際に生じた運動がどの程度意図どおりであったかを知覚して運動出力を調整していく知覚運動協応が重要である．ある長さの線分を手で描くという単純な課題も，目隠しで行うと困難である．ここで，線分長が一定基準内かどうかを教えるようにすれば，繰り返すうちに正確性が上がる．正誤のフィードバックが強化・弱化に当たると考えればオペラント条件づけとも考えられるが，描いた長さが目標とどのくらいずれているかを数値でフィードバックするようにすれば，さらに早く学習が進む．

このような，自分の動作がもたらした結果を具体的なかたちで示す情報は，結果の知識(KR)とよばれ，運動学習を成立させるうえで重要である．ただし，KR の使用が過剰であると常に KR 頼みの運動制御となってしまい，KR がなくなったあとには学習効果が保持されにくくなる．

2 ● 正の転移

運動学習では，ギターの練習を積んだ人はベースに持ち替えても上達が早いといった，ある学習経験が別の運動を促進する「正の転移」もよくみられる．左右ど

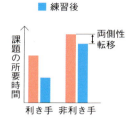

図6 両側性転移
利き手でのみ練習すると非利き手にも影響する.

ちらかの手で練習したことが，もう一方の手での動作に影響することは，とくに「両側性転移」とよばれる（図6）．なお，場合によっては，以前の似た学習が妨害的に働く負の転移もみられるが，正の転移に比べると弱く，まれである．

8　社会・文化・状況と学習

1 ・人間の「外」の関係に着目した学習論

どのような状況や社会的かかわりのなかで学習が立ち現れるかを，実際の社会的場面の分析からみようとする立場もある．

ヴィゴツキー Vygotsky, L. は，子どもが独力ではまだ手が届かないが大人が手伝うことでできるような活動を最近接発達領域としてとらえ，子どもの発達をうながすうえでのかかわりの重要性に焦点を当てた．また，伝統的な徒弟制では，弟子が体系的な教育を受けずとも，実践の共同体に周辺から加わりつつ育つことができる．これは正統的周辺参加とよばれ，近代的な学校教育とは異なる学習のあり方を表す．

こういった状況的学習論は，行動主義とは異なる視点で，人間の「外」の関係に着目した学習論であるといえよう．

とくに教育や学習の意図がない場面であっても，かかわった相手が気づかないうちに学習していくことが多い．文化は，いまでこそ意識的に教えて残そうとする動きが目立つものの，一般にはそのような伝わり方をとる．こうして獲得された文化は個々人の基礎的な認知特性や情動的反応まで左右することが，文化心理学[*7]の研究から明らかにされつつある．また，校風のような学校文化が結果的に代々伝わっていくメカニズムは，学校教育で明示的に定められているカリキュラムと対比させて，隠れカリキュラムともよばれる．

2 ・破壊的権利付与

児童虐待では，幼時に虐待被害に遭った者が後にわが子を虐待してしまう「虐待の連鎖」の問題がみられるが，その背景には，苦難を強いられて耐えてきた自分には，今度は加害を行う「権利」が認められるかのような無意識的な感覚の発生があるとされ，家族療法では破壊的権利付与とよばれている．部活動やサークル内の理不尽な後輩いじめも，被害に遭った世代が上に上がるたびに，「あんな苦しい思いを後輩にはさせたくない」ではなく，「自分たちもやられたのだから今度はやる番だ」と思ってしまうために，再生産される．

■ 引用・参考文献

1) Thorndike EL：Animal intelligence—An experimental study of the associative processes in animals. Psychological Review, Mongraph Supplements 2（4）：i-109, 1898

用語解説

*7　文化心理学
　文化が，認知や感情，態度，行動に与える影響を，比較文化的な手法で検討する心理学の一分野．近年は，文化の形成や変容の過程，進化心理学との協働にも関心が高まっている．

9章 学習および言語の心理学

2 言語習得の機序

1 ヒトと言語

言語は，ヒトが示す特徴的で優れた能力の1つである．ただし，鳴き声など，音響によるコミュニケーションはヒト以外の種にも広くみられる．イルカの仲間がヒトの可聴域をはるかに超える超音波でもコミュニケーションをとるように，ヒトにはまねできない能力も珍しくない．

しかし，ヒトが用いる音声言語[*1]を理解し操ることは，ほかのどんな種にも不可能であると考えられている．「ご飯だよ」と呼びかけると喜んでやってくるイヌやネコは，単にその音響パターンを弁別刺激とするオペラント条件づけが成立しているだけで，言語を理解してはいないだろう．これまで，音声言語をほかの種に獲得させようとした試みはすべて失敗しているのである．一方で，身振りや表情などの視覚情報も，ヒト以外の種のコミュニケーションでも用いられているが，聴覚障害者が用いているような手話は，ゴリラやチンパンジーでもある程度だが習得できた例がある．

言語学のうち，話者の社会的な属性や関係性に注目する社会言語学や，認知能力から表現や文法をとらえる認知言語学は心理学との関連が深い．また，心理学では言語にかかわる研究が多く，社会心理学では対人相互作用の側面を，認知心理学では理解過程の側面を扱ってきた．カウンセリングも本質的には言語行為である．ここでは，言語の学習や発達，ならびに言語による学習や発達を中心に取り上げる．

用語解説

*1 音声言語
発声器官からの発音によって用いられる言語で，文字による書記言語と異なり，世界中すべての民族にある．言語学では，音声はその構成要素である音素や韻律を扱う音韻論の研究対象であり，意味を有する最小限の単位である形態素を扱う形態論へとつながる．

2 言語獲得の過程

1・喃語から初語へ

新生児は泣き声しか出せないが，一般には1歳前後から意味のある発語が出るようになる(初語)．これに先立って機嫌のよいときに「あっあっ」「うー」など同じ母音を続けるクーイングから始まって，次第に子音が加わり，複数種の音節を組み合わせていくような喃語が発達をみせる．自分の発声器官の調整を学習していく過程だと考えられている．

親を含めた他者とのコミュニケーションは，初語より早く出現する．言語獲得においては，自己，相手，モノをつなぐ三項関係[*2]が重要である．生後9か月ごろから，自身が興味をもったモノや，親が興味を向けさせたいモノについて，親と子とのあいだで，指さしや視線で関心を共有しようとする共同注意が成立するようになる．ここで親が対象のモノの名前を対呈示することが多いため，言語音と意味との対応があることを学習する機会となるのである．

喃語をとおして形成した発声能力で，学習した言葉を発したときに，合っていると期待どおりの反応があったり，ほめられたりし，ずれていたらその場で正し

用語解説

*2 三項関係
自己と相手との関係を二項関係というが，ここにどちらにも属さないモノが入ると三項関係となる．他者理解やコミュニケーションの発達において重要な関係である．

い言葉を教えてもらえる．また，「これなーに？」「なにしてるの？」と直接尋ねるようになれば，わからないことのみを選択的に，即時に学ぶことができる．

2 ● 認知的制約の有用性

さらに，言葉とモノとの対応は，合理的な認知的制約をおくことで自然かつ効率的に学習されることがわかっている．既有知識にないモノに関して，部分ではなく全体を指していると考える（事物全体制約），あるモノの名前は別のモノとはかぶらない（相互排他性制約），いまそこにあるモノだけではなく同様のカテゴリーを指している（カテゴリ制約）といったものである．

図1のような実験からも，認知的制約の有用性がとらえられる．これらが，2歳前から語彙獲得が急速に進むいわゆる語彙爆発の時期を支えることになる．

図1　認知的制約の有用性
存在しない言葉も制約から合理的に「理解」できる．

3 ● 文法獲得

幼児の発話は，「だっこ」「ワンワン」といった1語のみを用いる一語期から，「おかしたべる」「ママいない」と2語を並べる二語期を経て，目的語や助詞を組み合わせていく多語期へと発達が進み，文法能力が現れていく．有限の規則から無限に文を生成し理解する言語能力を説明する生成文法の理論を唱えた言語学者の**チョムスキー Chomsky, N. A.**は，人類がもつ言語は多様であるものの，その核となるような普遍文法が生得的に存在し，周囲からの言語入力からスムーズに法則性を整理できる言語獲得装置（LAD：language acquisition device）があると考えた．一方，共同注意の研究でも知られる教育心理学者の**ブルーナー Bruner, J. S.**は大人が子どもと行う言語コミュニケーションは大人どうしのそれとは質的に異なり，言語獲得を容易にする特徴があるとして，このかかわり方を言語獲得支援システム（LASS：language acquisition support system）としてとらえた．子どもはLASSのなかで，自己，過去，世界，空想を因果的に筋道立てて語るナラティブを発達させていく．

3　子どものことばの問題

言語獲得のペースには大きな個人差があり，育児書に書かれている年齢のとお

りにはなかなか進まない．また，育児書にもそのとおりでなくても心配しすぎないようにと書かれている．しかし，声かけへの反応や意味のある発声が出にくいままの場合は，難聴などの聴覚障害により周囲の言語音の聞き取りが不十分であったり，自閉症などの発達障害により他者とのかかわりに関心が生じなかったりしている可能性もあるので，注意が必要である．詳細は，聴覚障害に関しては8章1節(➡ p.144)，発達障害に関しては13章4節(➡ p.264)を参照されたい．

言語の獲得自体は順調でも，吃音(症)など，スムーズな発語が難しい場合もある．吃音には出だしの音が繰り返されたり(連発)，音を伸ばしたり(伸発)，出だしがなかなか出ない(難発)といった症状がみられる．検査には，童話「ジャックと豆の木」の朗読課題がよく用いられる．

場面緘黙(選択性緘黙)は，社会的場面によって発話ができるかどうかが明瞭に分かれる状態である．たとえば，自宅では普通に家族と会話しているのに，学校ではまったく話さなくなってしまう．

また，子どもによくみられるチック症は，突発的な不随意的行動が頻発するもので，顔をしかめたり瞬目[*3]を繰り返したりといった運動チックと，場面と無関係な不適切な発声や発語が生じる音声チックとに分けられる．音声チックは咳払いや舌打ち，ため息，暴言が多くみられ，悪意にとられて対人トラブルや社会的孤立をもたらしやすい．

吃音(症)，場面緘黙，チック症は，いずれも具体的な原因が特定されておらず，発達とともに自然に軽快することも多い．しかし，対人スキルや有能感を伸ばす機会を失わないよう，早期からの介入を行うことが望ましい．

4 言語に関する障害

1 ● 発達性ディスレクシア

言葉に関する問題のなかには，永続的で解消が困難な障害もある．発達性ディスレクシア(読字障害)は，言語獲得自体は問題がなく，不自由なく会話ができるが，書記言語の獲得や運用に困難を示す．学習障害の一種とされ，ニーズに応じて特別支援教育の対象となる．

2 ● 失語症

脳卒中などで言語機能をつかさどる言語野を損傷すると，いったん獲得された言語能力を失う失語症が生じる．前頭葉にある運動性言語中枢を損傷すると，聞いて理解でき口も動くが，話すことができないブローカ(Broca)失語になる．また，側頭葉にある感覚性言語中枢を損傷すると，聴力は正常で話しもするが聞いて理解することが伴わないウェルニッケ(Wernicke)失語になる．

5 第二言語

1 ● 獲得の臨界期と敏感期

英語の勉強で苦戦した人は多いだろう．現在は小学校3年から「外国語活動」が

用語解説

*3 瞬目
瞬目(まばたき)は，突然の光や音への反応(反射性)，意図的な動作(随意性)のほか，どちらにも当てはまらないもの(自発性)としても起こる．自発性瞬目は，注意の切り替えや心身の疲労とも関係する．

始まるが，もっと幼い頃から始めれば簡単に身についたはずなのにと思う人も多いだろう．

発達早期の限られた時期までにすばやく成立し，この臨界期を過ぎると修正や新たな獲得が困難になるような特殊な学習が存在する．比較行動学では刷り込み[*4]とよばれており，水鳥の仲間で，ふ化直後に見た動くものの後を追うようになる現象がよく知られている．通常は親鳥の後を追い続けるが，親鳥が選ばれるのは「本能」ではなく学習なのである．人間ではたとえば，楽音に対してその音名または階名が知覚される絶対音感は，音楽心理学の知見によれば，幼児期に獲得できたかどうかで生涯固定されるとされている．

第二言語の獲得に，そのような臨界期はあるだろうか．実証研究からは，明確な臨界期はうかがえない．ただし，比較的獲得が容易な時期はあり，敏感期と表現することがある．「l」と「r」の区別がつかないままの人がいるように，発音の聞き取りは早いほうがよく身につく．一方で，読解や説明などの言語活動は，母語で基礎的な理解力を形成してからでないと，混乱が生じやすいともされる．

2 • 外国語副作用

第二言語で会話しているあいだは，母語のときに比べて思考が妨げられ，知的判断に混乱や低下がみられやすい（外国語副作用）．不慣れな言語を扱うために認知資源を多く割くことで，ほかの認知処理に回せる余裕が少なくなるためと考えられている．ビジネスや外交などの真剣勝負で相手側の言語に合わせると，結論まで相手に譲るリスクを負うことになる．

6 言語，思考，記憶

1 • 内言と外言

言語は，声にして誰かに聞かせるだけのものではない．ものごとをじっくり考えるときに，自分の認知過程をとらえるメタ認知を同時に働かせて意識してみれば，言語を頭のなかで動かしていることが容易にわかるだろう．言語は思考の道具でもあるのである．

ピアジェ Piaget, J. は，子どもが集まって遊ぶなかでみられるような，他者とのやりとりに無関係な発話を集団的独語とよび，前操作期の自己中心性（➡ p.244 第13章1節参照）の表れとみなした．

一方，**ヴィゴツキー Vygotsky, L.** はこれを，思考が外言から内言へと移行する経過的な現象と考えた．外言は音声としてやりとりされることばで，子どもは周囲の外言を聞きとり，自分も使うことで獲得していくが，これを声に出さずに自分のなかだけで使えるようになったものが内言である．

また，内言は純粋な思考だけでなく，自分の行動を内的な対話によって調節する自己調整機能にもつながる．親などが指示や提案をしてくる外言を，自分で自分を導くためにも使い，当初は独語として出すが，後に内言として活用するようになる．

用語解説

*4 刷り込み
「刻印づけ」「インプリンティング」とも表現される．1973年にノーベル生理学・医学賞を得たローレンツ Lorenz, K. のハイイロガンの研究が有名である．

▲ピアジェ，ジャン
（1896-1980）
スイスの心理学者．子どもの思考や知能の発達プロセスの研究に取り組む．発生的認識論を提唱し，現代発達心理学に大きな影響を与えた．（写真：PPS通信社）

2 • 言語相対性仮説

思考が言語に基づくのであれば，言語の性質によって思考の性質も変わるという考え方がある．ウォーフ Whorf, B. L. などの言語学者は，言語が思考を規定するという言語相対性仮説を唱え，アメリカ先住民の言語の例[*5]を論じたり，人工言語による検討をねらった．今日では，文化心理学の実証研究をとおして，言語で思考が決まるというほどの力はないものの，一定の影響があることは認められている．

3 • 言語と記憶

言語知識の影響が明確に現れる認知活動として，記憶があげられる．図2の文字列は，左右とも同じ文字からなるが覚えやすさがまったく異なり，言語を使えることの有用性は明らかである．

 用語解説

＊5　アメリカ先住民の言語の例

ウォーフは，英語の「snow」で表現されるものが，イヌイットの言語では複数の語に分かれていることを指摘した．日本語の場合は，「稲」「米」「ご飯」が英語ではどれも「rice」となる例がわかりやすいだろう．

```
AHEAKGKNANKO   ⇄   GAKKENHANAKO
```

図2　言語化しやすいものは覚えやすい

一方で，記憶を言語に結びつけることで，記憶の質を落としてしまうことがある．たとえば顔を記憶し，どんな顔なのか，その特徴を言葉で表現する課題のあとでは，顔の再認判断成績が落ちる．言語遮蔽効果とよばれるこのような現象は，目撃証言の収集方法や信憑性の議論に注意を喚起するものである．

7　言語コミュニケーション

1 • 語用論

言語を使う人やその状況を対象にして言葉の働きを扱う分野が，語用論[*6]である．語用論では，会話の公準(ルール)として4種が知られている．過不足ない量で(量の公準)，真と思われる内容を(質の公準)，そのやりとりに関係があるものとして(関連性の公準)，相手にわかる方法で(様態の公準)話すことで，会話がスムーズに進行する．

一方で，会話の公準をあえて外れる発話は，「○○さんはいらっしゃいますか？」のような間接的要求，「君は天才だ」のような皮肉など，単語の意味の組み合わせ自体には含まれない意味を含意する言語行為として用いられる．この適切な理解には，心の理論が重要になる（➡p.66 第4章2節およびp.251 第13章2節参照）．

 用語解説

＊6　語用論

語を組み合わせる文法を扱う統語論，組み合わせ方から生じる意味を扱う意味論に比べて，言語学では新しい分野である．社会言語学との関連も深い．

2 • 学校と言語コード

学校の環境に特徴的な談話や言語コミュニケーションの様式が存在する．

学校の授業のなかでのやりとりである教室談話には，I (initiate：教師による発話の始動)，R (response：学習者による返答)，E (evaluate：教師による評価) の連鎖からなる IRE 構造が多数みられる．この教師による評価は feedback とい

う用語を用いられることもあり，IRFと示される．

また，学校におけることばの使い方は，家庭など私的な場面でのものとは質的に異なる．私的場面では自分たちの関係性が暗黙の前提になる直観的，属人的，省略的なものが少なくないが，学校場面では論理的，客観的，文法的であることが求められる．言語コード論では前者を制限コード，後者を精密コードとよび，言語運用が制限コードに偏った家庭や社会階層で育つと，学校での学びが不利になりやすいという．

8 書記言語とリテラシー

歴史学者の**アリエス** Ariès, P. は『〈子供〉の誕生』(杉山光信ほか訳，みすず書房，1980)を著し，今日のような意味での「子ども」の概念が近代の産物であることを明らかにした(**図3**)．近世までのヨーロッパでは，7歳程度までは動物のような扱いさえ受けた一方で，それを過ぎたら大人と同じ位置づけで労働へ加わったという．近代的な学校教育の普及が，今日でいう「大人」になる前に，働くのではなく学校での学びに注力する「子ども」期を生み出した．そして，その長い学びを必要とさせたのが，近代的な知識の増大や活版印刷技術によるその普及であったといえる．

音声言語が特段の学習努力なしに獲得できることに対して，文字で表現される書記言語はそのようにはいかず，教育が重要である．読み書きができることを識字とよび，15歳以上の人口において識字が達成できている割合が識字率である．識字率は初等教育の定着と密接に関連し，先進国ではほぼ100％だが，3割を切る国もある．

書記言語は，習得には努力を要するが，いったん身につけばすばやく自動的に読むことができるようになる．色のついた文字で別の色を表す単語を書いたものに対して文字の色を答える課題では，単語の意味は無視してよいにもかかわらず

図3 絵画にみる
「小さな大人」としての子ども
近世ヨーロッパの絵画にはしばしば「小さな大人」としての子どもが登場する．マイテンス(Mytens, J.)『ヴァン・デン・ケルクホーヴェン一家の肖像』(1652)．(画像：PPS通信社)

自動的に読んでしまい，色の回答に干渉する〔ストループ(Stroop)効果，図4〕ほどである．このような性質もあり，書記言語は大量の情報をすばやく取り入れるうえで適する．

一方で，文章理解は単に文字やつづりの暗記だけではできず，複雑なスキルを要する．文字で書かれた世界を適切に理解し扱う能力(リテラシー)を育てるためには長い年月がかかる．そのための「子ども」期といえるだろう．そこまでしてもなお，表面的な読み書きはできても，大人の社会生活で求められるレベルのリテラシーが整わない，機能的非識字の状態にとどまる人もいる．

図5は，実際の教科書の文章に基づく設問であるが，短く，難しい漢字もない文章中に正解が書かれているにもかかわらず，正答できない生徒が少なくないという．書記言語の世界を正しく読めるようになることは，意外に難しいのである．みなさんは今手にしているこのテキストは，正しく読めているだろうか．

> 仏教は東南アジア，東アジアに，キリスト教はヨーロッパ，南北アメリカ，オセアニアに，イスラム教は北アフリカ，西アジア，東南アジアに主に広がっている．
> オセアニアに広がっているのは（　　　　）である．
>
> A．ヒンドゥー教
> B．キリスト教
> C．イスラム教
> D．仏教
>
> | | A | B | C | D |
> |---|---|---|---|---|
> | 公立中学校 | 0% | 53% | 12% | 35% |
> | 都内進学校 | 0% | 64% | 18% | 18% |
>
> 中学校社会科教科書「新しい社会 地理」．p.36，東京書籍．

図5　中学生は教科書の文章を理解しているのか
(新井紀子：人工知能(AI)時代の学校の役割．月刊教職研修，527：5，2016)

■ 引用・参考文献
1) 小笠原恵ほか：発達の気になる子の「困った」を「できる」に変える ABA トレーニング，ナツメ社，2019
2) 新井紀子：人工知能(AI)時代の学校の役割．月刊教職研修，527：3-7，2016

みどり

図4　ストループ効果
ストループ Stroop, J.R. によって報告された．実際の色と文字の内容が一致する場合よりも，読み上げるのに時間がかかってしまう．

10章 感情および人格の心理学

1 感情に関する理論や感情喚起の機序

> **この章で学ぶこと**
> - 感情に関する理論，および感情が喚起される機序
> - 感情が行動に及ぼす影響
> - 人格の概念とその形成過程
> - 人格の類型と特性

1 感情の基礎

1 感情の定義，情動（emotion），気分（mood），感情（affect）

研究者によってさまざまに定義がなされている．一例をあげると，**オートニー** Ortony, A. らは，「感情とは，人が心的過程のなかで行うさまざまな情報処理のうちで，人，物，出来事，環境について行う評価的な反応である」と定義している．

心理学においては一般に，情動と気分，感情は意味合いを区別して用いられている．情動とは，明らかな原因があり，典型的には短時間（数秒間から数分間）持続し，生理的反応や特定の表出行動を生じるような強力な感情のことをさす．他方で，気分とは，明らかな原因のない漠然とした感情状態であり，長時間（数時間から数日）持続し，生理的反応などを強く生じることなく主観的経験の側面が主として体験され，快−不快や，興奮水準（覚醒）の次元で変化するもの，とされる．これらの情動と気分を総称する場合に，感情（affect）という語が用いられる．この他にも，英語ではfeeling，日本語では「情緒」などの語が関連して用いられる．本章では原則的に，「感情」を用いるが，生理的反応や表出的行動を伴うようなものを述べる際には「情動」と表記することもある．

2 感情の構成要素

フライダ Frijda, N. や**ラザルス** Lazarus, R. によると，感情は，行動するための準備状態を作り出す，複雑で多要素からなる事象である．感情には，少なくとも**表1**のような6つの構成要素がある．

これらの感情過程はまず，個人の置かれた特定の「人−状況関係」（環境）によって開始され，認知的な評価がなされる．その後に，主観的経験が生じ，その主観的経験に応じて，思考−行動傾向・内面的な身体的変化・顔の表情などが生じる，とされる．それらの反応に対して，「感情に対する反応」が引き起こされ，それ以前の要素にフィードバックがなされ，調整される．

2 感情の理論①：感情喚起の機序

感情表出にかかわる代表的な理論には，以下のようなものがある．

10章 感情および人格の心理学

■ 表1　感情の6つの構成要素

認知的評価	本人の置かれた現在の状況についての評価
主観的経験	経験を色づける感情状態あるいは気分
思考－行動傾向	特定のしかたで考えたり行動したりするように駆り立てる力
内面的な身体的変化	生理的反応，とくに心拍数や汗腺活動の変化など自律神経系が関与するもの
顔の表情	頬，唇，鼻，眉毛などを特定の配置へと動かすような筋肉の収縮
感情に対する反応	自分自身の感情や，その感情を引き起こした状況に関する制御，反応，対処

1 ● 感情の末梢説（末梢起源説，ジェームズ＝ランゲ説）

ジェームズ James, W.，ランゲ Lange, C. による，感情喚起の機序に関する古典的な理論の1つである．刺激・状況によって喚起された身体反応が，感情体験を引き起こすとする．ジェームズは，「悲しいから泣くのではない，泣くから悲しいのだ」と説明している．脳内では，対象を感覚皮質によって知覚すると，運動皮質にその情報が伝わり身体反応が生じる過程が想定されている．そのような身体の変化を体験することが感情体験である，ということになる（図1）．

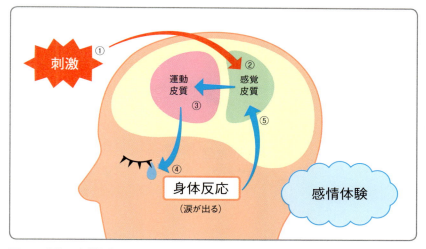

図1　感情の末梢起源説

▲ジェームズ，ウィリアム
（1842-1910）
アメリカの心理学者であり，哲学者でもある．また生理学の著作もある．神秘的宗教体験や精神病理についての研究も多く，多方面に影響を与えた人物の一人．哲学者のパースらとともに「プラグマティズム」の提唱者として有名．（写真：PPS通信社）

2 ● 感情の中枢説（中枢起源説，キャノン＝バード説）

キャノン Cannon, W.，バード Bard, P. による，感情喚起の機序に関する古典的な理論の1つである．脳中枢で生じるプロセスが末梢反応に先行するとする．ジェームズ＝ランゲ説に対して，「悲しいから泣く」と説明される．脳内では，外界からの刺激はまず視床に送られる．視床は大脳の感覚皮質に情報を送る一方，視床下部にも情報を送る．大脳に送られた情報・刺激のパターンによって感情体験の内容・種類が決定され，視床下部に送られた情報によって身体反応が生じることになる（図2）．

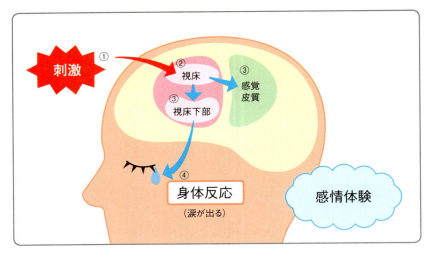

図2　感情の中枢起源説

3・感情の2要因説

シャクター Schachter, S., シンガー Singer, J. による，感情喚起の機序に関する理論である．感情は，生理的喚起が生じた後に，その身体反応を認知的にどのように評価・解釈（ラベリング）するのかによって定まる，すなわち，生理的な変化と，原因帰属の2側面から構成される，とする説である（図3）．

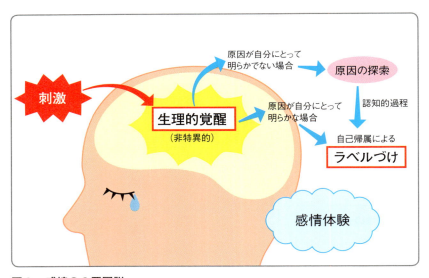

図3　感情の2要因説

4・顔面（表情）フィードバック仮説

トムキンス Tomkins, S. やエクマン Ekman, P. によって提唱されている．顔の表情筋は感情の種類に応じて分化しており，現在生じている事態をすばやく脳にフィードバックすることができ，そのことが感情体験に影響を与える，とした．ジェームズ＝ランゲ説に近いといえる．

5 • 感情の認知説（認知評価理論）

　アーノルド Arnold, M. は，感情の認知説，すなわち，刺激と反応の間には認知的評価(cognitive appraisal)が介在する，とする説を提唱している．アーノルドのいう認知的評価とは，刺激の「良い-悪い」判断のことであり，それに基づいて，良い刺激には接近し，悪い刺激からは回避する行動傾向が導かれることになる．それらの行動傾向を引き起こす動機づけが意識されると，それが感情体験になる，という．

　ラザルス Lazarus, R. も同様に，認知・評価を重視するモデルを提唱している．

6 • 認知的評価と感情は独立している

　上記の認知説に対して，ザイアンス Zajonc, R. は，認知的評価と感情は独立しているとする論を展開している．その根拠に単純接触効果(mere exposure effect)をあげている．単純接触効果とは，初めて接する新奇な対象に繰り返し接触すると，その対象への好意度が上昇するといった現象のことであるが，この効果は，刺激が閾下呈示される場合(意識されない場合)でも生じることから，刺激に対する認知的な(意識的な)評価は必ずしも感情体験(好き)に必要ではないことになる．このように，認知的評価を重視する感情の認知説とは対立するものであり，ラザルス-ザイアンス論争を引き起こした．

7 • 感情の社会構成主義説

　感情を生物学的実体と考えず，個別の感情は文化によって構築されると主張する説である．感情は，個々の社会・文化に固有の思考法，経験，情動表出法に基づいて獲得され，状況についての個人の認知的評価や，ある文化における人間関係の目標，人間関係のあり方，あるいは社会的規範などによって形成されること，すなわち社会・文化的に規定される(社会的に構成される)，とされている．

8 • 感情の精神力動理論

　フロイト Freud, S. は，リビドーとよばれる心的エネルギー（➡ p.544 第25章参照）が，さまざまな感情を生み出し，それらの感情から自我が自らを守るための防衛機制の1つとして，不快な感情を抑圧するという無意識的な働きを重視した．また，この抑圧された感情や欲動が身体的症状となったり，他者に投影されてさまざまな問題を起こす場合があるとした．

3　感情の理論②：基本感情説と次元説

1 • 基本感情説（基本感情論）

　イザード Izard, C. は，興味・興奮，喜び，驚き，苦悩・不安，怒り，嫌悪，軽蔑，恐怖，恥，罪悪感の10種類を，エクマン Ekman, P. は，幸福，怒り，悲しみ，嫌悪，驚き，恐怖の6種類を基本感情にあげている．これらの基本感情は，特定の刺激を知覚すると生じ，固有の表情・姿勢を表出させ，自律神経系の活動を引き起こすとされている．また，これらには通文化的普遍性があると主張される点が特徴

である．しかしながら，どの感情を基本感情とみなすのかは，研究者によって異なる．

2 ● 次元説（次元論）

基本感情説とは異なる立場として，次元説がある．**ラッセル Russell, J.** は，感情は「快－不快」の軸と「覚醒－睡眠」の軸の2次元上に配置されるという円環モデルを提唱している（図4）．この考え方をもとに，**バレット Barrett, L. F.** は，感情の心理学的構成理論[*1]を提唱している．

> **用語解説**
>
> [*1] 心理学的構成理論（構成主義）
> 感情価（快-不快）と覚醒度（覚醒-睡眠）の二次元の組み合わせで表現される主観的情感をコアアフェクト（core affect）とよぶ．コアアフェクトによって骨格筋，内臓感覚情報など内受容感覚に変化が生じるが，その変化の意味を，文脈などに沿いながらカテゴリー化や概念化・言語化を行い出来事や対象に関係づけて解釈することで個別の感情経験が作られる，とする理論．

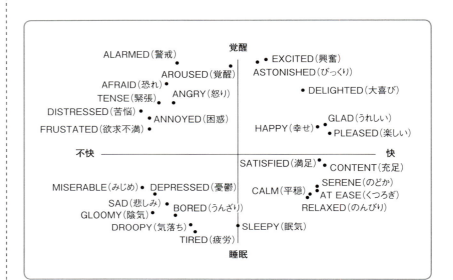

図4　情動の円環モデル
（今田純雄ほか編著：動機づけと情動．現代心理学シリーズ4, p88, 培風館, 2015）

3 ● 自己意識的感情

基本感情説をとるにしても次元説をとるにしても，ここにあげられていないような他の感情体験はいくつもある．それらのうち，他者との関係のなかで発生し，自己に焦点づけられた感情であるとされる自己意識的感情（self-conscious emotions）が注目されている．そのような自己意識的感情には自己評価的感情が含まれ，恥（shame），罪悪感（guilt），羞恥・困惑（embarrassment），誇り（pride）などがある．また，自己意識的感情には社会比較的感情とされるものもある．シャーデンフロイデ（Schadenfreude）は，他者の不幸や悲しみ，失敗などに接した際に生じる喜びやうれしさといった感情である．この逆に，他者の幸福や喜び，成功などに接した際に生じるネガティブな感情は妬み（envy），嫉妬（jealousy）である．

4　感情の生物学的基礎・感情に関する神経科学

1 ● 自律神経系

身体的変化は自律神経系の働きによって調整される交感神経系と副交感神経系

からなり，交感神経系が活動すると次のような身体的変化が生じる．
　①血圧や心拍数が上昇する
　②呼吸が速くなる
　③瞳孔が広がる
　④発汗が増加する一方，唾液や粘液の分泌が減少する
　⑤多くのエネルギーを供給するために血糖値が増加する
　⑥傷ついたとき血液がすばやく凝固する
　⑦血液が胃や腸ではなく骨格筋に多く流入する
　⑧皮膚の毛が逆立ち，鳥肌が立つ
　副交感神経系はこの逆の身体的変化を引き起こす．交感神経系はアドレナリン，副交感神経系はアセチルコリンの働きによる．

2・闘争－逃走反応（fight-or-flight response）

　ストレッサーに直面すると一連の反応が生じ，「闘うか逃げるか」，闘争－逃走反応が生じる．その生理的機序は，以下のように説明されている．
　ストレス刺激が加わると，
　→視床下部からコルチコトロピン放出ホルモンが分泌され，下垂体前葉に届く．
　→下垂体前葉から副腎皮質刺激ホルモンが分泌され，副腎に届く．
　→副腎皮質から，コルチコステロン，コルチゾールなどのホルモンが分泌され，
　　身体状態の変化と行動反応が引き起こされる．
　なお，視床下部(hypothalamus)，下垂体(pituitary gland)，副腎皮質(adrenal cortex)それぞれの頭文字をとって，この系統は"HPA axis"とよばれる．

3・感情に関与する中枢神経系脳部位

①扁桃体（amygdala）

　扁桃体は左右側頭葉の内側に位置する神経核である．扁桃体の損傷によって，恐怖感情の認知，恐怖感情の表出が失われる〔クリューバー・ビューシー症候群（Klüver-Bucy syndrome）の一症状〕などの症状が出現することが知られている．扁桃体は，刺激についての感覚処理の結果を受けてすばやく評価をくだし，ほかの多くの反応喚起にかかわる脳部位を活動させるという役割を担っている．ルドゥー LeDoux, J. は視床から扁桃体への直接経路を低次回路，視床から感覚皮質を経て扁桃体に向かう経路を高次回路とした．

②側坐核（nucleus accumbens）

　大脳の内側に存在し，快感情にかかわる脳部位として知られている．電気刺激を与えると快感情が引き起こされることや，fMRIによる脳機能画像研究によって，快感情が引き起こされるような（たとえば報酬を得るなど）状況において，この側坐核が活性化するなどの知見が報告されている．このような側坐核の働きは，脳幹にある腹側被蓋野(ventral tegmental area)から投射されるドパミンによって調整されていると考えられている．

③視床下部（hypothalamus）

　視床の下，間脳に位置する．自律神経機能にかかわっており，感情の生理反応

や行動反応にかかわる．

④前頭葉

　感情の制御にかかわるとされる．前頭葉のなかでも，前頭眼窩部(orbitofrontal cortex)，あるいは前頭前野腹内側皮質(ventromedial prefrontal cortex)，前帯状回(anterior cingulate)はとくに感情に関連のある部位と考えられている．前頭葉は，扁桃体の活動を抑制する役割を担っていることが示されている．前頭葉の眼窩面の損傷によって，感情制御の障害や人格の変化が引き起こされることも報告されており，フィネアス・ゲージ(Gage, Phineas)の例が有名である(→p.209 第11章2節参照)．

■ 引用・参考文献
1) 今田純雄ほか編著：動機づけと情動．現代心理学シリーズ4，培風館，2015
2) 大平英樹編著：感情心理学・入門．有斐閣，2010

2 感情が行動に及ぼす影響

1 感情の機能

1 適応的機能

感情について初めて科学的な研究を行ったのは，**ダーウィン Darwin, C.** とされる．『人及び動物の表情について』(浜中浜太郎訳，岩波文庫，1931)のなかで，ヒトの表情と動物の表情には近似性があり，進化的な連続性があるとした．感情は進化の長い淘汰の産物であり，ヒトを含む動物は系統発生的に連続した，感情に固有の身体反応，生理反応をもつことや，動物の生存にとって必要あるいは有益であったために，たとえば，恐怖や不安は安全と生存に関わる危険信号として，また嫌悪は病気や害を予防する信号として，などのように持続し洗練されてきたという考え方がなされた．

つまり，感情には適応的機能があるということになる．

2 判定機能

前節で紹介した**アーノルド Arnold, M.** (感情の認知説)は，刺激の良い-悪いの判断を行うことを認知的判断とよんでいた．その判断に基づいて刺激への接近-回避の行動が動機づけられることから，感情には判定の機能があるといえる．

3 参照機能

子どもは，曖昧な状況に遭遇したときに母親の表情を手がかりにするという社会的参照(social referencing)を行う．とくに，視覚的断崖(visual cliff)を用いた実験的検討でこの現象が示されている．

4 コミュニケーション機能

感情反応として表出される行動は，表出者自身にではなく，それを知覚する他者に対して情報を提供する機能を有する．表出者の表出行動は，他者によって評価され，その結果が他者から表出者へフィードバックされる．これを**バック Buck, R.** は，社会的バイオフィードバックとよんだ．ある特定の文脈で，ある特定の表出行動が，特定の言語ラベルによるフィードバックを与えられる経験が繰り返されることで，特定の感情経験やその文脈に言語ラベルが結びつけられることになる．

上記のように，文脈と感情は結びつけられるが，その文脈(どのような場面でどのような表情をすべきか，など)は，集団によって異なることになる．**エクマン Ekman, P.** らはそれを神経文化モデル(neuro-cultural model)とよび，その社会・文化で定められているルール(表示規則)があるとした[1]．

2 感情が行動に及ぼす影響

特定の（個別の）感情は特定の行動を生じやすくさせる．たとえば，怒り感情は攻撃行動を，恐怖感情は逃避行動を，それぞれ生じやすくさせる．これは前節で述べた，「思考－行動傾向」として扱われてきた．

このほかに感情が認知や行動に及ぼす影響についての詳細な検討は，認知心理学，社会心理学，臨床心理学の研究文脈のなかで多く扱われてきた．

1・バウアー Bower, G. の感情ネットワークモデル

感情はそれに伴う自律的反応，表出行動，通常その感情につけられる言語的ラベル，その感情を引き起こす出来事の知識などとリンクし，ネットワークを構成しているという考え方を「感情ネットワークモデル」という．特定の感情が生起すると，それとリンクしている記憶や出来事などが活性化することになる．

2・気分一致効果（mood congruent effect）

記憶の気分一致効果とは，何かを覚えようとする（記銘する）とき，そのときの気分と，記銘される情報の内容が一致している場合に，一致していない場合よりも記銘されやすいという現象のことである．ネガティブな気分のときは，ネガティブな内容をより覚えやすいことになる．また同様に，記憶を思い出す（想起する）とき，その気分状態と一致している内容の記憶が想起されやすい．抑うつ患者でみられる記憶バイアスもこの気分一致効果で説明できる．抑うつ患者はネガティブな気分状態にあるために，そうでない人に比べて過去の記憶を再生する課題においてネガティブな内容，とくに自己にかかわるネガティブな内容を多く報告する記憶バイアスを有している．

気分一致効果は，記憶にのみ生じる現象ではなく，将来の出来事を予測するような場面や，評価・判断を行う場面においてもみられる．

なお，この気分一致効果においては，ポジティブ感情とネガティブ感情の効果が必ずしも対称的ではないことが問題とされており，このことは PNA（positive-negative asymmetry）とよばれ，議論されている．

3・気分状態依存効果（mood state dependent effect）

ある気分状態のときには，過去に同じ気分状態のもとで記銘された内容が想起されやすいという現象のことをさす．気分一致効果とは異なり，記銘材料の感情価に関係がなく，記銘時と想起時の気分状態が一致しているかどうかに依存する（図1）．

4・感情情報（機能）説（affect-as-information）

何かを評価するときに，自分の感情を判断対象に対して自分が感じていることの手がかりとみなして利用することをさす．「良い感情を感じるならそれは良い事象であり，悪い感情を感じるならそれは悪い事象である」と評価されることになる．このように感情を手がかりにした認識は，行動の選択に影響を及ぼす．

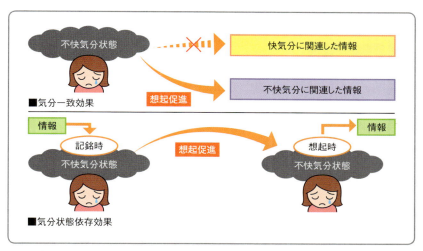

図1　気分一致効果と気分状態依存効果

5 ● 気分維持修復動機（mood-maintenance and repair model）

　ポジティブな感情が喚起されると人はその状態を維持しようと動機づけられるが，ネガティブな感情が喚起された場合はその状態を修復しようと動機づけられる．

6 ● 感情と情報処理方略

　ポジティブな感情は状況が良好な場合に生起するので，簡便で直感的な情報処理方略の使用をうながすが，ネガティブな感情は状況が好ましくないために，分析的でシステマティックな処理方略を増大させる（**シュワルツ** Schwarz, N.）．ポジティブな感情時には，情報検索数が短く意思決定までの時間が短いことや，対人認知においてステレオタイプ的な認知を促すとされる．

7 ● 感情混入モデル（AIM：affect infusion model）

　フォーガス Forgas, J. は，感情が社会的判断に及ぼす影響に関するモデルを提唱した．そのモデル（**図2**）によると，社会的判断に際して用いられる方略は，直接アクセス型，動機充足型，ヒューリスティック型，実質処理型であるが，このうちのヒューリスティック型と実質処理型には感情が判断過程に影響する（感情が混入する）とされる[2)3)]．

8 ● ソマティック・マーカー仮説（somatic marker hypothesis）

　神経科学者の**ダマシオ** Damasio, A. によって提唱された仮説である．「ソマティック」とは「身体的な」という意味である．前頭前野腹内側部は過去の経験や文脈に基づいて扁桃体の活動を調整し，これらの脳領域が身体反応を作り出すとされる．また，身体全体の状態の把握にかかわる脳領域として，体性感覚皮質，島皮質（insula）があり，ダマシオによればこれらの脳領域がかかわって生じる身体的反応全体が情動とされる．

　ソマティック・マーカー仮説では，感情が意思決定に影響を及ぼすとされてい

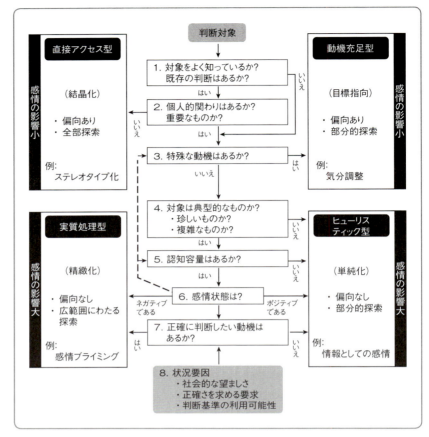

図2　AIMの概念図（Forgas, 1995を一部改変）
(池上知子ほか：グラフィック社会心理学. 第2版. p105. サイエンス社, 2008)

る．私たちの日々の意思決定は，その状況における過去の出来事を体験した際の身体的反応の記憶，身体信号(somatic marker)に影響される，というものである．これを実証するためにつくられた神経心理学検査が，アイオワギャンブリング課題(Iowa Gambling Task)である．

9 ● ポジティブ感情は思考や行動を広げる

フレドリクソン Fredrickson, B. は，ポジティブ感情の拡張‐形成理論(broaden-and-build theory)を提唱している．ポジティブ感情経験が，思考‐行動レパートリーを一時的に拡張させ，個人の資源を継続的に形成し，人間のらせん的変化と成長・発達(健康，生存，満足感の高進)を導き，そのことがより多くのポジティブ感情の経験を生み出すというサイクルを仮定している(図3)[4]．

3　感情の制御，感情と心身の健康

1 ● ストレスの認知的評価理論

ラザルス Lazarus, R. らによって発展させられてきた．

ストレッサーに接すると，一次評価(これはストレスかどうか)，二次評価(対

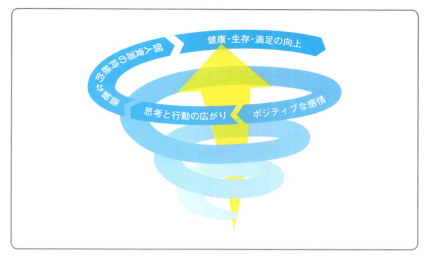

図3　拡張-形成理論（broaden-and-build theory）の図式
文献4)を参考に作成

処可能かどうか）の評価がなされる．この評価に基づき，対処（コーピング）がなされる．

　コーピングは主に，問題解決型コーピングと情動焦点型コーピングに分けられる．問題解決型コーピングは，ストレッサーの原因となる問題の解決策を考えたり，問題をとらえ直したり〔認知的再評価（reappraisal）〕，あるいは意味づけを変えたりすることである．情動焦点型コーピングは，ストレスによって生じた不快感情に対処するもので，気逸らし〔気晴らし（distraction）〕などを含む．これらは望ましいコーピングとされる．しかし，コーピングのすべてが望ましい効果を生じるわけではなく，たとえば反すう型コーピング（ruminative coping）や回避型コーピング（avoidance coping）は，望ましくないコーピングとされている．

2● 感情制御のプロセスモデル

　グロス Gross, J. は感情制御を，「どのような感情を，どのようなときに，どのような形で経験あるいは表出するかに影響を与える認知的処理過程」とみなしている．グロスのモデルでは，感情制御方略を，①感情表出前に行われる先行焦点型感情制御（antecedent-focused emotion regulation）（原因焦点型）と，②感情表出後に行われる反応焦点型感情制御（response-focused emotion regulation）とし，①先行焦点型の感情制御には状況選択，状況変容，注意の方向づけ，認知的変化を含み，②反応焦点型には反応調整を含むとした．

3● 情動知能（感情知性ともいう，emotional intelligence）

　メイヤー Mayer, J., カルーソ Caruso, D., サロヴェイ Salovey, P. は，情動知能を「情動の意味および複数の情動の間の関係を認識する能力，ならびにこれらの認識に基づいて思考し，問題を解決する能力をいう．情動知能は，情動を知覚する能力，情動（emotion）から生じる感情（feeling）を消化する能力，情動からの情報を理解する能力，情動を管理する能力にかかわる」と定義した．ゴール

マン Goleman, D. はこれらを拡張し，①自己の情動を知ること，②情動の管理，③自らの動機づけ，④他者の認識，⑤人間関係への対応の5つの領域とした（ゴールマンは EQ：emotional quotient とよんでいる）．情動知能は，知能検査で測定されるような知的側面の知能とは異なる，これら情動にかかわる個々人の能力とその個人差を表す概念である．

情動知能は，パーソナリティ心理学，健康心理学，産業・組織心理学などの領域で研究されており，教育・学校場面，職業場面などにおける心理的ウェルビーイングの向上などに応用され，心身の健康に寄与している．

4 ● アレキシサイミア（alexithymia）

心身症患者の特徴を表現するために，シフニオス Sifneos, P. によって提唱された．このアレキシサイミアは，自分自身の感情を同定できない，自分自身の感情を適切に言語化できない，空想・想像の乏しさ，内面よりは外的刺激に志向が向く認知様式などを特徴とする．現在では，アレキシサイミアは感情制御の障害を特徴とする，あるいは共感性の乏しさを特徴とすると考えられており，心身症患者だけではなく健常者においてもその傾向の高低が存在し，これと精神的健康や対人関係などとの関連が論じられている．TAS-20（Toronto Alexithymia Scale）などによって測定される．

5 ● 感情の個人差

感情の機能，感情が行動に及ぼす影響，感情制御には個人差がある．これらはパーソナリティの一側面としてとらえられてきた．感情特性とは，特定の感情経験の頻度や強度の感じやすさ，特定の感情反応の表出のしやすさについての個人の傾向をさす．感情特性は感情制御の個人差と組み合わされて，日常の感情体験の個人差を規定していると考えられる．近年では，感情に関連する遺伝子の研究も進められており，セロトニントランスポーターの遺伝子多型が注目されている．

■ 引用・参考文献
1）エクマン P ほか：表情分析入門―表情に隠された意味をさぐる（工藤力訳）．誠信書房，1987
2）池上知子ほか：グラフィック社会心理学，第2版．サイエンス社，2008
3）Forgas JP：Mood and judgment—The affective infusion model（AIM）．Psychological Bulletin 117：39-66, 1995
4）Fredrickson BL et al：Positive Emotions. Handbook of Emotions（Barrett LF ed），p777-796, Guilford Press, 2008
5）今田純雄ほか編：動機づけと情動．現代心理学シリーズ4，培風館，2015
6）大平英樹編：感情心理学・入門．有斐閣，2010

3 人格の概念と形成過程

1 人格の概念

1 •「人格」「性格」「パーソナリティ」という言葉について

この3つのなかで日常的にもっとも使われる言葉は「性格」だろう．性格は，英語の character の訳語として，心理学用語としても用いられている．一方，「人格」は望ましさのニュアンスを含むことがあり，また英語の personality の訳語としても用いられる．意味的には本来であれば，英語の character のほうが日本語の「人格」に，personality のほうが「性格」に近いといえる．最近の心理学では，「性格」や「人格」という用語よりも，カタカナで「パーソナリティ」と表記されることが多く，「性格心理学会」も「パーソナリティ心理学会」と名称変更している．本項では，特定のニュアンスを含まない場合には，「パーソナリティ」を用いる．

2 • パーソナリティの定義

日常語で「性格」というとき，私たちは誰かと誰かの何かの違い，「個人差」や「個性」のことをさしてそういうことが多いといえるだろう．心理学研究のなかでは，たとえば**オルポート Allport, G.** の定義では「個人のなかにあって，その人の特徴的な行動と考えを決定するところの，精神身体的体系の動的組織である」と，**アイゼンク Eysenck, H.** の定義では「多かれ少なかれ安定した個人の特徴の持続的な体制で，個人に独自の環境への適応の仕方を決定するものである」と，また**パーヴィン Pervin, L.** による定義では「人の生活に方向性と一貫したパターンをもたらす認知，感情，行動の複合体であるとされる．パーソナリティは構造と過程があり，遺伝と環境の両者を反映する．さらに，パーソナリティは過去の影響や過去の記憶を含むものであり，同時に現在や未来の構造も含む」とされている．

このように，研究者ごとに細かく定義は異なるが，多くの研究者において，

①経時的安定性：時間が経過しても変化しない
②通状況的一貫性：状況が同じであれば同じ行動を生起する
③首尾一貫性：異なるさまざまな状況を通してある行動や反応が安定して生じる

などといった側面がその定義に含められてきた．これらが個々人のうちに存在するという考え方は，「自己斉性論」とよばれる．

3 • 法則定立的アプローチと個性記述的アプローチ

パーソナリティを研究するうえでの基本的な考え方として，「法則定立的アプローチ」(nomothetic approach) と「個性記述的アプローチ」(idiographic approach) がある．法則定立的アプローチは，多くの人々に共通する一般的な原理・原則を打ち立てることを目標としている．このため，測定すべき領域や次元を定め，それを測定できる装置を開発し，そしてその装置を用いて量的な測定を

行うことになる．得られた結果は，集団のなかでのその人の位置として表現され，それが「個人差」を表すことになる．質問紙で測定されるパーソナリティ検査は，このような法則定立的なアプローチをとっている．他方，個性記述的アプローチでは，面接法や，対象者の書き記したものなどを用いて，質的に，その「個性」をとらえようとする．このように主観的側面を含めてパーソナリティを理解しようとすることを「ナラティブ・アプローチ」(narrative approach)とよぶ(➡ p.73 第4章4節参照)．

4 ● パーソナリティの測定（パーソナリティ検査）

パーソナリティの測定を試みる際，質問紙法，投影法，作業検査法などの方法を用いるパーソナリティ検査が使用される．こうした検査により個人差が測定され，心理アセスメントにおいても重要な情報となる．

①質問紙法（➡ p.298 第15章2節参照）

質問紙に記載された質問文に本人が自発的に，意識的に回答する．ミネソタ多面人格目録(MMPI)，モーズレイ人格目録(MPI，モーズレイ性格検査ともいう)，16PF人格検査(The Sixteen Personality Factor Questionnaire)，Y-G性格検査，ビッグファイブを測定するNEO-PI-R人格検査(Revised NEO Personality Inventory)などがある．

②投影法（➡ p.298 第15章2節参照）

あいまいな図形や文章を呈示して口頭あるいは筆記で回答を求め，その回答により測定・診断する．文章完成テスト(SCT)，P-Fスタディ（絵画欲求不満テスト），TAT（主題統覚検査），ロールシャッハテスト，樹木画テストなどの描画法がある．回答は自発的になされるが，質問紙法とは異なり，その内容がどのように評価されるのかが回答者にとっては明らかではないことから，「社会的望ましさ」などによる回答の歪みは少なく，また，より深層的な側面をとらえうると考えられる．

③作業検査法

単純な作業(たとえば加算)を一定時間課し，作業量の推移に着目して測定・診断する．内田クレペリン精神作業検査がある．

2　さまざまな心理学の立場による人格のとらえ方

1 ● 精神分析的（精神力動論的）アプローチ

フロイト p.7参照

フロイト Freud, S. は，性的な欲動（リビドー）を満たす身体部位を想定し独自の発達段階を考えたが，その欲動が十分に満たされなかったり過剰だったりすると，その段階に固着が生じ，それに応じたパーソナリティの特徴が現れると考えた（**表1**）．

■ 表1　性的な欲動（リビドー）を満たす身体部位の発達段階とパーソナリティ

口唇期性格	自己愛傾向, 要求が多い, 短気, 羨ましがり, 貪欲, 嫉妬深い, 怒りっぽい, 憂うつ, 不信感, 悲観的
肛門期性格	倹約家, 頑固, 几帳面, 堅さ, 権力と統制への努力, すべきである・であるべきだへの関心, 所有の快楽, 浪費や統制を失うことへの不安, 服従するか反抗するかへの関心
男根期性格	男性：露出的, 競争的, 成功への努力, 男らしさをもつことの強調 女性：素朴, 魅惑的, 露出的, 媚態的

2 ● 行動主義的アプローチ

パーソナリティの形成に，環境や状況の要因を重視する点が特徴的である．

ワトソン Watson, J. は，「パーソナリティは十分に長い期間，実際に観察して見出された行動の総計であり，習慣の最終産物にすぎない」とし，**スキナー** Skinner, B. は，「パーソナリティとは，人生における行動に対する強化の歴史の結果として，信頼性をもって引き出された顕在的・潜在的反応システムの総計である」としている．このように，行動主義的アプローチでは，刺激−反応（行動）の学習の違いや強化歴の違いが，パーソナリティであるとみなされることになる．

→ワトソン p.63参照
→スキナー p.64参照

3 ● 認知的アプローチ

認知的アプローチでは，パーソナリティの差異は，個人の情報の表象の仕方の違いによるものと考えられている．

バンデューラ Bandura, A. は，社会的学習理論を提唱し，行動を予測するには，個人の特徴が，他者の行動の観察や，環境の特徴とどのように相互作用するかを知る必要があるとしている．**ケリー** Kelly, J. は，認知過程がパーソナリティの機能にとって重要な役割を果たすとし，人それぞれが自分や社会を解釈するのに用いる次元，パーソナルコンストラクトを明らかにしようとした（パーソナルコンストラクト理論）．これを測る検査として，役割構成レパートリー検査がある．このようにパーソナリティに関する社会的認知の影響が検討されてきた．また**ミシェル** Mischel, W. は状況要因の影響を重視する状況主義アプローチ（状況論）を提唱し，行動の通状況的一貫性や特性の内的実在性に疑問を投げかけ，一貫性論争（人間−状況論争）を引き起こした．

→バンデューラ p.158参照

4 ● 人間性心理学的アプローチ

人間性心理学では，個人の人生を客観的・科学的にとらえることよりも，個人の主観的な体験を重視し肯定する立場をとっている．人間性アプローチによるパーソナリティの理解はしたがって，個性記述的アプローチと親和性が高い．

ロジャーズ Rogers, C. は，人間の行動の基本的な動因を，自己実現傾向ととらえた．また**マズロー** Maslow, A. は，欲求階層説を提唱した（→ p.453 第21章2節参照）．

→ロジャーズ p.74参照

3 人格の形成過程

1 ● 遺伝か環境か

双生児や親子，きょうだいのような，血のつながった人同士，あるいは養子の親子やきょうだいのように，遺伝的な関係はない一方で環境を共有する生活をしている人同士の，心理的・行動的形質の類似性について，構造方程式モデリングなどの統計的手法を用いることで遺伝や環境の影響を明らかにしようとする学問分野を行動遺伝学という．

とくに，一卵性双生児(遺伝的な一致率が100％)と二卵性双生児(遺伝的な一致率が50％)の間のパーソナリティの類似度を調べることで，遺伝と環境の影響がどの程度，どのような割合で存在するのかが明らかにされる．環境には，共有環境(同じ家庭のなかで，ふたごを互いに類似させる方向に影響する，ふたごに同じように寄与する環境)と，非共有環境(ふたごを類似させない方向に影響する，一人ひとりに異なった影響を及ぼす環境)がある．

図1，図2に示されるように，安藤寿康はほとんどすべてのパーソナリティの特性は，遺伝要因(30〜50％)と非共有環境(50〜70％)で説明でき，共有環境の影響はない，としている[1]．

2 ● パーソナリティの発達

気質(temperament)とよばれる個人差の初期値をもとに，養育者や文化・社会の影響を受けながら，連続性と変化の両面をもちつつパーソナリティが形成されていく過程をパーソナリティの発達と考えることができる．気質とは生物学的に決定され，若齢期からみられるパーソナリティの基盤となる特性と考えられており，エネルギー水準，情動的感受性，反応のテンポ，探索への意欲といった特徴を含むとされる．また，動物にも気質は存在し，この場合はその個体の行動における体質的な反応パターンとされている．

トーマス Thomas, A. とチェス Chess, S. は気質を，「生得的基盤をもち，出生後まもなくから出現し環境の影響によって変化しうる，子どもの現象的な行動スタイルである」と定義したうえで，9つの特性(活動水準，接近／回避，周期性，順応性，反応閾値，反応の強度，機嫌，気の散りやすさ，注意の範囲と持続性)の組み合わせをとらえ，3つの気質類型(取扱いが難しい子ども，手のかからない子ども，何をするにも時間がかかる子ども)があるとする気質理論を提唱した．**ロスバート Rothbart, M.** は，「反応性と自己制御性についての生物学的基盤をもつ個人差である」と定義し，3つの因子(闊達さ，ネガティブな情緒性，乳児期は定位性／制御性および幼児期・児童期はエフォートフル・コントロール)によって測定する尺度を開発している．

アタッチメント(愛着)は，ストレスに対する反応性や耐性，恐れの強さ，鎮静性などの乳児の気質的特徴と，養育者の乳児に対する応答性との相互作用の積み重ねによって形成されると考えられる．適合が良好ならば安定したアタッチメントが形成され，不良ならば不安定なものになっていく(➡ p.248 第13章1節，p.259 第13章3節，p.582 第27章1節参照)．

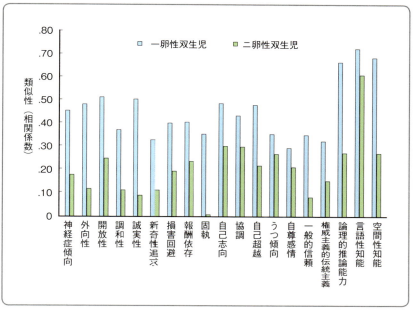

図1 心理的・行動的形質における一卵性双生児／二卵性双生児の類似性
(安藤寿康：遺伝マインド—遺伝子が織り成す行動と文化. p53, 有斐閣, 2011)

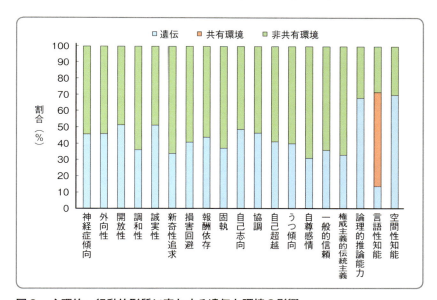

図2 心理的・行動的形質に寄与する遺伝と環境の影響
(安藤寿康：遺伝マインド—遺伝子が織り成す行動と文化. p53, 有斐閣, 2011)

■ 表2　子どものパーソナリティの形成に影響が予想される環境要因

養育者のパーソナリティ要因	さまざまな特性次元での養育者自身のパーソナリティの特徴
養育者の精神的安定の要因	ストレス度やさまざまな心身疾患の罹患など
養育方法の要因	授乳形態，スキンシップの方法や頻度，離乳や排泄訓練の時期や方法，睡眠・食事・清潔・着衣などの基本的生活習慣の獲得のさせ方，規則や道徳などの社会的ルールの獲得のさせ方，子どもの感情表現（怒り，甘えなど）に関するしつけ方など
養育者の養育態度や養育行動の要因	「養育方法の要因」の実施時や日常的な子どもとのコミュニケーションの際に親が示す態度や行動の要因，具体的な行動の頻度や内容，一般的な態度として支配的か放任的か，あるいは拒否的か受容的か，一貫性や矛盾の有無など
養育者の教育的・文化的水準の要因	教育や教養の程度，教育観や子ども観などの信念体系など
家庭の社会経済的地位または社会階層的要因	養育者の就労の有無，職種，収入，居住条件，家庭が保有する耐久消費財の種類など
家族構成と家族関係の要因	核家族か多世代同居か，きょうだい数，出生順位，夫婦間や親子，嫁姑などの家族間の役割分担や人間関係のあり方，勢力関係など
友人集団と友人関係の要因	発達段階ごとの友人関係や，友人集団における地位や勢力関係など，異性関係要因も含まれる
学校に関連する要因	学校の制度的要因，教育方法と内容，教員の資質や子どもとの関係性，学級集団のあり方，学校内での友人関係など
職業の要因（青年期以降）	勤務先，職種，収入，職場での地位や人間関係など，アルバイトを含む
居住地域の要因	都市部や郊外・村落地域か，僻地（離島など）か，商工業地区か住宅地区か，新興地域か伝統的地域かなど
所属集団に共通なマクロな社会文化的要因	言語，宗教，マスメディア，法律，社会制度，教育制度など，さまざまなステレオタイプ的価値観も含まれる
自然環境要因	地理的要因，気候的要因，神経系の発達にかかわるような環境汚染物質にさらされているかどうかなど

〔菅原ますみ：15.3 パーソナリティの発達．心理学総合事典（海保博之ほか編），p368，朝倉書店，2006〕

子どものパーソナリティの発達や変化に影響を与えるであろう環境要因にはさまざまなものがある（表2）．

とくに子どもが小さいうちは，養育者のパーソナリティや養育者の養育態度の影響が大きいだろう．**サイモンズ Symonds, P.** は，親が受容的な養育を行うと子どもは社会的に望ましい行動が多く感情的にも安定すること，親が支配的な養育を行うと子どもは礼儀正しく正直であるが自意識が強く内気である，などとした．TK式診断的新親子関係検査では，「親の自己評価」と「子どもから見た親の客観的評価」の2つの角度から「拒否」「支配」「保護」「服従」「矛盾・不一致」の5つの親の養育態度を測定できるが，その養育態度と子どものパーソナリティとの関係は図3のように考えられている．

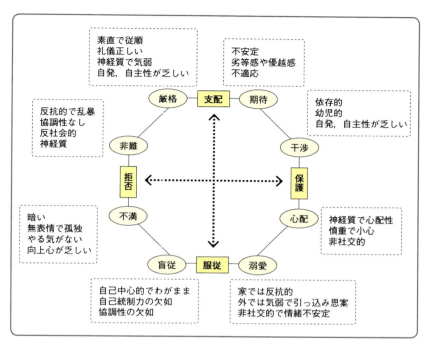

図3　親の養育態度と形成される子どものパーソナリティ特性
(外山美樹：自己概念とパーソナリティ　やさしい発達と学習, p130, 有斐閣, 2010)

■ 引用・参考文献
1) 安藤寿康：遺伝マインド─遺伝子が織りなす行動と文化. 有斐閣, 2011
2) 杉山憲司ほか：パーソナリティ心理学─自己の探究と人間性の理解. 心理学の世界 基礎編9, 培風館, 2016

4 人格の類型や特性など

10章 感情および人格の心理学

1 類型と特性

　パーソナリティを把握する方法として，これまで「類型」か「特性」かによって把握する方法がとられてきた．現代の心理学では特性論的なとらえ方が主流である．

　類型とはタイプのことであり，ある人はAタイプ，別のある人はBタイプ……のように，1人の人がいずれかのタイプに分類され，特徴づけられることになる．類型論はそのため，「どのようなタイプがいくつあるのか」という側面と，「ある人を特定のタイプにどのように分類するか」という方法の側面が必要となる．どのようなタイプを用意するのかは理論や研究者によって異なる．

　特性論では「ものさし」で測定することを行い，人はその「ものさし」のどこかに量的に特徴づけられることになる．特性論では，「全般的にパーソナリティを把握しようとする場合に，いったい何本のものさしを用意すれば必要十分であるのか」，「どのように位置づけるか」ということが問題となる．

　このような類型論と特性論の違いは，健常なパーソナリティを測定しようとする試みにおいて研究されてきたが，DSM-5によるパーソナリティ障害の考え方にも表れるようになってきた．

2 代表的な類型論

1 ● 四体液説・四気質説（4類型）

　ヒポクラテス Hippocrates によって提唱された，人間の体液には4つの種類（血液，黄胆汁，黒胆汁，粘液）があるという考え方（四体液説）に基づき，**ガレノス Galenus** がこれを人間のパーソナリティの類型に用いたのが四気質説とされる．これによると，①血液が多い人は「多血質」とされ明るく社交的，②黄胆汁が多い人は「胆汁質」とされ積極的で短気，③黒胆汁が多い人は「黒胆汁質」とされ心配性で不安定，④粘液が多い人は「粘液質」とされ冷静で勤勉，とされた．しかしながら，これらの4体液の多い/少ない状態やそのバランスを測定できる方法はない．

2 ● 体格－気質関連説（3類型）

　クレッチマー Kretschmer, E. によって提唱されている，体格と気質の関連説である（図1）．
　①統合失調症患者はやせていて細長い体型の「細長型」
　②躁うつ病の患者は丸くて首が短い「肥満型」
　③てんかん患者は筋肉質でがっちりとした体型の「闘士型」
　以上のような関連が多いという観察から，それぞれの体型とパーソナリティが以下のように結びつけられた．
　①細長型は分裂気質であり，非社交的，まじめ，神経質

②肥満型は循環気質であり，社交的，温かい，感情の起伏が大きい
③闘士型は粘着気質であり，執着的，秩序を好む，融通がきかない

この説では体型と気質が結びつけられたが，体型が変わる（たとえば，細長型から肥満型に）とパーソナリティも変わることになってしまう．

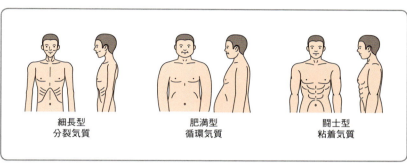

図1　クレッチマーの気質類型

シェルドン Sheldon, W. は同様に，体型によって以下の3類型を提唱している．
①内胚葉型（内臓緊張型）
②中胚葉型（身体緊張型）
③外胚葉型（頭脳緊張型）

3 ● 価値の6類型

シュプランガー Spranger, E. によって提唱された説で，「生活のなかでどの領域にもっとも価値をおくか」という価値志向による類型があるとされる（表1）．

■ 表1　シュプランガーによる価値志向による6類型

名称	内容
理論型	物事を客観的に眺め，知識体系の追求に価値を見出す
経済型	経済的利点からの実用的価値を重視し，蓄財を目的とする
権力型	権力をにぎり，他人を支配することに価値をおく
審美型	実生活に関心を示さず，芸術的活動に価値をおく
社会型	社会福祉活動に価値をおく
宗教型	聖なるものの恵みと救いの宗教的活動に価値をおく

（小塩真司：Progress & Application パーソナリティ心理学．p18, サイエンス社, 2014）

4 ● ユングの類型論（8類型）

ユング Jung, C. は，以下の2つに区分した．
①心的エネルギーであるリビドーが個人の外部に向かい外部の刺激に影響されやすい人を「外向型」
②リビドーが内部に向かい，自分自身に関心が向く人を「内向型」

これらにさらに，4つの精神的機能とされる「思考」，「感情」，「感覚」，「直感」を組み合わせ，8つの類型があるとした（➡ p.453 第21章2節参照）．

➡ユング p.50参照

3 代表的な特性論

1 ● キャッテル（16特性）

パーソナリティを表す言葉を抽出することで研究をすすめる方法を語彙アプローチという．キャッテル Cattell, R. は，パーソナリティを表す用語を抜き出して，171の形容詞に整理し，これらの形容詞への回答を因子分析することにより，16の因子（「根源的特性」）を見出した．これは16PFとよばれるパーソナリティ検査となっている．

2 ● アイゼンク（2特性，後に3特性）

アイゼンク Eysenck, H. は，基本的なパーソナリティとして，「外向性」と「神経症傾向」を提唱した．外向性は個人の基本的な指向性が自分の外の世界に向いているか，自分の内に向いているかの程度を表している．神経症傾向は「情緒不安定性」ともよばれ，不安や神経質の高さ，不健康さを表す，情動性を表すパーソナリティ次元といえる．後に，第3の次元として「精神病傾向」が加えられた．精神病傾向は，衝動の自己統制性や敵対心の抱きやすさの程度を表す次元である．

3 ● ビッグファイブモデル（5特性）

現在最も有力とされるのがこのビッグファイブ（5因子）モデルである．5因子とは，「神経症傾向(neuroticism)」「外向性(extraversion)」「経験への開放性(openness to experience)」「調和性(agreeableness)」「誠実性(conscientiousness)」である．コスタ Costa, P. とマクレイ McCrae, R. はこの5因子を測定する NEO-PI-R という尺度（短縮版は NEO-FFI）を作成している．わが国でも5因子を測定する尺度として，5因子性格検査（FFPQ：外向性，愛着性，統制性，情動性，遊戯性），主要5因子性格検査〔外向性，協調性，勤勉性，情緒安定性（神経症傾向の逆），知性〕などが開発されている．

4 ● 行動賦活系／行動抑制系（2特性）

グレイ Gray, J. は，不安と衝動性の次元から，「行動抑制系(behavioral inhibition system：BIS)」と，「行動賦活系(behavioral activation system：BAS)」からなる動機づけのシステムを提唱している．これらは動機づけにかかわるとされていて，行動抑制系は，罰の存在や報酬がないことに反応して，行動を抑制したり注意を喚起したりするシステムであり，他方で行動賦活系は報酬の存在や罰がないことに反応して，行動を引き起こすシステムとされている．これらには個人差があり，不安は行動抑制系の，衝動性は行動賦活系の背景となる，と考えられている．この行動抑制系／行動賦活系を測定する BIS/BAS 尺度が開発されている．

5 ● クロニンジャーの気質と性格に関するモデル（7特性）

クロニンジャー Cloninger, C. は，気質の4次元「新奇性追求(novelty seeking)」「損害回避(harm avoidance)」「報酬依存(reward dependence)」

「固執(persistence)」と，性格の3次元「自己志向(self-directedness)」「協調(cooperativeness)」「自己超越(self-transcendence)」からなる理論を提唱している．

　気質とは，情動的な刺激に対する自動的な反応にみられる傾向で，遺伝的な要因によって規定されるとされ，性格は，他者との関係のなかで表れてくる個人差で，気質と家族環境，個人の経験の相互作用の結果として発達するとされている．新奇性追求は行動の始発，損害回避は行動の抑制，報酬依存は行動の維持，固執は行動の固着という特徴に関連があるとされる．

　これらの気質次元は神経伝達物質との関係があるとされ，新奇性追求はドパミンと，損害回避はセロトニンと，報酬依存はノルアドレナリンと結びつけられている．自己志向は，個人の目的や価値観に従い，状況に合う行動を統制・調整する能力を，協調は，社会的受容や協力性，他人の権利に対する関心を，自己超越は，自然とその資源の受容・確認・霊的統合という統一的観点をもつことにかかわるとされる．これらを測定する尺度としてTCI(Temperament and Character Inventory)が開発されている．

　以上，代表的な特性論を紹介してきたが，このように，どのような「ものさし」をいくつあると考えるかにはさまざまなものがある．

4　ダークトライアド

　これまで述べてきた類型論・特性論によるパーソナリティのとらえ方は，「人間の全体像をどのように把握するか」に関するものであるが，特定のパーソナリティの側面をとらえようとする試みも数多くなされている．なかでも近年のパーソナリティ研究で注目され，盛んに研究されているのはダークトライアド(dark triad)である．ダークトライアドとは，①マキャベリアニズム(machiavellianism)，②サイコパシー傾向(psychopathy)，③自己愛傾向(narcissism)の3つの特性からなり，反社会性を表すパーソナリティとされる．①マキャベリアニズムとは他者操作的・搾取的な特性，②サイコパシー傾向とは利己性や希薄な感情という対人的・感情的側面と，衝動性の高さという行動的側面からなるとされる．③自己愛傾向は賞賛や注目を求め，他者に対して競争的・攻撃的な特性を表している．

5　パーソナリティ障害

1・DSM-5によるパーソナリティ障害（カテゴリカルモデル）

　アメリカ精神医学会の発行しているDSM-5では，パーソナリティ障害とは，「その人が属する文化から期待されるものから著しく偏り，広範でかつ柔軟性がなく，青年期または成人期早期に始まり，長期にわたり変わることなく，苦痛または障害を引き起こす内的体験および行動の持続的様式である」と定義されている．その様式は，以下のうち2つまたはそれ以上の領域に現れる．

①認知(自己,他者,および出来事を知覚し解釈するしかた)
②感情性(情動反応の範囲,強さ,不安定さ,および適切さ)
③対人関係機能
④衝動の制御

DSM-5では,10種類のパーソナリティ障害があげられている(**表2**).
これらは次のように,A～Cの3群に分けられている.

① A群(猜疑性,シゾイド,統合失調型):奇妙で風変わりにみえる
② B群(反社会性,境界性,演技性,自己愛性):演技的で,情緒的で,移り気にみえる
③ C群(回避性,依存性,強迫性):不安または恐怖を感じているようにみえる

■ 表2　DSM-5による10種類のパーソナリティ障害

名称	特徴
猜疑性パーソナリティ障害	他人の動機を悪意あるものとして解釈するといった,不信と疑い深さを示す様式のこと
シゾイドパーソナリティ障害	社会的関係からの離脱と感情表出の範囲が限定される様式のこと
統合失調型パーソナリティ障害	親密な関係において急に不快になることや,認知または知覚的歪曲,および行動の風変わりさを示す様式のこと
反社会性パーソナリティ障害	他人の権利を無視する.そして侵害する様式のこと
境界性パーソナリティ障害	対人関係,自己像,および感情の不安定と,著しい衝動性を示す様式のこと
演技性パーソナリティ障害	過度な情動性を示し,人の注意を引こうとする様式のこと
自己愛性パーソナリティ障害	誇大性や賞賛されたいという欲求,共感の欠如を示す様式のこと
回避性パーソナリティ障害	社会的抑制,不全感,および否定的評価に対する過敏性を示す様式のこと
依存性パーソナリティ障害	世話をされたいという過剰な欲求に関連する従属的でしがみつく行動をとる様式のこと
強迫性パーソナリティ障害	秩序,完璧主義,および統制にとらわれる様式のこと

(日本精神神経学会(日本語版用語監修),髙橋三郎・大野裕(監訳):DSM-5 精神疾患の診断・統計マニュアル.p635,医学書院,2014より作成)

2 • DSM-5によるパーソナリティ障害の代替モデル(ディメンショナルモデル)

　DSM-5成立までの過程において,上記のモデル(カテゴリカルモデル)とは異なる,代替モデル(ディメンショナルモデル)が検討されてきた.その理由は,特定のパーソナリティ障害の基準を満たす患者が,別のパーソナリティ障害の診断基準をも満たすことが多くみられることなどによる.これは,パーソナリティ障害を類型論的にとらえる視点から,特性論的にとらえる視点への移行と考えることができるだろう.

　代替モデルでは,「パーソナリティ機能の障害」と「病的パーソナリティ特性」に

よる基準を設けて，反社会性，回避性，境界性，自己愛性，強迫性，および統合失調型の6つのパーソナリティ障害を規定する．

代替モデルの「パーソナリティ機能の障害」は，自己と対人関係によって規定される（表3）．これらのパーソナリティ機能の構成要素が，ほとんどない～重度の機能障害までに評価される．

■ 表3　DSM-5 パーソナリティ障害代替モデルの「パーソナリティ機能の構成要素」

自己	同一性	ただ1つだけの存在として自己と他者との間の明らかな境界をもって自分自身を体験すること，自尊心の安定性および自己評価の正確さ，さまざまな情動体験への適応力およびそれを制御する能力
	自己志向性	一貫性がありかつ有意義な短期および人生の目標の追求，建設的かつ行動の向社会的な内的規範を活用，建設的に内省する能力
対人関係	共感性	他者の体験および動機の理解と尊重，異なる見方の容認，自分自身の行動が他者に及ぼす影響の理解
	親密さ	他者との関係の深さおよび持続，親密さに対する欲求および適応力，対人行動に反映される配慮の相互性

（日本精神神経学会（日本語版用語監修），髙橋三郎・大野裕（監訳）：DSM-5 精神疾患の診断・統計マニュアル，p756，医学書院，2014より改変）

「病的パーソナリティ特性」は，①否定的感情，②離脱，③対立，④脱抑制，⑤精神病性の5つの「領域」で評価される．5つの領域にはさらに次のような「側面」がある．

①否定的感情（対 情動安定性）：情動不安定，不安性，分離不安感，服従性，敵意，固執，抑うつ性，疑い深さ，制限された感情（感情の欠如）
②離脱（対 外向）：引きこもり，親密さ回避，快感消失，抑うつ性，制限された感情，疑い深さ
③対立（対 同調性）：操作性，虚偽性，誇大性，注意喚起，冷淡，敵意
④脱抑制（対 誠実性）：無責任，衝動性，注意散漫，無謀，硬直した完璧主義（その欠如）
⑤精神病性（対 透明性）：異常な信念や体験，風変わりさ，認知および知覚の統制不能

6つのパーソナリティ障害は，「パーソナリティ機能」の4つの構成要素にそれぞれ特徴的な困難を有し，また「病的パーソナリティ特性」のいくつかの側面を有することによって診断されることが提案されている．

①反社会性：対立（操作性，冷淡，虚偽性，敵意），脱抑制（無謀，衝動性，無責任）
②回避性：否定的感情（不安性），離脱（引きこもり，快感消失，親密さ回避）
③境界性：否定的感情（情動不安定，不安性，分離不安感，抑うつ性），脱抑制（衝動性，無謀），対立（敵意）
④自己愛性：対立（誇大性，注意喚起）
⑤強迫性：脱抑制（硬直した完璧主義），否定的感情（固執），離脱（親密さ回避，制限された感情）
⑥統合失調型：精神病性（認知および知覚の統制不能，異常な信念や体験，風変わりさ），離脱（制限された感情，引きこもり，疑い深さ）

今後の研究の進展によって，このような代替モデルによるパーソナリティ障害の診断が行われるようになる可能性がある．

■ **引用・参考文献**
1）小塩真司：Progress & Application パーソナリティ心理学．サイエンス社，2014
2）American Psychiatric Association 編：DSM-5 精神疾患の診断・統計マニュアル（日本精神神経学会 日本語版用語監，髙橋三郎ほか監訳），医学書院，2014

11章
脳・神経の働き

1. 脳神経系の構造と機能

この章で学ぶこと
- 脳神経系の基本的な構造および機能
- 記憶や感情などにおける生理的反応の機序
- 高次脳機能の障害とそれに対する必要な支援

　ヒトの「こころ」を理解する学問である心理学において,「こころ」の源である脳神経系についての理解は不可欠であり,脳の主要な部位の名称や場所,さらにそれらがどのように連絡し合っているかを知る必要がある.

　本稿では,脳神経の構造と機能についての基本的な事項について,マクロなレベルからミクロなレベルまでを解説する.

1 脳神経系の分類

　脳神経系は,大きく分けて中枢神経系と末梢神経系から構成されている(図1).
　中枢神経系(CNS:central nervous system)は,頭蓋骨の中に位置する脳と,脊椎の中に位置する脊髄から構成される.末梢神経系(PNS:peripheral nervous

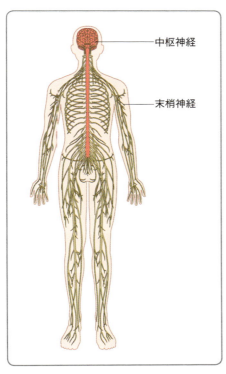

図1　脳神経系の構造

system)は，体性神経系(somatic nervous system)と自律神経系(autonomic nervous system)に分類され，さらに自律神経系は交感神経(sympathetic nerve)と副交感神経(parasympathetic nerve)に分けられる．

また神経系には中枢から末梢へ，逆に末梢から中枢へと情報を送る経路があるが，それらはそれぞれ遠心性神経，求心性神経とよばれる(**図2**)．

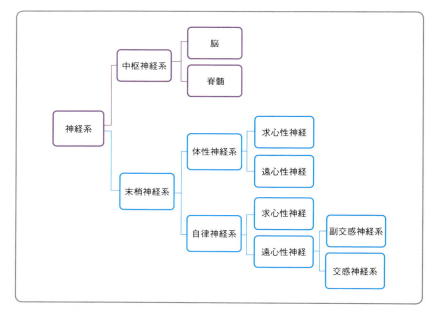

図2　中枢神経系と末梢神経系の構成

2　自律神経系の機能

1・自律神経系の働き

自律神経系の交感神経と副交感神経は，それぞれ相反する機能をもっている．概して，交感神経は標的器官を興奮・活性化させるのに対して，副交感神経は抑制・沈静化させる．標的器官がどのように活動するのかは，交感神経と副交感神経の活動のバランスで決定される(**図3**)．

たとえば，あなたが危険な状況におかれた場合，交感神経が優位に活動することで心拍や呼吸は速まり，胃は消化作用を抑制して，迅速な逃走反応に備える．その一方で，あなたがリラックスしているときは，副交感神経が優位に活動することで，心拍・呼吸は減弱し，胃は消化活動を活発に行う．

自律神経系の働きを3つの原則としてまとめると，以下のようになる．
①交感神経はエネルギーを消費するのに対して，副交感神経はエネルギーを蓄える．
②標的臓器は，交感・副交感神経の活動の相対的なレベルによって調節される．
③交感神経の活動は精神的興奮に関与するのに対して，副交感神経の活動は精神的安定に関与する．

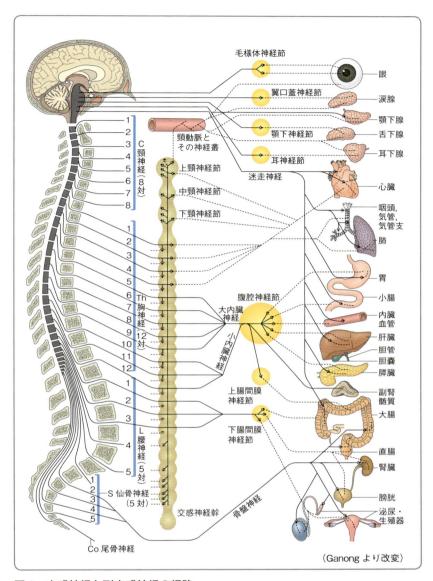

図3 交感神経と副交感神経の経路

2 交感神経と副交感神経の働きの違い

　例外として，生殖器に対しては，交感神経が射精，副交感神経が勃起をコントロールしている．したがって，ストレスや緊張状態での性行為（性行動）では，副交感神経よりも交感神経が優位に活動するために射精が早くなり（早漏），勃起不全が生じることがある．

　自律神経系の遠心性神経は，中枢神経系の脳と脊髄から各標的臓器に投射している．ここで，交感神経と副交感神経が由来する場所に特徴があり，交感神経は脊髄の比較的中央部にある胸髄と腰髄に由来する運動神経であるのに対して，副交感神経は脳と脊髄の最下部である仙髄に由来する運動神経である．また，交感神経と副交感神経の遠心性神経は，どちらも標的臓器に直接連絡（シナプスを形成）するのではなく，途中で別の神経細胞を経由する．この際，中枢神経系から

投射し，中継ニューロンとシナプスを形成する神経路は節前神経とよばれ，中継ニューロンから標的臓器に投射する神経路は節後神経とよばれる．

ここで1つの特徴として，副交感神経の節前神経は，標的臓器の近くで中継ニューロンとシナプスを形成するのに対して，交感神経の節前神経は標的臓器から離れた場所にある中継ニューロンとシナプスを形成するという違いがある．もう1つの重要な特徴として，副交感神経では，標的臓器と中継ニューロンの両方での情報伝達にアセチルコリンが神経伝達物質[*1]として用いられるのに対して，交感神経では中継ニューロンでの伝達でのみアセチルコリンが用いられ，標的臓器との連絡にはノルアドレナリンが用いられる．

このような交感神経と副交感神経での神経伝達物質の違いを利用することで，薬物によるいずれかの神経系のみの調節が可能となる．

3 脳神経

末梢神経のほとんどは中枢神経系の脊髄に由来するが，なかには脳に由来する

用語解説

*1　神経伝達物質
シナプスで情報伝達を介在する物質で，アセチルコリンのほかにグルタミン酸，GABA〔γ(gamma)-aminobutyric acid〕，ノルアドレナリン，ドパミン，セロトニン，オピオイド類などがある．神経伝達物質は神経細胞の軸索の末端側から放出され，軸索終末と相対する細胞側にある受容体がそれを受け取る．

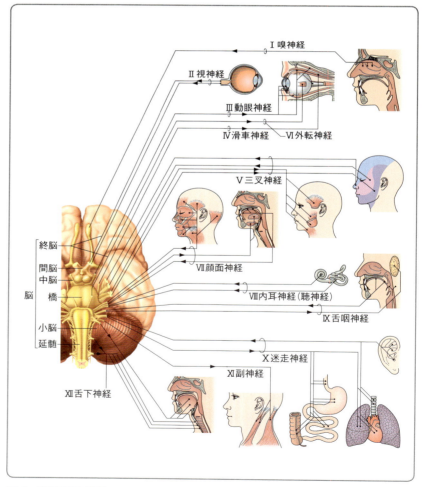

図4　脳神経の分類

神経が存在する．これらは脳神経(cranial nerves)とよばれ，12対に分類される(**図4**)．前述した自律神経のうち，脳に由来する副交感神経は脳神経でもある．

脳神経は，それらが由来する脳部位の場所に応じて，前方から後方に向かって番号がつけられている．脳神経のうち，嗅球に由来する嗅神経(Ⅰ)と網膜上の視細胞に由来する視神経(Ⅱ)には，求心性神経である感覚神経しか存在しないが，そのほかの脳神経には遠心性神経である運動神経も含まれる．もっとも長い線維をもち，腸の働きをコントロールしている迷走神経以外の脳神経は，主に頭顔面部からの投射を受け，またコントロールしていることから，神経内科医は頭顔面部の機能障害を根拠に，脳腫瘍やほかの脳病変の場所と大きさを知ることができる．

4　髄膜・脳脊髄液と血液脳関門

1●髄膜・脳脊髄液

中枢神経系は，生体の生存にとってもっとも重要な器官であることから，複数の手段によって保護されている．その1つが3種の髄膜(硬膜・くも膜・軟膜)である(**図5**)．硬膜はもっとも外側にあり，その内側にくも膜がクモの巣のように存在する．またもっとも内側にあり，中枢神経系の表面に付着している膜が軟膜である．くも膜と軟膜のあいだには，くも膜下腔とよばれる空洞が存在し，そこは脈絡叢とよばれる毛細血管のネットワークから算出される脳脊髄液で満たされており，太い血管が走っている．脳脊髄液は脳を保護し，衝撃から守る働きがあり，もし脳脊髄液の一部を失ってしまうと，その人は頭を動かすたびに激しい頭痛を訴える．脳脊髄液はくも膜下腔だけでなく，脳室や脊髄の中心管を循環している．

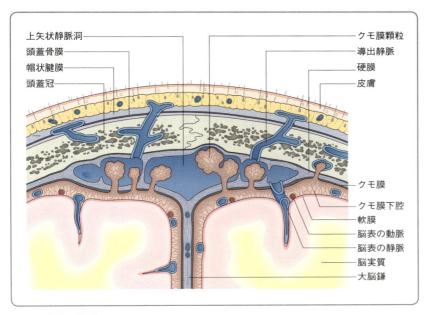

図5　髄膜の構造

2 • 血液脳関門

　もう1つの保護手段が，血液脳関門(BBB：blood-brain barrier)である．関門といっても特定の場所だけで防御しているわけではなく，血液脳関門は中枢神経系に存在する血管がもつ特殊な構造のことをさしている．ほとんどの分子が容易に血管壁を通過できる一般的な血管の構造とは異なり，中枢神経系の血管壁は強固に結合しているため，タンパク質のような大型の分子は容易に通過できない．ただし，血液脳関門がすべての大型分子の通過を妨げるわけではなく，中枢神経系が活動するための栄養分であるグルコースのような物質や，特定の部位に必要な物質，たとえば性行動をつかさどっている中枢では性ホルモンが積極的に運搬されるなどの例外もある．

5　ニューロンの構造と機能

1 • ニューロンの構造

　神経系は，基本的に2種類の細胞，すなわちニューロンとグリア細胞で構成されている．ニューロンは，ほかのニューロンや臓器，筋肉に電気的・化学的な信号を送るために特殊化された細胞である．神経系にはさまざまな形態のニューロンが存在するが，その基本的構造は似かよっており，ほかのニューロンからの信号を受け取るための複数の樹状突起が細胞体から伸びている．また，ほかのニューロンへ信号を送るための軸索の先端は複数に分岐し，そこでシナプスを構成する．

　シナプスでは隣接するニューロンとのあいだにわずかな隙間(シナプス間隙)があり，軸索を電気的信号が伝わってくると，軸索終末部より神経伝達物質が放出されることで，隣接するニューロンに信号を化学的に伝える．ここで用いられる神経伝達物質に依存して，信号を受け取るニューロンが興奮するか，抑制するかが決まる．1つのニューロンは膨大な数の信号を同時に受け取り，それらを統合してそのニューロンが発火するかどうかが決定される．ニューロンの電気的活動については後述する．

2 • ニューロンの機能

　ニューロンの形や大きさはさまざまであるが，それらの機能から大きく3つに分類される．1つは感覚ニューロンであり，感覚器官や筋肉，皮膚などにある受容細胞が物理的・化学的変化を感知することで発生した電気的信号を中枢神経系に伝達する役割をもつ．一方，運動ニューロンは，中枢神経系から末梢の器官や筋肉に信号を伝える．これら感覚ニューロンと運動ニューロンを媒介するのが介在ニューロンであり，中枢神経系と視覚系にしか存在しない．なお一般的に，ニューロンは神経系内で特定の場所に集団で存在する．ニューロンの集合体は，中枢神経系では神経核とよばれるが，末梢神経系では神経節とよばれ名称が異なる．

　神経系にはニューロンのほかに，より多くのグリア細胞が存在する．グリア細胞は，主にニューロンを支持する働きをもっており，その形や機能からアストロ

サイト，オリゴデンドロサイトおよびミクログリアの3種類に分類される．もっとも大きなグリア細胞は，星の形をしているアストロサイトとよばれる細胞であり，その突起は脳全体に行きわたる血管の表面をおおい，さらにニューロンとも接合している．アストロサイトの主な役割は，血管からニューロンにさまざまな化学物質を運ぶことであり，ニューロンに対して物理的な支持だけでなく，機能的な支持も行っている．

オリゴデンドロサイトはニューロンの軸索に巻き付いているミエリン髄鞘を形成している．オリゴデンドロサイトの突起が形成するミエリン髄鞘は絶縁性の脂質に富み，これによってニューロンの伝導速度・効率を高めている．なお，末梢神経系で同様の働きをしている細胞はシュワン細胞とよばれる．

ミクログリアは免疫に関わるグリア細胞であり，損傷を受けた細胞などを取り除くマクロファージとしての役割ももつ．ミクログリアは中枢神経系の疾患に関与していると考えられていることから，治療薬開発におけるターゲットとして注目されている．

6　ニューロンの電気的活動

1・ニューロンの電気的活動のしくみ

休止している状態にあるニューロンの細胞内外には，約 –70mV の電位差が存在する．これを静止膜電位という．このような電位差は，細胞内外のイオン濃度（主にナトリウムイオン）の違いによって生じており，細胞内にはマイナスの電荷をもつタンパク質分子が多く存在するのに対して，細胞外にはプラスの電荷をもつナトリウムイオンが多く存在する．

ニューロンの細胞膜はイオンに対する選択的透過性をもち，カリウムイオンに対してのみ高透過性を示す．したがって，細胞内がマイナス側の電荷に偏っていたとしても，プラスの電荷をもつナトリウムイオンは容易に細胞内に流入することはできない．さらに細胞膜上には，能動的にナトリウムイオンを細胞外へ排出し，カリウムイオンを細胞内に取り込む機構（ナトリウム–カリウムポンプ）も存在し，電位差の形成に寄与している．

ニューロンが活動すると，その軸索終末から神経伝達物質が放出され，シナプス間隙に拡散される．放出された神経伝達物質は，隣接するニューロンの樹状突起や細胞体に存在する特定のタンパク質（受容体）に結合することで，興奮性シナプス後電位（EPSP：excitatory postsynaptic potential）あるいは抑制性シナプス後電位（IPSP：inhibitory postsynaptic potential）を発生させる．どちらのシナプス後電位が生じるのかは，そこで用いられている神経伝達物質に依存して決まる．グルタミン酸のような興奮性の神経伝達物質であれば，興奮性シナプス後電位が発生するし，γ-アミノ酪酸（GABA：gamma-aminobutyric acid）のような抑制性の神経伝達物質であれば，抑制性シナプス後電位が発生する．

興奮性シナプス後電位の場合，細胞膜上のナトリウムチャネルが一時的に開き，ナトリウムイオンが細胞外から細胞内へと一気に流入してくる．これによって細胞内外の電位差はプラス側へと変化する．このことを脱分極という．一方，抑制

性シナプス後電位の場合は，塩化物イオンチャネルが一時的に開くことで，塩化物イオン(通常は細胞外に多い)が細胞内に流入し，その電位差はマイナス側へと変化する．このことを過分極という(図6)．

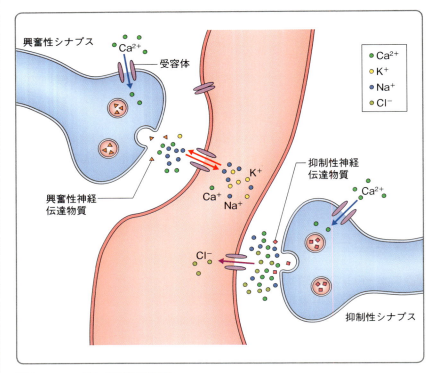

図6　ニューロンの電気的活動

2 ● ニューロンの電気的活動の特徴

1つのニューロンは，隣接するニューロンと無数のシナプスを形成しており，通常，1つのシナプスで生じたシナプス後電位だけではそのニューロン自体の活動に影響を及ぼさない．複数のシナプスにおいて発生したEPSPとIPSPは，細胞体と軸索の接合部である軸索小丘まで伝導していき，それらを総和した電位差が特定の閾値を超えると自動的に活動電位が生じる．これがいわゆるニューロンの発火である．活動電位は段階的反応ではなく，その大きさは一定である．すなわち活動電位は「全か無かの法則」に基づいており，発生するならば最大に，発生しなければまったく変化しない．

軸索小丘で発生した活動電位は，軸索上を軸索終末部に向かって伝導していく．これは，軸索上にあるナトリウムチャネルが開き電位的変化が起こることで，隣接するナトリウムチャネルが連続して開いていくことによって生じる．一度開いたナトリウムチャネルはしばらくのあいだ反応しない絶対的不応期を示す．その後，より強い刺激であれば反応する相対的不応期に移行し，最終的に通常状態に戻る．この性質によって，原則的には，電気的信号は軸索上を細胞体から終末部へと一方向にのみ伝導する．

活動電位の伝導速度は，軸索にミエリン髄鞘をもつ有髄神経とミエリン髄鞘を

もたない無髄神経で大きく異なる．有髄神経では，軸索上に一定間隔で存在するミエリン髄鞘のない部分(ランビエ絞輪)でのみ電位的変化が起こる跳躍伝導によって活動電位が伝導していくことから，無髄神経に比べて伝導速度はかなり速い．なお，伝導速度は軸索の直径にも依存し，軸索が太いほど伝導速度は速くなる．

7 神経伝達物質とアゴニスト・アンタゴニスト

1●神経伝達物質

前述したように，神経伝達物質はニューロン間の情報伝達に不可欠な役割を果たしている．われわれのさまざまな心的機能は，ニューロンどうしの巧妙な相互作用によって作り出されているのであり，またそれは言い換えると，ニューロンどうしを結ぶ神経伝達物質のバランスによってわれわれの感情や思考，行為や反応が決まってくるということである．

これまでに数多くの神経伝達物質が同定されているが，神経伝達物質であるための条件として以下の点があげられる．

①神経終末部に局在している
②生合成系が存在する
③神経終末部から遊離(放出)される
④再取り込み機構が存在する
⑤分解・不活性機構が存在する
⑥特異的な受容体が存在する

神経伝達物質として最初に同定されたのが，すべての運動ニューロンに存在するアセチルコリンである．アセチルコリンは心臓や胃など臓器を含む筋肉の収縮に関与するだけでなく中枢神経系にも多く存在し，学習や記憶に関与していることが明らかにされている．アルツハイマー型認知症の患者では，脳内のアセチルコリン量が減少していることから，その治療薬であるドネペジル塩酸塩(アリセプト®)は，アセチルコリンの分解酵素を阻害することで脳内のアセチルコリン神経系を活性化させる働きを有する．

2●アゴニストとアンタゴニスト

このような特定の神経伝達物質系に作用し，その働きを活性化させる薬物をアゴニストという．アリセプト®のように分解酵素を阻害することによって神経系の活動を亢進する様式だけでなく，神経伝達物質の代わりに受容体を刺激する薬物や，抗うつ薬の選択的セロトニン再取り込み阻害薬(SSRI：selective serotonin reuptake inhibitors)のように，セロトニンの再取り込みを阻害することでシナプス間隙中のセロトニン濃度を増加し，結果としてセロトニン神経系の活動を亢進させる薬物もアゴニストに含まれる．

アゴニストとは逆に，特定の神経伝達物質系の働きを阻害する作用をもつ薬物をアンタゴニストという．アンタゴニストには，本来は内因性の神経伝達物質が結合する受容体に結合することで，その神経系の働きを阻害する競合的アンタゴニストと，受容体とは別の部位に作用することで神経伝達物質の作用を抑制する

非競合的アンタゴニストがある．統合失調症患者に処方される抗精神病薬の多くは，ドパミン神経系のアンタゴニストであり，陽性症状の原因であるドパミン神経系の亢進を抑制することで，その症状を緩和させる．

■ 引用・参考文献

1) Breedlove SM et al：Biological Psychology—An introduction to behavioral, cognitive, and clinical neuroscience, 5th ed. Sinauer Associates Inc, 2007
2) ピネル：ピネルバイオサイコロジー脳—心と行動の神経科学（佐藤敬ほか訳）．西村書店, 2005

2 記憶・感情などの生理学的反応の機序

11章 脳・神経の働き

　脳の活動によって，意識や知覚，記憶や感情を含むさまざまな心的機能が生み出されるが，すべての脳が同じように働くわけではなく，そこには機能局在[*1]という考え方が存在する．すなわち，脳は部位によってそれが担う役割は異なり，また左右の違いによってもその機能は異なっている（大脳の側性化）．
　本稿では，まず脳の構造について理解を深めたうえで，記憶と感情（情動行動）にかかわる生物学的基盤について解説する．

> **用語解説**
>
> [*1] 局在と脳機能
> 　脳部位が，ある特定の機能をつかさどることを機能局在とよぶ．

1 脳の主な構造

1 後脳の構造

　脳構造の分類方法はいくつか存在するが，ここでは最も単純に3つの区分（後脳・中脳・前脳）に分けてみていく（**図1**）．
　まず後脳（hindbrain）は，脊髄に最も近い後方の部分をさし，主要な部位としては延髄（medulla），網様体（reticular formation），橋（pons），小脳（cerebellum）を含む．

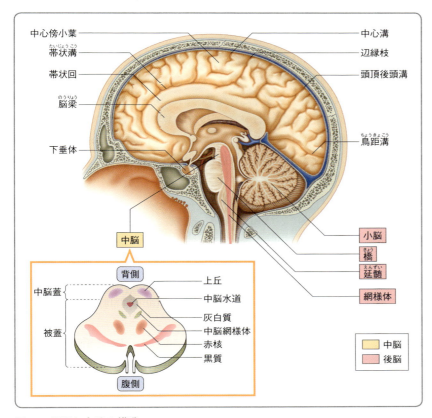

図1　後脳と中脳の構造

延髄は，脊髄を介して身体と脳の各部位との信号を中継する経路である．網様体は，約100個の神経核で構成される複雑なネットワークであり，網の目のような形をしている．網様体は主に覚醒に関与しており，そのほかにも睡眠や注意，運動，筋緊張の維持，心臓や循環，呼吸などの反射を含むさまざまな機能に関係している．

橋は脳幹の腹側部の膨らみであり，脳神経の起始核が存在する．また脳幹を経由する神経路の経路であるほか，運動性の信号を小脳へ中継する役割をもつ．小脳は，脳幹の背側にある大きな構造であり，主に運動の協調をつかさどっていることから，小脳が損傷されると運動がぎくしゃくし，協調性に欠けるものになる．さらに小脳は運動だけでなく，言語や計画，論理など高次な心的機能にも関与していることが指摘されている．

2 • 中脳の構造

後脳の上部にあたる中脳(midbrain)は，中脳視蓋(tectum)と被蓋(tegmentum)から構成される．中脳視蓋には2対の隆起，上丘(superior colliculus)と下丘(inferior colliculus)があり，それぞれ視覚と聴覚に関係している．

被蓋は中脳視蓋の腹側にあり，網様体との伝導路に加えて，中脳水道灰白質(periaqueductal gray)，黒質(substantia nigra)および赤核(red nucleus)を有している．中脳水道灰白質は中脳水道の周囲に広がるニューロン群であり，大脳辺縁系や視床下部などほかの脳部位からは情動に関する入力を，脳幹や脊髄からは感覚性の入力を受けるなど，行動調節において重要な役割を果たしている．また動物実験では，中脳水道灰白質は性行動にも関与していることが知られている．

黒質はドパミン神経系の起始核であり，運動機能の調節に関与している．パーキンソン病患者では，黒質を起点としたドパミン神経系の機能低下がみられることから，運動障害の治療としてはドパミンの前駆物質（合成のための材料）であるL－ドーパを投与することで，ドパミン神経系の活性化がはかられる．赤核もまた黒質と同様に感覚運動系の重要な構造の1つである．

3 • 前脳の構造

前脳(forebrain)は最も大きい領域を含み，終脳と間脳を覆っている．なかでも最も外側の大脳皮質(cerebral cortex)は，ヒトにおいてとくに発達した領域である．前脳には大脳皮質のほかに，視床(thalamus)，視床下部(hypothalamus)，下垂体(pituitary grand)，辺縁系(limbic system)が含まれる．さらに辺縁系の主要な構造として，海馬(hippocampus)や扁桃体(amygdala)などが存在する（図2）．

視床は，中脳のすぐ上にある卵形の神経核集団であり，主に末梢からの大脳皮質への感覚信号入力の中継局として機能している．なかでも，視床の外側膝状体核と内側膝状体核は，それぞれ視覚と聴覚の入力信号を大脳皮質の視覚野と聴覚野に中継している．

文字通り視床の下部にある視床下部は，体内のさまざまな生理的状態を一定に

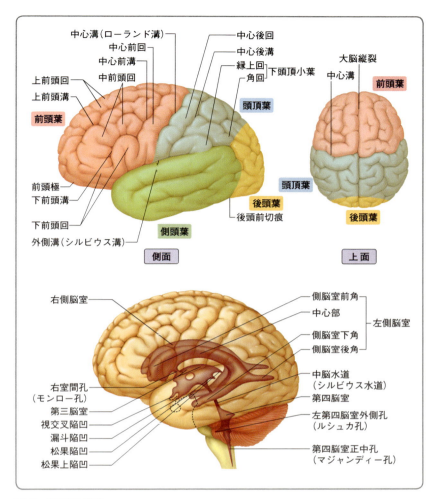

図2 前脳の構造

保とうとするホメオスタシスに関与しており，摂食行動，飲水行動，体温調節，心拍，血圧などヒトが生きていくために必須な機能を調節している．さらに視床下部は，下垂体門脈とよばれる血管を通して，下垂体前葉からの甲状腺刺激ホルモンや副腎皮質刺激ホルモン，性腺刺激ホルモンの分泌を調節している．一方，下垂体後葉に対しては軸索を投射することで，バゾプレッシンやオキシトシンの分泌を制御している．また，これらのホルモン分泌や，血圧，体温，さらには睡眠－覚醒といった行動レベルまでにみられる24時間周期のリズムをサーカディアンリズムといい，視交叉上核がその制御に中心的な役割を果たしている．

辺縁系のなかでも海馬と扁桃体については，心理学において最も注目されてきた構造であり，記憶と感情に関与していることが知られている．これらについての詳細は後述する．

前脳で最も大きい大脳皮質は左右2つの半球からなり，それらは脳梁(corpus callosum)に代表される大脳交連(cerebral commissure)によって接続されている．大脳皮質は中心溝(central fissure)と外側溝(lateral fissure)によって，前頭葉，頭頂葉，側頭葉，後頭葉に区分される．概して，前頭葉は記憶や思考，計画，意思決定など，頭頂葉は運動・感覚機能，側頭葉は聴覚や記憶，言語など，そし

て後頭葉は主に視覚に関与している．また，中心溝の前部は中心前回，後部は中心後回とよばれ，それぞれ運動野と体性感覚野を含んでいる．

2 記憶の生物学的基盤

心理学において，記憶について科学的・実験的に研究したのはドイツの心理学者エビングハウス Ebbinghaus, H. であるが，記憶と脳の関係についての理解に最も貢献したのは心理学者ではなく，1人のてんかん患者である．その患者の名前は，心理学においてはイニシャルのH.M.で知られる．

てんかん治療のために海馬を含む内側側頭葉の切除手術を受けた彼には，その後，重篤な記憶障害が認められた．H.M.の症例報告をきっかけに，記憶機能の中枢として内側側頭葉および海馬が注目を集めることになった．

1 • H.M.の症例

H.M.の記憶障害の特徴としては，過去の記憶を失う逆向性健忘よりも，新しいことを覚えられない順向性健忘が重篤だったことである．ただし，その障害は長期エピソード記憶に顕著であり，短期記憶や手続き記憶は正常であった．したがって，H.M.の症例は短期記憶と長期記憶，およびエピソード記憶と手続き記憶のそれぞれが，脳内で異なるメカニズムで蓄えられている証拠となった．また**スコヴィル Scoville, W. とミルナー Milner, B.**[1])は，H.M.の記憶障害の特徴から，海馬とその周辺領域が記憶の固定，すなわち短期記憶から長期記憶への移行に関与しているのではないかと考えた．

その後，海馬はすべての記憶に関係しているわけではないことが明らかになってきた．とくに物体記憶に関しては，海馬よりも内側側頭葉が関与している．ラットを用いた遅延非見本合わせ[*2]課題では，嗅内皮質を含む内側側頭葉切除により物体認識障害が認められている．一方，海馬は空間位置の記憶により重要な役割を果たしている．海馬には，生体がある特定の場所に位置するときだけ反応する場所細胞が多数存在し，**オキーフ O'Keeffe, J.** はこの場所細胞の発見の功績により，2014年のノーベル生理学・医学賞を受賞している．

2 • 海馬と記憶

ラットの海馬を損傷すると，代表的な空間記憶[*3]課題であるモリス型水迷路学習や放射状迷路学習(図3)の成績が低下することから，海馬は空間記憶に深く関与しているとされる．

モリス型水迷路学習は，ラットが円形プールの水面下に置かれた逃避台(プラットホーム)まで，周囲の視覚的手がかりを利用して泳ぐ課題である．遊泳訓練を数回繰り返すことで，ラットはプラットホームまで直線的に逃避できるようになるが，海馬を損傷されたラットは逃避するまでにより長い時間を要する．

放射状迷路学習では，ラットは8本の放射状に伸びた走路の先端に置かれた餌報酬を，同じ走路に再進入することなく効率的に獲得していく．ここでもラットは迷路の周囲に置かれた視覚的手がかりを利用して，自身がどの走路ですでに

用語解説

＊2　遅延非見本合わせ
主にサルやラットを対象とした記憶実験で用いられる方法．記憶材料として物体が用いられる場合，動物は見本期で呈示された物体とは異なる新奇な物体を遅延後のテスト期で選択することにより報酬が得られる．

用語解説

＊3　空間記憶
ヒトや動物が，自ら置かれた環境(空間)に存在するさまざまな視覚刺激の配置や組み合わせを手がかりにして，特定の場所を同定・記憶する能力のこと．

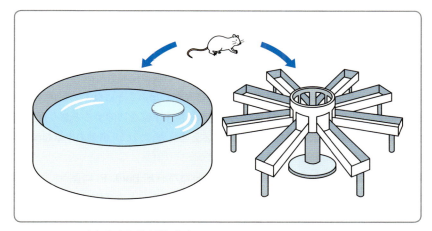

図3 モリス型水迷路と放射状迷路

餌報酬を獲得したのか，どの走路でまだ餌報酬を獲得していないのかを判断することから，放射状迷路学習もモリス型水迷路学習と同様に空間記憶課題として考えられている．さらに放射状迷路学習では，一部の特定の走路にのみ餌報酬を置くことで，空間参照記憶（どの走路に餌報酬があるのかの記憶）と空間作業記憶（その試行内でどの走路に進入したかの記憶）を分離して評価できる．海馬を損傷されたラットでは，空間参照記憶と空間作業記憶の両方が阻害される．

さらに，海馬の主要な神経伝達物質であるグルタミン酸の受容体の一種，N-メチル-D-アスパラギン酸（NMDA）受容体を薬物によって遮断すると，海馬損傷と同様の空間記憶障害が認められることから，空間記憶には海馬のグルタミン酸NMDA受容体が重要な役割を果たしていると考えられている[2]．

グルタミン酸NMDA受容体は，神経可塑性に深く関与している．記憶の神経メカニズムに関する現在の考え方は，1949年に**ヘッブ Hebb, D.** が提唱した神経可塑性（ヘッブ則ともよばれる）に基づいている．ヘッブは，シナプス間の伝達が長期的に増強することが，記憶の生物学的基盤であると考えた．その後，ウサギの海馬において，高頻度の電気刺激がシナプス間の伝達効率を増強するという現象，すなわち長期増強[*4]（LTP：long-term potentiation）が発見され[3]，ヘッブの考えが正しいことが証明された．このLTPには，グルタミン酸NMDA受容体が関与しており，グルタミン酸NMDA受容体の遮断薬によって，LTPの発現は阻害される．

3 感情・情動の生物学的基盤

1 ● ゲージの症例

記憶にかかわる脳研究には，H.M.の症例が多大な貢献をしたが，感情・情動の生物学的基盤を探る研究に最初に貢献したのは**ゲージ Gage, P.** の症例である．ゲージは事故により頭蓋骨から脳，顔面を鉄棒が貫くという大けがを負った．この事故をきっかけに，ゲージの感情面に大きな変化がみられ，その後の研究により彼が受けた脳損傷部位が内側前頭前野であることが明らかになった．現在では，

用語解説

*4 長期増強
ニューロンの入力神経線維に高頻度の電気刺激（テタヌス刺激）を与えることにより，長期間（数時間から数週間）にわたってそのニューロンの電気的反応が増大する現象．学習や記憶の神経基盤として考えられている．

内側前頭前野は感情・情動だけでなく，計画や実行にも関与していることが知られている(➡p.174 第10章1節参照).

当初，**ジェームズ James, W.** は「情動体験は刺激により誘発された身体変化を大脳皮質が認知することによって生じる」という「情動の末梢起源説」を唱えた．この考えによれば，脳には特別な情動中枢は存在しないことになる．しかしその後，**キャノン Cannon, W.** は，ネコの視床や視床下部を切除すると怒り反応が消失することから，視床が情動の中枢であると考えた．これが「情動の中枢起源説」である．

ジェームズ p.169参照

キャノンの考えは，キャノンの同僚であった**バード Bard, P.** によって，大脳皮質を除去されたネコが過剰で不特定の対象に向けられる攻撃性(見かけの怒り：sham rage)を示し，視床下部を除去するとこの現象が消失することから，視床下部が攻撃性の表出に重要であり，大脳皮質は逆に攻撃性を抑制し，コントロールする役割を果たしていると修正された．

辺縁系(limbic system)が感情のコントロールにかかわることを提唱したのは，**パペッツ Papez, J.** である．辺縁系では，海馬→脳弓→乳頭体→視床前核→帯状回→海馬傍回→海馬という回路が形成されており，この経路が持続的に興奮することで感情が生まれると考えられた．現在では，パペッツの回路は感情だけではなく，記憶や空間ナビゲーションにも関与していることが知られている(**図4**).

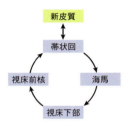

図4 パペッツの回路

2 ● 扁桃体と感情の表出

辺縁系のなかでも，最も注目されているのが扁桃体(amygdala)である．扁桃体は大脳皮質を経由せずに，感覚器から直接入力を受けていることから，無意識的な感情に関与していると考えられる[4]．1939年に**クリューバー Klüver, H.** と**ビューシー Bucy, P.** は，扁桃体を含む側頭葉を切除されたサルがおとなしくなり，恐怖感の欠如，不適切な対象にも向けられる性行動の亢進などの行動的変化を示すことを報告したが(クリューバー・ビューシー症候群)，これらの症状のほとんどは扁桃体損傷に起因すると考えられている．

近年のヒトの脳画像診断法を用いた研究においても，扁桃体が感情の表出に重要な役割を担っていることが明らかにされている．

4 生理学的変化の測定

心理学領域においても，脳機能神経系の生理学的変化を測定するために，さまざまな方法が用いられその技術は日々進化している．体温や心拍数をはじめ，皮膚電気信号，筋繊維の活動電位，脳波，脳血流を測定し，生理学的変化により心理的側面の状態を実証することを目的として，活用されている．

心機能は心電図，皮膚電気信号は皮膚電位図，筋繊維の活動電位は筋電図として表現される．また頭皮上につけられた電極を介して，ニューロンの電気的活動を測定する脳波は，脳の活動や機能を評価するのに用いられる．脳波はその周波数によってβ波(14～40Hz)，α波(8～13Hz)，θ波(4～7Hz)およびδ波(0.5～3Hz)に分類される．リラックスした状態としてよく知られているα波は，安

静閉眼時に後頭部で優位に出現し，開眼によって抑制される．開眼覚醒時のように個々の神経細胞が活発に活動しているときほど，それらの活動は非同期的であり，高周波のβ波が優位となる．一方，低周波のθ波やδ波（これらは徐波ともよばれる）は，ノンレム睡眠時のように神経細胞の活動が低下し，それらの活動が同期している場合に優位となり，若齢健常者では覚醒時にはほとんど出現しない．高齢になると覚醒時にも徐波が出現することがあるが，これは覚醒水準の低下を反映していると考えられ，認知症患者においても覚醒時にθ波がみられる．

また心的活動や随意運動に関連して生じる脳の電気的活動を測定するのが，事象関連電位である．特定の刺激呈示から300ミリ秒後に発生する陽性の電位変化はP300とよばれ，高次の認知機能を反映していると考えられている．

なお脳波や筋電位，事象関連電位は神経生理検査，コンピュータ断層撮影（CT：computed tomography）や核磁気共鳴画像法（MRI：magnetic resonance imaging），磁気共鳴機能画像法（fMRI：functional magnetic resonance imaging）などは神経画像検査とよばれる．

■ 引用・参考文献

1） Scoville WB et al：Loss of recent memory after bilateral hippocampal lesions. Journal of Neurology, Neurosurgery & Psychiatry 20（1）：11-21, 1957
2） Yamada K et al：Hippocampal AP5 treatment impairs both spatial working and reference memory in radial maze performance in rats. European Journal of Pharmacology 758：137-141, 2015
3） Bliss TV et al：Long-lasting potentiation of synaptic transmission in the dentate area of the anaesthetized rabbit following stimulation of the perforant path. Journal of Physiology 232（2）：331-356, 1973
4） Phelps EA et al：Contributions of the amygdala to emotion processing：from animal models to human behavior. Neuron 48（2）：175-187, 2005

3 高次脳機能障害と必要な支援

11章 脳・神経の働き

 用語解説

*1 高次脳機能障害の原因
・脳血管障害(脳出血, 脳梗塞)
・頭部外傷
・低酸素脳症
・変性性疾患(アルツハイマー病など)

高次脳機能障害[*1]とは，中枢神経系，とくに大脳の損傷によって高次脳機能が障害された状態のことをさす．「高次脳機能障害」はわが国特有のネーミングであり，世界的には一般に「神経心理(学的)症状」とよばれる．脳損傷などの原因によって生じた高次脳機能の障害には，言語，認知，行為・動作，記憶，注意，遂行機能(実行機能)の障害があり，「高次脳機能障害」といっただけでは患者にどのような症状があるのかまったくわからないことになる．したがって，症状がどの領域に現れ，どのような症状があるのかについての知識と，検査についての知識を学ぶことが必要となる．

1 さまざまな高次脳機能障害の症状

1 神経心理学的検査

厚生労働省「医科診療報酬点数表」(平成30年度改定)に含まれる「臨床心理・神経心理検査」のうち，神経心理検査を**表1**に抜粋した[1]．これらは「認知機能検査その他の心理検査」とされている．くわえて，「知能検査」も含まれる．神経心理症状(高次脳機能障害)は，機能低下のみられる症状ごとにそれぞれ名称があり，またその状態を調べるための神経心理検査がある．多くの場合に，スクリーニング検査として，改訂版長谷川式簡易知能評価スケール(HDS-R)やミニメンタルステート検査(MMSE)，MOCA-Jを，また知能検査を合わせて施行する．

WAIS-Ⅲでは，下位検査の評価点や評価点を合計して，全検査IQ，言語性IQ，動作性IQや群指数(作動記憶群指数，言語理解群指数，知覚統合群指数，処理速度群指数)を，WISC-Ⅳでは，下位検査の評価点ならびに合成得点(全検査IQ，言語理解指標，ワーキングメモリ指標，知覚推理指標，処理速度指標)を用いて対象者の知的水準を評価する．このほかにも知的能力を測定する検査がある．知的機能の簡易評価日本語版(JART)は，漢字熟語を音読させることで病前IQを推定する検査である．コース立方体組み合わせテスト，レーヴン色彩マトリクス検査はいずれも非言語性の検査課題により知的能力を評価する．

2 言語機能の障害と評価

言語(とくに口頭言語である聞く・話すこと)の障害を「失語症」とよぶ．書字言語では，読むことの障害は失読症，書くことの障害は失書症である．失語症にはさまざまなタイプがあるが，話すことに障害の強いタイプは「運動性(表出性)失語」(代表的にはブローカ失語)，聞いて理解することに障害が強いタイプは「感覚性(受容性)失語」(代表的にはウェルニッケ失語)がある．いわれたとおりに復唱することが顕著に困難な障害は「伝導性失語」とよばれる．

失読症は視覚情報処理障害による「末梢性失読」と，文字や単語の言語情報処理障害による「中枢性失読」がある．同様に，失書症においても運動出力処理障害に

■ 表1　医科診療報酬点数表（平成30年度改定）に含まれる神経心理検査

■発達及び知能検査（D-283）

○知能
　WAIS-Ⅲ成人知能検査，WISC-Ⅳ知能検査，
　JART（知的機能の簡易評価　Japanese Adult Reading Test），
　コース立方体組み合わせテスト，レーヴン色彩マトリックス

■認知機能検査その他の心理検査（D-285）

○言語
　標準失語症検査，標準失語症検査補助テスト，
　WAB失語症検査，老研版失語症検査

○視知覚・視覚性認知
　標準高次視知覚検査

○行為
　標準高次動作性検査

○視覚構成
　ベントン視覚記銘検査，Rey-Osterrieth Complex Figure Test（ROCFT）レイ複雑図形検査，ベンダーゲシュタルトテスト，コース立方体組み合わせテスト

○記憶
　WMS-R ウェクスラー記憶検査，
　三宅式記銘力検査，標準言語性対連合学習検査（S-PA）
　ベントン視覚記銘検査，Rey-Osterrieth Complex Figure Test（ROCFT）レイ複雑図形検査，リバーミード行動記憶検査

○注意・意欲
　標準注意検査法・標準意欲評価法

○実行機能（遂行機能）
　ウィスコンシン・カード分類検査（WCST），
　遂行機能障害症候群の行動評価（BADS），ストループテスト

〔望月聡：神経心理学的研究法．臨床心理学研究法特論（小川俊樹ほか編），p131，放送大学教育振興会，2018を一部改変〕

よる「末梢性失書」と，言語情報処理障害による「中枢性失書」がある．中枢性失読／失書の場合は，単語の属性（使用頻度や不規則性など）の影響を受ける．

　これらの言語機能，加えて計算機能（計算の障害は失計算あるいは計算障害）の評価は，標準失語症検査，標準失語症検査補助テスト，WAB（Western Aphasia Battery）失語症検査などを用いて評価することができる．標準失語症検査は，「聴く」「話す」「読む」「書く」「計算」を評価する26の下位検査からなる．標準失語症検査補助テストは「はい－いいえ応答」「まんがの説明」「長文の理解」「呼称」などを含む．WAB失語症検査では，自発話，話し言葉の理解，復唱，呼称，読み，書字，行為，構成の下位検査を含み，それぞれの検査得点を用いることにより，失語指数，右手・左手それぞれの「大脳皮質指数」を算出することができる．

3 ● 対象認知の障害と評価

　視覚，聴覚，触覚など，感覚モダリティごとに対象認知の障害が生じる．これらの対象認知の障害は「失認症」とよばれる．「視覚性失認」「聴覚性失認」「触覚性失認」などがある．

　視覚性失認は，対象の内容に限定的な症状を呈することがある．物体の認知障

害は「物体失認」とよばれ，形態認知の障害すなわち"かたち"がわからない「知覚型(統覚型)失認」，形態認知は可能だが意味との連合に障害を示す(かたちはわかるが，その名前や意味を答えられない)「連合型失認」がある．顔をみても誰なのかわからない症状は「相貌失認」とよばれる．単語の認知の障害は(読むことができないために)失読とされるが，このうち視覚性の障害に由来しほかの症状を伴わないものを「純粋失読」とよぶ．建物や風景の認知の障害は「街並失認」とよばれる．これらの視覚性認知障害の評価には標準高次視知覚検査が用いられる．標準高次視知覚検査は7つの大項目(視知覚の基本機能，物体・画像認知，相貌認知，色彩認知，シンボル認知，視空間の認知と操作，地誌的見当識)からなる．相貌認知については，『熟知相貌検査 第2版』が日本高次脳機能障害学会から2015年に刊行されている．

空間の認知において，とくに空間内の半側にある対象物に気づきにくい症状(見えていないわけではない)を「半側空間無視」とよぶ．右半球損傷によって，左半側空間を無視する傾向が生じる．日本版BIT行動性無視検査(Behavioural inattention test)などによって評価できる．

聴覚性失認のうち，環境音の認知に障害を呈するものを狭義の「聴覚性失認」とよび，言語音を聞いて認知することの障害を「純粋語聾」とよぶ．

4 ● 行為・動作の障害と評価

物を使用したり，身ぶり手ぶりで何かを表現することの障害を「失行症」とよぶ．また，絵を描いたり物体を組み立てたりすることの障害は「構成失行」(構成障害)，衣服を着ることの障害は「着衣失行」(着衣障害)である．これらは「したくてもできない」症状であるのに対し，「したくないのにしてしまう」症状もあり，意図していないのに身体の一部が勝手に動いてしまう(「他人の手徴候」)，目の前にある道具を使用してしまう(「道具の強迫的使用」)，近くの人の動作をまねしてしまう(「模倣行為」)，右手でボタンをとめるとすぐに左手でそれをはずしてしまうなどのように動作が拮抗する(「拮抗失行」)などがある．

失行症の評価には標準高次動作性検査が用いられる．標準高次動作性検査は12の大項目〔顔面動作，物品を使う顔面動作，上肢(片手)習慣的動作，上肢(片手)手指構成模倣，上肢(両手)客体のない動作，上肢(片手)連続的動作，上肢・着衣動作，上肢・物品を使う動作，上肢・系列的動作，下肢・物品を使う動作，上肢・描画(自発・模写)，積木テスト〕からなる．絵を描く，積木を組み立てるなどの行為はとくに「構成(視覚構成)」とよばれ，ベントン視覚記銘検査，Rey-Osterrieth Complex Figure Test (ROCFT)，ベンダーゲシュタルトテストなどの模写や，コース立方体組み合わせテストで評価される．

5 ● 記憶機能の障害と評価

①短期記憶／ワーキングメモリの障害，②エピソード記憶の障害，③意味記憶の障害，④手続き記憶の障害などに分けられる．

①短期記憶の障害／ワーキングメモリの障害

検査場面での記銘・保持・再生によって評価される．再生は，即時再生(すぐ

に思い出して答える），遅延再生（一定の時間をあけた後に思い出して答える）で評価する．これらの能力はWMS-Rウェクスラー記憶検査によって評価できる．WMS-Rウェクスラー記憶検査は13の下位検査からなり，一般的記憶指標，視覚性記憶指標，言語性記憶指標，注意／集中力指標，遅延再生指標の5つの記憶指標を求めることで評価する．言語性記憶（記銘力）の検査としてはほかに標準言語性対連合学習検査があり，単語対（有関係語対・無関係語対それぞれ）を用いて言語性の記憶能力を評価する．視覚性記憶検査には，ベントン視覚記銘検査，Rey-Osterrieth Complex Figure Test（ROCFT）の再生課題で評価できる．日常生活場面を可能なかぎり再現し，実生活に記憶障害がどの程度影響があるかを評価するために開発されたリバーミード行動記憶検査は，日常記憶を評価する9つの下位検査からなる．

②エピソード記憶の障害

出来事に関する記憶をエピソード記憶とよぶ．エピソード記憶の障害は健忘症とよばれることがある．脳血管障害や頭部外傷などによる，発症以降に起きた出来事の記銘・再生・再認困難は前向性健忘，発症以前の出来事の想起・再生困難を逆向性健忘とよばれる．アルツハイマー型認知症においては，エピソード記憶の障害が初期からみられる．

③意味記憶の障害

知識にかかわる記憶を意味記憶とよぶ．意味記憶が選択的に障害される場合もある．とくに，前頭側頭型認知症とよばれる認知症のひとつに意味性認知症（semantic dementia）があり，言葉の意味や物品の意味認知に早期から障害を呈する．

④手続き記憶の障害

自転車に乗ることなど，出来事や知識とは異なり，練習や反復によって上達するような種類の記憶を手続き記憶とよぶ．パーキンソン病や小脳疾患によって，手続き記憶の障害がみられることがある．

6・注意機能の障害と評価

容量性（注意容量の低下），転換性〔注意をある対象から切り離すことの困難（固着）や，注意の対象があちこちに向いてしまう（転導性の亢進）〕，持続性（注意を一定時間持続すること，つまり集中の困難），配分性（注意を複数の対象に配分し同時に注意をはらうことの障害）など，注意の障害にもさまざまな面がある．また，pacing（動作のペースをコントロールすること）の障害もある．

注意機能は標準注意検査法で評価できる．標準注意検査法は7つのサブテストであるSpan, Cancellation and Detection Test, Symbol Digit Modalities Test（SDMT），Memory Updating Test, Paced Auditory Serial Addition Test（PASAT），Position Stroop Test, Continuous Performance Test（CPT）からなり，注意の諸側面を評価するための検査である．なお，標準意欲評価法は5つのサブスケール（面接，質問紙法，日常生活行動の評価スケール，自由時間の日常行動観察，臨床的総合評価）からなり，意欲（自発性）の低下であるアパシーなどを評価できる．

7 • 実行機能（遂行機能）の障害と評価

目標や計画を立て，効率よく，何かを行うはたらきを，実行機能とよぶ（高次脳機能障害の領域では，「遂行機能」とよばれることのほうが多い）．とくに前頭前野が関与しているとされ，行動の開始・維持・中止の困難，保続や脱抑制，誤りの修正困難など行動のコントロール困難を示す．これらは社会的行動障害[*2]の原因になりうる．

評価は遂行機能障害症候群の行動評価（BADS）やウィスコンシン・カード分類検査（WCST）を用いて行われる．BADS は規則変換カード検査，行為計画検査，鍵探し検査，時間判断検査，動物園地図検査，修正6要素の6種類の検査と，「遂行機能障害の質問表」からなる．WCST はカードを分類する検査で，達成カテゴリー数，保続，セットの維持困難などを評価する．このほかにも，ステレオタイプ反応の抑制をみるストループテストや，1分間にできるかぎり多く動物を答える，「あ」で始まる単語を答えるなどのような語流暢性課題，トレイルメイキングテスト（TMT-J）などがよく用いられている．

8 • 認知症

DSM-5 では6つの神経認知領域（複雑性注意，実行機能，学習と記憶，言語，知覚−運動，社会的認知）の診断基準を**表2**のように定めている．

認知症／軽度認知障害はさまざまな病因によって生じうるが，原因によって症

用語解説

*2 社会的行動障害
意欲・発動性の低下，情動コントロールの障害，対人関係の障害，依存的行動，固執をさす．

■ 表2　認知症の診断基準（DSM-5）

A. 1つ以上の認知領域（複雑性注意，実行機能，学習および記憶，言語，知覚・運動，社会的認知）において，以前の行為水準から有意な認知の低下があるという証拠が以下に基づいている：
（1）本人，本人をよく知る情報提供者，または臨床家による，有意な認知機能の低下があったという懸念，および
（2）可能であれば標準化された神経心理学的検査に記録された，それがなければ他の定量化された臨床的評価によって実証された認知行為の障害
B. 毎日の活動において，認知欠損が自立を阻害する（すなわち，最低限，請求書を支払う，内服薬を管理するなどの，複雑な手段的日常生活動作に援助を必要とする）．

（日本精神神経学会（日本語版用語監修），髙橋三郎・大野裕（監訳）：DSM-5 精神疾患の診断・統計マニュアル．p.594，医学書院，2014より作成）

■ 表3　アルツハイマー病の診断基準（DSM-5）

(a) 記憶，学習，および少なくとも1つの他の認知領域の低下の証拠が明らかである（詳細な病歴または連続的な神経心理学的検査に基づいた）

（日本精神神経学会（日本語版用語監修），髙橋三郎・大野裕（監訳）：DSM-5 精神疾患の診断・統計マニュアル．p.602，医学書院，2014より作成）

■ 表4　前頭側頭型認知症の診断基準（DSM-5）

(1) 行動障害型
　(a) 以下の行動症状のうち3つ，またはそれ以上：
　　i. 行動の脱抑制
　　ii. アパシーまたは無気力
　　iii. 思いやりの欠如または共感の欠如
　　iv. 保続的，常同的または強迫的／儀式的行動
　　v. 口唇傾向および食行動の変化
　(b) 社会的認知および／または実行能力の顕著な低下
(2) 言語障害型
　(a) 発語量，喚語，呼称，文法，または語理解の形における，言語能力の顕著な低下

（日本精神神経学会（日本語版用語監修），髙橋三郎・大野裕（監訳）：DSM-5 精神疾患の診断・統計マニュアル．p.606，医学書院，2014より作成）

■ 表5　レビー小体型認知症の診断基準（DSM-5）

(1) 中核的な診断的特徴
　(a) 認知の動揺性とともに著しく変動する注意および覚醒度
　(b) よく形作られ詳細な，繰り返し出現する幻視
　(c) 認知機能低下の進展に続いて起こる自然発生的なパーキンソニズム

（日本精神神経学会（日本語版用語監修），髙橋三郎・大野裕（監訳）：DSM-5 精神疾患の診断・統計マニュアル．p.609-610，医学書院，2014より作成）

■ 表6　血管性認知症の診断基準（DSM-5）

B. 臨床的特徴が以下のどちらかによって示唆されるような血管性の病因に合致している：
（1）認知欠損の発症が1回以上の脳血管発作と時間的に関係している．
（2）認知機能低下が複雑性注意（処理速度も含む）および前頭葉性実行機能で顕著である証拠がある

（日本精神神経学会（日本語版用語監修），髙橋三郎・大野裕（監訳）：DSM-5 精神疾患の診断・統計マニュアル．p.612，医学書院，2014より作成）

状は異なる特徴がある．DSM-5 の診断基準では，アルツハイマー病は**表3**のように，前頭側頭葉変性症は**表4**のように定めている．また，レビー小体病は**表5**のとおり，血管性疾患は**表6**のように定めている（➡ p.272 第 13 章 5 節参照）．

上記の各認知症 / 軽度認知障害の神経認知領域の症状は「中核症状」とよばれる．これに対比され「周辺症状」とよばれる症状は，「認知症に伴う行動・心理症状(BPSD：behavioral and psychological symptoms of dementia)」である．BPSD には心理症状と行動症状がある．

- 心理症状：妄想(物盗られ妄想など)，幻覚，睡眠障害，抑うつ，無関心・無意欲状態，不安，誤認など
- 行動症状：身体的攻撃性，徘徊，不穏，焦燥，逸脱行動・性的脱抑制，落ち着きのなさ，介護拒否，叫声など

2 高次脳機能障害者への支援

高次脳機能障害に対する評価とリハビリテーション，生活訓練，就労(就学)移行支援などは，これまで医師，言語聴覚士，作業療法士，理学療法士，臨床心理士が行ってきた．高次脳機能障害に対しては，十分な神経心理学的アセスメントに基づいて，認知リハビリテーションが行われることが望ましい．認知(神経心理学的)リハビリテーションについては，坂爪一幸が以下のように各側面に対するアプローチと治療介入の方法についてまとめており[3]，とくに記憶，注意，実行(遂行)機能の障害に対しての知見が積み重ねられている．

- 機能障害に対するアプローチ：機能改善型治療介入(障害機能の回復や開発)，能力代償型治療介入(健常機能との組み合わせや統合)
- 心理反応に対するアプローチ：心理安定型治療介入(気分の安定化)
- 環境からの入力 / 環境への出力に対するアプローチ：能力補填型治療介入(外的補助手段の活用)，行動変容型治療介入(適応行動の形成と問題行動の低減)
- 環境そのものに対するアプローチ：環境調整型治療介入(生活環境の整理や手がかりの導入)，関係者支援型治療介入(障害の理解と対応への助言，苦悩の低減)

リハビリテーション，生活訓練，就労移行支援などについて，高次脳機能障害情報・支援センターのウェブサイト(http://www.rehab.go.jp/brain_fukyu/)で情報が提供されている．

■ 引用・参考文献

1) 望月聡：神経心理学的研究法．臨床心理学研究法特論(小川俊樹ほか編)，p127-142，放送大学教育振興会，2018
2) American Psychiatric Association 編：DSM-5 精神疾患の診断・統計マニュアル(日本精神神経学会 日本語版用語監，髙橋三郎ほか監訳)．医学書院，2014
3) 坂爪一幸：各障害の診断とリハビリテーション—概要．高次脳機能障害のリハビリテーション—実践的アプローチ，第 3 版(本田哲三編)．p35-41，医学書院，2016
4) 坂爪一幸：高次脳機能の障害心理学—神経心理学的症状とリハビリテーション・アプローチ．p161，学文社，2007

12章 社会および家族・集団に関する心理学

1. 対人関係や集団における人の意識や行動についての心の過程

この章で学ぶこと

- 対人関係や集団における人の意識や行動についての心の過程
- 人の態度や行動についてのさまざまな理論
- 家族や集団および文化が個人に及ぼす影響

本章では，社会心理学，集団心理学，家族心理学の中で公認心理師として身につけておくべき内容について説明する．

社会心理学や集団心理学は，個人の心理を中心にして，人と人，人と社会（集団も含まれる）が相互に影響を与え合うプロセス（社会行動）を理解し，社会問題や個人がかかえるさまざまな問題の解決を目指す学問領域である[1]．扱うテーマは，個人内過程（対人・社会的認知，自己，帰属など），対人行動・対人関係（コミュニケーション*1，対人魅力，親密な対人関係，攻撃行動，援助行動，対人ストレス*2 など），集団過程・行動（リーダーシップ，偏見，協同*3 と競争，同調，社会的アイデンティティ，集団の意思決定など），集合現象（流言*4，パニック，災害時の行動など）など多岐にわたる．公認心理師は，職務として，「心理に関する支援を要する者に対する，その心理に関する相談および助言，指導その他の援助」「心理に関する支援を要する者の関係者に対する相談および助言，指導その他の援助」が掲げられている．これは，支援が必要な者との間だけではなく，家族や他職種の人々と良好な関係を築き上げ，連携を取りながら職務を遂行することが求められているということであり，その点で，社会や集団（家族を含む）にかかわる心理学の知識を身につけておくことは重要であろう．

1 他者との関係の形成・維持に関する知見

本節では，対人関係や集団に関わる知見について紹介する．上述したように，公認心理師はさまざまな人との連携により援助を必要とする人にアプローチしていくことが求められる．

そのため，まずは，対人魅力や親密な対人関係について説明したうえで，他者と良好な関係を形成・維持していくために大切な「自己開示」「自己呈示」「ソーシャルスキル」について解説する．なお，対人関係の形成・維持に関する理論については「2．人の態度や行動についてのさまざまな理論」（➡ p.227 第12章2節）を参照してほしい．

1 対人魅力

対人関係に関して，社会心理学では，そもそも人はどのような相手に対して魅力を感じるのかという観点（対人魅力）に焦点をあてて研究が行われてきた．対人

用語解説

＊1 コミュニケーション
音声や身体，事物などの手がかりを用い，心理的に意味のあるメッセージを伝え合うこと．言語的コミュニケーション，非言語的コミュニケーションに大別することができる．

用語解説

＊2 対人ストレス
橋本剛[2]は，対人ストレスを「対人葛藤（社会の規範から逸脱した顕在的な対人葛藤事態）」「対人劣等（ソーシャルスキルの欠如などにより劣等感を触発する事態）」「対人摩耗（対人関係を円滑に進めようとすることにより気疲れを引き起こす事態）」の3つに分類している．

用語解説

＊3 協同
集団において，ある成員の目標達成が他の成員の目標達成に寄与すること．

■ 表1 対人魅力の主要決定要因

相手の特性	相手の行動	自分の特性	自分の心理状態
1. 好まれる性格	1. 好意的評価（返報性）	1. 自己評価	1. 孤独感
2. 身体的魅力	2. 非言語的行動	2. 価値観	2. 生理的興奮状態
3. 欲求充足的特性	3. 欲求充足的行動	3. 性格	3. 自己評価の低下時
相互的特性	相互作用	社会的要因	環境的要因
1. 態度・性格の類似性	1. 近接性	1. 同調行動	1. 快適人工環境
2. 魅力度の同等性	2. 接触の相互作用	2. 社会的規範	2. 快適自然環境
3. 性格の相互補完性	3. 一体感獲得状況	3. 障害	3. 快適社会環境

文献4)を参考に作成

魅力とは，感情，認知，行動により構成されるものであり，対人魅力を決める主要な要因には「相手の特性」「相手の行動」「自分の特性」「自分の心理状態」「相互的特性」「相互作用」「社会的要因」「環境的要因」の8つがあるとされる（表1）[4]．

2 • 親密な対人関係

対人関係にはさまざまなものがあるが，親密な対人関係とは，その中でも，恋愛関係や親子関係，友人関係などが該当する．対人関係における親密さの測定方法としては，「どの程度親密であるのか」についてリッカート法（1. 全く親しくない～5. とても親しい など）で尋ねるものや，頻度（過ごす時間），行動の多様性（一緒に行う行動の種類），強さ（互いの影響の強さ）によって得点化するものなどがある．また，**クラーク** Clark, M. と**ミルズ** Mills, J. [5]は，対人関係を質的に異なる交換的関係と共同的関係に分けている．交換的関係とは，ベネフィットを受け取ることで相応のベネフィットを返報する関係であり，ギブアンドテイクのビジネス上の関係などを指している．共同的関係とは，相手のために無条件でベネフィットを与える関係のことであり，親密な対人関係はこちらに該当する．親密な対人関係は，当人にとって心の支えとなり得るものであり，たとえば，松井豊[6]は，友人関係における機能として，「安定化機能（緊張，不安，孤独を緩和解消してくれる）」「社会的スキルの学習機能（他者との適切な関係の取り方を学習することができる）」「モデル機能（自分もそうありたいと思う手本となり得る）」の3つをあげている．一方で，友人関係は未成年の飲酒などの反（非）社会的行動の促進に大きな影響力をもつこともある．

3 • 自己開示

自己開示とは，自分自身に関する情報を，本人の意思のもとに（強制されることなく）特定の他者に対して言語を介して伝達することであり，その機能として，感情を表出すること，自己の考えなどを明確にすること，相手が自分に抱く印象をコントロールすることなどをもち合わせている[7]．

自己開示は，他者との関係を進展させるための重要な行動の1つであり，相手との関係性が深まるほどに自己開示が促進される[8]．そして，自己開示には返報性（相手にしてもらった自己開示と同程度の自己開示を行うこと）が働くため，双方の自己開示が適切に行われていくことによって相手との関係が進展していくが，まだ関係が進展していない段階で，自身の内面的な深い自己開示を行うこと

用語解説

＊4 流言

流言とは，不確実で曖昧であるにもかかわらず，人々に信じられている情報であり，悪意をもって作為的に作られた情報であるデマとは異なる．流言には，人から人に伝えられる過程で変容し社会に流布していくという考え方と，公式の情報がない曖昧な状況に置かれた人々が共同して解釈をしていく過程で発生するものという考え方がある．また，流言の流布量（R）は，「あいまいさ（a）」と「重大さ（i）」の積であると定式化された流言の基本法則[3]とよばれるものがある．

は相手からの評価を下げる可能性があるので注意が必要である．

4 自己呈示

このような自己開示に類似した概念として，自己呈示がある．自己開示は意図せずに自分のありのままを伝えるという側面が強いが，自己呈示は他者からの好意的な評価や，社会的承認，物質的報酬などの利益を得ようとする意図のもとに，自分に関する情報を他者に伝えるものである[9]．いわゆる社会的動機[*5]に基づく行動としてとらえることができるだろう．

自己呈示の1つとして，「セルフハンディキャッピング方略」が有名である．セルフハンディキャッピング方略とは，自分自身の行動の結果について，失敗は外的な要因に帰属して言い訳することができ，同時に成功は自分の内的な要因に帰属して自分の実力の結果とすることができるように，自分の行動を選択したり調整したりする方略のことをさす．このようなセルフハンディキャッピング方略は，自分の能力について自信がもてないような状況で採用されることが多い（図1）．たとえば，大切なテストの前に，部屋の片づけを始めてしまうことや，まったく勉強していないことを周りの人に伝えることで，テストの結果は自分の能力ではなく，そのほかのことが原因だと結論づけることによって自尊心を維持する行為はセルフハンディキャッピング方略だといえる．

5 ソーシャルスキル

ソーシャルスキルとは，他者との円滑な関係を保持するために必要な認知的判断や行動のことである．ソーシャルスキルは，大きく分けて，①自分の意図や感情を相手に正確に伝える「記号化」，②相手の意図や感情を正確に読み取る「解読」，③感情をコントロールする「統制」の3つから成り立っており，この3つを上手に使うことで相手と円滑なコミュニケーションがとれるようになる[10]（図2）．菊池章夫[11]は，ソーシャルスキルを測定するための尺度(KiSS-18)を開発しており，これを使用することによって現在の自分自身のスキルを把握することができる（表2）．なお，ソーシャルスキルは一生変化しないものではなく，役割演技法や体験集団(Tグループ[*6])といった訓練によって鍛えることができると考えられている．

2 他者からのサポートに関する知見

他者と円滑な関係を形成・維持することができれば，何か困ったことがあったときにも，助けを求めることが容易になると考えられる．一方で，他者とのつながりがないことや他者から拒絶されることが身体的・精神的に与える影響も大きい．そこで，次は，他者からのサポートや社会的排斥，社会的ネットワークに関する知見についてみていく．

1 ソーシャル・サポート

ソーシャル・サポートとは，個人が他者から得られるさまざまな形の援助の総

用語解説

＊5 社会的動機
他者とのかかわりにおいて形成される動機のこと．達成動機（期待される水準以上の成果を求めて努力しようとする動機）や親和動機（他者と友好な関係を築きそれを維持しようとする動機）などがある．

図1 セルフハンディキャッピング方略

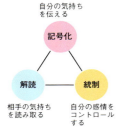

図2 ソーシャルスキルの3要素

用語解説

＊6 Tグループ
トレーニンググループのこと．Trainingの頭文字TをとってTグループとよばれる．

■ 表2　KiSS-18

1	他人と話していて，あまり会話が途切れないほうですか
2	他人にしてもらいたいことを，うまく指示することができますか
3	他人を助けることを，上手にやれますか
4	相手が怒っているときに，うまくなだめることができますか
5	知らない人とでも，すぐに会話が始められますか
6	まわりの人たちとのあいだでトラブルが起きても，それを上手に処理できますか
7	こわさや恐ろしさを感じたときに，それをうまく処理できますか
8	気まずいことがあった相手と，上手に和解できますか
9	仕事をするときに，何をどうやったらよいか決められますか
10	他人が話しているところに，気軽に参加できますか
11	相手から非難されたときにも，それをうまく片づけることができますか
12	仕事のうえで，どこに問題があるかすぐに見つけることができますか
13	自分の感情や気持ちを，素直に表現できますか
14	あちこちから矛盾した話が伝わってきても，うまく処理できますか
15	初対面の人に，自己紹介が上手にできますか
16	何か失敗したときに，すぐに謝ることができますか
17	まわりの人たちが自分とは違った考えをもっていても，うまくやっていけますか
18	仕事の目標を立てるのに，あまり困難を感じないほうですか

※各項目について，「1．いつもそうでない」から「5．いつもそうだ」のうち1つを選択

（菊池章夫：思いやりを科学する．p199，川島書店，1988）

称である．ソーシャル・サポートの定義は研究者によって異なっているが，ソーシャル・サポートの種類は主に3つ（道具的サポート，情報的サポート，情緒的サポート）に分けられる（図3）[12]．

道具的サポート
問題解決への直接的な支援
例：勉強を教える

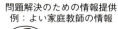
情報的サポート
問題解決のための情報提供
例：よい家庭教師の情報

情緒的サポート
不安の軽減，情緒的安定の支援
例：家族からの励まし

勉強が苦手で，
いつもストレスを抱えているA君

図3　ソーシャル・サポートの例
文献12)を参考に作成

　道具的サポートとは，問題解決を直接支援するためのものであり，金銭や労働などによる支援のことをさす．情報的サポートとは，問題解決に関連する有益な

情報による支援のことをさす．そして，情緒的サポートとは，不安を軽減し，情緒を安定させる支援のことをさしている．これらのサポートを得られることは，個人の精神的・身体的健康に重要であるが，実際に受けることのできたサポート（実行されたサポート）だけでなく，サポートの利用可能性（知覚されたサポート）も当人のストレス低減に有効である．

2 • 社会的排斥・社会的ネットワーク

社会的排斥とは，他者からの拒絶や集団からの孤立のことをさす．クラスメイトから拒絶され，無視されるような状況は社会的排斥の一例である．これまでの研究で，人とのつながりは死亡リスクや抑うつ，孤独感と関連があることが分かっている．

図4は社会的ネットワークの豊かさと死亡リスクに関する研究結果である[13]．この研究では，9年間の縦断調査を行い，対象者を最も社会的ネットワークが乏しい群（第1群）から最も社会的ネットワークの豊かな群（第4群）に分けて死亡リスクとの関連を検証している．その結果，第1群の人々が最も死亡リスクが高いことが明らかになった．

このように，社会的なつながりをもっていることは身体的，精神的な健康にとって非常に重要である．また，社会的排斥は怒りを生じさせ，排斥を行った者のみならず，場合によっては，無関係の相手に対する攻撃行動の引き金となることも明らかとなっており，当人だけでなく，社会全体のリスクとしてとらえることが必要であろう．

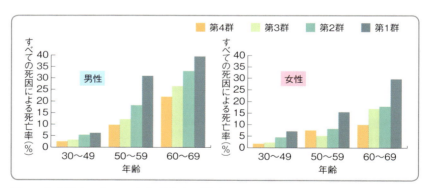

図4　社会的ネットワークと死亡率の関連
文献13)を参考に作成

3　周りの他者からの影響

サポートやネットワークという観点ではなく，人は，周りに他者がいることによって様々な影響を受けている．そこで，次は，周りの他者からの影響（社会的影響）として，社会的促進，社会的抑制，社会的手抜きについて説明する．

1 • 社会的促進

社会的促進とは，個人がある課題を行う場合に，他者の存在によって課題遂行

が促進される現象のことである．社会的促進には，単に観察者が存在することによって課題遂行が促進される場合（観察者効果）と，同一の課題を同時かつ独立に行う他者が存在することによって促進される場合（共行動効果）がある[14]．

2 ● 社会的抑制，社会的手抜き

一方で，他者が存在することによって逆に課題遂行が抑制される社会的抑制という現象も存在する．一般的に，単純で，得意な課題の場合は社会的促進が，複雑で苦手な課題の場合は社会的抑制が導かれる．しかし，単純な課題だとしても，個人で作業するときの努力量に比べて集団で作業するときの努力量が低下する社会的手抜きとよばれる現象もある（図5）．

図5 社会的手抜きの例
集団でおみこしを担ぐとき，全員が同じように担ぐわけではなく，何人かは担ぐふりをしたり，ぶらさがったりする．

4 葛藤

「他者からのサポートに関する知見」の項で述べたように，他者は自身にとって助けとなることが多いが，その一方で，悩みの種にもなる．日々の生活のなかでは，周りの人といつも仲良くできるわけではなく，周りの人と意見が対立してしまうこともあるだろう．このような対立のことを葛藤とよぶ．

そこで，次は，葛藤について説明する．葛藤には，自分のなかで2つ以上の欲求が均衡する個人内葛藤，個人間の間で生じる対人葛藤，集団において生じる集団内葛藤，ひいては国家間の紛争にまで至るような集団間葛藤と多岐にわたるが，ここでは，対人葛藤や集団内，集団間葛藤に焦点をあて，葛藤が生じた際に，どのような解決方略があるのかについて解説する．

1 ● 対人葛藤

対人葛藤とは，個人の欲求や期待が他者によって阻止されていると個人が認知することによって生じるものであり[15]，当事者の葛藤対処方略によって葛藤の結果（和解されるかどうか）が左右される[16]．

対人葛藤方略には，自己志向性（自己の利害への関心）と他者志向性（他者の利害への関心）の2次元によって解決方略を5つに分類する二重関心モデルがある（図6）[17) 18)]．5つの解決方略とは，①自己志向性と他者志向性がともに高い「統合方略」，②自己志向性が高く他者志向性が低い「支配方略」，③自己志向性が低く他者志向性が高い「服従方略」，④自己志向性と他者志向性がともに低い「回避方略」，⑤どちらも中程度である「妥協方略」であり，統合方略が両者にとって満足度の高い方略であるとされている．

2 ● 集団内葛藤

対人葛藤のように二者間での葛藤ではなく，集団内での話し合い場面などで生じる葛藤を集団内葛藤とよぶ．集団内葛藤には，①意見やアイディアの相違から生じる課題葛藤と，②メンバー同士の性格や価値観の不一致から生じる関係葛藤がある．

課題葛藤は集団にとってよりよい選択を促す力になる可能性があるが，関係葛

図7 課題葛藤を関係葛藤と誤認知
相手から批判されると，嫌われてしまったと認識する．

図8 関係葛藤を課題葛藤と誤認知
嫌いな相手だと，提案されたことに対して対立しようとする．

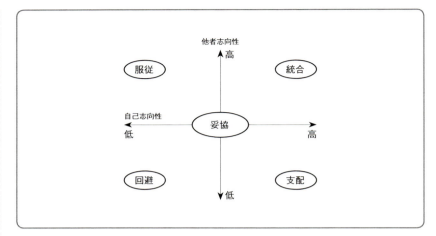

図6 対人葛藤方略（2次元5スタイル）
文献17) 18)を参考に作成

藤は集団にとってのよりよい選択を阻害する可能性がある．そして，両者は別の葛藤であるが，誤認知（課題葛藤が関係葛藤として認知される（図7），また，関係葛藤が課題葛藤として認知されること（図8））により問題解決が困難に陥りやすい[19]．たとえば，意見が対立したことで，相手との関係性が悪くなることや相性のよくない相手の意見なので反対してしまうといったことが誤認知である．チームで仕事に取り組むことの多い公認心理師を目指すものとしては，これらのことに気をつけながらコミュニケーションをとっていくことが重要であろう．

3 ● 集団間葛藤

集団内での葛藤ではなく，集団間でもさまざまな葛藤は生じることがある．自分の所属している集団を内集団，所属していない集団を外集団とよぶが，この内集団，外集団の集団間葛藤については，**シェリフ Serif, M.** らの泥棒洞窟実験が有名である．これは，少年たちの3週間にわたるサマーキャンプを利用した野外実験であり，内集団の形成（第1段階），外集団との葛藤（第2段階），外集団との葛藤の低減（第3段階）という3段階で集団間葛藤とその解消について検証している．この実験で明らかになったことの1つは，私たちは内集団－外集団の区別にとても敏感であるという事実である．この実験では自分たちの集団以外にもう1つ別の集団がキャンプに来ていることを知らされただけで，自分たち（ウチ）と，相手（ソト）の意識が高まっていた．また，集団間葛藤を解消するには異なる集団の成員同士が単純に接触し合うだけでなく，2つの集団が協同しなければ解決できない上位目標を提示する必要があることも明らかになっている[20]．

4 ● 社会的アイデンティティ

人は，自分自身のことをとらえる際に，自分の性格や特徴などに基づいてとらえる場合と，自分がどのような集団に所属しているのかに基づいてとらえる場合がある．前者は個人的アイデンティティといい，後者のことは社会的アイデンティティとよぶ．社会的アイデンティティとは自分が属している集団（内集団）を踏ま

えた自己のことをさす．たとえば，〇〇人である，△△部の部員であるといったものが該当する．**タジフェル Tajfel, H.** と **ターナー Turner, J.** は，人は自尊心を維持するために，社会的アイデンティティの源である内集団とその他の外集団とを区別しようとする理論(社会的アイデンティティ理論)を提唱している[21]．社会的アイデンティティは，自分を取り巻く環境を何かしらのまとまりで分けるカテゴリー化(分類化)から始まり，1つにくくられた集団メンバー同士の類似性と，それ以外の集団との差異に注意が向き(社会的カテゴリー化)，その後，自分の所属する集団が自身のアイデンティティの一部になることで，社会的アイデンティティが形成される[12]．なお，自分の所属している内集団の方が外集団よりも優れていると思うことで自尊心を維持することを内集団バイアスとよぶ．

以上のように，本節では対人関係や集団にかかわる知見について紹介してきた．近年では，ジェンダー[*7]やセクシャリティ(性的指向[*8]・性自認[*9])という観点からLGBTなど多様な対人関係の研究も蓄積されつつある．これらについての知識も公認心理師として活躍するためには必要であろう．

■ 引用・参考文献
1) 安藤清志：社会・集団・家族心理学．公認心理師入門—知識と技術—(野島一彦編)，p48-51，日本評論社，2017
2) 橋本剛：大学生における対人ストレスイベント分類の試み．社会心理学研究 13(1)：p64-75，1997
3) 川上善郎：流言．社会心理学事典(日本社会心理学会編)，p434-435，丸善出版，2009
4) 齊藤勇：対人魅力の状況的要因　社会心理学事典(日本社会心理学会編)，p178-179，丸善出版，2009
5) Clark, M.S., Mills, J.: "A theory of communal (and exchange) relationships," in Handbook of Theories of Social Psychology, eds P. A. M. Van Lange, A. W. Kruglanski, and E. T. Higgins (Thousand Oaks, CA: Sage Publications), p232–250, 2012
6) 松井豊：友人関係の機能．社会化の心理学ハンドブック　人間形成と社会と文化(斉藤耕二ほか編)，p283-296，川島書店，1990
7) 安藤清志：「自己の姿の表出」の段階．「自己過程」の社会心理学(中村陽吉編)，p143-198，東京大学出版会，1990
8) 丹野宏昭ほか：親密化過程における自己開示機能の探索的検討―自己開示に対する願望・義務感の分析から―．対人社会心理学研究 5：p67-75，2005
9) 高田利武：私の心と私の姿．社会心理学キーワード，第2版(山岸俊男編)，p123-134，有斐閣，2002
10) 堀毛一也：恋愛関係の発展・崩壊と社会的スキル．実験社会心理学研究 34：p116-128，1994
11) 菊池章夫：思いやりを科学する．川島書店，1988
12) 山岸俊男：カラー版徹底図解　社会心理学―歴史に残る心理学実験から現代の学際的研究まで―．新星出版社，2011
13) Berkman, L.F., Syme, S.L.: Social networks, host resistance, and mortality: A nine-year follow-up study of Alameda County residents. American Journal of Epidemiology 109：186-204，1979
14) 小川一夫：改訂新版社会心理学用語辞典．第4刷(小川一夫監)，北大路書房，2004
15) 藤森立男：日常生活にみるストレスとしての対人葛藤の解決過程に関する研究．社会心理学研究 4(2)：p108-116，1989
16) 大淵憲一ほか：葛藤解決における多目標―その規定因と方略選択に関する効果．心理学研究 68，p155-162，1997
17) Rahim, M.A., Bonoma, T.V.: Managing organizational conflict: A model for diagnosis and intervention. Psychological Feports 44：1323-1344，1979
18) 加藤司：大学生の対人葛藤方略スタイルとパーソナリティ，精神的健康との関連について．社会心理学研究 18：p78-88　2003
19) 村山綾：あの人とは，意見も性格も合わないんです．エピソードでわかる社会心理学―恋愛関係・友人関係から学ぶ(谷口淳一ほか編)，p166-169，北樹出版，2017

 用語解説

*7 ジェンダー

特定の社会が男性あるいは女性にふさわしいと考える役割，行動，態度を表す時に用いる表現．生物学的あるいは生理学的性によって区別する際の性別と使い分けられる[22]．

 用語解説

*8 性的指向

恋愛・性愛がどういう対象に向かうのかを示す概念[23]．対象となる性が，異性であれば異性愛(ヘテロセクシュアル)，同性であれば同性愛(ホモセクシュアル)，男女両方であれば両性愛(バイセクシュアル)という．

 用語解説

*9 性自認

自分の性に対する認識，また自分のアイデンティティ(自我同一性)としてどういった感覚をもっているかを示す概念で「こころの性」とよばれることもある[23]．

20) 亀田達也:社会的交換. 複雑さに挑む社会心理学 適応エージェントとしての人間(亀田達也ほか著), p60-96, 有斐閣アルマ, 2000
21) 山岸俊男:社会心理学の道具箱. 社会心理学キーワード(山岸俊男編), p218-227, 有斐閣双書, 2001
22) 高橋晃:発達. キーワード心理学シリーズ(重野純ほか監) 5, 新曜社, 2011
23) 法務省:人権の擁護, 2019
   http://www.moj.go.jp/content/001268816.pdf より 2020 年 2 月 14 日検索

人の態度や行動についてのさまざまな理論

12章 社会および家族・集団に関する心理学

ここでは，人が自分自身や他者のこと，また社会のさまざまな環境をどのように理解し，評価するのかということ（社会的認知）に関する心理的な特徴や，それらの特徴を説明する理論について，以下の4点を取り上げる．第1は人のさまざまな行動を導く「態度」，第2はものごとの原因を予測する「帰属」，そして第3は人が自分をどのように理解しているのかを示す「自己」，第4は人が他者をどのように理解しているのかという「対人認知」である．

1 態度

あなたの好物は何だろうか．たとえば，お気に入りのアイスクリームがあった場合，そのアイスクリームがおいしいから好きであり，そのアイスクリームを毎日でも食べたいと思うのではないだろうか．このように，ある対象に対する好き（嫌い）のことを「態度」とよぶ．また，態度は，①評価側面（例：おいしい），②感情側面（例：好き），③行動側面（例：毎日でも食べたいと思う）というように3つの成分から構成されていると考えられている（図1）．人は態度によって，物事を評価したり，ある環境で即座に行動したりする．

態度に関する研究では，人が態度を変える過程について注目されてきた．人はいつも同じでありたい，矛盾していたくないと考えており，そのために態度を変容することがある．態度変容については，認知的一貫性（斉合性）理論（congnitive consistency theory）の「人はいつも同じでありたいという認知の一貫性を保ちたい」という前提のもと，認知的均衡理論（バランス理論）と認知的不協和理論によって説明されている．また，人の態度は，他者から説得されることによっても変化する．以下でそれぞれ取り上げる．

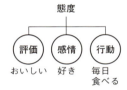

図1　態度の3成分

1・認知的均衡理論（バランス理論）

たとえば，あなたはアイスクリームが大好きである一方，恋人は甘いものが苦手で，アイスクリームが嫌いであるとする．このようにアイスクリームに対して，自分と恋人（相手）は，異なる考え方をもっているために，自分がアイスクリームを食べることを遠慮したり，恋人から否定的な発言をされてしまったり，自分と恋人とのアイスクリームに対する価値観の違いがもめごとに発展する可能性もある．そのため，あなたはアイスクリームをあまり好きではなくなってしまったり，恋人への好意が冷めてしまったりすることも考えられる．

上記のような状況を，ハイダー Heider, F. は認知的均衡理論（バランス理論）で説明している．認知的均衡理論（バランス理論）では，自身（P：perceiver，知覚者）と対象（X），他者（O：other）という3つの関係を図2のように考えている．3つのそれぞれの関係を「好き（＋）」か「嫌い（－）」で示し，その積が＋のときには，バランスのとれた（均衡している）状態であり，－のときには，バランスがとれて

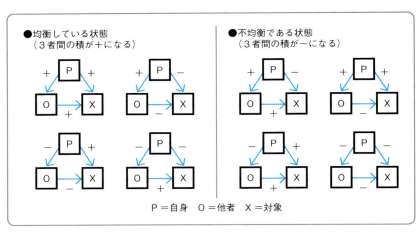

図2 バランス理論の考え方

いない（不均衡である）状態となる．バランスがとれていない（不均衡である）状態は，人にとって不快であるために，バランスのとれた（均衡している）状態になるように，3つの関係のどこかを変化させる必要，すなわち，何らかの態度変容が必要となる．

2 ● 認知的不協和理論

自分と他者の態度が異なるだけではなく，自分自身の2つの態度や行動が矛盾する場合もある．フェスティンガー Festinger, L. は，自分自身の2つの態度や行動が矛盾する場合に認知的な不協和が発生し，その不協和を解消するために，態度変容するという認知的不協和理論を提唱している．

たとえば，自分はアイスクリームが大好きで毎日でも食べたいのに，アイスクリームを食べて太りたくないと考えている場合，自分自身の2つの態度や行動が矛盾しており，これが不協和な状態となる．この不協和な状態も，人にとっては不快なものであるため，不協和を解消するために，「アイスクリームは好きではない」や，「アイスクリームはストレス解消のために食べたほうがいい」というように，自分の考えを変えたりする．

3 ● 説得

誰かに説得されて，決断を変えたことはないだろうか．人の態度を変化させるために行われるコミュニケーションを説得という．説得が成功する，すなわち，態度の変容が成功するためには，説得する側（送り手）の魅力の高さや，その事柄に対する専門性や信頼性の高さなどが影響する．また，説得する際に，メリットだけを伝えるのか（一面的メッセージ），メリットとデメリットを伝えるのか（両面的メッセージ），恐怖などのネガティブ感情や罪悪感などの社会的感情[*1]を喚起させるようなメッセージを伝えるのかなどによっても異なる．なお，説得はいつも成功するわけではない．人は他者から何らかの説得を受けた際に，自分の自由が脅かされているような感覚から，自由であることを守るために，説得に反発することもある（心理的リアクタンス）．

▲フェスティンガー，レオン
（1919-1989）
アメリカの社会心理学者．認知的不協和理論の実例の一つとして，『予言が外れるとき』（水野博介訳，勁草書房，1995）という著書において，この世の破滅を予言したある集団への参与観察の結果と考察が紹介されている．（写真：PPS通信社）

 用語解説

*1 社会的感情
他者との関係において生じる感情のこと．恥，罪悪感，妬み，誇りなどがあり，自分の思考，意図，行動についての自己に対するフィードバックとなり，自己制御的な機能をもつ．

また，説得される側（受け手）が説得される内容についてどのように考え，態度変容するのかについては，精緻化見込みモデル（ELM：elaboration likelihood model）によって説明されている（**図3**）．説得される側（受け手）が，説得の内容を綿密に吟味して態度を変容する場合（中心的ルート）と，説得の内容ではなく，説得する人（送り手）の魅力などの要因から態度を変容する場合（周辺的ルート）がある．

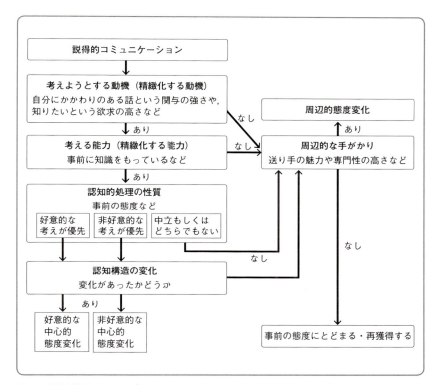

図3　精緻化見込みモデル
文献1）を参考に作成

2　帰属

　帰属とは，「物事の原因を予測する」ことである．たとえば，人がある行動をとったときに，なぜそのような行動をとったのか原因を考えることである．原因が行動をした本人の内面的な要因であると考える「内的帰属」と，原因が行動をした本人ではなく周囲の状況などの要因であると考える「外的帰属」がある．

1 ● さまざまな帰属理論

　帰属の過程については，さまざまな理論がある．ジョーンズ Jones, E. とデイヴィス Davis, K. の対応推論理論（correspondent inference model）では，「電車のなかで席をゆずった人を見て，あの人は親切な性格だな」ととらえるように，行為者の性格などの内面的な要因に帰属される過程を説明している．ある行為がその人の性格によるものだと判断されるときには，その行為とその人の性格とを

結びつけること(対応性)が重要であるとしており，この対応性には，行為者のその場での役割や，行為をすることによって得るものや，その行為の社会的望ましさなどが影響を与える．

　また，**ケリー** Kelly, H. の共変モデル(covariation model：ANOVA モデル)では，他者の行動を帰属する際に，内的帰属もしくは外的帰属するのかについては，3つの要因(弁別性，一貫性，合意性)の組み合わせによって決定すると考えられている．たとえば，ある人がある漫才をおもしろいと思っていることを推論する場合，その人はどの漫才を見てもおもしろいと思うのか(弁別性)，どんなときでもどんな場所でもその漫才を見ておもしろいと思うのか(一貫性)，ほかの人もその漫才を見ておもしろいと思うのか(合意性)という点を考慮し，その漫才のみが，どんな場所で見てもおもしろく，周囲の人もおもしろいと評価している(弁別性，一貫性，合意性がすべて高い)場合，その人がある漫才をおもしろいと思っているのは，「その漫才がおもしろいからだ」というように外的帰属が行われる(図4)．

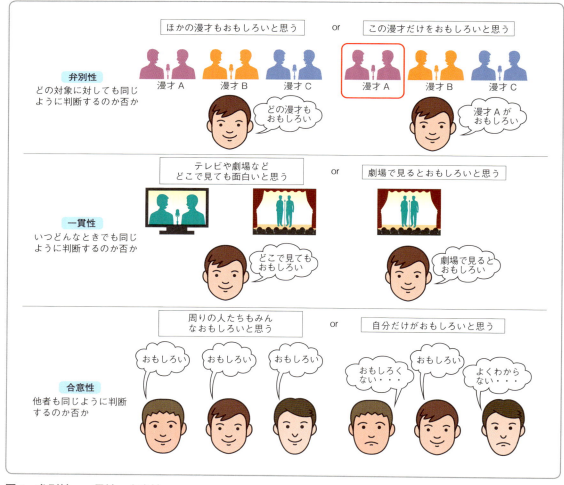

図4　弁別性，一貫性，合意性

2 • 帰属のエラー（図5）

　前述した帰属理論の考え方のように，人はいつもすべての要因を把握して，正しくものごとの原因を予測しているわけではない．むしろ，すべての要因が把握できないため，自分の経験からもっている因果関係に関する知識（因果スキーマ）を用いて帰属したりする．

　正しく物事の原因を予測できず，帰属を誤ってしまうことを帰属のエラーといい，代表的なものを以下にあげる．人は，他者のある行動の原因を考える際に，周囲の状況などの外的帰属よりも，性格などの内的帰属だと判断しやすい．これを根本的な帰属の誤り（エラー）という．一方で，自分のことになると，周囲の状況などを考慮しやすくなり，自分が観察者の場合は内的帰属をするのに対し，行為者の場合は外的帰属をする（行為者−観察者バイアス）．また，自分の成功体験や失敗体験の原因帰属については，成功は内的帰属，失敗は外的帰属というように自分に都合のよい帰属が行われてしまう．これを自己奉仕的（高揚）バイアス（self-serving bias）という．

　また，宝くじは他人に選んで買ってもらうより，自分で選んだほうが当たると考えるなど，偶然に生じることであっても，自分で統制することができるという錯覚（コントロール幻想）も，帰属のエラーである．このような帰属のエラーやバイアスは，社会的推論（自己や他者を含むさまざまな社会的事象に関して行う推論のこと）のゆがみとして考えることができる．

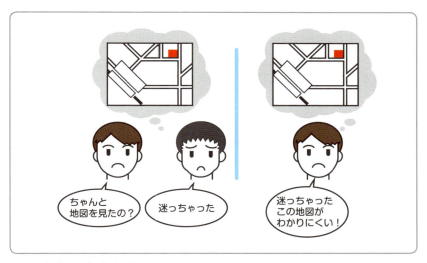

図5　行為者 - 観察者バイアス
相手が道を間違えると相手のミスだと帰属するが，自分が道を間違えると地図がわかりづらいからだと帰属する．

3 自己

　ジェームズ James, W.[2] が，自己（self）を，主体としての知る自己（主我）と，知られる自己（客我：3つの自己から構成される）に分けて理解できると主張（図6）して以降，自己に関する心理的特徴についてはさまざまな研究が行われてき

→ジェームズ p.169参照

た．これまで研究されてきた自己にかかわる現象をまとめると，自己に注目し，自己を把握し，評価し，表出するという「自己過程」という1つのプロセスとしてとらえることもできる[3]．以下では，人が自分自身に注目し(自己注目)，どのようにとらえ(自己概念)，どのように評価しているのか(自尊感情)について取り上げる．

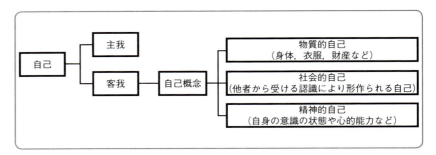

図6 自己の構造
文献2)を参考に作成

1・自己注目

自己が注意や意識の対象となることを「自己注目」というが，人は常に自分に注意を向けたり意識しているわけではない．鏡にうつった自分の姿を見たり，日記を書いたり，録音された自分の声を聴いたり，録画された自分の姿を見たりするときなどに，自分に注意を向けたり，意識したりする．また，自分自身にどのような意識を向けるのかについて，個人差があることも指摘されており，自分の感情などの内的な側面を意識しやすい「私的自己意識」と，自分の容姿などの他者から見られる外的な側面を意識しやすい「公的自己意識」がある．

2・自己概念

自分自身の性格やさまざまな特徴などに関する認知や信念の総体を「自己概念」という．自己概念のように，自分に関するさまざまな情報は体系化され，整理されていると考えられており，これを「自己スキーマ(self-schema)」という．この自己スキーマによって，自分に関する新たな情報を理解したり，自分の行動の方向性を決めたりしている．

また，自分自身をとらえる際に，自分が所属している集団を考慮することもある．たとえば，自己紹介をする際に，自分の出身地や出身大学をあげるように，自分が属している集団(内集団)をふまえた自己を「社会的アイデンティティ」という．人は内集団をそれ以外の集団(外集団)よりも肯定的に評価することで自己を高める傾向がある．一方で，自分の性格などをふまえた自己を「個人的アイデンティティ」という．

3 ● 自尊感情

自尊感情については，ジェームズが「自尊感情＝成功／願望」という公式によって取り上げた．**表1**は，自尊感情の高さを測定する尺度として最も多く用いられるローゼンバーグ Rosenberg, M. の自尊感情尺度である[3]．測定項目を概観するとわかるように，自尊感情とは全般的な自己に対する評価を意味する[*2]．自尊感情が高いほど，自分に肯定的な見方をしていたり，自分のことが好きであったり，自分には価値があると考えている．

フェスティンガーの社会的比較理論 (social comparison theory) では，周囲の他者と自分を比較することによって，自分を評価しているととらえられる．一般的に，人は自分と同世代の人と比較するなど，自分と類似した他者と比較している．一方で，失敗などを経験し，自分に対して否定的な評価をしているときに，自分を防衛するために，自分よりも能力などが下の他者を比較対象とする下方比較や，自分を鼓舞するために，自分よりも能力などが上の他者を比較対象とする上方比較などを行うこともある．

> **用語解説**
>
> **[*2] 自己に対する評価**
> 社会心理学において，自己に対する評価は，自己評価や自尊感情とよばれ，研究が行われてきた．自己評価と自尊感情は同義として用いられることもあるが，全般的な自己に対する評価を「自尊感情」といい，学力や運動能力，容姿など具体的な自己の側面に対する評価を「自己評価」と区別することもできる．

■ 表1 自尊感情尺度の測定項目

1．少なくとも人並みに価値のある人間である
2．いろいろなよい素質をもっている
3．敗北者だと思うことがよくある
4．ものごとを人並みにはうまくやれる
5．自分には自慢できるところがあまりない
6．自分に対して肯定的である
7．だいたいにおいて自分に満足している
8．もっと自分自身を尊敬できるようになりたい
9．自分はまったくだめな人間だと思うことがある
10．何かにつけて自分は役に立たない人間だと思う

各項目に対し，「あてはまらない（1）」から「あてはまる（5）」の5件法で回答を求め，合計得点を自尊感情の高さととらえることができる．なお，項目3，5，8，9，10は逆転項目である．
文献4) 5)を参考に作成

4 対人認知

初対面の人に出会ったとき，相手がどのような人なのか理解しようとするのではないだろうか．他者に関するさまざまな情報をもとに，性格を判断したり，行動を予測したりすることを「対人認知」という．

1 ● 印象形成

どのように他者を理解するのかという過程については，印象形成という研究分野で取り上げられてきた．アッシュ Asch, S.[6]の印象形成に関する実験では，人の性格特性を示す言葉のリストを実験参加者に読み聞かせて，どのような人であ

るかの印象を尋ねた．図7のリストAの「あたたかい」と，リストBの「つめたい」という特性以外はすべて同じであったにもかかわらず，リストBよりもリストAの方が好ましく評価された[6]．このように，人の印象形成には，大きな影響を与える「中心特性」と，影響をあまり与えない「周辺特性」がある．また，他者に関する情報が提示される順番によっても印象が異なることも指摘されており（提示順序効果），初期に接した情報が重視されやすい（初頭効果）．

一方で，望ましくない情報が重視され，印象形成を行うこと（ネガティビティ・バイアス）や，事前に与えられた情報による先入観に影響を受けること（期待効果）などもあり，人は得られた情報を同等にとらえ，印象形成をしているわけではない．

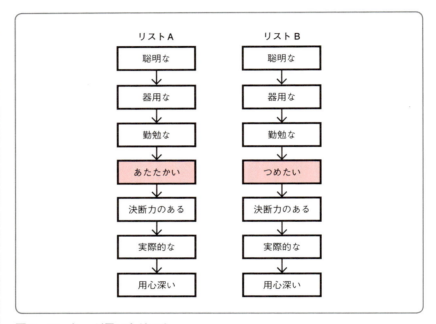

図7 アッシュが用いたリスト
リストA，Bは上から4番目の項目以外すべて同じである．
文献6)を参考に作成

2 ● ステレオタイプ

会話のなかで，血液型を尋ねられ，話が盛り上がったことはないだろうか．心理学分野では，血液型で人の性格をとらえられるという研究[7]があったものの，血液型と性格特性の関係について一貫した知見は得られていない．では，なぜ，人は血液型と性格特性が関連があるととらえてしまうのだろうか．

ある特定の集団（およびその集団に属する人）に対して，単純で固定的なイメージをもつことを「ステレオタイプ」という．「A型は生真面目である」「O型はおおらかである」というように，人は各血液型に固定的なイメージをもっており，これを血液型ステレオタイプという．この血液型ステレオタイプを手がかりに，他者を理解しようとしているのである．同じ血液型であっても，人によって性格や特徴はさまざまであるはずなのに，人は自分の考えにそって選択的に情報を得た

り(選択的認知)，ステレオタイプや矛盾した情報は異質のものととらえ重視しない(サブタイプ化).

初対面の人に出会ったとき，出身地や趣味，これまでの経歴，さまざまな性格に関する特徴など，多数ある情報から，その相手がどんな人なのかとらえる必要がある．しかし，それは容易なことではない．そこで，血液型ステレオタイプを用いて，相手の血液型からその相手を判断しようとする．このように，ステレオタイプは，複雑で膨大な情報を簡潔に処理することが可能であるため，容易に用いられやすい．しかし，ステレオタイプに否定的な評価や感情が伴うと「偏見」となり，否定的な行動が行われる「差別」となる危険性もある．

5 対人的相互作用と対人行動

わたしたちは，他者と互いの考えを伝えたり，贈り物をしたりするなど，さまざまな相互作用をしている．また，他者に向けた行動(対人行動)として，互いに助け合ったり，時には攻撃することもある．

1・対人的相互作用

誕生日に贈り物をもらったら，相手の誕生日に贈り物を渡すだろう．このように，人が他者と，物品や金銭，愛情，情報などを交換していることに注目し，対人的相互作用を交換からとらえる理論(社会的交換理論)がある．社会的交換理論の中でも衡平理論は，同等の交換に注目している．高価な贈り物をもらったにもかかわらず，相手に同等の贈り物ができないと，罪悪感を感じてしまうだろう．罪悪感を解消するために，相手に別に贈り物をしたりして，互いの交換を同等のものにすることにより関係を維持することができる．

また，自己開示も他者との関係の維持に影響する．社会的浸透理論では，自己開示の内容の幅や深さと親密さの関係について，初対面では浅く狭い内容だが，親密になると深く幅広い内容のものになるとしている．

2・援助行動

援助行動が生起するか否かは，援助を必要としている側に責任がなく，共感や同情が生じることが援助行動を促す．一方，援助を必要としている側に責任があった場合は，怒りなどが生起し，援助行動は起こりにくい．

援助が必要な緊急事態に直面した際に，周囲に人がたくさんいるほど(傍観者が多いほど)，援助行動が抑制されることがある(傍観者効果)．1964年のキティ・ジェノヴィーズ事件をきっかけに，ラタネとダーリーが実験を行い，注目を集めた．傍観者効果の原因として，①責任の分散(他の人が助けるだろうと思い，援助に対する責任の感覚が希薄になる)，②多元的無知(生じている状況について確信が持てず，周囲が援助行動を取っていないことで，その状況に問題はないと判断する)，③聴衆抑制(援助行動が失敗した場合，周囲から非難されることに対する不安によって行動が制限される)などがあげられる．

用語解説

＊3 キティ・ジェノヴィーズ事件

1964年，ニューヨークの住宅街で起こった殺人事件．キャサリン・キティ・ジェノヴィーズは深夜，駐車場から隣接するアパートまでのわずかな間に殺害された．多くのアパートの住人が事件を目撃したが，誰も警察に通報していたり，助けることがなかったため，社会に衝撃を与えた．

3 • 攻撃行動

攻撃行動とは，他者に対して身体的・精神的な危害を加えようと意図された行動である．攻撃行動の原因として①内的衝動説（攻撃行動を本能ととらえ，攻撃行動を起こす心理的エネルギーがあると仮定），②情動発散説（自身の不快な感情を表出・発散するために攻撃），③社会的機能説（目的を達成するための手段としての攻撃）がある．

■ 引用・参考文献

1) Petty RE et al：The elaboration likelihood model of persuasion. Advance in Experimental Social Psychology 19：123-205, 1986
2) James W：Psychology: Briefer Course London: Macmillan. 1892（今田寛訳：心理学（上）．岩波文庫，1992）
3) 中村陽吉編：「自己過程」の社会心理学．東京大学出版会，1990
4) Rosenberg M：Society and the adolescent self-image. Princeton, NJ: Princeton University Press, 1965
5) 山本真理子ほか：認知された自己の諸側面の構造．教育心理学研究 30：64-68，1982
6) Asch SE：Forming impressions of personaliry. Journal of abnormal and social psychology, 41：258-290. 1946
7) 古川竹二：血液型による気質の研究．心理学研究 2：22-44, 1927

家族や集団および文化が個人に及ぼす影響

ここでは，第1に家族が個人に及ぼす影響について取り上げ，家族システムの概念と家族が向き合う発達課題について概説する．第2に集団が個人に及ぼす影響を取り上げ，他者の意見に自分の意見を合わせたり，他者とともに意思決定する心理について述べる．第3には，文化が個人に及ぼす影響として，自分の生活する文化に合うように自分をとらえることなど，文化によるさまざまな違いについて説明する．

1 家族が個人に及ぼす影響

家族にかかわる心理的要因を扱う家族心理学はシステムズアプローチから，家族を1つのシステムとしてとらえている．家族というシステムのとらえ方と，家族が変化・発達していくとする家族の発達段階から各段階において家族が個人に与える影響について取り上げる．

1 家族というシステム

4人家族(父親，母親，息子，娘)を例として，家族というシステムをとらえてみる．まず，この家族は，世代(親と子)や性別(男性と女性)という境界(boundary)によって分類することができ，それぞれは世代別サブシステム，もしくは性別サブシステムととらえられる．このように，家族というシステムには複数のサブシステムがあり，たとえば親と子の世代間の力の差による階層(上下関係)を設定することができるなど，構造は複雑なものである．

家族というシステムにおいて，家族のメンバーのそれぞれの関係性は，連合(coalition)という側面からとらえることができる(図1)．家族のメンバーそれぞれに結びつきがあり，互いに協力したり，適切にコミュニケーションがとれている連合が最も望ましい(図1①)．しかし，単身赴任などで父親だけ離れて暮らしたり，コミュニケーション不足のため父親だけが孤立し，母親と子どもたちの連合が強い場合や，母親と息子の連合が必要以上に強い場合もある(図1②，③)．

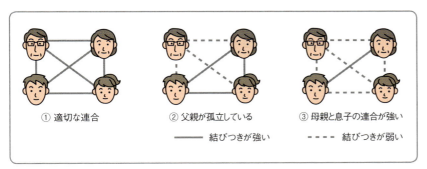

図1　連合のさまざまな形

なお，家族というシステムは，父親や母親の仕事の都合などの社会的な変化や，子どもの誕生から発達に伴う個人的な変化といったさまざまな要因の影響を受ける．家族システムは，家族の内外に生じた変化に対して，家族の状態を安定させようとする（恒常性，ホメオスタシス）．たとえば，父親が転勤することになっても，家族が変わらず生活できるように取り組んだり，子どもの誕生による育児の開始に伴い，家族が各自の役割を新たに変えたりする．このように，現状を維持しようとすることをモルフォスタシス（形態維持）といい，新しい形態をつくろうとすることをモルフォジェネシス（形態発生変化）という．

　また，子どもが不登校になるなど何かしらの問題が生じた際に，子どもに問題があると直線的にとらえる（直線的因果律）のではなく，父親や母親の養育態度，養育信念や，きょうだいとのかかわり方など，家族のメンバー全員が問題に関与しているととらえる（円環的因果律）必要がある．家族は個人の心理的適応に大きな影響力を有しており，家族の情動的風土として，親子関係や夫婦関係が良好であることや，家族の表出性（家族内の非言語的および言語的表出における支配的なスタイル）がポジティブであること，柔軟な秩序を有していることなどが大切である．

2・家族の発達課題

　家族は，さまざまな段階をとおして，変化したり発達したりするものとしてとらえられている．家族の発達課題については，家族ライフサイクル論（**表1**）として，個人のライフサイクルにおける発達課題のように，いくつかの段階とその段階の課題がある．ただし，家族にはさまざまな形態があるため，夫婦のみの家族や子どものいる家族，離婚する家族の段階や発達課題を扱うものまで多岐にわたる．

　たとえば，結婚して夫婦関係となる2人がそれぞれの家族を離れ，新たに生活を始めるために，ともにルール（規範）を設定したり，態度の違いを調整したり，一貫させたりするために，それぞれが態度変容する必要がある．また，子どもが誕生することにより，それまでの2者関係から3者関係に変化するために，夫婦としてのそれぞれの役割に加え，父親と母親の役割を担う必要がある．もし，離婚することになれば，それを受け入れることや，子どもとの新しい生活などを考え，離婚する夫婦間に新たな関係を構築する必要がある．このような各段階の変化は，家族の一員である個人にさまざまな影響を与える．

2　集団が個人に及ぼす影響

　集団が個人に及ぼす影響として，周囲の意見に自分の意見を合わせてしまう「同調」と，他者と協力して集団の意見を決める「集団意思決定」，集団における個人の行動を説明する「社会的ジレンマ」について取り上げる．

1・同調

　複数の友だちと食事をすることになり，何を食べに行こうかと考えている状況

■ 表1　家族ライフサイクル

ステージ	家族システムの発達課題	個人の発達課題	
		親世代	子ども世代 （第2世代）
1. 家からの巣立ち	源家族からの自己分化	親密性 vs 孤立 職業における 自己確立	
2. 結婚による 　両家族の結合	夫婦システムの形成 実家の親とのつきあい 子どもをもつ決心	友人関係の 再編成	
3. 子どもの出生から 　末子の小学校入学 　までの時期	親役割への適応 養育のための システム作り 実家との新しい 関係の確立	世代性 vs 停滞	基本的信頼 vs 不信 自律性 vs 恥・疑惑 自主性 vs 罪悪感
4. 子どもが小学校に 　通う時期	親役割の変化への適応 子どもを包んだ システムの再調整 成員の個性化	世代性 vs 停滞	勤勉さ vs 劣等感
5. 思春期・青年期の 　子どもがいる時期	柔軟な家族境界 中年期の課題達成 祖父母世代の世話		同一性確立 vs 同一 性拡散
6. 子どもの巣立ちと 　それに続く時期 　家族の回帰期	夫婦システムの再編成 成人した子どもとの関係 祖父母世代の 老化・死への対処		親密性 vs 孤立 （家族ライフ サイクルの 第1段階）
7. 老年期の家族の 　時期 　家族の交替期	第2世代（子世代）に 中心的な役割を譲る 老年の知恵と経験を包含	結合 vs 絶望 配偶者・友人の 喪失 自分の死への準備	

文献1) 2)を参考に作成
子どもがいる家族のライフサイクルに焦点を当て，個人の発達課題を説明するエリクソンの漸成理論と併せて，家族システムの発達課題の各段階について説明しているものである．

を想像してほしい．あなたは，パスタが食べたいと思い発言しようとしたら，友だちがラーメンを提案し，ほかの友だちも賛同した．このとき，あなたは「パスタが食べたい」と言えるであろうか．みんなが賛同したラーメンに，自分も賛同するのではないだろうか．このように，自分の考え（ある判断や態度などの行動）について，他者や集団が提示する期待に沿って同一・類似した行動をとることを「同調」といい，**アッシュ** Asch, S. の線分実験によって検討されている[3]（図2）．

なお，人が同調してしまう理由については，多数派の2つの影響力が指摘されている．第1は情報的影響であり，多数の他者の判断が自分の判断よりも正しいと思うために，他者と類似した行動をとることである．第2は規範的影響であり，多数派に自分も受け入れられたいと思うために，他者と類似した行動をとることである．

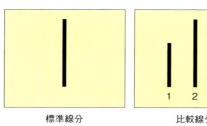

刺激線分の3つの線分のうち，標準線分と同じ長さの線分を選ぶという単純な課題であるが，サクラ（6人）が同様に不正解の番号を回答すると，真の対象者（1人）はその回答に影響を受けて，自分も誤った回答をしてしまう．

図2　アッシュの線分実験の概要
文献3）を参考に作成

2●集団意思決定

　集団の意思決定は，そのメンバーに属する個人の決定よりも，誤った決定をしてしまうことがある．これを集団浅慮という．集団浅慮は，意思決定する集団のなかでメンバー間のつながりが強く，自分の意見を主張することをためらったり，外部からの情報を軽視したりすることによって生じる．

　また，集団の意思決定が個人の意思決定よりも極端な方向に振れやすくなることを集団極性化という．たとえば，ある企業において，新たな事業を始めるかどうか決める際に，多少のリスクがあっても事業を始める決定をする場合もあれば，失敗を恐れ，新たな事業を始めることを断念する場合もあるだろう．個人の意思決定よりも，集団の意思決定のほうが，よりリスクの高い決定になることをリスキー・シフトという．一方，集団の意思決定のほうが，より保守的な決定になることをコーシャス・シフトという．なお，集団極性化が生じる理由としては，「たとえ失敗しても皆で決めたことだから」と個人の責任が分散されたり，「チャレンジが必要だ」もしくは「失敗は許されない」というようなメンバーのもつ価値観が先鋭化することによって，より強まったりすることなどがあげられる．

3●社会的ジレンマ

　ある地域で，ゴミのポイ捨てや，駅前の自転車の無断・違法駐輪などが問題となると，その地域では対策が考えられ，そのための費用が必要となったり，違反者に罰則を設けるという決定をして不便なことが増える場合がある．このように，個人が楽をしたいからなどの理由で利益を得ようとした結果，個人が属する集団の利益を損なってしまうことを社会的ジレンマという．

　社会的ジレンマを理解する際に，取り上げられるのが囚人のジレンマ（**図3**）である．ある重大な犯罪を犯した共犯者2人（囚人A，囚人B）を，別件でそれぞれ逮捕し，自白を促す際にそれぞれに対してある取引をもちかける．取引内容は，「お互いに自白をすれば懲役は10年であり，お互いに黙秘をすれば懲役は3年となる．しかし，どちらか一方が自白をして，もう一方が黙秘をした場合，自白をしたほうは懲役が1年となるが，黙秘をしたほうは懲役が15年となる」という内容である．互いに黙秘するという協力を選択すれば，懲役は最も短くなる．ところが，囚人は黙秘を続けて相手が自白をした場合や，自分が自白した場合のことを考え，それぞれが自分の利益を得ようと自白を選んでしまう．結果として黙秘

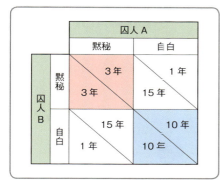

図3 囚人のジレンマ
互いに協力すれば懲役は3年になるにもかかわらず，互いが自分の利益を得ようと自白を選択すると懲役は10年になる．

を選択したときよりも懲役が長くなってしまうのである．

　社会的ジレンマは，その社会にいる個人がそれぞれ「協力する」か「協力しない」かを選ぶことができ，協力するよりも協力しないほうが個人は利益を得ることができる．ただし，全員が協力しない場合は，全員が協力した場合よりも，それぞれの個人の利益は少なくなってしまう．社会的ジレンマの解決に必要なのは，各個人が協力することである．それぞれがマナーやルールを守ることによって，社会的ジレンマは解決することができる．その際に，個人が自分以外の他者を信頼できることが必要となる．

3 文化が個人に及ぼす影響

　国外に旅行にいったり，留学をした際に，その国の習慣に戸惑うことはないだろうか．また，国内であっても，国外からの留学生や就労者とコミュニケーションをとることは多く，言語だけではなく，異なる考え方などに違和感を感じることもあるだろう．このような戸惑いや違和感など，異文化にふれることで生じる葛藤（異文化間葛藤）のように，文化の違いによる問題は，異文化間心理学という分野で注目されている．ここでは，主に，欧米と東洋の違いについての研究から，文化が個人に及ぼす影響についてとりあげる．

1 ● 文化的自己観

　文化的自己観とは，同じ文化のなかにいる人のあいだで共有する「人間とはこういうものだ」という考えである．この文化的自己観に沿って自分自身を認識することができる．またその文化のなかで他者とコミュニケーションをとる際にはこの文化的自己観が必要となる．**マーカス Markus, H.** らと北山忍は，文化的自己観には，「相互独立的自己観」と「相互協調的自己観」があると主張している[4]（図4）．

　前者の「相互独立的自己観」は主に欧米で共有されているものであり，人は他者など何事からも独立した存在であるとし，自分の能力などをもとに自己をとらえている．たとえば，自分をアピールする際に，スポーツが得意であることや，何事にも真剣に取り組むなどの特徴をあげる．後者の「相互協調的自己観」は主に東洋で共有されているものであり，人は他者との関係性から存在しており，他者と

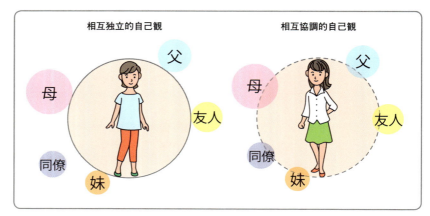

図4　相互独立的自己観と相互協調的自己観
文献4)を参考に作成

の関係における自分の特徴などをもとに自己をとらえている．たとえば，自分をアピールする際に，仲のよい友だちがいることや，周囲と協力しながら仕事を行うなどの特徴をあげる[4]．

　なお，この文化的自己観の違いは，ものごとの原因を予測する原因帰属においても違いをもたらす．たとえば，何かの賞を受賞した際に，相互独立的自己観の欧米では「自分の努力や能力によって受賞することができた」というように，自分の成功を内的要因に帰属するが，相互協調的自己観の東洋では「周囲のサポートによって受賞することができた」というように，自分の成功を外的要因に帰属する．

　一方で，自分の失敗については，相互独立的自己観の欧米では外的要因に帰属し，相互協調的自己観の東洋では内的要因に帰属しやすい．自らを独立した存在ととらえるためには，優れた自分の特徴を表出することが必要となるが，周囲との関係から存在しているととらえるためには，優れていない自分の特徴を自分の問題とし，周囲との関係がうまくいくようにしなければならない．

2・文化による違い

　個人の選択や達成を重視する「個人主義」と，個人よりも集団の選択や達成を重視する「集団主義」という違いも，欧米と東洋において異なっている．くわえて，社会のさまざまな情報を処理するといった認知様式においても文化によって異なることが指摘されている．欧米では何かの情報を得たり取り入れる際に，情報そのものをとらえるのに対し，東洋ではその情報とその情報に関連する周囲のことに着目する．前者を分析的思考（分析的処理様式）といい，後者を包括的思考（包括的処理様式）という．

　このように，自己のとらえ方だけではなく，何らかの選択や，達成しようとする目標，情報を処理する思考などが文化によって異なり，個人に影響を及ぼしているといえる．これらの文化による違いを理解しておくことは，文化的背景の異なる相手とのコミュニケーションや異文化適応の際に重要である．

■ 引用・参考文献

1) 平木典子：家族との心理臨床―初心者のために．垣内出版，1998
2) 平木典子ほか：家族の心理―家族への理解を深めるために．サイエンス社，2006
3) Asch SE：Opinions and social pressure. Scientific American 193（5）：31-35, 1955
4) Markus H et al：Culture and the self―Implications for cognition, emotion, and motivation. Psychological Review 98：224-253，1991

13章 発達心理学

1 誕生から死に至るまでの生涯における発達と各発達段階の特徴

この章で学ぶこと

- 生涯における心身の発達と各発達段階の特徴
- 認知機能および感情・社会性の発達
- 自己と他者の関係のあり方と心理的発達
- 発達障害などの非定型発達に関する基礎と考え方
- 高齢者の心理社会的課題と必要な支援

1 発達とは

①発達の側面

　人は，生まれてから死ぬまでのあいだ，常に変化し続けている．受精から死に至るまでの人の心身のさまざまな変化を「発達」という．発達は，大別すれば量的変化と質的変化に分かれる（**図1**）．

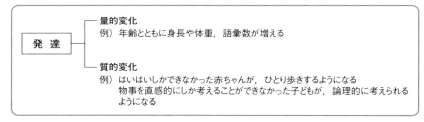

図1　発達の側面

②発達に影響を与える要因

　知能やパーソナリティを含めて，あらゆる行動や心の働きは遺伝の影響を受けるというのが行動遺伝学の考え方である．しかし一方で，環境による影響も大きい．発達を駆動する主な要因は，遺伝（気質）と環境であり，近年では，両者が相互に継続的に規定していくというモデル（相互規定的作用モデル）が提唱されている．

　行動遺伝学では，知能やパーソナリティにおける遺伝と環境による影響力を調べるために，双生児法というものを用いて検討している．双生児には，一卵性双生児と二卵性双生児の2種類がある．一卵性双生児は，1個の受精卵が発達のごく初期に2つに分裂したもので，同一の遺伝子をもっている（遺伝子が100％一致している）．一方，二卵性双生児は2つの卵子が別々に受精したもので，遺伝的には普通のきょうだいと同じ程度である（平均すると約50％の遺伝子を共有している）．そこで，一卵性双生児間と二卵性双生児間の互いの類似度を比較することで，あるパーソナリティ特性や知能の遺伝と環境（共有環境）の影響力を調べ

る方法が双生児法である．

双生児間の互いの類似度が高く，かつその類似度が二卵性双生児よりも一卵性双生児のほうが高い場合には，そのパーソナリティ特性は遺伝に強く支配されていることになる．他方，双生児間の互いの類似度が低い場合や，一卵性双生児と二卵性双生児とで互いの類似度に差がない場合には，そのパーソナリティ特性は環境の影響を受けている程度が高いと判断される．

この方法によると，どの程度遺伝や環境の影響を受けるのかは，その心や行動の特徴(たとえば，パーソナリティ特性)によって異なるものの，おおよそ50％ずつであることがわかっている．つまり，遺伝と環境の影響は，それぞれ半分くらいずつであるということである．

2　発達の一般的な特徴

発達には，一般的に以下のような特徴がある．

①発達の順序性

発達は，一定の順序に従って起こる．たとえば，人間がはいはいできるようになるまでには，首が安定し，頭と肩の統制が可能になり，上体を起こせるようになる，といった一連の順序を経ることになる(**図2**)．順序が飛ばされたり，後戻りがみられたりする場合は，その部分の発達に問題がある可能性が考えられる．

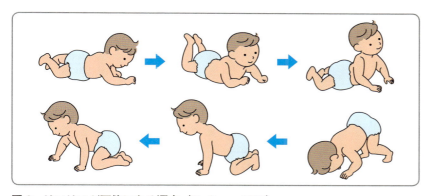

図2　はいはいが可能になる順序（McGraw, 1935）

②発達の方向性

身体発達には2つの方向性がある．1つは頭部から脚部への方向性，もう1つは中心から周辺への方向性である(**図3**)．前者は，身体発達が頭部から脚部に向かって，後者は体幹から末梢部に向かって進行することを意味する．

③発達の連続性

発達による変化は，途絶えたり飛躍したりせず，連続して起こるものである．したがって，病気による一時的な体重の増減は発達的変化とはいわない．また，ある期間，表面的に変わりがないからといって，発達していないというわけではない．

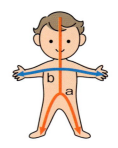

図3　身体発達の方向性
a：頭部〜脚部勾配，
b：中心〜周辺勾配
文献2)を参考に作成

④発達の個人差

発達には個人差があり，発達がゆっくりの人もいれば，早い人もいる．

3 発達曲線と発達段階

量的な変化による発達は，「発達曲線」という形で表すことができる．一方，人間の心やからだの質的な変化に注目する場合には，いくつかの「発達段階」に分けて，それぞれの段階における発達の特徴をみていくこともできる．

①発達曲線

身体の組織や器官，心理的機能に関するデータを数量的に処理し，それを年齢との関係で図示すると，いろいろな形態（型）の曲線が得られる．これは「発達曲線」と呼ばれている．

図4に示した**スキャモン Scammon, R.**の発達曲線は，身体の組織や器官の20歳時の重量を100としたときの，各年齢での割合を示している．スキャモンは，身体器官の発達を4つの型に分類し，その特徴を述べている．

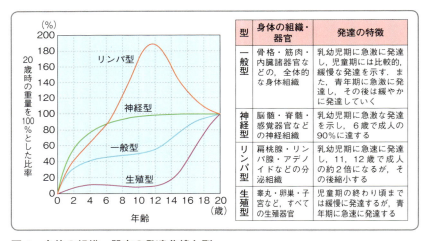

図4　身体の組織・器官の発達曲線と型

〔Scammon RE：The measurement of the body in childhood. The measurement of man（Harris JA et al），University of Minnesota Press，1930〕
〔石寄一記：発達の理論．はじめて学ぶ人の臨床心理学（渡邉映子ほか編），p121，中央法規出版，2003を改変〕

②発達段階

発達は，一定の型に基づいて起こる連続的な変化であるが，その過程は一様ではなく，いくつかのまとまりとしてとらえることができる．「発達段階」とは，ある視点に基づいて，顕著な特徴を手がかりに，発達の過程をいくつかの段階に分けてとらえたものをいう．

発達段階には，以下に示す4つの特徴がある．

- 各段階は，ほかの段階と質的に区別できる．
- 各段階は，不可逆的である．
- 段階区別の時期は，個人差が大きい．

・2つの段階のあいだには長い移行期があり，その移行期には前後の特徴を示す．

一般には，総合的な観点に基づく発達段階が用いられる（**表1**）．また，**ハヴィガースト** Havighurst, R. のライフサイクル論では，6つの発達段階（乳幼児期，児童期，青年期，壮年初期，中年期，老年期）に分け，各階の発達課題を設定している．**エリクソン** Erikson, E. は，**表2**のように，8つの発達段階を仮定し，同じく，各階の発達課題[*1]を設定している．エリクソンによる発達課題とは，「危機（発達課題）」の左側の内容を獲得し，右側の内容を克服することである．たとえば，乳児期の発達課題は，基本的信頼を獲得し，不信を克服することになる．

▲エリクソン，エリク
（1902-1994）

ドイツのフランクフルトで生まれた精神分析家で発達心理学者．青年期に芸術家をめざして世界放浪の旅を経験し，その後ウィーンにてアンナ・フロイトが始めた外国人の子弟向けの学校の教師となる．ウィーン精神分析研究所で分析家の資格を得た後渡米し，アイデンティティ（自我同一性）の理論や心理社会的発達理論を提唱した．（写真：PPS通信社）

■ 表1　一般的発達段階

発達段階	段階区別の目安	おおよその時期
胎児期	受精～出生	―
乳児期	～歩行・言語使用の開始	誕生～1, 2歳
幼児期	～運動・会話がほぼ自由	1, 2～6歳
児童期	～第2次性徴の出現	6～12歳
青年期	～生理的成熟と心理的諸機能がほぼ完成	12～22歳
成人期	～家庭生活・職業生活がほぼ安定	20代，30代
壮年期	～社会の一線からの退却	40代，50代
老年期	～死	60歳以降

〔石嶋一記：発達の理論．はじめて学ぶ人の臨床心理学（渡邉映子ほか編），p126，中央法規出版，2003〕

■ 表2　エリクソンの発達段階

発達段階	危機（発達課題）	活力（徳）	内容
乳児期	基本的信頼 VS 不信	希望	・一貫性，連続性，類同性の経験が信頼に導く ・不適切，非一貫性または否定的な養育が不信を招く
幼児前期	自律性 VS 恥・疑惑	意志	・自分のペース・やり方で技能を試す機会が自律性に導く ・過保護または援助の欠如が自己や環境の統制能力に疑問を抱かせる
幼児後期 （遊戯期）	自発性 VS 罪悪感	決意	・活動の自由と疑問に答える親の忍耐が自発性に導く ・活動の抑制と疑問を無意味と扱うことが罪悪感を招く
学齢期 （思春期）	勤勉性 VS 劣等感	有能感	・ことを成すことが許され，達成を褒めることが勤勉性に導く ・活動の制限と行いの批判が劣等感を招く
青年期	同一性 VS 同一性の拡散	忠誠	・状況や人物が異なる際の人格の連続性と類同性の再認識が同一性に導く ・安定性（特に性役割や職業選択）を確立できないことが役割の混乱を招く
初期成人期	親密性 VS 孤独	愛	・他者との同一性の融合が親密性に導く ・他者との競争的，闘争的な関係が孤立を招く
成人期	世代性 VS 停滞	世話	・次世代の基礎を固め導くことが世代継承性（generativity）を生み出す ・自己への優先的な関心が停滞を招く
高齢期	自己統合 VS 絶望	英知	・人生の受容が統合感に導く ・逃した機会を取り戻すには遅すぎるという感情が絶望を招く

文献5)を参考に作成

4 各発達段階の特徴

ここでは，一般的発達段階（表1）の胎生期（胎児期）から中年期までの発達段階の特徴についてみていく（老年期については，→ p.269 本章5節参照）．

①胎生期（胎児期）

人の発達は，受精から始まる．精子と卵子が結合して1つの受精卵となり，赤ちゃんが誕生するまでの約280日間の時期を胎生期（胎児期）とよぶ．

近年，胎児の感覚能力などについての研究が積み重ねられ，以前考えられていた以上に，胎児はすでにさまざまな能力をもっていることが示されている．たとえば，胎児にも聴力があり，母親の声や母国語を聞き分けていたり，生まれたばかりの赤ちゃんは，自分の母親の羊水のにおいを，ほかの母親の羊水のにおいと嗅ぎ分けたりすることができる．

胎児期から出生後早期の環境，とくに低栄養環境が，青年期以降における生活習慣病のリスク要因であることがわかっている〔DOHaD（developmental origins of health and disease）仮説とよぶ〕．たとえば肥満やメタボリックシンドロームなどは，遺伝と環境の相互作用によって発症すると考えられているが，胎児期から出生後早期の栄養状態は，これらの疾患に関係する遺伝子群の発現制御に影響を与えると考えられている（エピジェネティクス[*2]）．

②乳児期

生後約1年半を乳児期[*3]という．乳児期にだけみられる行動に原始反射がある．原始反射には，**表3**のようなものがあるが，多くのものは生後数か月もすると，こうした付随的な運動から解放され，運動は目的性，意図性をもったものとなる．

人間の赤ちゃんは，**ポルトマン Portmann, A.** が生理的早産[*4]と言い表したように，ほかの高等な哺乳動物と違い，誕生後一人では生命を維持できない．母親やそれに代わる養育者の保護が不可欠である．乳児は，大人の温かな愛情と安心感を受けるなかで，養育者を安全基地として，自分を取り巻く環境に積極的に働きかけることができるようになっていく．乳児期において，児童精神科医の**ボウルビィ Bowlby, J.** は愛着（アタッチメント）[*5]を，エリクソンは基本的信頼感[*6]をしっかりと形成していくことが重要で，この時期に不適切な養育（チャイルド・マルトリートメント）[*7]環境に置かれると，養育者に対して健全な愛着（アタッチメント）や基本的信頼感を形成できず，その後の心身の発達に悪影響をもたらすとしている．

■ 表3　原始反射の種類

原始反射	行　動
吸啜反射	指を唇のなかに入れると吸いつく
把握反射	手のひらに触れるものは何でもしっかりつかむ
モロー反射	大きな音や強い光を浴びると，抱きつこうとするように両腕を広げる
バビンスキー反射	足の裏に触れると指を広げたり屈曲させたりする

③幼児期

言語と歩行能力がほぼ獲得される1歳半から6歳くらいまでの時期を幼児期と

用語解説

[*1] 発達課題
ハヴィガーストは，人が正常に発達するためには，各発達段階において達成しなければいけない課題が存在すると考え，それらの課題のことを「発達課題」とよんだ．

用語解説

[*2] エピジェネティクス
DNAの配列変化によらない遺伝子発現を制御・伝達するシステムおよびその学術分野のことをいう．

用語解説

[*3] 新生児期
乳児期のなかでも，生まれてから1か月間は，「新生児期」とよばれている．

用語解説

[*4] 生理的早産
人間の赤ちゃんは自分で立って歩いたりことばを話したりするようになるまで約1年かかる．ほかの高等な哺乳類動物との違いから，人間は本来必要な妊娠期間を約1年間短縮して生まれてくるのだと考え，それを「生理的早産」という．

用語解説

[*5] 愛着（アタッチメント）
愛着（アタッチメント）という言葉を心理学の学術用語として初めて用いたボウルビィは，愛着を「生存や安寧を確保するために，乳幼児が養育者に庇護を求めること」ととらえた．現在では，親と子のあいだに形成されるような緊密な情緒的結びつきのことを「愛着（アタッチメント）」という（p.184, 259, 582参照）．

いう．話しことば，運動機能が急激に発達し，それに伴って遊びも変化していく．何でも「イヤ！」「自分でやりたい！」とゆずらず，ときには親の言うことに反抗する「第1反抗期」とよばれる時期を迎える．これは自我の芽生えによるものである．

幼児期の思考は，自己中心性に特徴づけられる（➡ p.252 本章2節参照）．それに基づいて，アニミズム，実念論，人工論といった独特の思考の特徴を示す（表4）．たとえば，机にぶつかって「ごめんね」と机をなでたり（アニミズム），サンタクロースやお化けがいると信じたり（実念論），雨は空の神様がバケツの水をひっくり返したことによるものと考えたり（人工論）する．

■ 表4 幼児期の思考の特徴

特徴	内容
アニミズム	すべてのものは生きている，また，心があるとするとらえ方
実念論	心に思ったことは実在するという考え方
人工論	すべてのものは人間が作ったとする考え方

④児童期

児童期は，小学校の6年間に相当する．この時期は親子関係中心から仲間関係中心の生活へと移行し始め，他者との協調性も増す時期である．親に対する心理的な依存は幼児期と同様であるが，行動は親から離れ，友人関係を大切にするようになる．

小学校高学年になると，ギャング・グループとよばれる，同性，同年齢のメンバーによる緊密な仲間関係を形成するようになる（➡ p.263 本章3節表4参照）．遊びの場面でも，友人とのあいだで秘密を共有し，仲間との約束を絶対のものと考えて，強い「われわれ意識」をもつようになる．

児童期半ば頃，9歳前後になると学力の個人差が大きくなり，期待される学力水準に届かない子どもが急激に増加する．これは「9歳の壁」とよばれている．この時期には，算数では分数や小数，理科では電気や磁力といった，具体的にイメージしづらい抽象的な内容が増えてくる．

ピアジェ Piaget, J. の理論では，11，12歳ごろからは抽象的な事柄についても論理的に思考できる形式的操作段階に入るとされているが，具体的操作期から形式的操作期に入る移行期である9歳頃に，具体的な事例に基づいて考えることはできても，それらをより高いレベルで一般化したり，抽象化したりする思考力が十分に発達していないと，教科の学習が壁として立ちはだかることになる．

⑤青年期

青年期は，12～22歳くらいの時期を指す．青年期は「疾風怒濤の時代である」といわれているように，身体的，心理的な側面において，急激な変化にさらされる非常に不安定な時期である．青年期には，第2次性徴*8の出現により，まず身体的に大人になる．このように，身体的には大人であるのに，心理的，社会的にはまだ大人として扱われないなど，さまざまな側面がアンバランスになりやすい時期でもある．レヴィン Lewin, K. は，こうした青年のことを「周辺人」*9とよ

用語解説

*6 基本的信頼感
乳児期にとくに重要なことは，養育者との基本的な信頼感の獲得であり，不信感の克服であると指摘している．

用語解説

*7 チャイルド・マルトリートメント
身体的虐待，性的虐待，ネグレクト，心理的虐待を包括した呼称．

➡ピアジェ p.164参照

用語解説

*8 第2次性徴
性成熟の徴候のことであり，具体的には，体毛，陰毛の発生，生殖器の増大や，男児における声変わりや精通，女児における初潮などを指す．

用語解説

*9 周辺人
子ども社会からも追い出され，大人社会にも入れない，青年のどっちつかずの不安定さを表している．

用語解説

*10 危機
ここでいう危機とは，「危険な」という意味ではなく，道が分かれる「分岐点」という意味である．

んでいる．心理的な側面の変化としては，この時期は，受験，進学，就職など重大な選択を迫られることが多いことがあげられる．

また，青年期は，「自分とは何か」「自分は何のために生きているのか」ということに悩む時期でもある．自分を見つめ，迷い悩んだ結果，自分なりの答えをもつという自我同一性（アイデンティティ）の確立は，青年期における重要な発達課題とされている．マーシャ Marcia, J. は，アイデンティティの状態を，危機[*10]を経験しているかどうか，人生の重要な領域である「職業」と「イデオロギー（政治・宗教）」に積極的に関与しているかどうかという観点から，**表5**に示すアイデンティティ・ステイタスについて4つの類型を提唱している．

以上のように，青年期は，自分と向き合うとともに職業意識を高め，成人期へとつながるライフコースを選択する時期である．

■ 表5　アイデンティティ・ステイタス

ステイタス	危機の経験の有無	積極的関与	概　略
アイデンティティ達成	すでに経験した	している	これまでの自分のあり方について確信がなくなり，いくつかの可能性について本気で考えた末，自分自身の解決に達して，それに基づいて行動している
モラトリアム	現在経験している	しようとしている	いくつかの選択肢について迷っているところで，その不確かさを克服しようと一生懸命努力している．人生に関するいくつもの可能性を前にして，アイデンティティの決定を延期しており，その決定のために努力している
早期完了	経験していない	している	周り（親や年長者など）の価値観を，吟味することなく無批判的に自分のものとして受け入れており，自分の目標と周りの目標のあいだに不協和がない．一見アイデンティティ達成のようにみえるが，自分の価値観をゆさぶられるような状況では，いたずらに防衛的になったり混乱したりする
アイデンティティ拡散（混乱）	経験した，経験していない	していない	自分の人生について責任をもった主体的な選択ができず途方にくれている状態であり，自己嫌悪感と無気力によって特徴づけられる

⑥成人期

成人期には職業生活をスタートさせ，多くの人は恋愛・結婚をして，家族を形成し子どもを育てる．親から自立して新しい家庭を築くことで，今度は自分自身が親としての発達をとおして子どもの発達を援助することになる．また，社会においては，自分が就いた職業においてキャリアを積みつつ，次の世代を育てていくことが求められる．

⑦中年期

中年期に入ると，体力の衰えといったからだの変化や子どもの自立に伴った家族関係（夫婦関係）の変化がみられる．また，自身の親の介護や看取りといった問題が出てくる時期でもあり，アイデンティティの危機に陥りやすい時期である．こうした中年期特有の心理的危機のことや，それに伴い中年が陥りやすいうつ病や不安障害などをあわせて中年期危機とよぶ．

■ 引用・参考文献

1) McGraw MB: Growth: a study of Johnny and Jimmy, Appleton-Century, 1935
2) 高野清純ほか編：図説児童心理学事典．学苑社，1975
3) Scammon RE: The measurement of the body in childhood. The measurement of man (Harris JA et al), University of Minnesota Press, 1930
4) 石嵜一記：発達の理論．はじめて学ぶ人の臨床心理学（渡邉映子ほか編），中央法規，2003
5) エリク・H・エリクソン：Childhood and Society (revised edition). 幼児期と社会1（仁科弥生訳），みすず書房，1977

認知機能の発達や感情・社会性の発達

13章 発達心理学
2

1 認知機能の発達

ピアジェ Piaget, J. は，認知機能の発達を4つの段階に区別している（図1）．認知機能の発達段階は，ことばを表象として使えるかどうかによって，「表象的な思考をもっているか（表象的思考段階）」と「もっていないか（感覚運動段階）」という2つの段階に分かれる．さらに，「表象的思考段階」は，自己の視点を離れて表象を操作できるかどうかによって，「前操作（自己中心的）段階」と「操作的段階」に分かれる．また，操作的段階を「具体的思考段階」と「形式的操作段階」に分けた，全部で4つの段階に分けて考えることが多い．以下，4つの段階の特徴について述べていく．

→ピアジェ p.164参照

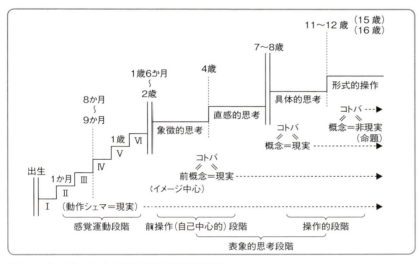

図1　ピアジェによる認知機能の発達段階
（岡本夏木訳，ピアジェ，J. 著：別冊発達4 発達の理論をきずく（村井潤一編），p140，ミネルヴァ書房，1986を一部改変）

①感覚運動段階（0～2歳頃まで）

最初の段階は，感覚運動段階である．誕生から2歳頃までの乳幼児の段階での認知特徴を表しており，文字通り，感覚器や運動器を中心として，自分の活動とその活動の結果との関係を見いだす．見たり聞いたり触ったりといった感覚をとおして外界の事物をとらえ，その物に直接働きかけることで，外界を認識している時期であるといえる．

この段階の子どもは，対象の永続性*1を獲得する．たとえば，生後8か月の乳児は，隠された対象に対して，それがあたかも以前から存在しなかったように振る舞う（図2）（つまり，対象の永続性の概念が未発達である）が，生後10か月頃になると，隠された対象を探そうとする．

📖 用語解説

*1　対象の永続性
　対象が見えたり触れたりと知覚的には存在しなくなっても，それを移動させない限りはそこに存在し続けるという信念のことを「対象の永続性」という．

251

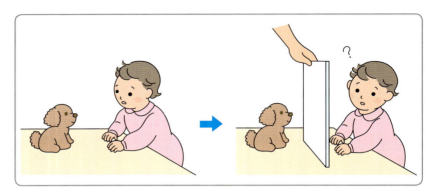

図2　対象の永続性

②前操作（自己中心的）段階（2～6歳頃まで）

　前操作（自己中心的）段階は，2～6歳頃までの時期で，この時期では，言葉を使ってイメージやシンボルを表現することができるようになる．しかし，大人のそれと比べると幼児の表象的思考はいまだ不十分であり，結果として，その判断には混乱や誤りがつきまとう．自己と他者・外界，すなわち主観と客観の未分化，自己の視点と他者の視点の区別ができない「自己中心性」[*2]が，この時期の特徴となる．

　ピアジェは，幼児の自己中心性を示すために，「三ツ山課題」を用いて実験を行った．子どもは，図3で示されるような，3つの異なる高さの山を並べた模型のABCDの各地点に実際に連れて行かれ，その地点から山がどのように見えるのかを確認させられる．当然，立つ位置が違えば，同じ対象を見ていても見え方は異なる．

　しかし，再びAの地点に子どもを立たせ，Cの地点からはどのように見えるのかをいくつかの図のなかから選ばせると，いま，自分が見えているAの地点から見える図形を選択する．このように，この時期の子どもは，自分の視点からしか，物を見たり，考えたりすることができず，目の前の見え方に大きく左右されるのである．

　この時期の子どもは，数量や重さ，体積は，見た目の変化にかかわらず一定であるという概念（保存概念[*3]）がまだ獲得されていない．たとえば，図4のように，白と黒のおはじきに1対1対応があることを確認した後に，幼児が見ている目の

用語解説

*2　自己中心性

　言語や思考が十分に社会化されておらず，自分以外の視点にたって，物事をとらえることができない幼児の心性のことを「自己中心性」という．

用語解説

*3　保存概念

　物の数や量，重さ，体積は，その見かけが変わったとしても同じままであるという理解のことを「保存概念」という．

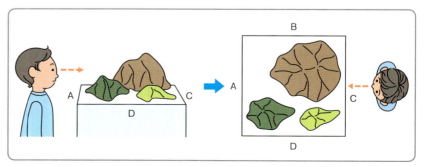

図3　三ツ山課題

前で黒のおはじきの間隔をあけて並べて示すと，もう同じ数であることを理解できなくなってしまう．このように，この時期の子どもの思考は，直感的であるという特徴がある．

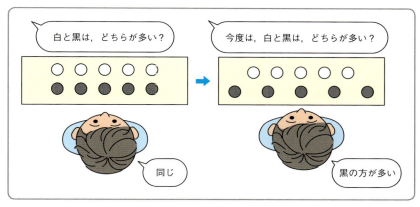

図4　数の保存概念が獲得されていない例

③具体的思考段階（6〜12歳頃まで）

具体的思考段階に入ると，子どもは具体的な対象については論理的に考えられるようになる．自分の視点とは異なる視点から物事を考えることができる脱中心化[*4]がみられたり，保存概念を獲得し，見かけに惑わされず論理的に思考したりするようになる．たとえば，三ツ山課題において，自分とは反対側のCの地点からの見え方も理解できるようになったり，図4の課題において，見かけの形が変わっても，数は同じであることを理解できるようになったりする．ただし，このような論理的思考は，実際に見たり動かしたりできる事物について考えるときに限られる．

④形式的操作段階（12歳頃〜）

12歳以降の認知発達の最終段階を形式的操作段階という．この時期に入ると，ほぼ，大人と同じ思考形態で物事を考えられるようになる．具体的な現実世界にあることだけでなく，抽象的な次元や言葉での論理的思考が可能になり，「もし〜なら〜となるはず」という可能性の世界について，仮説演繹的思考ができる．

また，実行する前に考えるとか，事実とは異なる可能性について考えることができるようになる．複数の可能性を列挙し，その可能性を順序立てて検討するといった秩序立った思考や推理もできるようになる．

2　素朴理論

大人は，世界に対する知識や概念をもっている．子どもも大人と同様に，そのような知識や概念をもっている．ただし，子どもは，経験によって形成した物事や事象およびそれらの関係性に関する知識体系を用いて，「なぜそうなったのか」「それはどういうことなのか」といった問いに対する答えをもつ．子どもがもつこうした概念構造は，あくまでも素人が日常経験のなかで構成する素朴な知識体系

　用語解説

*4　脱中心化
　自己中心的な思考から脱する過程を「脱中心化」という．

であることから，素朴理論とよばれている．また，素朴理論のなかで扱う心の問題を，心の理論とよぶ．心の理論とは，他者の心の状態，目的，意図，知識，信念などを推測する心の機能のことである．

近年では「子どもは小さな大人ではない」と考えられており，乳児や幼児が備えるいくつかの特質は，成人期のためではなく，その時点に適応するように進化のなかで選択されてきたのだという考え方(理論)が提唱されている．こうした学問は，進化発達心理学とよばれている．進化発達心理学では，子どもは「大人のための準備期間」ではなく，いかなる時点でも「完成」しているととらえている．

子どもが心の理論をもっているかどうかは，誤信念課題によって調べられる．ここでは，そのうちの1つである「サリーとアン課題」を下に示す．子ども自身のもつ信念(箱の中に入っている)とは異なる誤信念(かごの中に入っている)と答えることができた場合に，心の理論が発達していると考えられる．誤信念の理解は，3歳から4歳の間に急激に進み，ほとんどの子どもが5歳までには獲得するといわれている(➡ p.66 第4章2節参照)．

サリーとアン課題
① サリーとアンが，部屋で一緒に遊んでいる
② サリーは，ボールをかごの中に隠して外出する
③ サリーが外出している間に，アンがボールを別の箱の中に移動させる
④ サリーが部屋に戻ってくる
　サリーがボールを探すのはどこか？

---

3 感情の発達

快－不快を基本の軸として生じる主観的な経験を総称して「感情」という．赤ちゃんは誕生の直後から，泣くといった感情を表出することによって，まわりとコミュニケーションを深めていく．やがて1年もたつと，いろいろな感情が芽生え，それに基づいて行動できるようになっていく．

ブリッジズ Bridges, K. の理論では，感情は図5のように発達する．誕生直後の未分化な興奮状態から，数週間経つと，空腹や苦痛などの不快な感情，さらに満足げな快の感情が生じ，やがてほかのさまざまな感情が現れる．

ブリッジズの研究は古いものであり，乳児の顔の表情についての研究が進むにつれて，かなり早い時期に，「興味」，「喜び」，「嫌悪」，「苦痛」やそのほかの基本的な感情が認められることがわかった．1歳に入ると，自己への意識が飛躍的に増大し，それに伴って「照れ」や「嫉妬」，「共感」の感情が現れる．2歳に入って社会的な基準や規則を獲得しはじめると，それに合わせて「恥」や「誇り」，「罪悪感」などの感情を経験するようになり，3歳までのあいだにほぼ感情は出そろうと考えられている．

また，幼児期に入ると，徐々に状況や相手との関係などに応じて感情の表出を自己制御する(感情制御という)ことができるようになり，うれしくないプレゼントをもらってがっかりしても，相手の気持ちを傷つけないように笑顔を見せたりすることができるようになっていく．

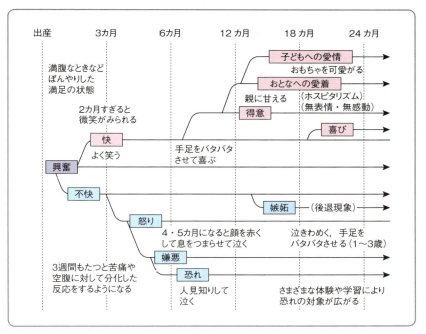

図5　ブリッジズによる感情の発達（Bridges, 1932）
（石崎一記：図でわかる学習と発達の心理学．p149，福村出版，2000）

4　社会性の発達

　社会性とは，一般的には，その社会の規範や慣習に沿った行動をとることをいう．私たちの社会には「人を傷つけてはいけない」や「嘘をついてはいけない」など，多くの規則がある．私たちは発達の過程で規範意識を内在化し，道徳性と道徳的判断[*5]を身につけていく．

　また，役割取得[*6]や共感[*7]性を身につけ，他者の利益のために外的報酬を期待することなく，自発的意図的になされる向社会的行動が発達していく．

　ここでは，道徳性の発達についての理論として，ピアジェと**コールバーグ** Kohlberg, L.の道徳性の発達段階について説明する．

①ピアジェの道徳性の発達段階

　ピアジェは，子どもの道徳性の発達を3段階に分け，「自己中心性」段階から「他律的道徳」段階へ，そして「他律的道徳」段階から「自律的道徳」段階へと発達すると考えた．

　5，6歳頃までの子どもは，自己中心性に特徴づけられ，自己と他者の区別がつかない．そのため，まわりにあるすべてのものを自分のものだと考えるなど，規則についてほとんど理解していない．5，6歳頃になると，規則は，たとえば両親のような重要な他者によって決められていると思い，規則を絶対的に服従しなければいけないものと考えている．

　善悪の程度は，意図ではなく行為の結果によって判断する．それが10歳以上になると，適正な手続きとまわりの合意があれば，規則の変更を認めるようになるなど，より柔軟な考え方ができるようになる．行為の背景にある意図を基準に，

　用語解説

*5　道徳性と道徳的判断
　一般社会において期待されている規範や価値基準が個人の内部で内面化されている状態を「道徳性」といい，道徳性のうち「何がよい行いで，何が悪い行いか」を判断する認知能力を「道徳的判断」という．

　用語解説

*6　役割取得
　自分から見える世界と他者から見える世界（認知的役割取得），自分の抱く感情と他者の抱く感情（感情的役割取得）の相違に気づき，他者から見える世界や感情を推測すること．

　用語解説

*7　共感
　他者と喜怒哀楽の感情を共有すること．

善悪の判断ができるようになる．

②コールバーグの道徳性の発達段階

ピアジェの道徳性の発達段階は，児童期までにとどまっていたのに対して，コールバーグは，青年期や成人期も含めた道徳性の発達を考えた．コールバーグは，生命や法，良心，罰といった普遍的価値が葛藤するストーリー（ジレンマ課題）を用いて，道徳性の発達をとらえた．下記のジレンマ課題は，最もよく知られている「ハインツのジレンマ課題」である．

ハインツのジレンマ課題

ハインツの妻は，不治の病に冒され死に瀕していた．医者によれば，彼女の命を助ける特別な薬があるという．しかし，その薬を開発した薬屋は，その薬の開発にかかった費用の10倍もの値段をつけていた．ハインツは方々からお金をかき集めたが，薬の値段の半額程度しか集められないでいた．

ハインツは薬屋のところに行き，何とか安く売ってくれないか，もしそれができなければ残りを後で払えないかと頼んだ．しかし薬屋は，それでは金儲けができないからと断った．思いつめたハインツは，妻のために薬を盗もうと薬屋に忍び込んだ．

さて，ハインツはそうすべきだっただろうか？　そして，その理由は？

コールバーグは，判断それ自体ではなく，なぜそう判断するに至ったかの「行為の理由づけ」によって，道徳性の発達を以下の段階に分類した（表1）．

■ 表1　コールバーグの道徳性の発達段階

レベル		概念
前慣習的な水準	1 罰と服従への志向	苦痛と罰を避けるため，力をもつものに服従し，規則に従う
	2 報酬と取引への志向	報酬を手に入れ，愛情の返報を受ける仕方で行動することによって，自己や他者相互の欲求の満足を求める
慣習的な水準	3 対人的同調への志向	他者を喜ばせ，他者を助けるために「よく」ふるまい，それによって承認を受ける
	4 法と秩序への志向	権威（親，教師，神）を尊重し，社会的秩序をそれ自身のために維持することにより，自己の義務を果たすことを求める
脱慣習的な水準	5 社会的契約への志向	道徳的な価値基準が内面化されている．個人の権利や社会的公平さに価値がおかれる
	6 普遍的倫理への志向	人間の尊厳の尊重に価値がおかれる

前慣習的な水準では，「盗んだら刑務所に入ることになるから盗んではいけない」というように，罰に対する恐れや，「薬を手に入れることによって妻が喜ぶから盗んでもよい」というように，報酬を手に入れることによる自己や他者の欲求に価値がおかれる．

慣習的な水準では，「盗まなかったら，周りから奥さんを見捨てた冷たい人間だと非難されるから」というように，人からどう見られるか（避難や不名誉を避ける），あるいは「法律を守らないのはいけないから，盗んではいけない」のように，その行為が社会的秩序を壊さないかどうかを基準とする．

最後の脱慣習的な水準は，「生命の価値は社会の定めた法律を超えたところにあり，何より尊重されるべきものだ．もしハインツがここで薬を盗まなかったら，一生，良心の呵責にさいなまれるだろう」というように，みずから選択した倫理的基準に従うなど，人間の尊厳や正義，良心にかなっているかどうかを基準とする．

■ 引用・参考文献
1）岡本夏木：ピアジェ，J. 別冊発達4 発達の理論をきずく（村井潤一編），p140，ミネルヴァ書房，1986
2）内田伸子：世界を知る枠組みの発達．ベーシック現代心理学 2―乳幼児の心理学，p131-152，有斐閣，1991
3）Bridges K M B：Emotional development in early infancy. Child Development 3：324-341，1932
4）石﨑一記：図でわかる学習と発達の心理学．福村出版，2000

3 自己と他者の関係性の在り方と心理的発達

1 自己の発達

「私は女性である」「僕は心理学を専攻している」「私は社交的である」……．こうした自己に関する記述的側面のことを心理学では自己概念という．

明確に概念化された自己概念が形成されるよりも前に，いつ頃からどのような形で自分に対する意識が芽生え，その意識はどのように発達していくのだろうか．

身体的自己に対する意識が芽生えているのかどうかを確認するには，鏡映像の自己認知の実験がよく用いられる．これは，乳幼児の鼻の頭にこっそり赤い口紅をつけてから鏡の前に立たせ，そのときの子どもの反応を見るもので，ルージュ課題とよばれる(図1)．子どもが鏡の像ではなく，自分の鼻の頭を触ることができれば，鏡像は自分自身であることを認識していると判断する．こうした実験によると，鏡映像の自己認知ができる子どもの割合は，15～18か月児で4分の1，21～24か月児になると4分の3であった．このような結果を踏まえて，2歳前後になると，鏡に映った自己を意識するようになると考えられている．

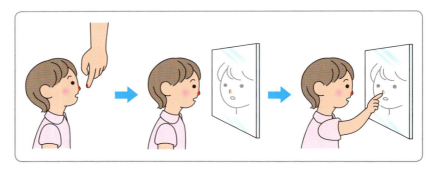

図1　ルージュ課題

そして，鏡映像の自己認知のような身体的自己に対する意識を始まりとして，子どもはその後，自己意識の対象を広げていく．保育園児の観察および実験から，自分の名前を言い始めるのは1歳6か月ごろ，名前を呼ばれて自分を指差し始めるのは1歳7か月ごろ，自分の写真を見て自分の名前を言うのは2歳2か月ごろ，自分の持ち物(靴や帽子)がわかるのは1歳5か月ごろである．

このように，2歳前後から自分の名前，所有物の認識が可能になり，自己の客体的特徴の理解が飛躍的に進んでいくのである．

3歳頃になると，「私は毎日歯をみがく」「僕は速く走ることができる」といった「○○する」「○○ができる」といった行動面での自己概念が形成され始め，4～5歳では，「私には弟がいる」「僕には友達がたくさんいる」など，自分と周囲の人々の関係に言及することができるようになる．そして，5～6歳頃になると，「私は背が高い」「僕は太っている」といった身体的特徴を含めた自己概念が拡大

してくる．

　自己概念の具体的な内容を知る方法の1つに「20答法」とよばれる方法がある．これは，「私は誰でしょう？（Who am I ?）」という質問に対して20通りの答えを自由に記述させていくものである．

　これを子どもに実施すると，幼児や児童においては，「私は花子です」「私は茨城に住んでいる」「僕は背が高い」といったような，名前，居住地，持ち物，身体的特徴などの客観的・外面的特徴による自己概念の叙述が多い．

　これに対して，青年においては，「私は几帳面である」「私は人前に出ると緊張する」「僕は保守主義者である」といったような，心理的特徴，対人関係の特徴，社会的役割，思想・信念など，主として主観的・内面的な特徴による自己概念の叙述が増えてくる．

　このように，児童期から青年期へかけて，外面的な特徴による自己概念から内面的な特徴による自己概念へと移行していき，自己概念が分化，多様化していくものと考えられる．

2　親子関係の発達

　発達初期の人間関係において，最も重要であると考えられているのが愛着の形成である．**エインズワース Ainsworth, M.** は，愛着の特色として，①愛情を暗に含んでいる，②特異的・弁別的である，③外的行動として示されるので観察可能である，④主体的な過程であって受動的ではない，⑤相手の感動を喚起する二方向的な過程である，の5点をあげている（➡ p.185 第10章3節，p.248 第13章1節，p.582 第27章参照）．

　また，**ボウルビィ Bowlby, J.** は，乳児の愛着行動の内容を**表1**のように整理した．どのような愛着行動がみられるのかは，発達によって異なり，愛着行動の発達過程として，**表2**の4段階を示している．

　第1段階では，定位行動と発信行動が多くみられる．しかし，それらは特定の対象に向けられたものではないため，この段階は，特定人物への明確な愛着がまだ形成されていない「愛着形成の前段階（準備段階）」であると考えられている．

　第2段階では，1人または数人の特定対象（多くは母親）に対する定位行動と発信行動がみられる．この段階は，自分にとって重要な意味をもつ人物を認識できるようになる「愛着形成段階」と考えられている．

　第3段階は，発信行動および能動的身体接触行動が多くみられ，愛着対象を安全基地とみなす「明確な愛着段階」と考えられている．

■ 表1　愛着行動のカテゴリー

愛着行動のカテゴリー	行動の例
定位行動	人の顔を好んで注視する，声のする方に頭を回転させる
発信行動	泣き叫ぶ，微笑む，喃語をいう，呼び求める
能動的身体接触行動	握る，しがみつく，探し求める，後を追う

■ 表2　ボウルビィの愛着行動の発達過程

段階	年齢	特徴
第1段階 愛着形成の 前段階 （準備段階）	誕生〜 生後12週頃 まで	周囲の人に対して，発信行動や定位行動といった愛着行動を示す．しかし，特定人物（多くの場合は母親）の弁別はまだみられず，母親に対してもまわりの人に対しても，同じように愛着行動を示す段階である．たとえば，微笑みについては無差別微笑とよばれるくらい，誰に対してもよく微笑む
第2段階 愛着形成 段階	生後12週頃〜 生後6か月頃 まで	愛着行動のパターンは，第1段階とほとんど変わらないが，弁別された特定の人物（多くは母親）に対して，愛着行動をより多く示すようになるなど，愛着行動が分化してくる．母親をより注視したり，母親を見ると微笑んだり泣きやんだりするということが多くみられる
第3段階 明確な 愛着段階	生後6か月頃〜 2, 3歳頃まで	特定人物への愛着行動のレパートリーが飛躍的に増えていく．母親の後を追ったり，帰宅した母親を出迎える歓迎行動を示したり，母親が見えなくなることに対する強い不安や抵抗を示したりするといったように，人に対する弁別能力がよりいっそう明確になる．見知らぬ人に対する拒否的な反応である「人見知り」は，この頃によくみられる現象である
第4段階 目標修正的 協調関係	3歳以降	愛着対象と自分との関係についての認知的モデルが安定したかたちで機能するようになる．つまり，心のなかに母親の表象（これを内的ワーキングモデルという）を形成し，愛着対象が常にそばにいなくても，母親を思い浮かべるだけで安心することができるようになる．また，愛着対象が自分と異なる意図や感情をもつことを理解し，その期待や目標を推しはかって自分の行動を調節できるようになる

　第4段階は，役割取得行動の基本的な形態を身に着けて，より高度で複雑なコミュニケーションがいろいろな人とできるようになる「目標修正的協調関係」の形成段階であると考えられている．

　表2に示した愛着行動は，生得的に備わっていると考えられているが，こうした生理的・生得的な行動が，母親という特定の人物への行動へと発達していく過程が大切だと考えられている．乳児が泣き，微笑み，見つめるなどの接触を求める愛着行動を示すと，大人（とくに母親）がそのシグナルに引き寄せられて乳児を保護しようとし，2人のあいだに活発な相互交渉が行われるようになる．その過程でかかわりの量が多く，シグナルにすみやかに応えてくれる相手に対して愛着が形成されるのである．

　発達初期の養育者との関係によって，「自分は他者から信頼される存在である」と同時に「他者は信頼できる存在である」といった自己および他者，そしてその両者の関係に対する信頼に基づいた心的表象は内的作業モデル[*1]とよばれ，その後の人間関係に大きな影響を及ぼしていくことになる．

3　仲間関係の発達

　親や教師，あるいはきょうだいとの関係が，地位や役割の固定した「タテ」の関係であるのに対し，仲間関係[*2]は，身体的・心理的・社会的に類似した者同士

用語解説

*1　内的作業モデル
　発達初期の，養育者との関係のなかで形成される認知的枠組みのことを「内的ワーキングモデル」という．

用語解説

*2　仲間関係
　対人関係のうち，年齢が近く興味・関心をともにする者との関係を仲間関係とよぶ．

の関係であり，同等性と互恵性を備えた「ヨコ」の関係であるといわれている．個性化と社会化において仲間関係が果たす役割は大きい．個性化*3と社会化*4は相互に影響し合いながら発達し，子どもは社会的存在として成長していく．

仲間との関係は，発達のかなり早い時期から始まると考えられている．生後6か月頃では，他児に対して特別の興味を示さないが，9か月以降になるとほかの乳児に関心を示すようになる．乳児は言語能力が発達していないため，言葉を用いて直接やりとりをすることはないが，機会さえあれば他児に対して微笑む，声をかける，接触するなどの働きかけによって，互いに相互作用しあうことが示されている．そして，その後まもなく，物を相手に渡したり，受け取ったり，「おいかけっこ」や「いないいないばあ」といった，仲間との原初的な遊びをするようになっていく．乳児期の仲間関係のもつ役割は，その相互作用を通して自己や他者の認識を発達させること，多様な情緒の発生を生み，その統制を学ぶことである．

幼児期に入ると，子どもは遊び仲間を積極的に求め，仲間との相互作用を活発に行うなど，仲間関係が大きく変化していく．子どもは乳児期のときよりもさらに他児に対して興味を抱き，互いに強く影響を受ける．たとえば，ほかの子どもが遊んでいるのを真似することから遊びが始まっていくような場面がよくみられる．

パーティン Parten, M. は，2～4歳の幼児を対象に保育園での自由遊びを観察し，子どもの遊びの型を6タイプに分けた（表3）．そして，遊びのなかでの仲間とのかかわりがどのように変化するのかを検討した（図2）．

図2が示しているように，2歳児においては1人遊びや並行遊びが多いが，3歳以降になると，それに代わって仲間との連合遊びや協同遊びが増えるといった変化がみられる．このように，仲間に対して興味を示さない単独での遊びから，仲間に対して積極的に注目・接近し，仲間とのかかわりを楽しむなど，相互的なやりとりを含む遊びへと発展していくことがわかる．

＊3 個性化
唯一無二の存在としての自己を生かしながら，自己実現を目指そうとする発達の過程のことをいう．

＊4 社会化
属する社会で，規範や価値，慣習とされる行動様式を身につけていく発達の過程のことをいう．

■ 表3　パーティンの子どもの遊びの型

遊びの型	状　態
何もしていない行動	とくに何かで遊ぶでもなく，何もしないでボーッとしていたり，歩き回ったり，部屋のなかを見回したりしている状態
1人遊び	ほかの子どもたちと関係をもとうとせず，1人で自分だけの遊びに熱中している状態
傍観的行動	ほかの子どもが遊んでいるのを見て，質問したり，遊びに口出ししたりするが，その遊びに積極的に加わらない状態
並行遊び	ほかの子どものそばで，同じような遊びをしているが，相互に干渉，交流がない状態
連合遊び	ほかの子どもと一緒に1つの遊びをし，会話やおもちゃの貸し借りがみられるなどお互いの交流はあるが，役割分担や共通のルールがなく，組織化されていない状態
協同遊び	何かを作るとか，ある一定の目的のために一緒に遊ぶ．集団のなかで役割分担（リーダーなど）や共通のルールなどがみられる組織化された状態

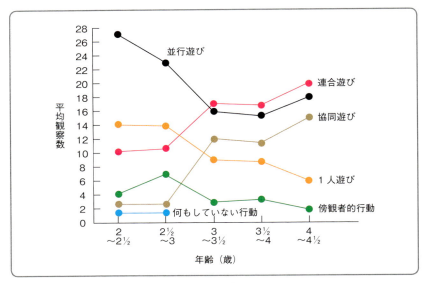

図2　遊びの型の年齢的変化（Parten, 1932）
平均観察数は，各年齢段階において6名の子どもを対象にそれぞれ60回（1回1分）観察し，各カテゴリーの遊びが観察された回数の平均を算出したものである．
〔佐々木晃：遊びの発達．図でわかる発達心理学（新井邦二郎編著），p53，福村出版，1997〕

　3歳頃になると，遊びのなかでの仲間とかかわりの方が激変する．そこに一役買うのが，言語能力の発達である．個人差はあるものの，子どもは3歳の誕生日を迎える頃には，言語の基本的な側面を習得し，大人とほぼ同様の会話をするようになる．言葉は，他者とやりとりをするのに大変有効な手段であり，言葉を使うことでコミュニケーションをとることが容易になる．直接言葉を交わして交渉したり，取ったり取られたりなどのもめごとも言葉を用いて解決したりするようになっていく．

　また，幼児期においては，仲間との関係が広がっていく一方で，仲間との争いや葛藤もしばしば起こるようになる．しかし，仲間同士の争いは，子どもの発達に悪い影響を与えるというより，子どもの社会性を促進する重要な機会であると考えられている．

　子どもは仲間とともに過ごすなかで，自分の欲求通りにはことが進まないといった葛藤や，遊びのなかで生じる物の取り合いや意見のぶつかりあいなどの対立を経験する．そうしたなかで，自分の意思を通せる状況と通せない状況を区別し，効果的な自己主張のやり方を学んだり，自分の意思を通すばかりでなく，相手の気持ちに気づき，自己の欲求を抑制したりする方法を身につけたりしていくのである．

　自己の感情や行動を制御する機能は，自己制御機能といわれる．自己制御の機能には，「嫌なことや他と違う意見をはっきりいえる」「やりたい遊びに他の子どもを誘って遊べる」といった自己主張の側面と，「友だちのもっている物や他の子どもが遊んでいるおもちゃがほしくても，順番を待てる」「嫌なことがあっても感情を爆発させないで我慢できる」といった自己抑制の側面がある．4，5歳の頃の自己制御の個人差がその後の8年間を通してかなり持続していること，両側

面のバランスのとれた自己制御能力の発達が実際の向社会的行動と関連すること，などが示されている．

乳児期に仲間に対する興味・関心が生じることで，仲間関係を築く土壌が整い，幼児期に仲間関係のあり方が急激に発達していく．しかし，乳・幼児期の対人関係の中心はやはり親子関係である．それが，児童期，青年期になると，親子関係中心の対人関係に変化が生じ，子どもは少しずつ親から離れて，仲間関係中心の生活へと移行し始める．

児童期，青年期の仲間関係の形態は，**表4**のようにとらえることができる．仲間集団を形成したり，安定した仲間関係が成立したりするなど，児童期，青年期の仲間関係は生活のなかで大きな位置を占めるようになっていく．青年期に入ると，仲間と自分の違いを明らかにしながら，青年期の発達課題である自我同一性（アイデンティティ）を確立していくとともに，異性関係（恋愛関係）などの親密な人間関係を築いていく．

■ 表4　児童期，青年期の仲間関係の形態とその特徴

仲間関係の形態	年　齢	発達の特徴
ギャング・グループ	小学校高学年	どちらかというと男子に特徴的である．子どもはギャング・グループでの行動を通じて，役割遂行，規範，協力，責任感といった人づきあいの仕方（社会的スキル）を習得する．ときには大人から禁じられていることを仲間と一緒にやりたがることが，「ギャング」とよばれるゆえんである
チャム・グループ	中学生頃	どちらかというと女子に特徴的である．メンバー同士の共通性が重視され，自分たちにしかわからない言葉を作り出し，その言葉がわかるものが仲間であるという同一言語により集団の境界線を引くというのも特徴的である
ピア・グループ	高校生以上	ピア（peer）とは「対等な友人」という意味で，ピア・グループの関係では互いがそれぞれの個性を尊重し，互いの価値観や理想，将来の生き方などを語り合う．共通点や類似性だけでなく，互いの異質性をぶつけ合いながらもその異質性を認め合い，違いを乗り越えてともにいることができる点がチャム・グループとは異なる特徴である

■ 引用・参考文献

1）Parten MB：Social participation among pre-school children. The Journal of Abnormal and Social Psychology 27（3）：243-269，1932
2）佐々木晃：遊びの発達．図でわかる発達心理学（新井邦二郎編著），福村出版，1997

4 発達障害など，非定型発達についての基礎的な事項や考え方

1 発達障害とは

発達障害は，発達障害者支援法施行規則(2005年施行)では次のように定める[1]．

> **発達障害**
> 　心理的発達の障害並びに行動及び情緒の障害（自閉症，アスペルガー症候群その他の広汎性発達障害，学習障害，注意欠陥多動性障害，言語の障害及び協調運動の障害を除く．）とする．
>
> （文部科学省：発達障害者支援法施行規則．2016
> https://www.mext.go.jp/a_menu/shotou/tokubetu/main/1377452.htm より2020年1月30日検索）

発達障害の特徴として，宮本信也は以下の4つをあげている[2]．
① 高次脳機能の習得障害である．

障害の背景として，脳の中枢神経系の機能障害が考えられている．これは発達障害を抱えた子どもたちの言動が，本人の責任や家庭の問題に起因するのではなく，脳のある部分に何らかの微細な機能障害があるためとしている．
② 非進行性である．

非進行性というのは，症状，あるいは，障害の程度がよくなったり悪くなったりしないということである．ただし，年齢とともに障害による問題が変化することはありうるので，混同しないように注意が必要である．
③ 発達期に生じる．

障害が発達期である18歳までに現れる．
④ 日常生活や社会生活において対応を必要とする問題がある．

発達障害のなかでとくに注目されるものとして，学習障害(LD：learning disorders)，注意欠陥／多動性障害(ADHD：attention-deficit/ hyperactivity disorder)，広汎性発達障害(PDD：pervasive developmental disorders)があげられる(**図1**)．これらの発達障害は，それぞれの障害が重なり合うことがある．

2 学習障害（LD）

LDとは，知的能力に遅れがないにもかかわらず〔知能指数(IQ：intelligence quotient) 70〜75以上〕，学習上の特定の分野(たとえば，読む，計算するなど)において1つ以上の特異な困難さをもっている状態のことである．わが国では，1999年に，文部科学省(当時の文部省)がLDを定義し，さらに次のとおり定義の明確化を図った[3]．

文部科学省の調査結果によると，約4〜5％存在すると推定され，ADHDや自閉性障害を合併することがある(**図1**)．

用語解説

＊1　LDとDSM

ある特定の領域の学習が困難であるLDは，DSM-5において，限局性学習症／限局性学習障害と表現されている．また，DSM-5に改訂されたタイミングで，そのほかの発達障害の表記も修正された．なお，DSM-5では，神経発達症群／神経発達障害群という大カテゴリーのなかに，知的能力障害群，コミュニケーション症群／コミュニケーション障害群，自閉スペクトラム症／自閉スペクトラム障害，注意欠如・多動症／注意欠如・多動性障害，限局性学習症／限局性学習障害，運動症群／運動障害群，他の神経発達症群／他の神経発達障害群が含まれている．

また，たとえば，知的能力障害群では，知的能力障害，全般的発達遅延，特定不能の知的能力障害といった下位分類が存在する．このうち，全般的発達遅延は小児期早期(5歳未満)に適用されるもので，発達に応じた再評価が必須となる．

LDの特徴をまとめると，以下のようになる．
- 全般的な知的発達に遅れはない(基本的に，知的障害とは区分する)．
- 学習上の基礎的能力(聞く，話す，読む，書く，計算するまたは推論する)を習得し，使用することについて，1つ以上の著しい困難(その分野において，小学校2，3年生の場合は1学年以上の遅れがあること，小学校4年生以上の場合は2学年以上の遅れがあること)がある．
- 障害の背景として，中枢神経系の機能障害が推定される．
  (そのため，目や耳といった感覚器官を通して入ってくる情報を受け止め，整理し，関係づけ，表出する過程のいずれかが十分機能していないと考えられている．)
- 視覚障害，聴覚障害，知的障害，情緒障害などのほかの障害が直接の原因となって生じた学習上の困難は，学習障害とは異なる．
- 環境的な要因によるものではない．

LDの各分野における困難さの基本的な症状を**表1**に示す．

学習障害(LD)の定義

　学習障害とは，基本的には全般的な知的発達に遅れはないが，聞く，話す，読む，書く，計算する又は推論する能力のうち特定のものの習得と使用に著しい困難を示す様々な状態を指すものである．

　学習障害は，その原因として，中枢神経系に何らかの機能障害があると推定されるが，視覚障害，聴覚障害，知的障害，情緒障害などの障害や，環境的な要因が直接の原因となるものではない．

〔文部科学省：学習障害児に対する指導について(報告)，1999
https://www.mext.go.jp/a_menu/shotou/tokubetu/004/008/001.htm より2020年1月30日検索〕

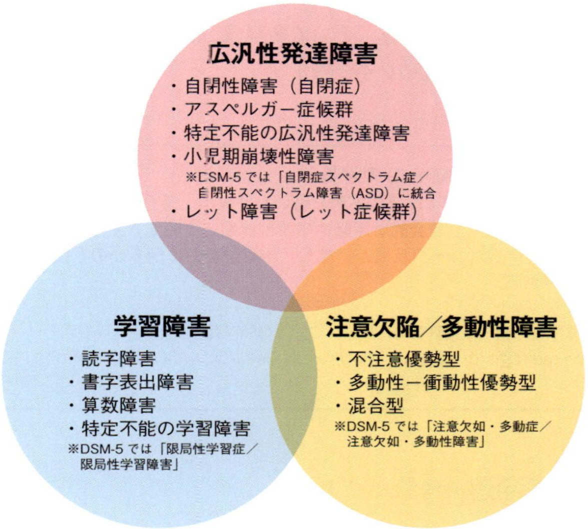

広汎性発達障害
- 自閉性障害（自閉症）
- アスペルガー症候群
- 特定不能の広汎性発達障害
- 小児期崩壊性障害
  ※DSM-5では「自閉症スペクトラム症／自閉性スペクトラム障害（ASD）」に統合
- レット障害（レット症候群）

学習障害
- 読字障害
- 書字表出障害
- 算数障害
- 特定不能の学習障害
  ※DSM-5では「限局性学習症／限局性学習障害」

注意欠陥／多動性障害
- 不注意優勢型
- 多動性－衝動性優勢型
- 混合型
  ※DSM-5では「注意欠如・多動症／注意欠如・多動性障害」

図1　発達障害の主な分類
厚生労働省は，ICD-10とDSM-Ⅳのいずれかに含まれるものすべてを発達障害と定義しているため，ICD-10とDSM-Ⅳ-TR（DSM-5）を参考に作成した．

■ 表1　学習障害の各分野における困難さの基本的な症状

各分野における困難さ	基本的な症状
「聞く」ことの困難さ	耳からの情報処理に問題があるため，集団のなかで指示が理解できなかったり，単語は理解できているが，文章としての意味は理解できなかったりする．短期記憶の弱さも加わると，聞いたことをすぐに忘れるため，2つ以上の指示の理解が困難なこともある
「話す」ことの困難さ	会話が一方的で，話題がとびやすいという特徴がある．事柄や順序を整理して話すことが苦手であったり，「いつ，誰が，どこで，何を，どうした」といった文脈構成上の基本的な要素が欠落するため，相手が聞いていてわかりやすく話すことが困難である
「読む」ことの困難さ	目からの情報処理に問題があるため，似た文字（例えば「め」と「ぬ」）の弁別にとまどったり，行や文字をとばし読みしたり重複読みしたりする．勝手に語尾を置き換えて「～でした」を「～でしょう」と読んだりすることもある．また，文章の内容を正しくとらえて読むことが苦手である
「書く」ことの困難さ	目からの情報処理に問題があったり，空間認知の困難がみられたりするため，文字が左右，上下に反転する鏡文字を書いたり，文字を書くと線が足りなかったり多かったり，細かいところが不正確である．また板書が非常に苦手で，マス目から文字がはみ出す，といった症状を示す
「計算する」ことの困難さ	簡単な計算や暗算が難しく，時間がかかる．短期記憶の弱さのために，繰り上がった数を忘れるため，繰り上がりの計算が苦手である．筆算の桁がずれる間違いも多く，数量や単位の理解が難しい．図形を描くことが困難で，文章問題も苦手である
「推論する（見通しを立てるなど）」ことの困難さ	因果関係を理解したり，相手の立場に立って考えたりすることが困難なため，尋ねられた内容に適切な受け答えができなかったり，目的に沿って計画したり，必要に応じて修正することができなかったりする．なお，この「推論する」能力には，図形や数量の理解・処理といった算数や数学における基礎的な推論能力も含まれている

用語解説

*2　ADHD

ADHDの訳語については，日本精神神経学会は「注意欠如・多動性障害」，小児精神神経学会や日本児童青年精神医学会は「注意欠如・多動症」としている．本項では，文部科学省が使用している「注意欠陥／多動性障害」と表記する．

なおDSM-5では注意欠如・多動症／注意欠如・多動性障害と表現される．

3　注意欠陥／多動性障害（ADHD）

ADHD[*2]とは，アメリカ精神医学会の診断基準(DSM-5)にある診断名である．わが国では，文部科学省がADHDを以下のように定義している．

ADHDは，5～10歳頃に顕著に現れ，不注意，多動性，衝動性を基本症状とする行動の障害である（**表2**）．ADHDは，3つの基本症状の程度により，不注意と多動性，衝動性がともにみられる「混合型タイプ」，不注意の症状が優勢的にみられる「不注意優勢型タイプ」，そして多動性，衝動性の症状が目立つ「多動性－衝動性優勢型タイプ」の3つに分類される．

> **注意欠陥／多動性障害（ADHD）の定義**
> ADHDとは，年齢あるいは発達に不釣り合いな注意力，及び／又は衝動性，多動性を特徴とする行動の障害で，社会的な活動や学業の機能に支障をきたすものである．
> また，7歳以前に現れ，その状態が継続し，中枢神経系に何らかの要因による機能不全があると推定される．
>
> 〔文部科学省：今後の特別支援教育の在り方について（最終報告）参考資料，2003
> https://www.mext.go.jp/a_menu/shotou/tokubetu/004/008/001.htm より2020年1月30日検索〕

4　広汎性発達障害（PDD）

ここでは，一般的に，広汎性発達障害のうち，いわゆる従来の自閉症や古典的自閉症とよばれる自閉性障害（自閉症）をとりあげる．自閉性障害（自閉症）とは，「社会性の障害」，「コミュニケーションの障害」，「想像力の障害（こだわり）」の3

■ 表2　ADHDの基本症状

基本症状	状態	概略
不注意	注意の集中が必要な時に集中できない状態	注意集中時間の短さ，注意の及ぶ範囲の狭さ，注意集中密度の浅さなどの側面がある．1つの事柄に注意が集中できず，他の刺激によって容易に注意が妨害される．授業や与えられた課題にはすぐに飽きてしまい，授業中ぼんやりしていることが多い．注意力の問題から「忘れ物が多い」，「単純なケアレスミスが多い」などの失敗を多く経験する．一方で，テレビゲームなどのように自分が興味，関心あるものに対しては没頭しやすく，注意されても簡単には終えられず，行動の切り替えが難しいといった過集中を示すこともある
多動性	落ち着きなくじっとしていられない状態	多動性の症状は年齢不相応な落ち着きのなさとなって現れる．この多動性には，席に座っていることができずに動き回るといった，身体が大きく動く多動性（hyperkinesis）と，席に座ってはいるが常に体のどこかが動いていてソワソワしているといった多活動性（hyperactivity）の2つのタイプがある．身体が大きく動く多動性は，おとなしくじっとしていることができず，席を離れたり，活発に動き回る．とくに，不慣れな場所や新しい場所ではこの傾向が顕著になりやすい
衝動性	考えなしにただちに行動を起こしてしまう状態	感情のコントロールが未熟で，すぐにカッとなるなど，衝動的行動が誘発されやすい．ちょっとしたことで腹を立て，かんしゃくを起こしたり，後先考えずに友達を叩いたりするため，友達関係のトラブルが絶えない．また，左右を確認せずに道路に飛び出したり，何かの機械や器具に衝動的に触れてけがをしたりするなど，危険な目に遭うことが少なくない

■ 表3　自閉性障害の基本症状

基本症状	状態	概略
社会性の障害	他者との交流がスムーズにいかない状態	人へのかかわり方が一方的で，自分が話したいときに話したいことだけを話してどこかに行ってしまったり，相手の気持ち（たとえば，相手が驚いた顔をしていたり，嫌悪感を示したり，話を無視してほかのことを始めたりする）には無頓着でひたすら話し続けたりする．そのため，同年齢の子どもと相互的な友達関係が築きにくい．なかには，他者にまったく関心がなく，相手がまるで存在しないかのように振舞う子どももいる
コミュニケーションの障害	コミュニケーションがうまくできない状態	友達との日常会話の場面で，教科書のように正確すぎる言葉遣いをしたり，細部にこだわった話し方をしたりする．会話の相互性が乏しく，相手のもっている情報に配慮して話せない．ユーモアを理解したり，皮肉や暗示された意味のような言葉の文字以外の側面を理解することが難しい．理解している単語に偏りがあることも多い．相手の視線，表情，ジェスチャーの意味を読み取ることが苦手で，そうした非言語コミュニケーションを適切に使うことも困難である
想像力の障害（こだわり）	興味や活動の範囲が極端に狭い状態	ごっこ遊びや想像的な遊びの乏しさという形で現れる．ミニカーを車に見立てず，たくさんのミニカーをひたすら一列に並べることに熱中したりする．また，想像力の問題は「こだわり」に直結する．自閉性障害のある子どもは，ある動作を反復したり，同一性を維持しようとする傾向が強い．いつも通りであることを好み，些細な日常の変更や不測の事態でひどく混乱する．新しいことに手を出したがらないので，興味や関心が広がらず，また，興味の対象が時刻表，地図記号，光るもの，洗剤のメーカーなど独特の物や事柄に偏っていることも多い

つを基本症状とした，3歳までに現れる発達障害である（表3）．

「自閉性障害」と一口にいっても，一人ひとり症状の出かたは異なる．知的能力にも大きな幅があり，重い知的障害を併せもつ言葉のない子どももいれば，知的障害を伴わない子どもまで，いろいろなタイプが存在する．

なお，自閉性障害のうち，知的発達の遅れを伴わない（IQ70～75以上）ものを「高機能自閉症」，それに加えて言葉の発達の遅れを伴わないものを「アスペルガー症候群」という．実際の対応に大きな違いはないため，それらを区別しないという立場もある．わが国では，高機能自閉症とアスペルガー症候群を以下のように定義している[4]．

> **高機能自閉症の定義**
>   高機能自閉症とは，3歳位までに現れ，①他人との社会的関係の形成の困難さ，②言葉の発達の遅れ，③興味や関心が狭く特定のものにこだわることを特徴とする行動の障害である自閉症のうち，知的発達の遅れを伴わないものをいう．
>   また，中枢神経系に何らかの要因による機能不全があると推定される．
>
> **アスペルガー症候群**
>   知的発達の遅れを伴わず，かつ，自閉症の特徴のうち言葉の発達の遅れを伴わないものである．なお，高機能自閉症やアスペルガー症候群は，広汎性発達障害に分類されるものである．
>
> 〔文部科学省：今後の特別支援教育の在り方について（最終報告）―参考3 定義と判断基準（試案等），2003
> https://www.mext.go.jp/b_menu/shotou/tokubetu/004/008/001.htm より 2020年1月30日検索〕

5　そのほかの発達の問題

　これまで紹介した発達に関する問題のほか，多様な発達の問題が存在する．たとえば，愛着に関する問題では，反応性アタッチメント障害ならびに脱抑制型対人交流障害は，子どもを理解するうえで重要な概念である．反応性アタッチメント障害は，養育者に対して進んで愛着（アタッチメント）を求めることがないことを特徴とした障害で，ネグレクトとの関連性が示されている．また，脱抑制型対人交流障害は初対面の大人などに対して文化的に不適切に過度に接近し交流をもとうとする特徴があるものである．さらに，発達性協調運動症は，いくつかの運動を協応させることが困難な状態を呈すものであり，子どもの過渡の不器用さは，こうした問題が潜在していると考えることもできる．

　また，身体的・精神的な発達について，非器質性発達障害（NoFTT：non-organic failure to thrive）がある．これは器質的には問題がない状況で，すなわち環境からの影響により発達に影響を及ぼしている状態であり，虐待やネグレクトが原因であることが多い．なお，器質的な問題があり発達が抑制されるなどの状態は，器質性発達障害（FTT：organic failure to thrive）とよばれる．

　早産・低体重児の場合，その一部で器質性発達障害をはじめとした問題を呈することもあり，その場合，特別な支援[*3]が求められる．

＊3　特別な支援
　さまざまな発達の問題により，副次的な問題（2次障害）が生じることもある．
　たとえば，ことばの遅れにより，いじめにあうなどが例として挙げられ，発達の問題と合わせてその周辺で生じる問題の支援も必要不可欠である．

■ 引用・参考文献

1) 文部科学省：発達障害者支援法施行規則，2016
https://www.mext.go.jp/a_menu/shotou/tokubetu/main/1377452.htm より 2020年1月28日検索
2) 宮本信也：軽度発達障害の子どもたち．現場で役立つ特別支援教育ハンドブック（下司昌一ほか編），日本文化科学社，2005
3) 文部科学省：学習障害児に対する指導について（報告），1999
https://www.mext.go.jp/a_menu/shotou/tokubetu/004/008/001.htm より 2020年1月30日検索
4) 文部科学省：今後の特別支援教育の在り方について（最終報告）―参考3 定義と判断基準（試案等），2003
https://www.mext.go.jp/b_menu/shotou/tokubetu/004/008/001.htm より 2020年1月30日検索

13章 発達心理学
5 高齢者の心理社会的課題と必要な支援

1 超高齢社会への突入

　高齢化社会とは，国際連合の定める総人口に対する65歳以上人口の比率，すなわち高齢化率（高齢者の割合）が7％を超えた社会のことをいう．今から約50年前の1970年に，わが国は「高齢化社会」となった．さらに7％という基準の2倍にあたる14％に達し，「高齢社会」となったのが，今から約20年前の1994年である．そして，2016年にはわが国の高齢化率は27.3％となり，基準である7％の約4倍に達した．「超高齢社会」への突入である．

　総人口が減少するなかで，高齢者が増加することにより，高齢化率は上昇を続け，2036年は33.3％と，高齢者が3人に1人になると見込まれる．2042年以降は高齢者人口が減少に転じても高齢化率は上昇傾向にあり，2065年には38.4％に達して，国民の約2.6人に1人が65歳以上の高齢者となる社会が到来すると推計されている．総人口に占める75歳以上人口の割合は，2065年には25.5％となり，約4人に1人が75歳以上の高齢者になると推計されている．

　成人期および高齢期[*1]が，青年期までの2倍，3倍になるほど高齢化が進んだ現代社会においては，高齢化によるさまざまな課題の解決が必要である．そのためには，まずは，高齢期の特徴や発達課題について理解する必要がある．

2 高齢期（老年期）の特徴

　発達とは，受精から死に至るまでの心身のさまざまな量的，質的変化のことである．生涯発達心理学を提唱した**バルテス Baltes, P.** は，成長と老化を表裏一体の現象であると述べている．成長とは生物学的形態上の新たな獲得のことをいい，獲得があればそこには必ず喪失が生じ，これを老化だととらえている．

　このような獲得と喪失が同時に出現する現象は出生時から始まっているが，獲得に比べて喪失の相対的な比率がきわめて高くなる高齢期は，それが著しい老化現象として認識される．高齢期には，心身の健康の喪失，定年退職による社会的役割の喪失，配偶者や友人の死別による人間関係の喪失など，さまざまな喪失や悲嘆を体験する．高齢期はこの「喪失」「悲嘆」が1つの特徴となる[*2]．

　しかし，高齢期を特徴づけるものは，喪失や下降的変化によるものだけではない．たとえば，近年の知能や知恵，パーソナリティの発達を検討した研究によると，高齢期において下降的変化がみられないだけでなく，上昇的変化さえみられることが示されている．

　知能の発達を理解するうえで，**キャッテル Cattell, R.** の結晶性知能（言語性知能）と流動性知能（動作性知能）が有益な視点を提供する（表1）．**シャイエ Schaie, K.** は，知能の発達に関するシアトル縦断研究[*3]を行った．その結果，知能のほとんどの側面において，緩やかな低下がはじまるのは60代前半からで，はっき

用語解説

[*1] 高齢期と高齢者
　心理学では，60歳以降（近年では65歳以降）の時期を老年期や高齢期とよぶ．ここでは用語を「高齢期」に統一する．また，「高齢者の医療に関する法律」では，65歳から74歳を「前期高齢者」，75歳以上を「後期高齢者」としている．ここでは，前期と後期の区別はせず，65歳以上を「高齢者」とする．

用語解説

[*2] 喪失と悲嘆，独居，孤独，社会的サポート，ソーシャルコンボイ
　配偶者や友人との死別，子世代との別居により独居となり孤独を感じる高齢者の増加も社会的問題となっている．こうしたなかで，社会的サポート（ソーシャルサポート）を提供することやソーシャルコンボイモデルに沿った支援（コンボイとは護衛艦を意味し，地域社会の一人ひとりが高齢者の護衛艦となって支援する）も必要不可欠である．

りとした低下が示されるのは80代を過ぎた頃であることがわかった[1].

唯一，数的能力（流動性知能に対応する能力の1つ）に関しては50代から低下がみられるが，言語能力（結晶性知能に対応する能力の1つ）は60代まで上昇的変化がみられ，その後の低下も80代前半頃までは，より緩やかであることが示されている．

また，高齢期は，結晶性知能を基礎として複雑な人生上の問題を解決するための知恵に磨きをかけ，人間として円熟している人も多い．児童期や青年期とは違い，豊かな人生経験があるからこそ培われる高齢期特有の能力が，「知恵」なのである．

生涯を通じたパーソナリティ特性の発達を検討した研究においては，「社会的バイタリティ」や「経験への開放性」*4 は高齢期に低下するものの，「調和性（協調性）」*5 や「誠実性」は中年期から高齢期にかけて上昇することがわかっている．

■ 表1　知能の種類*6

知能	内容	具体例
結晶性知能 （言語性知能）	生涯をとおしての経験の積み重ねにより獲得される能力であり，学校で学習したり日常生活の経験を通じて学んだりしたことを活かす能力	「語彙力」「社会的知識・スキル」を測る言語的なテストによって測定される
流動性知能 （動作性知能）	神経学的・生理学的な機能のもとで決定される能力であり，「いかに速く」，「いかに正確に」という情報処理の速さを表す能力	「置換：記号を数字に置き換える」など，主にスピードと関連した非言語的なテストによって測定される

3　高齢期の発達課題

本章1節の表2（→p.247 参照）で示したとおり，高齢期の発達課題は，自己統合の獲得と絶望の克服である．若い頃と比較すると，相対的に生きた時間が長く，残された時間が短くなってくる高齢期になると，自分の人生を振り返り，自分は価値のある存在であったのか，人生に後悔はないのか，ということを考えるようになる．その際に，これまでの人生を否定的にとらえたとしても，人生をやり直すには残された時間はあまりにも少ない，という絶望感に襲われる．これが**エリクソン** Erikson, E. のいう高齢期の危機である．

しかし，たとえこの絶望感に直面したとしても，これまでの人生で辛かったことや悲しかったことも含め，自分の人生を受け入れ，そして誰もが避けることのできない死を受け入れていくという自己統合感が，高齢期の発達課題である．エリクソンは，危機（絶望感）を克服して自己統合感を達成した者には，「英知」という徳が現れると考えている．

また，**ハヴィガースト** Havighurst, R. は，さまざまな喪失（社会・経済的な地位の喪失，職業生活における人間関係の喪失，心身の健康の喪失など）に対処し適応することが，高齢期の主な発達課題（**表2**）であるとしている．

生活環境や家族・友人関係などの変化に伴い社会的離脱状態に陥ることを防ぐ

用語解説

*3　シアトル縦断研究

シアトル縦断研究では，横断研究と縦断研究を組み合わせ，それぞれのバイアスを補正して加齢変化を推定する方法（系列法）を使用して，加齢変化を推定している．具体的には，1956年，1963年，1970年，1977年，1984年，1991年，1998年，2005年と7年間隔で8回にわたり，複数の年齢集団（すべての調査回が新しい標本）を対象とする知能検査（サーストンの知能検査）を行う（横断系列）．さらに，各々に対して，7年ごとに再検査を行うことによって，複数のコホートの縦断データを得ている（縦断系列）．

用語解説

*4　経験への開放性

ビッグ・ファイブ〔5つの要素（外向性，調和性，誠実性，神経症的傾向，経験への開放性）でその人のパーソナリティの特徴を大まかに説明できるとする考え方〕の1つで，知的好奇心の強さ，想像力，新しいものへの親和性を表すパーソナリティ特性のこと．

用語解説

*5　調和性（協調性）

ビッグ・ファイブの1つで，バランスをとり，協調的な行動をとるパーソナリティ特性のこと．

■ 表2　高齢期の発達課題

・身体的変化（健康の衰退）への適応
・退職と収入の減少への適応
・配偶者の死への適応
・肉体的に満足な生活を送るための準備
・退職後の配偶者との生活の学習
・同年代の仲間との親和的な関係の形成
・社会的・市民的役割の柔軟な受容

ため，生涯教育の機会を提供することや，活動を持続するための補償を伴う選択的な最適化[*7]（selective optimization with compensation）も必要である．

4　高齢期の心の問題とその支援

高齢期に入るとさまざまな問題が生じてくるが，ここではその代表的なものとして，認知症とうつについて紹介する．

①認知症

世界保健機関（WHO）の定めたICD-10では，認知症を「記憶，思考，見当識，理解，計算，学習，言語および判断力など多くの高皮質機能の障害であって，通常は慢性および進行性の経過をとる脳疾患による症候群である」と定義している[2]．

一方，DSM-5では，2013年に認知症が「神経認知障害」という名称に変更された[3]．具体的な内容としては，注意，実行機能，学習と記憶，言語，知覚－運動，社会的認知の障害があげられており，このなかの1つあるいは複数の機能が低下[*8]し，自立した日常生活が送れない場合に，神経認知障害と診断される．

認知症には，アルツハイマー型認知症，レビー小体型認知症，脳血管性認知症，前頭側頭型認知症（ピック病），アルコール性認知症などさまざまなものがある．認知症のうち，およそ半数はアルツハイマー型認知症であり，次にレビー小体型認知症，脳血管性認知症と続く．これらは「3大認知症」とよばれ，全体の約85％を占めている（表3）（→ p.216第11章3節，p.474第22章2節参照）．

現在のところ，認知症を完全に治す治療法はない．しかし，薬物療法によって認知症の進行を遅らせることは可能であり，認知症の初期段階であるほど治療効果が高いことが報告されている．つまり，早期発見，早期治療が大切となる．また，音楽療法，回想法，作業療法などの心理療法が認知症高齢者の心身の活性化を促し，認知症を遅らせる効果があると考えられている．

②うつ病

気分障害[*9]のなかでもうつ病は，その発症率の高さにより，社会的問題にもなっている．

図1は，10万人あたりの気分障害の患者数を年代，性別に表したものである．気分障害の患者数は，男性よりも女性の方が全体的に多い傾向にある．また，男性は，働き盛りの40代で最も多く，女性は30〜70代まで高い水準で推移している．

高齢期の特徴で述べたように，高齢期はさまざまな喪失や悲嘆を体験する時期であり，そうした喪失体験をきっかけとして，うつ病を発症しやすい．高齢者の

用語解説

*6　知能の種類

ガードナーGardner, H.は，人はそれぞれ多重知能をもっていると主張し，少なくとも8つの知的活動の特定の分野（言語的知能，論理数学的知能，音楽的知能，身体運動的知能，空間的知能，対人的知能，内省的知能，博物的知能）で才能を伸ばすことができるとする．「多重知能理論」を提唱した．

用語解説

*7　補償を伴う選択的な最適化

環境の変化や加齢による身体的な変化により，これまでと異なる選択（個人にマッチした選択）をすることでよりよく生活することを目指す．たとえば，身体的負荷の大きな運動習慣から，現在の体力にマッチした運動習慣にシフトすることで，より活き活きと楽しく運動を続けることができるようにすることなどが例として挙げられる．補償を伴う選択的最適化によりエイジング・パラドクス（加齢により行動などが制限されるにもかかわらず幸福感が高い現象）が生じるともいえる．

用語解説

*8　機能の低下

日常生活動作（ADL）が下がることで，身体的能力の低下も懸念される．

用語解説

＊9　気分障害

気分障害とは，気分や感情の障害で，一定期間以上気分が落ち込み，何をする意欲も湧かないといったうつ病，それとは逆に気持ちが高揚し多弁，多動などがみられる躁病，気分の落ち込み（うつ）と高揚（躁）を周期的に繰り返す双極性障害が含まれる．

■ 表3　3大認知症のそれぞれの特徴

	アルツハイマー型認知症	レビー小体型認知症	脳血管性認知症
原因など	脳全般にアミロイドβ蛋白が蓄積し，脳神経細胞が変異あるいは脱落してしまう	レビー小体という特殊なものができることで，神経細胞が死滅してしまう．	脳の血管が詰まる血管障害（脳梗塞，脳出血）に関連して現れる．
特徴的な症状	・認知機能障害（もの忘れなど） ・自発性の低下（無気力） ・精神症状（抑うつや不安，易興奮） ・暴力や徘徊などの問題行動	・記憶障害を中心とした認知機能障害 ・幻視，幻覚，妄想 ・パーキンソン症状（体のこわばり，動作の緩慢さなど） ・睡眠行動障害（ベッドから転落するなど）	・アルツハイマー型認知症とは異なり，判断力や理解力，人格は比較的保たれる（まだら認知症） ・記憶力の低下 ・半身に麻痺症状
経過	記憶障害から始まり広範囲な障害へ徐々に進行する	調子のよいときと悪いときをくりかえしながら進行する．ときに急速に進行することもある．	原因となる疾患によって異なるが，比較的急に発症し，段階的に進行していくことが多い．

うつ病有病率は13.5％といわれており，認知症と並んで高齢者によくみられる疾患の1つである．

若年者とは異なる高齢者のうつ症状の特徴は，抑うつ気分のような精神症状が目立たず，耳鳴り，めまい，ふらつき，手足のしびれなど自律神経症状の訴えや，頭痛，腰痛，胃部不快感などの不定愁訴（とくに原因がなく，なんとなく身体のあちこちの調子が悪いという訴え）が多いという点である．そのため，うつ病であることが見過ごされ，重症化してしまうこともある．また，認知症と間違われて見逃されることも多い．

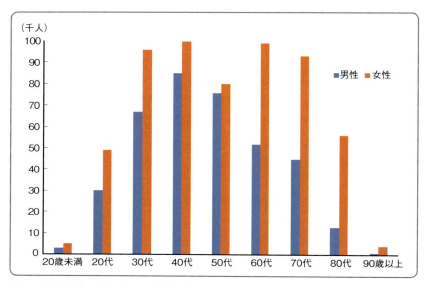

図1　気分障害（うつ病・双極性障害など）の年代別患者数
宮城県の石巻医療圏，気仙沼医療圏および福島県を除いた数値である．
文献4)を参考に作成

うつ病を患った高齢者は，現実以上に悲観的な考えに陥っているものである．自分に自信がなくなったり，周囲に対して不信感をもったり，将来に対して絶望的になったりしている．こうしたことを理解し，誤った思い込みを修正しつつ，支援を行う必要がある．身体的な欠失の治療もうつ状態の改善には重要であり，視覚障害や聴覚障害への治療や支援，栄養管理や運動も含めた健康管理も考慮に入れておく必要がある．

うつ病の患者にとっては，社会ネットワーク[*10]によって周囲の人たちとつながりをもつことが非常に重要である．超高齢社会の現代日本においては，介護・被介護者がともに高齢化しており，「老老介護」の問題が社会問題となっている．

かつての家族や近隣の人々による支援では，高齢者の心身のケアは困難な時代になっている．現代は社会支援としてさまざまな福祉サービスがあり（→ p.393 第18章参照），認知症やうつ病などさまざまな問題を抱えた高齢者の本来の人間性を取り戻すためには，専門家によるサポートが必須となってくる．

専門家，家族，そして近隣コミュニティが加齢のメカニズムを理解し，一体になったとき，私たちは専門家であるか，家族であるか，近隣に住むものであるかを問わず，老いをともに歩むことのできる存在になれるのである．

用語解説

*10　社会ネットワーク

生きがいや幸福感を得ながら生活を送る（サクセスフルエイジング）を実現するためには，社会ネットワークの一員として社会的参加を促す社会・地域作りを行う必要がある．また，ここでは生涯教育や高齢者就労の機会を設けることも求められる．平均寿命が高まる中，健康的に生活し社会参加が可能な健康寿命を伸ばすことも現代的な課題である．

■ 引用・参考文献

1) Schaie KW: Developmental influences on adult intelligence. The Seattle longitudinal study, 2nd ed, p162, Oxford University Press, 2013
2) World Health Organization：International statistical classification of disease and related health problems, 10th revision. World Health Organization, 1993
3) American Psychiatric Association：Diagnostic and statistical manual of mental disorders, fifth edition. Routledge, 2013
4) 厚生労働省：平成23年（2011）患者調査の概況．
http://www.mhlw.go.jp/toukei/saikin//hw/kanja/11/　より2019年12月28日検索
5) 高山緑：英知を磨く．老いのこころ（佐藤眞一ほか），有斐閣，2014

14章 障害者・障害児心理学

1 身体障害，知的障害および精神障害

> **この章で学ぶこと**
> ・身体障害，知的障害，精神障害の定義
> ・障害者・障害児の心理社会的課題と必要な支援

1 なぜ障害者・障害児心理学を学ぶのか

　心理職という言葉を聞くと，悩みを抱える人に寄り添い，話を聞きながら一緒に解決をしていく仕事とイメージされることが多い．具体的な職種としては，病院やクリニックの心理士，スクールカウンセラーなどが思い浮かび，障害とは関連がないように思えるかもしれない．しかし，これらの仕事には障害者・障害児心理学の知識が必要不可欠である．

　たとえば，スクールカウンセラーや病院の心理職として勤務すると，不登校や精神的不適応の背景に障害があり，生きづらさを感じているクライエントに出会う場合がある．自治体の心理職として勤務する場合には，発達障害者支援センターや障害者支援施設に配属されることもあるだろう．2012年から始まった障害児が対象の「放課後等デイサービス」の数が大幅に増えており，有資格者を採用する事業所もある．

　このように，障害者・障害児心理学の知識は，心理のさまざまな職域で求められる．

2 障害とは何か

　障害という言葉を聞いたとき，どういった状態を想像するだろうか．身体が不自由な状態や知的障害のある状態などさまざまな状態が思い浮かぶかもしれない．このように，ひと言で障害といってもそれは多様な状態をさしている．

　世界保健機関(WHO)は，1980年に国際障害分類(ICIDH：International Classification of Impairments, Disabilities and Handicaps)を発表した(図1)[1]．疾患・変調が機能障害(impairment)，機能障害が能力障害(disability)を引き起こし，機能障害と能力障害が社会的不利(handicap)の要因になるという考え方である．たとえば，視力が0.1の人で眼鏡やコンタクトレンズがない場合を考えてみよう．眼球の調節が難しくなると(疾患・変調)，視力は低下する(機能障害)．視力が低下すると，遠くに書いてある文字が読めず(能力障害)，外出することが難しい(社会的不利)かもしれない．

　WHOはICIDHをさまざまな地域や健康問題に適用することができるように改訂し，2001年に国際生活機能分類(ICF：International Classification of Functioning, Disability and Health)を発表した(図2)[2]．ICFでは心身機能・

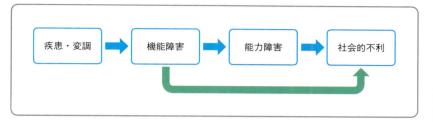

図1　国際障害分類（ICIDH）

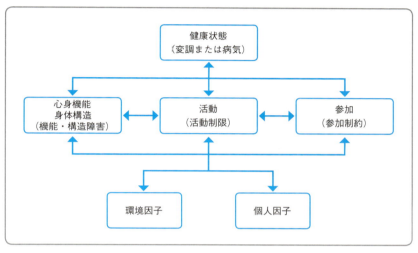

図2　国際生活機能分類（ICF）
（障害者福祉研究会編：ICF 国際生活機能分類―国際障害分類改訂版．中央法規出版，2002）

身体構造，活動，参加のいずれかに問題を抱える状態（例：機能・構造障害，活動制限，参加制約）を障害ととらえる．そして新たに環境因子，個人因子も障害に影響する要因としてあげられている．

先ほどの視力0.1の人の例で考えると，眼球の調節が難しい（心身機能・身体構造）ことによって視力が低下した場合，遠くに書いてある字が読めず（活動），外出することが難しい（参加）．ところが，私たちは眼鏡やコンタクトレンズを使用することができるため（環境因子），視力が悪くても字を読むことができる．あるいは，知らない人に話しかけることが苦痛と感じない性格であれば（個人因子），知らない人にお願いして字を読んでもらい（活動），外出がしやすくなるかもしれない（参加）．

また，ICFでは妊娠，加齢，ストレスといった「健康状態」も考慮に入れており，従来の障害にかぎらず生活のしづらさを抱えたあらゆる人を対象にする工夫がなされている．

ICFは障害のある人に適用されると誤解されることが多いが，先述の例のように視力が悪いといったあらゆる健康状態を分類することができるものであり，障害の有無にかかわらず適用することができる．また，障害や健康に関することで生活に困難を抱える場合に，何がその人に困難をもたらしているのかを整理することができるため，問題を解決する糸口をみつけるのに役立つ．

なお，本章では法律用語である「障害」という表記を用いるが，「障がい」などの表記を使用することも多い．

3　わが国の法律における障害の分類

障害者とは「障害者の日常生活及び社会生活を総合的に支援するための法律（障害者総合支援法）」において，身体障害者，18歳以上の知的障害者および精神障害者（発達障害を含む），同じく18歳以上の難病等で障害が生じている者とされている[3]．障害児は，「児童福祉法」において，身体に障害のある児童，知的障害のある児童，精神に障害のある児童，難病で障害が生じている児童とされており[4]，以上をまとめると，障害者・障害児とは，①身体障害のある人，②知的障害のある人，③精神障害や発達障害のある人，④難病等による障害がある人ということになる．

障害児・者の数を表1にまとめた．2016（平成28）年10月時点でのわが国の総人口は1億2,693万3,000人であったことから，身体障害者および身体障害児は約3％，知的障害者および知的障害児は約0.8％，精神障害者および精神障害児は3％を占めることがわかる．

■ 表1　障害者・障害児の数（推計値）

	総数	在宅者	施設入所者
身体障害者・障害児（2016年）	436.0万人	428.7万人	7.3万人*
知的障害者・障害児（2016年）	108.2万人	96.2万人	12.0万人*
	総数	外来患者	入院患者
精神障害者・障害児（2017年）	419.3万人	389.1万人	30.2万人

*　2015年の入所者数
文献5)を参考に作成

1・身体障害

「身体障害者福祉法」において，身体障害者とは身体上の障害がある18歳以上の者で，都道府県知事から身体障害者手帳の交付を受けたものと定められており，身体障害は視覚障害，聴覚・言語障害，肢体不自由，内部障害[*1]に分類されている[6]．それぞれの分類の人数を示した表2をみると，身体障害者・障害児のなかでは肢体不自由が最も多いが，見た目にはわかりにくい内部障害をかかえている人も少なくないことがわかる．それぞれの障害の程度は身体障害者障害程度等級表に基づいて重いほうから1級〜7級の等級がある．身体障害者手帳の交付は1級から6級となっている．7級は単独では交付対象とならないが，7級に該当する障害が2つ以上重複する場合または6級以上の障害と重複する場合に対象と

用語解説

*1　内部障害
　心臓，呼吸器，肝臓などの内臓や免疫の機能障害によって日常生活が制限されている状態をいう．

■ 表2　身体障害の種類別数（推計値　平成28年）

視覚障害	聴覚・言語障害	肢体不自由	内部障害
31.2万人	34.1万人	193.1万人	124.1万人

文献7)を参考に作成

なる[8].

2 ● 知的障害

知的障害に関しては,「知的障害者福祉法」に知的障害がどのようなものか明記されておらず, 法律上の定義は定められていない[9]. しかし, 厚生労働省が実施した「知的障害児(者)基礎調査」では,「知的機能の障害が発達期(おおむね18歳まで)にあらわれ, 日常生活に支障が生じているため, 何らかの特別の援助を必要とする状態にあるもの」と定義し, また知的機能の障害を判断する基準としては, 知能指数がおおむね70までとしている[10]. このように「知的障害」を, ①知能指数が70くらいまで, ②18歳くらいまでに障害が生じている, ③日常生活に支障が生じている, という3つの要素からとらえていることがわかる.

児童相談所(18歳未満), 知的障害者更生相談所(18歳以上)で知的障害であると判定されると療育手帳の交付を受けることができる. 知的障害の判定は各都道府県が基準を定めているため, 申請する都道府県によって療育手帳交付の基準は異なる.

3 ● 精神障害

「精神保健及び精神障害者福祉に関する法律」(以下, 精神保健福祉法)において, 精神障害者とは統合失調症, 精神作用物質による急性中毒またはその依存症, 知的障害, 精神病質その他の精神疾患を有する者と定義されている(第5条)[11] (精神疾患については➡ p.479 第23章1節参照).

精神疾患の診断を受けた場合, 精神障害の状態にあることを認定する精神障害者保健福祉手帳の交付を受けることができる. 等級が1級から3級に分かれており, 1級は介助なしで日常生活を送ることが難しい状態, 2級は日常生活が著しい制限を受けている状態, 3級は日常生活や社会生活が制限を受けている状態と定めている[12]. 精神障害者保健福祉手帳はすべての精神疾患が対象となっており, そのなかには発達障害も含まれる.

発達障害は,「発達障害者支援法」において「自閉症, アスペルガー症候群その他の広汎性発達障害, 学習障害*2, 注意欠陥多動性障害その他これに類する脳機能の障害であってその症状が通常低年齢において発現するもの」(第2条)とされている[13] (発達障害の基本的事項については➡ p.264 第13章4節参照).「発達障害者支援法」では「自閉症, アスペルガー症候群その他の広汎性発達障害」「学習障害」「注意欠陥多動性障害」と表記されるが, アメリカ精神医学会のDSM-5 精神疾患の診断・統計マニュアル[14] (DSM-5)では, それぞれ自閉スペクトラム症*3, 限局性学習症, 注意欠如多動症*4 に該当する. そのため, 医学的診断を受ける場合には DSM-5 に基づく診断名がつく場合が多い.

4　障害者・障害児に対する支援

1 ● 障害者差別解消法

2016年に障害者差別解消法(正式名称は「障害を理由とする差別の解消の推進

用語解説

*2　学習障害
learning disabilities を略して LD とよばれる. DSM-5では限局性学習症に該当する.

用語解説

*3　自閉スペクトラム症
autism spectrum disorder を略して ASD とよばれる.

用語解説

*4　注意欠如多動症
attention-deficit/hyperactivity disorder を略して ADHD とよばれる.

に関する法律」)が施行された[15]．障害者差別解消法は，障害がある人もない人も，お互いを尊重しながらともに生きる社会(共生社会)の実現を目指している．この法律により，役所や学校，病院や会社などの事業者は障害を理由とする「不当な差別的取扱い」をすることが禁止された．たとえば，正当な理由なくサービスの提供を拒否する，学校への受験や入学を拒否することはできない．

障害のある人は，障害がない人の想像がつかないところで非常に生活しづらい状況におかれている．たとえば，車いすで移動している人のことを考えてみよう．もし，自分が通学や通勤で階段とエスカレーターをいっさい使えないとしたらどうなるだろうか．遠回りをしなければ行けないかもしれないし，場合によっては目的地にたどり着けないかもしれない．エレベーターが混んでいれば，なかなかエレベーターに乗れないかもしれない．このように当事者にならないとどのような不便を強いられているかを知るのは難しい．

そこで，障害のある人から何らかの対応が必要だという意思表示があった場合，負担が大きくなく合理的な範囲で対応する「合理的配慮」が求められている．たとえば，意思が伝わるように絵やタブレットを使う，段差がある場所でスロープなどを使って補助することが求められる．合理的配慮については，行政機関は義務，事業所は努力義務となっている(第7条，第8条)(**表3**)．

■ 表3　障害を理由とする差別を解消するための措置

	不当な差別的取扱いの禁止	合理的配慮の提供
行政機関等 (役所，公的機関，国公立学校など)	義務	義務
事業者 (会社，病院，私立学校など)	義務	努力義務

2●障害者・障害児が受けられる福祉的支援

身体障害の場合は「身体障害者手帳」，知的障害の場合には「療育手帳」，発達障害を含む精神疾患の診断を受けた場合には「精神障害者保健福祉手帳」を各都道府県に申請し，発行を受けることができる．これらの障害者手帳があると，公共料金の割引や税金の控除などを受けることができる(受けられるサービスは自治体や事業者によって異なる)．

障害児は「児童福祉法」で定められた障害児支援を，障害者は「障害者総合支援法」で定められた障害者支援を受けることができる．障害児支援には，障害児相談支援，障害児通所支援(放課後等デイサービスなど)，障害児入所施設，児童発達支援センター，保育所等訪問支援などがある．障害者支援には，生活介護，外出支援，施設入所，生活訓練，就労支援，相談支援などがあり，自立して生活を送るための療育も重要な役割を担っている．障害児(者)支援サービスの申請方法および内容については，独立行政法人福祉医療機構が運営するウェブサイト(WAM NET)に詳しく掲載されている．障害児(者)のニーズはさまざまであるため，支援にあたっては「個別支援計画」を作成し方針を決める．

3 • 特別支援教育

学校では，学校教育法第8章に基づいて特別支援教育が行われている[16]．図3に特別支援教育の制度と対象となる児童をまとめた[17]．通常学級には，学業面，行動面で著しい困難を示し，特別な支援を必要とする児童生徒の割合が6.5％であることが報告されている[18]．通常学級では学級担任が中心となって障害に配慮した教育が行われている．

通級では，通常学級に在籍している子どもが，障害に応じた特別な指導を受けることができる．子どもが通学する学校のなかで指導を受けることができる自校通級や，ほかの学校に週に何単位時間か定期的に通級して指導を受ける他校通級，通級担当教員が指導にくる巡回指導がある．これまでは，小学校および中学校で通級が実施されていたが，2018年度から高校でも通級が実施されている．

特別支援学級では，障害による学習上または生活上の困難を克服するための教育を少人数で受けることができる．通常学校に特別支援教育を導入することができるようになっているほか，病院のなかに特別支援学級(院内学級)を開設することもできる．

特別支援学校では障害による学習上または生活上の困難を克服し，自立をはかるための教育を受けることができる．特別支援学級では小学校・中学校の学習指導要領をもとに障害に応じたカリキュラムを編成するが，特別支援学校は特別支援学校学習指導要領に基づいて専門的な教育が行われる．

学校で障害児を指導する際には，生徒一人ひとりのニーズに応じて指導目標や指導内容を決める「個別の指導計画」や，就学前から卒業後も視野に入れた長期的な視点から計画を立てる「個別の教育支援計画」の作成が求められる(作成にあたっては医療機関との連携が必要となる)．

図3　特別支援教育の制度と対象となる児童
(内閣府：障害者の状況．令和元年障害者白書，2019
https://www8.cao.go.jp/shougai/whitepaper/r01hakusho/zenbun/pdf/s2_1-1.pdf より2020年1月28日検索)

■ 引用・参考文献

1）WHO：International Classification of Impairments, Disabilities, and Handicaps, 1980
https://apps.who.int/iris/bitstream/10665/41003/1/9241541261_eng.pdf#search=%27International+Classification+of+Impairments%2C+Disabilities+and+Handicaps%27 より 2020年2月7日検索
2）障害者福祉研究会編：ICF 国際生活機能分類―国際障害分類改訂版．中央法規出版，2002
3）障害者総合支援法
https://elaws.e-gov.go.jp/search/elawsSearch/elaws_search/lsg0500/detail?lawId=417AC0000000123&openerCode=1#10 より 2020年2月7日検索
4）児童福祉法
https://elaws.e-gov.go.jp/search/elawsSearch/elaws_search/lsg0500/detail?lawId=322AC0000000164&openerCode=1 より 2020年2月7日検索
5）内閣府：障害者の状況．令和元年障害者白書，2019
https://www8.cao.go.jp/shougai/whitepaper/r01hakusho/zenbun/pdf/ref2.pdf より 2020年2月7日検索
6）身体障害者福祉法
https://elaws.e-gov.go.jp/search/elawsSearch/elaws_search/lsg0500/detail?lawId=324AC1000000283&openerCode=1 より 2020年2月7日検索
7）厚生労働省：平成28年生活のしづらさなどに関する調査（全国在宅障害児・者等実態調査）結果．2018
https://www.mhlw.go.jp/toukei/list/dl/seikatsu_chousa_b_h28.pdf より 2020年2月7日検索
8）厚生労働省：身体障害者手帳制度の概要
https://www.mhlw.go.jp/bunya/shougaihoken/shougaishatechou/dl/gaiyou.pdf より 2020年2月7日検索
9）知的障害者福祉法
https://elaws.e-gov.go.jp/search/elawsSearch/elaws_search/lsg0500/detail?lawId=335AC0000000037&openerCode=1 より 2020年2月7日検索
10）厚生労働省：知的障害児（者）基礎調査：調査の結果
https://www.mhlw.go.jp/toukei/list/101-1c.html より 2020年2月7日検索
11）精神保健及び精神障害者福祉に関する法律
https://elaws.e-gov.go.jp/search/elawsSearch/elaws_search/lsg0500/detail?lawId=325AC1000000123&openerCode=1 より 2020年2月7日検索
12）厚生労働省：みんなのメンタルヘルス総合サイト，2011
https://www.mhlw.go.jp/kokoro/support/3_06notebook.html より 2020年2月7日検索
13）発達障害者支援法
https://elaws.e-gov.go.jp/search/elawsSearch/elaws_search/lsg0500/detail?lawId=416AC1000000167 より 2020年2月7日検索
14）日本精神神経学会監：DSM-5 精神疾患の診断・統計マニュアル．医学書院，2014
15）障害者差別解消法
https://elaws.e-gov.go.jp/search/elawsSearch/elaws_search/lsg0500/detail?lawId=425AC0000000065 より 2020年2月7日検索
16）学校教育法
https://elaws.e-gov.go.jp/search/elawsSearch/elaws_search/lsg0500/detail?lawId=322AC0000000026#I より 2020年2月7日検索
17）文部科学省：特別支援教育の対象の概念図
https://www.mext.go.jp/a_menu/shotou/tokubetu/__icsFiles/afieldfile/2017/02/21/1236746_01.pdf より 2020年2月7日検索
18）文部科学省：通常の学級に在籍する発達障害の可能性のある特別な教育的支援を必要とする児童生徒に関する調査結果について．2012
https://www.mext.go.jp/a_menu/shotou/tokubetu/material/__icsFiles/afieldfile/2012/12/10/1328729_01.pdf より 2020年2月7日検索

障害者・障害児の心理的特徴や必要な支援

14章 障害者・障害児心理学　2

1 障害者・障害児（非定型発達）に対する支援の基本

　もし，「あなたは明日から歩くことができません」もしくは「あなたのお子さんは不注意があるようです」と言われたらどんな気持ちになるだろうか．歩くことができなくても，不注意があっても，日常生活や対人関係に支障がなく毎日楽しく過ごすことができていたらあまり気にならないかもしれない．

　しかし，移動に長い時間がかかったり，忘れ物が多かったりすることで，学校生活や社会人としての生活に支障をきたし，周囲の人から違う目でみられ，受け入れられていないと感じれば，非常につらい思いをするかもしれない．これらの困難や障壁を乗り越えて障害受容する場合もあれば，乗り越えることが難しく二次障害として不安や問題行動が生じる場合もある．

1 障害受容

　ほとんどの障害は治ることがなく，苦手や不利と付き合いながら人生を過ごすことになる．自分自身や子どもに障害があるという状態になったときに，多くの人はショック，悲しみ，怒りといった気持ちを感じる．

　コーン Cohn, N. は，身体障害を受けた患者が障害を受容していくプロセスとして，ショック→回復への期待→悲嘆→防衛→適応という経過をたどることを報告している（図1）[1]．障害児の保護者においても，同様の経過をたどるとされている．たとえば，ドローター Drotar, D. らは，先天性奇形のある子どもの保護者がたどる経過としてショック→否認→悲しみと怒り→適応→再構築を提唱している[2]．どちらもショックを受けた後に現実として受け入れられない時期を経て悲しみや怒りという感情が生じ，最終的に適応に向かって段階的に変化していくという共通点がある．

　本人や保護者に障害の告知をする場合には，単に診断名を伝えるだけでは本人や保護者の不安が大きくなってしまう．不安を少しでも小さくするためには，適切な対応方法についての情報，同じ障害のある人やその家族との交流の機会や家族会の情報，将来の見通し，方向性を示す助言，正確で新しい医学情報の提供，障害福祉の現状の説明が必要である[3]．また，安易に「大丈夫ですよ」という声かけをすると，本人や保護者が感じているショックや悲しみといった感情を無視することになるため，本人や保護者の感情をそのまま受容し，共感することが求められる．

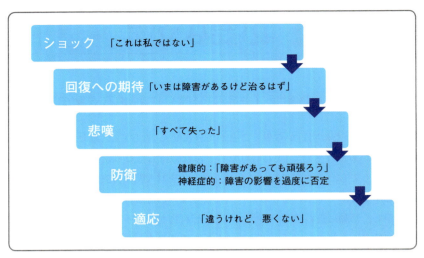

図1　コーンの障害受容のプロセス
文献1)を参考に作成

2 • 二次障害

　障害は単独で生じるだけではなく，併発することも珍しくない．たとえば，ADHDとチック*1，視覚障害と選択性緘黙*2というように2つの障害をあわせもつことがある．たとえば，自閉スペクトラム症(ASD)の子どもは周りの人より強い怒りや不安を感じており，ASDの子どものうち，64％が叩くなどの攻撃行動，51％が言葉による攻撃行動を示し，さらに13％が自傷行為を示しているという報告がある[4]．

　また，知的障害についてはその症状以外で問題を抱え対応を必要とすることが少なくない．たとえば，攻撃的もしくは反抗的な行動，不安や抑うつ，食行動の問題などがある[5] (**表1**)．すべての障害者・障害児がこのような問題を示すわけではないが，彼らの支援を行う心理の専門家は，不安や抑うつといった感情・気分の問題，抜毛や皮膚むしり症といった習癖，異食や反芻といった食行動についての知識や対応方法の習得が必要となる．

　また，障害による制限を周囲に否定的な評価をされることによって二次的に問題が生じることを二次障害という．障害があると，毎日を問題なく過ごすことが難しいこともある．肢体不自由があれば移動が難しくなり，知的障害があれば他者とのコミュニケーションが難しいこともあるだろう．発達障害の場合は一見障害があることがわかりにくいため，真面目に取り組んでいないと誤解されたり，

 用語解説

*1　チック
　意図していない動き(不随意運動)が繰り返される状態．運動チック，音声チックがあり，運動チックと音声チックが1年以上続く場合はトゥレット症候群と診断される．

*2　選択性緘黙
　　（場面緘黙）
　ほかの場面では話すことができるが，特定の場面で話さない状態．DSM-5では不安症の1つとされている(p.163 第9章2節参照)．

■ 表1　知的障害の症状以外の問題

・多動性，衝動性
・攻撃的行動，反抗的行動
・不安，抑うつ
・抜毛，皮膚むしり症
・異食症，反芻症
・遺尿症，遺糞症
・チック，トゥレット症

文献5)を参考に作成

変わった人という評価を受けたりするかもしれない．このように自分の思ったとおりにものごとを進めることができなかったり，周囲から否定的な評価をされたりすると自信を失っていき，場合によっては不安や抑うつといった状態に陥ることもある．子どもの場合は問題行動や不登校につながることもある．

二次障害は，予防つまり自信を失わせないことが最も大切である．

たとえば，方向感覚がない人について考えてみよう．方向感覚がない人は突然「北はどちらか？」と聞かれても答えることが難しい．その人に「なぜ北がわからないの？」と聞いたり，「頑張れ」と励ましたり，「もっとやる気を出せ！」と叱ったりすることで，北を指させるようになるだろうか．おそらく難しいだろう．どうしたら北を指させるのかわからないまま頑張ることを求められる，できないことを叱られるという状態が続けば，どんな人でも自信をなくしてしまう．

自信を失わずに北を指させるようにするためには，2つのポイントがある．1つめは「できないことを責めない」ということである．2つめは「苦手があってもできるようになる方法を支援者が提案する」ということである．北を指さすのであれば，時間と太陽の位置から北の方向を考える，北極星を探す，携帯の地図を使うといった方法を提案することができるだろう．できるようになる方法は人によってさまざまであるため，知能検査などの心理アセスメントの結果から得意な能力，苦手な能力を把握しておくとその人にとってやりやすい方法を提案しやすくなる．

2　エビデンスに基づく障害者・障害児支援

アメリカ心理学会第53部会（児童青年臨床心理部会）は，「Effective Child Therapy」というウェブサイトに児童と青年に対して効果のある心理療法を精神疾患別に公開している[6]．アメリカ心理学会第53部会が効果があるとしている心理療法は，厳密な科学的検証で効果が確認された，つまりエビデンスがあるということを意味する．名前が示されていない心理療法は効果がないのではなく，効果が検証されていないことを示している．障害児を対象とした心理療法のうち，エビデンスに基づく心理療法の選択肢があるのはADHDとASDである．

1・ADHDに対する支援

ADHDとは，不注意および多動性，衝動性が12歳になる前からみられ，現在の生活が困難になっている状態である[7]．不注意は，忘れ物やなくしものが多い，遅刻をする，締め切りを守れない，集中が続かないといった特徴として現れる．多動性は落ち着きがない，教室を歩きまわる，しゃべりすぎるといった行動で，衝動性は順番を待つのが難しい，相手が話し終わるのを待てない，他人のしていることに口出しする，他人の物を横取りするといった行動で現れる．

ADHDに対してエビデンスが示されている心理療法は，行動的ペアレント・トレーニング，行動的クラス・マネジメント，行動的仲間介入，行動的介入の組み合わせ，整理トレーニング（organization skills training）である（**表2**）[8]．整理トレーニング以外は行動療法をベースとしており，行動療法で用いられる問題

解決方法を保護者に教えて，子どもに対して実施してもらうのが行動的ペアレント・トレーニング，学校の教師に教えて子どもに実施してもらうのが行動的クラス・マネジメント，クラスの友人に教えて対象の子どもに実施してもらうのが行動的仲間介入である．整理トレーニングは教材などの整理整頓，時間管理，提出物の管理などの方法を子どもに教える支援方法である[9]．

心理療法だけではなく薬物療法もADHDの治療に有効であり，ADHDの人のおよそ7割に効果があるといわれている．メチルフェニデート塩酸塩(コンサータ®)が子どもおよび成人のADHDに対して，アトモキセチン塩酸塩(ストラテラ®)が成人のADHDに対して処方される．

■ 表2　効果のある心理療法

ADHD	行動的ペアレント・トレーニング 行動的クラス・マネジメント 行動的仲間介入 行動的介入の組み合わせ 整理トレーニング
ASD	応用行動分析（早期集中行動介入） 応用行動分析＋発達・社会的語用論モデル

文献8)を参考に作成

2 • ASDに対する支援

ASDは，社会的コミュニケーションの障害と限定された反復的な行動(こだわり)が発達早期からみられる状態とされている[7]．知的障害を伴う場合も伴わない場合もあるため，さまざまな特徴が現れる．たとえば，社会的コミュニケーションの障害では，無発語の場合もあれば，エコラリア(オウム返し)がみられることもある．また，一見言葉の使用に問題がないようにみえても，表情や状況の読み取りといった非言語コミュニケーションが苦手であったり，言葉を表面的に理解し冗談が通じなかったりすることもある．限定された反復的な行動では，手のひらをひらひらさせる，ものを並べて遊ぶ，特定の物事に非常に詳しい，スケジュールが変更されると不安になるなどの様子がみられることがある．

ASDに対してエビデンスが示されている心理療法は応用行動分析である[10]．応用行動分析は，行動の前にあるきっかけ(先行事象)，行動の直後に起こる出来事(結果)が行動に影響すると考え，きっかけと直後の出来事を変えることで行動を増やしたり減らしたりする方法である(図2)．

とくに5歳未満の幼児に個別で週20〜40時間，応用行動分析の指導を2年から3年行う早期集中行動介入(EIBI：Early Intensive Behavioral Intervention)，および教師が実施する応用行動分析と発達・社会的語用論モデル(DSP：Developmental Social-Pragmatic)の組み合わせがASDに対して効果があることが示されている．発達・社会的語用論モデルは，子どもの自発的な行動に対し，保護者や指導者が真似をする，行動を言葉にする，遊びに参加するといった反応をすることで，コミュニケーションスキルを習得させる方法である[11]．

また，今後厳密な研究が蓄積されればASDに対する効果が示されることが期

図2　応用行動分析

待される心理療法として，絵カード交換式コミュニケーションシステム(PECS：Picture Exchange Communication System)，アーリースタートデンバーモデル(ESDM：Early Start Denver Model)などがある．どちらも応用行動分析の手法を取り入れた指導パッケージである．

そのほかにも，ASD の当事者ならびに当事者家族の支援を目的に開発されたTEACCH (Treatment and Education of Autistic and Related Communication Handicapped Children)プログラムがある．ASD の特徴に合わせた内容(たとえばものごとを構造化するなど)から構成され，当事者と当事者家族を生涯にわたり支援することを目指したプログラムである．支援者には，心理師や専門家のみならず，地域社会も含まれており，包括的な内容となっている．

3 二次障害等に対する支援

障害のほかにも何らかの問題を抱えている場合は，その問題に応じた対応方法を検討する．この場合にも，アメリカ心理学会第53部会(児童青年臨床心理部会)が公開している児童と青年に対して効果のある心理療法についての情報が役に立つ．不安や心配，抑うつといった感情や気分の問題を抱えている場合であれば本人に対する認知行動療法，攻撃的行動や反抗的行動といった行動の問題を抱えている場合であれば，保護者に対する行動療法の技法の指導(ペアレント・トレーニング)が有効であるとされている[6]（**表3**）．

■ 表3　二次障害等に対する支援

二次障害等	エビデンスに基づく支援
不安・抑うつ	認知行動療法
行動の問題	保護者に対する行動療法の指導 ・トリプル P ・親子相互交流療法（PCIT）

文献6)を参考に作成

3　そのほかの障害者・障害児支援

前述のとおり，エビデンスが示されていないということは効果がないことを意味しているのではない．以下に紹介するのは障害児支援として多くの場面で用いられており，今後実証的な検証が期待されるものである．

1 • ソーシャルスキルトレーニング（SST）

ソーシャルスキルトレーニング(SST：social skills training)(➡ p.32 第1章5節, p.159 第9章1節, p.309 第15章3節参照)は，適切な対人関係のスキルを，インストラクション→モデリング→リハーサル＆フィードバックという手続きで教える方法である(表4)[12]．通常学級でSSTを行うクラスワイドSST，少人数SSTなどさまざまな形態で実施されている．また，障害の有無を問わず幼児から成人までを対象としたSSTがある．

ただし，多くの研究のデータを検証したところSSTはADHDに対して効果がないという結論が出ている[8]．SSTは適切な対人関係のとり方，スキルを子どもに教える方法であるが，ADHDの子どもは衝動的に行動してしまうためやり方がわかっていてもできないケースが多く，SSTだけでは効果が上がらないと考えられる．

■ 表4　ソーシャルスキルトレーニング（SST）

手続き	指導内容
インストラクション	・SSTでどんなスキルを学ぶのか知る
モデリング	・適切なスキルを使ってうまくいく「よい例」，適切なスキルを使わずうまくいかない「よくない例」を寸劇や紙芝居などでみせる
リハーサル＆フィードバック	・「よい例」をロールプレイで練習する ・指導者は上手にできていることをみつけて子どもに指摘し，ほめる

2 • アセスメントに基づく学習支援

学齢期の子ども，とくに学習障害(LD)（➡ p.264 第13章4節参照)の子どもは学校の勉強で困難を抱えることが少なくない．

学習に困難を示す子どもやLDの子どもは状態像がさまざまであるため，支援方法もその子どもの状態像によって異なることが多い．したがってどの子どもにも効果的な支援方法というものはなく，試行錯誤しながら子どもが理解しやすい学習支援方法を見つけなければならない．心理の専門家として障害児の学習支援に関わる際には，その子どもに適した支援方法を立案するために必要なアセスメントの技術を身につけておく必要がある．

たとえば，LDの子どもに学習支援をする場合には，WISC-IV (Wechsler Intelligence Scale for Children, Forth Edition) やK-ABC (Kaufman Assessment Battery for Children)といった心理検査などでどこに苦手があるのかをアセスメントしたうえで，苦手をカバーしながら学習内容を理解する方法を支援者が考える[13]．たとえば，数字を理解するのは苦手だが，文章を理解することができる子どもに九九を教える場合，九九を丸暗記するのではなく語呂合わせで文章をつくり覚えやすくするといった支援が考えられる．また，読みの指導として多層指導モデル(MIM：Multilayer Instruction Model)という指導パッケージが開発されており，アセスメントに基づく支援が可能となっている[14]．

4 支援に必要なもの

　障害者・障害児の支援は，自分とは異なる困難を抱え，なんらかの支援を必要としている人に手を差し伸べることである．支援を成功させるためには，どのような支援方法が効果があるのかという知識と，障害者・障害児がどのような状況におかれているのかを考えるための想像力が必要となる．

■ 引用・参考文献

1) Cohn N：Understanding the process of adjustment to disability. Journal of Rehabilitation 27：16-18, 1961
2) Drotar D et al：The Adaptation of Parents to the Birth of an Infant With a Congenital Malformation: A Hypothetical Model. Pediatrics 56：710-717, 1975
3) 中田洋二郎：子どもの障害をどう受容するか―家族支援と援助者の役割．大月書店，2002
4) Ho BPV et al：Anger in children with autism spectrum disorder: Parent's perspective. International Journal of Special Education 27：14-32, 2012
5) トービン RM ほか：学校関係者のための DSM-5（高橋祥友監訳）．医学書院，2017
6) Society of Clinical Child & Adolescent Psychology：Effective Child Therapy
https://www.clinicalchildpsychology.org/ より 2020 年 2 月 7 日検索
7) 日本精神神経学会監：DSM-5 精神疾患の診断・統計マニュアル．医学書院，2014
8) Evans SW et al：Evidence-Based Psychosocial Treatments for Children and Adolescents with Attention-Deficit/Hyperactivity Disorder. Journal of Clinical Child & Adolescent Psychology, Published online：1-42, 2017
https://www.tandfonline.com/doi/full/10.1080/15374416.2017.1390757 より 2020 年 2 月 7 日検索
9) Abikoff H et al：Remediating organizational functioning in children with ADHD: Immediate and long-term effects from a randomized controlled trial. Journal of Consulting and Clinical Psychology 81：113-128, 2013
10) Smith T et al：Evidence Base Update for Autism Spectrum Disorder. Journal of Clinical Child Adolescent Psychology 44：897-922, 2015
11) Ingersoll B et al：The effects of a developmental, social-pragmatic language intervention on rate of expressive language production in young children with autistic spectrum disorders. Focus on Autism and Other Developmental Disabilities 20：213-222, 2005
12) 佐藤正二ほか：実践！ソーシャルスキル教育 小学校編―対人関係能力を育てる授業の最前線．図書文化，2005
13) 竹田契一ほか監：特別支援教育の理論と実践―I 概論・アセスメント．S.E.N.S 養成セミナー，金剛出版，2012
14) 海津亜希子ほか：多層指導モデル MIM アセスメントと連動した効果的な「読み」の指導．学研プラス，2016

15章 心理的アセスメント

1 アセスメントに有用な情報（生育歴や家族の状況など）とその把握の手法

この章で学ぶこと

- 心理的アセスメントに有用な情報とその把握の手法
- 心理に関する支援を必要とする人に対する，関与しながらの観察
- 心理検査の種類と成り立ち，特徴，意義および限界
- 心理検査の適応および実施方法，検査結果の解釈
- 生育歴などの情報，行動観察および心理検査の結果の統合と包括的な解釈
- 適切な記録，報告，振り返りの仕方

1 はじめに

心理アセスメント（以下，アセスメントと表記する）は心理査定ともよばれ，面接や観察により知り得た情報や，心理検査を用いて得ることができた情報から，クライエントの状態や特性を把握し，評価することをさす．また，アセスメントの結果，心理的支援の方向性を見極め，クライエントにとって有益（効果的）な支援を実行することも求められる．より的確にアセスメントすることは，カウンセリングをはじめとした心理的支援を実践する際に，支援者に求められる重要な能力であるといえる．

アセスメントと類似する用語として，「見立て」や「ケースフォーミュレーション*1」などがあげられる．これは，支援者が拠って立つ専門性によって表現が異なるものであり，類似する意味内容をもつといえる．たとえば，かつてから心理臨床領域で発展してきた伝統的な面接法を得意とする支援者は，クライエントと対面し，その表情や言葉，雰囲気から支援の方向性を定めることもあるだろう．また，行動療法的なアプローチを得意とする支援者は，ある問題行動が想起するきっかけとなっている環境を同定し，「その環境で，ある問題行動が生じ，その問題行動が維持する要因は何か」などを分析することで支援の方向性を定めることもあるだろう．

こうしたことから，アセスメントや見立て，ケースフォーミュレーションなどといった用語は，表現は違うものではあるが，「よりよい支援（より効果的なかかわり）」を目指していることから，有益な心理的支援を実現するための重要なプロセスといえる．

2 支援者に求められる能力

心理的支援を専門とする支援者に求められる能力は多岐にわたる．こうしたなか，たとえば，心理臨床家（支援者）に求められる能力として，援助・研究・アセスメントがあげられ[1]，これらは相互に関係し合うとされる．また，臨床心理士

用語解説

*1 ケースフォーミュレーション
とくに認知行動療法において使用される用語で，クライエントの情報を収集して行動的問題あるいは心理的問題の成り立ちを，より客観的・科学的に検討するプロセス．たとえば，機能分析はケースフォーミュレーションの中核に位置づけられる（詳しくはp.560 第26章参照）．

に求められる基本的な専門的業務は，臨床心理学的知識と技能を踏まえた臨床心理査定（アセスメント），臨床心理面接，臨床心理的地域援助，および，これらの研究・調査に関する4つの領域であるとされる[2]．

加えて，公認心理師法には，公認心理師の具体的専門性が明記されており，このなかでは「一　心理に関する支援を要する者の心理状態を観察し，その結果を分析すること」（図1）とあり，これらをみても，アセスメントは公認心理師を含む心理的支援を専門とする支援者に求められる重要な能力の1つであることがわかる．

```
第一章　総則
（目的）
第一条　この法律は，公認心理師の資格を定めて，その業務の適正を図り，もって国民の心の健康の保持増進に寄与することを目的とする．
（定義）
第二条　この法律において「公認心理師」とは，第二十八条の登録を受け，公認心理師の名称を用いて，保健医療，福祉，教育その他の分野において，心理学に関する専門的知識及び技術をもって，次に掲げる行為を行うことを業とする者をいう．
一　心理に関する支援を要する者の心理状態を観察し，その結果を分析すること．
二　心理に関する支援を要する者に対し，その心理に関する相談に応じ，助言，指導その他の援助を行うこと．
三　心理に関する支援を要する者の関係者に対し，その相談に応じ，助言，指導その他の援助を行うこと．
四　心の健康に関する知識の普及を図るための教育及び情報の提供を行うこと．
　　　　　　　　　　　　　　　　　　　　　　　　　　　公認心理師法
```

図1　公認心理師法抜粋

アセスメント能力は支援者に求められる重要な能力であるが，心理アセスメントとは，前述のとおり「観察や面接により知り得た情報や心理検査を用いて見いだされた情報から，クライエントの状態や特性を把握すること」である．したがって，アセスメントを行う際，核になるプロセスは，「面接や観察」（図2, 3）と「心理検査の実施」（図4）に大別することができるだろう．ここでは，とくに「面接や観察」を通して行われるアセスメントについて紹介する．なお，「心理検査の実施」を通して行われるアセスメントについては，次節（→ p.296）で紹介するので，参照してほしい．

3　アセスメントと心理面接

十分なアセスメントにより，支援の方向性を定めることや，有益な支援法（たとえば，心理療法[*2]）を適確に選択することは，心理的支援を担う専門家に求められる職責である．そして，各種臨床場面において，クライエントをアセスメントする際，クライエントの情報を得ることが必要不可欠となる．ここでの情報とは，クライエントとのあいだで生じる対人関係において取得することができる言語・非言語的な情報をさす．

面接時に取得することができる情報のうち，言語的情報は，適切な問いを立て

図2　面接

図3　観察

図4　心理検査の実施

＊2　心理療法
　心理的問題や行動的問題の解決（ときには予防やクライエントの成長をうながす場合もある）を目指す体系的な方法である．カウンセリングの枠組みで行われることが多い．こうしたなか，来談者中心療法は心理療法の1つであるが，カウンセリング的な介入をさすことも多く，カウンセリングと心理療法の位置付けが曖昧となる一因ともいえる．

ることによって得ることができる．適切な問いを立てることに関し，「クライエントの現在の問題について，その時点でおおよそのストーリー（仮説）をもち，その仮説を検証するために問いを立てる必要がある」とされている[3]．したがって，アセスメントを目的とした面接を行う際も，クライエントの有する問題が「どのようなプロセスで生じているのか」，その問題が「どのように維持されているのか」などについて，情報を収集し，仮説を立て，検証し，また，新たな情報を得て，その情報によってこれまでの仮説を変える必要があれば，柔軟にこれまでの仮説を修正し，新たな仮説を検証するといった流れが必要である．

言い換えると，クライエントから得ることができる一定の情報から，より妥当な（妥当と考えられる）仮説に基づきクライエント像を見極め，支援の方向性を定める一連のプロセスがアセスメントといえる．さらに，仮説を検証する作業と合わせて，適切な介入（たとえば，心理療法の適用など）を行い，クライエントの回復を目指す必要もある．

アセスメントの後，適切に支援することも支援者の重要な役割である．そして，介入後には，「その介入法が効果的であったか」などを確かめること（ポストアセスメント）も忘れてはならない（図5）．

また，非言語的な情報は，クライエントの表情や仕草，化粧や衣服の様子，姿勢や対人距離の取り方などから得ることができる．そして，非言語的な情報を的確に得るためには，支援者がクライエントを十分に観察する姿勢をもつことも必要不可欠である．また，観察によって得ることができる情報も，仮説を立てるための重要な情報となる．加えて，evidence based practice[*3]（証拠に基づく臨床活動）の観点からみると，アセスメントで用いる情報についても Evidence（証拠）を確保できうる情報（量的データや質的データ[*4] など）を利用することも望ましい[4]．

> **用語解説**
>
> ***3 evidence based practice**
>
> 1990年以降，とくに医学の領域において，治療効果を実証的に示す取り組みが盛んに行われている．これは，evidence based medicine（EBM）とよばれる．現在，治療者の体験により，「効果的と思われる治療法」を用いることから，「客観的に効果があると認められる治療法」を用いることが重視されている．こうしたなか，カウンセリングや心理療法などについても，EBMにならい，それを適用した際の効果について，より客観的にとらえること，すなわち evidence based practice の重要性が指摘されている（p.7 第1章1節参照）．

> **用語解説**
>
> ***4 量的データと質的データ**
>
> データは大きく量的データと質的データに分類され，量的データについては，さらに，連続データと離散データに分類される．量的データは数量であり，連続データは数字と数字とのあいだに連続性があるものを含む（たとえば，1，2のあいだには，1.1や1.2が存在し，1.1と1.2とのあいだには 1.15…などが存在する）．離散データは数量で表現できるものの，きょうだいの数などのようにあいだに数字が存在しないデータである（1人と2人のあいだに 1.5人は存在しない）．質的データは，言語で表現されたデータや品番など，計算することができないデータをいう．

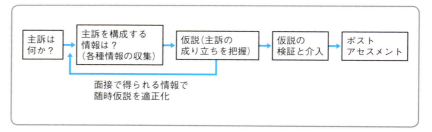

図5 アセスメントと面接の流れ
一定の情報から，より妥当な（と考えられる）仮説に基づきクライエント像を見極め，支援の方向性を定める．

4 アセスメントとインテーク面接

インテーク面接（初回面接）とは，カウンセリングプロセスの初回に行われる面接のことである．初回面接を行う目的は，クライエントの主訴や主訴にまつわるさまざまな情報を取得するとともに，信頼関係（ラポール）を築くことや，インフォームド・コンセントを行い，治療契約を行う機会になることもある．なお，

インテーク面接は初回に行う場合もあるが，カウンセリングの初期に数回に分けて実施されることもある．

また，初回面接で尋ねる内容として，標準化されているもの(決められているもの)はないが，以下に挙げるものは一般的な初回面接で標準的に尋ねる内容といえる[5) 6)]．

1 ● 主訴

クライエントの来談理由のこと．カウンセリングを継続するなかで，主訴が多様に変化する場合もあり，その変化に応じてアセスメントも柔軟に変容する．

たとえば，当初は，器質的問題のない身体的不調を呈して来談したクライエントであったとしても，時間が経つにつれ，身体的不調の背景にある本質的問題(たとえば人間関係の難しさなど)が言語化されることがある．これは，「身体的不調」という主訴から，「人間関係の難しさ」という主訴に変化した例といえる．

また，たとえば子どもの場合，同伴する保護者が有する訴えと子ども自身が有する訴えが不一致であることもある．支援者として客観的立場からバイアスをかけずに，クライエントの有する主訴やその変化を十分に聴き取り，観察することが求められる．

2 ● 現病歴

現在の症状が生じるまでのプロセスのこと．たとえば，身体的不調が生じるまで，どのような経緯があったのか，などを尋ねる．どのような状況で症状が発現し，どの程度の強さで生じ，どのくらいの長さで症状が続くかなどを尋ねる．

3 ● 生育歴・家族歴

クライエントの出身地や家族構成(図6)，家族の病歴，発達の状態，社会経済的状況などについて尋ねる．とくに家族に関する情報は，クライエントを深く知るためには欠かすことのできない情報である．家族については，両親や兄弟・姉妹，配偶者や同居する家族の構成などを尋ねる．また，家族の病歴を尋ねることで，たとえば，兄弟(姉妹)もクライエントと同様の問題を抱えていることがわかれば，断定はできないものの，家族という特徴的な集団のなかで特異的な反応が生じている状態であるとアセスメントすることもできるだろう．

発達の状態については，とくにクライエントが子どもの場合は，乳児期の授乳の状況，首の座りや立ち歩きの状況，トイレット・トレーニングの状況を保護者に尋ねる場合もある．また，学童期や思春期・青年期の各発達段階において，たとえばいじめや本人の傷になるような挫折など，クライエントの人生における大きなライフイベントの有無についても十分に尋ねる．

4 ● 来談歴

来談歴では，今，この相談機関(あるいは医療機関)に来談する前に，どのような機関を訪れたか，または訪れていないかなどについて尋ねる．たとえば，頻繁に来談する機関を変えている場合に，これまでの支援に否定的感情[*5]をもって

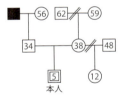

図6 ジェノグラム
女性は○，男性は□で表現．クライエント本人は二重で表現．上から祖父母，父母，子世代とつながり，死去の場合は黒塗りで表現．離婚は二重斜線，親権は子との関係線が二重斜線で断ち切られていない親にあることを表す．数字は年齢を表す．

> 📖 **用語解説**
>
> **＊5 否定的感情**
> たとえば，ドクターショッピングという言葉がある．これは，1つの医療機関に留まらず，いくつもの医療機関を渡り歩く患者の行為をさす言葉である．ドクターショッピングを続ける患者の心情として，「この担当医は本当に治すことができるのか？」などといったものがある．カウンセリングについても同様に，カウンセラーショッピングを続けるクライエントが存在する．その際，カウンセラーやカウンセリングといった営みについて，「信用できない」「信頼できない」などといった感情をもっている可能性をカウンセラーは忘れてはならない．

いる可能性もある．その場合は，インテーク面接を行う際などに，十分なインフォームド・コンセント（説明と同意）を行うとともに，クライエントのもつ否定的感情をケアする支援も必要となる．

5●教育歴・学歴・職歴など

保育園や幼稚園，小学校，中学校，高等学校，大学や専門学校などでの人間関係や成績，園・学校生活の様子や成功体験，挫折や失敗体験などについて尋ねる．園や学校における生活の難しさが，現在の生活上の問題やクライエントの主訴を説明する有益な情報となることがある．

また，職歴では，職業の有無，転職回数，勤務状況，休職の経験の有無や休暇の取得方法などについて尋ねるとともに，その職業生活の満足感や成功体験，失敗体験などについて尋ねる．加えて職業生活上の人間関係（上司・同僚・部下との関係）についても尋ねる．たとえば，1つの職業に就くことがままならず，職を転々とすることが，現在の主訴を説明するエピソードとなる可能性もある．

以上のとおり，アセスメントを行う際に奏功する，インテーク面接で尋ねる代表的内容について紹介した．とくに生育歴や家族歴はクライエントの今に至るまでを理解するための貴重な情報である．

5 情報を把握する手法としての面接法

心理面接は，研究データなどの収集を目的とした調査的面接，クライエントの支援を目的とした臨床的面接に分けることができる（**図7**）[7) 8)]．クライエントのアセスメントを目的とした面接は，臨床的面接のなかで実施されることが多く，自然な流れのなかで，適切な仮説と問いを立てながら，柔軟にアセスメントをすることは，クライエントの回復に寄与する価値あるプロセスといえる．一方，臨床心理学研究を遂行するために行われるインタビューなどは，調査的面接と位置付けられる．

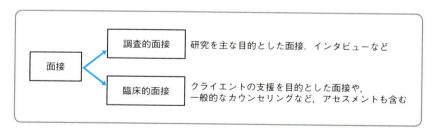

図7 調査的面接と臨床的面接

また，面接法は構造化（質問項目や流れが整理され体系化されている）の程度により，非構造化面接，構造化面接，半構造化面接に大別される（**表1**）．非構造化面接は，面接場面で生じるコミュニケーションのなかで随時質問内容を決定する面接である．構造化面接は，質問内容や質問するプロセスなどが明確に決定されている面接であり，たとえば，標準化された質問内容（事前に決められた質問項目）

を読み上げるなどといった方法で進められる面接である．半構造化面接は，主たる質問内容やプロセスは大枠では決められているものの，面接対象者の反応や様子によって，質問内容を追加することや修正することが認められる方法である．

これらの面接法は，調査的面接ならびに臨床的面接のいずれも，その目的により選択し，使用される面接法である．こうしたなか，半構造化面接は，インタビューなど調査的面接で用いられることが多い．

また，構造化面接はSCID（structured clinical interview for DSM）やM.I.N.I（MINI international neuropsychiatric interview）が有名であり，DSMに基づいて構造化された精神医学的診断ツールであり，臨床的面接のなかで用いることができれば，より妥当性が高いアセスメントが可能になるとされている．

■ 表1 構造化・非構造化面接

		非構造化面接	半構造化面接	構造化面接
特徴	質問内容	決められていない	大枠は決められている	決められている
	面接プロセス	決められていない	大枠は決められている	決められている
使用例	調査的面接	自由な対話	インタビュー調査	研究対象者の症状把握
	臨床的面接	カウンセリング	アセスメント	アセスメント

使用例はこの限りではなく，調査・臨床的面接のいずれであっても必要に応じて最適な方法を選択する必要がある．

6 情報を把握する手法としての観察法

クライエントをアセスメントする際，面接場面における情報収集に加え，さまざまな状況（たとえば，教室での振る舞いや，カウンセリングを受ける前の待合室での様子など）でのクライエントの情報を得ることも重要である[3)4)5)]．

観察は，自然観察と実験観察とに大別される．自然観察とはクライエントの自然な様子（いつもの様子）を観察するもので，実験観察とは十分な場面統制を行ったうえで行われる観察である．また，ある場面において，クライエントの様子を直接観察することを直接的観察，またワンウェイミラーをとおして観察すること（**図8**）を間接的観察とよぶ．さらに，クライエントにかかわりをもちながら観察する場合を関与観察（参与観察）とよび，かかわりをもたずに観察する場合を非関与観察（非参与観察）とよぶ．

面接において支援者がクライエントを観察する場合は，関与観察が求められる状況であるとはいえ，調査的・臨床的面接にかかわらず，十分に関与観察をすることで，クライエントのアセスメントはより妥当なものとなる．

関与観察は，関与しながらの観察（participant observation）[9)10)]とよばれることがある．「関与しながらの観察」という用語は，**サリヴァン Sullivan, H.**によるものであり，治療者に求められる姿勢であるとされる．支援者とクライエントとの治療関係をみたとき，その両者が別の環境に存在することはなく，共生していることが大多数である．こうした環境下では，支援者は観察者としての役割を果たしながら，同時にクライエントに関与する（影響する）存在でもある．したがっ

図8　間接的観察の様子

➡サリヴァン p.3参照

て，自然な治療関係のなか，客観的にその場を観察する能力が支援者には求められる．また，客観的に観察するためには，支援者自身が自分自身に注視し，クライエントにどのような影響を与えているのか（あるいは与えていないのか）を十分に確認する必要もある．そこでは，支援者自身がどのような社会的役割を果たす人物なのかなど，支援者の本質的な自己理解も望まれる．

こうしたなか，観察を行う支援者の要因により，客観的な観察が阻害されることもある．たとえば，支援者がクライエントに対して何らかのバイアス*6（観察者バイアス）をもっている場合などは，観察の結果として入手できる情報の信頼性は急激に下がってしまうこともあり，注意が必要である．したがって，支援者は，自身がもつバイアスなど，客観的な観察を阻害する要因について自覚的になる必要もある．

また，日常生活で生じる偶発的な行動を観察することを日常的観察とよび，観察の目的やプロセス，観察項目などが明確化されたうえで行われる観察を組織的観察とよぶ．したがって，日常的観察は自然観察，組織的観察は実験観察と密接に関係するといえる．

クライエントをアセスメントする際，クライエントの行動を観察することも求められる．行動の観察を行う際，ある一定の時間で，その行動が「どの程度（頻度）」，「どのような強さ（強度）」で，「どのくらいの長さ（持続時間）」かなどを知ることでより有用なクライエントの情報を入手することも可能となる．頻度や強度，持続時間を知るためには，時間見本法（設定した時間ごとに観察を行う），場面見本法（ある場面で反復する反応を観察する），事象見本法（反応の変化について観察する）などの方法に則った観察を行う必要もある．

7　面接とカウンセリング

アセスメントやインテーク面接を経て，継続的な心理相談を続ける場合，いわゆるカウンセリングを実施することや，カウンセリングを実施する過程でさまざまな心理療法を適用することも求められる．カウンセリングは，大きく，開発的カウンセリングと治療的カウンセリングに分けることができる．

開発的カウンセリングでは，クライエントの成長や自己実現を促すことが意図され，治療的カウンセリングでは，クライエントの心理・行動的問題の解決をはかることが意図される．

たとえば，不安症に対して認知行動療法を適用するなど，治療的カウンセリングでは，その過程で心理療法が適用されることも多い．一方，開発的カウンセリングでは，主として傾聴や共感を含む「聴く技法」を用い，クライエントに寄り添い，自己発見や洞察に伴う成長，自己実現を促すことといえる．しかしながら，たとえば，子どもの成長を促すために心理療法を用いることもある．

いずれにしてもクライエントとの信頼関係（ラポール）を形成し，十分に傾聴し，共感することが求められる営みである．また，心理療法を適用する際，支援者が効果的だと考える方法とクライエントが求める方法とが一致しないこともある．こうしたなか，クライエントとの信頼関係を築き，説明と同意（インフォームド・

用語解説

*6　バイアス

バイアスとは歪みのことであり，偏見や思い違いにも類似する用語といえる．たとえば，観察をする際，事前に「あの子はADHDの診断がついている」などといった情報を観察者が知ることにより，行動的問題を多く見積もってしまうこともあり，これはバイアスの影響といえる．観察場面のみならず，支援者がもつバイアスは，心理的支援に負の影響を与えることを認識する必要がある．

コンセント)のもと,価値ある実践(value based practice)も求められるだろう.

■ 引用・参考文献
1) 鑪幹八郎:心理療法家の現況とアイデンティティ.心理臨床家の手引,新版(鑪幹八郎ほか編), p1-30, 誠信書房, 2000
2) 大塚義孝:4.臨床心理士の養成,研修,資格.心理臨床大事典,改訂版(氏原寛ほか編), p19-27, 培風館, 2004
3) 熊倉伸宏:面接法,新興医学出版社, 2002
4) M.ハーセンほか,深澤道子監訳.臨床面接のすすめ方—初心者のための13章,日本評論社, 2001
5) 金沢吉展編:カウンセリング・心理療法の基礎—カウンセラー・セラピストを目指す人のために,有斐閣, 2007
6) 国立特殊教育総合研究所:はじめての教育相談,ジアース教育新社, 2004
7) 村上宣寛ほか:臨床心理アセスメントハンドブック,改訂版,北大路書房, 2008
8) 氏原寛:第4部 心理アセスメント.心理臨床大事典,改訂版(氏原寛ほか編), p435-638, 培風館, 2004
9) Sullivan HS: Conception of Modern Psychiatry. Washington William Alanson White Psychiatric Foundations, 1947
10) サリヴァン HS:精神医学は対人関係論である(中井久夫ほか訳),みすず書房, 1990

心理検査の種類，成り立ち，特徴，意義および限界

15章 心理的アセスメント
2

1 心理検査の種類と成り立ち

1 • 心理検査の成り立ち（図1）[1) 2) 3)]

　これまで，知能や性格，病態水準などを的確に測定することを目的とし，心理検査が開発されてきた．たとえば，イギリスで生誕しアメリカに渡った心理学者の**キャッテル Cattell, J.** が1890年に「メンタルテスト」という名称を用いて心理的現象の測定を試み，1900年にはドイツの精神科医であった**クレペリン Kraepelin, E.** が作業曲線を用いて測定を試みた（1920年代以降，本邦では内田クレペリン精神作業検査として検討され使用されている）．

　また同時期，フランスでは義務教育においてよりよい教育を目指し，とくに知的側面の遅れが疑われる子どもたちに特別な支援を行う取り組みが盛んに行われた．こうしたなか，**ビネー Binet, A.** が**シモン Simon, Th.** の協力を得て，1905年にビネー式知能検査を開発した．その後，改訂が続けられ（ビネー式検査は，1905年版，1908年版，1911年版，1921年版がある），ビネー式検査は各国で用いられるようになる．そして，1937年にはアメリカで改訂され，スタンフォード・ビネー式知能検査として広く活用されるようになる．さらに，わが国では，1925年には鈴木・ビネー式知能検査，1943年には田中・ビネー式知能検査として標準化されている．これらの検査は改訂が続けられ，知能測定に大きな役割を果たしている．

ビネー p.64参照

　以上のように，20世紀初頭から心理検査の開発が盛んに行われ，知名度や有用性の認知度も高まることになる．この要因にアメリカの社会的風潮や戦争などが挙げられる．

　たとえば，20世紀初頭のアメリカでは，**パーソンズ Parsons, F.** を中心に「丸い穴には丸い釘を」というスローガンとともに職業指導運動がはじまった．ここでは，心理検査を用い職業適性を測定することで，求職者に対して適職を斡旋することが試みられた．この運動は，急激な都市化に伴う求職者の増加に連動したものといえる．

パーソンズ p.69参照

　また，第一世界大戦中には，**ヤーキーズ Yerkes, R.** らが米国陸軍式知能検査 α検査（言語・論理・語彙などの能力を測定）およびβ検査（計算・空間把握・記号操作などにかかわる能力の測定）を開発し，兵士の適性を測定し，一定の成果を収めた．

　適性や知能といった個人差を心理検査によって測定する試みは，より一般的なものとなり，さまざまな研究者により多くの心理検査が開発されるようになる．たとえば，1939年には，現代においても改訂が続けられ活用されている，ウェクスラー・ベルビュー知能検査が開発され〔1949年に WISC（Wechsler Intelligence Scale of Children），1955年に WAIS（Wechsler Adult Intelligence Scale），1967に WPPSI（Wechsler Preschool and Primary Scale of Intelligence)〕，とくに知的側面（認知的機能）を的確に測定するツールとして体系化された．

一方，投影法に分類される心理検査が盛んに開発されたのも20世紀初頭からである．1920年代にはスイスの精神科医であった**ロールシャッハ** Rorschach, H. によりインクブロット（インクの染み）に対する反応からパーソナリティを検討する方法論が検討され，後続の研究者により，ロールシャッハテストとして体系化されている．

また，1940年代にはアメリカの臨床心理学者であった**マレー** Murray, H. による絵画統覚検査（TAT：Thematic Apperception Test）や，1879年に**ゴルトン** Galton, F. により開発された言語連想テストから派生した文章完成法（SCT：Sentence Completion Test）*¹ の使用がはじまり，1945年にはアメリカの精神分析家であった**ローゼンツァイク** Rosenzweig, S. によるP-Fスタディ（Picture-Frustration Study）が開発された．

さらに，この時期には，より簡便に測定でき，客観性・一般性を確保した心理検査の開発が進む．たとえば，1930年代にはアメリカの心理学者**ギルフォード** Guilford, J. によるギルフォード性格検査〔1957年には日本語版として矢田部-ギルフォード性格検査（Yatabe-Guilford性格検査，Y-G性格検査）〕，1930年代以降，アメリカの心理学者**ハサウェイ** Hathaway, S. と精神科医**マッキンリー** McKinley, J. によるミネソタ多面人格目録（MMPI：Minnesota Multiphasic Personality Inventory）の開発と改訂が進められ，現代においても有用な質問紙法の性格検査として使用されている．

▲ロールシャッハ，ヘルマン（1884-1922）

スイスの精神科医で，ロールシャッハテストの創案者．「インクの染み」というあだ名がつけられるほど絵画好き．精神病院に勤務してから，インクブロットを用いたテストを実施した．（写真：PPS通信社）

年	性格の測定（質問紙法による検査）	性格の測定（投影法による検査）	知的側面の測定
1900年			1905年 ビネー式知能検査（1905年，1908年，1911年，1921年改訂）
1920年	第一次世界大戦（1914年〜1918年）	1920年代〜 ロールシャッハテスト	1917年 米国陸軍式知能検査α検査・β検査
			1925年 鈴木・ビネー式知能検査
1940年	1930年代 ミネソタ多面人格目録 ギルフォード性格検査 第二次世界大戦（1939年〜1945年）	1940年代〜 文章構成法，絵画統覚検査 1942年 P-Fスタディ 1946年 ベンダー・ゲシュタルト・テスト 1947年 ソンディ・テスト 1948年 人物画法 1952年 バウムテスト	1937年 スタンフォード・ビネー式知能検査 1939年 ウェクスラー・ベルビュー知能検査 1943年 田中・ビネー式知能検査 1949年 WISC
1960年	1957年 Y-G性格検査		1955年 WAIS 1967年 WIPPSI

図1　代表的心理検査と開発時期

用語解説

＊1　文章完成法

文章完成法は，言語連想テストが土台になり開発され，現在の形となった．古くから同様の形式のテストは存在していたものの，文章完成法をパーソナリティの測定ツールとして用いたのは，ペイン Payne, A. やテンドラー Tendler, A. が初めてであるとされている．

▲絵画統覚検査（TAT）

▲文章完成法（SCT）

▲絵画欲求不満テスト（P-F スタディ）

現代に至るまでさまざまな質問紙法による心理検査が開発されているが，こうした心理検査の開発は心理統計学（因子分析法など）の発展と連動しており，統計的手法の開発が心理検査の開発を後押ししたものといえる．

加えて，現在，知的側面やパーソナリティのみならず，うつ状態や不安，健康度などを測定する心理検査や乳幼児の発達を測定する検査など多数開発されている．

2 心理検査の方法 [4][5][6][7][8]

クライエントの心理アセスメントを行う際にも心理検査の結果を交えた理解を行うことが求められる．心理検査の方法は多種多様であるが，大きく，投影法，質問紙法，作業検査法，そのほかの検査法に分けることができる．また，心理検査で測定されるものは，知能や性格，気分状態や感情状態，健康度，病態水準などさまざまであり，それぞれを投影法や質問紙法などといった方法を用いて測定する．

①投影法（➡ p.182 第10章3節参照）

投影法とは，多くの場合，ある特定の意味をもたない抽象的な刺激を提示し，その刺激に対する反応から，パーソナリティや病態水準，クライエントの状態像などを把握する伝統的な方法である．投影法のなかにはクライエントの深層心理を理解することに役立つとされる検査も存在する．クライエントの自由な反応から分析を行うため，投影法以外の検査では知ることが困難なクライエントの隠された心的内容を理解できる可能性がある

その一方で，結果の解釈には熟練が必要であり，解釈する者によって結果に相違が生じてしまうことや，信頼性や妥当性など心理検査として必須の統計的な検討が行われていないもの（統計的検討を行うことが困難なもの）が存在するといった課題もある．

投影法に分類される代表的検査として，ロールシャッハテスト，絵画統覚検査（TAT），文章完成法（SCT），絵画欲求不満テスト（P-F スタディ），視覚・運動ゲシュタルト・テスト（ベンダー・ゲシュタルト・テスト），実験衝動診断学（ソンディ・テスト），家・木・人テスト（HTP テスト），バウムテストがある（**表1**）．

HTP テストやバウムテストなどは描画（描画法とよばれることもある）するプロセスが含まれるため，心理検査としての役割を果たすことに加え，支援者とクライエントとのラポール（信頼関係）の形成[＊2]やクライエントの浄化（カタルシス）を促すツールとなることも期待できる．

②質問紙法（➡ p.82 第5章1節参照）

質問紙法とは，十分に検討された（統計的に信頼性・妥当性が検証された）質問項目に回答を求める形式の検査である．質問紙法の心理検査の発展は，因子分析法をはじめとした統計手法の発展と連動し，統計学上，一般性・客観性が担保された科学的な方法に位置付けられる．

また，多くの場合，○件法（たとえば，4件法であれば，1「まったくない」・2「ない」・3「ある」・4「頻繁にある」など）の回答形式を用い，質問項目への回答が量的に測定される（たとえば，1「まったくない」は1点，2「ない」は2点，3「ある」

表1 代表的な投影法とその特徴

検査法	特徴
ロールシャッハテスト	抽象的な10枚の図版を提示し,「どのように見えるか」について,自由な反応を求める（自由反応段階）．その後,改めて10枚の図版に対する自由反応段階での反応について「どこに（反応領域）」「どうして（反応決定因）」などを尋ねる質問段階に移る．最後にすべての反応をスコアリングし,解釈を行う．パーソナリティや病態水準を評価することができることも特徴といえる．
絵画統覚検査（TAT）	主として人物が登場する図版（一部の図版では,男性,女性,少年,少女専用も存在する）を20枚提示し,物語を作成することを求める．TATの図版には人物が登場しているので,人間関係を投影した物語になることが多いと言われる．解釈の際,基本的には,マレーの欲求－圧力分析に則って実施されるが,臨床経験や各種既存の解釈法により柔軟に解釈されることもある．ロールシャッハテストと同様,パーソナリティや病態水準を評価できることも特徴である．
文章完成法（SCT）	未完成の文章を完成させることを求める．医療機関や矯正機関,教育機関で使用されることも多い検査である．「家族関係」「対人関係」「自己概念」「実存的価値」を尋ねるセンテンスが提示され,思うように文章を完成させる．形式分析（反応時間や文法の正誤などを指標とする）および内容分析（全体の印象やカテゴリ化された指標により評価する）を行うことで解釈する．本邦における精研式SCTでは,「知的側面」「情意的側面」「指向的側面」「力動的側面」のパーソナリティ,身体,家族,社会の3要因が設定され,これらから解釈を行う．
絵画欲求不満テスト（P-Fスタディ）	葛藤が生じるような欲求不満場面（24場面）における反応を求めるもので,児童用,青年用　成人用がある．解釈は,アグレッションの型と方向との組み合わせから行う．アグレッションの型は,障害優位型（欲求不満を引き起こした障害を強調する）,自我防衛型（攻撃が人間に直接向かう）,要求固執型（欲求不満を解決する）に,またアグレッションの方向は,他責的,自責的,無責的に分類され,3×3の全9種の型に整理される．欲求不満や攻撃といった観点からパーソナリティを理解する際に奏功する検査である．
視覚・運動ゲシュタルト・テスト（ベンダー・ゲシュタルト・テスト）	9枚の簡単な幾何学図形を模写することを求めるものである．A4白紙用紙と2B鉛筆を用いて,提示したカードを見えるとおりに模写するよう求める．時間制限は設けない．クライエントが,カードを移動したり回転させたりする場合には制止する．解釈時には,評価の指標に基づき,図形の形,相互の関係,空間的な背景,一時的な形づけなどから行われる．また,組織（知的機能の硬さ）,寸法やサイズ（不安感情や忍耐性,葛藤状態など）,ゲシュタルトの形の変化（対人関係,情緒不安定性など）,ゲシュタルトの歪み（抑圧的傾向や敵対的傾向）,運動（権威に対する態度やナルシステック傾向）,雑多な諸因子（自己統制や緊張など）,作業方法に関する因子（葛藤や忍耐性,不全感など）の観点から評価を行うこともある．ゲシュタルト機能の成熟度や心理的障害,器質的な脳障害,パーソナリティや知的側面を測定する検査である．
実験衝動診断学（ソンディ・テスト）	衝動疾患（本検査開発者のソンディが示した8つの疾患）をもつ患者の8つの写真6セットを提示し,1セットごとに「この中から,最も好きと思われるもの2枚と,最も嫌いと思われるもの2枚を選んでください」と教示し,残り4枚は実験補償像（EKP）として手元に残す．クライエントが選択した写真の好き嫌いによりプロフィールを作成し,EKPについても同様にプロフィールを作成する．これらプロフィールにより,パーソナリティの背景にある衝動因子（衝動疾患を規定する因子）の存在を知ることができる．
家・木・人テスト（HTPテスト）	3枚の紙を用意し,初めに家,次に木,最後に人（全身）を描くことを求める．絵の上手さは求めない．解釈では,家について,空間の構成や輪郭,遠近感,窓やドアなどの各パーツ,人について,腕や足,頭や顔などを質的に分析するとともに,量的分析（各描画を評価点表に基づき評価するなど）を行うこともある．なお,木の描画についてはバウムテストでの解釈と同様である．パーソナリティの感受性,成熟性,柔軟性,効率性,統合度や人格と環境との相互作用などに関する情報を得ることができる検査であるとされる．
バウムテスト	「実のなる木*3を1本描いてください」と教示し,原則,A4用紙にB4の鉛筆で描画することを求める．解釈は,発達的観点（発達段階により幹や枝葉の描画が異なる）や臨床的観点（全体的印象,ていねいさの指標,不安指標,ゆがみ指標,貧困指標）に基づき評価する．パーソナリティの理解に用いることもあるが,精神診断の補助的手段ともされている．

用語解説

＊2 ラポール（信頼関係）の形成

芸術的表現をする心理検査を実施する際,心理アセスメントのためのツールとして用いる以外に,クライエントとのラポール（信頼関係）を築くことを意図して実施することもある．たとえば,HTPテストを実施する際に,標準的な手続きを取らず,描かれたものを材料にコミュニケーションを深めることも可能である．

▲ロールシャッハテスト

▲視覚・運動ゲシュタルト・テスト（ベンダー・ゲシュタルト・テスト）

▲実験衝動診断学（ソンディ・テスト）

用語解説

＊3 実のなる木

バウムテストは樹木の幹や枝ぶり,葉の様子により評価が行われる．したがって,実のならない針葉樹などではなく,「実のなる木」を描くことが求められる．

用語解説

＊4 カット・オフ・ポイント

主に統計的手法〔ROC（receiver operator characteristic）分析など〕を用い設定される基準．たとえば，うつ状態を測定する尺度のある特定の得点が「多くのうつ病患者の回答する得点」であれば，それはカット・オフ・ポイントといえる．あるものとあるものを弁別しうる得点がカット・オフ・ポイントである．

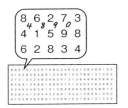

▲作業検査法

用語解説

＊5 標準化

多くの場合，大規模調査を行い，統計的に検討される．たとえば，5歳から16歳11か月までを対象としたWISC−IVの場合，その年齢層の多くの子どもを対象に検査を実施し，その発達年齢の平均的な結果を求め，知能の高低を検討するための指標を明らかにしている．こうした手続きが標準化であり，多くの対象者に共通して用いることができるツールを開発する際には欠かすことができない手続きである．また，数量データを扱い統計的に検討することのみならず，検査の手順を一般化することなども標準化といえる．

は3点，4「頻繁にある」は4点など）．そして，各質問項目への回答得点を合計することで評価し，検査によっては，カット・オフ・ポイント＊4を設け症状の重症度などを弁別するものもある．

ただし質問紙法は，クライエントが質問項目を読み，理解したうえで回答するため，クライエントが，本来尋ねたい内容と異なる理解をしてしまう可能性がある．クライエントが項目の文意を正しく理解できない場合，導かれる結果は，測定したい概念と異なるものとなってしまうこともある．

質問紙法に分類される代表的検査として，MMPI，Y–G性格検査，エゴグラム，Self-rating Depression Scale（SDI），Beck Depression Inventory（BDI），Cornel Medical Index（CMI），General Health Questionnaire（GHQ），Quality of Life（QOL）などがある．

③作業検査法

作業検査法は，一桁の数字を連続加算することで作業曲線を見出しパーソナリティを測定する心理検査である．クレペリンによる連続加算法が内田勇三郎によって本邦に導入されたことから，日本版を内田クレペリン精神作業検査とよぶ．

現在，連続加算15分，休憩5分，連続加算15分の30分法が用いられ，1分ごとに一桁の連続加算を行い，15分間（15行分）の計算量から作業曲線を描く．解釈の際，作業曲線の形態により基本的パターンを把握するが，内田による基本的解釈法では，作業曲線の形（定型から異常型の8段階）と作業量（A級からD級の4段階）によって全16パターンにパーソナリティが分類される．

内田クレペリン精神作業検査の場合，作業曲線などについてデータベース化されており，コンピュータ診断も可能である．また，一定の統計的検討も行われている．一方で，30分間の連続加算を求めることから，クライエントに苦痛感を与えることも危惧され，モチベーションに乏しい場合，導き出される結果は本来の能力を反映しないものとなってしまうこともある．

④そのほかの方法

そのほかの方法を用いる心理検査として，知能検査はその代表例である．ここでは，ビネー式の検査，ウェクスラー式の検査，乳幼児を対象とした発達の検査を取りあげる．

初期のビネー式知能検査では，58問の検査問題を出題し，その正答誤答により精神年齢を算出するといった方法がとられていた．その後，各国で改訂・標準化＊5され，わが国では，鈴木・ビネー式，田中・ビネー式の検査が開発され使用されている．ここでは，各年齢（年齢級）にマッチする問題が用意されており，13歳までは，生活年齢と等しい年齢級から開始し，14歳以上の場合，成人Iから開始する．1問でも誤答がある場合は，ひとつ下の年齢級の問題に移行し，完答できる年齢級まで下げて検査を行う[9]．

一方，ウェクスラー式の検査は，現在，16歳から90歳11か月までを対象としたWAIS-IV，5歳から16歳11か月までを対象としたWISC-IV，3歳10か月から7歳1か月までを対象としたWIPPSIが存在し，生活年齢により標準化されている試験問題が異なる．たとえば，WISC-IVの下位検査と測定される概念は以下の通りである（表2）[10]．なお，WAIS-IVは認知症の検査＊6として用いら

れることもある．

　また，乳幼児の発達を測定することを目的とした発達検査として，乳幼児精神発達検査法（1949）や MCC ベビーテスト（mother child counseling test）（1967），新版 K 式発達検査法（1985）などがある．乳幼児を対象とした検査は，各発育時期に可能な動作や作業ができているか否かを，養育者や保育者などの他者が評定するものが多い．

　以上のとおり，さまざまな心理検査が存在するが，心理検査結果のみでクライエントの状態や特性を評価し，心理アセスメントを遂行することは限定的であり，注意が必要である．面接や観察（行動観察など）により，クライエントの多面的な情報を組み合わせて検討することも必要不可欠である．

用語解説

＊6　認知症の検査
　認知症の簡易的な検査として，ミニメンタルステート検査（MMSE）や改訂版長谷川式簡易知能評価スケール（HDS-R）がある．MMSE は，見当識や記憶，言語理解，図形模写などを質問する項目からなり，HDS-R は，見当識や記憶，計算などを質問する項目からなる．

■ 表2　WISC-IV の下位検査項目と測定される概念

下位検査の名称	内容
積木模様	モデルを提示し，制限時間内で同じように積木を組み立てる
類似	共通のもの，あるいは共通の概念をもつ2つの言葉を口頭で提示し，それらのものや概念がどのように類似するかを問う
数唱	決められた数系列を読み聞かせ，同列（逆列）で言わせる
絵の概念	2〜3段からなる複数の絵を提示，それぞれの段から共通の特徴がある絵を1つずつ選ばせる
符号	幾何学図（符号 A），または数字（符号 B）と対になる簡単な記号を書き写させる
単語	絵の課題（絵を提示），語の課題（口頭で単語を提示）の意味を問う
語音整列	一連の数とカナを読み聞かせ，数（昇順），カナ（五十音順）に並べかえさせる
行列推理	一部分が空欄になっている図版を提示，5つの選択肢から空欄に当てはまるものを選択させる
理解	日常的な問題の解決や社会的ルールなどの理解に関する質問を行う
記号探し	刺激記号が，記号グループ内にあるかどうかの判断を求める
絵の完成（補助）	絵を提示し，欠けている部分を探させる
絵の抹消（補助）	不規則に配置，あるいは規則的に配置した絵の中から動物の絵を探して線を引かせる
知識（補助）	一般的知識に関する質問を行う
算数（補助）	算数の問題を口頭で提示し，暗算を求める
語の推理（補助）	いくつかのヒントを与えて，それらに共通する概念を答えさせる

「補助」は補助検査とよばれる．基本検査（積木模様から記号探しまでの10下位検査）の実施に不都合が生じた場合，代替として用いることができる検査である．

合成得点の名称	合成得点の意味合い
全検査 IQ（FSIQ）	すべての下位検査の結果から算出される総合的な能力
言語理解指標（VCI）	知識など言語的課題に対する理解にかかわる能力
知覚推理指標（PRI）	同一概念の事象を同定するなど視知覚にかかわる能力
ワーキングメモリー指標（WMI）	一定の時間記憶を保持することや記憶内容を操作する能力
処理速度指標（PSI）	視覚的な刺激を認識し問題解決に至る速さにかかわる能力

〔Wechsler D：日本版 WISC-IV 実施・採点マニュアル（日本版 WISC-IV 刊行委員会訳編），p2-3，日本文化科学社，2010を参考に日本文化科学社から許可を得て作成〕

2 心理検査の特徴−信頼性と妥当性

　心理検査の臨床的有用性を高めるためには，心理検査開発時に十分な統計的検討を行う．ここで，臨床上有用な心理検査とは，信頼性と妥当性に富んだ検査と位置付けることができるだろう．

　信頼性とは，測定対象の能力(状態や特性)が一定であると仮定した場合，何度測定しても同様の結果が導き出される性質をさす．一方，妥当性とは，測定したい概念を測定しうる性質のことをさす．たとえば，計算能力を測定しようとするとき，難解な文章題を出題すると，妥当性の低い算数のテストとなってしまう．

　質問紙法の形式をとる代表的な心理検査，体系的な方法論から成り立つ知能検査では，信頼性および妥当性の検討が十分行われていることが多い．一方，投影法については，一部(エクスナー法[*7]によるロールシャッハテストなど)を除き，統計的検討が困難であることから，臨床的有用性について懐疑的に受け取られる場合もある．

　しかしながら，統計的検討に不足があったとしても，長年にわたり各種臨床現場で用いられている状況をみると，一概に「意味のない」検査とはいえない．

3 心理検査の意義と限界

1 ● 心理検査の意義

　心理検査は，これまで紹介したとおり，クライエントの状態や特性を測定できる有用なツールであり，心理アセスメントの助けになる．たとえば，インテーク面接(初回面接)時に，いくつかの質問紙法による心理検査を組み合わせてテストバッテリーを組み，クライエントの基礎情報とすることは，クライエントを理解する手がかりになる可能性もある．

　また，面接のプロセスでロールシャッハテストを実施し，クライエントの状態や特性を理解したり，ロールシャッハテストとMMPIとでテストバッテリーを組み，クライエントの多面的理解を目指すこともある．さらに，面接や心理療法を適用する際，一定の期間をあけて質問紙法による心理検査(とくに状態像を測定する心理検査)を実施することで，クライエントの変化(介入効果など)をとらえることも可能である．こうした試みは，evidence based practiceの観点からも重要であり，信頼性・妥当性が確保された心理検査は，科学的な支援法として実証性を示すためにも意義あるツールといえる．

2 ● 心理検査の限界

　心理検査で導かれた結果はあくまでも心理的アセスメントの一助となるものであり，それそのものでクライエントの状態や特性を完全に理解することは不可能である．統計的検討が十分に行われていたとしても，統計的推論の結果，「ある程度は信用できる」ことを示しているにすぎない．こうした心理検査の限界を支援者自身が十分に認識しておくことが必要不可欠である．

　たとえば，臨床上，発達に課題を抱える場合，ワーキングメモリの機能が弱い

用語解説

＊7　エクスナー法
　ジョン・E．エクスナーは，ブルーノ・クロッパー(Klopfer法の創始者)やサミュエル・J．ベックなど，ロールシャッハテストの代表的研究者に学んだ1人である．当時，ロールシャッハテストのスコアリングや解釈は，研究者によって異なり，混乱していた．こうしたなか，エクスナーは，包括システムとして実証的研究を重ね，1つの体系的方法を提唱し，ロールシャッハテストの精度を高めた．

ことが認められている．一方で，WISCやWAISを用いた結果，ワーキングメモリ指標が低いことで発達障害であると確定した評価を行うことはできない．また，投影法の検査や知能を測定する検査の場合，クライエントへのインフォームド・コンセント（説明と同意）を十分に行うこと，ラポール（信頼関係）を十分に構築することも必要不可欠であり，これらが欠けることで，検査結果に負の影響を与える可能性もある．対象に応じて適切な検査法を選択し，また適切な手順をふむことも重要である．

心理検査は，クライエントの今の状態や特性を表すツールであり，クライエントの今の困り感※や症状を「説明するための道具」ともいえる．すなわち，心理検査の結果をもって，クライエントの主訴やそれを取り巻く問題の裏づけとするといった姿勢で使用することも大切だろう．

※編集部注：「困り感」は登録商標である（登録商標第5950740号）．

3・適切な記録，報告，振り返りなど

心理検査を実施する際，どのような種類の検査であったとしても，その検査結果を適切に記録することが求められる．また，記録したものは，媒体によらず適切に管理し，個人情報の漏洩に留意することが必要不可欠である．

また，心理検査は，結果を検査対象者へ適切にフィードバックする必要がある．医療機関で実施された検査であれば，その結果を医師やほかの職種に伝える機会もある．

検査対象者へフィードバックする際，心理師が所属する機関のフォーマットがあればそれに従う．文章表現にも配慮し，検査対象者を傷つける記載にならないように注意する．また，検査によっては，その結果をそのまま開示することが望ましくないとされているものもあるため，各検査の利用方法を十分に理解しておくことも必要である．

医師やほかの職種へ報告し，情報を共有する場合，表現が冗長にならないようにする．また，テクニカルターム（専門用語）に関して，専門性が異なる同僚でも理解できる共通言語に翻訳し，わかりやすく伝える工夫も求められる．

なんらかの医学的検査の結果が戻されたとき，検査結果に一喜一憂することがあると同様に，心理検査の結果もまた，非専門家にとっては未知の恐るべき対象として認識されている可能性がある．心理師として，検査対象者の心情を推し量り，伝え方に配慮し，最適なフィードバックを行うことが重要である．

■ 引用・参考文献

1) 松原達哉：第8部 心理アセスメント．心のケアのためのカウンセリング大事典（松原達哉ほか編），p591-792，培風館，2005
2) 村上宣寛ほか：臨床心理アセスメントハンドブック，改訂版．北大路書房，2008
3) 氏原寛：第4部 心理アセスメント．心理臨床大事典，改訂版（氏原寛ほか編），p436-639，培風館，2004
4) 上里一郎：心理アセスメントハンドブック，第2版．西村書店，2001
5) 藤田和弘ほか：WISC-3アセスメント事例集—理論と実際．日本文化科学社，2005
6) 皆藤章編：臨床心理査定技法2．誠信書房，2004
7) 岡堂哲雄編：臨床心理査定学．誠信書房，2003
8) 下仲順子編：臨床心理査定技法1．誠信書房，2004
9) 田中教育研究所編著：田中ビネー知能検査法．田研出版，1987
10) Wechsler D：日本版WISC-Ⅳ実施・採点マニュアル（日本版WISC-Ⅳ刊行委員会訳編）．日本文化科学社，2010

心理検査の適用および実施，解釈

心理検査は，誰の何をどのように評価するのかにより，その目的が異なる．測定対象となるのは，パーソナリティ，知能，発達，症状，疾患の評価，行動特性など，さまざまな領域にわたる．また，検査を行うにあたり，各検査で示された値やプロフィールなどの結果から理解できることと，受診経緯・動機づけや，検査や支援・治療に取り組む態度などの複合的な情報を合わせ，包括的にクライエントの理解を進めることが重要となる．これらの検査結果は，その後の支援計画・ケースフォーミュレーションや心理支援に役立てられるほか，行政のかかわる支援などにも貢献しうる．全般的な検査実施の流れは図1のとおりである．本節においては，これらの適用や実施，解釈における実際や留意点を述べる．

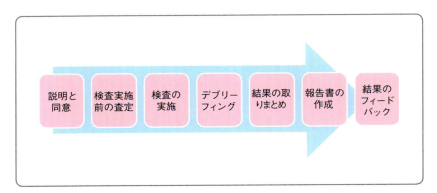

図1　心理検査のおおまかな流れ

1　心理検査の適用

心理検査には，質問紙法，検査法(作業検査，知能検査など)，観察法，投影法，面接法など，さまざまな方法がある(図2)．これらの心理検査は，それぞれの実施方法を適切に行うことが重要であり，その結果を正確に理解することが求められる[1]．どの検査を組み合わせてクライエントに適用するのかは，目的や対象者の特徴をあらかじめ考慮したうえで，専門家間で検討することが必要である．

子どものクライエントであれば，直接・間接的な行動観察から理解できることがあり，知能検査によって詳細な発達や個人の特性が理解できることもある．その一方で，言語による面接のみでは不足する情報があるかもしれない．これは，言語によるコミュニケーション能力の問題とは限らず，子どもが心理検査という状況での緊張や圧迫感により，思考が十分に深まらないことや，自己の俯瞰的観察や表現が的確にできない場合のあることが一因である．

成人の場合も，個人の特性をふまえ，適切なテストバッテリーを組むことが不可欠である．クライエントの問題の理解を進めるうえで，質問紙法をはじめとする量的な評価を行う必要がある一方，面接により問題の生じた経緯や心理社会的

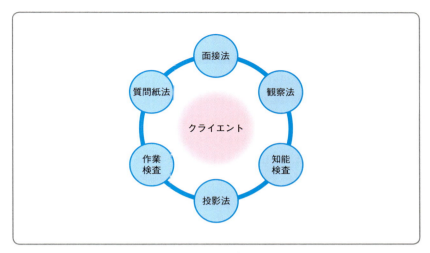

図2　クライアントの評価にかかわるさまざまな心理検査

要因を明確にすることも欠かせない．また，検査によって，実施するうえで考慮すべきことが異なる．投影法や知能検査は，各検査において適切な実施が求められるほか，結果の解釈やとりまとめに習熟が必要なものが多い．そのため，実践経験を積んでいくことに加え，技能の習熟した専門家のスーパーバイズを受けるなどして，スキルを高めることが求められる．

1 ● 実施の複雑さ

心理検査は，5〜10分程度で実施可能な簡便なもの（質問紙法など）から，数時間かかったり，日にちを分けて実施するもの（複雑な心理検査や投影法など）もある．検査法に伴い，結果の解釈に要する時間にも違いがあり，検査によっては高い習熟度や訓練を要する．

2 ● テストバッテリー

一般には，いくつかの心理検査を包括的に用いて，クライアントの総合的な理解を行う．テストバッテリーを組む際には，量的・質的な側面の双方を考慮したうえで，適切な測定ツールを用いることが重要である．たとえば，不安や抑うつの症状は，質問紙法や半構造化面接・構造化面接などの面接法を組み合わせ，総合的な症状の理解が進められる．心身の症状を測定する質問紙法に関しては，多くの場合，目安となる基準が設けられているので，クライアントの回答した点数により，状態の理解ができる．

一方，生活歴や相談歴，社会生活歴などの情報は，フォーマット化された検査で測定ができにくいものもある．これらは，インテーク面接や予診の際などに，個々の事情に応じて面接者がていねいに聞きとることが必要になる．機関によって，どのような内容を聴取するのかの記録フォームを用意していることも多い．実際には，あらかじめ用意されている様式ではカバーできない事情を考慮して，クライアントごとにセラピストが対応し，面接する．

3 • 適用する対象

　心理検査は，医療，教育，福祉，発達支援などのさまざまな機関において実施される．医療の場においては，患者の状態面の把握や診断のためのツールとして用いられる．精神疾患の状態像を理解するための，質問紙法や検査法，構造化面接や半構造化面接などの面接法が行われる．たとえば，うつ状態を測定する質問紙法であれば，SDS（Self-rating Depression Scale）[2]やBDI-II（Beck Depression Inventory-Second Edition）[3]などがあげられる．構造化面接・半構造化面接の一例としては，SCID[4]やM.I.N.I.[5]などがあげられる．

　教育や発達支援の場においては，検査ツールや行動的観察に加え，家族や教員などの周囲の人々の情報をもとに，子どもの状態像を理解する．WISC-IV[6]や田中ビネー知能検査V[7]などの心理検査の結果が，状態把握や今後の支援計画に活かされることも多い．

　心理検査を行う際には，どのような事情でその人が検査を受けることになったのか，その経緯や動機づけについて，検査者・心理支援者は十分な理解が必要である．本人の問題意識が高い場合は，検査態度も良好であり，コミュニケーションをとることにも支障のないことが多い．一方で，動機づけの低い場合や本人の意思とは別に検査を受けるケースでは，作業の取り組みや言葉でのやりとりにおいて，積極的ではない様子が見受けられたりする．検査者が検査の際にこれらの態度をあらかじめ把握していることもあるが，事情のわからない場合には，中立的な立場でクライエントの態度をアセスメントすることが必要になる．

2　心理検査の実施

　実施方法については，心理検査ごとにマニュアル化されているものが多いことから，ここでは全般的な心理検査の心構えや配慮について記す（表1）[8]．

1 • インフォームド・コンセント

　心理検査は，個人の理解されていない面をより明確にするためのものであり，検査の実施により自己理解が深まる場合もあり，明確化されていなかった現実に直面する機会にもなる．そのため，何をどのような目的で検査するのかについて，クライエントにあらかじめ説明をし，実施に同意を得ることが原則である．インフォームド・コンセントは治療・介入で行われるものでもあるが，個人の行動，知能，パーソナリティの多様な側面を明確にする心理検査についても，個人の意思を尊重することが必要である．また，検査結果を誰とどのように共有するのかも，あらかじめ明確にしておくことが求められる．

2 • 実施における配慮
① 場所

　実施場所は，機関により実施可能な条件が異なるが，一定のプライバシーが守られることが必須といえる．

　部屋の大きさや環境は，広すぎたり狭すぎたりすることなく，音や光などが検

■ 表1　心理検査の手順

実施内容	配慮と具体的内容
①検査実施に関する説明と同意（インフォームド・コンセント）	・どの検査を何の目的で実施するのかを過不足なく伝える ・検査に関するクライエントの心配や動機づけを理解する ・検査実施の理解や同意を得たうえで実施する ・検査への不安や不信が結果に影響する可能性を理解しておく
②検査実施前のクライエントに関する査定	・検査や支援そのものへの動機づけを理解する ・検査実施の際に考慮すべき点を理解しておく ・支援に来た経緯や理由，検査をなぜ受けるのかについて，検査者側も一定の理解をしておく
③検査の実施	・適切な方法で各検査を実施する ・検査によっては習熟度が結果に影響するので，あらかじめ十分なトレーニングやスーパーバイズを受けるようにする ・検査実施時の様子や取り組みについて観察・記録しておく
④検査実施後のデブリーフィング	・検査後の様子や心身の状態を確認する ・今後の流れを説明する
⑤検査のとりまとめと報告書の作成	・検査ごとに必要な記録処理を行う ・記録に基づき，クライエントや支援の関係者に結果をフィードバックする

文献8)を参考に作成

査の実施に支障のないようにする配慮が求められる．待合室や隣の部屋の声が聞こえるようであれば，自分の話す内容が誰かに聞かれてしまう不安が高まり，本来語られる内容が制限される可能性もある．また，物音が響く場合は集中して検査に取り組むことが困難になり，結果に影響を及ぼすことも考えられる．

　面接で主訴に関する聴取を行う際には，他者の存在や音の響き具合についても考慮する必要がある．プライバシー保護の問題があることだけでなく，個人的な内容で，誰かに伝えることが慎重な話は，クライエントは語ることそのものに抵抗感をもつ．そのような場合に不必要な音や声がするようであれば，面接で聴取できる内容も限定的になる可能性がある．そのほかにも，部屋の明るさや音響，施設に置かれているものにも配慮が必要になる．

②日時，時間

　心理検査は，一般に予約や予定を明確にしておき，検査を行う心身の準備をクライエントも検査者も行っておくことが望ましい．心理検査は，検査結果の算出や解釈・報告書の作成に時間を要するものほど実施時間がかかり，実施者とクライエントの双方で負担が大きなものになりうる．そのため，あらかじめ必要な時間を確保・予約をして，検査実施を適切に行うことが求められる．場合によっては，1日のみで実施するのではなく，複数回に分けて実施することもある．

　クライエントによっては，長時間検査を実施することで心身に負担がかかり，本来発揮できる能力を十分に示すことができない場合がある．疲労だけでなく，本人の集中力や注意力の特徴により，検査結果に影響が出る場合もある．一方で，これらの影響そのものが心理検査で評価すべき対象となることもある．作業検査のように，一定の負荷をかけて個人の行動や能力を測定するものもあれば，クライエントの葛藤状況を明らかにする検査もある．そのため，一概にクライエント

がリラックス状態である必然性はない．

③検査者の態度

　心理検査の実施者は，できるだけ客観的に検査の結果が得られるよう，過不足なく検査を進めることが求められる．その一方で，矛盾しているようでもあるが，一定の信頼関係をもったうえで，冷たすぎず寄り添いすぎず，検査にかかわることが必要となる．

　はじめて心理検査を受けるクライエントは，これから何が行われるのかについて，多くの場合知識が少なかったり，実施者や検査の実施そのものに対して不安をかかえたりしている．クライエントが検査者に対して不安や緊張，警戒などの感情を抱いていれば，検査実施に防衛的になることもある．そのため，本来表れるはずの結果との乖離が生じることもある．逆に，クライエントが検査者に対して信頼感がある場合，検査結果が比較的良好に出る可能性もある．

3 ● 心理検査実施後

①デブリーフィング

　心理検査の実施後は，検査者はクライエントに対し，検査の結果がどのような流れでフィードバックされるのかの情報を伝える．実施した検査の正解や自分の状態について，クライエントがすぐに知りたいと述べる場合もある．多くの検査では，正解を伝えることとしておらず，解釈をするにも一定の時間を要する．そのようなクライエントの心情に配慮し，受けとめつつも，別の機会に得られた結果をていねいに伝える必要がある．また，クライエントの疲労度や負担を確認しながら，今後の支援を検討する必要もある．

②解釈

　心理検査は，実施内容に基づき，評価，算出を行ったうえで，個々の結果を解釈することとなる．基本的には多くの検査において，IQ，症状，能力，状態像を評価するマニュアルや基準が明確にされていることから，実施した結果をこれらの方法に沿ってとりまとめることが必要である．解釈するまでの結果のとりまとめについては，言語による報告内容の質の評価や，作業課題のスコアの評価などさまざまである．

　とくに，質的な内容をどのように評価するのかについては，マニュアルで明記されていない部分もある．適切な理解をもった専門家から評価，指導を仰ぐことも必要な場合がある．

③フィードバック

　フィードバックには，クライエント本人や家族へのフィードバック，支援にかかわる関係者へのフィードバックなどがある．フィードバックは，本人が自分自身の状態を理解し，今後の支援・治療をどのように進めていくのか，その方針を決定するために行われる．

　専門家の行う心理検査とその結果の報告は，クライエントや周囲の人々にとっては影響の強い情報であるため，どのように伝わるのかを十分に考慮することが求められる．たとえば，何らかの疾患の可能性やその支援の方針を伝えることは，可能性の範疇であっても，強い心配や心理的負担を与えることになる．しかしな

がら，適切な治療や正確な診断を医療機関につなげていくためには，必要な情報提供を行うことが欠かせない場合もある．

　また，結果をフィードバックする際には，書面に検査結果をとりまとめて報告することが一般的である．書面による報告は，正確な情報が伝えられる利点があるが，情報が独り歩きする危険性もある．検査結果には，各心理検査のプロフィールやスコアとそれらの解釈を記載する．結果については，検査結果，プロフィールのとりまとめを慎重かつ的確に行うのはもちろんのこと，検査者の解釈を記載する場合も，どのように相手に伝わるかを考慮する必要がある．第三者が報告書を確認する場合には，文字としての表現から判断を行うため，実態から何らかの齟齬が生まれる可能性もある．そうした事態を防ぐためにも解釈の記載には，適切な用語やわかりやすい表現を選択するなど，慎重な態度が求められる．

　心理検査の結果は，現在のクライエントの状態理解の一助となるだけでなく，適切な治療・支援につなげるための素材となる．精神疾患の疑いがある場合には，医療機関との連携を進めることにつながり，子どもの場合，カウンセリングのみではなく療育やソーシャルスキルトレーニング（SST：social skills training）[*1]などを並行して，治療・支援を行うことにもつながる．なお，書面における表現は，できるだけ簡潔かつ明確な表現であることが望ましい．

3 心理検査の留意点

1・成人と子どもの違い

　たとえば，言語によるやりとりの正確さである．年齢によっては，言語のみで事実や心理的な状態を客観的に表現することが難しい場合もある．そのため，直接的な言語・会話での表現についての困難さを理解しておく必要がある．子どもの表現は，言語によるやりとりのみではなく，遊びや絵画などの表現をとおしてより明確になることもある．

　プレイセラピーのなかで表現される遊びや絵画のなかにも，子どもの考える世界観や過去の体験が現れることがある．これらの表現は数量化されるものではないが，子どもの家族や生活，世界のとらえ方の理解につながることが多いため，その質や変化について，ていねいに観察をすることが必要である．

　虐待やDVなどで自己表現を抑制されている場合には，未成年であれ成人であれ，事実を報告することが困難な場合もある．これは，解離症状が出ていることもあれば，真実を報告することで，自分が復讐されることを恐れていたり，事実を述べることが悪いことであると認識していたりするためである．また，客観的事実とは異なる認識をしていることもあるため，報告された内容が主観的な事実なのか客観的な事実なのかについては，心理支援者が的確に把握をすることが求められる．

2・他者の心理検査の報告の理解

　自分自身の実施した心理検査について，客観的かつ的確にまとめることは重要である（図3）．また，他者や第三者が作成した心理検査の結果を読んだうえで，

用語解説

[*1] ソーシャルスキルトレーニング
　日常生活における困りごとについて，実際にどのようにすればよいかを，練習したり，モデルを見て学ぶ訓練．具体的には，誰かにお願いするときの伝え方や，相手の心情に配慮した断り方などがある．一般に，略称のSSTとよばれる（p.32 第1章5節，p.159 第9章1節，p.286 第14章2節参照）．

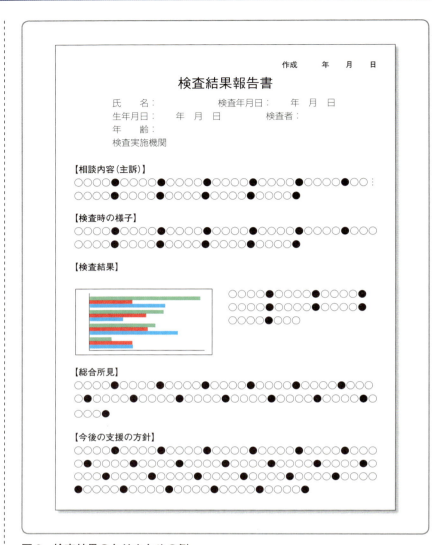

図3 検査結果のとりまとめの例

クライエントの理解を行うケースもある．場合によっては，他機関からの紹介である場合に，過去の心理検査の結果のとりまとめに関する書面が添付されていることもある．そういった場合には，まず，「いつ」「どのような状態のときに」「何を目的に」「誰が」検査を実施して，どのようにとりまとめられたのか，について熟慮することが必要である．

■ 引用・参考文献

1) Meyer GJ et al：Psychological testing and psychological assessment. A review of evidence and issues. American Psychologist 56（2）：128-165, 2001
2) Zung WW：Self-rating Depression Scale．ＳＤＳ® うつ性自己評価尺度（福田一彦ほか），三京房，2011
3) Beck AT et al：Beck Depression Inventory-Second Edition．BDI-Ⅱベック抑うつ質問票（小嶋雅代ほか），日本文化科学社，2003
4) First MB et al：精神科診断面接マニュアル SCID―使用の手引き・テスト用紙，第 2 版（高橋三郎監修）．日本評論社，2010
5) シーハン DV ほか：M.I.N.I―精神疾患簡易構造化面接法, 改訂版（大坪天平ほか訳）．星和書店，2003
6) Wechsler D：Wechsler Intelligence Scale for Children － Fourth Edition．WISC-IV 知能検査（日本版 WISC-Ⅳ刊行委員会編），日本文化科学社，2010
7) 中村淳子ほか：田中ビネー知能検査 V（田中教育研究所編）．田研出版，2003
8) 菅野純：臨床アセスメントの方法―パーソナリティ，行動発達，病理という四つの観点から考える．臨床心理学―ベーシック現代心理学 8, p47-84, 有斐閣, 1996

15章 心理的アセスメント

4 生育歴などの情報，行動観察および心理検査の結果の統合と包括的な解釈

1 臨床現場における対人援助に活かす心理アセスメント

心理カウンセリングにおいて，アセスメントは繰り返し行われるのが一般的である（図1）.

治療的介入にあたって，前提となるアセスメントが重要であることはいうまでもないが，ある1つの介入技法の前提として1回の，あるいは一面的な情報収集でアセスメントがすむことはないし，介入が開始されればアセスメントは終わりということではなく，たとえば介入前の見立ての確からしさの確認，つまり採用された介入法の効果測定のための査定が必要となる．そしてもし，介入前のアセスメントやそれに基づく仮説が確からしくないと見立てられれば，介入後に再アセスメントに基づく仮説の修正が行われる．

その意味では，主訴以外にも，問題歴，生育歴，家族歴，行動観察，医学的診断（過去の診断名），心理検査，さらには現症などの情報を幅広く収集し，クライエントがどのような問題を抱えているかを包括的に理解することが必要である．問題を多面的に理解することができて初めて，そのクライエント自身がどのような解決策を身につけることができうるか，また心理師などの援助職がどのように支援すべきかの道筋をも考えることができるのである．

図1 心理カウンセリングの流れ

2 多面的・包括的理解のために把握すべき項目

①基本的情報
②主訴
③問題歴（現病歴）
④生育歴
⑤家族歴
（→ p.291 本章1節参照）

⑥行動観察

とくに子どもの場合や言語的応答が豊かでないクライエントの場合や，発達障害に起因する不適応行動などが主訴のケースで重視される．ノンバーバル行動(時間的行動，空間的行動，身体的行動，外見，音声など)[*1]を含めできるかぎり具体的に記録する．ターゲットとなる行動があれば，回数や生起頻度，行動生起時の機能分析[*2]に基づく分類も行う．自然観察法，実験観察法，参与観察法，非参加観察法などを組み合わせて査定する．

⑦心理検査

客観的データとして用いる．ただし質問紙法，投影法，作業法，描画法，神経心理学的検査，発達検査，知能検査など，複数の尺度，視点からテストバッテリーを構築することが求められる．

⑧医学的診断（ある場合）

アメリカ精神医学会による「精神障害の診断と統計マニュアル(DSM：Diagnostic and Statistical Manual of Mental Disorders)」や，世界保健機関(WHO)による「疾病及び関連保健問題の国際統計分類(ICD：International Classification of Diseases)」[*3]が用いられる．

⑨現症

クライエントが示す自覚的症状および他覚的所見の総称である．現症には主訴も含まれるが，留意すべきは本人が自覚していない問題が存在したり，主訴に密接に関連している場合があることである．たとえば，クライエント本人は気分の落ち込みを主訴として訴えているが，生活習慣について聞き取るうちに，たとえば食欲不振や入眠困難，中途覚醒，早朝覚醒，熟眠障害などの不眠症状が見出されることがある．主訴だけではなく，他覚的所見からも問題の全体像をつかむことが重要である．

⑩その他

主訴によっては血圧や体温など生理学的指標や，生活場面における自己記録(セルフモニタリング)の結果などが用いられることもある．

3　生物−心理−社会モデルを用いたアセスメント

従来は，主に医療の領域においては，病因−主体(生体)−環境という生態学モデルをベースにした一方向の因果論的な疾患の理解が基本であった．たとえば，「ある病原体が身体の中に入る」→「病気が発症する」という関係性である．しかし，クライエントの疾患や問題の真の実態に迫るためには，一面的な理解や1つの方法では問題の一角をとらえるだけにとどまることが予想されるため，不十分な場合がある．

生物−心理−社会(bio-psycho-social)アセスメントは，bio（生物学的），psycho（心理学的），social（社会的）の3つの要素からクライエントの状態像を立体的にとらえるのに役立つ視点である．たとえば，主観的には原因不明の腹痛や下痢が一定期間続いているとする．生物学的視点からは，上下部内視鏡検査，大腸粘膜生検，便虫卵検査，便細菌検査，腹部CTなどの器質的病変や疾患，つ

用語解説

*1　ノンバーバル行動

- 時間的行動：反応潜時，面接内の時間の使い方など
- 空間的行動：座る位置，対人的距離など
- 身体的行動：視線，表情，皮膚，姿勢など
- 外見：髪型，メイク，服装，携行品など
- 音声：語調，音調，話す速さ，声の大きさなど

用語解説

*2　機能分析（行動分析）

問題行動（標的行動）のきっかけや維持要因を行動の連鎖に沿って明確化する．

- どのような状況で起こるのか（弁別刺激，確立操作，条件刺激）
- どのような行動が生起しているか（標的行動）
- 直後（60秒以内）にどのような結果が起こっているか（結果刺激）

用語解説

*3　DSMとICD

DSMは精神疾患のみを対象にした分類で，ICDは身体疾患を含むすべての疾患を対象としている．医療現場においては，診断上どちらか1つが用いられたり，両方が使用されている場合もある．行政の統計や法律の適用，司法の現場では，ICDが用いられることが多い．たとえば発達障害者支援法においては，発達障害はICDに基づいて定義されている．どちらも適宜改訂されていくため，常に最新の基準をふまえる必要がある．

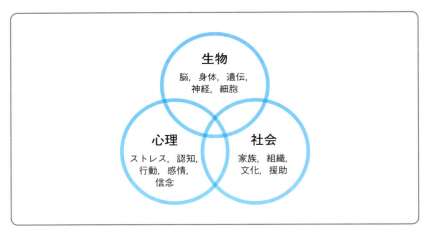

図2　生物－心理－社会（bio-psycho-social）モデル

まり炎症や腫瘍などがないかをアセスメントすることが可能である．心理学的視点からは，腹痛につながりうる不安や抑うつの程度を自己記入式尺度で査定したり，認知的傾向，感情，ストレス，知能，パーソナリティを面接や検査から把握することもできるだろう．さらには社会的視点から，学校，職場，家庭など，どのような場面で腹痛が起こり，どのような場面で腹痛が起こらないかを理解することができる．たとえば1日のうちどの時間に腹痛が起こりやすいのか，休みの日と仕事の日での違いはあるか，特定の苦手な場面や緊張する場面と連動しているか，などといったようなことが想定される．

　その結果，生物学的に異状が見つかれば，腫瘍や炎症性の疾患と診断されるかもしれないし，仮に生物学的に異状がなく，強いストレスを背景に腹痛が生じていることが想定されるとすれば，代表的な心身症である過敏性腸症候群(IBS：irritable bowel syndrome)[*4]と判断されるかもしれない．さらには，抑うつや不安が強く，腹痛は職場に行く日に起こりやすい，つまり職場の影響が大きいと見立てられるようならば，たとえば適応障害に起因した二次的な身体症状症の可能性も見出せる．いずれにしても，同じ「繰り返す腹痛」とはいえ，その背景は多種多様であることから，先入観に基づかない人間の状態像の理解を心がけるべきであり，生物–心理–社会モデルはその基本なのである(図2)(p.53 第3章1節参照).

4　問題の原因論と維持・悪化論

　多面的に情報を収集することができたら，介入方針の立案につなげることが求められる．ところで，前述したように人の心にかかわる悩みや問題は，単純な因果論に基づくものではなく，さまざまな背景や要因が複雑に交錯していることが多い．その際に役立つ視点の1つは「問題解決志向」である．

　なぜ「問題解決志向」の考え方が役に立つのか，「不登校」〔文部科学省の定義では，「何らかの心理的，情緒的，身体的，あるいは社会的要因・背景により，児童生徒が登校しないあるいはしたくともできない状況にある者(ただし，「病気」や「経済的理由」による者を除く．)」とされている[1)]〕を例に考えてみよう．

用語解説

[*4]　過敏性腸症候群
　高頻度な機能性消化器心身症であり，炎症や腫瘍などの器質的異常がないにもかかわらず，便通や腹部不快感，腹痛などの消化器症状を伴う．先進国では，全人口の10%前後が症状を有しているとみられているが，投薬治療を中心とした対症療法と，認知行動療法(CBT)の有用性が確認されている．

ある生徒(A君)が，数か月学校に登校していない状態が続いているとする．原因を探ると，最初に学校に行かなくなったのは，「友人とのささいなケンカ」がきっかけであった．担任は保護者と協力して，不登校状態を改善することを目的に，その「友人とのケンカ」を当事者どうしで解決するため仲直りの機会を設けた．その結果，A君の友人に対するわだかまりは解け，2人はもとの仲のよい関係に戻った．しかし，A君は学校に行けるようにならなかった．なぜだろうか……？

　内実は次のようなことであった．数か月にわたり学校に行かない日々が続いたことで，A君の生活は乱れ，ほとんど昼夜逆転のような生活になっていた(**図3**)．また，休んでいるあいだの授業の課題やノートをクラスメイトが定期的に家に届けてくれていたが，家ではあまり勉強に取り組むことができず，仮に学校に復帰しても授業にはついていけない状態になっていることは，A君の心のなかで大きな負担になっていた．この2つの問題，「生活リズムの乱れ」と「学習の遅れ」がA君の不登校の新たな原因になっていたのである．

図3　A君の生活リズム

　このように，1つの問題の「原因」と「いま問題を維持あるいは悪化させている要因」が異なるケースは，実は非常に多い．つまり「過去」にこだわってその問題をなんとか解決しようとしても，すでに過去のことなのでもはや解決できない問題になっていたり，A君のように，たとえ解決したとしても現在の問題の解消にはつながらない場合があるのだ．もちろん，もともとの「原因」は明らかにし，解決できるものは解決するように方向づけたほうがよいが，同時に，問題解決志向のもとに「現在の問題」が何によって維持されているか，あるいは悪化しているかを評価し，その要因を解消するための計画を立て，クライエント自身が，カウンセラーの助けを得ながら実践を積み重ねていくことが重要なのである．

　つまり上述の例では，たとえばまずは生活のリズムを修正するために生活時間のマネジメントを保護者を交えて行ったり，学力補充のための特別な配慮のもとに，いまのA君にあった課題に取り組んで自信をつけることも，不登校状態の解消につながる可能性があるだろう．

5　ケース・フォーミュレーション（事例の定式化）とは

　心理的対人援助の実践においては，自分が得意な方法や，個人の興味あるいは一面的な思い込みに基づいたアセスメントや分析，介入を行うことが望ましくないのはいうまでもない．心理師が社会的要請に応え，質の高いサービスを提供していくためには，科学的なエビデンスを備えたうえで，実証的・客観的な視点に基づいたアセスメントやアプローチの方法を選択していくことが肝要である．これは，専門的なアプローチの内容について被援助者への説明責任を果たすことにつながるとともに，効果が一定程度期待される介入法をクライエントに適用するという，人権と心理師の職業倫理を守ることにもつながる．

　ケース・フォーミュレーションは，介入や治療の計画やガイドの前提となる，個人に特化した定式化を心理師とクライエントが協同して行うプロセスである．定式化の過程では，

- 主訴はなぜ生じたか（きっかけ）

- 主訴や現症はどのように変化しているか(してきたか)
- 現症の維持,悪化に関連している要因は何か
- 現症を維持するどのような悪循環が構築されているか
- 上記をふまえた考えられうる対応方針

などが見出される.

ケース・フォーミュレーションでとくに重視されるのは,「個別性」と「仮説の生成・検証」の2点である.

「個別性」は医学的診断を補完する位置づけである.先にあげたDSMやICDは,それまで治療者の経験や癖に基づいて診断されていた精神疾患について,治療者間で事例を共有したり,新しい介入の方法や治療マニュアルの標準化に多大な寄与をもたらした.しかしながら一方で,診断システムや一般性が重視されるあまりに,個人内の症状変化の理解には不十分であったり,問題を解決する資源になりうるクライエントのポジティブな側面に注目しにくかったり,問題や症状にかかわるさまざまな心理社会的要因間の機能的関連性が見えにくくなるという欠点がある.そこで,ケース・フォーミュレーションではクライエント一人ひとりの問題の構造をオーダーメイドで分析する.そのため,主訴や現症にかかわる情報を丹念に,多面的に集める必要があるのだ.

「仮説の生成・検証」では,生成段階から仮説の確からしさをクライエントとともに確認・共有しながら進められる.仮説の検証は,具体的にはクライエントの症状や問題が改善されているかどうか,任意のエンドポイント(指標)[*5]を用いて確認することである.もし最初のケース・フォーミュレーションに基づいて介入を行った結果,症状や問題に変化が認められないとすれば,再アセスメントを行い,より適切な仮説を構築することになる.そのため,1人のクライエントに対して,ケース・フォーミュレーションが複数回上書きされることはまれではなく,その意味でも多元的かつ継続的な情報収集が必要不可欠なのである.

ケース・フォーミュレーションのポイントは,「悪循環」を見出し,介入(変容)のポイントを見つけて断ち切ることにある.たとえば,ある日ある時一時的に,不安や抑うつが強くなったり,お腹が痛くなって電車に乗っていられない日が1年に1回あったり,気分が乗らず仕事が手につかない時間が1日に10分あるぐらいでは,個人の問題(主訴)にはなりにくい.感情の変化や身体の不調が続いたり,悪化したりするからこそ,人は困り,悩むのである.そして問題が続いたり悪化する背景には,必ずどこかに「悪循環」が伴っているのだ.

具体例として,先に言及した機能性の心身症,過敏性腸症候群(IBS)のケース・フォーミュレーションをあげる.図4では,Bさんが繰り返す腹痛について,①思考(認知),②感情,③行動,④身体という4つの側面に分けてアセスメントしたところ,各要因が互いに影響し合って悪循環を構築していることが理解された.

Bさんは,ある日たまたま通学途中にお腹を壊してしまう経験をした.それ以来ちょっとしたお腹の感覚の変化をきっかけに「明日も絶対お腹の調子が悪くなるのでは?」という考えに心が支配されてしまったり,「トイレに間に合わなくてもらしてしまったらどうしよう……」と強い不安にさいなまれるようになった.それが二次的な心理的ストレッサーになり,お腹の症状の増悪につながる.そし

用語解説

＊5 エンドポイント
　治療の有効性を示すために用いられる評価項目.主訴や治療の目的に合致しており,できるだけ客観的に査定できる項目が望ましい.プライマリーエンドポイント(主要評価項目),セカンダリーエンドポイント(副次的評価項目),サロゲートエンドポイント(代用エンドポイント)などが設定される.

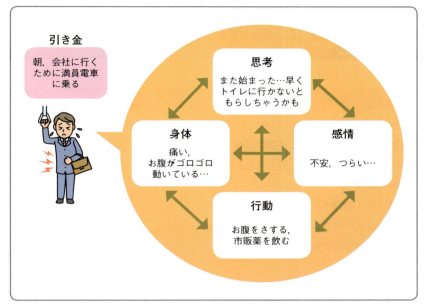

図4　Bさんのケース・フォーミュレーションの例

てお腹が痛くなったから、「やっぱりお腹は痛くなる．もらしちゃうかも……」という思考に結びつく，という悪循環である．客観的にみると，お腹が痛くなったのはある日のある時間だけだったのに，あるいは，実際にトイレに間に合わなかった経験など一度もないのにもかかわらず，である．IBSの症状をもつ人に特徴的な思考は，「破局視」とか「可能性（確率）の過大評価」とよばれているが，多面的かつ包括的なケース・フォーミュレーションの結果から，悪循環のなかに「認知のゆがみ（思考のクセ）」*6 という介入の切り口を見出すことができた．

■ 引用・参考文献

1）文部科学省：平成28年度「児童生徒の問題行動・不登校等生徒指導上の諸課題に関する調査」結果，2017
https://www.mext.go.jp/b_menu/houdou/29/10/__icsFiles/afieldfile/2017/10/26/1397646_002.pdf より2020年2月3日検索

用語解説

*6　認知のゆがみ

「推論の誤り」ともいわれ，人間の情報処理パターンのうち，不適応に関連したもの．その他，「読心術の推論」「個人化の推論」「選択的抽出の推論」「すべし評価」「レッテル貼り」「トンネル視」「全か無かの推論」「自己と他者のダブルスタンダード」などがある．認知行動療法では，認知的再体制化や，エクスポージャー（曝露療法）を通じて認知の多面性，柔軟性が高まることを目指す．

16章 心理に関する支援

1 代表的な心理療法やカウンセリングの歴史，概念，意義および適応

> **この章で学ぶこと**
> - 代表的な心理療法とカウンセリングの歴史，概念，意義とその適応
> - 訪問による支援や地域支援の意義
> - 心理に関する支援を必要とする人の特性や状況に応じた適切な支援方法の選択と調整
> - 良好な人間関係を築くためのコミュニケーション能力の獲得
> - 心理療法やカウンセリングの適用における限界
> - 心理に関する支援を必要とする人たちのプライバシーへの配慮

1 心理療法の歴史の概観

心理療法[1]は，19世紀に催眠療法を中心に発展し，現在までに多くの学派が誕生している．フロイト Freud, S. の精神分析によって無意識の概念が提唱されたことに始まり，ユング Jung, C. の分析心理学派，アドラー Adler, A. の個人心理学派が深層心理学を確立させた．

その後，フロイトの弟子たちが精神分析の理論を体系化し，アンナ・フロイト Freud, A. の自我心理学派，クライン Klein, M. の対象関係論学派などが，深層心理学から関係性による人間理解を基盤とした理論へと展開させた．

一方，アメリカでは，自己実現や人間性の成長を目標とした人間中心主義の心理療法としてロジャーズ Rogers, C. が来談者中心療法，パールズ Pearls, F. がゲシュタルト療法を提唱した．

近年では，より構造化された短期療法として，ベック Beck, A. の認知療法・認知行動療法がうつ病などの治療の1つとして注目されている（図1）．

ここでは，代表的な心理療法として，精神分析，分析心理学，来談者中心療法，遊戯療法，集団療法，家族療法，認知療法・認知行動療法を取り上げる．

フロイト p.7参照
ユング p.50参照

▲アドラー，アルフレッド（1870-1937）
オーストリア出身の精神科医，心理学者．精神分析初期のフロイトの共同研究者であったが，間もなく決別し，個人心理学（アドラー心理学）を樹立した．幼い頃から病弱だったこともあり，個人における「器官劣等性」からくる「劣等感」を補償する「力への意志」を重視し，晩年には家庭育児や学校教育にも影響を与えた．（写真：PPS通信社）

ロジャーズ p.74参照
ベック p.45参照

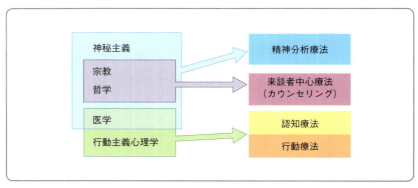

図1　心理療法の歴史の流れ

2 精神分析

精神分析（精神力動理論）[2)3)]は，フロイトのヒステリー患者の治療に始まる．フロイトは，その治療をとおし，「葛藤モデル」を提唱し，欲動によって引き起こされた抑圧せざるを得ない葛藤状況が症状を形成していると考えた．

フロイトによる構造論と発達論とを中心に，力動的理解の枠組みを確立させたことに精神分析の意義があるとされている．

1 ● 構造論

フロイトは，人間の心の構造を，意識，前意識，無意識の三層から成り立つと考えた（図2）．その後の修正により，心的装置として，人間の心は，イド（エス），自我，超自我とよばれる3つの働きから成り立つことを提唱した（表1）．

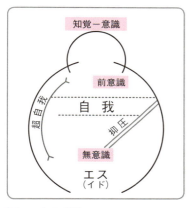

図2　心の構造
〔福島哲夫：精神力動アプローチ①．臨床心理学入門―多様なアプローチを越境する（岩壁茂ほか），p79，有斐閣，2013〕

■ 表1　心的装置とその働き

心的装置	その働き
エス（イド）	無意識の領域で，欲求を満足させようと衝動的に働き，快感原則に従う
自我	イドの衝動と現実や超自我とを調整し，現実原則に従う
超自我	両親によって内在化された良心や理想

文献2)を参考に作成

2 ● 心理性的発達段階説

フロイトは，性的欲動（リビドー）を心的活動の源と仮定し，人間の精神発達を5つの心理性的発達段階[*1]（乳児期を口唇期，幼児期を肛門期，3歳から6歳までを男根期，学童期を潜伏期，思春期以降を性器期）に区分し，心理性的発達論としてまとめた．それぞれの発達段階には達成されるべき特有の発達課題があり，その達成が阻害されることでリビドーの固着が生じ，不適応症状が引き起こされる．

なかでも，男根期に生じる同性の親と張り合うこと，または処罰されることを恐れる去勢不安を，エディプス・コンプレックスという精神分析の中核となる概念として重視した．

3 ● 精神分析のアプローチ

フロイトは，ヒステリー患者の治療に催眠法や前額法（➡ p.545 第25章参照）を用いていたが，のちに，寝椅子に横になり，頭に浮かんだことをそのまま話す

用語解説

*1　5つの心理性的発達段階
発達段階から次の発達段階への移行について，明確に線引きすることはできないという特徴がある．

ことを原則とする自由連想法を取り入れた．自由連想法では，治療者が一切の強制をやめることによって生じる抵抗や転移に対して，解釈，直面化，明確化とよばれる介入を行うことで，無意識の力動を探索することが可能となり，自己洞察を促すことができるとされている．

なお，現在の国際精神分析協会の基準によると，精神分析とは寝椅子を用いて週4回のセッションを行うことをさし，対面式で週1回行う精神分析的精神療法とは区別されている．

4・フロイト以降

葛藤モデルからスタートした精神分析は，フロイトの後継者たちによって関係性モデルへと転換していった．

①自我心理学

アンナ・フロイトは，葛藤モデルの流れをくみ，構造論と発達論をベースに自我心理学として発展させ，過去の重要な他者との関係を扱うことに重点をおいた．また，欲求不満から自分自身を守るための自我の活動を防衛機制という概念で整理した(**表2**)．

防衛機制とは，発達段階に応じて獲得され，それぞれ適応的な側面と不適応的な側面とが存在し，さまざまな防衛機制が複合的に働くことで，精神安定を保っているという考えである．

表2 心理性的発達段階と主な防衛機制

	心理性的発達段階	主な防衛機制
乳児期	口唇期	投影，取り入れ，同一視
幼児期	肛門期	反動形成，打ち消し，隔離，否認，退行
3～6歳	男根期	抑圧，置き換え，昇華
学童期	潜伏期	―
思春期以降	性器期	知性化，合理化

②対象関係論

クラインは，乳児の深層心理の分析をとおして，ファンタジーの世界の自己像と対象像との相互の関係性を重んじた．そのため，対象関係論学派では，内的対象関係をセラピストとクライエントとの関係性としてとらえ，内的体験と現実の関係性のズレを扱うことを重視している．

そして，自己像と対象像とがどのように体験されるかを分裂ポジション，抑うつポジションという概念と，原始的防衛機制(原始的否認，投影性同一化，理想化，脱価値化，分裂)とよばれる概念でまとめた．

3 分析心理学（ユング派）

無意識から関係性を重視する方向へ発展した精神分析と異なり，分析心理学[4]では無意識のもつ自己治癒力と自己実現を重視した．そのため，無意識の世界を

体験させるための技法として夢分析や描画療法，箱庭療法が用いられる．それらについて鍋田恭孝は，「象徴的な素材の持つ力や創造活動の持つ治療促進効果，あるいは成長・自己実現効果の発見が，その後の心理療法の領域に多大な影響を与えたように思う」[1]と述べている．

1 ● 元型論

ユングは，人間の心を意識と無意識に分け，さらに無意識を個人的無意識と集合的無意識（普遍的無意識）に分けて考えた．集合的無意識（普遍的無意識）は，元型とよばれる個を超えて人類に共通した普遍的なイメージパターンをもつと仮定されている．この元型を意識化させるプロセスは個性化とよばれ，分析心理学派の心理療法の目指すところとされている．

2 ● 類型論

分析心理学のもう1つの理論に類型論がある．これは，人間の性格は意識の働き方に応じて，「内向－外向」の態度があり，さらに「思考－感情」，「感覚－直感」という2つの対になる機能をもっているという考え方である．この2つの態度と4つの機能とを組み合わせることで8つの類型に分類した．

3 ● 夢分析と箱庭療法

分析心理学の技法としては，夢分析[5]と箱庭療法[6]があげられる．

ユング派の夢分析では，集合的無意識という理論的背景から，個人的な連想のみならず，イメージのもつ象徴性や，神話・昔話・ファンタジーなどとの共通性が重視される．

箱庭療法では，内側が青色の57×72×7cmの箱の中に砂を入れ，そこにミニチュアを置いて箱庭を作成することで，内的イメージを具象化していく．作品の解釈よりも，製作過程を見守るセラピストの態度が重要とされ，そのうえで，作品をシリーズとして流れをとらえ，かつ象徴性について吟味することで，クライエントの内的世界の変容を促すことができるとされている（図3）．

図3 摂食障害（過食）に苦しむ女性の箱庭
左下の海中火山の激しさと右の生き物たちの穏やかさとのアンバランスが印象的である．
〔用具：箱庭療法用具メルコム（株式会社クリエーションアカデミー）〕

4 来談者中心療法

来談者中心療法[7)8)]はロジャーズにより創始されたもので，人間性心理学的アプローチの代表格である．ロジャーズは，この来談者中心療法を通じて非指示的な心理療法を提唱した．これは，クライエントのみならず，カウンセラーの人間的成長にも重きをおいたことが特徴とされている．

ロジャーズは，カウンセラーの基本的態度や，カウンセラーとクライエントとの関係性を重視し，パーソナリティ変容のための6条件を明示した（**表3**）．来談者中心療法では，カウンセラーの基本的態度が満たされている場において，クライエントは自然と自己洞察が深まり，自己成長へとつながると考えられている．また，そういう場では，理想自己と現実自己との乖離によって生じた心理的不適応が解消されると考えられている．

■ 表3　ロジャーズの6条件

1	2人の人が心理的な接触をもっていること
2	第1の人（クライエントと呼ぶことにする）は，不一致（incongruence）の状態にあり，傷つきやすく，不安な状態にあること
3	第2の人（セラピストと呼ぶことにする）は，その関係のなかで一致しており（congruent），統合して（integrated）いること
4	セラピストは，クライエントに対して無条件の肯定的配慮（unconditional positive regard）を経験していること
5	セラピストは，クライエントの内的照合枠（internal frame of reference）を共感的に理解（empathic understanding）しており，この経験をクライエントに伝えようと努めていること
6	セラピストの共感的理解と無条件の肯定的配慮が，最低限クライエントに伝わっていること

■ はカウンセラー側の条件を示す（筆者による）．

5 遊戯療法

遊戯療法[1)9)]は，言語能力の未成熟な子どもに対して行われる遊びをとおした心理療法である．

精神分析の流れをくむアンナ・フロイトとクラインは児童分析を創始し，遊戯療法として発展させた．クラインは，子どもの遊びを無意識の象徴としてとらえ，子どもの心理療法に精神分析の理論を適応させた．一方で，アンナ・フロイトは，子どもの遊びのみならず，母親が子どもに与える影響を重視し，母子並行面接[*2]の基盤となる視点を確立していった．その後，来談者中心療法の流れをくむ**アクスライン Axline,V.**が，児童中心療法として，遊戯療法に対する治療者の基本姿勢を示した．

どの立場の遊戯療法も，決められた時間に同じ部屋で，同じ担当者が1対1で継続する点は共通している．そのような形で，ある意味「非日常の時空」においてこそ，児童の真の問題が表現され，単なる遊びとは違う「遊びを通した心理療法」

用語解説

＊2　母子並行面接
　子どもと親とが，それぞれ別の担当者と同時並行的に心理面接を行うこと．父親やそのほかの養育者の場合もあるが，これまでは圧倒的に母親が多かったため，このようによばれる．親面接の目的は，子どもの治療関係の維持，情報収集，治療への協力，親子関係を含む環境調整などである．

が成立するのである．

6 集団療法

集団療法[10]では，言語またはアクションを媒体として，グループ自体を変化させるために，グループの機能・過程・力動・特性などが用いられる．その目的は，セラピーのみならず，トレーニングや心理的成長としても展開されている．

集団療法は，まず，**モレノ Moreno, J.** によってサイコドラマ[11]が創始された．サイコドラマは，さまざまな役割を演じることで，本来の自発性が発揮され，問題解決の力が生まれると考えられている．言語だけでなくアクションが加わるという特徴から，言語表現が苦手な人にも適応することができる．

その後，**スラブソン Slavson, S.** や**ビオン Bion, W.** らが精神分析的な集団精神療法を発展させ，のちに**ヤーロム Yalom, I.** が集団療法特有の11の治療因子として「①希望をもたらすこと(Instillation of Hope)，②普遍性(Universality)，③情報の伝達(Imparting of information)，④愛他主義(Altruism)，⑤社会適応技術の発達(Development of socializing techniques)，⑥模倣行動(Imitative behavior)，⑦カタルシス(Catharsis)，⑧初期家族関係の修正的繰り返し(Corrective recapitulation of the primary family group)，⑨実存的因子(Existential factors)，⑩グループの凝集性(Group cohesiveness)，⑪対人学習(Interpersonal learning)」[12]を概念化した．

さらに，1940年代以降には，集中的グループ経験として感受性訓練やTグループ，ロジャーズによるエンカウンター・グループ[13]，行動主義的集団心理療法〔ソーシャルスキルトレーニング(SST)など(➡ p.286 第14章2節参照)〕へと発展した．

エンカウンター・グループは，来談者中心療法の考え方を適用させ，非指示的なファシリテーターのもとでグループプロセスが展開していくベーシック・エンカウンター・グループと，リーダーが指示するエクササイズに参加する構成的グループ・エンカウンターとに区別されている．ともに，心理的成長を目指し，対人関係の改善を目的とするアプローチとして用いられている．

7 家族療法

家族療法[14)15)]は，1950年代にシステム理論の影響を受け，家族を1つのシステムとしてとらえる視点が，**ベイトソン Bateson, G.** によって取り入れられたことを契機に，システム論的家族療法として発展した．現在では，家族療法の枠を越えて，教育領域，産業領域，司法領域，福祉領域など，幅広い領域でシステム全体を支援するという視点が活かされている．

生態学的システム理論によると，家族システムは開放システム[*3]であり，かつ円環的因果律(図4)によって成り立っていると考えられる．そのため，問題となっている個人は，家族全体の相互作用の機能不全を表現しているととらえ，その個人をIP (identified patient)とよぶ．家族システムは，ネガティブフィー

用語解説

***3 開放システム**
生物体システムは階層式に連なり，環境との相互影響の関係のなかにあるため，あるシステム内のある動きは，そのシステム内のすべてのサブシステムに影響を及ぼし合う可能性があるという考え方である．

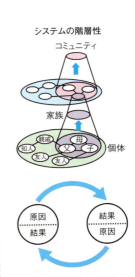

図4 円環的因果律

バックによる形態維持的な変化(第一次変化)と，ポジティブフィードバックによる形態発生的な変化(第二次変化)でバランスを維持していると考えられている．

1 • 家族療法の理論
①多世代理論
多世代派は，世代を超えた家族の関係を理解することに重点を置いている．

ボーエン Bowen, M. は，自己分化という概念を提唱し，知的システムと感情システムとが分化し，人間としての自立の度合いを重視した．さらに，自己分化の程度によって引き起こされる家族の関係性について三角関係という概念を生み出し，二者間に緊張が高まると第三者を巻き込むことで緊張の緩和が起こるため，三角関係化が生じやすくなると考えられている．

②構造派理論
ミニューチン Minuchin, S. は，家族の構造を重視し，とくに境界と連合という視点で家族をとらえた．連合とは家族システムのなかで第三者に対抗するために二者が共同することであり，境界とはシステムやサブシステムを区切るための概念で，これらの概念を用いることで，家族内の役割や相互作用から家族システムを理解することが可能になると考えられている．健康な家族は，夫婦連合が強力で，世代間に明瞭な境界があり，かつ柔軟性のある家族といわれている．

③コミュニケーション派理論
ベイトソンらの流れをくむ MRI (Mental Research Institute)は，家族のコミュニケーションに焦点をあて，治療論として発展させた．なかでも，統合失調症患者とその家族のコミュニケーションに関する研究から，矛盾したメッセージを同時に送るコミュニケーションスタイルであるダブルバインド(二重拘束)仮説を発表し，のちに治療的二重拘束として活用するに至った．

2 • 基本的なアプローチ
家族療法を行うカウンセラーの態度としてあげられているジョイニングと多方面への肩入れは，家族システムを支援するための基盤とされ，家族のコミュニケーションスタイルや交流パターンを理解し，特定の1人に偏らない公平な関係を家族全員と結ぶことが求められる．問題に対する影響を変化させるためには，リフレーミングとよばれる技法を用いて付与されている意味や文脈を変えることを試みる．また，多世代を理解するために，ジェノグラムやエコマップの作成が技法の1つとして位置づけられている．

8 認知療法・認知行動療法

現在，うつ病の治療に効果が認められ，積極的に取り入れられているのが認知療法・認知行動療法(CBT：cognitive behavioral therapy) [16)][17)]である．従来の自己実現や関係性を扱う心理療法とは異なり，CBT は特定の疾患の治療を目的に心理療法として臨床現場で活用されるようになったことには意義があるとされている．また，その後の研究で精神疾患のみにとどまらず，対人関係の改善，

日常のストレス対処などへの適応が実証されている．

1 ● 認知療法・認知行動療法の背景

CBT は，1970 年代に精神分析の流れをくんだベックによって，うつ病の治療として考案された．CBT は，短期の構造化された心理療法であり，認知機能と問題への対処機能とに焦点をあてたアプローチである．

強いストレス状況下では，判断に偏りが生じ，非適応的な反応を示し，その結果として抑うつ感や不安感が強くなるという悪循環が生じると考えられている．そのため，ある状況で頭に自然と浮かぶ考えやイメージ（認知 / 自動思考）に注目し，非適応的な自動思考を認知の歪みとしてとらえた．CBT では，人間の気分や行動は，自動思考に影響を受けていると考えるため，認知のあり方を検証し，より適応的な認知に修正することに主眼を置いている（図 5）．

図 5　認知療法・認知行動療法の理論的背景

2 ● 認知療法・認知行動療法のアプローチ

厚生労働省によって作成された「うつ病の認知療法・認知行動療法治療者用マニュアル」では，対面式で 1 回 30 分以上の面接を 16 回〜 20 回，クライエントの状態に合わせて延長することも検討しながら行うことが推奨されている[16]．

面接では，心理教育でモチベーションを高めることに重点をおき，認知の歪みの検証とその修正を扱うために「認知再構成法（コラム法）」，問題解決のために「アクションプラン」，対人関係スキル向上のために「アサーション」などがツールとして用いられる．それを繰り返すことで，共通するパターン（スキーマ）を明確にし，その偏りについての検討を行うことで，再発防止にも役立つと考えられている（図 6）（➡ p.565 〜 568 第 26 章参照）．

また，CBT では認知の歪みをカウンセラーとクライエントが一緒に検証する協同的実証主義とよばれる関係性が重要であると考えられているため，クライエントが自分で答えを見つけ出せるようにソクラテス的にかかわることが必要とされている．面接で話し合ったことを実生活で検証することが必須となるため，実践的なホームワークが課される．

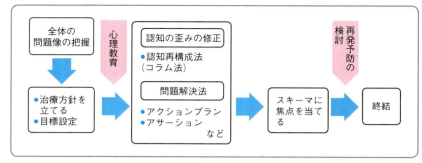

図6　CBTの治療全体の流れのイメージ

■ 引用・参考文献

1) 鍋田恭孝：実践 心理療法—治療に役立つ統合的・症状別アプローチ．金剛出版，2016
2) 前田重治：図説臨床精神分析学．誠信書房，1985
3) 成田善弘：精神分析—フロイトとその後継者たち．心理療法ハンドブック（乾吉佑ほか編），p49-62，創元社，2005
4) 氏原寛：ユング派．心理療法ハンドブック（乾吉佑ほか編），p67-75，創元社，2005
5) 河合俊雄：夢分析．心理療法ハンドブック（乾吉佑ほか編），p235-241，創元社，2005
6) 山中康裕：箱庭療法．心理療法ハンドブック（乾吉佑ほか編），p106-112，創元社，2005
7) 東山紘久：ロジャーズ派．心理療法ハンドブック（乾吉佑ほか編），p40-48，創元社，2005
8) カーシェンバーム H ほか編：セラピーによるパーソナリティ変容の必要にして十分な条件．ロジャーズ選集（上）（伊東博ほか監訳），p265-285，誠信書房，2001
9) 東山紘久：遊戯療法．心理療法ハンドブック（乾吉佑ほか編），p99-105，創元社，2005
10) 野島一彦：グループ療法．心理療法ハンドブック（乾吉佑ほか編），p296-303，創元社，2005
11) 増野肇：サイコドラマ（心理劇）．心理療法ハンドブック（乾吉佑ほか編），p270-279，創元社，2005
12) ヤーロム ID ほか：グループサイコセラピー—ヤーロムの集団精神療法の手引き（川室優訳）．金剛出版，1991
13) 安福純子：エンカウンター・グループ．心理療法ハンドブック（乾吉佑ほか編），p263-269，創元社，2005
14) 平木典子：家族カウンセリング入門—家族臨床援助．安田生命社会事業団，1996
15) 中釜洋子ほか：家族心理学—家族システムの発達と臨床的援助．有斐閣ブックス，2008
16) 厚生労働省：うつ病の認知療法・認知行動療法治療者用マニュアル（平成21年度厚生労働省心の健康科学研究事業「精神療法の実施方法と有効性に関する研究」），2009
https://www.mhlw.go.jp/bunya/shougaihoken/kokoro/dl/01.pdf より 2020年1月30日検索
17) 伊藤絵美：認知療法・認知行動療法カウンセリング初級ワークショップ．星和書店，2005
18) 福島哲夫：精神力動アプローチ①．臨床心理学入門—多様なアプローチを越境する（岩壁茂ほか），有斐閣，2013

16章 心理に関する支援

2 訪問や地域支援の意義

1 個人心理療法と地域支援

　心理に関する支援といえば，面接室という非日常的な密室の空間で，対面して話し合いを行う個人心理療法をイメージすることが多いかもしれない．しかし，実際には個人心理療法の導入はむずかしいケースも多い．地域支援（コミュニティ・アプローチ）とは，個人心理療法では対応しきれないさまざまな心理社会的問題に対し，当該コミュニティ全体を対象として，支援していく方法である．
　地域支援の目標は，「人と環境との適合性（fit）の増大」である．個人の精神内界の問題を扱うというよりは，人と環境との関係性を問題にする．仮に個人の内部に構造的・機能的な障害があったとしても，個人にアプローチするだけでなく，ときには環境の側に変化を起こし，環境で支えていくことになる．個人の問題が，社会的な意味での障害（ハンディキャップ）とならない環境を形成していくことも大きな目標の1つである．そのためには，予防を重視すること，多様性（diversity）を尊重すること，コミュニティ全体のメンタルヘルスを向上させることなどが重要である．そのような地域支援を研究する心理学の1つに，コミュニティ心理学という分野がある[1)2)3)]．

2 訪問や地域支援を要する者の特性

1・個人心理療法の支援が届きにくい人たち

　訪問支援（アウトリーチ）や地域支援が必要になるのは，どのような場合であろうか．まずは，面接室で行う個人心理療法の支援が届きにくい人たちを考えてみたい．典型例としては，不登校やひきこもりの問題を抱える人たちである．外出や対人関係に不安・恐怖を感じ，なかなか本人が外に出ようとしない．心理療法を受ける場所に近づくこと自体がむずかしいことが多い．その他，様々な病気・障害により家から出にくい障害児・者，高齢者も数多く存在する．
　また，精神科の病院やクリニックあるいは心理相談室に通うことは，数十年前と比べると一般的になってきたとはいえ，いまだに誰もが気軽に通える状況であるとはいい難い．よいイメージをもっていない人，あるいは時間やお金，労力をかけ通院する余裕のない人も多いことだろう．一方，それでも心理療法を受けようと思える人というのは，かなり動機づけが高い人たちだといえる．心理的な問題で困っている自覚があり，それを自らが行動を起こして何とか解決しようと思っており，専門家の力を借りるために，継続して相談に通うことができる人たちである．
　例として，児童虐待を行っている保護者を想像してみてほしい．周囲から客観的に見ると，心理的な問題を抱え，心理療法を受けることが適切に思われる事例であっても，虐待を行っている保護者が，自ら心理療法を求めて相談室のドアを

叩くことは多くない．児童虐待にかぎらず，ほかにも，いじめ，DV（ドメスティック・バイオレンス），家庭内暴力，ハラスメント（人に対する嫌がらせ）などといった問題は，暴力を受ける側の人たちが相談に訪れることは比較的多いが，暴力をふるう側の人たちが相談に訪れるのは，困難を伴いやすい．また，非行，依存症（アルコール依存・薬物依存など），摂食障害などの問題を抱える人たちのなかには，たとえ当人が問題を意識していたとしても，心理療法を受ける動機になかなか結びつかないことも多い．

2 地域支援が効果的なケース

最後に，個別の対応より地域や集団に対して働きかけたほうが効果的であるというケースをいくつかあげる．

1つ目は，地域全体に影響をおよぼす震災や津波などの災害時における支援である．また，学校におけるいじめ自殺問題，職場のうつ病対策など，集団の危機に対する心理的支援である．これらは，個別の対応だけでは不十分であり，コミュニティ全体を対象とした介入が必要である．

2つ目は，心理的問題の予防である．予防は，支援が波及しやすい集団や，問題の生じるリスクが高い集団を対象に行うと効果的である．たとえば支援の具体例として，職場の管理職に対して行うメンタルヘルスや自殺の予防に関する研修，大学の新入生に行うガイダンス，子どもの出産を予定している家族への両親学級などがある．

3つ目は，社会側（周囲の環境）の理解が必要な諸問題である．社会的弱者やマイノリティ（たとえば，LGBTとよばれる性的マイノリティ，HIV感染者，さまざまな障害者など）は差別を受けやすく，周囲の理解や対応によって，メンタルヘルスに大きく影響する．もちろん当人への個人心理療法も重要ではあるが，社会に対して広く啓発活動を行っていくことや周囲の環境調整を行うことが，当事者たちの心理的支援につながっていく．

＜訪問や地域支援が有効な諸問題の例＞
・児童虐待，いじめ，DV，家庭内暴力，ハラスメント（嫌がらせ）
・障害児・者，高齢者への訪問支援
・不登校，ひきこもり
・非行，依存症，摂食障害
・震災や津波などの災害時における支援
・自殺の予防やいじめ自殺の学校危機対応
・職場のメンタルヘルス対策
・さまざまな問題の予防的支援
・社会的なマイノリティの問題

3 地域支援における基本的な理念

日本にコミュニティ心理学を紹介した先駆者の1人である山本和郎は，臨床心理学的地域援助について，以下の10の理念をあげている(**表1**)[4]．

■ 表1 臨床心理学的地域援助の理念

理念	概要
①コミュニティ感覚	援助者・非援助者もコミュニティの一員であり，ともに生き，ともに生活しているのだという感覚を大切にする
②社会的文脈内人間	クライエントを内面だけでなく，社会システム内に生きる存在として，理解する
③悩める人の援助は，地域社会の人々との連携のなかで	クライエントはさまざまな人の支えのなかで生活しており，心理臨床家もそのうちの1人として連携する
④治療よりも予防を	問題が発生する前に予防対策に力を入れる
⑤強さ（ストレングス）とコンピテンスの重要性の強調	弱いところの改善より，強いところ，コンピテンスの向上を支援する
⑥エンパワーメントの重要性	問題を抱える人々が，自らの生活に統制力と意味を見出すことで力を獲得するプロセスを重視する
⑦非専門家との協同	被支援者の心や生活の支えとなる非専門家とも連携や協力をする
⑧黒子性	被支援者が主役であり，支援者は黒子に徹する
⑨サービスの多様性と利用しやすさ	ユーザーがニーズに合ったサービスを選べるように多様なメニューを用意する
⑩ケアの精神の重要性	「老い・病い・死」を克服するキュアだけでなく，それらを認め，そこから意味を見出すケアに取り組む

文献4)を参考に作成

4 代表的な地域支援の方法とその例

以下に，代表的な地域支援の方法とその例を紹介する[5]．

<代表的なコミュニティ・アプローチ>
1. アウトリーチ・訪問支援
2. コンサルテーション
3. サポート・ネットワーキング
4. 危機介入
5. 予防と心理教育

1 • アウトリーチ・訪問支援

アウトリーチとは，面接室でカウンセリングをするだけでなく地域に出かけて行う，いわば出前のカウンセリングである[6]．前述のように，各種専門機関を訪れるハードルの高さによって，心理的問題は対応が遅れがちである．それを防ぐ

方法の1つは，専門家が面接室でクライエントを「待つ」のではなく，クライエントが生活しているコミュニティに「出向く」ことである．

たとえば，学生相談室やスクールカウンセラー，産業カウンセラーなどは，クライエントの生活する学校や職場で活動をしており，何か困ったときにすぐに駆け込める場所にある．これらも専門家が出向いているという点では，広い意味でのアウトリーチである．また，災害時にカウンセラーが避難所を巡回し，被災者の相談を受けたり，あるいは，ひきこもりの青年に付き添って，一緒に若者サポートステーションに行ったりというような例もあげられる．

訪問支援は，訪問看護や訪問介護といった領域で行われてきたが，今後は心理職も含めた多職種による訪問支援の充実が一層望まれるであろう．地域包括ケアシステムにおいて，緩和ケアや終末期ケア，グリーフケアに心理職がどのようにかかわるかは課題である．

もう1つの例は，不登校やひきこもりの問題に関しての家庭訪問である．スクールカウンセラーや教師が家庭訪問を行うこともあるが，地域のさまざまな相談機関によっては，「メンタルフレンド」や「訪問相談」と称されるシステムがあり，スタッフが家庭に訪問し，本人に直接かかわる．相談だけでなく，学習のサポートをしたり，一緒に遊んだり，趣味を楽しんだりすることもある．

田嶌誠一は，不登校・ひきこもり生徒への家庭訪問について，実際の例を紹介しつつ留意点をまとめている[7]．そのなかで，「節度ある押しつけがましさ」という言葉を使って，「逃げ場をつくりつつかかわり続ける」ことの重要性を説いている．

このようなアウトリーチは心理職が他(多)職種とともに行う場合も多く，連携や協働が大切となる．

2● コンサルテーション

キャプラン Caplan, G. は，コンサルテーションの定義を，「2人の専門家（一方をコンサルタントとよび，他方をコンサルティとよぶ）のあいだの相互作用の1つの過程である．そして，コンサルタントがコンサルティに対して，コンサルティの抱えているクライエントのメンタルヘルスに関係した特定の問題をコンサルティの仕事のなかでより効果的に解決する関係」とした[8]．

学校の例でいえば，相談を受ける「コンサルタント」にあたるのがスクールカウンセラー（心理の専門家）であり，「コンサルティ」が教員（教育の専門家），「クライエント」は児童・生徒ということになる．コンサルテーションは，カウンセリングと同様，本人の自発的な来談を原則として，評価を受けるなどの利害関係が生じない二者間で行われる．一方，カウンセリングと違う面としては，比較的回数が少なく，時間も短い場合が多いこと，相談者の情緒面よりもクライエントの理解と問題の対処に重点がおかれることがあげられる．

ひきこもりの青年の両親やうつ状態の会社員の上司が，対応についてカウンセラーに相談することも，コンサルテーションであり，本人がカウンセリングを受けずとも，身近なキーパーソンを通じて，間接的に影響を与えることができるのが，コンサルテーションの大きなメリットである．心理的支援の適応範囲も大き

く広がる．心理職にコンサルテーションが求められる場面は，今後も増えていくことが予想されるので，その知識と技法については，十分身につけておく必要がある．

3 ● サポート・ネットワーキング

サポート・ネットワーキングとは，問題を抱える人に対して，周囲からの支援を活用して援助する方法である[5]．ソーシャル・サポートといわれる周囲からの有形無形の支援を，問題を抱える当事者が得られるようにソーシャルネットワークを作っていく．サポート・ネットワーキングには，さまざまな方法がある．たとえば，担任へのコンサルテーションによって，すでにあるソーシャルネットワーク（不登校の生徒と担任の関係）から適切な支援を引き出すこともできる．また，LGBT（性的マイノリティ）の人に自助グループを紹介し，新しいサポート資源をつなぐこと，あるいは場合によっては，自助グループを新しく立ち上げ，新しい資源を作ることもサポート・ネットワーキングとなる．地域の要保護児童に対して，関係機関が連携し，ソーシャルネットワークを調整するという例もある．

ソーシャルネットワークには，家族や友人などのインフォーマルなネットワークと支援施設などのフォーマルなネットワークがあり，両方を視野に入れることが肝要である．また，ネットワークの広がりは，問題の対処という意味だけでなく，そのコミュニティにおける予防の役割を果たすようになる．

4 ● 危機介入

人間は，人生の各発達段階において，あるいは偶発的に，さまざまな危機に遭遇することがある．失恋，破産，病気，事件，事故，家族の死，災害など，人生における危機は誰しも経験することである．キャプランは，危機状態の定義について，「危機状態とは，人生の重要目標が達成されるのを妨げられる事態に直面したとき，習慣的な課題解決法をまず初めに用いてその事態を解決しようとするが，それでも克服できない結果発生する状態である」としている．危機とは，今までの対処方法だけでなく，新しい対処の方法を身につけるといった成長促進の可能性を有した機会ととらえることができる[8]．

危機介入とは，そのような危機に見舞われ，本来の力を十分に発揮できずにいる人に対し，早期の段階で必要な支援をする介入方法である．たとえば，震災により避難している被災者に対するPTSD予防などの支援活動があげられる．また，学校内で発生したいじめ自殺の対応として，全校生徒にメンタルヘルスチェックを実施したり，影響を受けた生徒にカウンセリングを行ったりするという例もある．いずれも，当事者や当該コミュニティが，問題への対処の力を獲得し，本来の力を発揮できるようになれば，危機介入は終了となる．なお，教育領域では，危機介入ではなく，危機対応や緊急支援という用語が使われることが多い．

5 ● 予防と心理教育

地域支援を行ううえで重要な介入の1つは，予防である．キャプランの分類によると，問題の発生自体を防ぐ第1次予防，ハイリスクな人々に対し早期発見・

早期介入をする第2次予防，すでに問題を抱える人に対して，悪化やさらなる不利益をこうむらないために行う第3次予防がある[9]．たとえば，HIV（ヒト免疫不全ウイルス）感染の問題であれば，感染予防のための心理教育は第1次予防であり，保健所などで行われるHIV検査は第2次予防，HIV感染者の治療やサポート・ネットワーキングは第3次予防といえる．

また，予防に欠かせないのが，心理教育である．たとえば，ストレス・マネジメント教育や自殺の予防教育，メンタルヘルス講習会などにより，参加者が心理学の知識や技能を身につけることで，さまざまな心理的な問題を予防することができる．

■ 引用・参考文献
1) 山本和郎：コミュニティ心理学—地域臨床の理論と実践．東京大学出版会，1986
2) 日本コミュニティ心理学会編：コミュニティ心理学ハンドブック．東京大学出版会，2007
3) 植村勝彦ほか編：よくわかるコミュニティ心理学，第3版．ミネルヴァ書房，2017
4) 山本和郎：臨床心理学的地域援助とは何か—その定義・理念・独自性・方法について．臨床心理学的地域援助の展開—コミュニティ心理学の実践と今日的課題（山本和郎編），p244-256，培風館，2001
5) 中野博子ほか：支援における新しい視点1 コミュニティ・アプローチ．カウンセリング入門—医療職のために，p97-104，人間総合科学大学，2017
6) 井上孝代：コミュニティ・カウンセリング．コミュニティ心理学ハンドブック（日本コミュニティ心理学会編），p236-244，東京大学出版会，2007
7) 田嶌誠一：現実に介入しつつ心に関わる—多面的援助アプローチと臨床の知恵．p256-277，金剛出版，2009
8) 山本和郎：危機介入とコンサルテーション．ミネルヴァ書房，2000
9) 丹羽郁夫：サポート・ネットワーキング．よくわかるコミュニティ心理学，第3版（植村勝彦ほか編），p102-103，ミネルヴァ書房，2017
10) カプランG：予防精神医学（新福尚武監訳）．朝倉書店，1970

16章 心理に関する支援
3 心理に関する支援を要する者の特性や状況に応じた適切な支援

1 対象者の特性や状況に応じた適切な支援とは

　対象者の特性や状況に応じて，最も適切な支援を選択するというのは，当然のことである．そして，それは図1のような流れで，対象者（とくに子どもや精神病圏の対象者の場合はその家族）と話し合いながら援助要請に応じた支援を実行し，修正し，また実行するという繰り返しのなかで行われるはずである[1]．

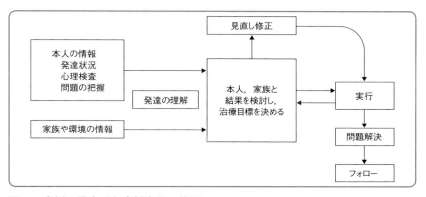

図1　事例の見立てと支援実行・修正・フォロー
〔加藤敬：クライエントと共に作る見立て．統合・折衷的心理療法の実践（東斉彰ほか編），p34，金剛出版，2014〕

　さらに，対象者が子どもであっても成人であっても，その問題や病態によって，親を含む関係者のあいだの情報共有の度合いや面接構造の柔軟さ，またセラピストの介入の積極性を調整する必要がある．図2に示すように，発達障害と統合失調症を両極において考えると，これら2つの問題群がもっとも関係者や家族との情報共有を必要とする．反対に神経症や強迫性障害，ヒステリー〔転換性障害（ヒステリーの詳細は➡p.554 第25章参照）〕は関係者間の情報共有が逆効果となりやすい．

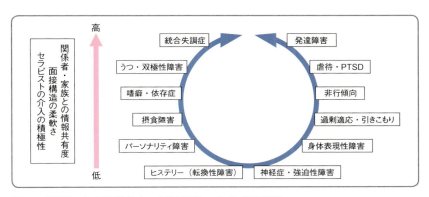

図2　問題による情報共有・面接構造・介入の積極性

同様に面接構造の厳格さ(時間・空間・料金の一定性)やセラピストのかかわり方の積極性(セッション内でのリードの度合い)も変えていくことが求められる．この際のセラピストの積極性とは，もちろん対象者を無視して操作性を発揮することではなく，「対話をリードする」度合いのことである．

上記のように考えることによって，対象者の特性や状況に応じた支援が可能になる．しかし，実際の事例に対応し，どういった支援方法を選び取るべきかを示すモデルは多くない．そのような状況のなか，このテーマにとくに積極的に関心をよせているのは「統合的心理療法」や「統合的アプローチ」もしくは「統合・折衷的アプローチ」とよばれる立場をとる人たちである．

たとえば**ノークロス Norcross, J.**らによれば統合的アプローチとは，「理論や学派の壁を超えて，より効果的な心理療法を探究する営みであり，学派間の対話を阻む壁を取り除き，オープンで有意義な対話と交流のあり方を追求する試み」である[2]．さらに福島哲夫によれば，「心理療法統合とは，特定の学派に依拠するものでも単一の学派の存在を否定するものではなく，多様な個性と課題をもったクライエントにできるだけ効果的にアプローチしようとする姿勢そのもの」である[3]．

また，たとえば**スウィフト Swift, J.**らは，587の研究をメタ分析した結果，12の障害カテゴリーのうち，抑うつと心的外傷後ストレス障害(PTSD)のセラピーにおいて，統合的な心理療法は有意に中断率が低かったとし，さらに統合的なアプローチがほかのすべてのアプローチと比較して，12の障害のうち11カテゴリーにおいて同等か，低い中断率であることが安定的に示されたとした[4]．

ここでは，このような統合的心理療法のなかでも，とくに対象者の特性や状況に合わせて適切な技法を選択しようという姿勢の強いものを紹介し，わが国の現状に合った適切な支援が可能となるようなあり方を模索していきたい．

2 対象者の特性によって種々の療法を位置づける統合モデル

まず，対象者の特性や状況に応じて，最適な心理療法はそれぞれに異なるということを理論化したのが**プロチャスカ Prochaska, J.**らである[5]．この考え方においては，クライエント個人の準備状態を熟考(contemplation，「関心」とも訳される)の程度，すなわち自分自身を振り返って変化の生じる意識があるかどうかや，行動を変えようとしているかどうかによって，代表的な心理療法を位置づけるというものである(表1)〔多理論統合モデル(詳細については➡ p.576 第27章参照)〕．

3次元統合モデル

一方，プロチャスカらとは別の発想で，福島はクライエントの「変化への動機づけ」と「内省力」によって適用する心理療法や技法を変えるべきであるとした．また福島は，この2つの基準によって代表的な心理療法を位置づけて適用することから，2次元統合モデル(後にスピリチュアリティの統合を含めて3次元統合モデル)と命名している．このモデルにおいては，クライエントの内省力と変化

表1 変化のステージ・レベルと治療システムの統合

症状/状況 \ ステージ	前熟考期（無関心期）	熟考期（関心期）	準備期	実行期	維持期
不適切な認知	動機づけ面接			行動療法	
				EMDR および曝露	
		アドラー派療法	論理情動療法		
			認知療法		
対人関係の葛藤		対人関係精神分析　交流分析　対人関係療法（IPT）			
家族システムの葛藤		戦略的家族療法　ボーエン（多世代）派療法　構造派家族療法			
個人内葛藤		精神分析的療法　実存療法　ゲシュタルト療法			

文献5）を参照に作成

への動機づけを簡単な口頭質問でアセスメントし，クライエントの返答に応じて大まかに4種類の態度と技法を使い分けるべきであるとした（図3）[6)7)].

そしてさらに，クライエントのスピリチュアルな次元においても，クライエントとセラピストとの双方で響きあう領域を深めていくことを含めている．この際のスピリチュアルとは「超越的なもの」から「日常的なもの」までを含む幅広い意味をもつ．図3で示す2次元上の領域でいえば，内省力も変化への動機づけもともに高い第1象限に属するクライエントに対しては，セラピストは「受身的・中立的な態度による洞察志向的」な心理療法が必要であり，それ以外の領域のクライエントには，セラピストは何らかの積極的な介入が最適である．また，図4の第3軸は，赤い矢印で示したように，クライエントによって超越的な方向あるいは日常性のスピリチュアリティの方向に取り組んでいくのが理想的な方向としている．

さらに類似のものに，東斉彰による「技法折衷アプローチ」がある．これも，次

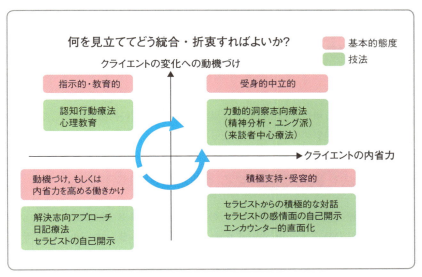

図3　基本的態度と技法選択の目安（2次元統合モデル）
〔福島哲夫：心理療法の3次元統合モデルの提唱．日本サイコセラピー学会雑誌 12 (1): 53, 2011を一部改変〕

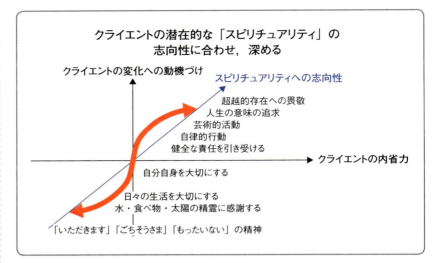

図4　基本的態度と技法選択の目安（3次元統合モデル）
〔福島哲夫：心理療法の3次元統合モデルの提唱. 日本サイコセラピー学会雑誌 12（1）：55，2011を一部改変〕

■ 表2　技法折衷アプローチにおける技法の選択の基準

技法	選択の基準
精神分析的技法	葛藤や対人関係の力動が表現され，それが治療的に扱える場合
行動的技法	環境と個人の関係（随伴性）における学習の問題がみられる場合
認知（行動）的技法	認知の歪みが前景にあり，それを修正できる能力とモチベーションがある場合
交流分析的技法	対人関係や力動のパターンが明確で，体系的な（TA・ゲシュタルトを含む）介入を好む場合
フォーカシング的技法	思考優位のクライエントを，感覚・感情に触れさせる場合など
ゲシュタルト的技法	感情優位で，対人葛藤が強い場合
ソリューション・フォーカスト的技法	解決の糸口，ポジティブな認知・行動・感情がみられる場合

クライエント中心的技法は，すべての心理療法的介入に通底する．傾聴技法，共感的態度，関係作り，自己一致はあらゆる心理療法に共通であり，目標である．
〔東斉彰：技法介入の役割と機能. 統合・折衷的心理療法の実践（東斉彰ほか編），p146，金剛出版，2014〕

節において述べる単なる技法折衷とは異なり，主要学派の技法を選択して適用するという統合的色彩の強い考え方となっている[8]（**表2**）．

3　技法を選んで適用する「技法折衷的」モデル

技法折衷派アプローチの代表的なものとしては**ラザルス Lazarus, A.**[9]のマルチモード療法（MMT：multimodal therapy），**ビュートラー Beutler, L.** ら[10]による系統的折衷アプローチ（SEP：systematic eclectic psychotherapy），ノークロス[11]の処方箋折衷療法（PEP：prescriptive eclectic psychotherapy）がある．これらはすべて，クライエントの症状やその重症度，パーソナリティなどの心理

学的変数，年齢・性別や社会経済的な変数などに応じて，より適切な技法を組み合わせて使うモデルである．

ここでは，まずラザルスによるマルチモード療法と，それを応用した東[8]によるタイプ志向折衷療法を紹介する．ラザルスは行動療法に基盤を置きながら，認知的・対人関係的な技法から健康教育や薬物療法までをも幅広く取り入れた折衷療法をモデル化した．そして，クライエントのもつ問題をBasic-I. D. という頭文字で表3のように，わかりやすく整理した．

表3　ラザルスのマルチモード療法（問題のモードと技法）

記号	技法	選択の基準
B	行動上の問題	行動リハーサル，モデリング，非強化法，セルフモニタリング，刺激コントロール，エクスポージャー
A	感情コントロール	怒り表現法，不安管理訓練，エンプティー・チェアー
S	感覚・不安・恐怖	フォーカシング，催眠，リラクセーション，バイオフィードバック，感覚焦点訓練
I	イメージ（恐怖感や侵入的イメージ）	ショック場面拮抗イメージ法，対処イメージ法，肯定的イメージ法，ステップアップ技法
C	認知・思考	読書療法，認知修正法，自己教示訓練，思考妨害法
I	対人関係	コミュニケーション訓練，随伴性契約，逆説的戦略，SST，アサーティブトレーニング
D	生物・薬物	健康な習慣の奨励（栄養，運動，レクリエーション），医師への紹介

〔東斉彰：技法介入の役割と機能．統合・折衷的心理療法の実践（東斉彰ほか編），p145，金剛出版，2014〕

1 ● タイプ志向折衷療法（type-oriented eclectic therapy）

東は表2や表3のような基準をふまえて，表4に示す流れで支援を進めていくとしている[8]．

なお，人格適応のタイプは演技型，パラノイド型，強迫観念型，受動攻撃型，スキゾイド型，反社会型の6つの型を想定し，介入を変えるとしている．

表4　タイプ志向折衷療法

①主訴の聴取：傾聴すること（受容的，共感的に）
②クライエントのタイプを見極める
　1）モード（BASIC I.D.）の査定
　2）病理レベル（発達的理解，見立て）
　3）人格適応のタイプ
　4）症状，パーソナリティのタイプ：無意識的力動，学習，認知，対人関係，解決の方向性など
③多種の心理療法を説明，クライエントの希望や期待を聴く
④クライエントの意見，セラピストの見立てを述べて話し合い，合意の上で技法を決定
⑤技法を適用した上で，その効果と相性を判定
　→継続，または再アセスメント

〔東斉彰：技法介入の役割と機能．統合・折衷的心理療法の実践（東斉彰ほか編），p44，金剛出版，2014〕

■ 表5 疾病別心理療法的アプローチにおける注意すべき点   注 注意すべき点　技 介入技法

代表的な疾病		効果的な介入
不登校・ひきこもり	注	従来からの「優等生の息切れ型」は，家族や本人へのアプローチが有効．登校を無理強いしたり，刺激することは逆効果である
	技	近年増加した「主体性・社会機能低下型」は，従来の個人治療では効果がないことが多い．そのため，状況因をていねいに見極め，問題解決アプローチや，時にはケースワーク的なアプローチが必要．そして主体性・コミュニケーション能力・社会的スキルを育てる必要あり
対人恐怖症・社交不安障害（SAD）	技	社交的スキルが育っていないタイプには「育成的・訓練的アプローチ」が必要
	技	回避傾向や自己愛傾向，対人過敏などが中心の場合は自己像・対象像の混乱があるので，これまでの「相手に合わせる」生き方から脱却し，自分の納得した新たな生き方を模索するために，内面の声に耳を澄ますことを促進するかかわりが大切
	注	抑圧された怒りに焦点化すると混乱するのみ
	技	身体過敏性やこだわり，強迫性が中心のSADには薬物療法も有効
	注	かなりの頻度で，発達障害が見出されるので注意を要する
身体醜形障害	注	かなりの比率でアスペルガー症候群が含まれる
	技	多くのケースで症状に象徴的な意味はない．美容外科手術は避け，病識と関係なく薬物療法〔選択的セロトニン再取り込み阻害薬（SSRI）〕と心理療法を併用することに効果がある
	技	信頼関係を築きながら心理教育的アプローチを取り入れた後に，絶望感・不安への認知的アプローチ，さらには「不安を抱えながらもできることをできる範囲でする」ことを促す
強迫性障害	注	強迫傾向を欲動や攻撃性の防衛とする扱いは間違い
	注	セラピストに対する転移や葛藤を扱うのは間違い
	技	「何らかの不安を伴う切迫感とそれを打ち消すために現実を否認し，安全な世界を作り出そうとして失敗している状態」が本質的な側面
	技	まずは，症状の理解と対応のための心理教育とともに，本人が快く自宅で過ごし，自分は安全であり，家族の理解と協力もあると思える環境を作ること
	技	物事を決められないという脆弱性があらわになったときに「セラピストと一緒に模索する」というプロセスそのものが大切
	技	「チャレンジ」という共同作業が大切
うつ病	注	頭痛・腰痛などを訴える「仮面うつ」を見逃してはいけない
	注	双極性障害（とくにⅡ型）をうつ病と間違えてはいけない
	技	発症のきっかけとなった状況因や病前性格を把握できて，変えることができれば回復と再発防止になる
	技	心の深いところで愛に対して幻滅していると考えられる
	注	転移を防衛や抵抗として扱わないこと
	技	無力で途方にくれた状態（helplessness and powerlessness）と理解することが適切な治療につながる
	技	「心理教育」→「状況因を明確にして行動傾向を変える」→「生き方そのものをテーマとする」という3ステップが効果的
	技	「新型うつ病」には，第3ステップを重視して，不登校・ひきこもりと同様の介入が必要
ヒステリー・境界性パーソナリティ障害	注	転換症状に関しては症状をとろうとしないほうがよいが，それ以外のほとんどの障害においては，それは当てはまらない
	技	できるだけ早く自由連想的な面接に入ったほうがよい
	注	唯一，この疾病に関してのみ治療構造は厳密に守るべきである
	注	初期には疑似治癒が起こりやすいが，その後，問題が生じやすいので具体的なアドバイスは控えるべき
	技	転移は基本的に自己心理学（コフート）における「理想化転移」ととらえて取り組むべきである
パニック症・心身症など	技	単一恐怖症のように症状が限定している場合は，行動療法が有効
	技	パニック症には「自己疎外」などの物語性よりも，「不安への過敏性」が本質なので，保障的な指示的アプローチが効果的
	注	全般性不安障害はうつ病の前駆症状や，パーソナリティ障害，薬物の影響，そのほかの除外診断がとくに必要な障害である
	注	狭義の心身症（喘息，胃潰瘍，潰瘍性大腸炎など）に対する心理療法の意義は，近年ますます疑わしい
PTSD・嗜癖関連障害	技	PTSDには，専門的なトラウマ治療（多くは行動療法的・認知行動療法的）が有効
	技	嗜癖関連障害は，個人治療だけでは不十分なので，関連団体やコミュニティとの連携が不可欠

文献12)を参考に作成

2 • 精神医学的疾病別心理療法的アプローチ

鍋田恭孝は，長年の精神科医としての臨床のなかから，きわめて中立的・客観的に，どの疾病にはどのようなアプローチが有効であるか，どのような介入が有害であるかを整理している（表5）[12]．とくに精神分析の伝統や古い疾病観による，効果の見込めない介入を大胆に排除している点が，ほかに例をみない貴重なものとなっている．

以上のように，対象者の特性や状況に応じた適切な支援の選択と適用が今後ますます重要な課題となることは，論を待たない．

▲鍋田恭孝（1947-　）
　精神科医の立場と長年の臨床経験に根ざした統合的心理療法の第一人者の一人．

■ 引用・参考文献

1）加藤敬：クライエントと共に作る見立て―理論複合の立場から．統合・折衷的心理療法の実践―見立て・治療・介入と技法（東斉彰ほか編），p31-40，金剛出版，2014
2）Norcross JC et al：Handbook of Psychotherapy Integration. 2nd ed（Norcross JC et al），Oxford University Press, 2005
3）福島哲夫：心理療法統合―常に探求を続ける姿勢そのもの．臨床心理学 17（4）：472-473，2017
4）Swift JK et al：A treatment by disorder meta-analysis of dropout from psychotherapy. Journal of Psychotherapy Integration 24（3）：193-207，2014
5）Prochaska JO et al：The Transtheoretical approach. Handbook of Psychotherapy Integration（Norcross JC），Basic Books, 1993
6）福島哲夫：心理療法の3次元統合モデルの提唱―より少ない抵抗と，より大きな効果を求めて．日本サイコセラピー学会雑誌 12（1）：51-59，2011
7）福島哲夫：スピリチュアリティの統合―ユング心理学から3次元統合モデルへ．新世紀うつ病治療・支援論―うつに対する統合アプローチ（平木典子ほか編著），p141-164，金剛出版，2011
8）東斉彰：技法介入の役割と機能―技法折衷の立場から．統合・折衷的心理療法の実践―見立て・治療・介入と技法（東斉彰ほか編），p144-146，金剛出版，2014
9）ラザラスA：マルチモードアプローチ―行動療法の展開（高石昇監訳）．二瓶社，1999
10）Beutler LE et al：Systematic eclectic psychotherapy. Handbook of Psychotherapy Integration（Norcross JC），Basic Books, 1993
11）ヴァンデンボスGKほか：心理療法の構造―アメリカ心理学会による12の理論の解説書（岩壁茂訳）．誠信書房，2003
12）鍋田恭孝：実践心理療法―治療に役立つ統合的・症状別アプローチ．金剛出版，2016

4 良好な人間関係のためのコミュニケーション能力

16章 心理に関する支援

1 コミュニケーションとは

コミュニケーションとは情報のやりとりである（図1）．コミュニケーションには，情報の送り手と受け手がいる．情報の送り手には伝えたい考えや意図（表象[*1]）があり，送り手は表象をメッセージに変換する（記号化）．記号化されたメッセージは，直接話すだけでなく，文書，電話，メールなどの手段（メディア[*2]）を通して受け手に伝えられる．受け手はメッセージを解読し（情報化），情報は受け手に意味のある内容（表象）として伝わる．これに対して，受け手が今度はメッセージを送る可能性もある．

> **用語解説**
>
> [*1] 表象
> 心的活動や意識活動のこと．
>
> [*2] メディア
> 情報を伝える手段のこと．

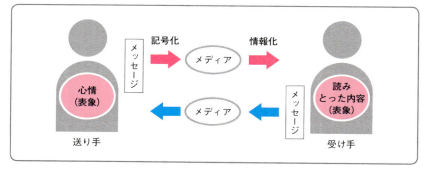

図1 コミュニケーションの概要
文献1）を参考に作成

コミュニケーションは言語によるものだけとは限らない．声のトーン，大きさ，抑揚，身ぶり，仕草，表情，目線，相手との距離，角度など，非言語的なメッセージもある．したがって，情報の送り手が意図しなくても，何かしらのメッセージは受け手に伝わっている．送り手が何もしないということも，受け手にはむしろ重要なメッセージとして伝えられる．

コミュニケーション能力が必要とされるのは，このコミュニケーションの過程において誤解や不十分な理解が生じる可能性があるためである．送り手側の要因として，自分の考えや意図を十分にメッセージにできない可能性や，意図しないメッセージが伝わる場合がある．また，用いるメディアによって伝わり方が異なることがある．一方，受け手側の要因として，メッセージから送り手の考えや意図を読みとれない，または，送り手の考えや意図とは異なる内容の理解をする可能性がある．また，片方あるいは双方にコミュニケーションをとろうとする十分な意思がない場合もある．このようなコミュニケーションの問題は，双方に不満，苦痛，ストレス，悩みを生じさせる可能性がある．

公認心理師が支援者として，支援対象者や，協働[*3]するほかの専門家と良好な人間関係を築くためには，このようなコミュニケーションの枠組みや過程，そ

> **用語解説**
>
> [*3] 協働
> 同じ目的をもち，力を合わせて活動すること．コーポレーション（cooperation），コラボレーション（collaboration）ともいう．

のなかで生じる心理的状態を理解し，適切なコミュニケーションを行うことが求められる．そのためには，「きく」「話す」だけでなく，コミュニケーションを「みる」力も求められる．また，コミュニケーションをとっている自分自身が相手にどのように映っているのかを適度に意識することも大切である．

2　コミュニケーションを行ううえでの基本的な留意事項

とくに，支援対象者とのコミュニケーションを考えるにあたって，ごく基本的な留意事項を列挙する．

1 ・コミュニケーションを行う際の支援者の態度が重要である

たとえば，うなずく，相手の発言を反復するというようなコミュニケーション技法を用いることが良好な人間関係を築くといわれる．しかし，テクニックやノウハウの習得が，支援者の理解や信頼関係の構築にすぐに結びつくとは限らない．たとえば，支援対象者が，母との日常生活を語るなかで唐突に，「……なので，母を殺したくなりました」と発言したとする．それでも支援者が「うん，うん」とうなずいたり，「母を殺したくなったんですね」と反復するだけでは，支援対象者から「この人はわかってくれない」と思われるかもしれない．そこで驚き，話によっては「殺意が起こるほど腹立たしいのですね」と言うかもしれないし，「自分でもそんな気持ちが起こって驚いたんですね」となるかもしれない．少なくとも，ただうなずけばよいというものではない．

したがって，後述のように，支援者がとっている態度を自ら検討し，そのうえで支援に必要なコミュニケーション能力を発揮することが重要である．たとえば，授業での面接の練習は，単にノウハウやテクニックを習得する場ではなく，そのようなコミュニケーションが支援対象者にもたらす意味や内容を理解し，どのような態度が適切かを探求する場であるといえる．

2 ・コミュニケーションは手段である

コミュニケーションは良好な人間関係を築くための手段である．コミュニケーションをとることが目的化すると，どんなときにもコミュニケーションをとらなければと思い，結果として良好な人間関係が築けない場合もある．たとえば，支援対象者が過去に対人関係で心理的に深い傷を負い，対人不信が拭えないでいることもある．そのような支援対象者に対しては，その人が安心感をもって他者とかかわれるようになるまで，積極的なコミュニケーションをとらずに待つことも大切であろう．

3 ・適切なコミュニケーションは状況によって異なる

コミュニケーションをとることは，良好な人間関係を築くうえで重要であるが，どんな場合も同じコミュニケーションが適切というわけではない．深い悲しみに暮れている支援対象者には，多くの言葉をかけるよりも，黙ってそばにいることが望ましい場合がある．したがって，「AならばB」という法則やマニュアルが決

まっているわけではなく，全体的な状況を理解し，どんなコミュニケーションがふさわしいかをその場で考えなければならない．

4 • コミュニケーションはプロセスである

コミュニケーションは1回，1往復で終わるわけではなく，その人と関係が続くかぎり永遠に続く相互作用が存在するプロセスである．支援対象者とすぐに良好な人間関係が築けるわけではなく，築かれた良好な関係が一瞬で崩れることもある．コミュニケーションをとりながら，相手との関係を常に推し量ることが必要である．たとえば，支援対象者が表面的な事実ばかりを話して，心情を表さないときは，支援者をまだ信頼していないことがわかる．一方，支援対象者が自分自身の気持ちや，ふだん他者にはあまり話さないようなことを話し始めたときには，支援者に信頼をおき始めたことがわかる．このようにコミュニケーションをとりながら，関係性をみる力も必要である．

また，良好な人間関係も，ちょっとした発言や態度で変化することがある．支援者の発言や言動が支援対象者にどのような影響を与えているかを推測しながら，関係の変化に気づき，対応を変更，修正することも必要である．

5 • コミュニケーションによって支援者自身の心情も動かされる

支援者も心情をもつ人間である．したがって，支援対象者の発言や行動に応じて，支援者の心情も動かされる．そのような自身の変化に気づき，その変化を深く理解することも大切である．たとえば支援対象者は，さまざまな理由や背景によって，支援者に攻撃的な発言や行動を向けることもある．そのときに大切なことは，心情が動かされないことではない．心情が動かされていることに気づくことである．支援者は常に冷静で，客観的な立場でいられるわけではない．相手の言動に自分の気持ちがときには巻き込まれながらも，自分自身の心の動きを深くみつめ，それをも手がかりにして支援対象者の理解につなげ，そのときの最善の対応ができるようにならなければならない．

3　良好な人間関係とは何か

良好な人間関係と一口にいっても，それは対象によって異なるであろう．支援対象者との関係においては，支援対象者が支援者と信頼関係をもち，自己の問題解決や成長に向けた動きができる状態といえるだろう．というのも，支援対象者が「この人になら安心して話ができる」と感じられる関係があるときに，支援対象者の自己理解が進み，支援者と問題解決のための共同作業に進みやすいからである．支援者が支援対象者との信頼関係の構築を目指すのは，支援者の支援のためである．

一方，ほかの専門職との協働や連携も必要になる．また，地域や家族とのかかわりも必要になる．このときの良好な人間関係は，協働や連携がしやすい関係，仕事や協力的な作業が進みやすい関係である．これらの場面において必要なコミュニケーション能力は，支援対象者に対するものと重なる部分もあれば，異な

る部分もあるだろう．

4　コミュニケーションの背景にある基本的態度

1・支援者の態度

　コミュニケーションを行う際の支援者の態度が重要であると前述したが，支援者の態度にはどのようなものがあるだろうか．支援者がとりうる態度は5つに分類できる（**表1**）[2]．支援対象者との良好な人間関係を作るにあたっては，⑤理解的態度が重要である．

■ 表1　支援者がとりうる5つの態度

①評価的態度 (evaluative)	相手の発言や行動について，善悪，正しさ，適切さ，効果などについて判断しようとする態度
②解釈的態度 (interpretative)	相手の発言や行動について，その意味や理由を示そうとする態度．相手の考えるべきことを暗示するような態度
③診断的態度 (probing)	その人の問題について，もっと知りたい，もっと情報を得たいということを示す態度
④支持的態度 (supportive)	相手の思いを肯定，保証し，深刻な感情を和らげる，不安を軽減させ，安心感を与える，というようなことを目指す態度
⑤理解的態度 (understanding)	相手の述べた内容，感情，考え方やものの見方などを正しく理解していることを示そうとする態度．あるいは，それらを正しく理解しているかどうかを確認しようとしているもの

文献2）を参考に作成

　それ以外の態度は，支援対象者にどのような影響をもたらすのだろうか．
　①評価的態度は支援対象者を評価し，するべきことを外側から指示し，動かそうという態度である．そのような態度では，支援対象者は自ら問題の解決には動かない．
　②解釈的態度は，因果関係の説明である．まず，支援対象者を外側からみて，解釈しようという他人事の態度では，支援者との信頼関係は生まれない．
　③診断的態度は原因の探求である．原因がわかったなら，それに対する対処方法を考える．医療現場では，一般的に用いられる態度であるが，医療と異なり，心理的支援には客観的な答えがみえないことが多い．また，このような態度は結果として，支援対象者が支援者に問題解決の答えを求めるようになり，支援対象者自身の学習や成長の機会を奪うことになりかねない．
　④支持的態度は温情的で，相手を慰め，不安を緩和するよい態度のように思える．しかし，このような支援者の態度によって，支援対象者は支援者の保証やなぐさめがなければ判断できない依存的な状態となり，主体的な対処が妨害されてしまう．
　⑤理解的態度は，支援対象者に「私の気持ちを理解された」という感情をもたらす．理解されているという感情は，支援者に対する信頼を生む．つまり，⑤理解的態度がなければ信頼関係は深まらないのである．これは，**ロジャーズ Rogers, C.** が述べる「共感的理解」に近いものである．

→ロジャーズ p.74参照

2 • 共感的理解とは

共感的理解は，単に「あなたのことはわかります」といえばよいのではない．諸富祥彦によれば，共感的理解の大切なポイントの1つは，相手の「心の内側のフレーム」に立って，その人自身になったつもりで，相手をその内側から理解することであるという[3]．そこで理解すべきものは，支援対象者からみえる主観的な世界と，その人が歩んできた物語である．つまり，「もし，私がこの人で，この人と同じ価値観をもち，この人と同じ感じ方，考え方をしているのだとすれば，確かにこんなふうに思うだろうなあ」と相手の現在の心情や，現在の心情に至るまでの経緯を，その人の内面から理解しようとする姿勢である．

理解的態度をとったからといって，相手のことをすぐに理解できるわけではない．理解できているかどうかの確認もなく「わかります」というのは，わかったつもりになっているにすぎない．理解できていることを確認するために「あなたは○○について，〜と思っているんですね」と自分の理解を伝えることが必要になる．そのときに「それは違います」と言われたら，「では，〜ということでしょうか」と，自分の理解を修正しながら，正確な理解に近づいていくことが重要である．はじめから正確な理解に到達するわけではない．

5　支援者として必要なコミュニケーション能力

1 •「きく」力

支援者としてもっとも必要なコミュニケーション能力は「きく」力である．理解的態度をもって話をきこうとする場合，それは質問する意味での「訊く」ではなく，ただ話すのを「聞く」でもなく，内容を理解しようとして意識して「聴く」こと，すなわち，傾聴することを示す．「聴く」ために必要な技法の例を**表2**に示す[4) 5) 6)]．

①開かれた質問，②うなずき，はげましは，支援対象者が語るのを助ける．しかし，うなずいているだけで理解できるわけではない．そのため，③言い換え，明確化，④要約，⑤感情の反映のように，相手の言いたいことを理解できている

■ 表2　支援対象者が良好な関係を作るための主なコミュニケーション技能

①開かれた質問	「はい」「いいえ」で終わってしまう質問ではなく，支援対象者が自由に話ができる形式の質問を行う（○○について，もう少し詳しく教えてもらえますか，など）
②うなずき，はげまし	「うん，うん」「なるほど」「そうですか」などの相づちを伴ううなずき．支援対象者が言った言葉のなかで，キーワードになる言葉を反復する．話に興味，関心をもって聴いていることを示すと同時に，何を聴きとったかを伝えるのに役立つ
③言い換え，明確化	支援対象者が話したい内容について，何をどのように聴きとったのかを伝える．支援対象者の言葉も用いつつ，支援者の言葉で理解した内容を的確に伝える
④要約	支援対象者が話した内容全体を把握し，支援者が理解した内容をまとめて伝える
⑤感情の反映	支援対象者が話したいことの心情的側面に注目し，それを理解して伝える

文献4）5）6）を参考に作成

かどうか確認する必要がある．大切なのは，支援対象者が話すこと（事実内容）だけではなく，話したいこと（心情）を理解することである．

ただし，心情には意志と感情が含まれるが，意志はとらえやすく，理解したつもりになりやすい．たとえば，学校に行けない子どもに「学校に行きたいんだね」と言えば，「うん」と応えるかもしれないが，それは当然である．だからといって子どもの理解が進むとは限らない．学校に行けないでいる支援対象者の現在の感情（悔しいのか，悲しいのか，絶望を感じているのかなど）を汲みとり，共感的に支援対象者の心情を理解することが重要である．

2・「みる」力

支援対象者の話す内容から，支援対象者が抱えている問題について，環境的観点，発達的観点，医学的観点など多角的観点から「観る」，すなわち，アセスメントすることが必要となる．

また，その場での支援対象者の心情や，支援者自身との関係も「観る」必要がある．たとえば，「話していて，ふと，思ったんですけど」と言えば，支援対象者の内面に気づきが生じたことが読みとれる．また，「先生には，お子さんはいるんですか」と言われれば，興味の対象が支援者に移り，たとえば，「子どもがいないあなたには，子どもの問題を抱える私の気持ちはわからないでしょう」という思いが生じているのかもしれない．そのような現在の場で起こっていることについても「観る」必要がある．

6　専門的職業人としてのコミュニケーション能力

前述のとおり，公認心理師はほかの専門職との協働や連携，地域や家族とのかかわりも必要になる．このような関係者と良好な人間関係を作るためには，次のようなコミュニケーション能力が必要になるだろう．

1・チームで協働・連携するための力

それぞれの現場では多職種のチームが形成される．当然ながら見方も違い，意見も異なる．そのようななかで話を聴き，質問するだけでなく，意見を述べる，説明する，提案する力が求められる．仕事に関してときには相手に依頼したり，相手からの依頼を断ったりすることも必要となる．チームで協働・連携するには，意見交換や仕事の調整のためのコミュニケーション能力が求められる．

また，チームの上司やリーダーとの関係では，上司やリーダーと意見を交換し，指示に従って動くことも必要となるだろう．一方，自分が上司やリーダーとして，部下や同僚の意見を引き出したり，努力や行動を評価し，能力を発揮させたりすることも必要である．

2・説明する力

ほかの職種や地域，家族に対しては，専門的観点からの知見や意見を説明することが求められる．このときに，心理用語を一般の人にもわかりやすく説明する

力が必要となる．また，個別に説明をするだけでなく，企業研修や学校での保護者会など，多くの人に説明することが求められる場面もある．このような多くの人を前に説明する能力も必要である．

　支援者として，支援対象者にかかわる以外のコミュニケーション能力を軽視してよいわけではない．一般的な職業人と同等に，あるいはそれ以上にコミュニケーション能力を高めることが，公認心理師の仕事を行ううえで必要である．

■ 引用・参考文献
1）池田謙一：コミュニケーション．心理学辞典（中島義明ほか編），p277-278，有斐閣，1999
2）伊東博：カウンセリング，第4版．誠信書房，1995
3）諸富祥彦：傾聴．カウンセリングテクニック入門（岩壁茂編），p54-58，金剛出版，2015
4）大谷佳子：対人援助の現場で使える聴く・伝える・共感する技術便利帖．翔泳社，2017
5）大谷彰：カウンセリングテクニック入門．二瓶社，2004
6）Allen E. Ivey：マイクロカウンセリング（福原真知子ほか訳）．川島書店，1985

16章 心理に関する支援

5 心理療法やカウンセリングの適用の限界

1 心理療法・カウンセリングの限界

　心理療法やカウンセリングにも，当然ながら限界も副作用もあり，ときには有害な場合さえありうる．

　松木邦裕は，精神分析の対象関係論学派の立場から，初心者が担当するのにふさわしいケースと避けたほうがよいケースがあるとしている．初心者にふさわしいケースとは，ヒステリー*1や恐怖症（不安ヒステリー）*2，強迫神経症などのような治療関係のなかに転移が生じやすい「転移神経症」とよばれていたものである[1]．

　反対に，初心者が避けたほうがよいケースは，精神病圏内，心気症，中核的摂食障害，性倒錯，嗜癖，自傷・自殺傾向の強いパーソナリティ障害，ひきこもり傾向の強い自己愛性パーソナリティ障害などをあげている．後者のほうは，初心者に限らず困難事例になりやすいものとして，心理師はその限界を十分に意識する必要がある（表1）．

用語解説

*1　ヒステリー

ここでは演技性パーソナリティ障害や転換性障害などを指していると考えられる．

用語解説

*2　恐怖症（不安ヒステリー）

松木は，「恐怖症（不安ヒステリー）」と表記している[1]が，なんらかの物語性や象徴性（たとえば父親への恐怖が馬恐怖症になるというような）をもった恐怖症と考えるべきであろう．

■ 表1　困難化・長期化しやすい病理（個人療法・グループ療法ともに）

問題	困難・長期化しやすい理由
精神病圏，とくに統合失調症	洞察や自己開示，もしくは過去を振り返ることを促す介入によって，混乱や再発を招きやすい
心気症・心身症	そもそも心理療法的介入の効果が疑わしい
摂食障害中核群	長期化しやすい（約1/3は長期化する）
性倒錯	心理療法の効果が疑わしい
嗜癖	個人療法とグループ療法の併用が望ましいが離脱率が高い
自傷行為	長期化しやすい
自殺傾向の強いパーソナリティ障害	定期的なかかわりのみではフォローしきれない
ひきこもり傾向の強い自己愛性パーソナリティ障害	新しい行動選択が難しく，長期化しやすい

文献1) 2) 3)を参考に作成

2 心理療法の効果と限界に関する研究

　古くは，アイゼンク Eysenck, H. が精神分析的心理療法と折衷的心理療法を受けた8,000事例あまりの改善率を，心理療法を受けずに自然治癒したと考えられる500人ほどの対照群と比較した研究がある[4]．アイゼンクはこの研究により，不安神経症（現在のパニック症や不安症）の治療に関して，心理療法による治癒率は自然治癒と変わらないだけでなく，場合によっては逆効果であると主張した．

しかし，これは後にさまざまな形で反証された．まずは，バーギン Bergin, A. によってアイゼンクの研究の基準や自然治癒率の算出の仕方の不透明さが指摘され，さらに同じデータを再分析したところ心理療法に効果があるとの結論に達した[5]．バーギンの反論がきっかけとなり，多くの効果研究が盛んになった．

このようにして近年のさまざまな心理療法の効果に関するメタ分析は，心理療法のゆるぎない効果を明らかにしてきた（たとえばウォンポールド Wampold, B.[6]）．そして，心理療法の効果研究の成果と最近の動向をレビューした金沢吉展[7]によると，1980年代以降は，何が心理療法の効果を左右するのか，どのようなクライエントのどのような問題に対して，どのようなセラピストがいつ何の技法を実施すれば最も効果が上がるのか，という細かい疑問に対する答えを追究することが主たるテーマになっている．その結果，「何が心理療法の効果を左右するのか」ということに関して以下のようなことが重ねて示された．

①心理療法は効果があること．心理療法の効果は多くの場合，長期間維持されること
②さまざまな学派のあいだには効果のうえで，とくに大きな違いはみられないこと．すなわち，ある特定の心理療法のモデルがほかよりも優れていることはないということ
③心理療法の効果には，モデルの違いよりも，モデル間の類似点（あるいは共通点）が影響を与えていること

また，セラピーに存在する共通要因に注目して，心理療法の成果に関する膨大な研究をメタ分析によってまとめたランバート Lambert, M. は，セラピーの種類に関係なく，共通に存在する「クライエントの変化にとって有効な治療的要因」として治療外要因，治療関係要因，期待（プラセボ効果）要因，技法要因の4つを抽出している[8]．また，彼によると，セラピーの効果要因の比率は図1のようになるという．

ランバートが明らかにしたことのインパクトは，技法要因が思いのほか小さく関係性要因が大きいこと，そして何より治療外要因が最大であったことである．

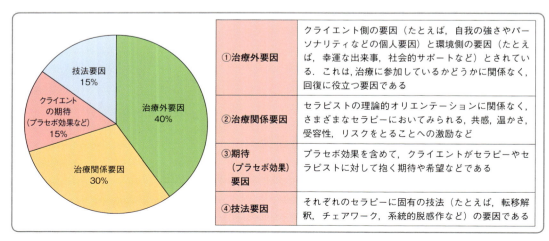

図1　セラピーの効果要因の比率
文献8）を参考に作成

つまり，これは心理療法(支援)の共通要因を明らかにしていると同時に，心理療法(支援)の限界をも浮き彫りにしたということである．つまり心理療法の固有の効果は，せいぜい6割程度であると示したのである(**図2**)．これを「6割もある」ととるか，「6割しかない」ととるかは別として，我々は謙虚さをもちながらも，卑下しすぎないという両方の感覚をバランスよくもつことが大切であると考えられる．

そして，現在エビデンスを備えた介入法を含めて，心理療法が十分に効果的なのかどうかという疑問はいまだに残ったままである．

たとえば，**ウエステン Westen, D.** らによれば，うつに対する認知行動療法は，最も実証的なデータが豊富なアプローチであるが，クライエントの改善率は60%に満たず，1年後のフォローアップ時で改善を維持しているクライエントは30%前後であるという[9]．

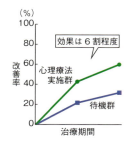

図2　一般的な心理療法の効果

3　心理療法の中断と失敗

クライエントの問題が解決する前に，クライエントが一方的に来談を中止することを「中断」(drop out)とよぶ．岩壁茂[10]によれば，欧米におけるいくつかのメタ分析による中断率の平均は42〜50%程度であり，クライエントの約半数が中断していた．また，この中断と相関をもった変数は，クライエントの人種，社会経済的地位，教育水準などであった．

さらに岩壁[11]によれば，このような心理療法の中断や失敗は「負の相互作用」，あるいは「負の相補性」(negative complementarity)とよばれる，セラピストとクライエントが互いに怒りと敵意を増幅させてしまうことによるものが多いとされている．すなわち，クライエントはこれまでに培ってきた対人関係パターンの反復として，セラピストに陰性の反応を起こすことが多く，さらにその対人的な状況を自分で対処することが難しい．それゆえにこそ，このような状況は，クライエントの不適応的な対人パターンや葛藤を扱うまたとないチャンスでもある．けれども，セラピストがそれに対して怒りで対応して(**図3**)，互いの怒りを増幅させてしまうことによって心理療法が失敗または中断することが多いとしている．

このような負の相互性や負の相補性は，転移や逆転移[*3]とよばれる現象よりも，より普遍的・一般的なものであるとされている．また，この負の相補性についての**ストラップ Strupp, H.** の研究を，さらにより多くの事例を対象にして検証した**ヘンリー Henry, W.** らの研究[12]によれば，それまで行われてきた臨床訓練において，このようなネガティブなセラピスト－クライエント関係に気づき，それに対して効果的に反応することに関する訓練が欠けていたとしている．そして，臨床トレーニングにおいて，対人関係プロセスと治療技法をより直接的に統合する必要があると提言している．

図3　セラピストによる怒りの対応

＊3　逆転移
セラピストがクライエントに対して特別な思い入れを抱くこと(p.557 第25章参照)．

4 わが国における研究と論考

わが国におけるこのテーマに関する数少ない研究の1つとして、水島広子は16回の対人関係療法による神経性大食症患者の治療終結時点において、国際的な治療成績と同等の効果である寛解率36％が示されたとしている[13]．これはとくに短期治療としては、とてもすぐれた改善率となる．さらに水島は、国際的なデータでは、対人関係療法の短期治療を受けた患者は、治療終結後もその効果が伸び続け、1年後の時点では、先行して高い寛解率を示していた認知行動療法との有意差がなくなり、6年後までフォローアップすると、認知行動療法よりも高い寛解率を示すようになることが示されているとしている[13]．

ただし、日本においては上記のような、実証的な効果研究はあまり行われていないため、心理療法の効果や限界も量的な形ではほとんど示されていない．

たとえば鍋田恭孝は、ロジャーズ派のカウンセリング、精神分析、ユング心理学(分析心理学)の代表的な3学派は、すべて人格の成長や統合を目指しているものと述べている[14]．これは言い換えれば、なんらかの問題解決を目指すものではなく、緊急性のある問題については無力であるし、問題解決の相談をするつもりで治療を受けると、幻滅したり、いつまでも解決の糸口が得られない可能性が高いとして、表2のように、それぞれの学派のできないことを整理している．

また、林もも子は、ロジャーズ派のカウンセリングについて、その発達論、病理論、技法論の欠如のために、パーソナリティ障害や精神病のクライエントに対応しにくいこと、さらには治療者に逆転移の認識が弱いという限界を指摘している[15]．

さらに小羽俊夫は、同様に精神分析的精神療法について、「無意識的な情緒的コミュニケーションの媒体として物語性をもったイメージが自由連想のなかで語られることが重要」とし、「非常に破滅的な不安が強く、派生的無意識コミュニケーションが非常に制限され、自由連想のなかにほとんど意味深い物語的イメージをもち込めない一群がある」としている[16]．

さらに鍋田は狭義の心身症(喘息、胃潰瘍、潰瘍性大腸炎など)に対する心理療法の意義は、近年ますます疑わしいとしている．また、少なくともわが国においては、性機能障害については心理療法の効果はほとんど望めないという．そして「パラフィリア(性倒錯)」に関しては、その本質は何もわかっていないとし、今後

■ 表2 3学派における「できないこと」

学派	できないこと
精神分析	自分の心を整理したい、発達に伴う混乱を解決したいと考える人には適さない．職業への適性や、青年期的な職業選択で悩んできた患者は、その問題とは異なる方向へ向けられ、いま直面している問題はないがしろにされる．新たな問題に導かれかねず、いっそう混乱を深めてしまうことすらある
ユング派の分析心理学	シンボルを扱う能力の高い人や内的なイメージの豊かな人に適しているが、逆にイメージの展開しにくい人(夢を見ない、箱庭を作れないなど)には適さない
ロジャーズ派のカウンセリング	あらゆる心理療法の基本であり、それ自体の危険性はあまりない．しかし、積極的な対応が必要な場面でも、ひたすら傾聴しつづけるため、何一つ解決しないということも多い

文献14)を参考に作成

の課題としている[3]．

　以上のような現状を踏まえて，近年では，前述した対人関係療法，さらには弁証法的行動療法，アクセプタンス・アンド・コミットメントセラピー，動機づけ面接，スキーマ療法，感情焦点化療法(EFT：emotionally focused therapy)，加速化体験力動療法(AEDP：accelerated experiential dynamic psychotherapy)などのカウンセラーがより積極的にかかわるセラピーが盛んになっている．また，スキーマ療法やAEDPのように，クライエントを温かく肯定しながら，「今ここで」の体験を促進するセラピーの効果が今後一層期待される．

■ 引用・参考文献
1) 松木邦裕：私説対象関係論的心理療法入門―精神分析的アプローチのすすめ．金剛出版，2005
2) 前川あさ美：摂食障害の悩みに対する援助．心理療法のできることできないこと(鍋田恭孝ほか編)，p126-150，日本評論社，1999
3) 鍋田恭孝：実践心理療法―治療に役立つ統合的・症状別アプローチ．金剛出版，2016
4) Eysenck HJ：The effect of psychotherapy―an evaluation. Jounal of Counseling and Clinical Psychology 16：319-324，1952
5) Bergin AE：The evaluation of therapeutic outcomes. Handbook of Psychotherapy and Behavior Change（Bergin AE et al），Wiley，1971
6) Wampold BE：The Great Psychotherapy Debate―Models, methods, and findings. Routledge，2001
7) 金沢吉展：効果研究とプログラム評価研究．臨床心理学研究(下山晴彦ほか編)，p181-202，東京大学出版，2002
8) Lambert MJ：Implications of outcome research for psychotherapy integration. Handbook of psychotherapy integration（Norcross JC et al），New York: Basic，1992
9) Westen D et al：A multidimensional meta-analysis of treatments for depression, panic, and generalized anxiety disorder―An empirical examination of the status of empirically supported therapies. Journal of Counseling and Clinical Psychology 69（6），875-899，2001
10) 岩壁茂：カウンセリング・心理療法の効果．カウンセリング・心理療法の基礎―カウンセラー・セラピストを目指す人のために(金沢吉展編)，p177，有斐閣，2007
11) 岩壁茂：心理療法・失敗例の臨床研究―その予防と治療関係の立て直し方．p80-81，金剛出版，2007
12) Henry WP et al：Structural analysis of social behavior―application to a study of interpersonal process in differential psychotherapeutic outcome. Journal of Consulting and Clinical Psychology 54（1）：27-31，1986
13) 水島広子：対人関係療法(IPT)の有効性に関する研究．厚生労働科学研究費補助金研究総括報告書「精神療法の有効性の確立と普及に関する研究」(代表：大野裕)，76-82，2010
14) 鍋田恭孝ほか：心理療法のできることできないこと．日本評論社，1999
15) 林もも子：ロジャース派(クライエント中心療法)．心理療法のできることできないこと(鍋田恭孝ほか編)，p27-29，日本評論社，1999
16) 小羽俊夫：精神分析的精神療法．心理療法のできることできないこと(鍋田恭孝ほか編)，p53-68，日本評論社，1999

6 プライバシーへの配慮

1 専門家の倫理とプライバシーへの配慮

「個人情報保護法(個人情報の保護に関する法律)」が2003年に成立し，個人情報の定義や適正な取り扱いに関して定められた．

また，公認心理師には秘密保持義務が定められており，公認心理師法第41条には，「公認心理師は，正当な理由がなく，その業務に関して知り得た人の秘密を漏らしてはならない．公認心理師でなくなった後においても，同様とする」とある．心理的支援においてプライバシーへの配慮をすることは，あまりに当然のことではあるが，実際に行うとなると非常に難しく，複雑な問題が絡むこともある．ここでは，心理臨床家が考えなければならない職業倫理のなかでも，中核の1つであるプライバシーへの配慮について取り上げ，その基本的な姿勢や注意点，諸問題について整理する．

まず，プライバシーへの配慮が，専門家の行動指針のなかで，どのように記されているかを確認したい．「職業倫理の7原則」には，第5原則に「秘密を守る」という項目が入っている[1)2)]．専門家として「秘密を守る」という行為は，「限定つきの秘密保持であり，秘密保持には限界がある」．限界があるということは，例外的にクライエントの秘密をもらす場合があるということである．専門家として，その判断を下すことは，ときに非常に悩ましいことであるが，だからこそ原則をよく理解しておく必要がある．

アメリカ心理学会(APA：American Psychological Association)[3)]の「心理学徒の倫理原則(ethical principles of psychologists)」にも「秘密保持」の項目が含まれており，これを参考にして作成された「一般社団法人日本臨床心理士会倫理綱領」(以下，「倫理綱領」と記す)[4)]の第2条に，「秘密保持」がある．少し長くなるが，重要なものなので以下に抜粋し，記す．

一般社団法人日本臨床心理士会倫理綱領

第2条 秘密保持
　会員は，会員と対象者との関係は，援助を行う職業的専門家と援助を求める来談者という社会的契約に基づくものであることを自覚し，その関係維持のために以下のことについて留意しなければならない．
1　秘密保持
　業務上知り得た対象者及び関係者の個人情報及び相談内容については，その内容が自他に危害を加える恐れがある場合又は法による定めがある場合を除き，守秘義務を第一とすること．
2　情報開示
　個人情報及び相談内容は対象者の同意なしで他者に開示してはならないが，開示せざるを得ない場合については，その条件等を事前に対象者と話し合うよう努めなければならない．また，個人情報及び相談内容が不用意に漏洩されることのないよう，記録の管理保管には最大限の注意を払うこと．
3　テープ等の記録
　面接や心理査定場面等をテープやビデオ等に記録する場合は，対象者の了解を得た上で行うこと．

2 守秘義務と記録

倫理綱領の第2条1項を読むと,「自他に危害を加える恐れがある場合又は法による定めがある場合を除き,守秘義務を第一とすること」とある. この「守秘義務」は,心理臨床家に限らず,医師・看護師・弁護士・教師・介護士など,対人援助職として個人情報に密にかかわる専門家が必ず背負うべき義務である. なぜなら,秘密を守ることが,個々の専門家を信じ,安心して頼るうえでの基盤となるからである. そして,もし1人の専門家が守秘義務を果たさず,クライエントの秘密を漏洩したことが公になれば,その専門家全般への不信感が社会に広がりかねない. カウンセリングを行う際には,できるだけ早い段階で,クライエントに「守秘規程」を示し,守られる秘密の範囲と守秘の限界について誠実に説明し,話し合い,承諾を得る.

また,秘密を守るうえで,記録の取り扱いには細心の注意が必要である. 倫理綱領には,「テープ等の記録」について「面接や心理査定場面等をテープやビデオ等に記録する場合は,対象者の了解を得た上で行うこと」(第2条3項)とあるが,すべての記録は,事前に来談者の了承を得る必要がある.

そして,手書きの記録や電子データは,二重ロックが可能な場所などに厳重に保管・管理しなくてはならない. 各職場の「個人情報取扱い規程」などがある場合には,そのルールに従う. 記録の保存年限のルールや電子機器(ファクス,電話,パソコン,タブレット,USBメモリなどの補助記憶装置)の取り扱い方などの規則をよく確認する. 近年のインターネット環境の発展により,個人情報流出の事件が絶えないが,記録に使用するパソコンをインターネットにつながないなどの工夫が必須である.

3 秘密を第三者に伝える場合

倫理綱領第2条1項に,守秘義務をこえてクライエントの秘密を第三者に伝える場合として示されている「法に定めがある場合」,「自他に危害を加える恐れがある場合」などについては,1章4節(→ p.25)を参照されたい.

ここでは,「法に定めがある場合」について考えてみたい. たとえば,児童虐待に関しては,「児童虐待防止法(児童虐待の防止等に関する法律)」[5](平成12年施行. 平成16年,平成20年,平成29年改正)の第6条に,国民の義務として通告義務が記されている. また,第6条第3項には,守秘義務より通告義務が優先されることが明記されている.

「児童虐待防止法」と同様に,「高齢者虐待防止法(高齢者虐待の防止,高齢者の

> 児童虐待防止法（児童虐待の防止等に関する法律）
>
> 第6条　児童虐待を受けたと思われる児童を発見した者は，速やかに，これを市町村，都道府県の設置する福祉事務所若しくは児童相談所又は児童委員を介して市町村，都道府県の設置する福祉事務所若しくは児童相談所に通告しなければならない．
> （中略）
> 3　刑法（明治四十年法律第四十五号）の秘密漏示罪の規定その他の守秘義務に関する法律の規定は，第一項の規定による通告をする義務の遵守を妨げるものと解釈してはならない．

養護者に対する支援等に関する法律）」[6]（平成18年施行）および「障害者虐待防止法（障害者虐待の防止，障害者の養護者に対する支援等に関する法律）」[7]（平成24年施行）においても，守秘義務より通報義務が優先されることが明記されている．

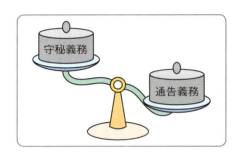

4　情報開示する際の注意点

　例外的にクライエントの秘密を第三者に伝える場合，これを実際に行うという判断をするのは，決して容易なことではない．とくに，どの程度危険が迫っているのかという判断は難しいものである．カウンセリングをしていると，自他への危害についての危険性を査定しながら，適切に対応する必要に迫られる場面にときどき出合う．「守秘義務」をこえて「警告義務」「通告（通報）義務」を優先させるかを見極める目をもつには，十分な知識と経験が必要となる．また，実際に情報を開示する場合に考えておかなければならない点が多々ある．それらの注意点について整理する．

　まずは上述したとおり，危険性の度合いの判断である．自傷や他害がどのくらい現実的にイメージされているか，実際に準備のために行動を起こしたことがあるか，自傷他害以外の方法を取りうる可能性の有無，クライエントの衝動性の強さ，アルコールや薬物などの摂取，心身の健康状態など，多角的・総合的に判断する必要がある．

　また，情報を伝える相手の選択についても慎重さが要求される．伝えるべき第三者は，家族なのか，医療機関やそのほかの関係機関の専門家なのか，クライエントの友人・恋人または教師などの関係者なのかなど，相手への伝達手段の有無も含めて検討する必要があろう．

　クライエントが未成年か成人かによって，家族（保護者）に伝えるかどうかの判断にも影響する．伝える相手が専門家の場合も，どのような専門家なのかによって，守秘義務のとらえ方が異なる場合があるため，注意が必要である．さらに，情報を伝えるタイミングや伝え方は，その後の危機対応についてどのような見通しがあるかによっても変化する．伝達内容については，目的に合わせ，必要最小限に留める配慮が必要である．

　前述の倫理綱領には，「開示せざるを得ない場合については，その条件等を事

前に対象者と話し合うよう努めなければならない」(第2条2項)とあり，もちろん事前に十分話し合い，説明する努力を怠ることはできないが，仮に事後報告となる場合にも，極力早急にていねいに説明するなどの真摯な姿勢が必要であろう．

このようなさまざまな判断や対応は，ときに複雑な思考を必要とし，かつ迅速さを求められる．ベテランの心理臨床家であっても精神的に動揺することもあるだろう．同僚や上司，組織のトップ(施設長など)に意見を求め，相談することも大切である．機関や組織の方針も確認し，考慮する必要もある．また一連の流れについて，時系列に従って詳細な記録をとることも重要である．

<情報開示する際の注意すべきポイント>
・危険性の度合いの判断　　　　・カウンセリング対象者への説明および話し合い
・情報を伝える相手の選択　　　・同僚や上司との相談
・情報を伝えるタイミングや伝え方　・機関や組織の方針の確認
・伝達する内容　　　　　　　　・記録をとる

5　コンサルテーションやスーパービジョンおよび事例検討会における情報の扱い

コンサルテーションやスーパービジョンおよび事例検討会を実施する際に，クライエントの情報をどのように扱うかについては，心理臨床家として知っておくべき事項であろう．

基本的には，いずれの場合であっても，個人が特定される情報については開示しないのが原則である．目的に必要のない情報はできるかぎり削除し話し合いを進めていく．たとえば，クライエントの実名は用いずに「A子」という表現を用いたり，住んでいる地域や所属している職場(学校)は特定されないような配慮が必要である．また配付資料は，すべてに連続したナンバーを記し，終了後にすべて回収し，ナンバーを確認したうえで，シュレッダーで廃棄する必要がある．

6　医療保険による支払いの際の情報開示

日本はすべての国民が何らかの医療保険制度に加入し，病気やけがをした際に医療給付を受けられる国民皆保険制度である．医療保険による支払いが行われる場合は，秘密保持の例外状況にあたり，クライエント(患者)の情報が第三者に伝わることになる[2]．当然保険の業務に携わった者にも法律上秘密保持が求められている(国民健康保険法第121条，厚生年金保険法第79条)．しかし，クライエントによっては，保険を使用する際の一連の手続きによって個人情報が他者(たとえば，家族，保護者，勤務先，公的機関等)に伝わってしまう心配と，保険適用の経済的利点との間で，何らかの葛藤を生じる場合がある．保険適用について，クライエントとの間に適切な説明や話し合いが必要となることがある．

7 裁判における情報開示や法廷証言など

　公認心理師が，裁判所から証人や鑑定人を命じられる場合も，秘密保持の例外状況として扱われる．証人とは，過去の経験から知り得た事実を法廷で報告するよう命じられた第三者のことである．法廷では，証人は宣誓をしてから証言を行う義務があり，虚偽の答弁は偽証罪にて罰せられる．

　また，鑑定とは，裁判官の判断能力を補充するために特別な学識経験を有する第三者にその専門知識またはこれに基づく事実判断について報告させる証拠調べであり，鑑定を行う者を鑑定人とよぶ．鑑定意見の報告は，書面や口頭により行う．

　裁判では，面接記録の扱いを含めた情報開示の範囲の決定をする際，さまざまな法律，状況，立場を考慮に入れる必要がある．実際，複数の関係者や組織などの多くの要因が複雑に絡み合うことも多いため，法律の専門家や関係者と緊密な連携を取りながら，慎重に判断する．

8 そのほか，プライバシーへの配慮にかかわる事項

　上記に記したもの以外にも，心理臨床を行っていくうえでプライバシーへの配慮にかかわる事項がいくつか考えられる．たとえば，「未成年のクライエントについてどのように対応すべきか」[2]は，子どもや教育にかかわる臨床現場で働く心理臨床家には身近な問題である．子どもの問題に関して，適切な支援をするには，家族をはじめ周囲の大人たちの協力を得なければならない場合が多い．その場合，どの程度の情報を誰と共有するのか，保護者からの問い合わせにどう対応するのかなど，考えるべき課題が多くある．

　近年の心理臨床では，アウトリーチ，多職種による訪問支援およびコミュニティ・アプローチが盛んになってきており，連携や協働（コラボレーション）を求められる場面も多い．そこでは，さまざまな専門家間だけでなく，準専門家や非専門家（ボランティアや地域住民）を含めて，種々の情報をやりとりすることがありうる．密室で行われる個人心理療法に比べ，扱われる情報の種類も多く，各種書類，写真・映像，伝聞，目撃情報など多岐にわたる．かかわる人の守秘（義務）への意識も一様ではない．そのため，クライエントの個人情報の扱いはもちろんのこと，地域支援にかかわりをもつ人々へのプライバシーへの配慮は，さまざまなレベルや観点から，その都度慎重に検討される必要がある．

　また，クライエントの死後の守秘義務について，金沢吉展は，現実の事件の例や法的な側面から検討し，「職業倫理的にも，法的にも，クライエントについての情報は，その本人の死後も守らなければならないと考えるのが妥当といえる」と結論づけている[2]．

■ 引用・参考文献

1）金沢吉展：すべきこと，すべきでないこと―カウンセラーの職業倫理．カウンセラー―専門家としての条件，p117-152，誠信書房，1998
2）金沢吉展：秘密を守る―職業倫理の7原則・パート4．臨床心理学の倫理をまなぶ，p133-200，東京大学出版会，2006

3）アメリカ心理学会：心理学徒の倫理原則（Ethical Principles of Psychologists）．1981
4）日本臨床心理士会：一般社団法人日本臨床心理士会倫理綱領
   http://www.jsccp.jp/about/pdf/sta_5_rinrikoryo0904.pdf より 2020 年 1 月 30 日検索
5）厚生労働省：児童虐待の防止等に関する法律
   https://www.mhlw.go.jp/bunya/kcdomo/dv22/01.html より 2020 年 1 月 30 日検索
6）厚生労働省：高齢者虐待の防止，高齢者の養護者に対する支援等に関する法律
   https://www.mhlw.go.jp/stf/seisakunitsuite/bunya/hukushi_kaigo/kaigo_koureisha/boushi/index.html より 2020 年 1 月 30 日検索
7）厚生労働省：障害者虐待の防止，障害者の養護者に対する支援等に関する法律
   https://www.mhlw.go.jp/stf/seisakunitsuite/bunya/hukushi_kaigo/shougaishahukushi/gyakutaiboushi/index.html より 2020 年 1 月 30 日検索

17章 健康・医療心理学

1 ストレスと心身の疾病との関係

この章で学ぶこと

- ストレスと心身の疾病の関係
- 医療現場における心理社会的課題とその支援方法
- さまざまな保健活動において必要とされる心理に関する支援
- 災害時などにおいて必要とされる心理に関する支援

「現代社会はストレスに溢れている」という言葉をよく耳にするが，ストレスは悪いストレスもあれば，自分の励みにもなるよいストレスもある．ストレスは人間の心身にさまざまな影響を及ぼし，それが時に疾患の原因や経過の消長に関与することがある．

本章ではストレスの基礎的な知識から，疾患との関係について論じていく．

1 ストレスとは

本来，「ストレス」という語は物理学の用語であり，「ゆがみ」や「ひずみ」の意を表す．有害な刺激により，生体にはさまざまなゆがんだ反応が引き起こされるが，その有害な刺激をストレッサー，引き起こされた反応をストレスと定義することが多い．

ストレッサーには物理的(寒冷，高温，放射線，騒音など)，化学的(たばこ，薬物など)，生物的(細菌，花粉など)，心理的(職場の対人関係，身近な人の死など)なものがあり，生体はストレッサーの種類に対して特異的反応と非特異的反応を示すといわれている．特異的反応とは特定のストレッサーによって現れる特定の反応(例：高温による皮膚のやけどなど)をさし，非特異的反応とはストレッサーの種類に関係なく生体に生じる反応〔胸腺萎縮，副腎肥大，胃潰瘍(ストレスの3大徴候)など〕のことをさす(図1).

ストレッサー
物理的(寒冷，高温，放射線，騒音など)
化学的(たばこ，薬物など)
生物的(細菌，花粉など)
心理的(職場の対人関係，身近な人の死など)

特異的反応
ストレスの種類に応じた反応
(高温による皮膚のやけど，放射線による臓器障害，細菌による感染など)

非特異的反応
ストレスの種類に関係なく生じる反応
・胸腺萎縮
・副腎肥大
・胃潰瘍
(ストレスの3大徴候)

図1　ストレッサーの種類と反応

2　キャノンのストレスとセリエのストレス学説

　生体はストレッサーに適宜反応して，恒常性(ホメオスタシス)を維持しているが，その恒常性が部分的に壊されると心身の症状につながる．**キャノン Cannon, W.** は，生体の恒常性を乱す外部からの刺激(寒冷，低酸素，低血糖，運動，痛みなど)をストレスと称した[1]．

　その後，**セリエ Selye, H.** は，動物実験の結果から，上述のストレスの3大徴候がストレッサーの種類に関係なく生じる反応であることを発見し，さらにストレスに対する適応の時期を警告反応期，抵抗期，疲弊期に分け，この反応の総和を「汎適応症候群」とよんだ．

　セリエはこの非特異的反応をストレス，原因となる刺激をストレッサーとする心身の一連の状態や経過を「ストレス学説」として発表した[2]．この適応過程における下垂体−副腎皮質系のストレス反応が，現在，ストレスの応答機序として考えられている視床下部−下垂体−副腎皮質(系)軸(HPA軸：hypothalamic-pituitary-adrenal axis)の解明につながっている．

3　ストレスに対する生体の反応

　ストレス応答に関する研究は，酸化ストレス反応や免疫反応など細胞・遺伝子レベルの研究や，視床下部−下垂体−副腎皮質系など内分泌学的機序を介した生理学的な研究，認知・行動・ライフイベンツなど心理社会的レベルの研究など，さまざまなアプローチがある．そのなかでもHPA軸や視床下部−交感神経−副腎髄質(系)軸(SAM軸：sympathetic-adrenal-medullary axis)などの経路は，症状や行動に関係が深い．

　さまざまなストレッサーを感知すると視床下部にある室傍核より指令が出て，HPA軸とSAM軸の2つの経路が活性化される．その結果として，循環・呼吸・代謝・消化・生殖機能などに変化がみられる．これらの反応は生体の恒常性を維持するための反応であり，生理的な変化である．

　実際にみられるストレスによる反応(ストレス反応，ストレス症状)を**表1**にまとめた．反応は身体的，心理的，行動的反応の3つに大きく分けられるが，これらは相互に関連して出現することもあり，また，個人差もある．一方で，ストレッサーの強度が強かったり，ストレス応答が頻回に引き起こされるような状況

■ 表1　ストレス反応として認められる症状，行動

ストレス反応	症状および行動
身体的反応	便通異常（下痢，便秘），過呼吸，動悸，肩こり，頭痛，月経不順などの身体症状として現れる
心理的反応	不安，不眠，緊張，焦燥，気力低下，抑うつなどの精神症状として現れる
行動的反応	生活習慣の乱れと関連し，行動の変化として現れる．ギャンブルやアルコールに依存したり，食行動異常が認められることがある．慢性的に続くとその人の社会状況にも影響を及ぼす

上記が相互に関連して出現することもあり，個人差もある．

に置かれると，恒常性の維持が困難となり，疾患へ移行する．もちろん，疾患への移行は個人の素因も大きく関係している．

4 心理社会的ストレスについて

心理社会的研究として有名なのは**ホームズ Holmes, T.** と**レイエ Rahe, R.** による社会的再適応評価尺度の作成がある[3]（**表2**）．ホームズらは種々の病気の発症前のライフイベンツを評価することで，心理社会的ストレス要因を客観的に評価することを試みた．平均的なアメリカ市民を対象としたストレスの標準化として脚光を浴びたが，疾患の発症予測に関しては個人差が大きく，多くの批判や議論がなされた．

その後，**ラザルス Lazarus, R.** らは人間関係，家事，介護などの daily hassles（デイリーハッスルズ＝日常のいらだちごと）が心身の健康状態の予測に有用であること，また，それらに対する主観的な認知が重要であることを示した[4]．

■ 表2　ホームズとレイエの社会的再適応評価尺度

ランク	ライフイベンツ	点数	ランク	ライフイベンツ	点数
1	配偶者の死	100	23	子どもが家を去って行く	29
2	離婚	73	24	身内のトラブル	29
3	夫婦の別居	65	25	優れた業績をあげる	28
4	刑務所などへの拘禁	63	26	妻の就職，復帰，退職	26
5	近親者の死	63	27	復学または卒業	26
6	自分のけがや病気	53	28	生活状況の変化	25
7	結婚	50	29	生活習慣を変える	24
8	解雇	47	30	上司とのトラブル	23
9	夫婦の和解	45	31	勤務時間や勤務条件の変化	20
10	退職や引退	45	32	転居	20
11	家族が健康を害する	44	33	学校生活の変化	20
12	妊娠	40	34	レクリエーションの変化	19
13	性生活がうまくいかない	39	35	宗教活動の変化	19
14	新しく家族のメンバーが増える	39	36	社会活動の変化	18
15	仕事の再調整	39	37	100万円以下の抵当（借金）	17
16	経済状態の変化	38	38	睡眠習慣の変化	16
17	親友の死	37	39	家族だんらんの回数の変化	15
18	職種換えまたは転職	36	40	食習慣の変化	15
19	夫婦の口論の回数が変わる	35	41	休暇	13
20	100万円以上の抵当（借金）	31	42	クリスマス・お正月	12
21	抵当流れまたは借金	30	43	ちょっとした法律違反	11
22	仕事上の責任の変化	29			

(Holmes TH et al：The social readjustment rating scale. Journal of Psychosomatic Research 11 (2)：213-218, 1967)

過去1年間に起こったライフイベンツを選び，各項目の点数を合計する．200〜300点あれば，半数以上が翌年くらいにストレスの症状が心か身体に現れると予測した．

5　認知的ストレス理論とコーピングについて

　ラザルスらの認知的ストレス理論では，ストレスはさまざまな要因から構成されるシステムであり，ストレッサーとストレス反応を媒介するものとして認知的評価とコーピングが重要視されている[4]．この理論のなかでラザルスらはコーピングを「自分に負荷をもたらすと判断された外的・内的な圧力に打ち勝ったり，それを減少させたり，受け入れたりするための認知的あるいは行動的な努力」と定義した．

　ストレス反応には出来事の個人的な意味合いが重要であり，認知的評価のなかでも「ストレッサーが自分にどれだけの害をもたらすか，脅威になるかの評価」を1次評価，「ストレス反応を軽減する方向にコントロールできるかどうかの評価」を2次評価としている．評価の段階でストレッサーの種類や強さを判断し，解決困難性が高ければ負担を感じることで心理的，身体的な反応が出現し，疾患へと移行する．その一方で，ストレス反応を軽減するためのコーピングが同時に開始される（図2）[5) 6)]．

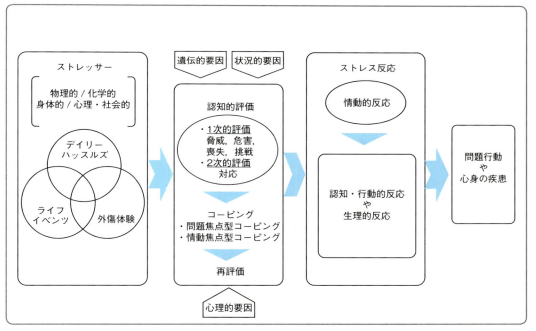

図2　ラザラスとフォルクマンによるストレスのトランスアクショナル・モデル
〔津田 彰ほか：心理・ストレスの科学と健康（二木鋭雄編），p80，共立出版，2008を一部改変〕

　このように，ストレスフルと認識されたストレッサーと，コーピングの相互作用によりストレス反応が生じるというモデルをトランスアクショナル・モデルという．日常的に知られているコーピングの分類として，問題焦点型コーピングと情動焦点型コーピングがある．前者は，ストレッサーとなっている問題を直接解決することを目的としたコーピングで，後者はストレッサーによって生起された情動の調整を目的としたコーピングである．

また，ストレス反応の緩和要因としては，ソーシャル・スキルやソーシャル・サポートなどが挙げられる．社会的に適切で効果的なコミュニケーションを営む技能であるソーシャル・スキルが高いとソーシャル・サポートを受ける機会が増え，また，ソーシャル・サポートはストレス対処方略としてストレス反応を低下させる．

近年，プロアクティブコーピング理論というポジティブコーピングの概念が**シュワルツァー Schwarzer, R.**によって提唱されている[7]．この理論では，従来の生じてしまったストレスに対する対処ではなく，潜在的な，これから生じうるストレッサーへのコーピングを論じている（図3）．プロアクティブコーピングは「挑戦的な目標や個人的成長を促進させるための資源の構築に関する努力」と定義され，環境からの刺激をネガティブに評価するのではなく，挑戦的で自己成長の機会とみなすことで，コーピングを目的志向的なゴールマネジメントとしてとらえられている．

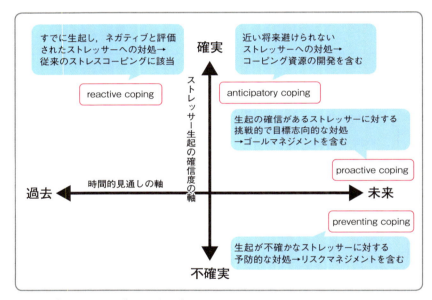

図3　プロアクティブコーピング理論
文献 7)を参考に作成

6　精神疾患発症に関するストレス脆弱性モデル

ズービン Zubin, J.は[8]，病気のなりやすさ（脆弱性）と発症を促すストレスの組み合わせによって精神疾患が発症するという，ストレス脆弱性モデル（図4）を提唱した[9]．

脆弱性には，先天的な要因や後天的に学習・獲得されるストレスへの対応力などの要因が関連する．ストレスに対応する能力には個人差があるために，同じストレスの強さでも，脆弱性が大きいほど精神疾患は発症しやすくなる．発症を防ぐためには，早期の治療，リハビリ，支援によりストレスを避ける工夫，ストレスに強くなる工夫，脆弱性を小さくする工夫（薬を飲むなど）が役に立つ．

精神疾患は誰にでも生じうるものであり，大規模災害や犯罪被害などの強いストレッサーに曝露した場合には，急性ストレス反応や外傷後ストレス障害に罹患しやすくなる．また，うつ病は急性，慢性のストレスで起こりうる．一方，ストレス脆弱性の問題が大きい統合失調症では，些細なストレッサーで症状が増悪したり，再燃したりする．

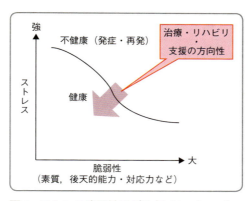

図4 ストレス脆弱性モデル(Zubin, J et al)
文献8)を参考に作成

7 心身症と機能性身体症候群について

ストレスは多くの精神疾患，身体疾患と関連しているが，身体疾患としていわゆる心身症といわれる一群がある．日本心身医学会による心身症の定義は「身体疾患のなかで，その発症や経過に心理社会的な因子が密接に関与し，器質的ないし機能的障害が認められる病態をいう．神経症やうつ病など他の精神障害に伴う身体症状は除外する．」とされている[10]．その種類や病態は多彩であり，症例によってもストレスの関与の度合いは異なる．代表的な心身症[*1]を，**表3**にまとめる．

近年，総合診療の領域などで原因不明の疲労感，頭痛，関節痛，筋肉痛，めまい，動悸，腹痛，下痢など医学的に説明できない medically unexplained symptoms (MUS) を呈する症例に対して，機能性身体症候群(FSS：functional somatic syndrome)という概念が提唱されている．代表的な機能性身体症候群として，機能性ディスペプシア[*2]，過敏性腸症候群，月経前症候群，線維筋痛症，過換気症候群，慢性疲労症候群，緊張型頭痛，顎関節症，咽喉頭異常感症，化学物質過敏症などがあり，なかには疾患概念が確立し，心身症の一部に含まれているものもある[11]．

機能性身体症候群の各疾患は似通った愁訴・症状が多く，診断基準も共通点が多い．また，機能性身体症候群に含まれる疾患が相互に合併することが多く，過敏性腸症候群患者の28％に機能性ディスペプシア(functional dyspepsia)，21％に線維筋痛症，22％に緊張型頭痛が合併し，線維筋痛症患者の15％に慢性疲労症候群，17％に過換気症候群がみられるなど，多くの合併例が報告されている[13]．さらに，不安，抑うつ，緊張，興奮，認知的問題など多彩な精神症状を伴い，几帳面，徹底的，完全性，強迫性，神経質など類似した性格特徴をもつ．

生理的プロセスでは自律神経系のストレスに対する反応の異常が病態に関与することが示唆されている．治療においては共通して抗不安薬，抗うつ薬，抗痙攣薬などの薬物療法に反応しやすく，カウンセリングや認知行動療法の対象となる．

用語解説

*1 心身症と特性

ストレスと性格特性については古くから研究が続けられている．たとえば，タイプA行動パターンはストレスを好むタイプ(モーレツビジネスマンのようなタイプ)とされ，脳心臓血管系の疾患との関連性が示されている．また，ストレスにさらされた場合，情動的反応が生じ，自分自身でそれを認知することが可能である．こうしたなか，自分自身の情動的反応を認知できない場合は，アレキシサイミア(失感情症)とよぶ．アレキシサイミアも心身症との関連性が示されている．ストレス社会とよばれるなかで，ストレスに対処できない状況が続いた場合，バーンアウト(燃え尽き症候群)に陥ることもあり，心身症やそれに類する状態について，ストレス状況と性格特性やストレス対処の実際を十分にとらえた支援が求められる．

用語解説

*2 機能性ディスペプシア

定義はいくつかあるが，最近のものでは「症状の原因となる器質的疾患がないのにもかかわらず，食後のもたれ感や早期満腹感，心窩部痛，心窩部灼熱感のうちの1つ以上の症状があり，これらが6か月以上前に初発し，3か月以上続いているもの」とされている[12]．

■ 表3　心身医学的な配慮がとくに必要な疾患（いわゆる心身症とその周辺領域）

呼吸器系	気管支喘息，過換気症候群，神経性咳嗽，喉頭痙攣，慢性閉塞性肺疾患など
循環器系	本態性高血圧症，本態性低血圧症，起立性低血圧症，冠動脈疾患（狭心症，心筋梗塞），発作性上室性頻脈，神経循環無力症，レイノー病など
消化器系	過敏性腸症候群，functional dyspepsia，胃・十二指腸潰瘍，機能性胆道症，潰瘍性大腸炎，食道アカラシア，機能性嘔吐，呑気症など
内分泌・代謝系	糖尿病，甲状腺機能亢進症，神経性食欲不振症，神経性過食症，単純性肥満症，愛情遮断性小人症，偽バーター症候群，心因性多飲症など
神経・筋肉系	筋緊張性頭痛，片頭痛，慢性疼痛性障害，チック，痙性斜頸，筋痛症，吃音など
皮膚科領域	アトピー性皮膚炎，慢性蕁麻疹，円形脱毛症，皮膚瘙痒症など
外科領域	頻回手術症（polysurgery），腹部手術後愁訴（いわゆる腸管癒着症，ダンピング症候群ほか）など
整形外科領域	関節リウマチ，腰痛症，外傷性頸部症候群（いわゆるむち打ちを含む），多発関節痛など
泌尿・生殖器領域	過敏性膀胱（神経性頻尿），夜尿症，インポテンス，遺尿症など
産婦人科領域	更年期障害，月経前症候群，続発性無月経，月経痛，不妊症など
耳鼻咽喉科領域	メニエール症候群，アレルギー性鼻炎，嗄声，失語，慢性副鼻腔炎，心因性難聴，咽喉頭部異常感など
眼科領域	視野狭窄，視力低下，眼瞼痙攣，眼瞼下垂など
歯科・口腔外科領域	口内炎（アフタ性），顎関節症など

（小牧元ほか編：心身症診断・治療ガイドライン2006 －エビデンスに基づくストレス関連疾患へのアプローチ．p2，協和企画，2006）

8　身体疾患とストレスについて

　前項で詳述した機能性身体症候群以外にも，身体疾患とストレスの関係は深く，最近では生活習慣病と心の健康（とくにストレス）に関する研究も盛んに行われている．生活習慣病とは「食習慣，運動習慣，休養，喫煙，飲酒などの生活習慣が，発症や進行に関与する症候群」であり，具体的には脂質異常症，糖尿病，高血圧，肥満，虚血性心疾患（心筋梗塞，狭心症），肺がん，慢性気管支炎，肺気腫，大腸がん，アルコール性肝疾患などが含まれる．

　ストレスが生活習慣病に影響を与えるのには，生理的ルート，行動的ルート，情緒的ルートの3つのルートが考えられている（図5）．

1　生理学的ルート

　ストレスは生体に対して神経系や内分泌系，免疫系などのシステムを変動させながら安定を保とうとする変化（アロスタシス反応）を喚起するが，この生体機能調節系が過剰にもしくは頻回に喚起されることで（アロスタティック負荷），アロスタシス反応に破綻が生じて疾患の発生につながる．

用語解説

＊3　アロスタシス反応
　ストレッサーに対して個体が内部安定性を維持するためにホメオスタシスのセットポイントを調整して順応するしくみをアロスタシスといい，その際にみられる反応をアロスタシス反応という．

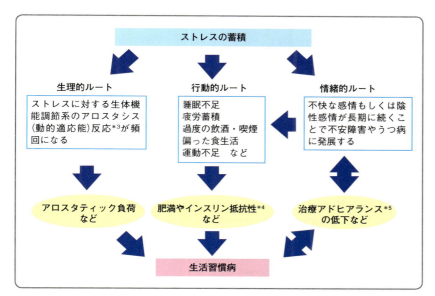

図5　生活習慣病とストレス

2 • 行動的ルート

ストレスの蓄積は睡眠不足，疲労蓄積，過度の飲酒・喫煙，偏った食生活，運動不足などの行動変化をもたらし，これらがインスリン抵抗性や肥満，発がん性物質の過剰摂取などにつながって，疾患を発症させる．

3 • 情緒的ルート

ストレスの蓄積により，不安や抑うつなどの不快な感情，もしくは陰性感情が惹起され，それが長く続くとうつ症状を呈し，うつ病や不安障害を引き起こす．これらの精神疾患は，行動面での問題を引き起こし，身体疾患治療のアドヒアランスを低下させて，疾患の発症や経過に影響する．

また，うつ病や不安障害などの精神疾患と，糖尿病，虚血性心疾患，脳卒中などの身体疾患は双方向性の関係があるといわれており，うつ病などの精神疾患患者は糖尿病などの身体疾患の合併率が高く，逆に糖尿病などの身体疾患患者はうつ病などの精神疾患の合併率が高いことが知られている．

9　ストレスが関与する疾患に対応する際の注意点

ストレスが関与する病態でも明らかな精神疾患，精神障害としての診断基準を満たすものについては，その疾患，障害への治療が優先される．ときに，ストレスの問題を重視しすぎて，治療への導入が遅れ，十分な治療が行われていないことがあるので，注意が必要である．

ストレスについては心理療法のなかでも扱われることが多く，ストレスへの対応が治療的意味をもち，再発予防に貢献することもあるので，基本的な知識は習得する必要がある．また，心身症に該当する場合は身体的治療と並行して心理療法的なアプローチが必要になることも少なくない．その際には身体科医や精神科

用語解説

＊4　インスリン抵抗性

インスリンに対する感受性が低下して，インスリンの作用が十分に発揮できない状態をいう．インスリン抵抗性があると，高血糖を感知して膵臓でインスリンが分泌されても，筋肉や肝臓にブドウ糖が取り込まれず，糖尿病の発病につながる．

用語解説

＊5　アドヒアランス

アドヒアランスとは，患者が主体的に治療に取り組み，治療者とともに選択した・決定した治療を遵守する程度を意味する．

医，看護師など他の職種との連携が必要になる．加えて，要支援者の生活状況や環境などの情報を十分に加味し，ライフサイクルと心理的な特性・状態をとらえる必要もある．

ストレスへの対処として，一般においても，臨床においても用いられることがあるのは，認知行動療法やリラクセーション訓練法などである．認知行動療法ではある出来事に対して浮かんだ自動思考を別の視点からみたときに気持ちがどう変化したかをコラムとして書き込むコラム法などが用いられ[14]，リラクセーション訓練法としては，漸進的筋弛緩法[*6]や自律訓練法[*7]などが用いられる．

*6　漸進的筋弛緩法
　リラクセーション技法の1つで，筋肉の緊張と弛緩を繰り返し行うことにより，身体のリラックスを導く方法．

*7　自律訓練法
　自己催眠法．リラクセーション技法で，標準訓練のほかにも特殊訓練などがある．一般に臨床などで用いられるのは標準訓練であり，背景公式「気持ちが落ち着いている」から，第1公式（四肢重感），第2公式（四肢温感）など合計7つの公式がある．

■ 引用・参考文献

1) Cannon WB：The interrelation of emotions as suggested by recent physiological researches. American Journal of Psychology 25：256-282, 1914
2) Selye H：The general adaptation syndrome and the diseases of adaptation. Journal of Clinical Endocrinology Metabolism 6：117-230, 1946
3) Holmes TH：The social readjustment rating scale. Journal of Psychosomatic Research 11：213-218, 1967
4) ラザルス RS：ストレスの心理学―認知的評価と対処の研究（本明寛ほか監訳）．実務教育出版，1991
5) 岡村尚昌ほか：不安．最新心理学事典（藤永保監）．p660-664，平凡社，2015
6) 津田 彰ほか：心理・ストレスの科学と健康（二木鋭雄編）．p80，共立出版，2008
7) Schwarzer R：Manage stress at work through preventive and proactive coping. The Blackwell handbook of principles of organizational behavior：Indispensable knowledge for evidence-based management, 2nd ed（Locke EA），p499-505, Blackwell, 2009
8) Zubin J：Chronicity versus vulnerability. Handbook of Schizophrenia（Naseallah HA），p463-480, Elsevier, 1988
9) 厚生労働省：心の健康問題の正しい理解のための普及啓発検討会報告書，2004
　https://www.mhlw.go.jp/shingi/2008/04/dl/s0411-7i.pdf より 2020 年 1 月 30 日に検索
10) 小牧元ほか編：心身症診断・治療ガイドライン 2006―エビデンスに基づくストレス関連疾患へのアプローチ．協和企画，2006
11) Wessely S et al：Functional somatic syndrome: one or many? Lancet 354: 936-939, 1999
12) Tack J et al：Functional gastroduodenal disorders. Gastroenterology 130：1466-1479, 2006
13) Nimeuan C et al：How many functional somatic syndromes? Journal of Psychosomatic Research 51：549-557, 2001
14) 坪井康次：ストレスコーピング―自分でできるストレスマネジメント．心身健康科学 6（2）：59-64，2010

2 医療現場における心理社会的課題と必要な支援

患者およびその家族を支えるためには，医療と福祉，保健は切り離すことができず，それぞれが密接な関係をもちながら役割を遂行している（図1）．公認心理師はこれらのどの領域でもニーズがある職種であり，今後もすべての領域でのより一層の活躍が期待されている．

2010年，日本臨床心理士会は「医療保健領域における臨床心理士の業務」[1]を公表し，現在もホームページ上で見ることができる．本項では，医療現場における心理社会的課題と必要な支援について論じる．

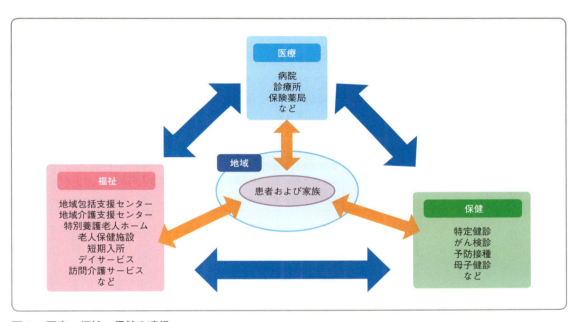

図1　医療・福祉・保健の連携

1 医療現場とは

医療提供施設は細かく分類されており，とくに近年は医療の機能分化が推奨されていることから，1つの医療提供施設で医療行為のすべてが完結しない傾向にある．

表1に，医療法[2]による医療提供施設の分類を示す．特定機能病院は高度な医療の提供，高度な医療技術の開発および高度な医療に関する研修を実施する能力などを備えた病院であり，大学病院や大規模な総合病院などが該当する．また，地域医療支援病院は地域医療を担うかかりつけ医などを支援する能力を備え，地域医療の確保をはかる病院であり，地域にある複数の診療科を有する総合病院などが該当する．さらに，2014年には，革新的医薬品・医療機器の開発などに必要な臨床研究を行う病院を臨床研究中核病院と定めた．

表2に，医療法による病床の分類を示す．精神病床のみを有する病院を精神科病院，精神科病院以外の一般病床を中心に有する病院を一般病院とよぶこともある．

■ 表1　医療法による医療提供施設

病院（20床以上）
特定機能病院（高度の医療の提供など）
地域医療支援病院（地域医療を担うかかりつけ医・歯科医の支援など）
臨床研究中核病院（革新的医薬品・医療機器の開発などに必要な臨床研究を行うなど）
診療所（0～19床）
助産所（10人以上の入所施設を有さない）
介護老人保健施設（介護保険法の規定による）
調剤を実施する薬局
その他の医療を提供する施設

■ 表2　医療法による病床の分類

精神病床	病院の病床のうち，精神疾患を有する者を入院させるための病床
感染症病床	病院の病床のうち，感染症法に規定する一類感染症，二類感染症(結核を除く)，新型インフルエンザなどの感染症および指定感染症ならびに新感染症の患者を入院させるための病床
結核病床	病院の病床のうち，結核の患者を入院させるための病床
療養病床	病院または診療所の病床のうち，上記3つの病床以外の病床であって，主として長期にわたり療養を必要とする患者を入院させるための病床
一般病床	病院または診療所の病床のうち，上記4つに掲げる病床以外の病床

2　医療に関する法律

医療に関する法律の一部を表3に示す．「医療法」は医療施設や医療人員など医療提供体制を定めた施設に関する法律であり，医療にかかわる専門職種に関するものとしては「医師法」，「薬剤師法」，「保健師助産師看護師法」，「精神保健福祉士法」，そして平成29年に施行された「公認心理師法」などがある．また，保険診療について定めた「健康保険法」，「国民健康保険法」，「厚生年金保険法」や，医薬品については「医薬品，医療機器等の品質，有効性及び安全性の確保等に関する法律」，「麻薬及び向精神薬取締法」などもある．

精神医療では「精神保健及び精神障害者福祉に関する法律（精神保健福祉法）」があり，「精神保健福祉センター」や「地方精神保健福祉審議会及び精神医療審査会」，「精神保健指定医」，「精神科病院」，入院形態などの「医療及び保護」，通信・行動の制限など「精神科病院における処遇等」，「精神障害者保健福祉手帳」，精神保健福祉相談員による「相談指導等」，「精神障害者社会復帰促進センター」などについて定めている[3]．

■ 表3 医療に関する法律

分類	法律
医療従事者に関する法律	医師法 歯科医師法 保健師助産師看護師法 薬剤師法 精神保健福祉士法 公認心理師法 診療放射線技師法 臨床検査技師等に関する法律 臨床工学技士法 栄養士法 理学療法士及び作業療法士法 言語聴覚士法 視能訓練士法 救急救命士法 義肢装具士法　など
医療施設に関する法律	医療法　など
医薬品に関する法律	医薬品, 医療機器等の品質, 有効性及び安全性の確保等に関する法律 覚せい剤取締法 麻薬及び向精神薬取締法 毒物及び劇物取締法 大麻取締法 あへん法　など
医療保険に関する法律	健康保険法 厚生年金保険法 国民健康保険法　など
社会福祉に関する法律	社会福祉法 生活保護法 社会福祉士及び介護福祉士法 介護保険法 老人福祉法 高齢者の医療の確保に関する法律 高齢者虐待の防止, 高齢者の養護者に対する支援等に関する法律 障害者基本法 障害者の日常生活及び社会生活を総合的に支援するための法律 発達障害者支援法 知的障害者福祉法 身体障害者福祉法 精神保健及び精神障害者福祉に関する法律　など
疾病予防・健康に関する法律	がん対策基本法 予防接種法 健康増進法 地域保健法 感染症の予防及び感染症の患者に対する医療に関する法律 臓器の移植に関する法律　など
母子に関する法律	児童福祉法 児童虐待の防止等に関する法律 子ども・子育て支援法 母子保健法 母子及び父子並びに寡婦福祉法　など

3 医療における医療者−患者関係と倫理

戦時中に行われた人体実験などへの反省から，ヒトを対象にした医学研究の倫理的原則を示したヘルシンキ宣言(1964年)[4]や，患者の権利に関するリスボン宣言(1981年)(表4)[5]などが採択され，今日の医療や臨床研究においては，患者の人権や個人の尊厳と自己決定権を尊重することが必須となっている．

患者は自分の疾患に関する診断，治療，予後について知る権利があり，一方で，医療者は医療法の第1条の4の2項で「医師，歯科医師，薬剤師，看護師その他の医療の担い手は，医療を提供するに当たり，適切な説明を行い，医療を受ける者の理解を得るよう努めなければならない」と規定されているとおり，インフォームド・コンセント(説明と同意)を遂行する義務がある．

しかし，患者やその家族は必ずしも十分な同意能力を有していない場合もあり，医療者はその評価も行う必要がある．表5に，治療に対する同意を考えるうえで評価すべき4つの能力を提示した[6]．これらの能力が著しく障害されている場

表4 リスボン宣言

序文

医師，患者およびより広い意味での社会との関係は，近年著しく変化してきた．医師は，常に自らの良心に従い，また常に患者の最善の利益のために行動すべきであると同時に，それと同等の努力を患者の自律性と正義を保証するために払わねばならない．以下に掲げる宣言は，医師が是認し推進する患者の主要な権利のいくつかを述べたものである．医師および医療従事者，または医療組織は，この権利を認識し，擁護していくうえで共同の責任を担っている．法律，政府の措置，あるいは他のいかなる行政や慣例であろうとも，患者の権利を否定する場合には，医師はこの権利を保障ないし回復させる適切な手段を講じるべきである．

原則		
1. 良質の医療を受ける権利	2. 選択の自由の権利	
3. 自己決定の権利	4. 意識のない患者	
5. 法的無能力の患者	6. 患者の意思に反する処置	
7. 情報に対する権利	8. 守秘義務に対する権利	
9. 健康教育を受ける権利	10. 尊厳に対する権利	
11. 宗教的支援に対する権利		

1981年9月/10月，ポルトガル，リスボンにおける第34回WMA総会で採択
1995年9月，インドネシア，バリ島における第47回WMA総会で修正
2005年10月，チリ，サンティアゴにおける第171回WMA理事会で編集上修正
2015年4月，ノルウェー，オスロにおける第200回WMA理事会で再確認
(日本医師会訳：患者の権利に対するWMAリスボン宣言．https://www.med.or.jp/doctor/international/wma/lisbon.html より2020年2月3日検索より抜粋)

表5 医療を受けるための意思決定能力（治療同意能力）

①理解 (understanding)	疾患治療のリスク・ベネフィットなどの医療関連情報を理解する能力
②認識 (appreciation)	自らの問題として疾患を認識し，治療が有益であることを認識する能力
③推論 (reasoning)	治療効果やほかの治療との比較，治療の結果もたらされる日常生活への影響について論理的に考える能力
④意思表明 (expressing a choice)	意思決定を表明する能力

文献6)を参考に作成

合は，同意能力が十分でない可能性がある．医療者は患者や家族の医療に対する同意能力や臨床倫理の問題を的確に評価し，**表6**に示すような医療倫理の原則に則って医療を行う必要がある[7]．

現在の医療は，医師主導のパターナリスティックなものから，「患者中心の医療の方法(patient-centered clinical method)」という医療者と患者が共通の理解を見出して相互に意思決定をしていくかたちへ移り変わっており(**図2**)，今日ではどの病院でも患者中心の医療を謳っている[8]．このような医療が実践されるためには，医療者は良好な医療者−患者関係の構築や倫理的な問題に十分に注意を払う必要がある．

■ 表6　医療倫理の4原則

①自律尊重原則	自由かつ独立して考え，決定できる能力を有する患者が自己決定できるように手伝うことと，その決定を尊重して，それに従うという原則
②善行原則	医療者は患者にとって最善と思うことをなすという原則
③無危害原則	患者の生命を脅かしたり，苦痛を与えたりするような危害を与えないという原則
④正義原則	同様の状況にある患者は同様の医療を受けられるべきであり，社会的な利益や負担は正義の要求と一致するように配分されなければならないという原則

文献7)を参考に作成

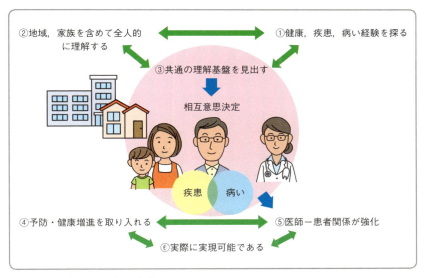

図2　患者中心の医療の方法
文献8)を参考に作成

4　チーム医療について

近年，医療現場ではさまざまな領域でチーム医療と多職種連携が行われるようになってきており，数多くの医療チームが構成されている[9]．精神科と身体科医療提供施設では，医療チームの構成が異なるため，以下に分けて論じる．

1 ● 精神科医療提供施設

精神科病院，精神科クリニック，精神科地域医療では，それぞれの施設によって異なるが，**表7**に示すような医療チームが存在する．病棟治療チームの多くや外来のデイケアなどには，心理技術職が診療報酬算定のための施設基準の一部に含まれている．

それらのチームにおいて心理技術職がチーム医療を実践するためには，対象となる疾患に対する十分な知識をもち，チームメンバーと連携をとりながら，心理技術職として心理アセスメント（心理検査含む）や心理療法，心理カウンセリングなどを遂行する必要がある．また，チームで行われるカンファレンスへの参加や，チームで行うイベントなどの構成や運営，さらに心理教育や疾病教育での中心的な役割を期待されることもある．現在は，地域医療のなかで心理技術職が訪問診療，訪問カウンセリングなどを行う機会は少ないが，今後はニーズが増える可能性もある．

■ 表7　精神科病院や精神科クリニック，精神科地域における医療チーム

1）精神科病棟	2）精神科外来
①精神科スーパー救急病棟チーム ②精神科急性期治療病棟チーム ③精神療養病棟チーム ④認知症治療病棟チーム ⑤精神科救急・合併症病棟チーム ⑥摂食障害入院医療チーム ⑦アルコール使用障害専門治療病棟チーム ⑧児童・思春期精神科入院医療チーム ⑨強度行動障害児に対する入院医療チーム ⑩地域移行機能強化病棟チーム ⑪医療観察法病棟チーム	①精神科デイケア ②リワークプログラム
	3）精神科地域医療
	① ACT（assertive community treatment） ②認知症地域支援チーム ③訪問看護（多職種）

2 ● 身体科医療提供施設

身体科が中心の医療提供施設で公認心理師が勤務するのは，大学病院や比較的大きな総合病院が中心である（**表8**）．大学病院や大規模な総合病院では精神科リエゾンチーム*1や緩和ケアチームなどがチーム医療を行っており，それらの診療報酬に関する施設基準のなかに心理技術職が一部含まれている．

身体科中心の診療のなかで心理検査や心理療法，心理カウンセリングなどを行う場合には，面接の場所がかぎられ，時間的な制約があるなど，患者の病状によって柔軟に対応する必要がある．治療の枠組みを十分に意識したうえで，患者の状態像とその場にあったアプローチを行う必要がある．

また，身体科医療提供施設では，通常の診療以外にも特殊な診療や病院内の委員会などに参加を求められることがある．特殊な診療としては臓器移植や遺伝診療*2，周産期医療，後天性免疫不全症候群（AIDS）*3に関するものがある．これらの医療では患者やその家族が予期せぬ結果に遭遇したり，厳しい判断を迫られたり，期待していた成果が得られなかったりすることで心理的に動揺することがあるために，早期から心理的な介入が行えるシステムを構築している施設もある．そのほか，院内の委員会やプロジェクトなどにも，医療者の一員として参加を求

用語解説

＊1　精神科リエゾンチーム

一般病棟に入院する身体疾患患者の精神状態を把握し，精神科専門治療の必要性を早期に発見し，早期に治療を行うことにより症状の緩和や早期退院を促進する多職種医療チーム．精神科医，リエゾン看護師，薬剤師，精神保健福祉士，作業療法士，臨床心理士などで構成される．

用語解説

＊2　遺伝診療

出生前に遺伝学的検査および診断を行うこと．十分な遺伝医学の基礎的・臨床的知識のある専門職（臨床遺伝専門医など）による適正な遺伝カウンセリングが提供できる遺伝診療科などで行われる．

用語解説

＊3　HIV/AIDSカウンセリング

HIVに感染した場合であっても，投薬治療によりコントロールすることでAIDS発症を抑えることが可能である．一方で，当事者の不安などに対するカウンセリングや日常における投薬コントロールなどの心理教育を心理師が担うことも期待されている．

められることがある．

■ 表8　総合病院における医療チーム，プロジェクトや委員会

1）精神医療スタッフが常駐し，日常的に診療へ参加するもの
- ①精神科リエゾンチーム
- ②救命センターの精神科リエゾンチーム
- ③緩和ケアチーム
- ④認知症ケアチーム

2）身体科や病院が主体的に組織
- ●定期的に精神医療スタッフが参加するもの
    - ①移植医療（腎，肝，心，骨髄など）チーム
    - ②産科・小児科における医療チーム
    - ③遺伝診療における医療チーム
    - ④HIV診療における医療チーム
- ●不定期，もしくは期間限定で精神医療スタッフが参加するもの
    - ①倫理コンサルテーション
    - ②虐待防止委員会
    - ③院内自殺防止プロジェクト

5　医療現場での心理社会的な問題について

　医療者の多くは職種を問わず，患者の診断や治療を考える際に，生物−心理−社会的視点の重要性を認識しているはずだが，医療提供施設では検査や薬物，手術などの生物学的な視点での対応が必然的に多く，ともすると心理，社会的な視点がおろそかにされてしまうことが危惧される．しかし近年では，社会的な視点としてソーシャルワーカーの介入が行われるようになってきており，社会的・経済的支援の幅が広がっている．

　一方，心理的な視点についても，医師，看護師，ソーシャルワーカーなどがそれぞれの専門領域で心理的な支援に力を入れるようになってきている．病院で働く公認心理師はそれらの状況を理解し，かつ心理技術職としての専門性を活かした視点で業務を遂行することが望まれる．

1● 精神科病院における心理的問題

　精神科の入院治療では，心理技術職に求められる業務として，診断や治療プラン作成のための心理アセスメントや心理療法などがある．しかし，近年の精神医療は入院治療も分化しており，アルコール使用障害や児童・思春期（知的障害や自閉スペクトラム症を含む），摂食障害などの患者を対象にした診療や，医療観察法[*4]など施設によってさまざまな専門治療が行われる．

　たとえば，アルコール使用障害などでは心理教育，動機づけ面接[*5]，認知行動療法，自助グループ参加など，さまざまな心理社会的治療がある．また，児童・思春期病棟では，知的障害，自閉スペクトラム症，統合失調症などさまざまな疾患や障害を有する子どもが存在し，親への心理的介入や学校との調整が必要になる場合も多い．

用語解説

＊4　（心神喪失者等）医療観察法

　心神喪失または心神耗弱の状態（精神障害のために善悪の区別がつかないなど，刑事責任を問えない状態）で，重大な他害行為（殺人，放火，強盗，強制性交等，強制わいせつ，傷害）を行った人に対して，適切な医療を提供し，社会復帰を促進することを目的とした制度．

用語解説

＊5　動機づけ面接

　薬物依存，生活習慣病などに行われる面接法で，OARS（open question：開かれた質問，affirming：肯定，reflecting：振り返りの傾聴，summarizing：要約）を行い，治療への抵抗を減弱し，変化したいという動機を高める．

用語解説

*6 リワーク

うつ病などの精神疾患で休職した労働者に対する，復職支援と再休職予防を目的とした治療プログラム．職場で独自に行われるものや，都道府県の障害者職業センター，就労移行施設，もしくは精神科医療機関（デイケアなど）で行われるものがある．

用語解説

*7 身体化障害

身体的な原因が認められないにもかかわらず，多発性で易変性の身体症状が長期に継続し，日常生活に支障をきたす疾患．アメリカ精神医学会のDSM-5では身体症状症に該当する．

2 ● 精神科診療所，クリニックにおける心理的問題

　精神科診療所やクリニックなどの外来診療においても，一般的な心理アセスメントや継続的な心理療法，心理カウンセリング以外に，デイケアやリワーク*6などで集団療法，認知行動療法，社会技能訓練などが行われている．

　デイケアに通所している患者では，病状に家族や就業の問題が関係することも多く，また，最近デイケアの一環として行われる頻度が増えたリワークでは，職場復帰や雇用確保，将来の生活への不安などが問題となる．家族を含めた心理教育，患者の状況に合わせた心理的サポートや社会的支援の導入，雇用先との調整などが必要であり，関係機関との連携が重要となることも多い．

3 ● 一般病院における心理的問題

　身体疾患患者は，うつ病や不安障害，身体化障害*7，せん妄などの罹患率が高いことが知られている．このような問題に対して，大学病院や大規模な総合病院では精神科リエゾンとして精神科医が単独で，もしくは精神科医，リエゾン看護師，心理士，ソーシャルワーカーなどが精神科リエゾンチームとしてかかわっている．

　身体疾患を有する患者の心理状態には患者の身体疾患の状況，行われている治療の影響，患者を取り巻く家族環境や社会環境が密接に関係するために，アセスメントが難しいことも多い．また，精神科診断にいたらないまでも，身体疾患による不安や苦悩に対して心理的なケアを要する場合も多い．このような心理的サポートは心理技術職のみならず，ほかの幅広い職種に要求されるために，心理的な問題に対する多職種に対するコンサルテーションや教育などのニーズも高い．

　さらに病院によっては，より専門性の高い領域として遺伝診療カウンセリングやHIV診療，臓器移植などを行っている施設があるが，それらの領域でも心理アセスメントや心理カウンセリングなどが必要とされることがある．

4 ● 緩和医療における心理的問題

　世界保健機関（WHO）は，緩和医療はがんの告知の段階から始まることが好ましいとしているが，実際にはがんの診断にいたる前から心理状態にはさまざまな変化が認められ，心理的なサポートが必要となることもある．また，がん告知，手術，化学療法などの治療，再発，積極的治療の中止などに伴って，心理的な変化が認められる．

　近年，緩和ケアは，一般病床や緩和ケア病床，ホスピス，在宅医療などでも行われるようになってきている．なかでも，緩和ケアチームとして総合病院で行われている活動には心理技術職が参加していることが多い．近年のがん診療の進歩により，がんを克服し，がんサバイバーとして社会生活や家庭生活に復帰する人も増えている．しかし，がんサバイバーは，病前と異なる生活を強いられたり，再発に関する不安を抱えていたりすることから，心理的なサポートが必要となることがある．

5 医療スタッフの心理的問題

　医療者はストレスフルな環境で業務を行うことが多く，精神的なダメージを受けることも少なくない．日々の過酷な業務に加え，医療事故や医療訴訟，患者からの暴言・暴力，院内自殺などが発生することがあり，その際には医療者が心的外傷を受けることもある．一方で，医療者の心理的なサポートの体制はどの施設も十分に整っているとはいい難く，今後の大きな課題である．

6　医療現場における公認心理師の業務

1 心理アセスメント

　心理アセスメントとは「心理面接，行動観察，心理検査などの方法をとおして，援助介入を効果的にするために系統的に情報収集を行っていく作業」である[1]．患者の疾患や家族環境，社会環境にも配慮し，生物–心理–社会的視点でアセスメントを行って，効果的な支援や治療プランを検討する．

　心理検査は，診察や面接場面では評価しにくい精神症状やパーソナリティ傾向，知的機能，認知機能などが明らかになる[1]．臨床上で用いられる検査については15章2節（→ p.296）で詳述しているので参照されたい．

2 心理療法，心理カウンセリング

　現在の医療現場では，心理療法を心理技術職が行う際は，精神科医や他科の医師からの依頼で紹介になる場合が多い．その際には，どのような心理療法，心理カウンセリングを患者や医師が希望しているのか，その内容や期間を含めて心理療法が全体の治療のなかでどのような位置づけになるのかを十分に相談したうえで行うべきである．

　また，緩和ケアチームや精神科リエゾンチームのように，すでに心理技術職がメンバーに組み込まれている場合には，患者のほうから直接心理技術職に依頼されることもある．その際も，全体の治療のなかでの心理療法・心理カウンセリングの位置づけは検討されるべきである．患者や家族から直接依頼を受けて介入を行った場合には，的確にカルテに記録を残し，治療チームで情報を共有する．臨床上で用いられる心理療法を表9に示す．

3 医療スタッフのケア

　大学病院などには保健管理センターがあり，そのスタッフ（心理職を含む）が対応にあたる場合が多いが，それ以外の医療機関では院内の精神科医，心理技術職，リエゾン看護師などが，各施設で異なった対応を行っている．

■ 表9 臨床上行われる頻度が高いと思われる心理療法・心理カウンセリング

個人	支持的心理療法	個人	療育指導
	認知行動療法		クライアント中心療法
	行動療法		芸術療法
	問題解決技法		交流分析
	対人関係技法		森田療法
	精神分析療法		認知リハビリテーション
	自律訓練法	集団	集団療法（心理教育的，心理力動的，対人関係的アプローチ）
	漸進的筋弛緩法		心理教育（疾病教育含む）
	遊戯療法		生活技能訓練
	箱庭療法		（家族療法）

順不同．文献1）を参考に作成

■ 引用・参考文献

1) 日本臨床心理士会：医療保健領域における臨床心理士の業務．2011
   http://www.jsccp.jp/suggestion/sug/pdf/iryogyoumu2011.05.15.pdf より2020年2月3日検索
2) 医療法
   https://elaws.e-gov.go.jp/search/elawsSearch/elaws_search/lsg0500/detail?lawId=323AC0000000205&openerCode=1 より2020年2月3日検索
3) 精神保健福祉研究会編：四訂精神保健福祉法詳解．中央法規，2016
4) 日本医師会訳：ヘルシンキ宣言
   http://www.med.or.jp/doctor/international/wma/helsinki.html より2020年2月3日検索
5) 日本医師会：患者の権利に対するWMAリスボン宣言．
   https://www.med.or.jp/doctor/international/wma/lisbon.html より2020年2月3日検索
6) Appelbaum PS：Clinical practice. Assessment of patients' competence to consent to treatment. New England Journal of Medicine 357: 1834-40, 2007
7) Beauchamp TL et al：Principles of biomedical ethics, 5th ed, Oxford University Press, 2001
8) Stewart M et al：Patient-Centerd Medicine-Transforming the clinical method, 2nd ed, Radicliffe Medical Press, 2003
9) 山本賢司：総論．精神科領域のチーム医療実践マニュアル（山本賢司編），p10-22，新興医学出版社，2016

3. さまざまな保健活動において必要な心理社会的支援

17章 健康・医療心理学

保健活動は幅が広く，かつ密接に医療や福祉とかかわっている．公認心理師として保健活動を中心に対人援助を行う場合，対象となる問題の幅が広いために，心理技術職としての同一性が拡散してしまい，葛藤が生じることもありうる．しかし，地域保健のなかでは心理技術職のニーズは増しており，今後も活躍が期待される．

保健活動はさまざまな法律に基づく施策のもとに行われているが，実際の地域保健におけるニーズは高度化，多様化しており，保健所，市町村保健センターおよび地方衛生研究所などが医療，介護，福祉などの関連施策と有機的に連携しながら行っている．本稿では，主に保健活動において必要な心理に関する支援について総論的に論じるが，各論的な細部については，18，19，21，24章も参照いただきたい．

1 保健活動について[1]

健康の保持および増進のために，予防医学の分野では，単に疾患を予防するだけでなく，早期発見，早期治療やリハビリテーション的な観点も含めて重要であるとしている．

疾病予防は，1次予防，2次予防，3次予防というように3段階で整理されることが多い．1次予防は健康教室，衛生教育などの健康増進と，予防接種や事故防止対策などの特異的予防であり，2次予防は集団検診や特定検診などによる早期発見・早期治療，3次予防は発症した疾患の増悪や機能障害の防止，リハビリテーションおよび社会復帰などである．

保健活動は，予防的なかかわりのすべてを含む領域であり，アプローチの方法は疾患を発症していない健常者全員へのアプローチ（ポピュレーションアプローチ）から，疾患を患っている急性期の患者，リハビリテーションや再発予防が必要な慢性期の患者へのアプローチ（ハイリスクアプローチ）まで幅が広い（図1）．また，産業保健，学校保健，地域保健（母子保健，成人保健，老人保健）などに分けられるが，扱う問題の違いなどにより精神保健，難病対策，環境保健などに分けて考えられることもある．各種の保健活動は関係法令のもとに，各関連部署を中心にして行われている．関係法令の一部を表1に示した．

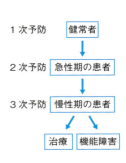

図1 保健活動のアプローチ対象

■ 表1　保健活動に関する主な法令

保健活動の種類	主な法令
産業保健	労働基準法，労働安全衛生法，労働者災害補償保険法，作業環境測定法，育児休業，介護休業等育児又は家族介護を行う労働者の福祉に関する法律，労働者派遣法，労働組合法　など
学校保健	学校教育法，学校保健安全法，学校給食法　など
地域保健	地域保健法，健康増進法，高齢者医療確保法，がん対策基本法　など
環境保健	環境基本法，大気汚染防止法，騒音防止法，廃棄物の処理及び清掃に関する法律，公害健康被害の補償等に関する法律 食品衛生法，食品安全基本法 水道法，下水道法　など
精神保健	精神保健福祉法
母子保健	母子保健法

1・産業保健

産業保健は，労働基準法や労働安全法などにより，都道府県の労働局や地域の労働基準監督署，産業保健総合支援センターなどが中心となって活動を推進している．

労働安全衛生対策の基本は，有害業務などにおける「作業環境管理」，作業時間や配置，作業の組み合わせを改善する「作業管理」，職場での疾患予防や早期発見のための健康測定，運動・保健指導，心理相談，栄養指導などの「健康管理」の3つであり，これを労働衛生の3管理という．事業所内の産業保健従事者として，統括安全衛生管理者，産業医，衛生管理者，衛生推進者，作業推進者などが定められている．

2・学校保健

学校保健は，学校教育法や学校保健安全法などにより学校長の責任のもとに行われている．保健教育，保健管理，学校安全，学校教育，学校給食などにより，学習効率を高めて教育効果を確保し，児童，生徒，学生および幼児や教職員の健康保持をはかることを目的にしている．

学校保健の従事者は，学校長，教職員（養護教員を含む），非常勤の学校医，学校歯科医師，学校薬剤師のほかに，学生の保健管理を専門的立場からつかさどる人材として都道府県教育委員会事務局に学校保健技師（医師，歯科医師，薬剤師）が配置されている．

3・地域保健

地域保健は，地域保健法により保健所が中心となって活動が行われており，母子保健，成人保健，老人保健を含む，幅広い年齢層を対象にしている．

地域の対人保健活動の一部は，住民に身近な行政組織が行うことが望ましいものが多く，市町村が市町村保健センターを設置して行っている．保健所が行う業務のうち，栄養の改善や母性および乳幼児ならびに老人の保健に関する事項などは市町村が主体となり，食品衛生や医事・薬事に関する事項，エイズ，難病対策

などは保健所が主体となって行う．

①母子保健

妊産婦健康診査，乳幼児健康診査，1歳6か月児，3歳児健康診査，先天性代謝異常等検査などの健康診査，婚前学級，新婚学級，母(両)親学級，育児学級などの集団での保健指導や必要に応じた保健師・助産師による訪問による個別の保健指導，自立支援医療や小児慢性特定疾患への医療費援助(医療援護)，発達相談などを行う．

②成人保健

成人の健康に関する相談事業，健康増進のための教育や検診，機能訓練や訪問指導などを行う．具体的にはがん検診，骨粗鬆症検診，歯周疾患検診，肝炎ウイルス検診，生活習慣病の特定健康診査や特定保健指導，健康教育などを行う．

③老人保健

高齢者の医療の確保に関する法律(高齢者医療確保法)により，特定健康診査，特定保健指導，後期高齢者医療制度，後期高齢者医療広域連合による保健事業などが規定されており，医療保険制度，介護保険制度と連携して事業を行っている．近年，要介護状態となっても住み慣れた地域で自分らしい暮らしを最後まで続けるために，地域包括ケアシステムが提唱されている(**図2**)[2]．地域包括支援センターを中心に，介護予防ケアマネジメント，総合相談・支援，権利擁護，包括的・継続的ケアマネジメント支援などを行っている．

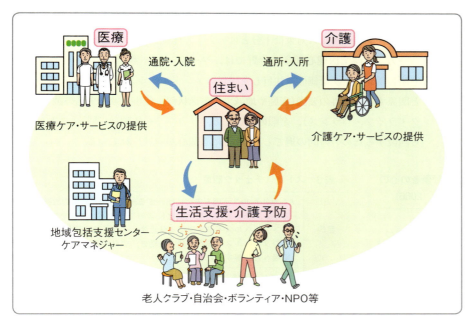

図2　地域包括ケアシステム
文献2)を参考に作成

4●精神保健

「精神保健及び精神障害者福祉に関する法律」(精神保健福祉法)，「障害者総合支援法」などにより，精神疾患の予防，早期発見，社会復帰のための活動，地域

住民への精神保健に関する広報活動などが行われている．

保健所は地域の精神保健活動の拠点であるが，市町村も相談指導や社会復帰への支援を行っている．また，各都道府県や政令指定都市に設置されている精神保健福祉センターは，地域精神保健活動を指導，技術援助をしている．現時点においても，精神障害者の長期入院の問題，自殺予防など自殺への対策，虐待や暴力に対する対策，職場のメンタルヘルス対策などは精神保健の大きな課題である．

2 保健活動における心理的な問題について

1 ● 職場のメンタルヘルスの問題

精神障害による休職者の増大や，精神障害，自殺による労働災害申請が増えている実情を踏まえ，2004年に「心の健康問題により休業した労働者の職場復帰支援の手引き」，2006年に「労働者の心の健康の保持増進のための指針」が周知され，それぞれ改訂を経て現在も用いられている．

事業場では「4つのケア(セルフケア，ラインによるケア，産業保健スタッフによるケア，事業場外資源によるケア)」を中心に心の健康づくりを進めることが推奨されており(**表2**)[3]，さらに2015年からはストレスチェック(**表3**)の実施も事業者に義務づけられた[4]．また，職場でのいじめや嫌がらせなどのパワーハラスメントはメンタルヘルス不調の原因にもなるために，厚生労働省のワーキンググループが予防や解決に向けた提言をしている．一定規模の企業には産業医の配置が義務づけられ，保健師や心理士が雇用されているところもあるが，中小の企業でのメンタルヘルス対策は十分とはいえず，体制構築は大きな課題である．

一方で，産業保健心理学の分野では，ワーク・エンゲイジメント[*1]など心の健康のポジティブな側面に注目した職場のメンタルヘルス対策や，労働者の健康と関係する職場外の要因(家庭や地域での生活状況)，仕事と家庭生活の調和(ワーク・ライフ・バランス)，余暇の過ごし方，リカバリー体験(就業時のストレスから回復するための時間の過ごし方)などにも関心が向けられている[5]．

用語解説

＊1　ワーク・エンゲイジメント

従業員の心の健康度を示す概念の1つで，仕事から活力を得て生き生きとした状態であり，「活力」，「熱意」，「没頭」の3要素で構成される．ワーク・エンゲイジメントが高い従業員は心身が健康で，生産性も高い．

■ 表2　事業場における労働者の心の健康づくりのための指針（2006）

セルフケア： 労働者自身によるストレスへの気づき，自発的な相談
ラインによるケア： 管理監督者による職場環境などの改善
産業保健スタッフによるケア： 産業保健スタッフ（産業医・保健師・看護師・カウンセラー・衛生管理者など）によるケア
事業場外資源によるケア： 事業場外の機関，専門家によるサービスの活用

文献3)を参考に作成

■ 表3　ストレスチェック制度

目的	メンタルヘルス不調を未然に防止する一次予防と職場の改善 ・ストレスチェックを行うことによって高ストレス者を抽出し，メンタルヘルス不調を未然に防止する一次予防を講じることでメンタルヘルス不調者の発生を防ぎ，より働きやすく健康的な職場へと改善することを目指す
実施義務	労働者が「常時50名以上」の全事業場にて実施する ・ストレスチェックは，労働者が「常時50名以上」の全事業場（法人・個人）において，実施義務が生じる
頻度	平成27年12月以降，毎年1回の実施と労基署への報告が義務づけられている
対象者	常時使用する労働者が対象 ・ストレスチェック対象者は一般定期健康診断の対象者と同様，正社員の3/4時間以下のパート社員や休職している労働者は実施しなくても差し支えない

文献4)を参考に作成

2 • 自殺の問題

日本の自殺者数は1998年から14年連続で3万人を超えていたが，2012年に3万人を下回ってからは減少が続いている．しかし，人口対自殺者数の割合はほかの先進国と比較するといまだに高い水準にあり，今後もより積極的な自殺対策の施行が望まれる．

2007年に「自殺総合対策大綱」が閣議決定されたが，その後に2回の見直しを受け，2017年7月に現在の大綱が閣議決定されている[6]．自殺には複雑な要因が関与していると考えられており（表4）[7]，医療，福祉など個々の枠組みだけでの自殺対策では十分とはいえない．自殺対策の重点施策においても，地域，個人，ゲートキーパー，学校，職場，医療，福祉などさまざまな領域で複合的な対策が必要とされている．心理専門職は自殺対策のなかでの直接的な業務（「いのちの電話」*2や自殺未遂者支援における相談業務）にかかわる場合や，産業，学校の心理相談業務のなかに自殺の問題がもち込まれる場合などさまざまなかたちで自殺の問題に関与する機会がある．したがって，自殺の問題に関する知識や対応方法については習得する必要がある．

用語解説

*2 いのちの電話

電話によるカウンセリングあるいは電話相談を行う組織をいう．「いのちの電話」の活動は，1953年に英国のロンドンで開始された自殺予防のための電話相談に端を発している．日本では一般社団法人日本いのちの電話連盟が24時間365日行っている．

■ 表4 自殺の危険因子

- 自傷行為や自殺企図歴：自殺未遂は最も重要な危険因子
- 精神疾患の既往：気分障害（うつ病），統合失調症，パーソナリティ障害，アルコール使用障害，薬物乱用
- 身体疾患，進行性疾患，慢性疾患への罹患
- ソーシャルサポートの不足：支援者の不在，未婚，離婚，配偶者との死別
- 性別：自殺既遂者は男性に多く　自殺未遂者は女性に多い
- 年齢：中高年男性がピーク，年齢が高くなるとともに自殺率も上昇
- 喪失体験：経済的損失，地位の失墜，病気や怪我，業績不振，予想外の失敗
- 他者の死の影響：精神的に重要なつながりのあった人が突然不幸な形で死亡
- 事故傾性：事故を防ぐのに必要な措置を不注意にも取らない
- 家族歴：家庭内自殺者の存在
- 職業的，経済的，生活的問題：失業，リストラ，多重債務，生活苦，不安定な日常生活
- 苦痛な体験：いじめ，心理的・身体的・性的虐待
- 企図手段への容易なアクセス：薬のため込み，農薬・硫化水素などの所持
- 心理状態：絶望感・衝動性・自殺念慮・孤立感・易怒性・悲嘆など

（山本賢司：「精神科的評価および対応」のポイント―精神科医の立場から．救急・集中治療 25（7・8）：804，2013）

3 • 虐待や暴力の問題

児童や高齢者への虐待，配偶者への暴力などが社会問題化しており，それぞれに対して児童虐待防止法，高齢者虐待防止法，配偶者暴力防止法などにより，対策が講じられている．

児童虐待には身体的虐待，性的虐待，ネグレクト，心理的虐待などがあるが，高齢者にはさらに経済的虐待も加わる．児童虐待に対しては，児童虐待を受けたと思われる児童を発見した場合に福祉事務所や児童相談所へのすみやかな通告が義務づけられており，必要に応じて児童相談所長の判断による児童の一時保護などの措置がとられる．

高齢者虐待においても，養護者や養介護施設・養介護事業などの従事者などによる虐待を発見した者には市町村へ通報する努力義務がある（生命または身体に

重大な危険が生じている場合には通報義務）．市町村は安全を確認し，必要な場合には地域包括支援センターの職員による立入調査や入所措置などが行われている．

配偶者暴力に対しては，被害者の身体的虐待を発見した場合には配偶者暴力相談支援センターや警察官への通報の努力義務が規定されている．虐待の場合，被虐待者への心理的サポートのみならず，親や養護者へのサポートも必要なことが多く，多機関多職種での介入が必要となることも多い．

4 ●依存・引きこもりの問題

薬物やアルコールに対する依存やギャンブルに対する依存，インターネットやゲームに対する依存も社会的な問題となっている．DSM-5 では，依存の問題は物質関連障害および嗜癖性障害群に分類され，医療における治療・支援が求められる[8]．たとえば，アルコール使用障害患者では，その発現・維持について心理学的に理解することも可能であり，当事者への心理的支援や家族への心理的支援ならびに心理教育も心理師の役割となる．

加えて，引きこもりについてもかつてから多様な支援が行われてきた．こうしたなか，引きこもりを状態像としてとらえた場合，その背景にある発現・維持要因を同定することも欠かせない．たとえば，発達障害の問題やその他の精神疾患が背景に潜在していることもあり，こうした場合も心理師による支援が奏効するだろう．

5 ●学校におけるメンタルヘルスの問題

学校保健では，前述の児童虐待や自殺の問題，不登校および引きこもり，いじめの問題，教職員のメンタルヘルスの問題など，精神医学的，心理学的な問題が数多く存在している．

近年，学校でのさまざまな問題に対してスクールカウンセラーやスクールアドバイザー，スクールソーシャルワーカーなどの活用事業が行われており，心理専門職や社会福祉士や精神保健福祉士などが学校に特別職として任用されるようになっている．生徒とのかかわりでは，児童期，思春期特有の心性への十分な配慮が必要となり，また必要に応じては親への心理的介入も必要となる．さらに，長時間労働やクレーム対応などで疲弊する教職員のメンタルヘルス問題も社会問題化しており，そちらへの対処も今後の大きな課題である（➡ p.433 第 19 章 2 節参照）．

3 臨床心理士としての保健活動へのアプローチ

2010 年に日本臨床心理学会が公開した「医療保健領域における臨床心理士の業務」のなかの地域援助活動における臨床心理士のアプローチの方法を，**表 5** に示す[9]．実際の現場では，医療現場よりもさらに臨機応変の対応が求められ，医療，介護，福祉，保健のさまざまな知識やスキルが求められる．

■ 表5　地域援助における臨床心理士のアプローチの方法

①予防教育・心理教育	起こりうる問題の予防や，問題が生じた際の対応方法などについて教育啓発を行い，主体的な生活を営めるよう支援する活動
②アウトリーチ	臨床心理学的支援の利用が困難な人（アクセスの困難だけでなく，サービス利用に不安や拒否的感情をもつ人など）に対して，当事者もしくはその保護者などの要請をもとに現地に出向き，信頼関係の構築やサービス利用の動機づけを行う活動．生活状況をとらえ，日常生活場面での支援に活かす姿勢が求められる
③ケアマネジメント	対象者に関する地域生活全般にわたるニーズを把握し，医療・保健・福祉・教育・就労などの社会資源と適切かつ効果的に結びつけるための調整・プランニング・評価を行い，包括的・継続的サービスを供給する活動．最終目標は対象者自身がサービスや資源をうまく使いこなすことであり，計画初期から対象者の意向を最大限尊重する姿勢が求められる
④アドボカシー	自己の権利を十分に行使することのできない対象者や，障害者，患者などの権利を代弁する活動，擁護活動
⑤コンサルテーション	地域援助のなかで連携する他職種の専門家との間で行われる，対等で上下構造のない自由な関係に基づく相談援助活動
⑥コラボレーション	援助実践において共通の目的達成のために対等な立場で話し合いながら，互いにとって利益をもたらすような新たなるものを生成していくチームワーク活動．臨床心理士と他機関（他職種）との間だけでなく，対象者自身もチームの一員としてみなす
⑦コーディネーションとネットワーキング	さまざまな援助資源をつないで社会のなかに援助のシステムを構成する活動
⑧政策決定に影響を与える活動	地域住民個々の健康ニーズを反映する政策・事業の企画立案のために行う調査・研究活動ならびに種々の実践活動

（日本臨床心理士会：医療保健領域における臨床心理士の業務．p8，2011　http://www.jsccp.jp/suggestion/sug/pdf/iryogyoumu2011.05.15.pdf より 2020年2月3日検索）

■ 引用・参考文献

1）柳川洋ほか編：公衆衛生学－社会・環境と健康，2017年度版．医歯薬出版，2017
2）厚生労働省：地域包括ケアシステム．
　　https://www.mhlw.go.jp/stf/seisakunitsuite/bunya/hukushi_kaigo/kaigo_koureisha/chiiki-houkatsu/ より 2020年2月3日検索
3）厚生労働省：労働者の心の健康，保持増進に関する指針，2006
　　https://www.mhlw.go.jp/file/06-Seisakujouhou-11300000-Roudoukijunkyokuanzeneiseibu/0000153859.pdf　より 2020年2月3日検索
4）厚生労働省：労働安全衛生法に基づくストレスチェック制度実施マニュアル，2016年4月改訂
　　https://www.mhlw.go.jp/bunya/roudoukijun/anzeneisei12/pdf/150507-1.pdf より 2020年2月3日検索
5）島津明人ほか：これからの20年の労働者のメンタルヘルスを考える　これからの職場のメンタルヘルス－産業保健心理学からの二つの提言．学術の動向 19（1）：60-65，2014
6）厚生労働省：自殺総合対策における当面の重点施策（ポイント），2017
　　https://www.mhlw.go.jp/file/06-Seisakujouhou-12200000-Shakaiengokyokushougaihokenfukushibu/0000172355.pdf より 2020年2月3日検索
7）山本賢司：「精神科的評価および対応」のポイント－精神科医の立場から．救急・集中治療 25（7-8）：801-804，2013
8）American Psychiatric Association 編：DSM-5 精神疾患の診断・統計マニュアル（日本精神神経学会日本語版用語監，髙橋三郎ほか監訳）．医学書院，2014
9）日本臨床心理士会：医療保健領域における臨床心理士の業務，2011
　　http://www.jsccp.jp/suggestion/sug/pdf/iryogyoumu2011.05.15.pdf より 2020年2月3日検索

4 災害時などに必要な心理に関する支援

17章 健康・医療心理学

「災害対策基本法」では、災害を「暴風、竜巻、豪雨、豪雪、洪水、崖崩れ、土石流、高潮、地震、津波、噴火、地滑りその他の異常な自然現象又は大規模な火事若しくは爆発その他その及ぼす被害の程度においてこれらに類する政令で定める原因により生ずる被害をいう」と定義している[1]。災害の多くは自然災害をさしているが、自然災害以外の人為的に起こった事故や事件なども含めることがある。災害時には、医療、保健、福祉の面でさまざまな支援が必要になるが、とくにメンタルヘルスの問題は幅が広く、また長期的な支援が必要となる。ここでは主に自然災害時のメンタルヘルスについて概説し、被災直後の急性期心理的応急処置(サイコロジカル・ファーストエイド)や中長期的な支援、とくに配慮が必要な問題などについて論じる。

1 災害とメンタルヘルス

災害への対応は災害をサイクルとして考えることが重要であり、メンタルヘルスについても同様である。災害サイクルについては防災や支援などさまざまな視点からいくつかのモデルがあるが、**図1**にそのうちの1つを示した。発災からの時間経過により、超急性期(〜3日)、急性期(〜7日)、亜急性期(〜4週)、慢性期(1か月〜3年)に分け、災害対応の観点から発災期、緊急対応期、復旧・復興期/リハビリテーション期、静穏期、準備期、前兆期に分ける[2]。

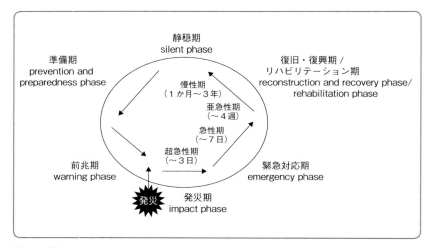

図1 災害サイクル
(日本集団災害医学会DMAT改訂版編集委員会：DMAT標準テキスト，改訂第2版，p7，へるす出版，2015)

上原鳴夫[3]は、災害時の保健医療の役割として**表1**に示す4つの役割を提唱している。メンタルヘルスに関しても、それぞれに役割がある。

■ 表1　災害時保健医療の4つの役割

①救急集団外傷（mass casualties）への対応
②被災者・避難者の健康管理
　a. 災害事象に起因する負傷・罹患への対応
　b. 継続する一般医療ニーズへの対応（救急医療，慢性疾患など）
　c. 災害弱者の保護（在宅医療，機器依存治療を含む）
　d. 被災環境下での疾病要因への対策／予防管理（感染症，重油塵埃肺炎など）
③地域保健システムの機能維持と再建
④災害が間接的に健康に及ぼす悪影響の制御と中長期ケア

（上原鳴夫：災害サイクルと災害時の公衆衛生の役割．災害時の公衆衛生―私たちにできること（國井修編），p28，南山堂，2012）

1・救急集団外傷への対応

　精神障害者が身体救急を受診する際に精神医療との連携が求められ，頭痛や高血圧などの身体症状を訴えて内科などを受診する患者のなかに不眠やフラッシュバックなどが関係し，対応が必要になることがある．

　阪神淡路大震災の経験を踏まえて，災害派遣医療チーム（DMAT：disaster medical assistance team，ディーマット）が組織され，各地域において大規模災害や多傷病者が発生した事故などの現場で，急性期（おおむね48時間以内）の身体的な問題に対して活動している[2]．さらに，東日本大震災における精神科医療チームの活動などから，災害派遣精神医療チーム（DPAT：disaster psychiatric assistance team，ディーパット）が設置された（図2）[4]．都道府県等DPATを構成する班のうち，発災から概ね48時間以内に，被災した都道府県等において活動できる班は先遣隊と定義され，主に本部機能の立ち上げやニーズアセスメント，急性期の精神科医療ニーズへの対応等の役割を担う．先遣隊の後に活動する班は，

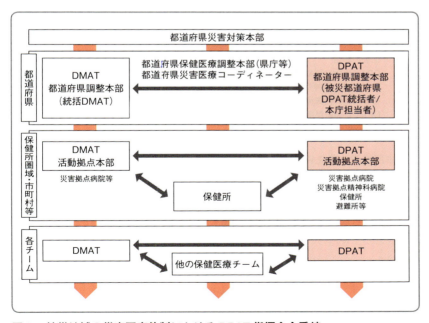

図2　被災地域の災害医療体制におけるDPAT指揮命令系統
文献4）を参考に作成

■ 表2 DPATの活動内容

DPATは，原則として，被災地域内の災害拠点病院，災害拠点精神科病院，保健所，避難所等に設置されるDPAT活動拠点本部に参集し，その調整下で被災地域での活動を行うこと．ただし，状況に応じ，DPAT調整本部に参集することもある．

1. 本部活動
   - DPAT都道府県調整本部，DPAT活動拠点本部において，DPATの指揮調整，情報収集，関係機関等との連絡調整等の本部活動を行うこと．
2. 情報収集とニーズアセスメント
   - EMISやJ-SPEED，関係機関からの情報等を基に，被災地域の精神科医療機関，避難所，医療救護所等の精神保健医療ニーズを把握する．被災状況の把握できない精神科医療機関，避難所，医療救護所等があった場合は，安全を確保した上で，直接出向き，状況の把握に務める．
   - 収集した情報をもとに，活動した場所における精神保健医療に関するニーズアセスメントを行うこと．
3. 情報発信
   - DPAT活動の内容（収集した情報やニーズアセスメントの内容も含む）は，DPAT活動拠点本部へ，活動拠点本部が立ち上がっていない場合はDPAT都道府県調整本部へ報告すること．また，地域災害医療対策会議等における他の保健医療チーム（DMAT，JMAT，日赤救護班，DHEAT等）への情報発信と共に，EMISを通じても情報発信を行うこと．
   - 活動に関する後方支援（資機材の調達，関係機関との連絡調整等）が必要な場合は，状況に応じて，DPAT調整本部，DPAT活動拠点本部，派遣元の都道府県等に依頼すること．
4. 被災地での精神科医療の提供
5. 被災地での精神保健活動への専門的支援
6. 被災した医療機関への専門的支援（患者避難への支援を含む）
7. 支援者（地域の医療従事者，救急隊員，自治体職員等）への専門的支援
8. 精神保健医療に関する普及啓発
9. 活動記録
   - 活動地域（保健所等）に記録を残すこと．
   - EMIS，J-SPEEDに記録を残すこと．
10. 活動情報の引き継ぎ
    - チーム内で十分な情報の引き継ぎを行うこと．
    - 医療機関ではその医療機関のスタッフ，避難所ではそこを管轄する担当者や保健師に対し，十分な情報の引き継ぎを行うこと．
11. 活動の終結
    - DPAT活動の終結は，DPAT活動における処方数，相談数等の推移を評価しながら，被災地域の精神保健医療機関の機能が回復し，かつDPAT活動の引き継ぎと，その後の精神保健医療ニーズに対応できる体制が整った時点を目安とし，被災都道府県がDPAT都道府県調整本部の助言を踏まえて決定すること．

文献4)を参考に作成

主に本部機能の継続や，被災地での精神科医療の提供，精神保健活動への専門的支援，被災した医療機関への専門的支援，支援者(地域の医療従事者，救急隊員，自治体職員等)への専門的支援等の役割を担う．DPATは，精神科医師，看護師，業務調整員(ロジスティクス：医療活動を行うための後方支援全般を行う者)で構成されるが，現地のニーズに合わせて，児童精神科医，薬剤師，保健師，精神保健福祉士や臨床心理技術者などを含めるとされている．活動内容の概要を，**表2**に示す[4]．

2・被災者・避難者の健康管理

災害による心理的な変化への対応や災害というストレスに起因する精神疾患へ

の対応とともに，被災する前から精神障害や知的障害を有している人たちへの対応も重要となる[5]．精神障害者の多くは向精神薬などを服用しているが，向精神薬は急に中断すると退薬（離脱）症状[*1]が出現することがある．また，薬物の中断は既存の精神障害の増悪につながることもある．したがって，被災時でも必要最低限の継続的な精神医療を提供する体制を構築していくことや地域の精神医療施設の復旧をサポートすることは重要である．

被災環境下での疾病要因の対策としては，正確な情報提供とメディア対応が重要である．急性期には，支援に必要で正確な情報提供を行うことが心理的な安定につながる．また，東日本大震災時はメディアなどで繰り返し被災した映像が映し出されたが，テレビを介した映像中心の災害報道は成人視聴者の心理状態に影響を与える可能性が指摘されている[6]．したがって，メディアへの対応は重要である．

3 ● 地域保健システムの機能保持と再建

地域にある精神科医療機関の復旧と被災前から活動を行っていた地域保健の災害問題への対応を含めた体制の整備が重要となる．インリーチ，アウトリーチでの相談支援の拡充，心理的支援への情報提供，医療・介護・福祉へのつなぎを地域の情勢に合わせて実現していくことが望まれる．

4 ● 災害が間接的に健康に及ぼす悪影響の制御と中長期ケア

前述の繰り返されるメディア映像の問題や仮設住宅での孤独死や自殺の問題への対応，アルコール使用障害への対応など，さまざまなものがある．

被災者の多くは生活支援をはじめとしたさまざまな支援を通じて，困難に対する自分なりの対処方法を思い出し，レジリエンス[*2]を取り戻すことが可能となる．そのためには，精神医療体制の確保はもちろん，ハイリスクアプローチ[*3]，ポピュレーションアプローチ[*4]を組み合わせて支援を行う必要がある．

2　急性期（超急性期，急性期，亜急性期）の心理的支援

急性期における問題としては，発災前から精神疾患を有する人では環境の急激な変化による精神症状の増悪や不適応，服薬中断による精神症状の増悪などがある．一方，精神疾患を有さない人でも生死にかかわるような恐怖を体験した後には，フラッシュバックとしてそのときの記憶が当時の感情とともに何度も想起されることがある．多くは2，3か月で自然に軽快するが，なかには睡眠障害や解離症状[*5]を伴い日常生活にも支障をきたす場合があり，急性ストレス性障害，心的外傷後ストレス障害（PTSD：post traumatic stress disorder）と診断されることがある．心的外傷体験後のPTSD発症に関連する要因としては，心的外傷体験への曝露の程度，社会的サポートの欠如，心的外傷体験後の生活ストレスなどがあるといわれている[7]．

災害後の混乱のなかでの支援活動は，多職種により多次元的に行われるものであり，心理的支援についても同様である．したがって，心理専門職以外のスタッフも心理的支援についての知識をもち，必要な対応を行うことが期待される．

用語解説

*1　退薬症状
主に中枢神経系薬物を反復的に摂取して依存が形成された際に，その薬物摂取を断つことにより現れる症状（症候）．離脱症状（症候），禁断症状ともいわれる．

用語解説

*2　レジリエンス（resilience）
心理学における用語としては「精神的回復力」を意味する．

用語解説

*3　ハイリスクアプローチ
疾患を発生しやすい高いリスクをもった人を対象に絞り込んで個別に対処する．

用語解説

*4　ポピュレーションアプローチ
対象を一部に限定しないで集団全体へアプローチをし，全体としてリスクを下げる．

用語解説

*5　解離症状
古典的なヒステリーにみられた症状で，過去の記憶，同一性と直接的感覚の意識，そして身体運動のコントロールのあいだの正常な統合が部分的にあるいは完全に失われる．健忘や遁走，昏迷，離人症などを呈する．

近年,このような問題に対して手引きやガイドラインが作成されている.いわゆる惨事ストレスなどに遭遇した際のガイドラインとしては,国連の機関間常設委員会(IASC:Inter-Agency Standing Committee)が作成した「災害・紛争等緊急時における精神保健・心理社会的支援に関するIASCガイドライン」がある[8].また,心理的な問題を主とした心理的応急処置(PFA:psychological first aid,サイコロジカル・ファーストエイド)も開発されるようになり,代表的なものとして世界保健機関(WHO)が作成したPFA[9]とNational Center for PTSDとNational Child Traumatic Stress Networkが作成したPFA[10]がある.これらは,すべてインターネット上でダウンロードが可能であり,参考にされたい.

1 ● 災害・紛争等緊急時における精神保健・心理社会的支援に関するIASCガイドライン

このガイドラインの主な目的は,「災害・紛争等の最中にある人びととの精神保健・心理社会的ウェルビーイングを守り,改善するために人道支援関係者およびコミュニティが,多セクターにわたる最低限の一連の対応を計画,構築,組織できるようにすることである」とされており[8],連携・調整,アセスメント・モニタリング・評価から食糧安全および栄養,避難所および仮設配置計画,水および衛生まで多岐にわたって解説されている.

2 ● 心理的応急処置(PFA)フィールド・ガイド(WHO)

このガイドでは「PFAとは,深刻な危機的出来事に見舞われた人に行う,人道的,支持的,かつ実際的な支援」と位置づけ,きわめてストレスの強い出来事を体験した人たちを援助する人を対象に被災者の尊厳,文化,能力を尊重したやり方での支援の枠組みを提示している.このガイドのなかでは,責任をもって支援するために,①安全,尊厳,権利を尊重する,②相手の文化を考慮して,それに合わせて行動する,③そのほかの緊急対応策を把握する,④自分自身のケアを行う,という4点が大切であるとしている.活動原則として,「見る」,「聞く」,「つなぐ」をあげている(表3).

■ 表3 PFA(WHO)の行動原則

見る	・安全確認 ・明らかに急を要する基本的ニーズのある人の確認 ・深刻なストレス反応を示す人の確認
聞く	・支援が必要と思われる人びとに寄り添う ・必要なものや気がかりなことについてたずねる ・人びとに耳を傾け,気持ちを落ち着かせる手助けをする
つなぐ	・生きていく上での基本的なニーズが満たされ,サービスが受けられるように手助けする ・自分で問題に対処できるよう手助けする ・情報を提供する ・人びとを大切な人や社会的支援と結びつける

〔World Health Organization, War Trauma Foundation and World Vision International:Psychological first aid:Guide for field workers. WHO, 2011;国立精神・神経医療研究センターほか訳:心理的応急処置(サイコロジカル・ファーストエイド:PFA)フィールド・ガイド. 2012 https://apps.who.int/iris/bitstream/handle/10665/44615/9789241548205_jpn.pdf;sequence=18 より2020年2月3日検索〕

3 • PFA実施の手引き（第2版）(National Center for PTSD/National Child Traumatic Stress Network)

この手引きでは，PFAの目的として「トラウマ的出来事によって引き起こされる初期の苦痛を軽減すること，短期・長期的な適応機能と対処行動を促進すること」を挙げ，災害やテロに遭った子ども，思春期の人，親（保護者），家族，大人，災害救援者やそのほかの支援者などを対象としている．表4に，活動内容を示す．

■ 表4　PFAの8つの活動内容

1. 被災者に近づき，活動を始める contact and engagement
   目的：被災者の求めに応じる．あるいは，被災者に負担をかけない共感的な態度でこちらから手をさしのべる
2. 安全と安心感 safety and comfort
   目的：当面の安全を確かなものにし，被災者が心身を休められるようにする
3. 安定化 stabilization
   目的：圧倒されている被災者の混乱を鎮め，見通しがもてるようにする
4. 情報を集める―いま必要なこと，困っていること information gathering: current needs and concerns
   目的：周辺情報を集め，被災者がいま必要としていること，困っていることを把握する．そのうえで，その人にあったPFAを組み立てる
5. 現実的な問題の解決を助ける practical assistance
   目的：いま必要としていること，困っていることに取り組むために，被災者を現実的に支援する
6. 周囲の人々との関わりを促進する connection with social supports
   目的：家族・友人など身近にいて支えてくれる人や，地域の援助機関との関わりを促進し，その関係が長続きするよう援助する
7. 対処に役立つ情報 information on coping
   目的：苦痛をやわらげ，適応的な機能を高めるために，ストレス反応と対処の方法について知ってもらう
8. 紹介と引き継ぎ linkage with collaborative services
   目的：被災者がいま必要としている，あるいは将来必要となるサービスを紹介し，引き継ぎを行う

〔アメリカ国立子どもトラウマティックストレス・ネットワーク，アメリカ国立PTSDセンター：サイコロジカル・ファーストエイド実施の手引き，第2版（兵庫県こころのケアセンター訳），2009 http://www.j-hits.org/psychological/pdf/pfa_complete.pdf#zoom=100 より2020年2月3日検索〕

3　中長期の心理的支援

中長期の心理的支援で問題となるのは，発災前から精神疾患を有する患者の医療機関への受診困難による症状の増悪，ストレス関連障害への対応，アルコールの問題，自殺の問題，支援者支援の問題などがある．

この時期は外部からの医療チームによる支援はフェードアウトし，地域の医療機関での通常の診療が行われるようになる．交通手段などが確保されていない場合や，被災後の多彩な雑務のなかで受診がおろそかになることに注意が必要である．病院スタッフのみの働きかけでなく，地域保健活動の一環としてのアウトリーチによる受療促進，服薬確認なども重要となる．また，急性期に引き続き，ストレス関連障害への対応は重要であり，PTSDなどの治療は専門的な治療技法が必要な場合もあるために適切な医療機関への受診が必要になることがある．

アルコールの問題は，アルコール離脱症候群とアルコール使用障害（乱用・依

存)の問題がある．アルコール離脱症候群は離脱後20時間くらいを頂点に発症し，振戦，幻覚や錯覚，痙攣発作などを含む早期症候群(小離脱)と離脱後72〜96時間くらいに発症し，振戦せん妄を主とする後期症候群(大離脱)に分けられる．また，災害後のアルコール使用障害のほとんどが，災害前からの継続および再燃であり，新たな発症は2％であったと報告されている[11]．被災者を支援する人たちはアルコール問題について意識を十分にもち，被災者へのアルコール問題についての普及・啓発，アルコール関連障害への対応を行っていく必要がある．また，発災から時間がたち仮設住宅などでの生活が始まった後などに，孤独感から自殺にいたる症例も報告されており，中長期的な支援として自殺対策は重要である．

これらの問題に対処していくためには，地域での精神保健活動が基盤となるが，なかでも大切なのは精神的な健康に関するスクリーニング，相談活動や普及啓発活動であるといわれている．仮設住宅でのサロン活動や，訪問による相談と見守り，相談窓口の設定，心理的問題やアルコールの問題に関する心理教育や啓発活動などを，地域の特性を考慮して行う．また，それらに従事する支援者への支援も重要であり，支援者自身に対するケアの体制，いざというときに精神医療に相談，受診できる体制の確保などが必要になる．

介入の方法として，PFAは中長期的な支援のなかでも十分応用可能である．また，リカバリースキルとして，National Center for PTSD/National Child Traumatic Stress Networkが作成したサイコロジカル・リカバリー・スキル(SPR：skills of psychological recovery)がある[12]．SPRは災害やテロが発生して数週間から数か月のあいだに，子ども，若い人，大人，家族に対して行うことのできる効果の認められた心理的支援の方法について，必要な部分だけを取り出して使えるように構成されており，PFAによる活動が行われた後，あるいは，PFAよりさらに集中的な介入が必要とされる場合に用いられる．

4 とくに配慮を要する支援

1・子どもへの心理的支援

子どもの場合も，発災前から障害や疾患を有する子どもと，発災後に生じる心理的な問題がある．

新潟県中越地震に際しての障害児(発達障害，自閉症，精神遅滞，肢体不自由，重症心身障害を含む)に対するアンケート調査から，発災数日後より発熱などの上気道症状，嘔吐などの消化器症状，筋緊張亢進，てんかん発作の増加がみられたことが報告されている[13]．なんらかの障害を有する子どもは環境変化へのすみやかな適応が困難で，ストレスを強く感じる可能性がある．一方で，コミュニケーション能力や知的能力の問題から，ストレスの言語化が困難な場合には身体症状が前面に現れる可能性も考えられる．したがって，精神症状の変化だけでなく，身体症状の変化などにも配慮が必要である．

また，被災した障害児を避難所などでケアをする人は家族が中心であり，家族への精神的なケアも重要と考えられる．発災後に生じる子どもの心理的な問題として，もっとも研究されているのがPTSDである．子どものPTSDの危険因子

として，女児，被災の程度，家族の死などの喪失体験，災害に関連した親の心理的苦痛，被災以前のストレスフルな生活上の出来事，メディアへの過剰な曝露などが指摘されており，子どもへの心理学的な介入については子どもの発達段階に応じた対応が重要である[14]．

2 • 高齢者への心理的支援

日本老年医学会は「高齢者災害時ガイドライン」を2011年に公表している[15]．

高齢者で災害時に問題となるのは，ほかの年代でみられるようなストレス関連障害，うつ病以外に認知症患者の症状変化，せん妄などである．

阪神淡路大震災発災後1週間以内に認知症患者の43％に症状変化を認め，震災前に軽度の認知症であった症例に症状悪化例が多かった[16]．これには災害の直接的な影響ももちろん大きいが，2次的な社会，生活変化などの影響も大きい．高齢者は新しい環境にストレスを感じやすく，適応するのに時間がかかる人も多い．また，認知症や軽度認知障害の患者は環境変化により，容易にせん妄が誘発されることがある．本人の安全や周囲への影響を考えても，避難所で過ごす高齢者や認知症患者のせん妄予防は重要である．

予防的な介入としては，時間，場所などの見当識を保つために，時計やカレンダーの置き場所を工夫したり，家族や知人，使い慣れたものに接することができるように配慮する（認知機能や見当識への対策），脱水や低栄養を避け，痛みや便秘などをコントロールする（身体要因への対策），離床をうながして可能な範囲で運動を行う（不動化への対策），視力・聴力の低下に配慮し，必要に応じて眼鏡・補聴器の準備をしたり，大きな声で話すなどコミュニケーションをとる（視聴覚障害への対策），睡眠障害に注意し，生活リズムを保つ（睡眠障害への対策：安易な睡眠薬使用はせん妄を惹起することもあるために行わず，必要であれば医師に相談する）などがある[17]．

3 • 在留外国人への心理的支援

在留外国人への心理的支援では，地域での支援，広域におけるまたは母国との相互支援，文化的な問題への配慮などが重要となる．地域においては，在留外国人の母語で心理的な支援を行えることが望ましいが，困難な場合には通訳や母語対応が可能なほかの地域との連携が重要となる．

また，文化的な違いには被災当初から配慮をする必要がある[18]．前述のPFA内でも，PFAを提供する準備として「文化と多様性に対して繊細にふるまう」ことをあげており，「被災者が災害の衝撃に対処できるよう支援するにあたって重要なのは，彼らが自分たちの習慣や伝統，儀式，家族のあり方，性役割，社会とのつながりを維持したり，再建したりするのを助けることです．その地域のことをよく知っている文化的主導者の力を借りて，喜怒哀楽などの表現のしかた，行政機関に対する姿勢，カウンセリングへの適応性など，その地域に関する情報を収集してください」[10]と記載されている．

4 ● 支援者に対するケア

　災害・紛争などの発生時，心理師をはじめ，支援を担当する者自身も深刻なストレス状況下におかれ，二次受傷の状態に陥る可能性もある．ストレス・災害時こころの情報支援センターのWebページ[19]ではこころのケアチームとして働く支援者向けに『災害救援者メンタルヘルス・マニュアル』が示されている．ここでは，災害支援者に生じうる心身の反応やその対処についてまとめられており，心理師が災害支援に携わる際にも有益な情報となり得る．

■ 引用・参考文献

1）内閣府：災害対策基本法，2016
　http://www.bousai.go.jp/taisaku/kihonhou/index.html より 2020 年 2 月 3 日検索
2）日本集団災害医学会DMAT改訂版編集委員会：DMAT標準テキスト，改訂第 2 版．へるす出版，2015
3）上原鳴夫：災害サイクルと災害時の公衆衛生の役割．災害時の公衆衛生─私たちにできること（國井修編），p21-35，南山堂，2012
4）厚生労働省：災害派遣精神医療チーム（DPAT）活動要領，2018
　https://www.mhlw.go.jp/stf/seisakunitsuite/bunya/0000204723.html より 2020 年 2 月 3 日検索
5）山本賢司：災害時の精神疾患患者への対応．多職種連携で支える災害医療─身につけるべき知識・スキル・対応力（小井戸雄一ほか編），p135-143，医学書院，2017
6）Schuster MA et al：A national survey of stress reactions after the September 11, 2001, terrorist attacks. New England Journal of Medicine 345（20）：1507-1512, 2001
7）Brewin CR et al：Meta-analysis of risk factors for posttraumatic stress disorder in trauma-exposed adults. Journal of Consulting and Clinical Psychology 68（5）：748-766, 2000
8）Inter-Agency Standing Committee：IASC Guidelines on Mental Health and Psychosocial Support in Emergency Settings（災害・紛争等緊急時における精神保健・心理社会的支援に関するIASCガイドライン），2007
　https://www.who.int/hac/network/interagency/news/iasc_110423.pdf より 2020 年 2 月 3 日検索
9）World Health Organization, War Trauma Foundation and World Vision International：Psychological first aid: Guide for field workers. WHO, 2011；国立精神・神経医療研究センターほか訳：心理的応急処置（サイコロジカル・ファーストエイド：PFA）フィールド・ガイド．2012
　https://apps.who.int/iris/bitstream/handle/10665/44615/9789241548205_jpn.pdf;sequence=18 より　2020 年 2 月 3 日検索
10）アメリカ国立子どもトラウマティックストレス・ネットワーク，アメリカ国立PTSDセンター：サイコロジカル・ファーストエイド実施の手引き，第 2 版（兵庫県こころのケアセンター訳）．2009
　http://www.j-hits.org/psychological/pdf/pfa_complete.pdf#zoom=100 より 2020 年 2 月 3 日検索
11）North CS et al：Postdisaster course of alcohol use disorders in systematically studied survivors of 10 disasters. Arch Gen Psychiatry 68（2）：173-180, 2011
12）アメリカ国立子どもトラウマティックストレス・ネットワーク，アメリカ国立PTSDセンター：サイコロジカル・リカバリー・スキル（兵庫県こころのケアセンター訳）．2011
　http://www.j-hits.org/spr/pdf/spr_complete.pdf#zoom=100 より 2020 年 2 月 3 日検索
13）小西徹：新潟県中越地震における障害児・者サポート．日本小児科医会会報 37：77-80, 2009
14）田中英三郎：特別な支援対象─子ども・若者への支援．災害時のメンタルヘルス（酒井明夫ほか監），p133-136，医学書院，2016
15）日本老年医学会：高齢者災害時ガイドライン（試作版）．2011
　https://www.jpn-geriat-soc.or.jp/member/kaikai/koreisha-saigai-guideline-ikkatsu.pdf より 2020 年 2 月 3 日検索
16）前田潔他：阪神大震災による環境変化と痴呆患者における症状の顕在化．日本精神神経学雑誌 98：320-328, 1996
17）日本総合病院精神医学会せん妄指針改訂班：増補改訂せん妄の臨床指針─せん妄の治療指針，第 2 版．p33-67, 2015
18）金吉晴ほか：災害時地域精神保健医療活動ガイドライン．2003
　https://www.ncnp.go.jp/nimh/pdf/saigai_guideline.pdf より 2020 年 2 月 3 日検索
19）重村淳ほか監：災害救援者メンタルヘルス・マニュアル，ストレス・災害時こころの情報支援センター
　https://saigai-kokoro.ncnp.go.jp/support/index.html より 2020 年 2 月 25 日検索

18章 福祉心理学

1 福祉現場において生じる問題とその背景

> **この章で学ぶこと**
> - 福祉現場で生じる問題とその背景
> - 福祉現場における心理社会的課題と必要な支援方法
> - 虐待，認知症に関する必要な支援方法

1 福祉現場における心理職の現状

　福祉に関する心理学的研究は，大正，昭和の初期にも重要性が唱えられていた．しかし，実際に心理職が福祉現場で活躍し始めたのは，1970年代に学校や医療の現場において活躍するようになった頃とほぼ同時期である．戦後の高度経済成長期の終焉から，近年の少子高齢化といった社会の変容のなかで心理職の必要性が社会一般においても認識されてきた[1]．

　しかし，現在のところ，福祉現場における心理職の活躍の場は非常に少ない．心理職が専門職として福祉現場に入っている例としては，子どもとその家庭を対象とした児童福祉分野と，精神障害者を対象とした精神保健福祉分野が主であり，高齢者(介護)福祉，障害者福祉，地域福祉の分野で活躍している例はほとんどない．

　この原因として，社会福祉分野における支援の以下の特性が考えられる．

　社会福祉分野における支援の多くは，介護や保育などの形で行われる直接的な生活支援，またはリハビリテーションのような身体機能に対する支援となる．また，社会福祉士による相談援助業務もあり，心理査定などを実施していないとはいえ，心理的支援と類似している点が多く，心理の専門職の必要性が認識されにくかった．

　加えて，福祉分野における支援は，面接室などで行われる対象者1名に焦点を当てたものではなく，周辺の関係者を含む環境と周囲の相互作用に対しての働きかけ(環境調整)が主なものとなる．そういったことが心理的支援に対する意識を希薄にさせていたと考えられる．ほかにも，知的障害を有する者や認知症の症状を有する高齢者の場合，面接による言語的コミュニケーションが成立しにくく，カウンセリングをはじめとした心理的支援から縁遠かったことも原因としてあげられる．

　さらに，地域福祉分野に視点を移すと，その対象範囲は町内会や学校区，市区町村，都道府県など，マクロレベルの非常に大きな集団となる．その対象が抱える心理的課題や支援内容，方法も多岐にわたるため，心理的支援の対象として想定しにくいという特性もある[2]．

　実際，高齢者(介護)福祉分野や地域福祉分野において，日常的な心理的支援に類する活動としてとらえられるのは，心理教育の一環としての地域住民への講演

会など，社会教育的なアプローチが主である．これらは，後述するコミュニティ心理学において予防的アプローチ（→ p.411 第18章3節参照）として触れられてきたものに近い．この予防的アプローチは，直接的な支援ではないため，心理的支援としてとらえにくい．

近年では，大規模災害などの発生後に，被災者に対する心的外傷後ストレス障害（PTSD：Post Traumatic Stress Disorders）への対応や，災害ボランティアに対して活動時の心理的な配慮などに関する教育など，心理的支援の必要性も唱えられるようになっているが限定的なものである．

このような背景があり，福祉現場において，心理職の必要性や心理職によるかかわりの機会は少ないのが現状である．

2 福祉現場の特徴

福祉実践の現場における特筆すべき事項として，社会福祉士，精神保健福祉士，介護福祉士，保育士，医師，看護師など多くの専門職が連携して業務を行っていることがあげられる（**図1**）．生活支援を担う介護福祉士や保育士，リハビリテーションなどを担う理学療法士や作業療法を行う作業療法士，言語聴覚士など，多くの専門職がそれぞれの専門性を発揮しながら活動している（**表1**）．そして，それぞれの専門職は，何らかの形で支援に関する心理的配慮について学んでいる．

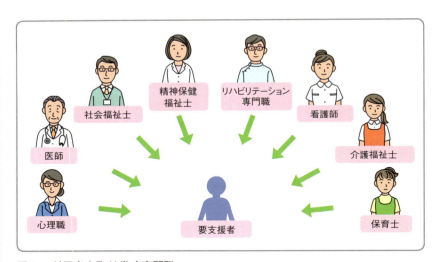

図1 利用者を取り巻く専門職

また，公認心理師の業務対象となる心理的支援や相談については，現在，社会福祉士と精神保健福祉士が相談援助業務のなかで行うことが多く，公認心理師による心理的支援との明確な棲みわけがない．法令上，社会福祉士と精神保健福祉士の業務範疇に心理的支援を含むとは言及されていないが，彼らによるソーシャルワークの業務範囲として心理的支援が扱われていることを踏まえると，将来的に公認心理師と社会福祉士および精神保健福祉士との業務範囲の整理を行う必要が出てくるだろう．

■ 表1　福祉分野における業務とそれを担う専門職

主たる業務	職種	活躍分野	支援の主な視点
相談業務マネジメント	社会福祉士	福祉分野全般	人と環境の相互作用の調整
	精神保健福祉士	精神保健福祉分野	
	ケアマネジャー（介護支援専門員）	高齢者福祉	要介護高齢者の生活（QOL, ADL）の維持と介護サービスのマネジメント
生活支援	介護福祉士	高齢者福祉 障害者福祉	高齢者，または障害者の生活の支援と維持
	保育士	児童福祉 障害者福祉	子ども，障害者の生活と発達の支援
医療支援	医師	医療分野	疾病などからの回復
	看護師		医療の生活支援も含む
	保健師		疾病の予防
	薬剤師		薬剤管理
リハビリテーション	理学療法士	高齢者福祉 障害者福祉	残存機能の活用もしくは回復
	作業療法士		
	言語聴覚士		
就労支援	ジョブコーチ	障害者福祉	就労に向けた環境との適合

　このような状況のなかで，公認心理師は福祉現場に入り，ほかの専門職とは異なる心理的支援の専門職としての活躍が求められる．ほかの専門職と協力，協働しながら，公認心理師としての専門性を福祉現場のなかで確立する必要がある．合わせて，ほかの専門職に対して心理的支援の活用や支援に関する助言，情報提供，コンサルテーション活動などを通じた間接的支援活動も求められるだろう[3]．

　しかし，冒頭でも述べたように，現在，福祉分野において明確に心理職が配置されている施設は少ない．

　よって，本稿の内容は，現在の心理職の職務を踏まえるというよりは，将来的に公認心理師が福祉分野の各現場でどのように活躍できるかを想定したものとする．そのため，現在の現場実践に即さない場合があることにご留意いただきたい．

3　心理的援助が必要と想定される範囲

　福祉分野において想定される心理職の業務は，心理査定，心理面接，心理療法の実施など直接的な心理支援にとどまらず，周辺の関係者や専門職に対する助言や情報提供，コンサルテーション，福祉教育などの予防的アプローチを通じた地域援助や調査・研究のような間接的な心理支援が考えられる[3][4]．

　対象としては，支援が必要な個人といった狭い範囲（ミクロ領域）だけではなく，周辺に存在する家族や友人・知人などの関係者や，個人にかかわる専門職を含む集団（メゾ領域），さらに地域コミュニティや地域内の団体，市町村などの地方公共団体や行政といった広い範囲（マクロ領域）にまで広がる．なぜならば，個人は，集団や地域コミュニティのなかで生活する以上，必ず，相互に何らかの接点をもっている．そのため，福祉に関する心理的支援の対象は非常に広範囲になる．

　ここでは，社会福祉分野における相談援助の理論と方法をもとに，ミクロ，メ

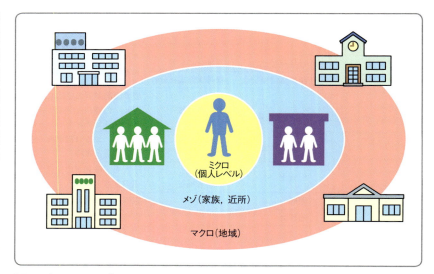

図2　ミクロ，メゾ，マクロの関係

ゾ，マクロの3つの領域ごとにその内容に触れていく(図2)．

1 ● ミクロ領域

　ミクロ領域として考えられるものは，福祉的支援を要する対象者個人(福祉サービス利用者)である．ミクロ領域では，個人に対する心理査定の実施，およびアセスメントや支援，つまり，従来の面接室などで行われている心理的支援ととらえることができる．

　面談を通じて，相手の表情や言動，しぐさなどから気持ちや心情を推測，分析，理解し，検査や各種療法などを用いながら，相手をより深く理解することが業務の中心になる．その結果を，対象者の生活機能や生活環境の調整，または生活を維持するための検討資料にする．この心理面の判断は，機能面(生理機能や身体

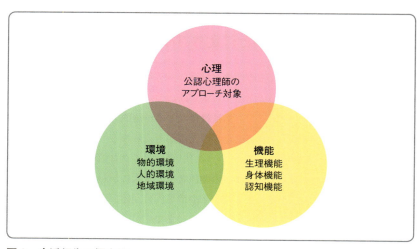

図3　生活行為の概念図
(桑田直弥：アセスメントから活きてくる本人・家族支援―他職種・他領域にどう伝えるか．岡山県臨床心理士会研修会資料，社会福祉法人みささぎ会，2017)

機能,認知機能)と,環境面(物的環境,人的環境,地域環境)の延長線上で行われており(図3)[5]．公認心理師は,対象者の心理状況をとらえることにより支援の妥当性,またはスムーズな援助への展開に寄与すると考えられる．

この際に配慮すべき事項として,ミクロ領域の対象者となる者は,すでに何らかの問題を抱えた状態(危機的状況)にある可能性が高いということがあげられる．重篤化などを防ぐ意味においても,初期段階での個人に対する心理査定の実施,およびアセスメントや支援の方法を検討することは非常に重要である．加えて,緊急性を伴う支援も必要になることが多いため,心理査定の実施だけではなく,対象者の観察や評価なども含め,対象者の心理的状況の把握を可能な限り迅速に行う必要がある．

危機的状況は,福祉分野のみに限定しても,虐待など生命維持に対する脅威や,怪我や疾病による生命の危機,認知症や事故などによる身体的機能の喪失など,多くの状況で発生することが考えられる．これらの危機的状況から可能な限り早く回復し,その後のリハビリテーションなどの支援につなげることが公認心理師に求められる業務となるだろう．

あわせて,リスクアセスメントとして虐待などの場合は悪化や再発のリスクなどについても視野に入れ,同じ状況を繰り返さないために,個人のみならず,集団を対象としたメゾ領域へのアセスメントも行っていく必要がある．

2 メゾ領域

メゾ領域となるのは,ミクロ領域の対象となる個人から範囲が拡大し,支援対象者の家族や友人などの関係者,もしくはほかの専門職を含む周囲の環境である．

心理支援は,個人に対する支援のみでは限界がある．たとえば個人が環境へ適応することをうながすためには,周囲の関係者の理解を得ることや環境の整備,ほかの専門職による支援内容の調整などが同時に必要になる．

具体的な業務として考えられるのは,支援対象者の家族に対する教育的なアプローチの実施や,支援に関わるほかの専門職への連絡調整や援助方法の理解を得ること,また必要に応じてほかの専門職が抱える課題について,心理職の立場からの助言やコンサルテーションの実施などである．

メゾ領域では,ミクロ領域と異なり数多くの関係者が存在する．具体的にどういったことに配慮が必要となるか,以下に述べる．

①家族や関係者,当事者グループへの支援

各福祉分野における家族支援などが典型例となるが,対象者個人がもつ心理的課題について家族が理解できなくては,個人の問題解決をはかっても,同じ問題が繰り返される危険性がある．問題の予防を行う意味においても,家族へのアプローチは重要である．

同時に,家族自身が何らかの心理的課題を抱えている場合も存在するため,心理査定と合わせて,個別のアセスメントを並行して実施する必要性がある．支援対象者の周辺の環境の整備と,支援内容や方法に対する助言も心理職として求められるだろう．

ほかにも,ピアサポートグループなどによる当事者間の相互支援を促進するこ

とも1つの方法として考えられる．

②ほかの専門職への支援（多職種連携に向けて）

先にも述べたとおり，福祉分野では多くの専門職がそれぞれの専門性を有して支援を行っている．従来，支援内容のマネジメントは，相談援助職となる社会福祉士や精神保健福祉士が行っていたが，今後は公認心理師も支援対象者との面接のなかで心理的課題などを明確化し，心理的支援を担うことが予測される．

また，公認心理師は，ほかの専門職に対して心理面から支援の展開における配慮や支援に関する方法論について，助言などを行うことが業務として考えられる．なぜなら，各種支援の場面において，人間の心理がかかわらない状況は存在しないからである．

その際に，注意すべき点は，ほかの職種との関係性のとり方である．福祉現場における専門職の多様性は，表1で示したように，ほかの公認心理師の活躍が想定される場よりも高いと考えられる．加えて，高齢者福祉の現場のように，それぞれの専門職が対象者にかかわる時間帯がまったく異なることもある．そうすると，それぞれの専門職が描いている対象者像にずれが発生している可能性がある．ずれを抱えたままでは効果的な援助は難しいため，その認識の齟齬を，心理専門職として調整する役割も期待される．ただし，ほかの専門職に助言を行う場合，同職種間で上下関係を伴うスーパービジョンではなく，コンサルテーションの形になることも十分留意する必要がある（図4）．

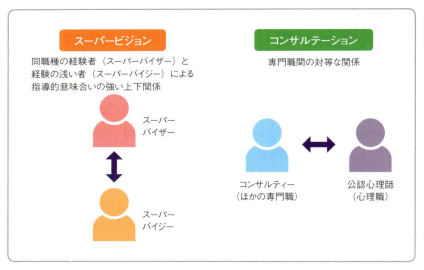

図4　スーパービジョンとコンサルテーションの違い

また，ミクロ領域と同じく，重篤化の予防に向けたアセスメントも状況に応じて行う必要がある．ミクロ領域での支援対象者発生の前に，ほかの職種との連携を行いながら，問題の早期発見や予防に向けた取り組みや，関連する領域（現場）へ実際に赴くこと（アウトリーチ[*1]）を通じて協力体制を構築すること（ネットワーキング）も必要になるだろう．

用語解説

＊1　アウトリーチ

援助者自らがコミュニティに赴くこと．コミュニティのなかには援助を必要としながらも，そのことを認識していない，または援助を受ける方法を知らないなど，ニーズが潜在化している場合がある．そのため，アウトリーチを行うことによって，被援助者のニーズを掘り起こし，専門的なサービスに結びつけることで，予防の効果を向上させることが可能になる．
（p.327 第16章2節参照）

3 • マクロ領域

マクロ領域は，ミクロ領域における個人，メゾ領域における個人とその周囲へのアプローチとは異なり，課題が発生する前段階での予防的なアプローチの側面が強くなる．場合によっては，当事者によるアドボカシー[*2]（意見表明）の促進や地域変革などを含むシステム構築なども，その具体的な支援内容としてとらえることができる．

つまり，面接室で特定の支援対象者の顔を見て，心理査定やアセスメントなどを行う従来の支援方法ではなく，地域などへのアウトリーチを前提とした心理的支援となる．そのため，これまでの支援とは大きく異なることになる．

たとえば児童福祉領域では，子どもの定期検診の機会に行う子育て支援活動があげられる．虐待などが発生する前に，親の不安や子育ての課題などを把握することにより，虐待予防に関する啓発活動を行ったり，心理的課題と合わせた情報提供を社会一般に対して行うことが可能となる．

高齢者領域であれば，要介護状態になることや認知症の症状に関する講演会やワークショップの実施を通じて，介護が必要な状況になった場合の対応方法を周知したり，近隣の認知症疑いのある高齢者の早期発見などをうながしたりし，介護状況に対する予防，もしくは要介護状態に陥った際の予防的な場を設けることが今後求められると思われる．

障害者福祉領域の場合は，障害者の就労支援への理解が得られるような活動が考えられる．たとえば地域住民や関連企業などに向けた講演会の実施や，当事者による行政機関などに対するアドボカシーの場を設けることが具体的な方法として想定される．

この他に，地域での取り組みとして，大規模災害などの発生時の被災地支援実施時の被災者やボランティアを含む各種支援者に対する心理的支援も，このマクロ領域の支援の対象として考えられる．また，日常から災害時のリスク検討としてハザードマップなどの作成を行っている地域もある．

なお，このような考え方については，社会福祉士における各種援助，または福祉心理学の領域だけでなく，コミュニティ心理学でも扱われることが多い．理解をより深めるためには，社会福祉学の相談援助技術（ケースワーク，グループワーク，コミュニティワーク）に関するカリキュラムやコミュニティ心理学の危機介入，予防的アプローチについても学ぶことをすすめる．

用語解説

*2 アドボカシー
　社会的弱者などの自立生活を支援するため，可能な限り本人の意思を尊重しながら，権利侵害を防止し，権利を擁護する活動．たとえば，成年後見制度はアドボカシーの一例である．

■ 引用・参考文献
1) 佐藤泰正ほか編：福祉心理学総説．田研出版，2011
2) 井上智義：福祉の心理学―人間としての幸せの実現．サイエンス社，2004
3) 山本和郎：危機介入とコンサルテーション．ミネルヴァ書房，2000
4) 橋本篤孝監修：認知機能の視点による実践介護．社会福祉法人みささぎ会，2010
　https://www.misasagikai.or.jp/system/wp-content/themes/misasagi/pdf/careworkerguidebook_small.pdf より2020年1月31日検索
5) 桑田直弥：アセスメントから活きてくる本人・家族支援―他職種・他領域にどう伝えるか．岡山県臨床心理士会研修会資料，社会福祉法人みささぎ会，2017

18章 福祉心理学

2. 福祉現場における心理社会的課題および必要な支援

本項では，実際の福祉分野の現場において，利用者が抱える心理社会的課題を，児童福祉，障害者福祉，高齢者（介護）福祉，地域福祉の4つの分野に分けて解説する．なお，障害のある児童（障害児）の支援については，制度上は児童福祉法で規定されているが，本項では障害者福祉に含めて述べる．併せて，個別の心理的支援等については，障害者（児）の心理学の項を参照していただきたい．また，精神障害者については，精神医学の領域と重複する部分が多いため，精神医学も参照していただきたい．

1 児童福祉分野

1. 支援の対象

児童福祉分野は，主として保護者のいない児童や，保護者に監護させることが適当でない児童を，公的責任で社会的に養育，保護するとともに，養育に大きな困難を抱える家庭への支援が主なものとなる．つまり，要保護児童，および養育困難な家庭に対する社会的養護となる．福祉分野のなかで心理的支援の重要性が最も認識されている．この分野では，多くの臨床心理士や児童心理士という専門職が心理的援助を行っている．

児童福祉分野の実践機関としては，相談機関である児童相談所，児童養護施設や乳児院などの児童福祉施設があげられる．ほかにもさまざまな施設があり，関

■ 表1　児童福祉に関する施設および制度

機関・施設名・制度など	概要
児童相談所	児童の養育に関する相談，および指導などを行う
乳児院	乳幼児を入院させ養育する
児童養護施設	保護者のいない児童，被虐待児童を入所させ養護する
児童心理治療施設	環境上の理由により社会生活への適応が困難な児童に，心理に関する治療および生活指導を行う
児童自立支援施設	不良行為を行った，または，そのおそれのある児童や，家庭環境などにより生活指導を要する児童を入所させ，自立を援助する
母子生活支援施設	配偶者のない女子，またはDV[*1]被害などを受けた女子と，その監護すべき児童を入所させ保護し，自立の促進を援助する
自立援助ホーム（児童自立生活援助事業）	義務教育終了後，児童養護施設，児童自立支援施設を退所し，就職する児童に対し日常生活上の援助，相談，生活指導を行う
里親制度	4人以下の要保護児童を里親の住居で養育する
小規模住居型児童養育事業（ファミリーホーム）	保護者のいない児童または保護者に監護させることが不適当である児童に対し，養育に関し相当の経験を有する者の住居において養育を行う

用語解説

＊1　DV（domestic violence）

配偶者や恋人によって行われる暴力行為．近年ではDV被害者のシェルター機能を有する母子生活支援施設も存在している．

連する制度も存在する(表1).

児童相談所では，WISC-ⅣやK-ABC2などを活用した心理判定やアセスメントを行う心理職が配置されている．また，近年では児童養護施設や乳児院でも，子どもたちの養育にあたり施設生活のなかで子どもたちの心理面の治療も行う（生活のなかでの治療）．そのため，心理的側面からの支援を充実させるために，心理職が配置される例が増えてきている．福祉分野のなかでは，比較的心理職が入りやすい環境といえよう．

ただし，この心理的支援の対象は，子どもだけでなく，親も含む．たとえば親による虐待の原因に，家庭の貧困や夫婦間暴力(DV，IPV)など親自身が抱える心理的課題が存在することが多い．そういった場合に，子どもたちへの支援だけでは，課題解決が難しくなる．子どもたちは家庭での生活が前提となるため，上記のような不適切な教育につながる要因をできるだけ減らすためにも親への支援も並行して実施する必要がある．また，児童養護施設や乳児院に入所する児童の家庭復帰(家族再統合)や，里親制度および将来的な養子縁組制度の利用に向けた支援の場合にも，親子関係調整とアセスメントが必要となる．

2 ・心理社会的課題と必要な心理的支援

児童福祉分野における主な心理社会的課題には，虐待被害，成長発達の遅滞，身体・知的・精神など何らかの障害による生活面での困難の3つがあげられる(なお，成長発達の遅滞と障害を有する子どもへの支援については，後述の障害者福祉分野において記述する)．

現在，これらの課題に対する対応方法や判定は児童相談所で行われており，子どもたちの心理査定などは，心理職が実施している．今後も，公認心理師が心理査定などをとおして子どもたちの心理側面における発達状況を把握し，適宜，アセスメントを行うことが主な業務として期待される．当然，虐待などによる心のケアも含まれる．

ただし，児童福祉分野の養育場面で，子どもたちと主にかかわるのは，保育士や児童指導員，社会福祉士であり，心理職ではない．そのため，公認心理師は子どもたちに対する直接的な支援よりも，むしろ，子どもたちの支援を行うほかの専門職に対して子どもの心理面の状況を伝えたり，逆に，子どもたちの変化や気づいたことを彼らからヒアリングすることが重要になってくる．長い時間子どもたちとかかわる施設職員から得られる情報は，アセスメントを行ううえで非常に有用である．それぞれの専門職の視点から伝えられる情報は，子どもの成長のなかでの愛着形成の状況や基本的な生活習慣の定着状況が含まれ，心理査定や面談のなかでは見えてこない子どもたちの姿を知ることができる．

また，子どもたちの通学する小中学校へのアウトリーチも業務として考えられる．場合によっては，コンサルテーションの依頼を受ける可能性もあり，柔軟な対応が必要になってくる．

そのほかにも，近年の傾向として，児童養護施設などにおける施設養護から，里親やファミリーホームによる家庭的養護への移行が進むと同時に，可能な場合は施設に入所した児童の家族再統合に向けた家族支援の取り組みも増えつつあ

る．こうした流れに対応するため，子どもが新たな生活環境にスムーズに適応できるように，公認心理師が心理的側面の支援を行うことも重要である．公認心理師の役割としては，子どもを受け入れる里親に対する心理的支援や，里子となる子どもたちの心理面の状況を伝えることがある．いずれの場合においても，虐待などの子どもにとっての危機的な状況が再発しないように，予防の観点からも，子どもへの支援と合わせて，親への心理的支援も重視し，アセスメントを行う必要がある．

2　障害者福祉分野（知的，身体，精神，発達）

1・心理社会的課題

障害者福祉分野では，ノーマライゼーション*2，または共生社会*3の実現という社会的目標が掲げられ，健康で障害のない人と同じように生活できる環境の構築が推進され，各種サービスが提供されてきた（表2）．

■ 表2　障害者福祉分野における主なサービス内容

サービス名など	概要
施設入所支援	施設内で日常生活などに必要な介護や支援を受ける
生活介護，療養介護，短期入所	施設に通う，または短期間の入所などを通じ日常生活で必要な介護や支援を受ける
居宅介護，行動援護，同行援護，重度訪問介護，重度障害者等行動支援	在宅での生活を維持するために，必要な支援を行う
自立訓練，就労支援，就労継続定着支援	自立就労に向けた技術の習得や就労を継続するための支援を受ける
共同生活援助（グループホーム）	施設内で可能な限り自立した生活を送ることを目標とし，支援を受ける
多機能型事業	生活介護，就労支援など，利用者の状況に合わせて複合的な支援を受ける

しかし，障害者支援の現状は，障害のある人が社会で自立または自律*4して生活するには困難が多い．その背景には，障害者本人の自立生活能力の欠如，バリアフリーやユニバーサルデザインに代表される周囲の生活環境の整備の遅れ，社会一般における障害者に対する理解の欠如などがあげられる．そのため，障害者福祉分野では，障害のある人がいかにして社会のなかで自立または自律した生活を送ることができるかが大きな課題として認識されている．また近年では障害者本人と親世代の高齢化や貧困も重要な課題となっている．

こうした課題に対応するために，障害者自身の心理面からのエンパワーメント*5とともに，地域で安定した自立生活を送ることができるように，家族の理解や地域住民からの理解を得ることと合理的配慮*6を視野に入れた環境の調整も必要である．

用語解説

***2　ノーマライゼーション(normalization)**

1950年代，デンマークのバンク・ミケルセンらの知的障害者の家族会の施設改善運動から生まれた理念．障害があっても地域社会で「できるだけノーマルに近い生活を提供すること」を目指し，脱施設化など社会環境の変革に寄与した．国連の国際障害者年（1981年）を契機に認知度を高め，現代の社会福祉の基本理念の1つとなった．

用語解説

***3　共生社会**

制度・分野ごとの「縦割り」や「支え手」「受け手」という関係を超え，年齢，性別，職業，障害の有無など関係なく，多様な人々が参画し，人と人，人と資源が世代や分野を越えつながることで，住民一人ひとりがそれぞれの暮らしと生きがいをともに創っていく社会のこと．

用語解説

***4　自立と自律**

自立は，自身の身の回りことを自分で行い生活できること．自律は，自身の社会生活，他者との人間関係などを含めて，自分で対応できることをいう．

用語解説

***5　エンパワーメント**

自分自身の生活や環境を自身の力でよりよくコントロールできるようにしていくこと．

2 必要な心理的支援

障害者福祉分野における心理的支援については，大きく2つのものがあげられる．1つ目は，先天的に障害のある，または発達などに課題を抱える児童や，知的能力に課題をもつ者への心理査定の実施，およびアセスメントや支援である．2つ目は，事故や疾病により何らかの身体機能を喪失，または精神障害などにより生活能力に支障をきたしている者に対する障害受容に向けたアセスメントである．

前者については児童相談所でも行われており，身体的成長と合わせた環境への適応や，自立や就学・就労に向けた支援である．心理査定などは心理職によって行われてきたが，その後の具体的な支援に関しては介護職や保育士，医療的なケアを要する対象者の場合であれば，医師や看護師などによって行われている．

心理査定によるアセスメントよりもICF（国際生活機能分類）[*7]などを用いながら，生活のなかでの困難さ（生きづらさ）をいかに解消するかという視点での支援が中心に行われている．公認心理師が現場にかかわることで，生活機能だけではなく，発達障害のなかで発生する誤学習とそれに伴う精神疾患などの2次障害の発生，解離症状，感情調節や衝動制御に関する困難などに対応する心理側面の視点も加わることにより，障害者本人に寄り添った支援が可能になると考えられる．

後者については，身体機能の喪失や生活能力に支障をきたしていることに対する受容と心のケアを並行して実施する必要がある．とくに精神疾患などによる生活能力の喪失については，再発のリスクも含め，心理的支援を充実させることやピアサポートグループ[*8]を組織し，相互支援を促進する試みを行うことが考えられる．

また，自立に向けた支援では，社会福祉士や精神保健福祉士といった相談援助職とともに，自立に向けた生活支援における心理的支援の方法の検討や，就労支援の場面でのジョブコーチなどの専門職や実際の就労先の担当者との連携をとることも考えられる．

3 高齢者（介護）福祉分野

1 心理社会的課題

身体機能や認知機能の低下により介護が必要になる状況は，後天的な心身の機能喪失といえる．その状況をどのように受け止め，人生を全うするかは，多くの人々が将来抱えうる課題である．また，家族による介護をどのように受け止めるかは誰もが共通して抱える心理的課題である．介護が必要な状況を受容できないままに，高齢者虐待に発展するケースも増加しており，現在の介護保険制度の活用では解決できない心理的課題が多く存在すると考えられる．

しかし，高齢者（介護）福祉分野において，心理職が配置されているケースは非常に少ない状況であり，高齢者に対する心理的支援は萌芽期にある．現在，心理的支援に近い内容で行われている支援の多くは，社会福祉士や介護支援専門員（ケアマネジャー）による相談援助活動に代替されている．

用語解説

＊6 合理的配慮
障害者が他の者と平等にすべての人権および基本的自由を享有し，または行使することを確保するための必要かつ適当な変更および調整であって，特定の場合において必要とされるものであり，かつ，均衡を失したまたは過度の負担を課さないものをいう（障害者権利条約第2条）．

用語解説

＊7 ICF
国際生活機能分類（International Classification of Functioning, disability and health）のこと．WHO（世界保健機関）により1980年に制定されたICIDH（International Classification of Impairments, Disabilities and Handicaps, 国際障害分類）の改訂版．ICFは2001年に制定され，正式名称は「生活機能・障害・健康の国際分類」である．障害に関することや，健康に関することなどを1,424項目に分類し，それらが下図のように複雑に絡み合って相互作用していると考えたもの．日本国内では，このICFをもとにしてアセスメントの検討を行うことが多い．

用語解説

*8　ピアサポートグループ

同じ症状をもった当事者が，グループで相互に支援などを行う活動．薬物やアルコール依存からの脱却を目指すグループなどの活動が現在も各地で行われている．

用語解説

*9　地域包括ケア

特別養護老人ホームなどの施設での生活ではなく，住み慣れた自宅とその地域で必要な介護サービスを受けながら生活できる環境の構築を目指したものである．小学校区，または中学校区を地区の単位として，円滑なサービス提供ができる基盤を作ることを目指している．

また，高齢者（介護）福祉分野では，ケアマネジメントとして介護福祉士，看護師，理学療法士，作業療法士などの複数の専門職が一人ひとりの高齢者の状況に応じた介護サービスを提供できるように調整しながら支援を行っている．近年では地域包括ケア*9の展開とともに，在宅での支援も増え，多くの専門職連携を前提とした介護サービスの提供が行われるようになってきた（表3）．

■ 表3　高齢者（介護）福祉分野における主な施設・サービス

サービス名など	概要
特別養護老人ホーム	施設における，介護を中心とした生活支援
軽費老人ホーム（ケアハウス）	基本的に自立しながら，必要に応じた生活支援を行う
通所介護（デイサービス）	施設に通いながら，必要な介護サービスを受ける
認知症対応型高齢者生活介護（認知症高齢者グループホーム）	認知症の高齢者がユニット（9人）単位で共同生活を送りながら生活支援を受ける
訪問介護	高齢者の自宅に訪問し必要な生活援助を行う

このような状況下で，公認心理師は高齢者本人や家族，介護者のそれぞれの心理状況や立場，考えなどを踏まえ，必要な心理的支援とケアマネジメントに対する助言を行っていく必要があるといえる．

2● 必要な心理的支援

高齢者（介護）福祉において，求められる心理的支援としては，大きく3つの内容が考えられる．まずは障害者福祉分野と似た内容となるが，①要介護の高齢者本人が介護状態を受け入れ，生活を継続できる心理状態を保てるように支援すること，②要介護高齢者の周辺の環境を整え，介護が必要になる前の状態を可能な限り維持できるように，心理的配慮を行いながら環境を整備すること，③家族およびほかの専門職に対して，要介護高齢者の心理状態を伝え，理解をうながすことである．

1つ目については，身体機能の低下や喪失を前向きにとらえることは難しく，自身の状況を受け止め，自尊心などを傷つけることなく，介護サービスを受けられるように心理的安定を確保するための支援が必要になる．場合によっては，要介護高齢者の心理状況の把握だけでなく，各種サービスを受けている様子などから，心理査定では見えにくい課題などの抽出も必要になるだろう．

2つ目は，要介護高齢者の状況を踏まえ，生活環境のなかで心理的不安が発生しない環境をどのように構築するかが課題となる．生活環境に適応できるような配慮を心理学の側面から行う．とくに，施設に入所する場合は従来の生活環境から大きく変化するため，変化によってもたらされる心理的影響に配慮する．こうした援助は，従来は，社会福祉士やケアマネジャー，看護師らほかの専門職が行っていたが，公認心理師がかかわることにより，要介護高齢者の心理的負担を明確にし，ほかの専門職の負担の軽減などが期待されることになるだろう．

3つ目については，家族および本人にかかわる専門職が要介護高齢者を心理的に受け止め，援助行動につなげられるような心理的支援が必要になる．家族であ

れば，今までできていたことができなくなった親や配偶者の姿に対して，怒りや苛立ちなど，さまざまな感情をもつことが考えられる．感情をもつこと自体に問題はないが，その感情の発散の方向性を誤ると，虐待などの事態を招くおそれがある．このことは，専門職においても同じであり，感情のもち方について，要介護者の心理状態の情報提供や理解と合わせて，心理的支援が必要になるといえるだろう．

これら以外にも，必要に応じて終末期への支援やグリーフケア[*10]を行うことも考えられる．高齢者本人が亡くなる前の心構えや医療的ケアなどと合わせた包括的アセスメントや，亡くなった際の喪失体験を家族らがどのように受け止め，立ち直るかの支援も心理的支援として求められる．

なお，これらの支援の多くは，現在まで多くが社会福祉士らによって行われていた内容である．そのため，今後，公認心理師が高齢者福祉の現場に入る際に，社会福祉士などの相談援助職とは異なる，心理の専門職としての立ち位置を確立し，現場に入ることが重要になるだろう．

用語解説

[*10] **グリーフケア**
人が亡くなることに対する喪失体験から，いかにして立ち直るかの支援を行う．

4　地域福祉分野

地域福祉分野で心理職が活躍する事例は非常にまれである．なぜなら，地域住民という非常に大きな対象を相手に面接室での個別支援が考えにくいこと，また不特定多数を対象とした心理療法などのアプローチは現実的ではないためである．

しかし，本項で述べたように各福祉分野における心理社会的課題は増加傾向にあり，公認心理師の制度設立もこの流れによるところがある．将来的に，本章で扱った福祉分野に限定せず，さまざまな心の問題を抱える個人が出現する可能性は高く，医療的および福祉的支援が必要になると考えられる．そのため，心理的課題などを抱えるリスクのある人々に向けた予防的アプローチが地域福祉分野における心理的支援として考えられる．

具体的な方法としては，講演会やワークショップなどを通じた心理的支援に関する啓発活動などがあげられるが，その内容の設定などは，地域性などを加味する必要があるといえる．

たとえば，乳幼児期の子どもをもつ家庭が多い地域であれば，子育てなどに関する講演会の開催や，養育上の心配事を共有する子育て支援の自助グループを作ることが考えられる．高齢者の割合が高い地域であれば，認知症に関する講演会や介護予防運動などの実践などが考えられる．

これらの実践のためには，面接室のなかから企画を行うのではなく，地域にある公民館，学校などの公共施設や福祉施設などに実際に赴き，地域における課題や地域住民のニーズを発掘していくことが重要である．

5　公認心理師と社会福祉士および精神保健福祉士の業務との関係性

ここまであげてきた業務の多くは，現在まで主に社会福祉士および精神保健福

祉士によって行われてきた内容となる．この2つの職種は，心理学理論と心理的支援を学び，心理査定などを実施する技術や心理アセスメントを，相談援助活動の一部として活用することにとどまっている．そのほかのアセスメント技術などと合わせて活用しながら，さまざまな福祉サービスや制度などの活用による利用者支援が業務の中心となる．

　公認心理師は，心理的支援の専門職として福祉現場にかかわることになるが，主な活動としては心理的支援を要する者への面接などによる相談活動と周囲の環境調整を含む心理的支援である．そのため，社会福祉士および精神保健福祉士の相談援助業務と非常に近いものととらえられ，心理職として認知されにくい場合も考えられる．今後，公認心理師が福祉現場において業務を遂行する際には，心理的支援の専門職であることを念頭に置きながら，他職種との連携を進めることが求められるだろう．

■ 引用・参考文献
1) 佐藤泰正ほか編著：福祉心理学総説．田研出版，2011
2) 桑田直弥：アセスメントから活きてくる本人・家族支援－他職種・他領域にどう伝えるか．岡山県臨床心理士会研修会資料，社会福祉法人みささぎ会，2017
3) 井上智義：福祉の心理学―人間としての幸せの実現(ライブラリ実践のための心理学)，サイエンス社，2004
4) いとう総研資格取得支援センター編：見て覚える！社会福祉士国試ナビ2018．中央法規，2017

3. 虐待，認知症に関する必要な支援

前節（→ p.400 参照）で各福祉分野における心理的支援やアセスメントについてまとめたが，近年の福祉分野の状況をふまえると，虐待事例や認知症高齢者に対する支援場面が多くなると考えられる[2)3)]．こういった場面で期待される役割は，発生後の対症療法的な支援と，発生前の予防的な支援の2種類となる．ここでは，虐待への対応，認知症高齢者への対応，虐待または認知症に対する予防的アプローチの3つに触れる．

1 虐待，虐待被害者と周辺への支援

1 虐待とは

虐待という言葉から，主に家庭内における児童虐待が想起されやすいが，近年では高齢者介護を行う家庭での事例や，児童・高齢者・障害者各種分野の福祉施設においてケアを担う職員による虐待事例も報告されている．虐待被害者が死亡する最悪の事態も発生しており，加害者となってしまう専門職に対する支援も必要と考えられる[2)3)4)]．また，夫婦間暴力（DV，IPV）や家庭の貧困と児童虐待が複合的に絡んだ事例も増加傾向にあり，虐待などの行動に対する心理的支援は今後さまざまな方法で実施していく必要がある．

まず，虐待は，「児童福祉法」「児童虐待防止法」「高齢者虐待防止法」「障害者虐待防止法」「配偶者暴力防止法」などの関連法規において必要な措置が規定されている．これらのなかで虐待される行為を大別すると，身体的虐待，心理的虐待，性的虐待，経済的虐待，ネグレクト（放棄，放任）の5つに分類される（表1）．また，子どもに対して DV 場面を実際に見せること（面前 DV[*1]）も，子どもに過度のストレスを与えることとなり，心身へ影響を与えることから，「配偶者暴力防止法」のなかで，虐待として扱われるようになった．

用語解説

[*1] 面前DV

面前 DV の法的根拠は，いわゆる配偶者暴力防止法と児童虐待防止法の2つの法律となる．面前 DV に関する記述は，平成13年制定の「配偶者からの暴力の防止及び被害者の保護等に関する法律」（配偶者暴力防止法）が最初である．その後，平成16年10月の「児童虐待の防止等に関する法律[1)]」（児童虐待防止法）の改正により，面前 DV が児童に対する心理的虐待に含まれることが明確にされた．

■ 表1 主な虐待の種類

虐待の種類	内容
身体的虐待	殴る蹴るなどの暴力によって身体に傷やあざ，痛みを与えること．また外部との接触を意図的，継続的に遮断することも含む
心理的虐待	脅迫，侮辱などの言葉，または無視，差別的扱い，嫌がらせなどの不快感，DV の目撃を与える態度によって，精神的苦痛を与えること
性的虐待	本人が同意していない性的な行為とその強要．性行為を意図的に見せる．ポルノグラフィの被写体（いわゆる児童ポルノ）にするなど
経済的虐待	本人の同意なしに財産や金銭を使用したり，本人が希望する金銭の使用を制限すること
ネグレクト（放棄，放任）	家のなかに閉じ込める，食事を与えない，おむつ交換を行わずひどく不潔な状態にする，また病気になっても病院に連れて行かないなどの行為により，身体的または精神的な状態を悪化させること

注：DV の目撃（面前 DV）については，暴力場面を見せることによる心理的虐待，および性行為等を意図的に見せることによる性的虐待の2種類がある．

2 ● 虐待事例における支援の対象者

虐待発生時は，まず虐待を受けた者（被虐待者）の心理的外傷などの治療が考えられる．同時に，保育士や介護福祉士，ほかの専門職に対して，支援の場面で配慮すべき事項などについて説明するなど，情報提供も行う．

しかし，虐待は，被害者側の心理的支援だけでは，問題の解決に至らない．虐待行為は当事者による自傷行為ではなく，傷害行為を行った加害者が存在するからである．加害者は，家族などの養護・養育者，施設従事者，障害者就労の現場における使用者があげられるが，同じ状況を繰り返さないために，加害者側に対しても心理的支援が必要となる．加害者側の虐待行為に至る原因に，何らかの心理的課題が存在する可能性が高いためである．とくに児童福祉領域における児童の家庭復帰の取り組みや施設内虐待の事例では，再発を予防する必要がある．

公認心理師は，虐待被害者だけでなく，加害者も含めた周囲の関係者を対象とし，心理的支援を行う必要がある．**図1**に虐待事例における心理的支援の対象を示す．

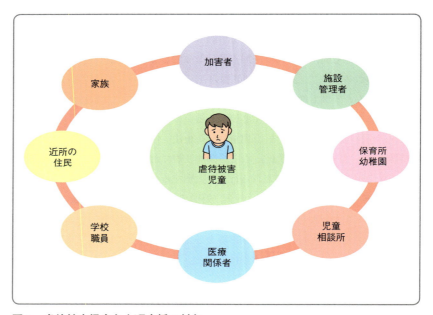

図1　虐待被害児童と心理支援の対象

3 ● 支援の実際

虐待被害者の身体的ケアは医療の範疇となるが，公認心理師としては被害者自身の心的ケア，つまり心の回復が第一の目標となる．被害を受けたあとに，心的外傷後ストレス障害（PTSD：post traumatic stress disorder）の発症，児童の場合，愛着形成の阻害だけではなく，成長過程で本来獲得される基本的な生活習慣が確立できていない状況が発生することも想定されるため，心理査定の結果だけにとらわれず，さまざまな場面で虐待被害者の様子を継続的にモニタリングする必要がある．

加えて，将来，虐待被害者自身が加害者になる状況も起こるかもしれない．つ

まり，虐待の連鎖*2 とよばれる状況であるが，この点をふまえれば長期的な視野をもった支援が必要になるだろう．

また，虐待加害者に対しては虐待に至った原因について，心理査定や面接から問題点の抽出とアセスメントを行う必要がある．そのうえで，心理的支援の実施と，虐待を繰り返さないための予防的アプローチが必要となる．具体的な支援としては，子育てまたは介護などへの向き合い方やかかわり方をともに考えたり，ストレスコーピングの方法を身につけてもらい心理的負担を軽減させることなどがあげられる．ほかにも福祉制度やサービスなど社会資源の活用や，ピアサポートグループへの参加をうながすことも考えられる．

周囲の専門職に対しては，被害者側と加害者側の心理的状況や配慮すべき事項について情報提供を行う．また，ほかの専門職から気づいた点をフィードバックしてもらい，心理的支援に活かせるよう双方向のコミュニケーションも必要となる．心理査定や面接で得られない情報を，ほかの専門職から得ることは，心理的支援の効果を高める意味でも重要である．同時に，心理的支援に関するコンサルテーションや，各現場へのアウトリーチの実施についても視野に入れる必要がある．

虐待の予防を行い，発生を完全に防止することは難しいかもしれない．しかし，ほかの専門職との連携や，現場へのアウトリーチ活動のなかから，虐待のハイリスク状況にある児童または家庭の状況について情報収集が可能となり，予防活動につながる可能性が生まれる．したがって福祉分野における公認心理師は，面接室内での個別の心理的支援と合わせて，外部機関，他職種との連携やアウトリーチが重要になるだろう．

2 認知症高齢者と高齢者（介護）福祉関係者への支援

1・認知症とは

認知症は，成人期以降，後天的に発生する慢性または進行性の脳疾患により，脳の機能が低下した状態をいう．具体的な症状としては，記憶の喪失，思考の混乱，見当識障害，理解および学習能力の低下など，高次脳機能障害を伴う．

認知症はアルツハイマー型，レビー小体型，脳血管性型などがあり，ほかにも原因となる疾患によってさまざまな種類がある（認知症の詳細については➡p.269 第13章5節参照）．発生のメカニズムや治療法は，まだ十分に解明されていない部分も多い．

認知症の判定には，DSM-5や改訂版長谷川式簡易知能評価スケール（HDS-R）*3，ミニメンタルステート検査*4 などの検査ツールが活用されている．

2・支援の対象者

心理的支援は，認知症の症状を伴うようになった高齢者本人とその家族を対象に行う．加えて地域での生活を継続する場合には，ケアマネジャーや訪問介護員，介護福祉士などの各種介護サービスの提供者なども心理的支援の対象となる．

図2は，特別養護老人ホームではなく地域で生活を営む初期の認知症高齢者を

用語解説

*2 虐待の連鎖

虐待被害者が，子育てや介護の場面において，自身が過去に受けた虐待を自分の子どもや家族に加えること．

用語解説

*3 改訂版長谷川式簡易知能評価スケール（HDS-R）

長谷川和夫によって開発された認知機能の診断スケール．見当識，記憶など9項目からなり，30点満点で20点以下は認知症の疑いが高まるとされる．1974年に開発され，1991年に一部改訂を経て現在まで利用されている．

用語解説

*4 ミニメンタルステート検査

認知症の診断用にアメリカで1975年にフォルスタインらが開発した質問セット．30点満点の11の質問からなり，見当識，記憶力，計算力，言語的能力，図形的能力（空間認知）などをカバーする．24点以上で正常と判断．10点未満では高度な知能低下，20点未満では中等度の知能低下と診断する．

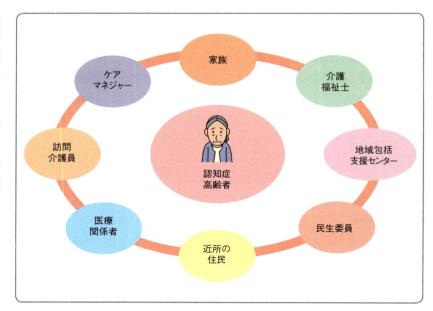

図2　地域で生活を営む初期の認知症高齢者と心理的支援の対象

中心とした心理的支援の対象を想定している．

3 ● 支援の実際

　認知症ケアでは，認知機能の低下を本人が理解し，受け止めるための心理的支援を行うが，脳血管性型の認知症の一部を除いて，その疾患ゆえに心理的支援を直接行うことが困難な場合が多い．

　実際の支援では，まず高齢者本人に対する心理査定と面談による状況の把握が必要となる．面談は，本人の身体的状態などにより，面接室の利用が困難な場合もある．その場合は，本人の居室など，心理状態が安定し，安全にコミュニケーションがとれる環境で行えるように調整することも必要である．

　面談では認知症の判定結果に基づき，家庭などにおける認知症によると思われる行動や介護に対する不安などを聞き，本人に必要な心理的支援と課題の抽出を行う．課題を明らかにし，その内容をふまえ，必要に応じて居宅環境の整備などに向けた助言を行う．助言および支援の目標は，可能な限り認知症の症状が出る前に近い生活を維持することである．

　このなかで，公認心理師は認知症の症状をもった高齢者本人が自身の症状を受け止め，認知症による精神面の変化に対応できるような支援や，回想法[*5]などの心理療法を実施する．合わせて本人と生活をともにする同居家族も対象とし，心理的不安を軽減するストレスコーピングに関する情報を提供していく．

　支援の過程で，医師，看護師，ケアマネジャーなどの介護サービスにかかわる各種専門職と連携する体制も整える必要性がある．とくに地域生活を行う場合，介護サービスを利用する機会が増える．必要に応じて，ケアマネジメントを行いながら各サービスの提供事業者との情報連携や支援を行うためのアウトリーチ，コンサルテーションの実施による支援内容の向上を目指す取り組みも必要とな

用語解説

*5　回想法
　1960年代にアメリカの精神科医，ロバート・バトラー氏が提唱した心理療法．過去の懐かしい思い出について「話す」「聞く」「コミュニケーションをとる」という行為で脳が刺激され，認知症予防や認知症の進行を遅らせることができる．また，精神状態を安定させる効果が期待できるため，高齢者のうつ病予防に用いられることもある．

る．

　加えて，地域生活を継続する場合には，近隣住民の理解も必要である．支援に関する知識も専門職とは異なる可能性があるため，適切な情報提供を行う必要がある．情報提供を行う際にも，予防的アプローチの検討と合わせて，プライバシーへの配慮も十分に求められる．

　また，在宅や施設における高齢者虐待の事態発生を予防するために，専門職を対象とした心理的支援も必要になると考えられる．ほかに認知症の予防的アプローチとして，認知症予防活動の推進なども，認知症に対する心理的支援の1つと考えられる．

3　予防的アプローチの可能性

　問題状況の発生に対する支援は当然必要となるが，同時に可能な限り予防的なアプローチを実施することも重要である．虐待事例や認知症発症によるトラブルを防ぐことは，これからの心理的支援，とくに福祉分野では必須となるだろう．
　しかしながら，福祉分野の各制度は，基本的に対症療法的アプローチが主となっており，予防的アプローチは少ない．心理的支援においても心理的危機状況に対しての危機介入が主なものとなっている．ここでは，コミュニティ心理学における予防的アプローチをもとに予防的アプローチと，実践的な方法論について考える．
　まず，これまでに取り上げてきた虐待や認知症症状の発生から始まる心理的支援は，危機介入とよばれる短期的支援である．当人たちが，心理的のみならず，場合によっては生命維持のレベルで何らかの危機的状態にあり，心理職およびほかの専門職からの緊急性を伴った介入が必要とされる状況である．福祉分野においては，主にこの状況からの支援の展開が多い．
　医療分野の場合，公衆衛生の取り組みに代表される形で，疾病などに対する予防的アプローチの実践が行われている．しかし，福祉分野や心理的支援としての予防的アプローチは十分に行われている状況ではない．
　なお，予防的アプローチについて**キャプラン Caplan, G.** は**表2**に示すような定義を行っている[5]．その定義にもとづくと，ここまでに触れてきた内容の多くは，危機介入アプローチ[*6]と3次予防になる．1次，2次予防としては次節に

■ 表2　キャプランによる予防的アプローチの3段階

段階	対象	内容
1次予防	一般市民	危機的状況の発生予防のこと．講演会の実施や広報活動を通じて広く啓発活動を行う．地域住民らがコミュニケーションが取れる場を開拓する．
2次予防	ハイリスク群	重篤化予防のこと．問題が深刻化する前に介入し，問題を最小限に抑えることを目指す．早期発見・早期対応が目指される．定期健診などの形式で行われる．
3次予防	問題発生状況にある者もしくは，その者が住むコミュニティ	再発予防のこと．問題の再発予防を目指したリハビリテーションを行うこと．または，対象者が所属するコミュニティの変革・改善により環境の整備を行う．

用語解説

＊6　危機介入アプローチ
　危機介入アプローチはラパポートが提唱した，危機状態にある対象者（個人，集団，組織，地域など）に対して，危機状態からできるだけ早く脱出することを目的に迅速かつ直接的に行われる援助のこと．危機状態は，キャプランとリンデマンによる2つの危機理論がもととなっている．リンデマンは急性悲嘆反応の過程が遅滞することを危機としてとらえ，キャプランは日常の情緒が安定した状態（情緒的平衡状態）が崩れた状態を危機としてとらえた．

図3 児童虐待防止のオレンジリボン

用語解説

＊7 脳トレーニング
脳機能の低下を防ぐために行われている活動．従来，リハビリテーションで行われる理学療法や作業療法よりも，脳機能の活性化により思考力の低下などを防ぐことを主目的とした活動．具体的には，計算やパズルから，料理，パソコン，麻雀などの趣味活動の延長線上で行われているものが多い．

用語解説

＊8 介護予防運動
高齢者の運動機能の低下予防，主に筋力の維持を目的とした運動の総称．要介護状態に陥らないための運動機能の回復または向上のために，体操，ウォーキングなどの運動から，一般的なトレーニング機器よりも負荷をかけないマシントレーニングによるパワーリハビリテーションを行っている例もある．

図4 認知症サポーターのオレンジリング

示すものが考えられる．

1 児童虐待防止に向けたアプローチ

1次予防の取り組みとしては，児童虐待防止のオレンジリボン運動（図3）が典型例であるといえる．子育てにおいて起こりやすい課題や虐待の実態などについての講演会などの機会を通じて，社会一般への情報提供を行うことにより，虐待の存在を社会に知らせることが予防活動として有効といえる．

児童虐待に対して現時点で実際に行われている2次予防の代表例は，乳幼児の1か月健診，3か月〜4か月健診，6か月〜7か月健診，9か月〜10か月健診，12か月健診，1歳半健診の定期健診である．保健師による面接などと合わせて子育ての相談や発達などの不安に対する助言が行われており，必要に応じて病院や児童相談所などの専門機関の紹介も行われている．

そのほか，保育園などにおいて，保育士による養育に関する相談援助も行われており，必要に応じてほかの職種への連携を行っている．しかし，現時点でこのような場面に心理職が積極的にかかわることは少ないが，心理職が介入することによって子どもや親に対して，心理学の側面からの支援を行うことができ，2次予防の内容に厚みをもたせることができると考えられる．

2 認知症高齢者への対応に関する予防的アプローチ

認知症に関しての予防活動は，高齢者福祉分野における介護予防の取り組みと合わせて多く実施されている．たとえば，認知症予防であれば回想法や脳トレーニング[*7]の取り組み，介護予防では介護予防運動[*8]の取り組みが典型的なものとしてあげられる．児童虐待関係の予防活動よりも，身体的なアプローチが多くなるため，高齢者分野における予防活動は比較的活発に行われている[6]．また，啓発活動として認知症理解推進運動であるオレンジリング運動なども存在する（図4）．

このアプローチの対象者の多くは，介護施設を利用しておらず，比較的健康な状態で地域に生活する高齢者である．実施主体は役所の介護関連部署や地域包括支援センター[*9]などの介護関係の相談機関や施設となる．また内容に関しても，それぞれの地域の高齢化率や要介護高齢者の人口に応じて，認知症予防・介護技術・生活の工夫を取り入れ，多岐にわたっている．

これらの予防的アプローチに公認心理師が加わることにより，当事者だけでなく，その家族や，近隣の住民が，認知症が発症したときや，介護が必要になったとき，状況を受け止めるための知識や心構えを獲得する場を設けることが考えられる．

3 予防的アプローチの実施における留意点

予防的アプローチは，その効果を明確に数値的なデータによって測定することが困難であり，そこが最大の課題でもある．福祉分野におけるさまざまな課題や，心理的支援の必要な場面は必ず発生するものではない．そのため，問題が「発生しなかった」ことを数値的に証明することは難しい．予防的アプローチの必要性

は明らかであるが，今後はその効果をどのように評価し，予防の必要性をどのように明確にしていくかも，心理的支援の実践のなかで求められていくだろう．

最後に，福祉分野における公認心理師の活躍は，福祉サービスを必要とするさまざまな状態にある人々の心を支えるために必要になると考えられる．現時点で公認心理師の活躍はごく一部のみであるが，将来的に面接だけではなく，ほかの職種との連携や調整の役割が期待されることになるだろう．

今後の福祉分野における公認心理師の活躍に期待する．

■ 引用・参考文献

1) 厚生労働省：児童虐待の防止等に関する法律の一部を改正する法律（概要）
https://www.mhlw.go.jp/bunya/kodomo/dv-boushikaisei.html より 2020年1月23日検索
2) 厚生労働省：平成27年度　高齢者虐待の防止，高齢者の養護者に対する支援等に関する法律に基づく対応状況等に関する調査結果，2017
https://www.mhlw.go.jp/stf/houdou/0000155598.html より 2020年1月31日検索
3) 厚生労働省社会保障審議会児童部会社会的養護専門委員会被措置児童等虐待事例の分析に関するワーキンググループ：被措置児童等虐待事例の分析に関する報告：平成28年3月
https://www.mhlw.go.jp/file/06-Seisakujouhou-11900000-Koyoukintoujidoukateikyoku/0000174951.pdf より 2020年1月31日検索
4) 厚生労働省：平成28年度 虐待事案の未然防止のための調査研究事業報告書，2017
https://www.mhlw.go.jp/file/06-Seisakujouhou-12200000-Shakaiengokyokushougaihokenfukushibu/0000165650.pdf より 2020年1月31日検索
5) カプラン：予防精神医学（新福尚武監訳），朝倉書店，1970
6) 桑田直弥：アセスメントから活きてくる本人・家族支援－他職種・他領域にどう伝えるか．岡山県臨床心理士会研修会資料，社会福祉法人みささぎ会，2017
7) 内閣府：配偶者からの暴力に関する事例調査．2014
8) 石井朝子ほか：家庭内暴力被害者の自立とその支援に関する研究－平成18年度厚生労働科学研究（子ども家庭総合研究事業）報告書．2007
9) 厚生労働省：地域包括支援センターの業務
https://www.mhlw.go.jp/seisakunitsuite/bunya/hukushi_kaigo/kaigo_koureisha/chiiki-houkatsu/dl/link2.pdf より 2020年1月31日検索
10) 鈴木隆雄監：認知症予防マニュアル．独立行政法人国立長寿医療研究センター，2011
11) 本間昭：認知症予防・支援マニュアル，改訂版．2009
https://www.mhlw.go.jp/topics/2009/05/dl/tp0501-1h_0001.pdf より 2020年1月31日検索

用語解説

*9 地域包括支援センター

市町村が設置主体となり，保健師・社会福祉士・主任介護支援専門員などを配置して，主に高齢者を対象とした住民の健康の保持および生活の安定のために必要な援助を行い，その保健医療の向上および福祉の増進を包括的に支援することを目的とする施設．主な業務は，介護予防支援および包括的支援事業（①介護予防ケアマネジメント業務，②総合相談支援業務，③権利擁護業務，④包括的・継続的ケアマネジメント支援業務）で，制度横断的な連携ネットワークを構築して実施する．

19章 教育・学校心理学

1. 教育現場において生じる問題とその背景

> **この章で学ぶこと**
> - 教育現場において生じる問題とその背景
> - 教育現場における心理社会的課題と必要な支援

　本章では，公認心理師の教育領域に関する「教育・学校心理学」を扱う．本科目は心理発展科目のなかの実践心理学の科目の1つであり，教育心理学と学校心理学を統合した内容である．

　教育心理学は，「教育に関する心理学的事実や法則を明らかにし，教育の営みを効果的に推進するために役立つような知見や技術を提供するもの」である[1]．

　学校心理学は，「学校教育において一人ひとりの児童生徒が学習面，心理・社会面，進路面における課題への取り組みの過程で出会う問題状況の解決を援助し，成長することを促進する心理教育的援助サービスの理論と実践を支える学問体系である．心理教育的援助サービスは，教師と学校心理学の専門家（スクールカウンセラー）が保護者と連携して行う．心理教育的援助サービスには，すべての子どもを対象とする活動から，特別な援助ニーズをもつ子どもを対象とする活動までが含まれる」と定義される[2]．

　公認心理師には，教育現場のニーズに合わせた支援や援助を行う際に，教育心理学と学校心理学の知見を活かした実践が求められているということであろう．では，具体的に教育現場ではどのようなことが求められているのか．本章では，教育現場で公認心理師に期待されることを考えていく．

1 子どもの現状

　文部科学省は毎年，児童生徒の問題行動を把握するために，「児童生徒の問題行動・不登校等生徒指導上の諸課題に関する調査」[*1]を実施している[3]．ここでは不登校の現状について取り上げる．

　不登校とは，年度間に連続または断続して30日以上欠席した児童生徒のうち，「何らかの心理的，情緒的，身体的，あるいは社会的要因・背景により，児童生徒が登校しないあるいはしたくともできない状況にある者（ただし，「病気」や「経済的理由」によるものを除く）」をいう．

　2018（平成30）年度の不登校児童生徒数をみると（図1），小学生44,841人（前年度35,032人），中学生119,687人（前年度108,999人）であった．1991（平成3）年度の調査開始以来，2001（平成13）年度まで増加し続けた後いったん減少していたが，2006（平成18）年度，2007（平成19）年度と増加した．その後また減少していたが，2013（平成25）年度から再度増加傾向にある．また，学年別にみると，小・中学生ともに学年が進むにつれて多くなっている（図2）．と

用語解説

***1 児童生徒の問題行動・不登校等生徒指導上の諸課題に関する調査**
　具体的な項目は，①暴力行為の発生件数，②いじめの認知件数，③不登校児童生徒数，④高等学校中途退学者数，⑤出席停止の措置がとられた件数，⑥学校から報告があった児童生徒の自殺者数，⑦教育相談の状況，の7項目である．

くに，小学校 6 年生から中学校 1 年生，中学校 1 年生から 2 年生にかけて大きく増加している．小学校高学年から中学生にかけては，身体の発達とともに，自我や社会性の発達も大きく変化する時期である．子どもの心理発達の特徴をよく把握し支援していくことが求められる．

不登校の要因については，本人に係る要因（分類）として「『不安』の傾向がある」（33.3％），「『無気力』の傾向がある」（29.1％）と続いている．一方，学校，家庭に係る要因（区分）では，「家庭に係る状況」（37.6％），「いじめを除く友人関係をめぐる問題」（27.8％），「学業の不振[*2]」（21.6％）となっている．また，本人に係る要因（分類）と学校，家庭に係る要因（区分）とのクロス集計の結果をみると，「『学校における人間関係』に課題を抱えている」×「いじめ」（74.8％），「『不安』の傾向がある」×「進路に係る不安」（52.9％），「『不安』の傾向がある」×「入学，転編入学，進級時の不適応」（47.6％），「『学校における人間関係』に課題を抱えている」×「教職員との関係をめぐる問題」（47.4％），「『学校における人間関係』に課題を抱えている」×「いじめを除く友人関係をめぐる問題」（45.3％）と続いている．進路に対する不安や環境の変化に対する不安などの本人の問題に加え，教職員や友人といった周囲の人間関係との関連など，不登校の背景にはさまざまな要因がからみ合っている．また，「家庭に係る状況」には，ひとり親家庭の増加による子どもの貧困問題[*3]（図 3）[4)]や保護者等が子どもに対して無関心な場合なども考えられる．

不登校児童生徒への指導結果状況として，指導の結果登校するまたはできるようになった児童生徒の割合は，26.5％（小学校 26.8％，中学校 26.4％）であった．指導中の児童生徒については，73.5％（小学校 73.2％，中学校 73.6％）であり，そのうち継続した登校にはいたらないものの好ましい変化がみられるようになった児童生徒は 22.1％（小学校 22.4％，中学校 22.0％）になっている．

＊2　学業不振

学習面での困難さや不安，遅れのあることをいう．その対策として，補習授業の実施や習熟度別・少人数授業によるきめ細やかな指導が求められる．また，子どもが「わかる」「楽しい」と感じる授業を行うことにより学習意欲を高め，子どもの学力や学習習慣を理解して子どもに合わせた学習スタイルをみつける支援が必要となる．

＊3　子どもの貧困対策

2013 年 6 月に「子どもの貧困対策の推進に関する法律」が成立し，2014 年 1 月に施行された．2019 年 6 月には同法の一部改正が行われ，「教育支援」，「生活支援」，「就労支援」，「調査研究」が明確化され，子どもの将来だけでなく現在に向けた対策であることが強調された．

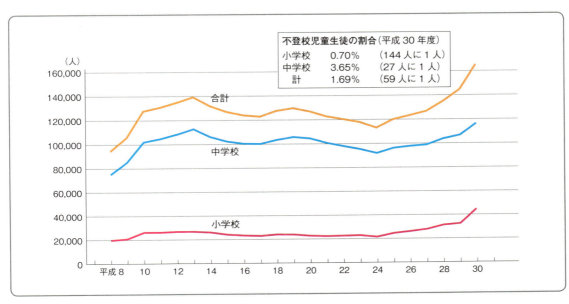

図 1　不登校児童生徒数の推移

文献 3) を参考に作成

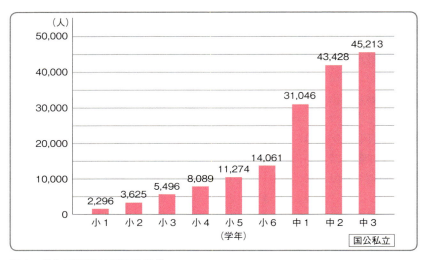

図2　学年別不登校児童生徒数
文献3)を参考に作成

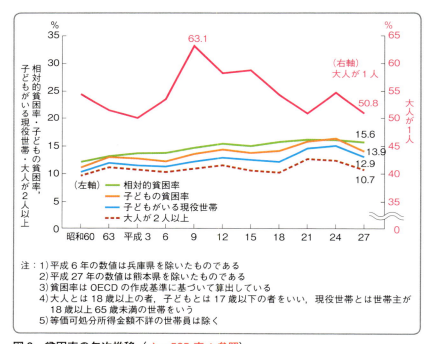

注：1) 平成6年の数値は兵庫県を除いたものである
　　2) 平成27年の数値は熊本県を除いたものである
　　3) 貧困率はOECDの作成基準に基づいて算出している
　　4) 大人とは18歳以上の者，子どもとは17歳以下の者をいい，現役世帯とは世帯主が18歳以上65歳未満の世帯をいう
　　5) 等価可処分所得金額不詳の世帯員は除く

図3　貧困率の年次推移（➡ p.525 表1参照）
文献4)を参考に作成

用語解説

*4　学力
　学校基本法第30条第2項では，「生涯にわたり学習する基盤が培われるよう，基礎的な知識及び技能を習得させるとともに，これらを活用し課題を解決するために必要な思考力，判断力，表現力その他の能力をはぐくみ，主体的に学習に取り組む態度を養うことに，特に意を用いなければならない」と規定されている．

用語解説

*5　学習到達度調査
　15歳児を対象に，読解力，数学的リテラシー，科学的リテラシーの3分野について，3年ごとに実施されている．

2　子どもの学力*4・学習状況

1●学習到達度調査

　経済協力開発機構(OECD：Organisation for Economic Co-operation and Development)による学習到達度調査*5（PISA：Programme for International Student Assessment)において，2018年は日本の「読解力」の平均得点が，前回

調査(PISA2015)より有意に低下している(**図4**).読解力は,「自らの目標を達成し,自らの知識と可能性を発達させ,社会に参加するために,書かれたテキストを理解し,利用し,熟考し,これに取り組むこと」と定義されている[5].とくに,「情報を探し出す」能力や「評価し,熟考する」能力の平均得点が低下しており,「質と信ぴょう性を評価する」,「矛盾を見つけて対処する」問題の正答率の低さが指摘されている.また,自分の考えを,根拠を示して説明する力が低いことが課題である.読解力の得点に関連する要因として,読書活動との関係があげられる.読書を肯定的にとらえる生徒や本を読む頻度が高い生徒のほうが,読解力が高い.日本は読書を肯定的にとらえる生徒の割合が多い傾向にはあるが,コミック(マンガ)やフィクションを読む生徒の割合が多く,新聞やノンフィクションを読む生徒の割合が低い.

数学的リテラシーや科学的リテラシーについては,国際的にも上位に位置している.これらは科学技術の土台となる力であり,データや適切な知識を用いて現象を説明することや問題解決能力とも関連する.小学校・中学校の学習指導要領において,理数教育の指導内容の充実が求められている目的の1つには,この数学的・科学的リテラシーの育成があげられるであろう.

2 ● 全国学力・学習状況調査

平成31年度(令和元年度)全国学力・学習状況調査の結果[6](**表1**)によると,小学校国語は「書く能力」,中学校国語は「話す・聞く能力」が低い傾向にあり,目的や意図に応じて相手にわかりやすく書く指導や,自分の考えをまとめる指導を工夫する必要がある.算数・数学は「数学的な見方や考え方」の正答率が低く,場面の状況を解釈し,数理的にとらえ,数学的に表現・処理し,得られた結果から判断する力を指導の中に取り入れていくことが求められている.とくに中学校では,日常生活の中で社会の事象における問題に対して,目的に応じてデータを収集・整理し,データの傾向を読み取る活動の充実が必要である.もっている知識を応用する力の育成は,引き続き課題としてあげられる.

学習状況については,国語や算数・数学に関する児童生徒の興味関心は,肯定的な回答が増加傾向にある.とくに算数・数学については肯定的な回答の割合が高く,学習に対する意欲は高いようである.

3 学習指導要領の改訂に伴う課題

子どもの学力,学習状況を踏まえ,現在,文部科学省では,学習指導要領の改訂が進められ,知識の理解の質をさらに高め,確かな学力を育成することを提示している.それに伴い,教育現場では「学び」の本質となる「主体的・対話的で深い学び」[*8]を実現するための授業改善が求められている(**図5**).

その内容は,言語活動の充実,理数教育の充実,伝統や文化に関する教育の充実,道徳の教科化,体験活動の充実,さらに外国語教育の充実として小学校における外国語科の導入がある.また,社会の変化に対応した,ICT[*9]機器を活用した効果的な指導やプログラミング教育の導入,子どもたちの発達の支援として,

19章 教育・学校心理学

用語解説

*6 全国学力・学習状況調査

文部科学省が全国の小学6年生,中学3年生を対象に実施している調査.主な調査内容は,教科に関する調査と生活習慣や学校環境に関する調査である.教科に関する調査は「国語」と「算数・数学」は毎年,「理科」は3年に1回実施する.平成31年度(令和元年度)から中学生では「英語」も3年に1回調査することになった.

用語解説

*7 学習指導要領

全国のどの地域で教育を受けても,一定の水準の教育を受けられるようにするため,「学校教育法」などに基づき,各学校で教育課程(カリキュラム)を編成する際に文部科学省が定めた基準のこと.小学校,中学校,高等学校などごとに,各教科等の目標や大まかな教育内容が定められている.

用語解説

*8 主体的・対話的で深い学びの視点

新学習指導要領では,資質・能力の3つの柱(①「知識及び技能」の習得,②「思考力,判断力,表現力等」の育成,③「学びに向かう力,人間性等」の涵養)の育成を目指し,授業改善やカリキュラム・マネジメントを推進している.

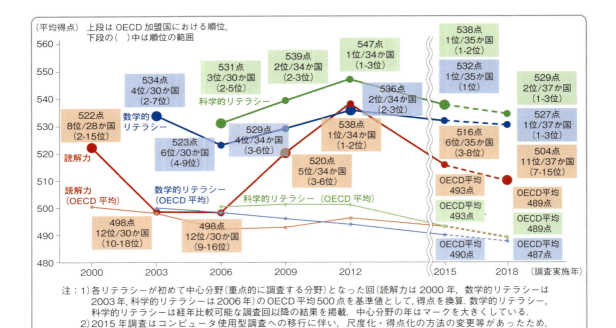

図4 読解力などの推移
文献6)を参考に作成

■ 表1　教科に関する調査の全国（国公私）の平均正答数・平均正答率

	小学校				中学校				
	国語		算数		国語		数学		英語
平成31年度	9.0/14問 (64.0%)		9.3/14問 (66.7%)		7.3/10問 (73.2%)		9.7/16問 (60.3%)		11.9/21問 (56.2%)
	国語A	国語B	算数A	算数B	国語A	国語B	数学A	数学B	
平成30年度	8.5/12問 (70.9%)	4.4/8問 (54.8%)	8.9/14問 (63.7%)	5.2/10問 (51.7%)	24.4/32問 (76.4%)	5.6/9問 (61.7%)	24.0/36問 (66.6%)	6.7/14問 (47.6%)	

注）平成30年度のA問題は主として「知識」に関する内容，B問題は主として「活用」に関する問題である．平成31年度は「知識」と「活用」を一体的に問う問題に変更された．
文献5)を参考に作成

図5 「主体的・対話的で深い学び」の例
生徒が能動的に学ぶ学習方法として，アクティブ・ラーニングが代表的である．

キャリア教育[*10]，食育や安全教育，特別な配慮を必要とする児童生徒への指導，特別支援教育の推進などもあげられる．

それに伴い，教育現場において生じる問題は，子ども自身に関することだけでなく，子どもの成長を見守る保護者や改革が進められる教育現場に対応していく教職員に関することなどが，相互に関連し合い複雑な形で存在していることを認識して対応していく必要がある．

4　教育実践の課題

教育を実践していく際には，子どもの要因と，教育実践者側の要因，またその相互作用について考えていくことが必要である．ここではその関連する要因を示す．

1 • 教授スタイル

①有意味受容学習

オーズベル Ausubel, D. P. が提唱したもので，有意味学習と受容学習により構成される．「有意味学習」とは，学習内容を自分の既有知識に組み込んで理解することである．学習の際に，新しい知識と既有知識をつなぐ「先行オーガナイザー」[*11]を与えることによって，学習者の知識体系の中に統合され，記憶の負担を軽くすることができる．

②アクティブ・ラーニング[*12]

「主体的・対話的で深い学び」の方法の1つとして呈示されている．ブルーナー Bruner, J.S. が提唱した発見学習[*13]や問題解決学習，体験学習，調査学習等も含まれる．また，グループ・ディスカッションやディベート，グループ・ワーク等も有効な方法とされる．

③適性処遇交互作用

学習者がもつさまざまな適性によって，学習指導の効果が変化することを適性処遇交互作用（ATI：Aptitude Treatment Interaction）という．クロンバック Cronbach, L.J. によって提唱された．「適性」とは学習者の個性（知能や認知・思考スタイル，興味，関心等）であり，「処遇」は教授方法のことである．

2 • 動機づけ

①内発的動機づけと外発的動機づけ

「なぜ勉強をするのか」という学習への動機づけは，内発的動機づけと外発的動機づけに分けてとらえることができる．

内発的動機づけ（intrinsic motivation）とは，学習者自身の意欲から学習活動が生じるものであり，学習活動それ自体が目標として位置づけられる．学習内容に興味がある，勉強が楽しい，などの状態をさす．内発的動機づけと成績や創造性，自尊感情には関連があり，何らかの困難に直面しても学習を続ける傾向が高い．

一方，外発的動機づけ（extrinsic motivation）とは，賞や罰のような外的な働きかけによるものであり，学習活動が報酬を得るための手段になっているような状態をさす．子どもが適切な行動をした際に褒めることで，自信と意欲を高め，ふさわしくない行動や態度について叱責することで，罰のような効果を与えることもある．しかし，称賛や叱責は，子どもの性格や性別によっても効果が異なり，状況によっては自尊心に影響を与えることもある．

子どもたちの学ぶ意欲を育むためには，外発的動機づけから，内発的動機づけを高めるような活動やうながしを行うことが求められる（アンダーマイニング効果[*14]）．

②原因帰属

ワイナー Weiner, B. によると，学業達成に対する動機づけが子どもによって異なる背景には，成功や失敗に対する原因を何に求める（帰属する）のかが関連する．たとえば，数学のテストで悪い点を取ったときに，それを自分の勉強不足として考えるか，運が悪かったからと考えるか，である．原因を個人の内的なもの（能力や努力）に求める場合を「内的帰属」，外的なもの（運や課題の難しさ）に求める場合を「外的帰属」という．さらに，原因帰属の要因は，安定性（原因が持続的

用語解説

*9 ICT 機器

情報通信技術（ICT：Information and Communication Technology）のこと．教育場面では，電子教材を活用した授業や調べ学習などで学習の手段として活用されている．また，コンピュータによる情報管理として利用される．日本は，学校の授業における ICT 活用の割合が最も低い．コンピュータを使って宿題をする頻度も最下位である．学校外では利用している割合が高いが，その内容はネット上でのチャットやゲームであり，その増加の程度も著しいことが指摘されている[5]．

用語解説

*10 キャリア教育

「一人一人の社会的・職業的自立に向け，必要な基盤となる能力や態度を育てることを通して，キャリア発達を促す教育」と定義される．また，「キャリア発達」とは，「社会の中で自分の役割を果たしながら，自分らしい生き方を実現していく過程」である[7]．キャリア教育は幼児教育から始まり高等教育まで継続するものであり，進路指導を含む広い概念である．

用語解説

*11 先行オーガナイザー

これから学習する内容に先立って与えられる全体像（枠組み）のこと．

■ 表2　原因帰属の分類

	原因の例			
	内的		外的	
	能力	努力	運	課題の困難さ
安定性	安定	不安定	不安定	安定
統制の可能性	不可能	可能	不可能	不可能

で安定しているか）と統制の可能性（自分の意志や力でコントロールできるか）の次元で分類される（**表2**）．

成功した場合に内的帰属を行うと，自尊感情や自信が高まる．失敗した場合には，その原因を自分の能力のなさに帰属すると，絶望感や諦めが生じ学習行動が低下することが考えられるが，努力不足に帰属すると，学習への動機づけが促進される可能性がある．子どもが学習の成功や失敗をどのように帰属させるかによって，学習行動の動機づけに影響を与える可能性がある．

3 ● 教師の影響
①教師期待効果

ローゼンサール Rosenthal, R. とヤコブソン Jacobson, L. の児童を対象にした実験において，知能の伸びを予測するテストの結果だと偽って，「将来知能が上がる子ども」と根拠のない情報を与えた結果，その対象となった児童の成績が上がったことが報告されている．このように，教師からの期待が，児童生徒の意欲や成績に影響を与えることを教師期待効果（ピグマリオン効果*15）という．

②ハロー効果

ある対象を評価する際に，その対象者の特徴的な印象によって，他の特性についてもその印象に合うように評価してしまう現象のことをハロー効果（光背効果）という．評価をする際には，背景的な情報によって測定に歪みが生じないように注意する必要がある．

③ホーソン効果

新しい教育方法の導入や重要なプロジェクトなど，関心をもってくれている人や期待している人に応えたいという気持ちにより，一時的に成績が上がったり，生産性が上がったりすることをホーソン効果という．

＊12　アクティブ・ラーニング

「教員による一方向的な講義形式の教育とは異なり，学修者の能動的な学修への参加を取り入れた教授・学習法の総称」である[8]．

＊13　発見学習

学習者自身が探求することを通じて，知識だけでなく，問題解決方法も身につける学習方法である．学習者自身の「知りたい」という内発的動機づけに基づく学習であり，学習課題の把握，予想・仮説の設定，仮説の根拠の呈示，検証，発展を通じて課題解決を実践する．

＊14　アンダーマイニング効果

内発的に動機づけられている活動に対して，外的報酬を与えると，内発的動機づけが低下してしまうこともある．それをアンダーマイニング効果（undermining effect）という．報酬を与えられたことにより，他者に統制されているという認知が生じ，内発的動機づけが阻害されることが考えられる．

＊15　ピグマリオン効果

その背景には，教師が高い期待を抱いた子どもには，ほめる機会が多く，誤答に対してはヒントを与えるなどの行動がみられている．一方，ピグマリオン効果とは逆に，児童生徒に否定的な印象を抱くと，その児童生徒の成績が低下することをゴーレム効果という．

■ 引用・参考文献

1) 倉石精一ほか：教育心理学の成立．教育心理学，改訂版（倉石精一ほか編），p1-9，新曜社，1978
2) 石隈利紀：学校心理学―教師・スクールカウンセラー・保護者のチームによる心理教育的援助サービス．p63-87，誠信書房，1999
3) 文部科学省：平成30年度児童生徒の問題行動・不登校等生徒指導上の諸課題に関する調査結果について．令和元年10月17日
　https://www.mext.go.jp/content/1410392.htm より2020年1月8日検索
4) 厚生労働省：平成28年国民生活基礎調査の概況．平成29年6月27日
　https://www.mhlw.go.jp/toukei/saikin/hw/k-tyosa/k-tyosa16/dl/16.pdf より2020年2月25日検索
5) 国立教育政策研究所：OECD 生徒の学習到達度調査2018年調査（PISA2018）のポイント　2019年12月3日

https://www.nier.go.jp/kokusai/pisa/pdf/2018/01_point.pdf より 2020 年 1 月 8 日検索
6）国立教育政策研究所：平成 31 年度（令和元年度）全国学力・学習状況調査の結果（概要）．2019 年 7 月 31 日
https://www.nier.go.jp/19chousakekkahoukoku/19summary.pdf より 2020 年 1 月 8 日検索
7）中央教育審議会：今後の学校におけるキャリア教育・職業教育の在り方について（答申）．平成 23 年 1 月 31 日
https://www.mext.go.jp/component/b_menu/shingi/toushin/__icsFiles/afieldfile/2011/02/01/1301878_1_1.pdf より 2020 年 1 月 8 日検索
8）中央教育審議会：新たな未来を築くための大学教育の質的転換に向けて〜生涯学び続け，主体的に考える力を育成する大学へ〜（答申）．平成 24 年 8 月 28 日
https://www.mext.go.jp/component/b_menu/shingi/toushin/__icsFiles/afieldfile/2012/10/04/1325048_3.pdf より 2020 年 1 月 8 日検索

教育現場における心理社会的課題と必要な支援

19章 教育・学校心理学

現在，教育現場の抱えるさまざまな問題の解決に向け，子どもを取り巻く状況を考慮した対応，学習指導要領の改訂による教育内容の改善，教員の免許状更新制度[*1]の導入など，教育改革が進められている．ここでは，教育を取り巻く環境の変化に合わせ，どのような心理社会的課題があるのかを考えていく．また，教育心理学・学校心理学の知見を活かした心理的な援助として，公認心理師に期待されることについてまとめていく．

1 心理教育的援助サービス

1 学校心理学による心理教育的援助サービス[1]

心理教育的援助サービスは，援助対象によって段階的に位置づけられる（図1）．そのときの子どもの状況に合わせて，連続性の中でとらえながら，援助サービスを行う必要がある．

① 一次的援助サービス（開発的生徒指導）

「すべての子ども」を対象とする．多くの子どもが出会う課題の困難を予測して行う予防的援助（入学時ガイダンスなど）と，教育課題や発達課題に取り組む上で，必要なスキルを開発する開発的援助（ソーシャルスキルトレーニング，学習支援など）である．

② 二次的援助サービス（予防的生徒指導）

登校を嫌がる，学習意欲が低下してきた，服装や言葉づかいが乱れてきたなど，「何らかの配慮を必要とする一部の子ども」を対象とする．問題を初期の段階で発

> **用語解説**
>
> **[*1] 更新制の規定**
> 更新制度の規定は次の通り．①教員免許状の有効期間を10年とすること，②更新にあたっては特に受ける必要がないと認められる者以外は，免許状更新講習を受講する必要があること，③免許状更新講習は2年間で30時間以上の受講・修了が必要であること．

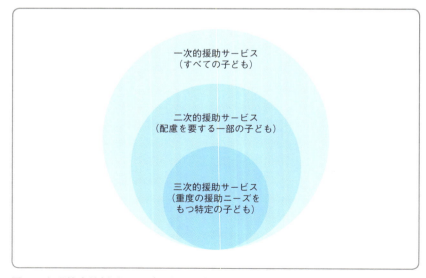

図1　心理教育的援助サービスとその対象
文献1）を参考に作成

見するために，援助者一人ひとりが子どもの態度や表情，所持品などから小さなサインを見逃さないようにし，多くの援助者からの情報を活かすことが必要である．

③三次的援助サービス（治療的生徒指導）

長期欠席の子どもや非行傾向が強く行動が不安定な子ども，いじめにあった子どもなど，「重度の援助ニーズをもつ特定の子ども」を対象とする．教師やスクールカウンセラーが援助チーム*2を作り，子どもの状況についての総合的な心理教育的アセスメントを実施して，個別の教育計画を作成し対応する．

2 ● 心理教育的援助サービスの方法 1)

①心理教育的アセスメント*3

学校心理学におけるアセスメントは，援助の対象となる子どもが課題に取り組むうえで出会う問題や危機に関する情報を収集・分析し，援助サービスの方針や計画を立てるための資料を提供するプロセスである．

②アセスメントの目的

①一次的援助サービス：開発が必要なスキルや予防すべき問題状況を把握し，年間の教育計画や生徒指導の計画に関する意思決定の資料を提供することである．

②二次的援助サービス：「配慮が必要な子どもは誰か」「その子どもの問題状況はどうか」「すぐに特別の援助サービスは必要か」などの問いに答えることである．

③三次的援助サービス：個別の援助計画の作成をめざすことである．

③アセスメントの方法

子どもの観察，面接・遊戯*4，心理検査，子どもの援助者との面接などがある．援助者は子どもにかかわりながらアセスメントを行う必要があり，援助サービスを行いながら，子どもの状況に合わせて，援助案を修正していく．また，学級担任，保護者，養護教諭，スクールカウンセラーや公認心理師，さらに生徒指導主事がチームを組み，チームでアセスメントを行うことが有効である．

学校のアセスメントでは，子どもの生活場面の1つである学校の環境をアセスメントする必要がある．①子どもの援助ニーズや自助資源と，さまざまな環境条件や援助資源などをどうしたらうまく組み合わせられるか，②さまざまな環境条件や環境の配置を，どうしたら子どもの行動に役立てられるか，を考えていく．とくに，子どもに認知された環境として，①学校の特性，②教師の特性，③物的環境をアセスメントすることが重要となる．

④カウンセリング

教師やスクールカウンセラー，公認心理師には，授業や個別の面接などを通して，直接かかわりながら援助サービスを行うことが求められる．学校心理学では，カウンセリングにおけるかかわりのモデルを提案している．

① Being-In：理解者になる〈わかる〉

援助者が子どもの理解者として，彼らの世界を彼らの目で見ようとすることである．

用語解説

＊2 援助チーム

学校心理学では，教師やスクールカウンセラー，保護者などの子どもを取り巻く人たちが援助案を話し合い，チームで子どもを援助することを提案している．

用語解説

＊3 アセスメント

アセスメントに似た用語を整理して以下に示す．
①診断（diagnosis）
アセスメントにおいて，子どもの疾病や障害に関する医師の診断がある場合には，注意すべき点について医師から助言を得る必要がある．障害の分類の診断はアセスメントの過程で必要に応じて行われることもある．
②教育評価（educational evaluation）
教育活動に関連する諸事象についての価値判断であり，教師による子どもの学習や行動，態度についての評価である．教育評価は価値判断の基準を設けているが，アセスメントは援助サービスのための情報収集であるため基準を設けていない．アセスメントの際に，教育評価をどのように活用するかを考えることが必要になる．
③児童生徒理解
生徒指導における児童生徒理解とは，その児童生徒の情報を収集し理解を深めることを意味する．その点においてアセスメントとほとんど同じ意味である．学校教育では児童生徒理解という用語が使われ，カウンセリングや心理臨床においてはアセスメントが使われることが多い．

> **用語解説**
>
> *4　遊戯（プレイ）
>
> 子どもの年齢，発達の状況，子どもと援助との関係によって，「遊戯」を媒介として子どもとかかわることがアセスメントにつながる場合がある．

② Being-For：味方になる〈活かす・育てる〉

援助者は，発達のプロセスで困難な課題に立ち向かう子どもの味方として役に立つことを目指すということである．

③ Being-With：人間としてかかわる〈共に生きる〉

援助者は，自分も一人の人間として子どもにかかわることがある．子どもに対する自己開示，自己主張，対決などが含まれる．

⑤学校教育におけるコンサルテーション

コンサルテーションとは，「異なった専門性や役割を持つ者同士が子どもの問題状況について検討し今後のあり方について話し合うプロセス」である．自らの専門性に基づき他の専門家の子どもへのかかわりを援助する者をコンサルタント，援助を受ける者をコンサルティとよぶ（**表1**）．

学級担任や保護者は，子どもの問題をどう援助するか悩むことも多い．そのようなときには，スクールカウンセラーに相談することで，学校心理学の知識や経験に基づき，子どもの問題解決を効果的に援助できるように働きかける．

■ 表1　学校教育におけるコンサルタントとコンサルティの例

コンサルタント	コンサルティ
スクールカウンセラー	学校組織
スクールカウンセラー	学級担任，保護者
生徒指導・教育相談担当	学級担任，保護者
養護教諭	学級担任，保護者
学級担任	保護者

文献1)を参考に作成

2　学校不適応

周囲の環境や状況などに適応できない状態が不適応状態と考えることができる．

学校不適応については，研究者によってさまざまな定義がなされ研究が進められているが，問題行動と同義として扱われていることが多い．学校への不適応には，学校生活の要因（友人関係，教師との関係，学業）が関連しているという考えのもと研究が進められてきているものもあるが，大久保智生[2]は，個人・環境の適合性の観点から，青年の学校適応感尺度を作成し検討を行っている．子どもが所属する学校環境に合っているかどうかにより，学校に適応できるかどうかが異なるという考えである．また，田上不二夫[3]は，カウンセラーとして実際に対応した事例から，環境の影響の大きさを指摘しており，子どもと学校環境との折り合いを修正していく援助について提示している．たとえば，クラスになじめない様子がみられるようであれば，子ども自身に介入することで支援をする方法もあるが，学級集団への介入や担任の行動の変更の提案など支援方法も考えていく必要があるのではないか．

環境の変容による不適応については，転校や進学により生じることもある[4]．小学校から中学校への進学は，環境の変化が大きい．小学校は，クラス担任によ

る授業が主であるが，中学校は教科担任制であるため，各教科の担当教員と接することになる．ほかにも，制服や通学距離の広がり，部活動や委員会活動による先輩・後輩との関係のつながり，給食や弁当の変化などもあるようだ[5]．また，友人関係や異性の存在，自己への関心といったその時期の発達課題も関係する．不適応への支援の際には，発達段階を理解するとともに，環境の変化への働きかけなども考えていく必要がある．

3 不登校

不登校児童生徒への支援は，学校に登校することのみを目標とするのではなく，児童生徒が自らの進路を主体的にとらえ，社会的に自立する[*5]ことを目指した支援を行うことが求められる[6]．生徒指導提要（文部科学省）[7]においても，「不登校の解決に当たっては『心の問題』としてのみとらえるのではなく，広く『進路の問題』としてとらえることが大切」とされている．児童生徒の性格や能力に応じて，本人の希望を尊重したうえで，適応指導教室[*6]（教育支援センター）やICTを活用した学習支援，フリースクール，夜間中学などの関係機関を活用する．

適応指導教室は，各都道府県や市町村に不登校児童生徒を支援するための機関として設置されており，不登校児童生徒が指導を受けた学校外の施設[*7]として，最も利用されている（図2）．子どもや保護者に学校外の居場所について情報提供することや，学級担任だけでなく，養護教諭やスクールカウンセラーにいつでも相談してよいことを伝え，スクールカウンセリング（学生相談）[*8]の利用をうながすことが必要である．また，学校としては，各自治体の教育委員会，医療機関，福祉諸機関などの専門機関とも連携をとって支援をすることが求められる．

用語解説

*5 社会的自立

2017年2月に施行された「義務教育の段階における普通教育に相当する教育の機会の確保等に関する法律（教育機会確保法）」で定められている．

用語解説

*6 適応指導教室

適応指導教室の設置状況は，2016（平成28）年度で合計1,397件（2015年度は1,347件）であり，今後も増加が見込まれる．

用語解説

*7 学校外施設

適応指導教室など学校外の施設で指導を受けている場合，一定の要件を満たしている場合には「出席扱い」とすることができる．また，自宅においてITなどを活用した学習活動を行った場合にも，学校復帰に向けての取り組みとして，出席扱いとすることもできる．

用語解説

*8 スクールカウンセリング（学生相談）

小学校，中学校，高等学校には「心の専門家」としてスクールカウンセラーを全国に配置することが進められている．大学では，多くの場合，学生相談室が設置されており，公認心理師は学生相談室における学生の支援が期待される．学生相談室では，履修や修学上の問題，進学・就職などの進路上の問題，家庭や友人関係の問題など，さまざまな対応が必要となる．また，「障害者差別解消法」の施行に伴い，障害のある学生への合理的配慮や援助についても対応が求められている．

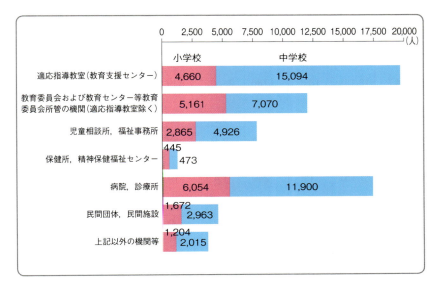

図2　不登校児童生徒が指導を受けた学校外の機関
文献8）を参考に作成

4 いじめ

2013（平成25）年に「いじめ防止対策推進法」が制定されたことを受けて，いじめは「児童生徒に対して，当該児童生徒が在籍する学校に在籍している等当該児童生徒と一定の人的関係のある他の児童生徒が行う心理的又は物理的な影響を与える行為（インターネットを通じて行われるものを含む．）であって，当該行為の対象となって児童生徒が心身の苦痛を感じているもの」と定義されている[9]．

いじめの発見のきっかけは，学校の教職員などが発見するケースが66.2%と半数を超えており，そのなかでも「アンケート調査など学校の取組により発見」（52.8%）が最も多い回答である．また，いじめられた児童生徒の相談状況は，「学級担任に相談」（80.1%）が最も多い．次に「保護者や家族等に相談」（22.8%）になっている（表2）．いじめの態様について最も多いのは，「冷やかしやからかい，悪口や脅し文句，嫌なことを言われる」（62.7%）である（図3）．次に多いのは，「軽くぶつかられたり，遊ぶふりをして叩かれたり，蹴られたりする」（21.4%），「仲間はずれ，集団による無視をされる」（13.6%）であるが，高等学校においては，「パソコンや携帯電話等で，ひぼう・中傷や嫌なことをされる」（19.1%）が2番目に多い様態としてあげられている．

いじめられた児童生徒への特別な対応としては，小学校・中学校においては「学級担任や他の教職員などが家庭訪問を実施」が最も多く，ほかに「別室を提供したり，常時教職員が付くなどして心身の安全を確保」，「スクールカウンセラー等の相談員が継続的にカウンセリングを行う」であった．高等学校においては，「スクールカウンセラー等の相談員が継続的にカウンセリングを行う」（16.1%）が最も多く，次に「学級担任や他の教職員等が家庭訪問を実施」（12.3%）である．一方，いじめる児童生徒への特別な対応としては，小学校・中学校・高等学校において「保

図3　いじめのイメージ

■ 表2　いじめられた児童生徒の相談状況

	小学校		中学校		高等学校		特別支援学校		計	
	件数(件)	構成比(%)	件数(件)	構成比(%)	件数(件)	構成比(%)	件数(件)	構成比(%)	件数(件)	構成比(%)
学級担任に相談	348,047	81.7	73,875	75.6	11,726	66.2	1,999	74.7	435,647	80.1
学級担任以外の教職員に相談（養護教諭，スクールカウンセラー等の相談員を除く）	20,139	4.7	18,159	18.6	3,786	21.4	379	14.2	42,463	7.8
養護教諭に相談	8,694	2.0	5,558	5.7	1,627	9.2	82	3.1	15,961	2.9
スクールカウンセラー等の相談員に相談	5,877	1.4	3,899	4	1,257	7.1	36	1.3	11,069	2
学校以外に相談機関に相談（電話相談やメール等も含む）	1,602	0.4	1,151	1.2	249	1.4	19	0.7	3,021	0.6
保護者や家族等に相談	93,986	22.1	25,489	26.1	4,252	24	372	13.9	124,099	22.8
友人に相談	25,324	5.9	9,388	9.6	2,699	15.2	99	3.7	37,510	6.9
その他（地域の人など）	1,804	0.4	321	0.3	119	0.7	31	1.2	2,275	0.4
誰にも相談していない	22,795	5.4	5,333	5.5	1,883	10.6	282	10.5	30,293	5.6
認知件数	425,844		97,704		17,709		2,676		543,933	

文献8)を参考に作成
注：複数回答可．構成比は認知件数に対する割合である．

護者への報告」,「いじめられた児童生徒やその保護者に対する謝罪の指導」,「別室指導」となっている.

これらの現状をふまえ,まずいじめは大変発見しにくい現象であることを理解する必要がある.子どもが1日の大半を過ごす学校のなかで,最も接していると考えらえる学級担任がいじめに気づくのは,1割程度である.その理由の1つとして,いじめの様態が日々のコミュニケーションのなかに埋もれてしまい,周囲の大人でも気づけない状況がある.高等学校において多くみられるパソコンや携帯電話などによる様態も,教員や保護者がその利用実態を把握できていない場合が多い.また,被害者がいじめの事実を教員や保護者などに話さない傾向も指摘される[10].その背景には,加害者への恐怖や大人のいじめ対応への不信,自分がいじめられている人間であることを知られたくない心理など,さまざまな要因があげられる.

では,いじめ問題に対してどのような支援が必要になるのであろうか.

まずはいじめの予防への取り組みである.学級担任や教職員による日々の子どもの観察や情報共有に加え,教職員のいじめに対する意識をより高めることが求められる.また,子ども自身が,いじめに対する知識をもつことも必要である.さらには,自己・他者理解,ソーシャルスキルやストレスマネジメント,感情のコントロール法などの心理教育的なプログラムを積極的に取り入れることが望まれる.ここでは,教科化が進められている道徳の利用や,より専門的知識をもったスクールカウンセラーや公認心理師による授業も求められる可能性がある.学校の教職員と専門性をもつ職員が「チームとしての学校」を作り,それぞれの専門を活かした連携や支援を行うことで,子どもの心身の変化により気づきやすくなり,子どもの実態に合わせた対応を行うことが可能になる(図4).

いじめ問題の対応としては,学校全体でアンケート調査や子どもへの面談などを積極的に行い,早期発見に努めることである.学級担任には話せない場合を考慮し,さまざまな教職員やスクールカウンセラーなどとコミュニケーションをとる機会を設定することで,学校のなかでもさまざまな視点による子どもの情報を収集することが可能になる.また,子どものサインは学校と家庭では異なった形で現れる場合があるため,保護者との連携も重要である.保護者と情報共有を行いながら,保護者からの相談にも対応していくような支援が求められる.

5 チーム学校による援助

文部科学省において「チームとしての学校の在り方と今後の改善方策について(答申)」が発表され,社会や経済の変化,教育の諸問題を踏まえ,個々の教員が個別に教育活動に取り組むのではなく,心理や福祉等の専門家や専門機関と協働・連携し,教育活動を充実していくことが指摘されている[11].「チーム学校」を実現するためには,①専門性に基づくチーム体制の構築,②学校のマネジメント機能の強化,③教職員一人ひとりが力を発揮できる環境の整備,の視点が求められる(図4).

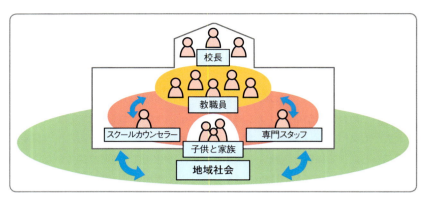

図4 チーム学校
文献11)を参考に作成

6 保護者との連携

教育現場における課題としては，子どもに関連した問題行動への対応に焦点をあてられることが多い．しかし，その背景には保護者の要因がからんでいる場合もあり，また保護者からの情報により問題が解決する場合もある．最近は，多くの自治体により，保護者などへの対応マニュアルや手引きなどの作成が行われており，保護者対応に苦慮する教職員も増えている．では，保護者と連携するにあたり，どのようなことを考えていく必要があるのだろうか．

浦野裕司[12]は，学校現場における対応から，教員の立場と保護者の立場の違いを意識することを提示している．教員は各子どもの担任でもあるが，クラス全体の担任でもある．しかし，保護者は，自身の子どもしか見ていないということである．1つの問題が生じた場合に，教員は個別指導をしながら，クラス全体についての集団指導も求められる．その際，個人にしか視点が定まっていない保護者からの情報について，すべて肯定して話を聴くことは学級担任には難しい可能性もある．また，学校不適応の背景に，発達障害[*9]がかかわっている場合には，学校内外の連携をとり対応をしていく必要があるが，保護者にとってはなかなか子どもの障害を受け入れることが難しいこともある．

水野治久[13]はチーム援助が保護者とのトラブルを防ぐ有効な方法であることを提案している．保護者と教員が子どもを援助するパートナーとなり，保護者からの情報をチームで受け止めるというものである．専門的知識をもったスクールカウンセラーや公認心理師がチームのなかに入ることで，保護者と教職員をつなぐ役割としても期待される(図5)．

7 教員のメンタルヘルス

最後に，教育現場におけるさまざまな課題や状況の変化に対応を求められる教員のメンタルヘルスに着目する．

バーンアウト(燃え尽き)[*10]とは対人援助サービス職にかかわる人のメンタルヘルスの指標として扱われている．バーンアウトについては，伊藤美奈子[14]が，

 用語解説

*9 発達障害
自閉症スペクトラム障害(ASD：Autistic Spectrum Disorder)，注意欠陥多動性障害(ADHD：Attention Deficit/Hyperactivity Disorder)，学習障害(LD：Learning Disorders, Learning Disabilities)，コミュニケーション障害(CD：Communication Disorders)などがある．学校教育では，ユニバーサルデザインの発想を生かした取り組みや，障害のある者と障害のない者が共に学ぶインクルーシブ教育システムなども進められている．

図5 保護者や教職員との連携

用語解説

*10 バーンアウト
対人援助サービス職に関わる人のメンタルヘルスの指標である．

小学校・中学校の教員を対象にした研究において，教員の経験年数により抱える悩みの質が異なり，その内容がストレスを高めることを示唆している．若手の教員は，教科指導の悩みや児童生徒とのかかわりという教育の中核となる悩みを抱えている場合が多い．最近の教育現場では，教育委員会による教員評価や学校評価が求められている．若手の教員のなかには，評価を気にしてしまい，同僚や上司に相談できずに1人で悩みを抱え込んでしまう場合も考えらえる．しかし，同僚からのサポートがあることにより，バーンアウトが低下することが示唆されている[14)15)]．

教育現場のなかに「チーム学校」体制を構築することで，教職員は授業などの教育指導や授業改善などに専念することも可能となる．若手の教職員にとっても自身の授業を見直す機会が増え，チーム援助[16)]を取り入れることで，今よりも成果の出やすい環境を作ることができる．この環境改善により，教職員自身もさらに意欲をもって業務に取り組むことができるようになり，教職員のメンタルヘルス対策にもつながると考えられる．また，教職員は，子どもだけでなく保護者の支援も行うが，「チーム学校」を実現することによって，学校と家庭との関係を整理することも可能になる．スクールカウンセラーや公認心理師は，子どもや保護者の状態を把握することで，教職員と保護者の関係性や支援体制について，アセスメントやコンサルテーションを含む助言を行うことが期待される．

■ 引用・参考文献

1) 石隈利紀：学校心理学―教師・スクールカウンセラー・保護者のチームによる心理教育的援助サービス，誠信書房，1999
2) 大久保智生：青年の学校への適応感とその規定要因―青年用適応感尺度の作成と学校別の検討．教育心理学研究 53：307-319，2005
3) 田上不二夫：学校不適応をどう捉えるか―子どもと学校の関係から．学校不適応の支援．児童心理 70（4）：14-19，2016
4) 鵜養啓子：適応不適応をどう考えるか―心理・社会・発達的観点から．学校不適応の支援．児童心理 70（4）：45-50，2016
5) 柴田恵津子：不登校と発達上の課題．子どもの心と学校臨床 12：45-53，2015
6) 文部科学省：不登校児童生徒への支援の在り方について(通知)．令和元年10月25日
  https://www.mext.go.jp/a_menu/shotou/seitoshidou/1422155.htm より 2020 年 1 月 9 日検索
7) 文部科学省：生徒指導の進め方．生徒指導提要，p127-191，教育図書，2010
8) 文部科学省：平成30年度児童生徒の問題行動・不登校等生徒指導上の諸課題に関する調査結果について．2019（令和元）年10月17日
  https://www.mext.go.jp/ccmponent/a_menu/education/detail/__icsFiles/afieldfile/2019/10/25/1412082-30.pdf より 2020 年 1 月 8 日検索
9) 文部科学省：いじめ防止対策推進法(概要)．2013（平成25）年6月25日
  https://www.mext.go.jp/a_menu/shotou/seitoshidou/1337288.htm より 2020 年 1 月 30 日検索
10) 本間友己：いじめへの理解とスクールカウンセラーの役割．子どもの心と学校臨床 11：46-53，2014
11) 文部科学省：チームとしての学校の在り方と今後の改善方策について(答申)．2015（平成27）年12月21日
  http://www.mext.go.jp/b_menu/shingi/chukyo/chukyo0/toushin/__icsFiles/afieldfile/2016/02/05/1365657_00.pdf より 2020 年 1 月 30 日検索
12) 浦野裕司：家庭との連携で気配りしたいこと．児童心理 70（4）：117-121，2016
13) 水野治久：子どもと教師のための「チーム援助」の進め方．p69-78，金子書房，2014
14) 伊藤美奈子：教師のバーンアウト傾向を規定する諸要因に関する探索的研究―経験年数・教育観タイプに注目して．教育心理学研究 48：12-20，2000
15) 田村修一ほか：指導・援助サービス上の悩みにおける中学校教師の被援助志向性に関する研究―バーンアウトとの関連に焦点をあてて．教育心理学研究 49：438-448，2001
16) 水野治久：子どもと教師のための「チーム援助」の進め方．p94-106，金子書房，2014

犯罪，非行，犯罪被害および家事事件に関する基本的事項

20章 司法心理学（犯罪心理学を含む）

> **この章で学ぶこと**
> - 犯罪，非行，犯罪被害および家事事件に関する基本的事項
> - 司法・犯罪分野の問題に対する必要な心理的支援

　犯罪心理学の対象は多岐にわたる．人はなぜ犯罪者になるのかを研究する犯罪原因論，心理学の知識を用いて犯人を探し出したり事件解決に貢献したりする捜査心理学（犯罪プロファイリング，ポリグラフ検査を含む），裁判プロセスに心理学の知識を応用する裁判心理学（目撃証言を含む），罪を犯してしまった犯人や少年をいかに更生させていくかを研究する矯正心理学，犯罪被害者の心のケアを行う被害者心理学などがあり，なかでも矯正心理学はその中核を占めてきた[1]．

1　少年事件

　未成年者による犯罪等については少年法が適用され，成人の刑事司法手続きと比較して複雑な司法手続きが適用される（**図1**，**図2**）．少年法の目的は，少年（男女とも）に対して刑罰的処遇で臨むところにあるのではなく，再非行を防止し，その健全育成をはかるところにある．

　非行少年とは，以下を指す．
① 犯罪少年：14歳以上の未成年（20歳未満）で罪を犯した少年
② 触法少年：14歳未満で刑罰法令に触れる行為をした少年
③ ぐ犯少年：未成年（20歳未満）で，保護者の正当な監督に従わないなど不良行為があり，その性格や環境からみて，将来罪を犯すおそれのある少年

　このような非行少年に対しては，警察，検察庁，家庭裁判所，少年鑑別所，少年院，保護観察所等さまざまな機関が，健全育成を目的としてかかわっている．

1・警察

　警察は，非行少年を発見した場合に，必要な捜査や調査を行い，検察官，家庭裁判所，児童相談所などの関係機関に送致または通告する．

　都道府県警察には少年サポートセンターが設置されており，少年補導職員を中心として，主に以下のような活動を行っている[2]．
① 少年相談活動：少年や保護者に対する専門的な知識を有する職員等による面接や電話，電子メール等での指導・助言など
② 街頭補導活動：繁華街等における深夜徘徊や喫煙等に対する街頭補導など
③ 継続補導・立ち直り支援活動：少年相談や街頭補導でかかわった少年に対する継続的な指導・助言，体験活動等への参加促進，就学・就労の支援など
④ 広報啓発活動：学校での非行防止教室や薬物乱用防止教室の開催など

20章 司法心理学（犯罪心理学を含む）

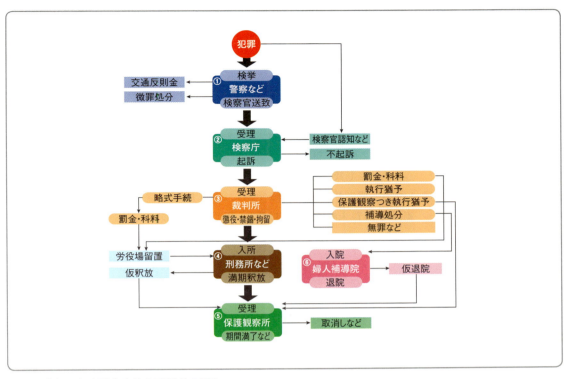

図1　成人による刑事事件の手続きの流れ
（検察庁：刑事事件の手続について http://www.kensatsu.go.jp/gyoumu/keiji_jiken.htm より 2020年1月31日検索）

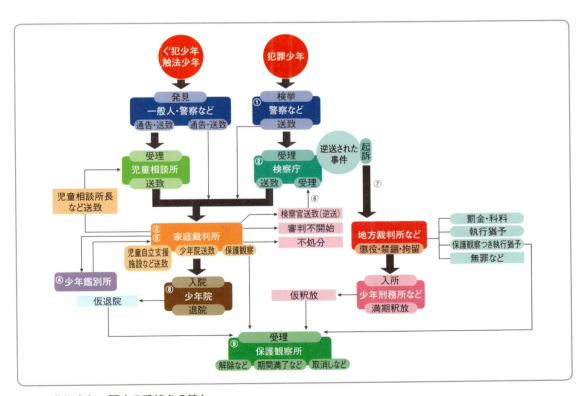

図2　非行少年に関する手続きの流れ
（検察庁：少年事件について http://www.kensatsu.go.jp/gyoumu/shonen_jiken.htm より 2020年1月31日検索）

⑤関係機関・団体との連携確保：学校，スクールサポーター，少年サポートチーム，少年警察ボランティア等との協働

2 ● 検察庁

検察官は，犯罪の嫌疑があると認めたときまたは家庭裁判所の審判に付すべき事由があると認めたときに，事件を家庭裁判所に送致する．その際，少年に刑罰を科すのが相当か，保護観察，少年院送致等の保護処分に付すのが相当かなど処遇に関する意見を付す[3]．

また，家庭裁判所から，刑事処分相当として検察官に送致された少年[*1]については，成人と同様に刑事裁判所に公訴を提起する．ただし，少年については，犯行時18歳未満の少年に対する，死刑・無期刑の緩和，不定期刑の言渡し，少年刑務所への収容，仮釈放を許可するまでの期間の短縮などの特例が認められている[4]．

3 ● 家庭裁判所

家庭裁判所（全国に本庁50か所，支部203か所，出張所77か所が設けられている）は，検察官，警察，都道府県知事および児童相談所所長から送致された少年事件について，調査，審判を行い，非行事実の有無について判断するとともに，再非行防止の観点から，その少年にとって適切な処遇を決定する．事件受理時の少年の身柄拘束の有無によって身柄事件と在宅事件に分かれる．

裁判官は，非行事実の存否などについての調査を行ったうえで，家庭裁判所調査官（以下，家裁調査官）に対し，調査命令を発する．また，調査，審判を行うために，少年の心情の安定，情操の保護，身柄の保全をはかることを目的として，少年鑑別所に送致する措置（観護措置）を執ることができる．観護措置の期間は，通常は最長4週間であるが，一定の事件で証拠調べが必要な場合は最長8週間まで更新することができる．

家裁調査官は，医学，心理学，教育学，社会学などの行動科学の専門家であり，必要な事実を把握し，非行メカニズムの解明と再非行危険性の予測を行う．調査結果および処遇に関する意見については，報告書を作成して裁判官に提出し，審判に出席して意見を述べる．非行メカニズムの解明にあたっては，非行時の行動や状況，非行の背景となる過去の出来事について，問題行動の発生，維持，悪化に影響している要因（表1）を，生物心理社会学的な視点から多角的に抽出し，これら要因間の相互作用（悪循環）を分析する．

調査方法としては，少年，保護者，関係機関（学校，児童相談所，保護観察所，少年院等），被害者，少年の雇用主等に対し，面接調査，書面や電話による照会，出張調査（家庭訪問，学校訪問等），各種心理テストを実施する．そして，3種類の保護処分（保護観察，少年院送致，児童自立支援施設[*2]等送致）のほか，児童相談所等送致，不処分，審判不開始，検察官送致のいずれかが決定される．

また，中間決定である試験観察においては，一般的に，家裁調査官が少年および保護者と定期的に面接を行う．少年の問題に応じた約束事項を設定し，作文や生活リズム表，日記の作成等の課題を与えたり，心理テストを実施したりする．

＊1 検察官送致の要件

家庭裁判所は，「犯罪少年のうち，死刑，懲役又は禁錮に当たる罪」の事件について，調査または審判の結果，その罪質および情状に照らして，刑事処分を相当と認めるときは，検察官送致決定をしなければならない．また，「故意の犯罪行為により，被害者を死亡させた事件で，罪を犯したとき16歳以上の少年」については，原則として検察官送致決定をしなければならない．

＊2 児童自立支援施設

児童自立支援施設は，不良行為をなし，またはなすおそれのある児童および家庭環境等の理由により，生活指導等を要する児童に対し，児童福祉法上の支援を行う施設である[5]．職員である実夫婦による小舎夫婦制，小舎交代制といった家庭的なアプローチが特徴である．児童相談所による「児童福祉施設入所措置」によって入所する場合と，家庭裁判所による「保護処分」として入所する場合がある．

■ 表1　非行の要因

生物学的要因	知能，身体的疾患，脳の器質障害，発達障害，精神疾患，アルコール・薬物の影響，体調・生理的状態等
心理学的要因	性格・行動傾向，認知傾向，情動コントロール，ストレス対処，対人スキル，自己評価等
社会学的要因	家庭環境，学校，職場，交友関係，地域環境等

このほか，民間の施設，団体または個人といった篤志家に少年の補導を委託する制度もある．この一定期間（数か月程度）の観察結果をふまえて，審判で最終的な処分が決められる．また，不処分や審判不開始で事件が終局する場合でも，少年の再非行防止のための教育的な働きかけとして，保護的措置が行われている．たとえば，裁判官による少年に対する訓戒・保護者に対する指導，家裁調査官による面接指導，各種講習（被害を考える講習，薬物に関する講習，交通違反に関する講習など），グループワーク（保護者会，親子合宿など），社会奉仕活動（清掃活動など），補導委託，調整活動などが行われる．家庭裁判所内のボランティア団体である少年友の会が，学習支援活動を行ったり，清掃活動などに一緒に参加したりすることもある．

2　少年鑑別所と少年院

1 ● 少年鑑別所

法務省所管の施設として全国52か所に少年鑑別所がある[6]．少年鑑別所は，家庭裁判所の求めに応じ，**表2**に示す役割を担う．

■ 表2　少年鑑別所の役割

鑑別	鑑別対象者の資質の鑑別を行うこと
観護処遇	観護措置が執られて少年鑑別所に収容される者等に対し，健全な育成のための支援を含む観護処遇を行うこと
地域援助	地域社会における非行および犯罪の防止に関する援助を行うこと

医学，心理学，社会学，教育学などの専門知識に基づいて鑑別を行う法務技官（心理）と観護処遇を行う法務教官とが，主として家庭裁判所の観護措置決定によって送致された少年にかかわり，判定会議を経て鑑別結果通知書が家庭裁判所に送付され，審判や少年院・保護観察所での指導，援助に活用される．鑑別では，鑑別面接や心理検査（法務省式と冠づけられた検査も多数ある）を実施し，対象者の資質上の特徴，非行に至った原因，今後の処遇上の指針を示す．さらに，法務少年支援センターとして，一般の少年および保護者，関係機関等からの依頼に応じ，地域社会における非行および犯罪の防止に向けたさまざまな活動を行っている．

2 ● 少年院

少年院は，家庭裁判所から保護処分として送致された少年に対し，その健全な

> **用語解説**
>
> **＊3　少年院の種類**
> 第1種少年院：心身に著しい障害がないおおむね12歳以上23歳未満のものを対象とする．
> 第2種少年院：心身に著しい障害がない犯罪傾向が進んだおおむね16歳以上23歳未満のものを対象とする．
> 第3種少年院：心身に著しい障害があるおおむね12歳以上26歳未満のものを対象とする．

育成をはかることを目的として矯正教育，社会復帰支援などを行う法務省所管の施設で，全国に52か所設置されている[7]．少年の年齢や心身の状況により，第1種から第3種に分けて設置されており[＊3]，どの少年院に送致するかは，家庭裁判所において決定される．そのほか，刑の執行を受ける者を収容する第4種少年院もある．

少年院の種類ごとに，在院者に共通する特性に応じて，矯正教育の重点的な内容と標準的な教育期間を定めた矯正教育課程が設けられている．そして各少年院が，矯正教育課程ごとに，矯正教育の目標，内容，実施方法を少年院矯正教育課程として定め，一人ひとりの特性および教育上の必要性に応じ，より具体的な個人別矯正教育計画を作成する．入院後は，3級（自己の問題改善への意欲の喚起をはかる指導），2級（問題改善への具体的指導），1級（社会生活への円滑な移行をはかる指導）の順で進級する段階的な処遇を行う．

矯正教育の内容としては，自立した生活のための基本的な知識および生活態度の習得を目指しており，個別面接，集団討議，各種教育プログラム〔薬物非行防止指導，性非行防止指導，ソーシャルスキルトレーニング（SST：social skill training），被害者の視点を取り入れた教育など〕，職業指導，教科指導等が行われている．

3　更生保護

1・地方更生保護委員会

全国8か所に設置されており，仮釈放等の許可ならびに仮釈放の取消し，少年院からの仮退院および退院の許可，不定期刑の終了などに関する権限を有する[8]．

2・保護観察所

保護観察所は，全国50か所に設置されており，主に保護観察処分少年，少年院仮退院者，仮釈放者，保護観察付執行猶予者を対象に，保護観察，生活環境の調整，更生緊急保護[＊4]，恩赦の上申，犯罪予防活動などを行っている．保護観察とは，保護観察官および保護司が，犯罪をした人または非行のある少年に対し，社会のなかで指導や支援を行うものである[10]．刑務所や少年院等の矯正施設で行われる施設内処遇に対して，社会内処遇とよばれる（➡ p.443 本章2節参照）．

保護観察官と保護司

保護観察は，心理学，教育学，社会学などの専門的知識を有する保護観察官と，地域性，民間性をもつボランティアである保護司とが協働して，指導監督および補導援護を行っている．保護観察官は，保護観察の実施計画の策定，対象者の遵守事項違反，再犯その他危機場面での措置，担当保護司に対する助言や方針の協議，専門的プログラム（薬物処遇プログラムなど）の実施等を担っており，基本的に担当地区に居住するすべての対象者を担当する．一方，保護司は，対象者と日常的に面接を行って助言，指導したり，対象者の家族からの相談に助言したり，地域の活動や就労先等に関する情報提供や同行を担う．保護観察中，保護観察対象者には，一般遵守事項と特別遵守事項が定められる．

> **用語解説**
>
> **＊4　更生緊急保護**
> 犯罪者に対し，さらに罪を犯す危険を防止するため，その親族，縁故者等からの援助もしくは公共の衛生福祉，その他の施設からの保護を受けることができない場合などに，原則6か月，食事，医療，金品，宿泊先などに関する援助を行うことをさす[9]．更生保護事業を営む団体に委託することもある．

一般遵守事項とは，全対象に定められるルールである．たとえば，再犯することがないように健全な生活態度を保持すること，保護観察官や保護司の面接を受けること，生活状況を申告すること，転居や旅行の際には事前に保護観察所長の許可を受けることなどがある．特別遵守事項とは，事件内容等を踏まえて，個人の問題性に合わせて定められるルールである．たとえば，共犯者との交際を絶って接触しないこと，被害者等に一切接触しないこと，専門的プログラムを受けることなどがある．

3 ● 医療観察制度

心神喪失または心神耗弱の状態で，殺人，放火等の重大な他害行為を行った者については，必要な医療を確保して病状の改善をはかり，社会復帰を促進するため，医療観察制度が設けられている[11]．

検察官から申立てがあると，地方裁判所で審判が開かれ，裁判官と精神科医が，精神鑑定の結果，生活環境，精神保健福祉の専門家の意見等を考慮して医療の必要性を判断し，処遇を決定する．入院決定を受けた者に対しては，厚生労働省所管の指定入院医療機関による専門的な医療が提供され，その間，保護観察所が退院後の生活環境の調整を行う．通院決定を受けた者または退院を許可された者については，原則として3年間，厚生労働省所管の指定通院医療機関による専門的な医療が提供されるほか，保護観察所による精神保健観察に付され，必要な医療と援助の確保がはかられる．

保護観察所には，精神保健福祉士等の有資格者で実務経験を有する社会復帰調整官が配置されており，生活環境の調査・調整，精神保健観察などを担当している．また，関係機関(医療機関，精神保健福祉センター，保健所など)と協働して処遇実施計画を作成し，ケア会議を開催して情報共有とケア方針の統一をはかっている．

4 裁判員裁判

2009年(平成21年)から，国民が刑事裁判に参加する裁判員制度[12]が始まった．この制度によって，裁判の進め方やその内容に国民の視点，感覚を反映させることで，裁判全体に対する国民の理解が深まり，裁判がより身近に感じられ，司法への信頼が高まっていくことが期待されている．

裁判員制度の対象となる事件は，地方裁判所で扱われる刑事事件のうち一定の重大事件，たとえば，殺人，強盗致死傷，危険運転致死，現住建造物等放火，身代金目的誘拐，保護責任者遺棄致死などがある．原則として裁判員6人と裁判官3人が一緒に，公開の法廷での刑事裁判の審理(公判)に出席して証拠調べ手続や弁論手続に立ち会った上で，被告人が有罪かどうか(事実認定)，有罪の場合どのような刑にするか(量刑)について評議を行い，判決を宣告する．なお，評議を尽くしても全員の意見が一致しなかったときは，多数決で結論を出すことになるが，裁判員のみで被告人に不利な判断をすることはできず，裁判官と裁判員の双方の意見を含んでいることが必要である．

毎年，20歳以上で選挙権のある人の中からくじで翌年の裁判員候補者を選び，裁判所ごとに裁判員候補者名簿が作成される．裁判員制度の対象となる事件ごとに，名簿の中からさらにくじで裁判員候補者を選び，決定する．原則として裁判員を辞退することはできないが，法律等で認められた事情(70歳以上，学生，妊娠中，重い病気，親族等の養育・介護・看病，重大な災害による被害など)があると裁判所が認めれば，辞退することができる．また，欠格事由，就職禁止事由，不適格事由がある人は，裁判員になることができない．また，審理においては，わかりやすさ，迅速さの点で，裁判員にできる限り負担のかからないような工夫がされている．裁判員が参加する事件の多くは，1日あたり5〜6時間程度，5日間前後で終わり，裁判員には，日当や交通費が支払われる．さらに，裁判員は，被害者など事件関係者のプライバシーに関する事項，裁判員の名前のほか，どのような過程を経て結論に達したのか，裁判員や裁判官がどのような意見を述べたか，評決の際の多数決の人数などについて守秘義務が課されている．これは，裁判員としての役目が終了した後も守らなければならず，違反した場合，刑罰が科されることがある．

なお，裁判所は，メンタルヘルスの専門知識を有する民間業者に委託して「裁判員メンタルヘルスサポート窓口」を設置しており，裁判員は，電話，インターネット，対面カウンセリングにより相談することができる．

5 家事事件と人事訴訟事件

家庭裁判所では，少年事件だけでなく家事事件や人事訴訟事件も扱っている．

1・家事事件

家事事件は，法律的な観点から判断するだけでなく，相互の感情的な対立を解消することや後見的な見地から関与することが求められ，裁判官は，行動科学の知見に基づく事実の調査や当事者への心理的な働きかけが必要な事案について，家裁調査官に調査命令を発する．家事事件は，審判事件および調停事件の2つに分かれる．

①審判事件：裁判官が，当事者から提出された書類や家裁調査官が行った調査の結果等種々の資料に基づいて判断し決定(審判)するもので，一般的に当事者間に争いのない家事事件手続法別表*5第一事件(後見(保佐，補助)開始*6，未成年後見人*7選任，特別養子縁組成立，親権停止(喪失)*8など)と，当事者間に争いのある別表第二事件(監護者指定，面会交流，親権者変更，養育費請求，婚姻費用分担，遺産分割など)とに分けられる．このほか，いわゆる児童福祉法28条事件*9も扱っている．

②調停事件：当事者間の話し合いによる合意で紛争の解決をはかるもので，裁判官1人と民間の良識のある人から選ばれた調停委員2人以上で構成される調停委員会が進行する．調停事件には，別表第二調停，特殊調停(協議離婚無効，親子関係不存在確認，嫡出否認，認知など)，一般調停(離婚，夫婦関係の円満調整など)がある．

＊5　家事事件手続法別表
　家事事件手続法で定められている審判で扱う事項をまとめた表のことをさす．

＊6　成年後見制度
　成年後見制度とは，認知症，知的障害，精神障害などの理由で判断能力が不十分な人々が，財産管理や契約などの法律行為をすることが難しい場合に，保護し，支援する制度である[13]．本人の判断能力の程度などに応じて「後見(判断能力が欠けているのが通常の状態)」，「保佐(判断能力が著しく不十分)」，「補助(判断能力が不十分)」の3類型がある．成年後見人等には，本人の親族以外にも，法律・福祉の専門家などが選ばれる場合がある．

＊7　未成年後見人
　未成年後見人は，親権者の死亡等のため親権を行う者がいない未成年者について，法定代理人となり，未成年者の監護養育，財産管理，契約等の法律行為などを行う．

＊8　親権停止，親権喪失
　親権停止とは，父または母の親権の行使が困難または不適当であることにより子どもの利益を害するときに，2年以内の期限に限って親権を行うことができないようにする制度である．親権喪失とは，さらに事態が深刻な場合に，親権を失わせる制度である．

なお，別表第二事件は，調停と審判のいずれからでも始めることができるが，まずは調停での自主的な解決が期待され，不成立になると審判に移行する．

2 • 人事訴訟事件

人事訴訟事件とは，離婚や認知など，夫婦や親子等の関係についての争いを解決する訴訟である．代表的な離婚訴訟では，離婚そのものだけでなく，親権者，財産分与，養育費，慰謝料などを同時に決めることができ，裁判官の判決または和解によって解決する．なお，できるだけ当事者間の話合いで解決することが望ましいと考えられ，原則として，人事訴訟を提起する前に調停を申し立てなければならない．

3 • 家事事件における家裁調査官の役割

家裁調査官は，事実の調査，期日への立会い，意見陳述，調整活動などを行う．とりわけ，監護権，親権，面会交流[*10]など子をめぐる紛争のある事件において，子の福祉に沿った紛争解決を目指すため，子の監護状況や子の意向・心情に関する調査を行うことが多い．これらの調査では，子の発達状況，居住環境，家族との関係性，父母の養育態度，子が父母の紛争をどのように受け止め，今後の生活についてどのような希望をいだいているかなどを把握することが目的となる．子および父母との面接調査だけでなく，家庭訪問や関係機関（保育園・幼稚園，小学校，病院など）の調査を行うこともある．また，裁判所内の児童室において，離れて暮らす親子の交流場面を設けることもある．

調査結果および意見は，報告書として裁判官に提出される．また，関係機関調整として，事件関係人の家庭環境等の調整を行う必要があるとき，裁判官の命令を受けて，社会福祉機関等（福祉事務所，配偶者暴力相談支援センター，児童相談所，精神保健福祉センターなど）に連絡して協力を依頼したり，当事者およびその家族等に対し社会福祉機関の機能，役割などの情報を提供したりする．

さらに，心理的調整として，当事者に対して，調停手続に積極的，主体的に臨むよう動機づけたり，緊張を緩和させ，葛藤を鎮静化させるように働きかけたりする．監護権，親権[*11]，面会交流等子をめぐって対立している場合には，子の福祉にかなう解決をはかる姿勢となるよう働きかける．

以上のように，司法心理学などの分野は，さまざまな機関・施設や異なる専門性をもつ専門家，地域ボランティアなどが協働しているところに大きな特徴がある．

5 非行・犯罪の理論

非行・犯罪の理論に関しては，古くからさまざまなアプローチが試みられてきているが，今現在もなお十分に体系化されているとは言えない状況にある．ここではその代表的な理論を列挙するが，それらは刑事施策的理論，社会学的理論，生物学的・心理学的理論の3つに分類して整理することができる[14]．その中でも，

＊9　児童福祉法28条事件

児童相談所長が，児童虐待など保護者に児童を監護させることが著しくその児童の福祉を害する場合において，児童福祉施設への入所，里親への委託等の措置に保護者が同意しなかったとき，家庭裁判所にこれらの措置の承認を求める事件である．

＊10　面会交流

離婚後または別居中に，子どもを養育・監護していない方の親が子どもと交流すること．

わが国は，ハーグ条約（「国際的な子の奪取の民事上の側面に関する条約」）を批准し，2014年（平成26）年4月1日から同条約は発効している．ハーグ条約は，子どもの利益の保護を重視し，いったん原状回復するため子どもを元の居住国に戻すこと，子どもとの面会交流の機会を確保すること，が定められている

＊11　監護権と親権

監護権は，親権（未成年の子どもを監護・養育する権利）に含まれ，子どもとともに生活をして日常の世話や教育を行う権利のことをさす．一般的には，親権者が監護権を有しているが，離婚等の事情によって父親が親権，母親が監護権というような例外的な場合がある．

社会学的理論，生物学的・心理学的理論がその中核をなしている．

1 ● 社会学的理論

　社会学的理論は，非行・犯罪理論の中で最も多様に展開しており，理論の中心的側面を担っている．とくに社会的環境のさまざまな要因の相互作用の結果として，犯罪・非行が生じると考えるところに特徴がある．そして，環境側を重視するマクロ理論(アノミー／緊張理論，非行サブカルチャー理論，一般緊張理論，社会解体論など)，個人側を重視するミクロ理論(社会的学習理論，分化的接触理論，統制理論，社会的絆理論，犯罪一般理論，ラベリング理論など)に大別できる．

2 ● 生物学的・心理学的理論

　非行・犯罪理論の中では，個人に焦点を当てているところに特徴があり，生物学的理論には，進化論の影響を受けている初期生物学的理論，遺伝と後天的事象の側面を前提に置く新生物学的理論がある．心理学的理論には，精神力動論，特性路論，機能理論，学習理論などがある．

■ 引用・参考文献

1) 越智啓太編：犯罪心理学．朝倉書店，2005
2) 警察庁：少年非行防止に向けた取組．平成 28 年版警察白書，2016
　 https://www.npa.go.jp/hakusyo/h28/pdf/pdf/06_dai2syo.pdf より 2020 年 1 月 31 日検索
3) 内閣府：非行・犯罪に陥った子供・若者の支援等．平成 29 年版子供・若者白書，2017
　 https://www8.cao.go.jp/youth/whitepaper/h29honpen/pdf/b1_03_02_03.pdf より 2020 年 1 月 31 日検索
4) 内閣府：非行少年の処遇．平成 14 年版青少年白書，2002
　 https://www8.cao.go.jp/youth/whitepaper/h14hakusho/pdf/ywp2-7-3.pdf より 2020 年 1 月 31 日検索
5) 厚生労働省：社会的養護の課題と将来像の実現に向けた取組
　 https://www.mhlw.go.jp/stf/seisakunitsuite/bunya/kodomo/kodomo_kosodate/syakaiteki_yougo/index.html より 2020 年 1 月 23 日検索
6) 法務省：少年鑑別所のしおり．2016
7) 法務省：明日につなぐ．少年院のしおり，2017
8) 法務省：更生保護の組織
　 http://www.moj.go.jp/hogo1/soumu/hogo_hogo03.html より 2020 年 1 月 23 日検索
9) 法務省：「更生保護」とは
　 http://www.moj.go.jp/hogo1/soumu/hogo_hogo01.html#03 より 2020 年 1 月 23 日検索
10) 法務省：保護観察所，2017
　 http://www.moj.go.jp/hisho/seisakuhyouka/hisho04_00040.html より 2020 年 1 月 31 日検索
11) 法務省：ともに生きる地域社会に向かって．医療観察制度のしおり，2017
12) 法務省：裁判員制度
　 http://www.saibanin.courts.go.jp/ より 2020 年 1 月 23 日検索
13) 法務省：成年後見制度〜成年後見登記制度〜
　 http://www.moj.go.jp/MINJI/minji17.html より 2020 年 1 月 23 日検索
14) 藤岡淳子編：犯罪・非行の心理学．有斐閣，2007
15) 法務省：犯罪者の処遇．平成 26 年版犯罪白書，2014
　 http://hakusyo1.moj.go.jp/jp/61/nfm/images/full/h2-1-01.jpg より 2020 年 1 月 31 日検索
16) 法務省：非行少年の処遇．平成 26 年版犯罪白書，2014
　 http://hakusyo1.moj.go.jp/jp/61/nfm/images/full/h3-2-1-01.jpg より 2020 年 1 月 31 日検索

20章 司法心理学（犯罪心理学を含む）

2 司法・犯罪分野における問題に対して必要な心理的支援

司法・犯罪分野における支援は，それぞれの機関・施設において行われているが，大きくは，①犯罪被害者への支援，②犯罪者・犯罪加害者への支援，③家事事件における支援，④支援効果の検証，に分けることが可能であると考えられる．

1 犯罪被害者への支援

1 ● 警察の被害相談窓口など

全都道府県警察には「被害相談窓口」が設置されており，相談・捜査の過程における犯罪被害者またはその遺族への配慮および情報提供として，一定の重大事件を対象に被害者の手引を配布し，被害者連絡制度を設けているほか，心理学的なカウンセリングに関する専門的知識や技術を有する職員による精神的被害の回復への支援なども行っている[1]．また，犯罪被害者の再被害を予防し，その不安感を解消するため，犯罪被害者の要望に基づき周辺をパトロールするなど犯罪被害者訪問・連絡活動に対する期待も大きい．

さらに，犯罪被害者支援推進のための基盤整備や，性犯罪相談，少年相談，消費者被害相談等の相談窓口が設けられているほか，警察庁委託の民間団体が匿名通報ダイヤルを運用している．

2 ● 検察庁の被害者支援制度など

警察と同様に全国の検察庁には，犯罪被害者およびその親族等への支援に携わる被害者支援員が配置されており，①被害者支援制度，②被害者ホットライン，③被害者等通知制度（被害者およびその親族，目撃者等の参考人等に対し，可能な範囲で，裁判が行われる日時場所，結果，犯人の身柄の状況，起訴事実，満期出所予定時期，釈放年月日などに関する情報を通知すること）に対して支援活動を行っている[2]．

3 ● 全国被害者支援ネットワーク

犯罪被害者および家族・遺族に対しては，被害者支援センターと称し相談・支援活動を行っている民間の公益団体が全国にある[3]．

主な活動内容としては，各団体により異なるが，①電話相談・面接相談，②生活支援，③関係機関との連絡・調整，④カウンセリング，⑤直接的支援（自宅訪問，病院・警察・検察庁・裁判所等への付添いなど），⑥法律相談，⑦自助グループ支援を行っている．

フラッシュバック，不安や恐怖の対象・状況の回避，他者への不信感，自責感，意欲低下，睡眠障害，いら立ち，集中困難，過敏反応など，心的外傷後ストレス障害（PTSD：post traumatic stress disorder）の症状がみられる犯罪被害者に対し，臨床心理学の専門家が，カウンセリングや心理療法プログラムを行っている

団体もある．

4 ● 裁判所の被害者保護制度

少年事件の被害者，その親族等は，家庭裁判所における被害者保護制度の利用を申し出ることができる[4]．具体的には**表1**に示す制度が設けられている．

一方で，成人の刑事事件の被害者保護制度としては，**表2**に示すようなことがらが定められている[5]．

■ 表1　少年事件における被害者保護制度

少年事件記録の閲覧・コピー	審判を開始する決定があった事件で，正当でない理由による場合を除いて原則的に，少年事件記録を閲覧・コピーできる
心情や意見の陳述	審判で裁判官に直接述べる方法と，審判以外の場で裁判官や家裁調査官に述べる方法がある
審判の傍聴	少年の故意の犯罪行為，交通事件によって被害者が亡くなった事件，生命に重大な危険のある傷害を負った事件が対象となるが，少年が事件当時12歳未満である場合には認められない
審判状況の説明	審判期日の日時・場所，審判経過，少年や保護者の陳述要旨，処分結果審判期日で行われた手続について説明を受けることができる
審判結果の通知	少年およびその法廷代理人の氏名および住居，決定の年月日，決定の主文，決定の理由の要旨について通知を受けることができる

■ 表2　成人の刑事事件における被害者保護制度

①証人の負担を軽くするための措置
②被害者等による意見の陳述
③検察審査会に対する審査申立て
④裁判手続の傍聴のための配慮
⑤訴訟記録の閲覧および謄写
⑥民事上の争いについての刑事訴訟手続における和解など

5 ● 更生保護における犯罪被害者のための制度

更生保護における犯罪被害者のための制度としては，
①意見等聴取制度(被害者，その親族等の申出により，地方更生保護委員会が行う加害者の仮釈放・仮退院の審理において，意見を述べることができる)
②心情等伝達制度(被害者，その親族等の申出により，保護観察中の加害者に，心情を伝えることができる)
③被害者等通知制度(被害者，その親族らの申出により，加害者の仮釈放・仮退院の審理，保護観察の状況を通知する)
④相談・支援(保護観察所の被害者専任の担当者に，不安や悩みごとを相談できる．必要に応じて，関係制度の説明や関係機関の紹介も行っている)．
などがある[6]．

6 ● 司法面接

子どもがかかわる事件，事故，虐待事案などにおいて，子ども自身に与える負担を最小限にし，誘導することなく，正確な情報を引き出す面接法として司法面

接がある[7].

司法面接は，事実確認が目的であり，心理的ケアが目的の面接とは分けて行われる．供述の変遷と2次被害を防ぐため，早い時期に，自由報告を重視した面接を原則として1回行い，ビデオ録画する．定められた特定のプロトコルを用いて，対象となる子どもとのラポール(信頼関係)を築き，「最初から最後まで全部話してください」「○○と△△のあいだにあったことを話してください」「○○についてもっと詳しく話してください」「それからどうしましたか」などのオープン質問を用いて自由報告を十分にうながした後，誰・何・どこといったWH質問やクローズド質問を行っていく．

また，当該の子どもに対して同じような面接を繰り返し行うことがないよう，複数の関連機関が協同して面接を行う取り組みも行われている[7].

2 犯罪者・犯罪加害者への支援

1 アセスメント（処遇調査や鑑別）

犯罪者の支援にあたっては，まずはどのような支援が有効であるのかを検討するために適切なアセスメントが必要である．とくに，司法や矯正の領域においては，処遇調査や鑑別という伝統的な手法を用いることによって，犯罪要因，非行要因の分析と処遇指針の立案が行われてきた．その際には，面接，行動観察，心理検査(知能検査，投映法検査，質問紙検査など)が実施される．少年鑑別所では，再非行可能性，教育上の必要性を定量的に把握するため，法務省式ケースアセスメントツール(MJCA)を用いている．

2 刑事収容施設法

成人矯正においては，2007年に改正された「刑事収容施設および被収容者等の処遇に関する法律：刑事収容施設法」が主要な法律とされている．

この法律の大きな特徴は，それまで曖昧な位置づけであった「改善指導」が受刑者処遇の柱として明確に位置づけられたことである．改善指導とは，受刑者に対し，犯罪の責任を自覚させ，健康な心身を培わせ，社会生活に適応するのに必要な知識および生活態度を習得させるために行う指導をいい，一般改善指導および特別改善指導がある(表3)[9].

①一般改善指導
一般改善指導は，
- 被害者感情を理解させ，罪の意識を培わせること
- 規則正しい生活習慣や健全な考え方を付与し，心身の健康の増進をはかること
- 生活設計や社会復帰への心構えをもたせ，社会適応に必要なスキルを身につけさせること

などを目的として行う改善指導である．

②特別改善指導
特別改善指導は，諸事情によって，改善更生および円滑な社会復帰に支障があると認められる受刑者に対し，その事情の改善に資するように，とくに配慮して

用語解説

＊1 法務省式ケースアセスメントツール（MJCA）[8]

静的領域と動的領域の2つの領域から構成されている．静的領域とは，教育等によって変化しないものであり，生育環境，学校適応，問題行動歴，非行・保護歴，本件態様がある．動的領域とは，教育等によって変化し得るものであり，保護者との関係性，社会適応力，自己統制力，逸脱親和性がある．

用語解説

＊2 被害者の視点を取り入れた教育

自らの犯罪と向き合うことで，犯した罪の大きさや被害者やその遺族等の心情等を認識させ，被害者やその遺族等に誠意をもって対応していくとともに，再び罪を犯さない決意を固めさせることを目的とした教育[10].

用語解説

＊3 矯正処遇の符号

刑事施設の刑の執行開始時には処遇調査が行われ，その結果に基づき，受刑者に処遇指標を指定する．これは，矯正処遇の種類・内容，受刑者の属性および犯罪傾向の進度から構成される．職業訓練を必要とするV（vocational training），教科教育を必要とするE（education），治療的な生活訓練を必要とするR（rehabilitation）などの符号を用いて表記する．

表3 矯正処遇の種類および内容

種類	内容		符号[＊3]
作業	一般作業		V0
	職業訓練		V1
改善指導	一般改善指導（暴力防止など）		R0
	特別改善指導	薬物依存離脱指導	R1
		暴力団離脱指導	R2
		性犯罪再犯防止指導	R3
		被害者の視点を取り入れた教育	R4
		交通安全指導	R5
		就労支援指導	R6
教科指導	補習教科指導		E1
	特別教科指導		E2

文献9)を参考に作成

行う改善指導である．

特別改善指導としては，現在，以下が実施されている[11]．

- 薬物依存離脱指導（薬物使用にかかる自己の問題性を理解させたうえで，再使用に至らないための具体的な方法を考えさせるなど：処遇指標R1）
- 暴力団離脱指導（警察などと協力しながら，暴力団の反社会性を認識させる指導を行い，離脱意志の醸成をはかるなど：R2）
- 性犯罪再犯防止指導（性犯罪につながる自己の問題性を認識させ，再犯に至らないための具体的な方法を習得させるなど：R3）
- 被害者の視点を取り入れた教育（罪の大きさや被害者等の心情などを認識させ，被害者等に誠意をもって対応するための方法を考えさせるなど：R4）
- 交通安全指導（運転者の責任と義務を自覚させ，罪の重さを認識させるなど：R5）
- 就労支援指導（就労に必要な基本的スキルとマナーを習得させて，出所後の就労に向けての取り組みを具体化させるなど：R6）

なかでも，性犯罪再犯防止指導（性犯罪調査を含む）が突出して実施体制の整備が進んでいる．この指導において用いられるプログラムは標準化されており，認知行動療法を基盤として，リラプス・プリベンション・モデル[＊4]などの技法を活用しながら，性犯罪加害行動を抑止することが行われる．わが国における性犯罪者処遇プログラムは，セルフ・モニタリング，認知の歪みとその変容，対人関係と親密性のスキル，感情のコントロール，共感と被害者理解などから構成されており[11]，認知行動療法のさまざまなテクニックが包括的に含まれている．

用語解説

＊4 リラプス・プリベンション・モデル（relapse prevention model）

主に依存症治療に適用される認知行動療法に分類される「再発防止」モデルである．リラプス（再発）に陥りやすいハイリスク状況を同定し，ハイリスク状況を極力避けること，そして避けられない場合には再発しないためのコーピングスキルを身につけることに主眼が置かれる．

3 • RNR原則に基づく改善更生の処遇

支援の基本とする考え方には，「犯罪者に対する心理臨床的介入は，犯罪者を甘やかすことになるという批判を受けやすい」という側面があるが，「犯罪者に対して厳罰をもって処遇を行えば犯罪が抑止されるというエビデンスはほとんどな

く，むしろ再犯率を高める結果に結びつきやすい」ことが指摘されている[12]．

そこで，犯罪者の再犯を防止するためのRNR原則[13]に基づく改善更生の処遇が世界的に支持されている[14]．

このRNR原則は，
① リスク(risk)原則：犯罪者の再犯リスクに見合った密度の処遇
② ニーズ(needs)原則：再犯リスクを低下させるために有効なニーズに的を絞った処遇
③ 反応性(responsivity)原則：犯罪者に浸透しやすい処遇

で構成されている．

そして，この原則に従って，多くの改善指導において，認知行動療法に基づく処遇プログラムが比較的広く採用されている．

少年院においても，成人の改善指導と同様に，特定の事情を有する少年に対して，「特定生活指導」が行われている．薬物非行防止指導(少年院では全国的に整備されている)，性非行防止指導，暴力防止指導，家族関係指導，交友関係指導，被害者の視点を取り入れた教育などがその代表的な例である．

また，矯正施設と同様に，特定の犯罪的傾向を有する保護観察対象者に対しては，その傾向を改善するために，指導監督の一環として，保護観察所等においても専門的処遇プログラムが実施されている．この専門的処遇プログラムは，性犯罪者処遇プログラム，薬物再乱用防止プログラム，暴力防止プログラム，飲酒運転防止プログラムの4種類があり，その処遇を受けることを特別遵守事項として義務づけている．なお，薬物再乱用防止プログラムは，刑の一部執行猶予制度の施行に伴い，2016年(平成28年)から実施されている．

4 ● 動機づけ面接法

矯正施設などで行われるさまざまな支援やプログラム等は，ある意味「義務として受けさせられる」ために，一般に支援対象者の「動機づけ」の程度はそれほど高くないことが多い．そこで，多くの施設で「動機づけ面接法」[15]の考え方や手続きがとり入れられている．

その主たる方略は，対象者のチェンジトーク(変化の希望，変化できるとの考え・変化への楽観視，変化することへの利点，変化しないことへの不安・懸念，変化に必要な行動の具体的計画など)を引き出すことであり，その際に支援者は，開かれた質問(open ended question)，是認・確認(affirm)，聞き返し(reflective listening)，要約(summarize)などの技法を用いることが推奨される(OARSと略される)．

5 ● 更生保護

非行や犯罪を犯した人たちを社会内で処遇しようとする活動を更生保護という[16]．更生保護は，法務省保護局，地方更生保護委員会，保護観察所等の国家機関だけでなく，民間の協力者によっても行われている．

また，全国的な「社会を明るくする運動」では，犯罪や非行から立ち直ろうとする人を支える家庭や地域をつくるために，街頭広報，ポスターの掲出，新聞やテ

レビ等の広報活動，催しなどを行っている．一般に，刑務所等の矯正施設で行われる施設内の処遇は施設内処遇，施設外の社会内で行われる処遇（保護観察を含む）は社会内処遇とよばれる（➡ p.434 本章 1 節参照）．

①更生保護女性会

更生保護女性会とは，地域の犯罪予防活動と非行や犯罪を犯した人たちの更生支援活動を行う女性ボランティア団体である．家庭や非行問題を考える集会の開催，子育て支援活動，保護観察対象者の社会貢献活動への協力，更生保護施設，矯正施設への訪問などの活動を行っている．全国で約 17 万人の会員がいる．

② BBS 会

BBS 会（Big Brothers and Sisters Movement）とは，さまざまな問題を抱える少年に対して，兄や姉のような身近な存在として接しながら支援する青年ボランティア団体である．非行少年等の成長や自立を支援する「ともだち活動」のほか，地域に根ざした非行防止活動やグループワーク，保護観察対象者の社会貢献活動等への協力を行っており，全国で約 4,500 人の会員がいる．

③協力雇用主

社会復帰のために協力雇用主が大きな役割を担っており，非行や犯罪を犯した人たち（刑務所出所者等）をその事情を理解したうえで雇用している．主に建設業，サービス業，製造業の約 18,000 の協力雇用主が登録しており，そのうち約 800 が実際に刑務所出所者を雇用している．実際の雇用にあたっては，保護観察所が，保護観察対象者と協力雇用主のマッチングなどの調整を行っている．また，協力雇用主に対するさまざまな国の支援制度が設けられている．

④更生保護施設

更生保護施設は，刑務所出所者のうち帰るべき場所がない人たちに対して，宿泊場所や食事を提供する施設である．法務大臣の許可を受けた民間の更生保護法人などが運営しており，全国に 103 の施設がある．施設によっては，対人関係を円滑にするためにソーシャルスキルトレーニング（SST：social skills training）を行ったり，地域住民と交流する機会を設けたりしている．また，指定を受けた施設においては，心理学，福祉などの専門家が，高齢・障害等によりとくに自立困難な人たちに対して福祉的支援を行ったり，依存性薬物への依存からの回復を目指す専門プログラムを実施したりしている．

3　家事事件に関連する支援

1・家事事件に関連する支援

①配偶者暴力相談支援センター

配偶者暴力相談支援センターは，都道府県が設置している婦人相談所の施設において，主として配偶者からの暴力の防止，および被害者の保護をはかっている[17]．

同センターでは，配偶者から身体的・精神的・性的な暴力を受けた場合の相談・カウンセリング，相談機関の紹介，被害者および同伴者の緊急時における安全の確保および一時保護を行っている．このほか，自立して生活することを促進するための情報，被害者を居住させて保護する施設についての情報，保護命令制度の

利用についての情報などを提供している．

②面会交流支援団体

面会交流を支援している団体は複数ある．団体によって，支援の形態(受け渡し型，付き添い型，連絡調整型など)や利用料金等はさまざまである．たとえば，公益社団法人家庭問題情報センター (FPIC：Family Problems Information Center)では，元家裁調査官が，夫婦間や親子間など家庭内の問題について電話や面接で相談を受けたり，民間紛争解決手続(ADR：Alternative Dispute Resolution)として調停を行ったり，離れて暮らす親子の面会交流を援助したり，後見人を受任したり，夫婦や親子関係についての各種セミナーを開催している[18]．

4 支援効果の検証

以上のように，司法心理学などの分野は，さまざまな機関・施設の特徴に応じた支援が行われており，社会のなかであるべき姿の追究に加え，「エビデンスベイスト」の考え方が浸透しつつある．たとえば，法務省には，成人矯正分野，および少年矯正分野にそれぞれ専従の効果検証班が設置されており，さまざまな支援的活動がそれぞれの目的を達成するべくデータの分析や成果の公表を行っている．

■ 引用・参考文献

1) 警察庁：警察による犯罪被害者支援，2017
2) 法務省：被害者支援のための一般的制度，2017
   http://www.moj.go.jp/keiji1/keiji_keiji11-2.html より 2020 年 2 月 3 日検索
3) 全国被害者支援ネットワーク：支援活動について，2017
   https://www.nnvs.org/shien/about/ より 2020 年 2 月 3 日検索
4) 裁判所：被害者保護制度，2017
   http://www.courts.go.jp/saiban/qa_syonen/qa_syonen_32/index.html より 2020 年 2 月 3 日検索
5) 裁判所：犯罪被害者保護制度，2017
   http://www.courts.go.jp/saiban/qa_keizi/qa_keizi_06/index.html より 2020 年 2 月 3 日検索
6) 法務省：更生保護における犯罪被害者等の方々のための制度，2017
7) 仲真紀子編著：子どもへの司法面接―考え方・進め方とトレーニング．有斐閣，2016
8) 法務省：法務省式ケースアセスメントツール(MJCA)の開発と運用開始について
   http://www.moj.go.jp/kyousei-/kyousei03_00018.html より 2020 年 1 月 23 日検索
9) 法務総合研究所：犯罪白書―少年・若年犯罪者の実態と再犯防止 平成23年版．法務総合研究所，2011
10) 法務省：刑事施設における特別改善指導―被害者の視点を取り入れた教育
    http://www.moj.go.jp/content/001224613.pdf より 2020 年 2 月 3 日検索
11) 法務省性犯罪者処遇プログラム研究会：性犯罪者処遇プログラム研究会報告書．法務省矯正局・保護局，2006
12) Hollin CR：Treatment programs for offenders: Meta-analysis, 'what works' and beyond. International Journal of Law and Psychiatry 22：361-372, 1999
13) Andrews DA et al：The psychology of criminal conduct, 3rd ed. OH Anderson Publishing, 1998
14) Ward T et al：Theories of Sexual Offending. John Wiley & Sons, 2006
15) ミラーRほか：動機づけ面接法―基礎・実践編(松島義博ほか訳)．星和書店，2007
16) 法務省：更生保護を支える人々，2017
    http://www.moj.go.jp/hogo1/soumu/hogo_hogo04.html より 2020 年 2 月 3 日検索
17) 内閣府男女共同参画局：配偶者暴力相談支援センター，2017
    http://www.gender.go.jp/policy/no_violence/e-vaw/soudankikan/01.html より 2020 年 2 月 3 日検索
18) 公益社団法人家庭問題情報センター：ご案内．東京ファミリー相談室・養育費相談支援センター，2017

21章 産業・組織心理学

1 職場における問題に対して必要な心理的支援

> **この章で学ぶこと**
> - 職場での問題に対して必要な心理的支援とその方法
> - 組織における人の行動

1 事業場内と事業場外による役割の違い

産業領域における心理職は，臨床心理士，産業カウンセラー，キャリアカウンセラーなどが該当する．職域でどのような役割を担うかは事業主の考えによって幅がある．産業心理職の位置づけは，大きく事業場内と事業場外に分かれる．

1・事業場内の心理職

企業内カウンセラーとして採用されることが多い．所属は人事部，総務部，労務部，保健管理センター，安全衛生部門などで，採用形態は正社員あるいは嘱託・契約など企業によってさまざまである．企業のなかにいるので，組織の動きがよくわかり，それに連動したストレスをかかえる従業員の相談を受ける場合，適切な対応ができ，職場の環境調整もしやすい．

一方，雇用形態によっては上司が人事関係の場合，心理職の守秘義務を十分理解してもらう，従業員からみても心理職と人事が"つながっている"と誤解されないよう配慮するなどの慎重な対応が求められる．

2・事業場外の心理職

事業場外としては，現時点ではEAPが主と考えてよいだろう．EAPとは，「employee assistance program」（従業員支援プログラム）のことで，企業など事業場と委託契約を結び，カウンセリング，メンタルヘルス研修などさまざまなメンタルヘルスケア業務を請け負う事業である．従業員にとっては，企業とは独立した形態で相談することができるため，人事や上司に知られることなく相談することができる．心理職も独立した専門職として，クライエントである従業員の相談を受けることができる．

一方，企業の背景，とくに就業規則，組織の変化などの情報が少ないため，クライエントに確認する必要がでてくる可能性はある．

2 個人および個人以外（管理職，家族，組織など）に対するアプローチ

以前は産業領域の心理職の業務といえば，クライエント（従業員）個人の相談が主であった．しかし現在ではクライエントの上司，人事担当者へのフィードバックや相談，組織全体の現状の把握・分析とそれに基づく助言など多岐にわたる．

3 職場における心理臨床アプローチ

1 • メンタルヘルス不調者（精神疾患〜精神的不健康の来談者）への対応

①メンタルヘルス不調者のアセスメント

すでに医療機関を受診し，医療を受けている人の場合は，必要に応じて医療機関との連携をとることで情報が得られる．しかし，まだ医療を受けていないクライエントが相談に来た場合，身体的問題の有無，薬物療法の適応，入院の必要性などおおよその見立てを心理職が行わなければならない．

表1に，アセスメントに必要な基本情報とその概要をあげる．クライエントにこれらの項目をすべて聞く必要はないが，必要に応じて確認することで見落としを防ぐことができる．

■ 表1　メンタルヘルス不調者のアセスメントに必要な基本情報

	特徴
①主訴 ②来談の経緯	産業領域では，自らの意思ではなく，上司にすすめられて来談するケースがある．その場合，クライエントは相談することで「精神疾患」とされるのではないかという不安をもっていることがある
③現病歴	すでに疾患があり治療を受けている，あるいは過去に受けていた場合，具体的な情報を聞いておく
④生育歴 ⑤家族歴	現在の精神症状から愛着障害や発達障害が疑われる場合は，必要な情報である．また家族に精神疾患がある場合も有用な情報となることがある
⑥過去の病歴 （通院歴，入院歴，服薬歴）	過去にどのくらいの期間通院していたのか，現在も通院しているのか，入院の場合，どのような施設（総合病院，精神科単科病院など）だったか，服薬していた場合，どのような薬だったか，などを聞く
⑦身体疾患	過去にどのような病気をしたことがあるか，現在も治療中の身体疾患はあるかを聞く
⑧現在の体調 （睡眠，食欲，活力を含む）	よく眠れているか，食欲はあるか，最近やせたか，体調はよいか，疲れやすいかなどを聞く
⑨自殺念慮・企図	遠まわしに聞くのではなく，「死んでしまったほうがよいと思うか？」「消えたいと思うか？」など直接的に聞く．自殺念慮がある場合，具体的な方法を考えたかを確認する．自殺企図があったクライエントには具体的な方法も聞いておく
⑩物質使用歴 （アルコール・薬物）	アルコール，薬物の使用歴である．使用期間，量についても聞いておく

臨床心理学アセスメントにおいても，生物学的−心理的−社会的側面からの評価をするが，とくに生物学的側面のアセスメントは常に念頭におきたい．これは専門的な医学知識を身につけるという意味ではなく，具体的には，「睡眠がとれているか」「食欲はあるか」「体調はどうか」「薬を飲んでいるか」「これまで，あるいは現在何らかの身体疾患の治療を受けているか」などを確認することである．

　「仕事に前向きになれない」という主訴のクライエントにキャリアに関する質問をすることも大事だが，睡眠障害による精神機能の低下が背景にある場合，まずは睡眠状態の改善が先決である．

　医療が必要な場合には受診勧奨を行う．どのような場合に医療機関への紹介が必要であるのかは，23章3節(➡ p.493)を参照いただきたい．

　またハラスメントが関係したメンタルヘルス不調の場合，人事・労務担当者との連携が不可欠となる．

②カウンセリング

　職場におけるカウンセリングは，メンタルヘルス不調者だけでなく，健康な人も対象となる．健常な精神状態の人がさらに高いパフォーマンスを発揮するためには，ポジティブ心理学の知見，とりわけワーク・エンゲイジメントの概念が有用である．

　事業場内，事業場外にかかわらず，所属している施設により，カウンセリングの回数や時間などに関して基準がある場合，それに準じなければならない．医療を受けているクライエントに関しては主治医の意向を確認したうえでカウンセリングを実施したほうがよいだろう．EAPによっては，主治医の許可を文書で得るまでカウンセリングを開始しないところもある．

③職場復帰支援

　なんらかの疾患で休業している従業員が職場に復帰する際，さまざまな支援が必要となる．とくに復帰直後は心理的な支援も重要である．心理職が復職支援にかかわる場合，休業中から定期的な面接を行うなど一定期間かかわることが多い．現在，職場復帰の支援については厚生労働省から公表されている「心の健康問題により休業した労働者の職場復帰支援の手引き〜メンタルヘルス対策における職

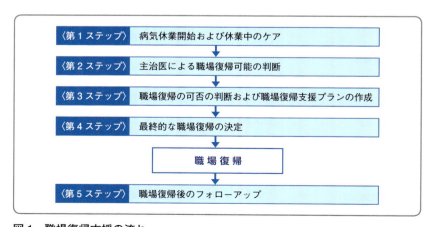

図1　職場復帰支援の流れ
文献1)を参考に作成

場復帰支援～」に沿って5つのステップにそって進められる（**図1**）[1].

④ストレスチェック制度

「労働安全衛生法の一部を改正する法律」の公布により，平成27年12月1日より実施された労働者のストレスチェックと面接指導の実施などを義務づける制度である．労働者のストレスと集団ごとのストレスをチェックし，職場におけるストレス要因を評価し，職場環境の改善につなげ，ストレスの要因そのものを低減させることを目的としている．

心理職は，ストレスチェック制度に関し，事業者が講ずべき措置などについて定められた指針[2]において次の役割を担うことが明記されている（**表2**，下線は著者による）．

■ **表2　ストレスチェック制度に関し心理職が担う役割**

高ストレス者の選定方法
選定基準のみで選定する方法のほか，選定基準に加えて補足的に実施者又は実施者の指名及び指示のもとにその他の医師，保健師，歯科医師，看護師若しくは精神保健福祉士又は<u>公認心理師，産業カウンセラー若しくは臨床心理士等の心理職</u>が労働者に面談を行いその結果を参考として選定する方法も考えられる．この場合，当該面談は，法第66条の10第1項の規定によるストレスチェックの実施の一環として位置付けられる．

ストレスチェック結果の通知後の対応
事業者は，ストレスチェック結果の通知を受けた労働者に対して，相談の窓口を広げ，相談しやすい環境を作ることで，高ストレスの状態で放置されないようにする等適切な対応を行う観点から，日常的な活動の中で当該事業場の産業医等が相談対応を行うほか，産業医等と連携しつつ，保健師，歯科医師，看護師若しくは精神保健福祉士又は<u>公認心理師，産業カウンセラー若しくは臨床心理士等の心理職</u>が相談対応を行う体制を整備することが望ましい．

集団ごとの集計・分析結果に基づく職場環境の改善
事業者はストレスチェック結果の集団ごとの集計・分析結果に基づき適切な措置を講ずるに当たって，実施者又は実施者と連携したその他の医師，保健師，歯科医師，看護師若しくは精神保健福祉士又は<u>公認心理師，産業カウンセラー若しくは臨床心理士等の心理職</u>から，措置に関する意見を聴き，又は助言を受けることが望ましい．

〔厚生労働省：心理的な負担の程度を把握するための検査及び面接指導の実施並びに面接指導結果に基づき事業者が講ずべき措置に関する指針（改正平成30年8月22日心理的な負担の程度を把握するための検査等指針公示第3号），2018
https://www.mhlw.go.jp/content/11300000/000346613.pdf 2020年1月29日検索〕

現在は，ストレスチェックの実施者として，①医師，②保健師，③検査を行うために必要な知識についての研修であって厚生労働大臣が定めるものを修了した歯科医師，看護師，精神保健福祉士もしくは公認心理師の3項があげられている．

また，ストレスチェックにかかわる相談ではワーク・ライフ・バランス，過重労働がテーマとなることがある．過重労働は過労死・過労自殺など労働災害につながるだけに心理師の適切な対応が期待される．

2・キャリアにかかわる相談（キャリアコンサルティング）

クライエントの能力，適性を把握し，適材適所の配属に関する助言をすることは不適応を避けることにつながる．また，終身雇用制度の時代が終わり，今後の職業生活あるいは自らの生き方について積極的に考えていくこともより重要と

なっている.

3 • 人事, 管理職へのコンサルテーション

産業の現場では, クライエント(従業員)本人との面談に加え, クライエントを取り巻く上司, 人事担当者への労務管理を含めたコンサルテーションも大きな役割となる. クライエントの面接を行った後に上司, 人事に面談結果をフィードバックする, 上司, 人事担当者よりクライエントもしくはまだ面接していない従業員に関する相談を受けるなどが想定される. その場合, 個人情報の扱いには十分注意しなければならない. かなり具体的な内容まで一つひとつ誰にどのように伝えてよいかを確認することが重要である.

4 • メンタルヘルスにかかわる教育・研修

厚生労働省は各事業場内産業保健スタッフなどの職務に応じて専門的な事項を含む教育研修, 知識修得の機会を提供するとしている. 事業場外のEAPが実施する場合もある. **表3**に具体的な教育・研修の内容を示す.

■ 表3 教育・研修の内容

①メンタルヘルスケアに関する事業場の方針
②職場でメンタルヘルスケアを行う意義
③ストレスおよびメンタルヘルスケアに関する基礎知識
④事業場内産業保健スタッフ等の役割および心の健康問題に対する正しい態度
⑤職場環境等の評価および改善の方法
⑥労働者からの相談対応(話の聴き方, 情報提供および助言の方法など)
⑦職場復帰および職場適応の支援, 指導の方法
⑧事業場外資源との連携(ネットワークの形成)の方法
⑨教育研修の方法
⑩事業場外資源の紹介および利用勧奨の方法
⑪事業場の心の健康づくり計画および体制づくりの方法
⑫セルフケアの方法
⑬ラインによるケアの方法
⑭事業場内の相談先および事業場外資源に関する情報
⑮健康情報を含む労働者の個人情報の保護など

4　産業領域の心理職に求められるもの(知識・経験)

産業領域の心理職がどのような役割を求められているかは, ほかの産業保健スタッフの有無によって異なってくる. 産業精神保健スタッフに求められる知識や能力の一例を**表4**にあげる[3].

職場環境の評価として, 作業環境, 作業方法の改善, 疲労回復施設の設置・整備などのハード面, 人間関係, 処遇や労働負荷などの心理的, 組織的・社会的側面などのソフト面がある. このような要因がメンタルヘルスに関係していることがある.

関連法規としては, 労働基準法, 労働安全衛生法等, 行政機関からの各種ガイドラインや業界ルールが重要である. また, その事業所の就業規則, 人事考課・等級制度のしくみは, 必ず押さえておくべき事項である.

さらに 2016 年 2 月に,「事業場における治療と職業生活の両立支援のためのガイドライン」が公表され,同年 4 月には,「改正障害者雇用促進法」が施行され,治療をしている人,障害者への就労支援のあり方を十分理解しておく必要がある.

また,心理師が理解しておくべき概念にダイバーシティ(人材の多様性)がある.ダイバーシティに含まれる属性として,性別,年齢,人種・民族,性的指向,職歴,未既婚,趣味,パーソナリティ,宗教,外見,身体的能力などが該当する.さまざまな人の個性や能力を活かせる組織にすることが,企業の成長力につながると考えられる.

■ 表4 事業所における心の健康づくり専門スタッフに必要と思われる知識や能力

- 職業性ストレスに関する理論やモデルに関する知識
- 産業保健,地域保健に関する知識
- 職場環境の評価(アセスメント)に関する調査・研究能力
- 臨床心理学(心理面接,心理検査)に関する知識と技能
- 関連法規(人事,労務,安全衛生)に関する知識
- 医学的知識(精神医学,身体医学,衛生学・公衆衛生学など)
- 産業・組織心理学に関する知識
- 会社の状況,制度,規約や組織風土に関する知識
- 労働者や管理監督者に対する教育・研修に関する能力
- 職場のメンタルヘルスのシステムづくりに関する知識や能力

(島津明人:産業領域における臨床心理士の教育・研修の現状と今後の課題. 産業ストレス研究 9:105, 2002)

5 職業性ストレスモデル

1 ● NIOSH 職業性ストレスモデル

米国労働安全衛生研究所(NIOSH:National Institute of Occupational Safety and Health)が提唱する職業性ストレスモデルのこと.職場のストレスに,性格や職種など個人的な要因,仕事以外の要因(家事,育児など)が加わり,また家族や上司,同僚からの社会的支援を代表とする緩和要因が十分でない状況においてストレス反応が増悪し,疾病が発生すると説明する.

2 ● 要求度−コントロール−サポートモデル(demand-control-support model)

仕事の要求度,仕事のコントロール(裁量),ソーシャルサポートの3軸モデルが,要求度−コントロール−サポートモデルである(図2)[4].仕事の要求度が高く,裁量が少なく,かつサポートがない条件で最もストレスが高くなる.

3 ● 努力−報酬不均衡モデル(ERI モデル:effort/reward imbalance model)

仕事のために費やされる努力(effort)の程度に対して,その結果として得られる報酬(reward)が見合っていない場合に,より大きなストレス反応が発生するというモデルである(図3)[5].報酬には,経済的な報酬,心理的報酬(評価されるなど),キャリア(仕事の安定性や昇進)の3要因がある.

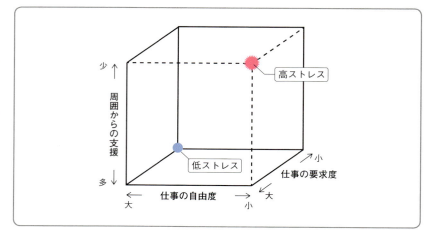

図2　要求度-コントロール-サポートモデル
文献4)を参考に作成

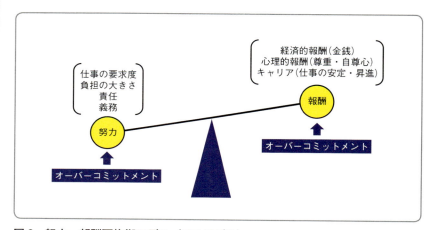

図3　努力-報酬不均衡モデル（ERIモデル）
「オーバーコミットメント」とは努力や報酬に必要以上にこだわりすぎたり，思い入れを強くもちすぎることをいう．
文献5)を参考に作成

■ 引用・参考文献

1) 厚生労働省：心の健康問題により休業した労働者の職場復帰支援の手引き．2012
 https://kokoro.mhlw.go.jp/guideline/files/syokubahukki_h24kaitei.pdf より 2020年1月30日検索
2) 厚生労働省：心理的な負担の程度を把握するための検査及び面接指導の実施並びに面接指導結果に基づき事業者が講ずべき措置に関する指針（改正平成27年11月30日心理的な負担の程度を把握するための検査等指針公示第3号），2018
 https://www.mhlw.go.jp/content/11300000/000346613.pdf より 2020年1月30日検索
3) 島津明人：産業領域における臨床心理士の教育・研修の現状と今後の課題．産業ストレス研究 9：101-106, 2002
4) 櫻井治彦ほか監：管理者向けメンタルヘルス教育研修教材集．労働調査会，2001
5) Siegrist J：Adverse health effects of high effort—low reward conditions. Journal of Occupation Health Psychology 1 (1)：27-43, 1996

2 組織における人の行動

組織とは2人以上の人間からなる，ある共通の目標をもった単位である．組織における人の行動についての体系的な学問を「組織行動学」という．本稿では，組織行動学の基本的事項について説明する．

1 パーソナリティ

1 類型論（クレッチマーの気質類型）

クレッチマー Kretschmer, E. は，体型とパーソナリティの関係を体系化した．人間の体型を細長型，肥満型，闘士型に分け，これらの各体型がそれぞれ，分裂気質，循環気質，粘着気質と親和性があることを提唱した（➡ p.188 第10章4節参照）．

2 パーソナリティの5大因子（ビッグファイブ）

コスタ Costa, P. とマクレイ McCrae, R. は，人間のパーソナリティについて，神経症傾向，外向性，開放性，調和性，誠実性の5つの特性を見出した．

- 神経症傾向：神経質，心配性，くよくよしがちで落ち込みやすい
- 外向性：社交的，積極的，快活で表現が豊か
- 開放性：開放的で好奇心が強く，新しいことに関心がある
- 調和性：協調性，思いやりがあり，寛大，柔軟
- 誠実性：責任感が強く真面目，誠実

3 MBTI（Myers-Briggs type indicators）

MBTIは，ユング Jung, C の理論をふまえたパーソナリティ検査で，欧米では産業領域で古くから使われている（図1）（➡ p.189 第10章4節参照）．

- 外向型・内向型(extraversion-introversion)：外向型の人は，社交的で人づきあいがよく，内向型の人は，内気で物静かである
- 感覚型・直観型(sensing-intuition)：感覚型の人は現実を重視し，手順を大事にする．直観型の人は，自分の直観を重視し，全体を把握する
- 思考型・感情型(thinking-feeling)：思考型の人は，合理的，客観的な思考を重視し，感情型の人は，自分の価値観や感情を重視する
- 判断型・知覚型(judging-perceiving)：判断型の人は思考や感情を重視し，知覚型の人は，感覚や直観を重視する

➡ユング p.50参照

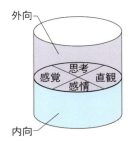

図1 MBTIによる性格タイプ

4 パーソナリティと業務適合性

これまでにあげたパーソナリティがどのような業務に向いているかは重要である．具体的には，リーダーシップをとる業務，営業，研究職などへの配置，組織の編成を検討する際に必要になる．パーソナリティと業務が合わない場合，不適

応が生じる．技術者として優秀だった労働者が管理職になった途端，不適応を起こし，休業にいたる場合などはその例である．

2 動機づけ，ワークモチベーション

ワークモチベーションとは，仕事に対するやる気のことである．一人ひとりのワークモチベーションが上がると組織の生産性も上がるため，重要な要因である．

動機づけに関する理論としては，欲求説と過程説の2つがある．

①欲求説：人間は何によって働くことが動機づけられるのか
- 自己実現モデル：**マズロー Maslow, A.** は，人間の欲求は段階的になっており，下から「生理的欲求」「安全欲求」「社会的欲求」「承認欲求」「自己実現欲求」の順に構成されているとした．しかし現在では，この理論の正当性は認められていない．
- ERGモデル：**アルダーファ Alderfer, C.** は，マズローの欲求階層モデルを修正し，人間の欲求を「存在(Existance)」「関係(Relatedness)」「成長(Growth)」の3次元に分類した（**図2**）．
- 2要因説：**ハーズバーグ Herzberg, F.** らは，欲求を階層的にとらえるのではなく，賃金，人間関係などを「低次」の欲求，仕事を成し遂げる，仕事自体に満足などを「高次」の欲求という2要因に分けた．

②過程説：人間はどのように働くことが動機づけられるのか
- 公平説：**グッドマン Goodman, P.** と**フリードマン Friedman, A.** は，努力したことが公平に評価されることがワークモチベーションに影響するとした．
- 強化（学習）説：**ルーサンス Luthans, F.** や**ハムナー Hamnerha, W.** は，人間の行動はなんらかの報酬を受けることでその行動が強化されると学習理論を用いた強化説を提唱した．
- 期待説：**ヴルーム Vroom, V.** は，努力すると相応の成果が得られるだろうという期待と，その成果に価値があるという期待をかけたものがモチベーションの強さの関数であるとした．
- 目標設定モデル：目標を設定したほうがワークモチベーションは上がるとするモデルである．

今後は，欲求説と過程説2つの理論の統合が必要になると考えられる．

図2 ERGモデル

3 意志決定

1 個人の意志決定
- 決定まで早い
- 独創的な意見が出る可能性がある
- 責任の所在が明確

2 組織あるいは集団の意志決定
- 決定までに時間がかかる

- 独創的な意見が出にくく，平均的な意見になりやすい
- 責任の所在があいまいになる可能性がある
- 少数派が多数派に合わせることを強制する同調圧力により判断を誤らせる
- 集団思考：組織内での合意を得ようとし，意志決定が非合理的な方向に歪められる
- 集団傾向：個々の成員の判断より，より危険性の高い決定あるいはより慎重な決定になる

4 コミュニケーション

1 コミュニケーションの方向

①下方向コミュニケーション

組織では決定事項はヒエラルキーに従って上から下へ流れるというコミュニケーションのあり方が基本である．上が決定し，下が実行するという機能分化が組織の本質である．また，情報があるところで止まったり，拡散したりすることもある．情報が集まるところには大きなパワーが生まれる．

②上方向コミュニケーション

情報が組織の下から上に向かって流れる．現場で起こっている情報，進捗状況，問題点や不満などが報告される．問題点や不満の場合，組織は適切に対応しなければならず，怠るとモチベーションが低下し，組織全体に影響を及ぼすことがある．

③横方向コミュニケーション

同じグループの成員同士，同じレベルのマネージャー同士のあいだでコミュニケーションが行われる場合を横方向コミュニケーションという．お互いの情報や技術を交換するため，生産性向上に有用であることが多い．多くは非公式に作りだされるものである．しかし，正式な下方向コミュニケーションがないがしろにされたり，上司が知らないあいだに何らかの決定や行動がなされると非生産的な結果になる場合がある．

2 個人間のコミュニケーション

①口頭でのコミュニケーション

公式の討議，非公式な口コミ，うわさなどである．
- メリット：速さとフィードバックがその場で得られる
- デメリット：介す人が多いほどメッセージの内容が変化する

②書面によるコミュニケーション

メモ，手紙，FAX，電子メールなどを用いたコミュニケーションをいう．
- メリット：時間をかけて考え論理的に伝えることができる．ずっと残りいつでも見返すことができる
- デメリット：時間がかかることとフィードバックに時間がかかる

3 • コミュニケーションの障害

① フィルター
　メッセージの送り手が意図的あるいは非意図的に情報を操作する．

② 選択的認知
　メッセージの受け取り手が個人的経験，価値観に基づき，選択的に認知する．

③ 情報過多
　とくに電子メールが大量に送られてくると重要なメールを見過ごしたり，無視したり，忘れてしまう．

④ 感情
　受け手の感情状態，高揚あるいは抑うつ気分により効果的なコミュニケーションが妨げられる．

5　グループ・ダイナミックス

1 • グループ内における規範の成立

　組織のなかでは，規範や基準が生じ，それに従うような力が働き，従わない場合には何らかの制裁が加わる．

2 • 凝集性

　個人を集団に留まらせるように働く力のことをいう．組織の凝集性が高いほど，規範や基準に従い，同調の程度も強くなり，生産性が向上し効率もよくなる．一方，凝集性の高い組織はそこから逸脱しにくく，従業員の行動を同じくさせようとする圧力が高まる．
　凝集性を高める要因を以下にあげる．
- 従業員としていつも近くにいて相互作用を行う機会が多いこと
- 業務が相互依存的であること
- 組織外に競合相手がいること
- 従業員の価値観，背景が等質的であること
- 成功体験を共有すること

3 • 非同調行動

　個々の従業員の同調行動は組織の依存度によって異なる．ほかの従業員との相互作用に依存することが少なければ依存度も低くなる．組織に対して自立できる従業員は同調する必要がない．
　一方，組織の変革は同調しない従業員によって生じることがある．結果的には組織からの逸脱になるが，組織にとって不可欠な人材であったり，周囲の信用があると変革のリーダーとなる可能性がある．

4 • チームの立ち上げ

　組織の効率を高め，生産性を上げるため，課題解決のためのチームを立ち上げることがある．仲間という意識を高め，従業員が1つの目標に向かい集中力を維

持させるための条件を整備する．プロジェクトチーム，タスク・フォースなど一時的なチームの立ち上げは短期間の集団活動であるが，課題達成のためにはよい．
一時的なチームが成立するための条件を以下にあげる．
- 相互依存的関係：お互いに協力しあうことを従業員が共有すること
- 成果の先行：初期に何らかの成果を生み出すことで，互いの信頼感が増し，チームの雰囲気がよくなる
- 規範，基準が単純である

6 リーダーシップ

リーダーシップとは，集団において従業員や集団に目標達成を促すように影響力を及ぼすことである．

①リーダーシップスタイル

レヴィン Lewin, K. は，リーダーシップのスタイルを以下の3つに分類した．
- 専制型リーダー：従業員を厳しく管理する
- 民主型リーダー：従業員との話し合いを重視する
- 放任型リーダー：従業員を放置しておく

②フィードラー理論（状況即応モデル）

フィードラー Fiedler, F. は，望ましいリーダーシップは状況に応じて変化することを提示した．
- リーダーがともに働いたなかで最も苦手な人を評価し，その得点をLPC（least prefered co-worker）得点とする
- その際，LPC得点が高い高LPCリーダーと，LPC得点が低い低LPCリーダーに分かれる
- 高LPCリーダーは人間関係志向，低LPCリーダーは目標達成志向といえる

③パス・ゴール理論

ハウス House, R. らによって提唱された．
- 成員にとって，構造化の低い定型的課題ではリーダーによる体制づくり行動が，構造化が高い定型的課題では配慮行動が有効である
- リーダーのタイプを，指示型，支援型，参加型，達成志向型に分類した

④PM理論

集団にとってよりよいリーダーシップとは何かについて多くの研究が行われてきており，そのなかでも有名なものとして三隅二不二によるPM理論がある．PM理論では，リーダーシップの機能は大きくP（performance）機能とM（maintenance）機能の2つに分類される．P機能とは目標達成機能（集団としての目標達成を促進するように働きかける）を，そして，M機能とは集団維持機能（集団が全体としてまとまるように働きかける）を意味する．

そして，これら2つの機能には高低2水準があると考えられ，それぞれの組み合わせによって4つに類型化される[1]．そのうち，P機能とM機能の両方を高水準に発揮しているPM型リーダーは，集団のパフォーマンスやメンバーの満足度やモラールなどの成果に対して最も効果的であることが確認されている[2]．

また，近年では，メンバーに対して上から指示・命令し，先頭に立って引っ張っていく従来のトップダウン型のリーダーシップではなく，目標達成に向けてメンバーが力を発揮しやすいように下から支援していくサーバント型のリーダーシップに注目が集まっている（**図3**）[3]．

図3　さまざまなリーダーシップのタイプ
文献 3)を参考に作成

7　組織の変化

　組織は社会の変化に適応するために，また，より効率を上げ高い生産性につなげるため，構造や制度を変化させる．

　「変化を管理すること」は，1990年代から近年に至るまで，常に労務管理の最大の懸案の1つとして位置づけられてきた．さらに，全世界のCEO（最高経営責任者）は，「スピード，柔軟性，変化への対応能力」を最大の関心事であると考えている．

　ビジネスを成長させるには，徹底した改革を実施することが必要である．それなしには，新しい市場，テクノロジー，競合企業についていくことはできない．変化の先取り，誘発，利用に際して迅速，果敢，的確に行動する能力（アジリティ）により，組織は，破壊的な変化（ディスラプティブな変化）にも，対処していくことが可能となる．しかしながら，変化への抵抗は個人にも組織にも生じる（**表1**）．

　それでもなお，現在の組織は変化しなければならない．その場合，組織も個人も変化に受身的に対応するのではなく，積極的に対応していくことが今後求められるであろう．このことは，組織および個人のレジリエンスの問題としてとらえることができる．

8　組織風土と組織文化

　組織風土とは，企業風土，社風ともいわれ，ほかの組織と区別されるような独自の特性をさす．組織構成員が直接的あるいは間接的に知覚し，彼らの考え，感情，動機づけに影響を与える要因である．

　一方，組織文化は企業文化ともいい，企業理念，経営のあり方，さまざまなルールなどからなり，組織構成員の仕事の進め方に直接影響する要因である．

■ 表1　変化に対する抵抗の要因

個人的要因	選択的知覚	人の認知は新しい認知要素より既存の要素を選択的に取り入れようとする
	習慣	既存のものに慣れると，新しいものに慣れるまでに時間がかかり，抵抗を示す
	安定指向	既存の利益が変化によって減じるのではないかという理由から抵抗を示す
組織的要因	安定	組織自体が既存のシステムを強固に構築するほど，変化への抵抗は顕著となる
	先行投資	現在の組織に至るまで相応の先行投資が重ねられ，その投資分を回収されるに至っていない場合は，変化への抵抗は大きい
	過去のしがらみ	組織の現システムは組織内外のさまざまな関係によって確立しているため，そう簡単には変化を受け入れない

9 安全文化

安全を最優先し，実現する組織のあり方をいう．事故の原因の多くは人間のミス（ヒューマンエラー）であることから，安全に関する教育を行い，安全で効率的な手順を決めることが重要である．組織で取り組む事故防止策として，KY（危険予知）活動，リスク・アセスメント，ヒヤリ・ハットなどが行われている．

■ 引用・参考文献
1）三隅二不二：リーダーシップ行動の科学，改訂版．有斐閣，1984
2）吉田富二雄：集団と個人．新編社会心理学，第14版（堀洋道ほか編）．p205-224，福村出版，2009
3）池田浩：学祭の模擬店でサークルを導くリーダーシップ．エピソードでわかる社会心理学―恋愛関係・友人関係から学ぶ（谷口淳一ほか編），p160-163，北樹出版，2017
4）田尾雅夫：組織の心理学，新版．有斐閣ブックス，1999
5）スティーブン・P. ロビンス：組織行動のマネジメント ―入門から実践へ，新版（高木晴夫訳）．ダイヤモンド社．2009
6）American Management Association：Agility and Resilience in the Face of Continuous Change ―A Global Study of Current Trends and Future Possibilities, 2006-2016（絶え間ない変化の時代におけるアジリティとレジリエンス ―現在の動向と未来の可能性に関する世界調査，2006-2016），American Management Association, 2006

心身機能と身体構造および さまざまな疾病と障害

22章 人体の構造と機能および疾病

1

この章で学ぶこと

- 人体の正常構造と機能（解剖学的知識）
- 主な疾病やその病態生理，障害
- 心理的支援が必要な主な疾病と心理的支援の内容

私たちヒトの体を外側からみると図1のように示される．胴を中心として上方に頸部，頭部が存在し，胴部から腕と脚が出ている．骨格によって部位を区別すると，体幹と体肢に大別される（図2）．

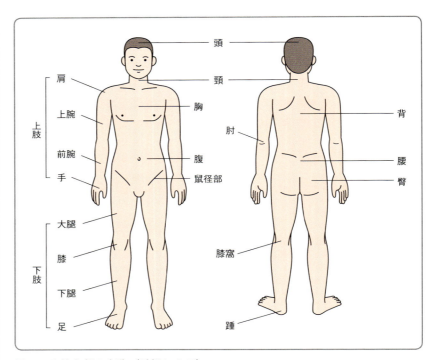

図1 人体各部の名称（外観による）

1 生体のリズム

バクテリアからヒトに至るまで，ほとんどすべての生き物は約24時間の周期を示す概日リズム（サーカディアンリズム）を基礎にしている．これは，生物時計，体内時計ともよばれ，睡眠・覚醒，心拍数，血圧，体温，ホルモン分泌などさまざまな生理機能のリズムを制御している．

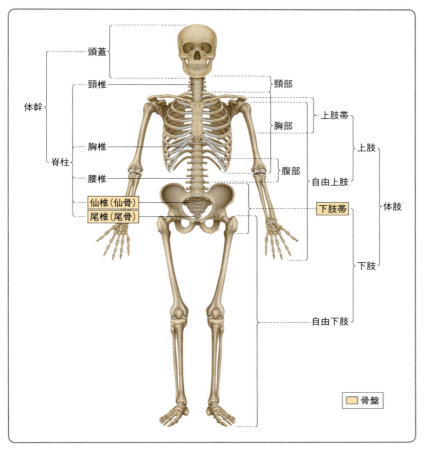

図2　人体の骨格

2　身体機能の調節

ヒトの身体の調節機構には，①自律神経系，②内分泌系，③免疫系の3つの働きがある．

1・自律神経系

自律神経は，ヒトの最も基本的な機能（循環，呼吸，消化，代謝，内分泌，体温維持，排泄，生殖など）の働きを調節している．ヒトが自分で意識して動かせない部分はすべて自律神経が支配している．自律神経は交感神経と副交感神経*1に分かれる．

2・内分泌系

内分泌系については，本節8項（➡ p.467）を参照いただきたい．

3・免疫系

免疫系については，本節9項（➡ p468）を参照いただきたい．

用語解説

*1　交感神経と副交感神経

交感神経末端からはノルアドレナリンとよばれる物質が放出される．精神的に興奮・緊張・ストレスがかかった状態のときに働きが高まり，心拍数の増加，血圧の上昇，発汗，立毛，瞳孔の散大などがみられる．

副交感神経はリラックスしたときなどに働き，交感神経とは逆の作用がある．副交感神経系が高まると，心拍数は減少して，血圧は低下，瞳孔は縮小する．

3 体液と脱水および血液

1 ● 構造と機能

成人の場合,体重の約 50 ～ 60％が水分といわれる.成人男性では,1 日当たり約 2,500mL の水分の出入りがある(表1).

■ 表1　成人男性の 1 日当たりの水分の出入り

摂取量（mL）		排出量（mL）	
経口摂取（飲水,食物）	2,200mL	尿	1,500mL
代謝物	300mL	不感蒸泄（気道,皮膚）	800mL
		便	200mL
計	2,500mL	計	2,500mL

注）数値は検査方法などによっても少しずつ異なる

体内の水分は,細胞のなかにある水分(細胞内液)と細胞の外側を取り巻く水分(細胞外液)に分けられる.水分摂取量が少なくなったり,排泄量が増加するなどして,体内の水分量が減少すると脱水状態になる.脱水になると,脈が速くなり（頻脈）,血圧は低下し,のどの渇きなどが起こり,心筋梗塞や脳梗塞が起こりやすくなる.

体内の水分の一部に血液がある.血液は細胞外液に分類され,血管のなかを常に流れている.血液の主な働きは,①全身の組織に酸素や栄養素,ホルモンを運び,組織内で生じた二酸化炭素や老廃物を組織から回収する,②体液の浸透圧や pH,体温の恒常性をはかる,③体内に入ってきた細菌などの異物を除去する生体防御の機能,④止血作用,などがある.血液の組成とそれぞれの役割を図3に示す.

図3　血液の組成と役割

2 • 疾病や障害の概要

①貧血

貧血は血液中のヘモグロビンが減少し，酸素運搬機能が低下することにより，顔面蒼白，労作時息切れ，起立性低血圧，易疲労感などの症状を呈する．最もよくみられる貧血は鉄欠乏性貧血であるが，ビタミン欠乏，葉酸欠乏，悪性腫瘍など原因は多岐にわたる．

②白血病

白血球や血小板などの血液細胞は，未分化な造血幹細胞が骨髄で分化・成熟して日々つくられている．急性白血病は，まだ若い段階の造血幹細胞が腫瘍性に白血病細胞となり増殖する血液の悪性腫瘍である．易感染性，出血傾向，貧血などさまざまな症状を呈する重篤な疾患である．慢性骨髄性白血病は，造血幹細胞が腫瘍化して，さまざまな成熟段階の細胞が増加する．

4 循環器（心臓・血管）

1 • 構造と機能

血液を循環させるポンプの役目を果たしているのが心臓である．4つの部屋に分かれており，4つの弁で逆流しない構造になっている（図4）．

心臓から送り出される血液の通り道を動脈，心臓に戻る血液の通り道を静脈という．心臓に酸素や栄養を運ぶ血管を冠動脈という．安静時の成人の脈拍数の正常値は60～80回/分である．

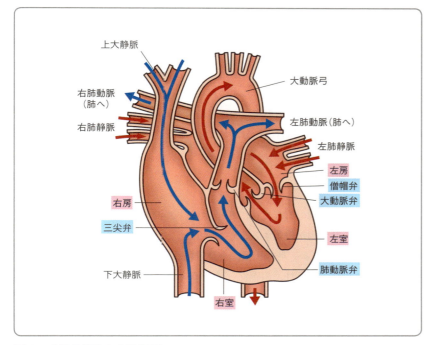

図4　心臓の構造と血液循環

（金田秀昭：循環器の構造と働き．循環器疾患とビジュアルブック，第2版（落合慈之監），p8，学研メディカル秀潤社，2017）

2 • 疾病や障害の概要

①虚血性心疾患

冠動脈が狭くなったり詰まったりして、心臓を動かす筋肉に必要な酸素量が供給されず、心臓の機能が障害される状態を虚血性心疾患という。心筋梗塞や狭心症がある。

②高血圧

収縮期血圧が140mmHg以上，拡張期血圧が90mmHg以上を高血圧症とよぶ。よくみられる疾患であるが、持続すると、脳、心臓、腎臓などに出血・梗塞などの血管障害をもたらすことがある。

③心不全

心臓は全身に血液を送り出すポンプの機能を担っているが、その機能が低下し、身体が必要とする十分な血液量を送り出すことができなくなった状態をいう。原因として虚血性心疾患や心筋症、高血圧症、不整脈などがある。

④不整脈

不整脈とは、心臓の規則正しい脈のリズムが速くなったり、遅くなったり、または不規則になったりする異常な脈のことをいう。速い脈を頻脈、遅い脈を徐脈という。期外収縮は正常な心収縮以外の収縮をいい、心房性と心室性に分かれる。心房細動は、心房の各部位がばらばらに興奮し、小刻みに痙攣が生じたようになり、正常な拍動リズムを失った状態である。ほかにも不整脈にはさまざまな形態がある。

5 呼吸器（肺・気管支）

1 • 構造と機能

生体は生命活動を維持するために、細胞内に酸素を取り入れ、不要な二酸化炭素を排出する必要がある。酸素と二酸化炭素のガス交換が行われる場が肺の内部の肺胞である。肺は胸郭に左右1つずつ存在し、右は3つ、左は2つの肺葉に分かれている。ガス交換のための空気の通り道を気道という。気道は、外鼻から鼻腔、咽頭、喉頭、気管、気管支に分かれている[*2]。

2 • 疾病や障害の概要

①肺炎

肺炎は日本人の死因の第5位(2018年)であり、高齢者によくみられる疾患である。肺に病原微生物が侵入することで感染し、急性炎症を起こす結果生じる。肺炎の主な症状は咳、痰、呼吸困難、全身倦怠感、発熱、胸痛などである。肺炎の原因は、感染性、薬剤性、誤嚥性[*3]などがある。感染性肺炎の治療は抗菌薬治療が原則となる。

②肺がん

男性のがんのなかで最も多いのが肺がんである。肺に原発したがんで、喫煙がもっとも重要な発症要因である。症状は、咳、痰、血痰、呼吸困難、胸痛、体重減少などで、進行すると脳転移や骨転移が生じ、これに伴う症状もみられる。

用語解説

*2 睡眠時無呼吸症候群（SAS：sleep apnea syndrome）

睡眠時に気道の閉塞などが原因で、何度も呼吸が止まる疾患である。睡眠障害、循環器疾患や糖尿病などのリスクになる。交通事故につながる恐れもある。睡眠時のいびきや、日中の眠気などがみられ、治療にはCPAP療法があり、マスクから気道に空気を送り気道の閉塞を防ぐ。

用語解説

*3 誤嚥性肺炎

高齢者によくみられる肺炎で、脳梗塞や筋力低下が原因で、嚥下機能が障害され、水分や液体などが誤って気管に入ってしまうために発症する。

③気管支喘息

　気管支喘息はアレルギーや感染などにより，可逆性の気道狭窄・閉塞が生じ，気道の慢性炎症がみられる病態であり気道反応性が亢進する．このため，咳，痰，喘鳴，呼吸困難が発作的に起きる．発症には精神的なストレスも関与する．

6　消化器系（消化管，肝臓・胆嚢・膵臓）

　消化器系は，摂取した食物を消化し必要な分子を吸収，不要となる未消化物を排泄する働きをする．

1 ● 構造と機能

①消化管

　消化管は口から口腔，咽頭，食道，胃，小腸（十二指腸，空腸，回腸），大腸（虫垂，盲腸，上行結腸，横行結腸，下行結腸，S状結腸，直腸）に区分され，肛門にいたる（**図5**）．

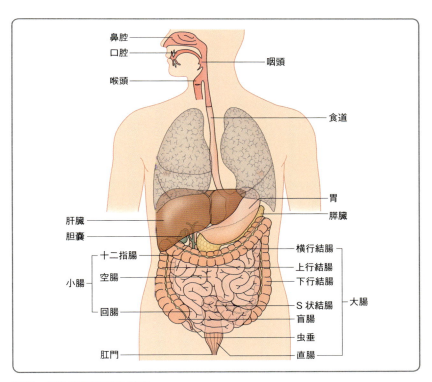

図5　消化器系臓器の構造

②肝臓・胆嚢

　肝臓は右上腹部に位置する体内で最大の実質臓器[*4]であり，右葉と左葉に分かれる．身体の化学工場といわれるように，糖代謝，タンパク代謝，脂質代謝，ビタミン代謝，胆汁の生成などさまざまな役割を有している．胆汁を貯留する袋は胆嚢とよばれる．

用語解説

[*4] 実質臓器
　中身が詰まっている臓器のことをいい，肝臓，腎臓，膵臓などがある．一方，空洞のものを管腔臓器といい，胃，小腸，大腸などがある．

> **用語解説**
>
> ＊5　後腹膜臓器
> いわゆる胃や小腸が存在するお腹の空間（腹膜腔）の後方に位置する部分（腹膜後隙）に埋め込まれている臓器で，腹膜腔と腹膜後隙は壁側腹膜という膜によって分けられる．膵臓や腎臓などがある．

③膵臓

膵臓は胃の後ろにある後腹膜臓器＊5であり，約15cmほどの長さの細長い臓器である．消化酵素を含む膵液を生成・分泌する外分泌腺と，ランゲルハンス島という組織で血糖コントロールを行うインスリンなどのホルモン産生を行う内分泌細胞がある．

2 疾病や障害の概要

① 消化管

- 消化器がん：消化管にできる悪性腫瘍であり，通過障害，腹痛，貧血，食欲低下などの症状が出現する．食道がんは喫煙と飲酒がリスクファクターといわれており男性に多い．胃がんのリスクファクターにヘリコバクター・ピロリ菌感染がある．大腸がんは，肉食・低食物繊維食などの食生活の欧米化に伴い増加傾向がみられる．
- 過敏性腸症候群：たとえば通勤時や，プレゼンテーションを行う前などストレスが負荷された状況において，腹痛や下痢・便秘などの便通異常を繰り返すもので，腸に器質的な異常がみられない疾患である．

② 肝臓・膵臓・胆嚢

- 肝炎：肝炎ウイルスにより肝臓に炎症が引き起こされる疾患をウイルス性肝炎という．A型～E型およびそのほかに分類される．A型は貝類などの食品から感染し発症する．B型とC型は慢性化，肝硬変，肝がんへと移行することがある．肝炎の原因はほかにアルコール性や薬剤性がある．
- 肝硬変：肝硬変は，肝炎ウイルスやアルコールの長期摂取などにより，慢性炎症が持続した結果，肝臓の線維化が進み硬くなる状態で，進行すると肝不全に移行する
- 膵炎：急性と慢性がある．過度のアルコール摂取や胆石症などが原因となる．急性膵炎は膵臓で生成される膵酵素が活性化し，膵臓自身が消化され強い上腹部痛や嘔吐，発熱などがみられる．重症化すると，死に至る疾患である．慢性膵炎は慢性的に炎症が続いた結果，膵機能が低下する．
- 胆石症：胆嚢や胆管の内部に石が形成された状態をさす．無症状のこともあり，経過観察のみを行うこともあるが，症状により胆嚢摘出術を行うこともある．

7 神経

1 構造と機能

11章I節（→p.195）を参照いただきたい．

2 疾病や障害の概要

① 脳血管障害

脳梗塞や脳出血など脳内血管の障害が原因となって起こる疾患である．脳梗塞は脳の血管が詰まって発症する疾患であるが，その原因として脳血栓と脳塞栓＊6がある．片麻痺や失語，感情失禁などの症状が生じる．脳出血は脳内の血管が出

> **用語解説**
>
> ＊6　脳血栓と脳塞栓
> 脳血栓は脳血管の動脈硬化が進み血栓がつくられ，それにより動脈が閉塞する．脳塞栓は心臓内でできた血栓が脳血管に運ばれて血管内腔を閉塞する．

血することで脳組織に障害をもたらす疾患である．片麻痺や構音障害などの症状を引き起こす．脳血管障害は脳血管性認知症や血管性うつ病などの原因になることがある．

② **パーキンソン病**

脳の黒質，線条体のドパミン産生の低下により，振戦，寡動・無動[*7]，固縮などの症状が出現する．姿勢は前傾前屈となり小刻み歩行がみられる．表情は乏しくなり仮面様顔貌といわれる．

8 代謝と内分泌（甲状腺・副腎など）

1・構造と機能

身体の分泌機能としては内分泌と外分泌に分けられ，内分泌はホルモンを血管内に分泌し，外分泌は身体の外側，つまり消化管内に胃液や膵液などを排出する（図6）．

用語解説

＊7 寡動・無動
動作の開始がゆっくりとなり，行動自体が緩慢な動きになること．

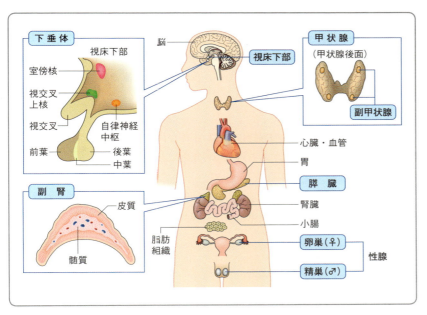

図6　主な内分泌器官

ホルモンは，成長や発達，糖代謝，脂質代謝など人間の成長，発達，生殖など，生涯にわたり人体に幅広く影響を与える．たとえば下垂体からは甲状腺刺激ホルモンや成長ホルモンなどが，膵臓からは血糖を下げるインスリンなどが分泌される．

身体の最も大切な代謝機能に消化と吸収がある．これは食物を胃，十二指腸，小腸，大腸から消化・吸収する機能で，吸収された栄養分は門脈で肝臓に運ばれ，貯蔵・分解される．

2 • 疾病や障害の概要

①糖尿病
　インスリンの作用不足により慢性的に高血糖状態が続き，口渇，多飲，多尿，などの症状を呈する．糖尿病性網膜症，糖尿病性腎症，糖尿病性神経障害は三大合併症といわれる．

②甲状腺機能低下症
　甲状腺ホルモンの低下により，無気力，動作緩慢，寒がり，体重減少，徐脈，便秘などの症状を呈する．うつ病などの精神疾患の鑑別疾患として重要な疾患である．

9 免疫とアレルギー，膠原病

1 • 構造と機能

①免疫
　免疫は外界から入ってくる異物から身体を守る働きをしている．免疫には非特異的防御機構と特異的防御機構がある．非特異的防御機構は自然免疫とよばれ，もともと身体に備わっている機能で，侵入してきた微生物などに速やかに対処し排除しようとする．特異的防御機構は獲得免疫とよばれ，身体に侵入してきた異物をそれぞれ個別的・特異的に認識して，生体を守る機能であり，生活のなかで獲得していく免疫である．

②アレルギー
　アレルギーは，外界からの異物に過剰に生体が反応してしまい，自己の組織を障害するほどの症状が出現する獲得免疫の反応である．

③自己免疫性疾患
　自分自身に対して免疫反応を示し，自己の組織を攻撃してしまう病態を自己免疫性疾患という．自己免疫性疾患のなかに膠原病がある．

2 • 疾病や障害の概要

①アナフィラキシーショック
　Ⅰ型アレルギー（即時型）は外界からの抗原に対してすぐに反応する免疫である．蕁麻疹や気管支喘息などがあげられるが，このアレルギー反応のなかにアナフィラキシーショックがある．これは薬剤や食物アレルギーなどで，発症後短期間に全身性のアレルギー反応が出現する病態であり，致死的な状況になる場合がある．

②全身性エリテマトーデス（SLE：systemic lupus erythematosus）
　全身の臓器に障害を与える原因不明の自己免疫性の慢性炎症性疾患である．軽症から重症の患者までさまざまな病態がある．男女比は1：9〜10と女性に多くみられ，20代から40代に発病することが多い．症状は，皮膚・粘膜症状，筋・関節症状，腎臓・泌尿器症状，中枢神経症状，心臓・肺症状など多岐にわたる．発熱，全身倦怠感などの全身症状もみられる．治療には副腎皮質ステロイド薬が用いられる．

10 腎・泌尿器

1 ● 構造と機能
腎臓は腰背部のあたりに後腹膜臓器として左右一対存在する．握りこぶし大でちょうどそら豆のような形状をしている．腎臓は血液の濾過作用を担い，不必要な物質を排出し尿を作る．

2 ● 疾病や障害の概要
①慢性腎臓病（CKD：chronic kidney disease）
腎機能低下が慢性的に持続する疾患はすべてこの CKD に含まれる．腎臓はある程度機能が低下すると元の状態に戻ることは困難であり，徐々に悪化すると人工透析を導入することがある．原因としては，糖尿病腎症，腎硬化症，慢性糸球体腎炎などさまざまである．

②糖尿病腎症
糖尿病により高血糖が続くと，糸球体が硬化して機能低下を起こす．これが糖尿病腎症である．透析を導入する患者の 40％以上が糖尿病腎症といわれている．

11 生殖器

1 ● 構造と機能
①女性生殖器
生殖腺と副生殖器よりなる．生殖腺は卵巣であり，卵子となる卵胞の成熟などをうながす．副生殖器には卵管，子宮，腟，外生殖器（大・小陰唇，陰核など）がある．卵管は卵細胞を送る道であり，卵子と精子が出会い，受精が行われる．子宮は洋梨状の形をしており，受精卵を発育させる重要な役割を担っている．

②男性生殖器
男性の生殖腺は精巣であり，精子の産生を行い，生殖系の機能，性腺刺激ホルモン（テストステロンなど）の分泌などを行う．副生殖器は，内生殖器の精巣上体，精管，精嚢，前立腺などがあり，外生殖器として陰茎，陰嚢がある．

2 ● 疾病や障害の概要
①子宮体がん
子宮体がんは女性特有の悪性腫瘍のなかで乳がんに次いで罹患率の高いがんであり，近年，食生活の欧米化などに伴い罹患数は増加している．子宮体部（子宮の上，球体に近い部分）の内膜から発生するがんである．

②子宮頸がん
子宮頸部（子宮の入り口に相当する下方の細い部分）に発生する悪性腫瘍である．その原因としてヒトパピローマウイルス（HPV：human papillomavirus）感染があげられている．

12 運動器

1・構造と機能

人体を支えるのは骨格であり，骨格は骨と軟骨によって成り立つ．骨は骨格の本体となり，軟骨は弾力性があり，関節軟骨など弾力性が必要な部位に存在する．骨のなかには骨髄があり，各種の血球をつくって失われた血球を補充している．骨格筋は骨格を動かす役割があり，運動神経の支配を受け，その指令に従って収縮する随意筋である．心臓の筋肉は心筋，内臓壁や血管壁，眼球の瞳孔括約筋や散大筋，皮膚の立毛筋は平滑筋が担っており，それぞれ自分の意志で動かすことのできない不随意筋である．

2・疾病や障害の概要
①骨肉腫

骨に発生する悪性腫瘍には，骨自体から発生する「原発性骨悪性腫瘍」と，ほかの臓器からの転移による「転移性骨腫瘍」がある．骨肉腫は「原発性骨悪性腫瘍」のなかで代表的な疾患である．日本での発生頻度は100万人あたり約2例の発症で，希少がんである．好発年齢は10代にピークがあり，若年者に多く発症し，患者の初期の訴えは軽いものが多く，現在でも見逃されることが多い疾患である．大腿骨，脛骨，上腕骨などの膝関節領域に多くみられる．症状は腫脹や疼痛である．治療は化学療法，手術療法がある．化学療法が導入されてから治療成績は向上し，5年生存率は60～75％程度と報告されている．

13 感覚器（眼・耳・鼻）

1・構造と機能
①眼

眼は視覚を司る器官であり，可視光を感受し色や形，動きなどの情報を脳に伝える．眼球はカメラに例えられることが多く，レンズにあたる部位は角膜，房水，水晶体，硝子体からなる．カメラの絞りの役割は虹彩である．網膜は眼球の内側を覆っており，視細胞で外部から入ってくる光を受容し，その情報は視神経を通って脳に伝達される．

②耳

耳は，聴覚と平衡感覚を司る器官である．外側から外耳，中耳，内耳に区別される．外部からの音は耳介で集められ外耳道を通り鼓膜に達する．鼓膜の裏側には耳小骨（ツチ骨，キヌタ骨，アブミ骨）があり，音の振動を内耳に伝える．内耳には蝸牛，前庭，半規管があり，聴覚情報は蝸牛神経を，平衡感覚情報は前庭神経を通って脳に伝えられる．

③鼻

鼻は呼吸器・気道の最初の入り口であるが，嗅覚の受容器としての機能も有する．嗅覚は鼻腔上部の嗅粘膜により感知される，空気中の揮発性物質を感じる感覚である．

2 • 疾病や障害の概要

①白内障

　カメラに例えるとレンズに相当する部分である水晶体が，加齢[*8]，疾病，薬剤などの原因で白濁し，視力障害をきたす疾患．白濁した水晶体を取り除き，人工レンズを挿入する手術を行うことによって，視力の回復が期待できる．

②緑内障

　眼圧を維持するための房水の流出が何らかの原因で阻害されることにより，眼圧が上昇し，それに伴って視神経が圧迫を受け視野障害をきたす疾患．障害を受けた視野は不可逆的で回復は見込まれない．このため手術は，病状進行の遅延を期待する目的のものとなる．現在，後天的失明の大きな原因の1つとなっている．

■ 引用・参考文献

1) 社会福祉士養成講座編集委員会編：新・社会福祉士養成講座1（人体の構造と機能及び疾病），第3版．中央法規出版，2015
2) 坂井建雄：標準解剖学．医学書院，2017
3) 小澤瀞司ほか編：標準生理学，第8版．医学書院，2014
4) 浅野嘉延編：なるほどなっとく！内科学．南山堂，2016
5) 内田さえほか編：人体の構造と機能，第4版．医歯薬出版，2015
6) 厚生労働省：平成30年人口動態統計月報年計（概数）の概況，2015
　https://www.mhlw.go.jp/toukei/saikin/hw/jinkou/geppo/nengai18/dl/gaikyou30.pdf より 2020年2月3日検索
7) 岡井崇ほか編：標準産科婦人科学，第4版．医学書院，2011

用語解説

*8　加齢

　加齢に伴う身体，心理，精神機能の変化として，身体・生理面では骨・身体組成の変化（骨粗鬆症，圧迫骨折，後弯，筋肉量の減少，骨塩量の減少），心・血管系や呼吸器系の変化（動脈硬化，心拍出量の減少，肺活量の減少），知覚器官系の変化〔視力低下，水晶体の黄色化，硝子体の混濁，聴覚低下（高周波数の音から低下）〕などがあり，加齢に伴う心理・精神機能の変化としては脳の萎縮，認知機能の低下，短期記憶の低下，流動性知能の低下および結晶性知能の向上などがあげられる．また，加齢に伴う主要な症候として，めまい，倦怠感，呼吸困難などが現れることがある．

心理的支援が必要な主な疾病

22章 人体の構造と機能および疾病

2

臨床現場では,さまざまな身体疾患に対する心理的支援のニーズが年々高まっている.ここでは,心理的支援が必要な主な身体疾患についてまとめる.

1 がん患者への心理的支援

日本人の死因の第1位はがんであり,一生のうち2人に1人はがんに罹患する時代といわれ,心理的支援(サイコオンコロジー)*1の充実が望まれている.

1・4つの経過

がん患者の心理的な反応*2について,①がんの診断(告知),②初期治療の時期,③再発,④積極的治療の中止・終末期の4つの経過に分けて考えてみる.

①がんの診断(告知)

この時期には,患者は,「自分はがんと診断された」という認識を受け入れられず,何も考えられなくなり,挫折感を感じ,絶望的になり,何も手につかなくなったりすることがある.その後も,不安感や恐怖感,不眠,混乱状態,無気力などの状態が続くことがある.

②初期治療

この時期には,患者は手術,化学療法,放射線治療など,いくつかの治療の選択肢を提示され,その選択に悩み不安感が増す場合がある.病状が進行しており,治療の選択肢が限られている場合はより深刻な悩みになる.また,治療の副作用に関する不安も多くみられる.

術後の機能障害や外見上の変化に悩み,「手術すれば治ると思っていたのに」と,術前と大きく変化した身体状況を体験し,今後の闘病生活への疲弊がみられることもある.患者にとってこの時期は,がんの告知を受けてから一連の初期治療があわただしく行われる時期であり,初期治療がひと段落した後に,激しい疲労感や無力感に襲われ抑うつ的になる患者もいる.

③再発

再発を知らされた患者は,がん診断の告知時よりも深刻なダメージを負う場合がある.いままで行ってきた治療の効果がなかったことへの落胆や失望を感じることがある.「どうして私だけがこのような運命になるのか」と考え怒りを覚える患者もいる.絶望的になり,治療拒否や,医療者への不信感を訴える患者もいる.

④積極的治療の中止・終末期

積極的治療の中止・終末期においては,効果的な治療がないと知らされた患者の体験は,「希望をもって治療に取り組んできたが,そのよりどころがなくなった」と感じ,絶望的になることがある.また,担当医から積極的治療の中止を告げられた後も,治療の継続を希望する場合があり,病状経過の受容が困難な心理状態に陥る患者も少なくない.

用語解説

*1 サイコオンコロジー
サイコオンコロジー(精神腫瘍学 psycho-oncology)は,心理学(psychology)と腫瘍学(oncology)との組み合わせによる造語.がん患者やその家族に対して心理学的にアプローチする専門領域である.

用語解説

*2 がん患者の心理的な反応
終末期医療における死の受容の経過を述べたキューブラー・ロスは,否認,怒り,取り引き,抑うつ,受容とその段階を5つに分けた.実際には,さまざまな心理的な状態が入り組んで表出されるといわれている.

また，急性期病院から緩和ケア病棟やホスピスへの転院をすすめられた患者は，医療スタッフから見放されたと感じ，不信感を募らせる場合もある．「家族に迷惑をかけたくない」と思い，自責的になり孤立することもある．病状の進行から疼痛や嘔気などの苦痛が増し，それを適切にコントロールしてくれていないと感じ医療者に不信感を訴える場合もある．この時期は，とくにスピリチュアルな苦痛[*3]に対してのサポートが重要になる場面である．

このように，経過によって患者はさまざまな心的苦痛を感じることになり，それに応じた適切な心理的サポートを行うことが望ましいといえる．

2 ● がん患者が遭遇する問題

がん患者は一般的に次のようなさまざまな問題に遭遇するといわれている．

①身体的問題

がんそのものの病状や治療の副作用などにより，機能面や外見上の変化などさまざまな身体的障害が生じる．たとえば，疼痛，嘔吐，呼吸困難，日常生活動作（ADL：activities of daily living）の低下などがみられる．頭頸部がんでは，外見上の形態変化をきたすことがある．乳がん術後には乳房の喪失がみられる．喉頭全摘を施行した患者では発声障害を呈しコミュニケーション上のストレスが増す．化学療法では，脱毛，嘔吐，しびれなどの症状がみられ大きな負担になる．

②精神的問題

前述したようにさまざまな変化が起こり，適応障害，うつ病，睡眠障害などが生じる．せん妄[*4]状態もよくみられる．

③社会・経済的問題

自宅・家庭生活での療養の問題，公的サービス，経済的，就労，家族関係などさまざまな問題がみられる．

④実存的問題

スピリチュアルペインとよばれ，人生の意味や目的が喪失することへの苦悩，孤独感，希望のなさ，死への不安，自己肯定感の喪失など，自己の存在と意義の消滅から生じる苦痛がみられる．

⑤生活の質（QOL：quality of life）の低下

このような状況から，外出は困難になり，社会参加の機会は減少し，日常生活の動作も困難になるなどの影響が出現する．このために，さらに孤立感を高めたり，自己不全感にさいなまれたりする．また，子育て世代のがん患者の問題や，遺族のケア[*5]も重要な課題である．このように，がん患者の問題は非常に多岐にわたるため，多職種のチームでその支援にあたることが重要である．

2 脳器質疾患患者への心理的支援

脳器質疾患は，認知症，脳血管障害，脳腫瘍，パーキンソン病，頭部外傷後遺症，高次脳機能障害などのように，脳そのものの器質的病変が原因となる疾患が該当する．本項目では，認知症と脳血管障害，パーキンソン病について解説する．

用語解説

＊3 スピリチュアルな苦痛
スピリチュアルな苦痛（スピリチュアルペイン）は，人間の存在や意味を構成する本質的な要素（関係性，自律性，時間性）の喪失により生じる苦痛と定義される．生の無意味，無価値観，孤独，不安，疎外感，コントロール感の喪失，周囲への依存などといったさまざまな苦痛として表現される．

用語解説

＊4 せん妄
基本的には身体的な疾患が基礎にあり，それに伴い脳機能の低下が起こり，意識障害を呈し，注意障害や認知障害，幻覚，妄想，落ち着かないなどの不穏行動がみられる状態をいう．

用語解説

＊5 遺族のケア
死別は人の人生において最も大きなストレスといってよい．死別後，身体的には死亡率が上昇し，精神的にはうつ病の罹患率が上がり，自殺の危険性が高まるといわれている．こうした死別体験により心身の不調などを呈している要支援者に対する支援はグリーフケアとよばれる．

1 ● 認知症

①概要
　現在，高齢者の7人に1人は認知症といわれており，今後その有病率は増加し，2025年には高齢者の5人に1人が認知症になると推計されている．認知症は，アルツハイマー型認知症，脳血管性認知症，レビー小体型認知症，前頭側頭型認知症などに分類される．パーキンソン病でも認知症がみられることがある．

②症状
　認知症の症状には，脳の神経細胞が障害されることで直接生じる記憶障害や理解力の低下，失見当識などの「中核症状」と，環境や性格などさまざまな要素がからみあって起こる徘徊，妄想，興奮などの「周辺症状」に分けられる．中核症状は認知症を発症すれば誰にでも起こる症状であり，周辺症状はBPSD（behavioral and psychological symptom of dementia，行動・心理症状）とよばれ，行動面や精神面の症状が出現する．

- アルツハイマー型認知症：早発性と晩発性に分けられ，認知症のなかで最も多い疾患である．神経病理は老人斑，アルツハイマー神経原性繊維変化がみられる．
- 脳血管性認知症：脳梗塞や脳出血などの脳血管性病変が原因で認知機能低下をきたす疾患である．
- レビー小体型認知症：認知症とパーキンソン病の症状および幻覚などの精神症状をあわせもつ認知症である．
- 前頭側頭型認知症：前頭葉と側頭葉に病変の部位がある変性疾患である．ピック病などが含まれる（➡ p.216 第11章3節, p.271, 272 第13章5節参照）．

　非薬物療法としては，芸術療法，回想法，環境調整など，認知，刺激，行動，感情の4つの分野に関してアプローチを行う効果が報告されている．

2 ● 脳卒中後うつ病・脳血管性うつ病

　脳卒中後うつ病は，脳血管障害が先行した後に発症するうつ病のことである．原因は脳血管障害自体の器質的な要因と考えることが多いが，後遺症を負ったことに対する悩みや社会的に適応困難となるなどの心理的なストレスも要因の一部になる．

　脳血管性うつ病は上記の脳卒中後うつ病に加えて，脳卒中発作の既往はないが，頭部MRI検査で潜在的な脳血管性障害がみられたり，臨床上脳循環障害がみられるうつ病を含めた概念である．うつ病に比べて，無関心や自発性低下などのアパシーをきたしやすいとされる．後遺症として麻痺が出現したり，社会的地位が揺らぐなどさまざまな喪失体験を生む．非薬物療法として，支持的精神療法，ときに認知行動療法，対人関係療法が行われ，運動療法の有効性も報告されている．また，環境調整，家族支援，心理教育も重要である．

3 ● パーキンソン病

　パーキンソン病に出現する精神症状を次にあげる．

- 認知障害（認知症）：認知記憶障害，思考の緩慢化，遂行機能障害，注意障害，

視空間認知障害などがみられる．さらに進行するとパーキンソン病認知症に移行することもある．
- 感情障害：ほとんどが抑うつ状態であり，意欲の低下，思考の緩慢化などがみられることがある．
- 薬剤起因性精神症状：パーキンソン病の治療薬としてL-dopaやドパミン作動薬を用いるが，これらの薬剤により幻覚・妄想が惹起されることがある．
- 睡眠障害：不眠や熟眠障害などがみられる．レム睡眠行動異常症[*6]がみられることがある．

用語解説

*6 レム睡眠行動異常症
レム睡眠期に夢の内容を行動に移してしまう睡眠時随伴症である．

3 脊髄損傷・四肢切断患者への心理的支援

1 ● 脊髄損傷患者

脊髄損傷は交通事故やスポーツなどにより突然起こる．また，後遺症には対麻痺[*7]や四肢麻痺，膀胱直腸障害[*8]，性的機能障害などがみられ，社会生活に大きな制限が生じる．このため，患者の受ける精神的ストレスはきわめて深刻なものになる．

脊髄損傷患者ではうつ病・うつ状態の発症率が高いといわれる．受傷後約6か月で10～30％の患者にうつ病がみられると報告する研究もある[1)]．また，せん妄状態は比較的急性期にみられる問題の1つである．さらに，いわゆる「消耗状態」が問題となる．これは，さまざまな合併症治療への疲労，長期臥床を強いられることへのストレス，社会関係の変化などから心身ともに消耗し，自発性が低下し，無関心な状態になることである．自殺の問題にも注意が必要である．

用語解説

*7 対麻痺
両側下肢の麻痺のことをいう．

用語解説

*8 膀胱直腸障害
膀胱と直腸の機能が障害され，尿意や便意を感じることができずに失禁したり，便秘になったりする障害．

2 ● 四肢切断患者

四肢切断患者への対応で大切な点は，患者それぞれの個別性を重要視することである．下肢の切断を余儀なくされた患者の苦痛は，精神的なつらさだけではなく，日常生活，社会生活ともに大きな機能障害を背負うことになる．しかし，たとえば，陸上競技に没頭する若年者が突然の事故で下肢を切断せざるを得なくなった場合と，長く寝たきりの状況であった高齢者がそうなる場合とではその体験に相違がある．切断部位や機能喪失の程度などが個々にどのように影響するかを考慮することが重要になる．

切断者に合併する精神症状としてうつ状態がある．喪失体験により生じた怒りや悲しみから抑うつ的になる場合がある．また，適応障害や薬物依存を合併することもある．

切断者に特有な症状として幻肢（幻影肢）がある．これは，実在しない肢体あるいは肢体の一部を，あたかも実在しているように感じる感覚である（図1）．四肢切断患者の86.1％の患者に幻肢を認めたという報告がある[2)]．幻肢に痛みを感じる場合を「幻肢痛」という．

また「フラッシュバック」は切断時の状況や事故場面が現実感を伴って再体験される現象であり，日常生活に大きな制限をきたす症状である．

図1　幻肢痛

4 臓器移植に伴う心理的支援

移植医療でみられる心理的支援はさまざまな段階で必要になるが，ここでは生体移植におけるレシピエント(臓器被提供者)とドナー(臓器提供者)に対する心理的支援の重要点を述べる．

1 ● レシピエントへの心理的支援

移植手術を受ける患者は，手術前後のストレス状況下におかれ，また，術後においても生涯にわたり免疫抑制剤を服用し，長期的なフォローアップが必要になるなど精神的な負担は大きい．このため，術前に精神的な評価を行い，移植手術を行うことが患者にとって適切な治療か否かを検討する必要がある．治療の説明への理解や協力が得られるか，術後の服薬や健康管理などの自己管理が可能か否かなどが焦点になる．

手術直後にはせん妄状態への対応が問題になる．また，ステロイドの使用による精神症状[*9]の出現にも注意が必要である．移植後には，今後の経過に対する不安がみられ，「移植の経過が今後順調に進まなかったら……」などと不安に襲われ，死への恐怖感をいだくこともある．ドナーに対する罪責感をいだく患者もいる．

用語解説

＊9 ステロイドの使用による精神症状

ステロイドの使用により，不眠，不安感，焦燥感，躁状態，抑うつ状態，幻覚・妄想状態，意識障害などの精神症状が出現することがある．薬剤による精神症状は「薬剤性精神障害」とよばれ，インターフェロンや抗がん薬の一部などにも出現することがある．

2 ● ドナーへの心理的支援

ドナーとして臓器を提供する意向は，本人の自発的な意思決定でなければならない．この意思決定プロセスに関して心理的支援を行うことは重要である．この場合の支援とは，臓器提供の決意をうながす心理的支援ではなく，「ドナーになるかならないかを，自発的な自由意思で決断する」ための心理的援助であり，それは中立的な立場で行わなければならない．

また，臓器提供後には，ドナーに何らかの後遺症が残ったり，レシピエントの経過が思わしくない，または死亡した場合など，ドナーは無力感を感じるなどストレスは少なくない．このため，ドナーに対する心理的支援を積極的に行うことが望まれる．

5 心臓疾患患者への心理的支援

心疾患患者，心筋梗塞患者にはうつ病が合併しやすいといわれ，その場合，死亡率を上昇させるなどの悪影響をきたすとの報告がある[3]．心疾患は突然重篤な発作に見舞われることがあり，この不安が患者へ大きな心理的ストレスとなる．心筋梗塞では突発的に胸部の激痛を自覚することが多く，まさに死への恐怖・不安を体験する．致死的な不整脈を有する患者は，植込み型除細動器(図2)を用いる場合があるが，作動時の衝撃はかなり強い体験となり，その作動が予期不安となり，不安障害やうつ病を合併させることがある．

また，心疾患とうまく付き合っていくということは，慢性的に生活習慣や健康管理に配慮しなくてはならず，運動量や活動量を制限せざるを得なくなる．罹患

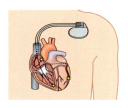

図2 植込み型除細動器

後には生活環境，交友関係が変化し，自信をなくしたり，喪失体験としての心的つらさを経験することもある．さらには近年，心不全の患者の緩和ケアについても議論がなされている．

6　無菌室における患者への心理的支援

白血病などで造血幹細胞移植を行うために，無菌室（図3）に入室し治療を受ける患者の心理的支援の意義は非常に大きい．

前処置として行う化学療法や放射線治療の副作用，移植後の移植片対宿主病*10（GVHD：graft versus host disease）などの合併症で，患者の身体的，精神的苦痛はかなり大きい．また，無菌室内での生活が長く続くため，入院生活は肉体的にも心的にもかなり制限されたものとなる．

このようなストレス下で，患者は不眠，不安，抑うつ，せん妄状態などさまざまな精神症状を呈することがあり，適宜，心理的なサポートを行うことが望ましい．

7　そのほかの場面における心理的支援

遺伝性疾患の発症や発症のリスクに関連した問題を扱う遺伝カウンセリング，HIV（human immunodeficiency virus，ヒト免疫不全ウイルス）感染症の患者への心理的援助を行う HIV カウンセリング，妊娠・出産・育児の過程をめぐる母子へ心理的援助を行う周産期カウンセリングなども臨床場面での重要な支援である．そのほかにも，難病*11 を抱えるクライエントや再生医療*12 を受けるクライエント，依存症（薬物，アルコール，ギャンブルなど）*13 を抱えるクライエントに対して，その家族も含めて支援を行うことも重要である．

とくに難病については，その多くは原因がわからず，治療法も確立していないためクライエント，家族の不安は大きい．難病の程度により日常生活自立度も異なるが，長期にわたり療養生活を送りながらも社会参加の機会が確保され，地域で尊厳をもって生きることができるような支援が必要である．難病相談支援センターなどを通じて患者を多方面から支えるネットワークを構築し，そのなかで難病に関する正しい知識をもった心理職の養成が望まれる[4]．

また，再生医療は，新しい領域であるため，倫理的な問題から安全性や心情的な問題まで，さまざまな問題が存在する．また技術の進歩が速く，変化の度合いも大きい領域でもある．このため，再生医療を受けるクライエントへの支援はこうした背景を十分理解したうえで行わなければならない[5]．

依存症の相談機関には，保健所，精神保健福祉センター，自助グループ・リハビリ施設，家族会・家族の自助グループなどがある．医療提供体制としては，全国的な拠点機関として独立行政法人国立病院機構久里浜医療センターが指定されており，全国の依存症専門病院のリストが作成されている．心理的支援としては，相談機関，医療機関でのクライエントおよび家族に対する相談，心理教育プログラムの実践などがあげられる．

図3　無菌室

📖 用語解説

＊10　移植片対宿主病

ドナー由来のリンパ球が患者の正常臓器を異物とみなして攻撃することにより起こる．急性と慢性があり，急性では消化管，皮膚，肝臓などに，慢性では皮膚，口腔粘膜，肺，眼球などに起こる．

📖 用語解説

＊11　難病

発病の機構が明らかでなく，治療方法が確立していない，希少な疾病であって，長期の療養を必要とするものをいう．そのうち，患者数がわが国において一定の人数（0.1％程度）に達せず，客観的な診断基準（またはそれに準ずるもの）が確立している場合，指定難病とされる．

📖 用語解説

＊12　再生医療

機能障害や機能不全に陥った生体組織・臓器に対して，細胞を積極的に利用して，その機能の再生をはかる医療をいう．

📖 用語解説

＊13　依存症（薬物，アルコール，ギャンブルなど）

使用障害ともよばれる．薬物，アルコール，ギャンブルなどの物質や行動によって得られた快楽が，繰り返されるうちに，脳がその刺激に慣れてしまい，より強い刺激を求めるようになる．その結果，物質や行動が，コントロールできなくなってしまう状態である．

■ 引用・参考文献

1) 山脇成人編:新世紀の精神科治療 第4巻—リエゾン精神医学とその治療学(松下正明総編集). 中山書店, 2009
2) Shukla G et al: A psychiatric study of amputees. British Journal Psychiatry 141: 50-54, 1982
3) 鈴木伸一編：からだの病気のこころのケア―チーム医療に活かす心理職の専門性. 北大路書房, 2016
4) 厚生労働省:難病対策
   https://www.mhlw.go.jp/stf/seisakunitsuite/bunya/kenkou_iryou/kenkou/nanbyou/index.html より 2020 年 2 月 3 日検索
5) 日本再生医療学会
   https://www.jsrm.jp/ より 2020 年 2 月 3 日検索
6) 厚生労働省:平成 29 年我が国の人口動態(平成 27 年までの動向), 2017
   https://www.mhlw.go.jp/toukei/list/dl/81-1a2.pdf より 2020 年 2 月 3 日検索
7) 厚生労働省:認知症施策推進総合戦略～認知症高齢者等にやさしい地域づくりに向けて～（新オレンジプラン), 2015
   https://www.mhlw.go.jp/file/04-Houdouhappyou-12304500-Roukenkyoku-Ninchishougyakutaiboushitaisakusuishinshitsu/02_1.pdf より 2020 年 2 月 3 日検索
8) 黒澤尚ほか編：リエゾン精神医学・精神科救急医療. 臨床精神医学講座第 17 巻, 中山書店, 1998
9) 小林真理子編：心理臨床と身体の病. 放送大学教育振興会, 2016
10) 大西秀樹ほか：サイコオンコロジーの重要性. 癌と化学療法 39(3)：331-336, 2012
11) 大沢愛子：認知症の非薬物療法. 医療 71(5)：211-215, 2017
12) 西田朗ほか：脳血管障害とうつ病. 最新医学 67(2)：288-291, 2012
13) 野間俊一：臓器移植. 診断と治療 99(6)：1060-1064, 2011
14) 赤穂理絵：造血幹細胞移植における精神医学. 移植 42(4)：329-334, 2007
15) 鈴木豪ほか：植え込み型除細動器の頻回作動と精神的ケア. ICU と CCU 36(3)：211-214, 2012

23章 精神疾患とその治療

1 代表的な精神疾患

この章で学ぶこと
- 代表的な精神疾患とその成因，症状，診断法，治療法，および本人・家族への支援
- 向精神薬などの薬剤による心身の変化
- 医療機関への紹介が必要なケース

1 精神疾患の分類

1 従来の精神疾患の分類
従来は外因，内因，心因という3つの原因に基づき分類されていた（表1）．

■ 表1　従来の精神疾患の分類

	原因	代表的な精神疾患
外因	外因とは精神の外部からの原因という意味である	認知症，脳外傷（脳も外部としている）などの器質性精神障害，甲状腺機能低下症など身体疾患による症状精神病，アルコール，薬物による中毒性精神障害など
内因	その人が元来もっている病気になりやすい要因，素因のことをいう	統合失調症，双極性障害など
心因	心理的・精神的な原因をいう	神経症性障害，適応障害，ストレス関連障害など

2 国際標準化された精神疾患の分類
主に以下の2つに分類される．
- WHOによる分類：国際疾病分類(ICD，現在ICD-10)
- APA（アメリカ精神医学会）による分類：精神障害の診断・統計マニュアル(DSM，現在DSM-5)

2 症状性を含む器質性精神障害

1 認知症
①定義

認知症とは，生後いったん正常に発達した知的機能をはじめとする種々の精神機能が，後天的原因により低下し，日常生活や社会生活に支障をきたしている状態である．

②認知症の症状
- 中核症状：記憶障害，失語，失行，失認，実行機能障害
- 辺縁症状 BPSD（行動異常・精神症状）：暴言・暴力，徘徊，妄想など

③主な認知症

主な認知症として，アルツハイマー型認知症，脳血管性認知症，レビー小体型認知症などがある．それぞれの認知症の詳細については13章5節（➡ p.271）および22章2節（➡ p.474）を参照されたい．

2 ● 症状性精神障害

①定義

脳以外の身体疾患により二次的に脳に障害をきたす精神障害をいう．

②症状

原因にかかわらず，共通の症状が発現する．外因反応型（ボンヘッファー Bonhoeffer, K.）という．

- 急性期に，せん妄，もうろう状態，アメンチア[*1]，錯乱などの意識障害がみられ，可逆性である．
- 急性期から慢性期に進行すると人格変化，認知機能に障害がみられ，不可逆性である．
- 回復期に，情動障害，健忘，自発性低下，幻覚妄想などの症状が現れることがあり，可逆性である．これを通過症候群（ヴィーク Wieck, H.）という．

③原因となる疾患

- 感染症：インフルエンザ，肺炎
- 内分泌性疾患：甲状腺機能低下症（および亢進症），副腎皮質機能低下症（および亢進症）
- 代謝性疾患：肝性脳症，尿毒症，電解質異常
- 膠原病：全身性エリテマトーデス（SLE），ベーチェット病[*2]
- 薬剤：ステロイドホルモン，インターフェロン

3 ● てんかん

①定義

種々の原因によってもたらされる慢性の脳疾患であり，大脳神経細胞の過剰な放電に由来する反復性の発作（てんかん発作）を特徴とし，それにさまざまな臨床症状および検査所見が伴う状態（WHO）．

②発症率

0.5～0.8%である．

③原因による分類

- 特発性てんかん：原因不明のてんかん
- 症候性てんかん：脳に何らかの原因があることによって起こるてんかん．原因として，脳外傷，髄膜炎など

④発作型による分類

- 部分発作：大脳の一部に限局した神経細胞の興奮による
  ・単純部分発作：部分発作のなかで意識障害のないもの
  ・複雑部分発作：部分発作のなかで意識障害のあるもの
- 全般発作：大脳全体の神経細胞の興奮による

*1 アメンチア
　錯乱と困惑を特徴とする意識の変容状態．時に夢幻様の意識や多少の幻覚を伴うこともある．

*2 ベーチェット病
　口腔内アフタ性潰瘍，陰部潰瘍，虹彩炎を三主徴とし，20%くらいに脳炎などの中枢神経症状を伴う．

- 欠神発作(小発作)：短い時間の意識障害
- ミオクロニー発作：四肢の痙攣，意識障害なし
- 間代発作：手足が突然屈曲伸展し，ガタガタとふるわせる発作，意識障害あり
- 強直発作：突然，四肢，頸部，体幹などの筋がつっぱる発作，意識障害あり
- 強直間代発作：強直発作のあと，間代発作が起こる．意識障害あり
- 脱力発作：手足や体の力が瞬間的に抜けてしまう発作

3 精神作用物質使用による精神および行動の障害（依存・耐性,アルコール,興奮系）

- 精神作用物質：精神機能に影響する物質(薬物，アルコールなど)をいう．
- 精神依存：精神作用物質を自分の意志ではやめられなくなること．
- 身体依存：精神作用物質を中断あるいは減量することで離脱症状が生じること．
- 耐性：通常量でそれまでの効果が得られなくなった状態．

1・アルコールによる精神障害
①急性アルコール中毒
- 単純酩酊：飲んだアルコールの量に比例して生じる通常の酩酊．
- 異常酩酊：飲んだアルコールの量に比例しない異常な酩酊で，複雑酩酊と病的酩酊に分けられる．
  - 複雑酩酊：単純酩酊とは量的に異なり，その人にふだんみられない行動をとる，人格が変化する．いわゆる「酒癖が悪い」「酒乱」．
  - 病的酩酊：単純酩酊とは量的に異なり，突然，強い意識障害(せん妄)を生じる．ほぼ完全な健忘が生じる．

②アルコール依存症*
- 軽い離脱症状：飲酒中断後数時間内に，睡眠障害，自律神経症状(発汗，頻脈など)，不安不穏，振戦が生じる．
- 振戦せん妄：飲酒中止後5日以内に，振戦とせん妄状態．意識障害，失見当識，幻覚(小動物幻視)，Liepmann現象(振戦とせん妄の初期などに閉眼状態で上眼瞼をすこし圧迫して暗示することで幻覚が生じること)．
- アルコール離脱幻覚症：幻聴が特徴．

③アルコール精神病
- アルコール性嫉妬妄想：主に男性にみられ，相手の不貞を確信する妄想．
- アルコール性Korsakoff精神病：記銘力障害，見当識障害，作話．
- アルコール性認知症：大脳の萎縮を認める．

④アルコール依存症の治療
- 自助グループ：断酒会，アルコホーリクス・アノニマス(AA：Alcoholics Anonymous)
- 抗酒薬(シアナミド，ジスルフィラム)

* DSM-5では依存という言葉は使用されなくなり，「アルコール使用障害」と定義されるようになった．本節ではアルコールによる精神障害の1つとして「アルコール依存症」という用語を用いて解説する．

2● 薬物依存

①特徴
依存性薬物の特徴を表2に示す．

②薬物依存の自助グループ
ダルク(DARC：Drug Addiction Rehabilitation Center)およびナルコティクス・アノニマス(NA：Narcotics Anonymous)がある．

■ 表2　依存性薬物の特徴

薬物	中枢作用	精神依存	身体依存	耐性
覚醒剤(メタンフェタミン)	興奮	+++	−	+
コカイン	興奮	+++	−	−
幻覚薬(LSD)	興奮	+	−	+
あへん類(ヘロイン)	抑制	+++	+++	+++
アルコール	抑制	++	++	++
ベンゾジアゼピン	抑制	+	+	+
有機溶剤(シンナー)	抑制	+	±	+
大麻(マリファナ)	抑制	+	±	+

(和田清：依存性薬物と乱用・依存・中毒―時代の狭間を見つめて．星和書店，2000を参考に著者作成)

4　統合失調症

1● 統合失調症の概念
主として思春期以降に発病し，特徴的な精神症状を呈し，しばしば慢性の経過で進行する内因性精神疾患である．幻覚妄想状態のみならず，さまざまな病態がある．

2● 疫学
頻度は人口の1％くらいで性差はない．好発年齢は20歳前後．原因は不明だが，遺伝的要因に加え，環境的要因など複合的な要因が絡み合って発症すると考えられている．

3● 症状

①陽性症状と陰性症状
- 陽性症状(健常者にはないものが現れる)：幻覚，妄想，奇異な行動，思考伝播など
- 陰性症状(健常者にあるものがなくなる)：感情鈍麻，思考貧困化，無気力，自閉など

②ブロイラーの基本症状
- 連合(association)弛緩
- 両価性(ambivalent)
- 感情(affect)の表出異常

- 自閉（autism）

これらは「4つのA」といわれる．

ブロイラー Bleuler, E. はスイスの精神医学者．**クレペリン Kraepelin, E.** の「早発性痴呆」の疾患概念を認めたうえで「統合失調症（Schizophrenie）」という名称を提唱した．

③シュナイダーの一級症状

- 思考化声，問答形式の幻聴，自分の行為を批判する幻聴，させられ（作為）体験，思考伝播，思考奪取，妄想知覚

シュナイダー Schneider, K. はドイツの精神医学者．臨床経験に基づき，精神現象を忠実に観察・分析・記述することで，簡潔で明確な精神病理学の体系を確立した．

④残遺症状

- 社会的引きこもり，奇行，奇妙な身だしなみ，不潔，妄想の持続，不適切な感情表出

4 病型

- 単純型：陰性症状のみで経過する．
- 破瓜型（はかがた）：陰性症状が前景で陽性症状が少し加わる．単純型や神経衰弱状態を経て徐々に破瓜型を発するものと，急速に陰性症状を強めて人格荒廃に至るものがある．
- 緊張型：急性発症，緊張病性興奮あるいは緊張病性昏迷で発症する．
- 妄想型：幻覚妄想が主で，人格，疎通性は保たれる．

5 統合失調症の治療

- 主に薬物療法が行われる．
  - 定型抗精神病薬：クロルプロマジン塩酸塩，ハロペリドールなど
  - 非定型抗精神病薬：リスペリドン，オランザピンなど
- 入院か外来治療：激しい興奮など自らの安全を保てない場合は入院となる．
- 精神療法：支持的精神療法を主とする．
- 精神科リハビリテーション：社会復帰を目的として行う．他人との交流とで，自発性を回復させる（自発性の低下を防ぐ）．

6 予後

完全寛解（20%），不完全寛解（45%），荒廃（35%）である．

5 気分障害

1 概念

主に気分，感情領域の障害である．うつ病（単極性うつ病）と躁うつ病（双極性障害）がある．

2 ● 疫学（性差）

うつ病は女性のほうが男性より多く，躁うつ病は，性差なし．

3 ● 成因

遺伝素因，脳内モノアミン（セロトニン，ノルアドレナリン）の減少等あるが不明である．

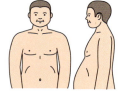

図1　循環気質

4 ● 病前性格

- 循環気質（図1）：躁うつ病

  クレッチマー Kretschmer, E. は，肥満型と循環気質との間に親和性があることを提唱した．循環気質では，社交性，ユーモアがある，激しやすい，一方で，陰うつ，寡黙などの特徴がみられる．

- メランコリー親和型性格：うつ病

  テレンバッハ Tellenbach, H. は，うつ病者にみられる性格特性として，几帳面，秩序志向性，自分に対する高い要求などをあげた．

- 執着気質：うつ病

  精神科医の下田光造は，うつ病にみられる性格特性として執着気質を提唱した．うつ病者は感情の過度の緊張が持続する傾向にあり，その結果，熱中性，強い義務責任感，徹底性という性格特性がみられるとした．

5 ● 気分障害の症状

表3に気分障害の症状を示す．うつ病，躁病でみられる，感情，思考，意欲・行動，身体症状などの特徴をまとめた．うつ病のときには思考形式の障害としては思考抑制，思考内容の障害としては罪業・心気・貧困妄想などが，躁病では思考形式の障害として観念奔逸，思考内容の障害として誇大妄想がみられる．

■表3　気分障害の症状

	感情	思考→妄想	意欲・行動	身体症状	そのほか
うつ病	抑うつ気分 悲哀感	思考抑制 ↓ 罪業妄想 心気妄想 貧困妄想	意欲低下 行動緩慢	睡眠障害，性欲減退，便秘，そのほかの身体症状	自殺念慮
			精神運動抑制		
躁病	爽快気分 気分の高揚	観念奔逸 ↓ 誇大妄想	行為心拍 多弁，多動	不眠，食欲亢進，性欲亢進	傲慢，尊大 易刺激性 易怒性
			精神運動興奮		

6 ● うつ病の治療

休養，薬物療法（抗うつ薬），認知療法など，電気ショック療法がある．

6　神経症性障害，ストレス関連障害および身体表現性障害

1 ● 神経症から神経症性障害

神経症はもともと心因性で性格が関係するとされてきたが，医学の発展により

生物学的な要因も関与していることがわかり，ICD，DSMでは神経症という用語は使用されていない．しかし，臨床の場では神経症という用語はいまだ使われており，概念を把握しておくことは必要と思われる．

2 ● 神経症とは
- 器質的基盤がない
- 原因的には「心因性」
- 軽度
- 性格傾向が発症に関係する
- 病識あり
- 「一定の症状」からなる
- 原則として「可逆性」（つまり治る）の精神障害である

7 生理的障害および身体的要因に関連した行動症候群（睡眠障害, 産褥）

1 ● 睡眠障害
①睡眠の種類
- レム（REM：rapid eye movement）睡眠：目がぴくぴくと活発に動いている時期
- ノンレム（Non-REM：non-rapid eye movement）睡眠：レム睡眠以外の時期をいう．90分の周期でノンレム睡眠とレム睡眠がセットになり，繰り返される．

②睡眠障害のタイプ
- 不眠症
- 過眠症
- 睡眠・覚醒のリズム障害
- 睡眠時随伴症（行動異常）

2 ● 妊娠を契機に発症する精神疾患
- マタニティー・ブルー：出産後4～5日目から2～3日続く，一過性の軽度うつ病で，産褥期の女性30～50％に生じる．涙もろくなる，いらだちを感じる，子育てに不安を感じるなどの症状を呈す．
- 産褥期うつ病：出産後2～3週目から数か月続くうつ病で，「赤ちゃんが泣きやまないのは，何か子どもに障害があるからだ」「私のような母親では赤ちゃんに申し訳ない．一緒に死んでしまおう」など，訴えの内容が育児に関連した内容が多い．
- 産褥期精神病：出産後，錯乱，せん妄，無欲などが生じる．体質，ホルモンバランス，脳器質的要因などが原因とされる．

8 精神遅滞（知的障害）

1 ● 定義と診断基準
- 平均以下の知能：知能指数（IQ：intelligence quotient）70以下
- 現在の適応機能不全：意志伝達，自己管理，家庭生活，社会的・対人的技能，

学習能力，仕事，健康，安全
- 発症は 18 歳未満

2 知的水準の重症度による分類

軽度から最重度まで 4 段階に分類されるが，中等度以降，重度になるほど，てんかん，精神疾患，神経疾患の合併の割合が増加する．

- 軽度精神遅滞(IQ50 ～ 69)：精神遅滞(MR：mental retardation)の 85％に該当する．話し言葉の獲得や抽象的な事項の理解には遅れを認めるが，身辺処理は自立している．学業で問題になることが多い．成人では高度の仕事でなければ従事可能．
- 中等度精神遅滞(IQ35 ～ 49)：MR の 10％で，話し言葉の発達はさまざまだが，全例で遅れを認める．身辺処理にも遅れがある．
- 重度精神遅滞(IQ20 ～ 34)：MR の 3 ～ 4 ％で，成人例では，IQ35 以下でも簡単な身辺整理，単純な会話ができることがある．小児例では会話はほとんど不可能である．
- 最重度精神遅滞(IQ20 未満)：MR の 1 ～ 2 ％で，IQ の正確な測定は困難となる．快・不快を表すが，要求や指示を理解したり従う能力はない．MR の原因となる神経疾患を決定できることが多い．運動能力が制限されるが，自閉性障害などでは多動となることが多い．

3 精神遅滞の原因

- 先天性代謝異常：アミノ酸代謝異常であるフェニールケトン尿症など
- 神経皮膚症候群：フォン・レックリングハウゼン病(神経線維腫症Ⅰ型)，結節性硬化症など
- 染色体異常：ダウン症候群(21 トリソミー)[*3]，18 トリソミー，13 トリソミー

9 成人のパーソナリティおよび行動の障害

1 概念

パーソナリティ障害とは，認知，行動，感情のあり方が著しく偏っているため，不適応になっている状態をいう．パーソナリティ障害の特徴は青年期以降に顕在化し，生涯続く．本人も周りの人も苦しむことが多い(➡p.191 第 10 章 4 節参照)．

2 パーソナリティ障害の分類（DSM-5）

A 群（奇妙で風変わり）：
　猜疑性パーソナリティ障害／妄想性パーソナリティ障害，シゾイドパーソナリティ障害／スキゾイドパーソナリティ障害，統合失調型パーソナリティ障害
B 群（演技的で感情的）：
　反社会性パーソナリティ障害，境界性パーソナリティ障害，演技性パーソナリティ障害，自己愛性パーソナリティ障害
C 群（不安と恐怖）：
　回避性パーソナリティ障害，依存性パーソナリティ障害，強迫性パーソナリティ障害

文献 2)を参考に作成

用語解説

*3 ダウン症候群(21 トリソミー)

染色体異常（常染色体 21 番目が通常 2 個のところ 3 個ある）による．1,000 人に 1 人の発生．低身長で，筋緊張が弱く，軽度から中等度の肥満，後頭部扁平を伴う小頭などが特徴．精神遅滞を伴う．また先天性心奇形を 50％に合併する．早期からの教育の効果が上がっている例も多い．

10 心理的発達の障害

1 ● 概念
- 心理的発達の障害とは，主に乳児期から幼児期にかけてさまざまな原因が影響し，発達の遅れや質的なゆがみが生じる心身の障害をいう．中枢神経系の機能発達の障害あるいは遅延により生じ，寛解や再発がみられない安定した経過をとる．

2 ● 分類と特徴

①特異的発達障害（ICD-10）
知的障害や運動障害がないにもかかわらず，会話・言語，学習能力，運動能力のいずれかの発達が遅れるものをいう．

②広汎性発達障害（ICD-10）
社会性，対人コミュニケーションの障害，興味関心の限定などを特徴とする発達障害．

なおDSM-5では，広汎性発達障害を中心にこれらの概念は自閉スペクトラム症，自閉症スペクトラム障害（ASD：autistic spectrum disorder）といわれる．

11 小児期および青年期に通常発症する行動ならびに情緒の障害，特定不能の精神障害

ICD-10の分類では次のような概念が含まれる．DSM-5では分類が変更になった．

- 多動性障害（注意欠如多動性障害）
- 行為障害〔素行障害（DSM-5）〕
- 反抗挑戦性障害など
- 小児期に特異的に発症する情緒障害（分離不安障害など）
- 小児期および青年期に特異的に発症する社会的機能の障害（選択緘黙，愛着障害など）
- チック障害（トゥレット症候群など）
- 小児期および青年期に特異的に発症するほかの行動および情緒の障害（吃音など）

行為（素行）障害とは，「反社会的，攻撃的あるいは反抗的な行動パターン」が反復，持続する障害をいう．また，反社会性パーソナリティ障害へと発展することがある．

反抗挑戦性障害は，法や他人の権利を侵害することはない点が行為障害と異なる．授業妨害，教師への反抗的で挑戦的な行動が持続する．

■ 引用・参考文献
1）大熊輝夫：現代臨床精神医学，改訂第11版．金原出版，2008
2）American Psychiatric Association 編：DSM-5 精神疾患の診断・統計マニュアル（日本精神神経学会日本語版用語監，高橋三郎ほか監訳）．医学書院，2014

向精神薬をはじめとする薬剤による心身の変化

23章 精神疾患とその治療 2

1 添付文書と薬剤の表記

向精神薬とは，中枢神経を介して精神機能に影響を及ぼす薬剤の総称である．

添付文書とは，医薬品において，警告・使用上の注意，副作用，薬理作用（薬効薬理），薬物動態そのほかの重要事項を記載した，使用者向け（医師・医療機関関係者を含む）の製品情報を記載した書面である．「医薬品，医療機器等の品質，有効性及び安全性の確保等に関する法律」（旧薬事法）にその根拠があり，同法第52条および第63条の2において，医薬品については添付文書の作成と添付が義務づけられている．なお，医薬品の使用により生じた有害な反応かつ因果関係が否定できないものを「副作用」，因果関係を問わないあらゆる有害な反応を「有害事象」という．

薬剤表記には一般名と商品名がある．公認心理師試験では一般名で出題される．

2 向精神薬の種類とその効果および副作用

向精神薬にかぎらず，どの薬剤にも効果と副作用があり，正しい知識をもつことで有効な薬物療法が可能になる．またステロイド，向精神薬などの治療薬が原因で精神症状が出現し，精神疾患と間違われることもあり（薬剤性精神障害），薬を服用しているクライエントの場合，その影響を考慮することは臨床上重要である．

1・抗精神病薬

①効果

抗精神病薬は，精神病の幻覚・妄想，せん妄，興奮などの治療に使用する．双極性障害，強い不安に用いることもある．本来は統合失調症の治療薬である．定型抗精神病薬と非定型抗精神病薬の2種類に分かれる．

②副作用

- 錐体外路症状
  - アカシジア（静座不能）：じっとしていられず，落ち着かなくなる．
  - パーキンソン症状：「動作が遅くなった」「声が小さくなった」「表情が少なくなった」「歩き方がふらふらする」「歩幅がせまくなった（小刻み歩行）」「一歩目が出ない」「手が震える（振戦）」「止まれず走り出すことがある」「手足が固い（筋強剛）」などの症状をいう．
  - 急性ジストニア：顔や首が強くこわばる，首が反り返る，目が上を向いたまま正面を向かない（眼球上転），舌が出たままになる，ろれつがまわらない，体が傾く，手足がつっぱるなどの症状をいう．
  - 遅発性ジスキネジア：抗精神病薬などを長期間使用していると出現する，自

用語解説

*1 錐体外路
筋の緊張，筋の協調運動，平衡感覚を調節する神経経路．大脳皮質にある錐体外路中枢や大脳基底核，脳幹の黒質，小脳などが複雑に関与している．この経路が障害されることによって生じる運動症状が錐体外路症状である．

分では止めらない，または止めてもすぐに出現する動き（繰り返し唇をすぼめる，舌を左右に動かす，口をもぐもぐさせる，口を突き出す，歯を食いしばる，目を閉じるとなかなか開かずしわを寄せている，勝手に手が動いてしまう）などの症状をいう．

- 過鎮静：眠気，ふらつき，ぼーっとする
- 自律神経症状：低血圧，口渇，鼻閉
- 消化器症状：便秘，イレウス（腸閉塞）
- 肝障害
- 内分泌症状
  ・高プロラクチン血症（月経異常，乳汁分泌）
  ・肥満
  ・血糖値上昇（糖尿病）：とくに非定型抗精神病薬
- 悪性症候群：主に抗精神病薬服薬下での発熱，意識障害，錐体外路症状，自律神経症状．治療が行われなければ死にいたる可能性のある潜在的に重篤な副作用である．

2 • 抗うつ薬

抗うつ薬には，現在，SSRI（選択的セロトニン再取込み阻害薬），SNRI（セロトニン・ノルアドレナリン再取込み阻害薬），NaSSA（ノルアドレナリン作動性・特異的セロトニン作動性抗うつ薬），三環系抗うつ薬，四環系抗うつ薬，その他がある．

抗うつ薬は，うつ病の治療に用いるが，SSRI，SNRIはうつ病のみならず，パニック症，不安障害，強迫障害の治療にも用いる．

3 • 気分安定薬

気分安定薬は，双極性障害の躁状態，うつ状態両方に効果がある．

4 • 抗不安薬

抗不安薬には，不安軽減，緊張軽減，催眠作用がある．即効性があるが，依存性もあるので慎重に使用する．

5 • 睡眠薬

睡眠薬の多くはベンゾジアゼピン系である．基本的には抗不安薬と同様の効果がある．即効性があるが，依存性もあるので慎重に使用する．

6 • 抗てんかん薬

抗てんかん薬は，てんかんの治療に用いる．また，気分安定薬として双極性障害に用いることがある．

7 • 中枢神経刺激薬

中枢神経刺激薬は，ナルコレプシー（強い眠気をきたす疾患），小児期の注意

欠如／多動症の治療に用いる．精神依存を生じやすいため，慎重な対応が求められる．

8・抗認知症薬

抗認知症薬は，認知症の進行を遅らせる効果がある．

3 向精神薬の一般名・主な商品名・副作用

向精神薬の一般名・主な商品名・副作用について**表1**にまとめる．

■表1　向精神薬の一般名・主な商品名・副作用

一般名	商品名	副作用
【抗精神病薬】		
●定型抗精神病薬		1) 錐体外路症状 　①アカシジア（静座不能） 　②パーキンソン症状 　③急性ジストニア 　④遅発性ジスキネジア 2) 過鎮静：眠気，ふらつき，ぼーっとする 3) 自律神経症状：低血圧，口渇，鼻閉 4) 消化器症状：便秘，イレウス（腸閉塞） 5) 肝障害 6) 内分泌症状 　①高プロラクチン血症（月経異常，乳汁分泌） 　②肥満 　③血糖値上昇（糖尿病）：とくに非定型抗精神病薬 7) ときに，悪性症候群
クロルプロマジン塩酸塩	コントミン®	
レボメプロマジン	ヒルナミン®／レボトミン®	
ハロペリドール	セレネース®／リントン®	
●非定型抗精神病薬		
リスペリドン	リスパダール®	
ペロスピロン塩酸塩水和物	ルーラン®	
オランザピン	ジプレキサ®	
クエチアピンフマル酸塩	セロクエル®	
アリピプラゾール	エビリファイ®	
ブロナンセリン	ロナセン®	
クロザピン	クロザリル®	
パリペリドン	インヴェガ®	
パリペリドンパルミチン酸エステル	ゼプリオン®	
【抗うつ薬】		
●SSRI（選択的セロトニン再取込み阻害薬）		1) 消化器症状：嘔気，嘔吐 2) 性機能低下：射精遅延 3) 賦活症候群：神経過敏，不安，焦燥 4) まれに，セロトニン症候群
フルボキサミンマレイン酸塩	デプロメール®／ルボックス®	
パロキセチン塩酸塩水和物	パキシル®	
セルトラリン塩酸塩	ジェイゾロフト®	
エスシタロプラムシュウ酸塩	レクサプロ®	
●SNRI（セロトニン・ノルアドレナリン再取込み阻害薬）		1) 消化器症状：嘔気，嘔吐 2) 排尿困難 3) 賦活症候群：神経過敏，不安，焦燥
ミルナシプラン塩酸塩	トレドミン®	
デュロキセチン塩酸塩	サインバルタ®	
ベンラファキシン塩酸塩	イフェクサー® SR	
●NaSSA（ノルアドレナリン作動性・特異的セロトニン作動性抗うつ薬）		1) 消化器症状：嘔気，嘔吐 2) 眠気，食欲増加 3) 賦活症候群：神経過敏，不安，焦燥
ミルタザピン	レメロン®／リフレックス®	
●三環系抗うつ薬		1) 抗コリン作用：口渇，便秘，排尿障害，羞明，眼内圧亢進 2) 血圧低下，ふらつき，立ちくらみ 3) 心電図異常，不整脈
イミプラミン塩酸塩	トフラニール®／イミドール®	
アミトリプチリン塩酸塩	トリプタノール®	
ノルトリプチリン塩酸塩	ノリトレン®	
クロミプラミン塩酸塩	アナフラニール®	
アモキサピン	アモキサン®	

一般名	商品名	副作用
●四環系抗うつ薬		三環系抗うつ薬と同様の副作用があるが，抗コリン作用が比較的弱い
マプロチリン塩酸塩	ルジオミール®	
ミアンセリン塩酸塩	テトラミド®	
セチプチリンマレイン酸塩	テシプール	
●その他		
トラゾドン塩酸塩	レスリン®／デジレル®	1）眠気，ふらつき 2）消化器症状：食欲不振，嘔気，嘔吐，便秘
スルピリド	ドグマチール®／アビリット®	1）高プロラクチン血症（月経異常，乳汁分泌） 2）錐体外路症状 　①アカシジア（静座不能） 　②パーキンソン症状 　③急性ジストニア
【気分安定薬】		
炭酸リチウム	リーマス®	1）振戦，脱力・倦怠感 2）消化器症状：嘔気，嘔吐，下痢 頻度不明であるが， 3）急性リチウム中毒：意識障害，けいれん，振戦など
カルバマゼピン	テグレトール®	1）ふらつき，めまい，眠気 2）肝機能障害 頻度不明であるが， 3）汎血球減少，白血球減少
バルプロ酸ナトリウム	デパケン®／セレニカ®	1）眠気 まれに， 2）血小板減少，白血球減少
ラモトリギン	ラミクタール®	1）眠気，めまい 2）消化器症状：嘔気，嘔吐，下痢 3）発疹 4）ときに，皮膚粘膜眼症候群 　（Stevens-Johnson症候群）
【抗不安薬】		
ジアゼパム	セルシン®／ホリゾン®	1）眠気 2）ふらつき，脱力 頻度不明であるが， 3）依存性 4）中断・減量により，離脱症状
アルプラゾラム	ソラナックス®／コンスタン®	
エチゾラム	デパス®	
ロフラゼプ酸エチル	メイラックス®	
【睡眠薬】		
〈超短時間型〉		1）眠気 2）ふらつき，脱力 頻度不明であるが， 3）依存性 4）中断・減量により，離脱症状 ※作用時間が短いほど，依存を生じやすい
トリアゾラム	ハルシオン®	
ゾピクロン	アモバン®	
ゾルピデム酒石酸塩	マイスリー®	
〈短時間型〉		
ブロチゾラム	レンドルミン®	
リルマザホン塩酸塩水和物	リスミー®	
ロルメタゼパム	エバミール®／ロラメット®	
〈中間作用型〉		
ニトラゼパム	ベンザリン®／ネルボン®	
エスタゾラム	ユーロジン®	
フルニトラゼパム	サイレース®	
〈長時間作用型〉		
フルラゼパム塩酸塩	ダルメート®	
ハロキサゾラム	ソメリン®	
クアゼパム	ドラール®	
〈メラトニン受容体作動薬〉		
ラメルテオン	ロゼレム®	
〈オレキシン受容体拮抗薬〉		
スボレキサント	ベルソムラ®	

一般名	商品名	副作用
【抗てんかん薬】		
フェニトイン	アレビアチン®／ヒダントール®	抗てんかん薬に共通にみられる副作用 1）眠気, めまい, 頭重感, 運動失調 2）消化器症状：食欲不振, 嘔気, 嘔吐 ときに, 3）肝障害, 腎障害 4）皮膚粘膜眼症候群 　（Stevens-Johnson症候群）
フェノバルビタール	フェノバール®	
カルバマゼピン	テグレトール®	
エトスクシミド	エピレオプチマル®	
バルプロ酸ナトリウム	デパケン®／セレニカ®	
クロナゼパム	リボトリール®／ランドセン®	
ゾニサミド	エクセグラン®	
クロバザム	マイスタン®	
ガバペンチン	ガバペン®	
トピラマート	トピナ®	
ラモトリギン	ラミクタール®	
レベチラセタム	イーケプラ®	
プリミドン	プリミドン	
【中枢神経刺激薬】		
メチルフェニデート塩酸塩	リタリン®／コンサータ®	ときに, 1）食欲減退, 嘔気, 腹痛 2）不眠 3）頭痛, めまい, 動悸
【抗認知症薬】		
ドネペジル塩酸塩	アリセプト®	1）消化器症状：食欲不振, 嘔気, 嘔吐 2）ときに, 不整脈
ガランタミン臭化水素酸塩	レミニール®	1）食欲不振, 食欲減退 2）悪心, 嘔吐, 下痢
リバスチグミン	リバスタッチ®／イクセロン®	1）食欲減退, 嘔気, 腹痛 2）適用部位の紅斑・瘙痒 3）ときに, 不整脈
メマンチン塩酸塩	メマリー®	ときに, 1）食欲不振, 便秘 2）めまい, 頭痛 3）血圧上昇

〔副作用の頻度〕
　まれに：0.1％未満
　ときに：0.1～5％未満
　記載なし：5％以上
　頻度不明

（厚生労働省：医療用医薬品添付文書の記載要領について. 平成9年4月25日付け薬発第606号厚生省薬務局長通知, 1997）
（添付文書を参考に作成）

■ 引用・参考文献
1）独立行政法人医薬品医療機器総合機構：医療用医薬品の添付文書
　　https://www.pmda.go.jp/ より2020年2月1日検索

3 医療機関との連携

1 医療機関への紹介（リファー）とは

　心理職がクライエントを担当している際，自分の専門，知識・技術，経験などで，対応が困難と判断したときに行うのが，他機関への紹介あるいはリファーである．

　法律的な問題の場合は，弁護士，司法書士などの専門家に，経済的な困窮の場合は，行政機関の福祉担当者に，そして医学的な問題の場合には医療機関への紹介が必要となる．

　公認心理師がクライエントを医療機関に紹介する場合，内科，産婦人科などの身体科と，メンタルの対応をする精神科・心療内科の2つに分けられる．たとえば，カウンセリングをしているクライエントが胸痛を訴えているときは，まずは内科での相談をすすめるであろう．また，クライエントに精神的な症状があるなど精神科医と連携する必要がある場合，精神科・心療内科にリファーすることになるだろう．

　一方，カウンセリングを行いながら，薬物療法の必要性も感じた場合，クライエントの意向をふまえたうえで，精神科医に薬物療法の依頼をすることもある．このような場合は「コーディネーション」という．カウンセリングと薬物療法という2つのサポートは独立している．コーディネーションとは，クライエントを紹介するだけでなく，紹介先の専門家や専門機関と積極的に情報交換を行うことでもある．

2 医療機関の現状

　医療法により，入院施設を有しないもの，または病床数が19床以下を診療所，病床数が20床以上を病院と位置づけられている．

　精神科外来を提供している医療機関としては，①精神科病院，②総合病院などの精神科，③精神科診療所がある．

　精神科病院には入院施設（多くは閉鎖病棟と開放病棟）がある．総合病院などの精神科は入院施設がある病院とない病院がある．精神科診療所は外来が主であるが，デイケア施設がある診療所もある．最近は働く人のうつ病などを対象としたデイケアが増えている．

　近年，精神科診療所の数が増加してきたとはいえ，人口に比するとまだ少ないエリアがあるのが現状である．地域によっては選べるほど診療所の数は多くはなく，数週間先の予約しかとれない場合もある．また，残念なことに，なかには診断，治療内容が適切ではない医療機関もあり，診療所であればどこでもよいというわけにはいかない．

　ちなみに，2017年の調査によると，精神科病院は1,059か所，精神科・心療内科を標榜する診療所は11,719か所ある[1]．

3 精神科入院について：精神保健福祉法

精神科病院における入院の形態には，精神保健福祉法(本法については➡ p.507 第24章2節参照)に基づき，「任意入院」「医療保護入院」「応急入院」「措置入院」「緊急措置入院」がある．

①任意入院：本人の同意による入院．原則として本人の申し出により退院できるが，病状により72時間に限り退院を制限することがある．
②措置入院：自傷他害のおそれがあり，2名以上の精神保健指定医が必要と認めた場合に知事の権限によって行われる入院．
③緊急措置入院：自傷他害のおそれがあり，正規の措置入院の手続きがとれず，かつ急を要する場合，1名の精神保健指定医の診察結果に基づき，知事の権限によって72時間を限度として行われる入院．
④医療保護入院：医療および保護が必要であるが，本人の同意が得られない場合で，家族らの同意による入院．家族がいない場合などは患者の居住地の市区町村長の同意による．
⑤応急入院：患者，家族の同意がなくても，緊急の入院が必要な場合，72時間を限度として行われる入院．

また，近年，精神障害者の地域移行への関心が高まっている．厚生労働省は，精神障害者地域移行・地域定着支援事業実施要綱[2]において，「精神障害者が住み慣れた地域を拠点とし，本人の意向に即して，本人が充実した生活を送ることができるよう，関係機関の連携の下で，医療，福祉等の支援を行うという観点から，統合失調症を始めとする入院患者の減少及び地域生活への移行に向けた支援並びに地域生活を継続するための支援を推進する」としている．地域移行あるいは地域における支援を実践する際，クライエントが主体的に治療に取り組み，治療者とともに選択・決定した治療を遵守するアドヒアランス[3]が重要になる．治療者と連携する心理師が担う役割は大きいといえる．

4 医療機関紹介の基準

「医療機関への紹介(リファー)とは」で前述したが，医療機関への紹介は，基本的には公認心理師が自らの専門，知識・技術，経験などで，対応が困難と判断した場合となる．精神疾患では，統合失調症，双極性障害，器質性精神障害，依存症などが疑われた場合は精神科に紹介する．それ以外にも，睡眠障害が強い場合，不安が強い場合，自殺の危険がある場合なども紹介が必要である．また，家族歴に精神障害，自殺を認める場合も慎重な対応が必要であろう．

以上の判断は心理師が行うことになるが，そのためには適切なアセスメントをしなければならない．

5 医療機関紹介のアセスメント

医療機関への紹介が必要な状態かどうかを判断するには十分なアセスメントが必

要である．一般的なアセスメントに必要な基本情報は 21 章 1 節（➡ p.447）で説明されているため，ここではとくに重要な項目である自殺の評価について詳しく述べる．

自殺の評価

①自殺に傾いた人の心の状態と行動

まず，自殺に向かう（傾いた）人の心理について知ることが支援の第一歩となる．自殺に傾いた人の心の状態と行動を以下に挙げる（表 1）[4]．

②自殺の危険因子と保護因子

次に自殺をより生じやすくする「危険因子」と自殺を防ぐ方向に働く「保護因子」について述べる（表 2）．

③危険度の評価

そのうえで，自殺の危険度の評価を行う（表 3）．

■ 表 1　自殺に傾いた人の心の状態と行動

- 無力感，絶望感にとらわれていて，孤立無援感に陥りやすい．
- 自分自身に対する自信を失いがちで，自分には価値がないと思いがちである．
- 考え方やものごとの見方に柔軟性を欠いていて，抱えている問題を合理的に解決することができない．
- 自殺によって，「終わらせること」，あるいは困難から「抜け出す」ことが唯一の解決方法だと思い込んでしまう（「死にたい」ではなく，「終わらせたい」，「抜け出したい」）．
- 自殺を考える一方で，「生きたい」という願望が同時に存在し，誰かに助けを求めている．
- 自殺を考えていることを誰かに気づいてもらいたい，助けてもらいたいという思いを，態度やことば，仕草などで伝えている．
- 自殺に傾く過程で，多くの人が精神疾患を発症している．
- 精神不安定や不快な気持ち，不安を取り除くためにアルコールや薬物を過量に使用し，冷静な判断を欠いた状態で自殺が企図されたり，結果として自殺に到ることが少なくない．
- その人の衝動的な傾向や自身に対する攻撃性が，自殺企図を後押しすることがある．

（桑原寛ほか編：自殺に傾いた人を支えるために—相談担当者のための指針．平成 20 年度厚生労働科学研究費補助 こころの健康科学研究事業 自殺未遂者および自殺者遺族等へのケアに関する研究，2009 https://www.mhlw.go.jp/bunya/shougaihoken/jisatsu/dl/02.pdf より 2020 年 1 月 30 日検索）

6　医療機関への受診のうながし方

相談を受けているクライエントが精神疾患の可能性がある場合は，医療機関への受診をすすめることになるが，たとえば「うつ病の可能性がある」など具体的な病名をあげることは避ける．クライエントは精神科に受診することで自分が精神疾患と診断されることの不安をもっており，それだけで受診を拒否することがある．

メンタル不調になると，これまでできていたことができないなど何らかの変化が生じる．そのような変化を把握し，「以前と違うことが心配なので専門家に相談してみては」などと伝えてもよい．あるいは眠れない，食欲がない，やせたなど身体にかかわる症状での受診のうながしは比較的抵抗なく受け入れられることが多い．

さらに，クライエントが何らかのつらさを感じている場合は，「つらい」ことに焦点をあて，少し楽になるかもしれないとつなげるのもよい．

紹介に際して本人の同意があることが大前提であるが，メンタル不調により同意能力がないと思われる場合は，代わりに家族などの同意が必要となる．

■ 表2　自殺の危険因子と保護因子（WHO, 2012）

危険因子（非網羅的因子）	
個人的因子	・自殺企図の経験 ・精神疾患 ・アルコールもしくは薬物の乱用 ・失望 ・孤立感 ・社会的支援の欠如 ・攻撃的な傾向 ・衝動的 ・トラウマや虐待歴 ・突然の精神的苦痛 ・大きな身体的または慢性的疾患（慢性疼痛を含む） ・家族の自殺歴 ・神経生物学的要因
社会文化的因子	・支援を求める行動に関するスティグマ ・ヘルスケアに対するアクセスの障壁（特にメンタルヘルスや物質乱用の治療など） ・特定の文化的および宗教上の信念（例：自殺が個人の葛藤に対する崇高な解決策だという信念） ・メディアを通じたものを含む自殺行動への曝露や自殺をした人の影響
状況的因子	・仕事や資産を失う ・関係性や社会性の喪失 ・致死的な手段への容易なアクセス ・大きな影響をもつ自殺が局所的に集中して起こる ・ストレスを感じる出来事
保護因子	
・家族や地域の支援に対する強いつながりがある ・問題解決や紛争解決，非暴力的な解決のスキルがある ・自殺を抑制し，自己保全できるような個人的，社会的，文化的，宗教的な信念がある ・自殺手段へのアクセスが制限されている ・精神的および身体疾患に対する質の高いケアを求められ，容易にアクセスできる	

文献5)を参考に作成

■ 表3　自殺の危険度の評価と対応

危険度	兆候と自殺念慮	自殺の計画	対応
軽度	・精神状態/行動の不安定 ・自殺念慮があっても一時的	ない	・傾聴 ・危険因子の確認 ・問題の確認と整理，助言 ・継続
中等度	・持続的な自殺念慮がある ・自殺念慮の有無にかかわらず，複数の危険因子が存在する（支援を受け容れる姿勢はある）	具体的な計画はない	・傾聴 ・問題の確認 ・危険因子の確認 ・問題の確認と整理，助言 ・支援体制を整える ・継続
高度	・持続的な自殺念慮がある ・自殺念慮の有無にかかわらず複数の危険因子が存在する ・支援を拒絶する	具体的な計画がある	・傾聴 ・問題の確認 ・危険因子の確認 ・問題の確認と整理，助言 ・支援体制を整える ・継続 ・危機時の対応を想定し，準備をしておく
重度	・自殺の危険が差し迫っている	自殺が切迫している	・安全の確保 ・自殺手段の除去 ・通報あるいは入院

（桑原寛ほか編：自殺に傾いた人を支えるために―相談担当者のための指針．平成20年度厚生労働科学研究費補助 こころの健康科学研究事業 自殺未遂者および自殺者遺族等へのケアに関する研究, 2009
https://www.mhlw.go.jp/bunya/shougaihoken/jisatsu/dl/02.pdf より2020年1月31日検索）

7 医療機関の選び方

　何をもってよい医療機関かという問題はあるが，ここでは少なくともメンタルヘルスの専門家(精神科専門医・精神保健指定医などの資格保持者，これまでに精神科・心療内科の経歴がある医師)ということを前提に話を進めたい．医療機関を選択する際に，参考となる情報源を以下にあげる．

- 医療機関のホームページ：医師の資格(精神科専門医，精神保健指定医など)，これまでの精神科・心療内科の経歴などからメンタルヘルスの専門家か否かがある程度判断できる．ただし，ホームページには最小限の情報しか掲載しない，あるいはホームページを作成しない医師も多くいる．すでに多くの患者が来院しており，ホームページを開設することでさらに多くの患者が来院することを避け，医療の質を保とうとする医師もいる．
- 心理職，看護職など専門職同士のネットワーク：比較的，的確な情報を共有していることが多い．
- クライエントの評判：クライエントは実際に医師とのやりとりを体験しているため，具体的な情報を得ることができる．
- 保健所，精神保健福祉センター：公的な立場のため，具体的な情報は得られないが，どこにどのような医療機関があるかは提示してくれる．

8 医療機関紹介の実際

　クライエントの自己決定を尊重するためには，1つの医療機関ではなく複数すすめる．現在はホームページを開設している医療機関も多いので，クライエントがそのなかで自分に合いそうな機関を探すことになるだろう．

　また，担当医との相性があること，予約から受診までに時間がかかる場合があること，よくなるまで少し時間が必要であることなどを伝える．

　医療機関を紹介する場合は，専門家から紹介するのがよい．もし心理職の所属機関に医師がいる場合は，医師に依頼する．いない場合は，保健師あるいは心理職が作成することになるが，その場合，連携できる医療機関，医師であれば円滑に紹介を進めることができる．

9 医療機関との連携（ネットワーク作り）の方法

　前述したように医療機関への紹介を円滑に行うためには，連携あるいはネットワーク作りが重要となってくる．心理職と精神科医との連携においてうまくいかない原因の1つに，お互いの認識が不十分である場合がある．それぞれの役割，ルールを知り，円滑な連携づくりに努める必要がある．

　連携の方法の1つとして，メンタルヘルス関係の学会，研究会，研修会などで精神科医と知り合い，後日，正式に訪問し，連携について依頼する．心理職が組織に所属している場合は，人事担当者あるいは責任者とともに訪れるとよい．その際，医師がいない場合，心理職からの紹介を受けていただきたい旨を依頼する．

```
                    紹介状
○○メンタルクリニック
        □□□先生

いつもお世話になっております．
当社社員，×××殿(昭和 年 月 日生，才)をご
紹介させていただきます．
平成○○年入社，営業職です．

経過：  年 月頃より，週に2日ほど欠勤するように
なり，面接を行ったところ，夜眠れず，朝起きると身
体がだるく，起き上がるのが辛い，出社しても仕事に
集中することができず，時間がかかる，とのことでし
た．

一度，貴科にご高診いただきたく，ご紹介させていた
だきました．
なお，2019年6月行われた健康診断の結果を同封い
たします．

どうぞよろしくお願い申しあげます．

                                  年    月    日
                            ○○会社
                            東京都○○区○○ 9-5-4
                            TEL 03-△△△△-△△△△
                            公認心理師  ××××
```

図1 紹介状の例

理解ある精神科医であれば，紹介状(図1)に対する返信もしてくれる．

■ 引用・参考文献

1) 厚生労働省：平成29年(2017)医療施設(静態・動態)調査・病院報告の概況．2018
   https://www.mhlw.go.jp/toukei/saikin/hw/iryosd/17/ より2020年1月30日検索
2) 厚生労働省：精神障害者の地域移行について(精神障害者地域移行・地域定着支援事業実施要綱)
   https://www.mhlw.go.jp/bunya/shougaihoken/service/dl/chiikiikou_01.pdfより2020年1月30日検索
3) 澤田法英，渡邊衡一郎：抗うつ薬をどのように処方するか─アドヒアランス向上の観点から．うつ病薬物治療のエクセレンス(上島国利 総監修)，p55-62，アルタ出版，2010
4) 桑原寛ほか編：自殺に傾いた人を支えるために(相談担当者のための指針)─自殺未遂者，自傷を繰り返す人，自殺を考えている人に対する支援とケア．平成20年度厚生労働科学研究費補助 こころの健康科学研究事業 自殺未遂者および自殺者遺族等へのケアに関する研究，2009
5) WHO：Public health action for the prevention of suicide．p14，WHO，2012

公認心理師法
——公認心理師の法的責任

24章 関係行政論

この章で学ぶこと
- 公認心理師の法的責任
- 保健医療分野，福祉分野，教育分野，司法・犯罪分野，産業・労働分野に関係する法律と制度

1 心理専門職の国家資格化の意義

公認心理師法（平成27年9月16日号外法律第68号）が2017年9月から施行された．公認心理師法によれば，公認心理師に対する法的責任は，刑事責任や行政上の制裁にまで広げられている．公認心理師には，法的責任を自覚したうえで職責を果たすことが求められている．

2 公認心理師に期待されている役割

公認心理師に期待されている役割とは，「国民の心の健康の保持増進に寄与すること」である（公認心理師法第1条）．この役割を法的に説明するならば，次のようになろう．

わが国の法秩序[*1]は，基本的人権を保障し（日本国憲法〔以下，憲法〕第11条），各人は，個人として尊重され，幸福を追求する権利が認められている（憲法第13条）．一方，国や地方公共団体に対しては，個人がひとりの人間として幸福な人生を歩めるようにするため，その支援策を行うことを義務づけている．

いくつか例をあげる．

憲法第25条は，国民が健康で文化的な最低限度の生活を営む権利を定める（同条第1項）とともに，すべての生活分野において，社会福祉や社会保障，公衆衛生の向上や増進を国に義務づけている（同条第2項）．憲法第26条は，国民の教育を受ける権利を保障し（同条第1項），子どもに教育を受けさせる義務を国民に求める（同条第2項）．憲法第27条は，国民には勤労の権利や義務があることを定め（同条第1項），休息などの勤労条件を法律で定めるよう国に義務づける（同条第2項）．忘れられがちなのは，刑事被疑者・被告人や犯罪被害者の人権についてである．刑事被疑者・被告人は法律に定める手続きによらなければ，生命や自由を奪われたり刑罰が科せられることはない（憲法第31条）．それどころか，その基本的人権が保障されなければならないとしている（刑事訴訟法第1条）．非行のある少年に対してはその健全育成をはかることが国に求められている（少年法第1条）．犯罪被害者等基本法は，犯罪被害者等の権利利益を保護するための責務を国および地方公共団体は負うと定める（同法第1条）．

このように，各法においては，個人には人間的な生活を送る権利が保障され，

 用語解説

*1 わが国の法秩序

法の最も上位に位置するのが憲法である（憲法の最高法規性〔第98条第1項〕）．憲法改正のハードルが高い（第93条）ことや，違憲立法審査権が裁判所に認められている（第81条）ことに，その特徴が現れている．これに対して，個人の関係を規律する「民法」や犯罪と刑罰を規定する「刑法」は，いずれも法律であり，憲法に服する関係にある．

国や地方公共団体はそれに対する責任を負うとしている．こうした観点から，心の健康について考えてみよう．私たちは，意欲や意思に基づいて行為することにより，社会生活を営んでいる．まさに心と行為，そのよりどころである身体は，一体である．当然社会生活においてはさまざまな困難が存在し，これに直面して悩む．その悩みは，いろいろな形で解消されることがほとんどであろうが，なかには，心理学的・精神医学的な手当てが必要なほどに深刻なものもある．そのときに，必要な支援を求めるのは個人の権利とみるべきである．また，それに対して必要な支援を整える責務が国や地方公共団体にはあるというべきである．とりわけ，保健医療や福祉，教育，司法，産業などの分野においては，一人ひとりが幸福な生活を送ることができるよう，心の面への配慮も十分なされなければならない．公認心理師法第1条および第2条は，これにかかわる公認心理師の責務を示している．

3 公認心理師の法的責任

1 ● 倫理的責任と法的責任の違い

法と倫理には類似点と相違点がある．類似点は，両者ともなんらかの義務を果たすよう求める点である．両者はいわば行動基準であるといってよい．しかしながら，両者には決定的に異なる点がある．倫理が要求する事項に違反した場合は，その属する組織による制裁を受ける．ここで負っている責任は倫理的責任ということができる．これに対して，法に違反した場合は，国家による制裁を受けることになる．このとき負わなければならない責任を，法的責任という．

法的責任には図1に示すように3つある．民事責任とは，個人間において生じ，相手方に与えた損害を賠償する責任を負う．このために，債務不履行[*2]や不法行為[*3]による損害賠償の規定がおかれている．刑事責任とは，国家と個人のあいだで生じ，刑罰法規に違反した場合に，刑事罰を受けることである．行政機関との関係では，行政上の制裁を受ける責任がある．公認心理師法においても，後述のように，公認心理師の資格に対する信頼を担保するため，資格の取消や停止が規定されているが，これらは行政上の制裁の1つである．

*2 債務不履行
債務者がその債務の本旨に従った履行をしないときまたは債務の履行が不能であるときは，債権者は，これによって生じた損害の賠償を請求することができる（民法第415条本文）．

*3 不法行為
故意または過失によって他人の権利または法律上保護される利益を侵害した者は，これによって生じた損害を賠償する（民法第709条）．

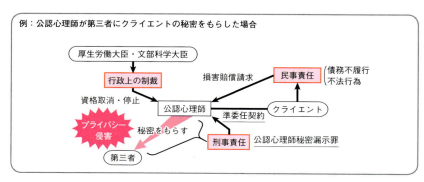

図1 3つの法的責任

2 • 公認心理師のクライエントに対する民事責任

　カウンセリングを依頼したクライエントと，それに基づいてカウンセリングを行う公認心理師との関係は，法律行為ではない事務の委託である準委任契約（民法第656条）によって規定される．私たちは自己の人生を歩むなかで，ときに専門家の手を借り，自分では対処し得ない問題を解決する必要に迫られる．この場面を想定しているのが準委任契約である．クライエントが自分の内面的な問題の対処を公認心理師に委託し，公認心理師がカウンセリングなど必要な心理学的対応をとる．ちなみに，医師の行為も準委任契約によって規定されている．

　クライエントの要請を受け任務にあたる公認心理師には，善管注意義務（民法第644条）が課せられる．善管注意義務とは，受任者が，委任の本旨に従い，善良な管理者の注意をもって，委任事務を処理する義務である．これは両当事者の信頼関係を基礎としている．したがって，クライエントに対する公認心理師の義務は，心理学において確立した知見や学説に基づいて任務にあたること，カウンセリングをする際にはクライエントに対し丁寧に説明し（説明義務），クライエントの同意を尊重すること，クライエントとの秘密を守ること，などである（注意義務[*4]）．善管注意義務に違反した場合は，債務不履行や不法行為の責任（主に過失責任）を負う．

　一例として，臨床心理士が面接中に知り得たクライエントの秘密をクライエント本人の許可を得ることなく書籍に掲載した事件がある（平成7年6月22日東京地方裁判所判決〔判例時報1550号40頁〕）．判決によれば，両者のあいだには，医師と患者とのあいだの治療契約に類似した心理治療契約ともいうべき契約が成立することから，臨床心理士には守秘義務が生じる，としている．

3 • 公認心理師に対する行政上の制裁

　公認心理師試験に合格した者は公認心理師の資格を有する（公認心理師法第4条）．そして，公認心理師となるためには，公認心理師登録簿に氏名や生年月日，そのほか，文部科学省令や厚生労働省令で定める事項の登録を受けなければならない（第28条）．この登録を終えた者に対し，文部科学大臣および厚生労働大臣は，公認心理師登録証を交付する（第30条）．

　ここで，公認心理師という国家資格の性質が問題となる．臨床心理士や医療心理士といった民間資格が併存し，これらの資格が社会的信頼を得ている資格といえることから，公認心理師は，医師や看護師，弁護士などのような業務独占とまではいえない．しかし，公認心理師でない者は，公認心理師の名称を使用することはできず，その名称中に「心理師」という文字を使ってはならず（第44条），また後述のように，それらの行為に対する行政上の制裁が用意されていることから，公認心理師は名称独占権は有しており，前述のような職種により近づいた資格といえよう．

　文部科学大臣および厚生労働大臣は，公認心理師に対し，その登録を取り消し，または，公認心理師などの名称の使用を停止することができる（第32条）（→ p.10 第1章2節参照）．

　登録が取り消されるのは，次の4つの場合である．①心身の故障により公認

用語解説

＊4　注意義務の標準
　ここでは，平均的な（可もなく不可もなく，ごく標準的な）公認心理師を前提に注意義務が定められる．

心理師の業務を適正に行うことができない者として文部科学省令・厚生労働省令で定める者，②禁錮以上の刑に処せられ，その執行を終わり，または執行を受けることがなくなった日から起算して2年を経過しない者，③この法律の規定その他保健医療，福祉または教育に関する法律の規定であって政令で定めるものにより，罰金の刑に処せられ，その執行を終わり，または執行を受けることがなくなった日から起算して2年を経過しない者(第3条1〜3号)，④虚偽または不正の事実に基づいて登録を受けた場合である(第32条第1項).

登録取り消し，あるいは，名称の使用停止が命じられうるのは，公認心理師が，①その信用を傷つけた場合(第40条)，②正当な理由なく業務上の秘密を漏示した場合(第41条)，③業務を行うに際し，心理に関する支援を要する者に当該支援に係る主治医がいる場合に，その指示を受けなかった場合(第42条第2項)のいずれかに該当する場合である.

なお，主治医と公認心理師との関係を，行政上の制裁を背景に担保する第42条第2項の規定には，異論がありうる．衆参両院の文部科学委員会は，「公認心理師法」の附帯決議において，「公認心理師が業務を行うに当たり，心理に関する支援を要する者に主治医がある場合に，その指示を受ける義務を規定する同法第42条第2項の運用については，公認心理師の専門性や自立性を損なうことのないよう省令等を定めることにより運用基準を明らかにし，公認心理師の業務が円滑に行われるよう配慮すること」としている．文部科学省および厚生労働省によれば，同規定は被支援者の利益を守るための規定であり，そのために医師と公認心理師が密接に連携するよう求めている(29文科初第1391号，障発0131第3号，平成30年1月31日通知).

4 ● 公認心理師の刑事責任
①公認心理師秘密漏示罪

個人の秘密(個人に関する情報，他者に知られたくないことがら)が法的保護に値すること，また，その取り扱いに注意を払うべきことは，社会の共通認識となっている[*5]．公認心理師も例外ではない．公認心理師がクライエントの秘密を漏らすことを，ここでは公認心理師秘密漏示罪とよぶ．これに問われるのは，第1に秘密保持義務(第41条)に違反した場合である(第46条)．公認心理師は，正当な理由がなく，その業務に関して知り得た人の秘密をもらしてはならず，公認心理師でなくなったあとにおいてもこの義務を遵守しなければならない(第41条)．この罪を犯した場合は，1年以下の懲役または30万円以下の罰金に処される(第46条第1項).

国家資格のある者が業務上知り得た人の秘密をもらす行為に対しては，**表1**に示すように従来から秘密漏示の罪が規定されてきた．これまで，たとえば，臨床心理士が秘密を漏示した場合，問われる責任は，民事責任と臨床心理士によって構成される組織内の倫理的な責任にとどまっていた．しかし，公認心理師においては，ほかの国家資格と同様に，刑事罰が科されるようになった．

秘密とは，他者に知られたくない個人の情報をいう．秘密をもらす行為とは，知られていない情報を知らない人に伝えることであり，その方法には限定がない．

用語解説

＊5　個人の秘密の保護

2003年に，情報社会の進展に伴い，「個人情報の保護に関する法律」が制定された．事業者などに個人情報の利用目的を特定することや，偽りなく適正に取得すること，個人情報が漏洩しないようにすることなどを義務づけている．同法の制定を受けて，「行政機関の保有する個人情報の保護に関する法律」も制定され，行政機関における個人情報の取り扱いに関するあり方が示されている．

なお，個人情報関連5法とは，個人情報の保護に関する法律，行政機関の保有する個人情報の保護に関する法律，独立行政法人等の保有する個人情報の保護に関する法律，情報公開・個人情報保護審査会設置法，行政機関の保有する個人情報の保護に関する法律等の施行に伴う関連法律の整備等に関する法律，のことをいう．

表1　国家資格のある者に対する秘密漏示の処罰

資格	法律	処罰
医師	刑法第134条第1項（秘密漏示罪）	6月以下の懲役または10万円以下の罰金
看護師	保健師助産師看護師法第42条の2，第44条の3	6月以下の懲役または10万円以下の罰金
精神保健福祉士	精神保健福祉士法第40条，第44条	1年以下の懲役または30万円以下の罰金

本罪は，故意犯[*6]である．

公認心理師秘密漏示罪はどのような利益を保護するためにあるのだろうか．1つはクライエントのプライバシーを保護することが考えられる．しかし，それだけでなく，公認心理師というプロの仕事に対する信頼関係の保護も考えられよう．公認心理師が秘密を厳守するからこそクライエントは安心してカウンセリングなどにのぞめる．このようにとらえる場合，クライエントだけでなくそれに関係する第三者のプライバシーも保護されるべきであろう[*7]．このことは，第41条にある「業務に関し知り得た」という文言と整合性がとれる．

ただし，正当な理由がある場合は，同罪には問われない．第1に，法が正当な理由がある場合として規定している場合である．例としては以下のようなものがある．児童虐待を受けたと思われる児童を発見した者が福祉事務所や児童相談所に通告する場合（児童虐待の防止等に関する法律第6条第1項，3項），配偶者または配偶者であった者から身体的暴力を受けている者を発見した者が配偶者暴力相談支援センターまたは警察官に通報する場合（配偶者からの暴力防止及び被害者の保護等に関する法律第6条第1項，3項．医療関係者については同条第2項），被措置児童等虐待[*8]を受けたと思われる児童を発見した者が福祉事務所や児童相談所等へ通告する場合（児童福祉法第33条の12第1項，4項），養護者による虐待を受けたと思われる高齢者を発見した者が市町村へ通報する場合（高齢者の虐待の防止，高齢者の養護者に対する支援等に関する法律第7条第1項，3項）などである（➡ p.28 第1章4節参照）．

第2に，裁判所に鑑定人（民事訴訟法第212条，刑事訴訟法第165条）や証人（民事訴訟法第190条，刑事訴訟法第143条）を命じられた場合である．いずれも，嘘をつかない旨の宣誓が義務づけられており，虚偽の場合は罪に問われる〔虚偽鑑定罪（刑法第170条），偽証罪（刑法第169条）〕．

なお，業務上知り得た他人の秘密に関する証言拒絶権[*9]（民事訴訟法第197条第1項2号，刑事訴訟法第149条）や，業務上の秘密に関するものの押収を拒否できる権利（押収拒絶権．刑事訴訟法第105条）を，公認心理師に認めるべきかが問題となる．この2つの権利は鑑定人や証人に与えられた，クライエントなどの秘密を守る最後の砦のような規定である．この規定に公認心理師が列挙されていないため，この権利が公認心理師には認められていないのか，疑問が生じる．しかし，公認心理師秘密漏示罪が創設されたこととの関係上，証言拒絶権を認めうると考えられる．

また，正当な理由にあたるのかが明確でないのが，クライエントの情報を公認

用語解説

*6　故意犯

犯罪事実を認識したうえで犯罪を実現しようとする意思である（刑法第38条第1項本文）．

用語解説

*7　第三者のプライバシー保護

最高裁判所平成24年2月13日決定（判例時報2156号141頁，判例タイムズ1373号86頁）．鑑定を命じられた医師が，鑑定を行う過程で知り得た，対象者の秘密だけでなく対象者以外の秘密をもらした事件であった．最高裁は，後者の秘密も刑法第134条1項で保護されるとした．

用語解説

*8　被措置児童等虐待

委託された児童や入所する児童，一時保護が行われた児童に対し，施設職員などが身体的暴行やわいせつ行為，減食，暴言などを行うこと（児童福祉法第33条の10）．

用語解説

*9　証言拒絶権

裁判所などにおいて，証人が一定の場合に証言を拒否できる権利（民事訴訟法第196条，刑事訴訟法第146条，147条）．この問題について詳しくは，岩下雅充：心理臨床における守秘義務と刑事裁判での証言．心理臨床の法と倫理（伊原千晶編著），p109-136，日本評論社，2012 所収を参照のこと．

心理師がクライエントの対応にあたっている関係者(たとえば主治医やその者が通う公立学校等の担当者など)にもらした場合である．社会の各分野において連携することが公認心理師に期待されていることからすると，クライエントの問題解決にあたっているチームの関係者内であれば，クライエントの秘密はその問題解決のために，共有されるべきなのかが論点となる．

なお，公認心理師秘密漏示罪は，被害者等からの告訴[*10]がなければ，検察官は公訴を裁判所に提起することができない(第46条第2項)．

②名称不正使用罪

公認心理師という名称を次のような方法で不正に用いた者は，30万円以下の罰金に処される．

第1に，第32条第2項の規定により(第32条については➡ p.501 参照)，公認心理師の名称やその名称中における心理師という文字の使用の停止を命ぜられた者で，その停止期間中に，公認心理師の名称を使用し，またはその名称中に心理師という文字を用いた者である(第49条第1項)．

第2に，公認心理師でない者が公認心理師の名称を用いる行為や，公認心理師でない者がその名称中に心理師という名称を用いた場合(第44条)である．

■ 引用・参考文献
1) 木村草太：キヨミズ准教授の法学入門．星海社発行/講談社発売，2012
2) 岩下雅充：心理臨床における守秘義務と刑事裁判での証言．心理臨床の法と倫理(伊原千晶編著)，p109-136，日本評論社，2012
3) 池田真朗編：プレステップ法学．第3版，弘文堂，2016
4) 田中成明：法学入門．新版，有斐閣，2016

用語解説

＊10 告訴
告訴とは，犯罪の被害者が犯人の刑事訴追を捜査機関に求める意思表示のことである(刑事訴訟法第230条)．公訴とは，検察官が被疑者を刑事裁判に提起することをいう(刑事訴訟法第248条，第249条を参照)．

24章 関係行政論

2 保健医療分野に関する法

1 医療との関係

1 医療法

「医療法」の目的は，①医療を受ける者の利益を保護すること，②良質かつ適切な医療を効率的に提供する体制を確保すること，③国民の健康の保持に寄与すること，である．これらを実現するため，同法は，医療を受ける者が医療を適切に選択できるよう必要な事項を定め，また医療機関の開設や管理などを定める（第1条）．

医療を提供することの理念として，次のことがあげられている．医療は，①生命の尊重と個人の尊厳の保持を旨としなければならないこと，②医師等と医療を受ける側の信頼関係に基づかなければならないこと，③医療を受ける側の心身の状況に応じて行われるべきこと，④疾病の予防やリハビリテーションも含め，良質のものでなければならないこと，である（第1条の2）．医療機関としては，病院，診療所，介護老人保健施設，介護医療院，助産所，がある．

医療の安全確保に関し，必要な措置をとることを，国や都道府県等に義務づけている（第6条の9および同条の13）．ここでは，医療事故と院内感染についてふれる．病院など医療機関で医療事故が発生した場合，病院等管理者はその事故を「医療事故調査・支援センター」に報告し，原因を調査しなければならない（第6条の10，および第6条の15以下）．平成26年6月の改正で新たに導入された制度である．

つぎに，病院等管理者には，医療の安全に関する体制を整えることが義務づけられている（医療法施行規則第1条の11第1項）．院内感染対策については，以下の対策を同管理者はとらなければならない（同規則同条第2項）．①院内感染対策のための指針の策定，②同対策のための委員会の開催，③従業員に対する同対策のための研修の実施，④院内感染の発生状況の報告，同対策の改善策の実施，である．

都道府県には，地域に即した医療を提供するための体制を確保するための計画（医療計画）*1を策定することが義務づけられている（第30条の4）．

2 医師法

「医師法」とは，免許や業務など，医師の一切のことについて定める法である．

医師の任務は，医療および保健指導をつかさどることによって公衆衛生の向上および推進に寄与し，それによって国民の健康な生活を確保することにある（第1条）．医師の資格は免許制であり，医師になろうとする者は医師国家試験に合格し，厚生労働大臣の免許を受けなければならない（第2条）．

医師の業務については次のように規定している．第1に，医業（医行為）は医師のみがなしうる（第17条）．医業とは，医師が行うのでなければ保健衛生上危害を生ずるおそれのある行為である（東京地方裁判所平成6年3月30日判決，最

用語解説

＊1 医療計画制度

この制度は，「地域における医療及び介護の総合的な確保の促進に関する法律」第3条第1項の総合確保方針に由来する．この総合確保方針とは，地域において効率的に質の高い医療を提供することや地域包括ケアシステム（高齢者が地域において自立した生活を送れるよう，医療や介護，介護予防の対策）を確立するための方針である．

医療計画においては，医療連携体制（医療提供施設が相互に役割分担および連携する体制）や，救急医療，災害時における医療，へき地の医療，周産期医療，小児医療などの救急医療の体制，地域医療構想に関する事項，医療従事者の確保に関する規定などを定める．

高裁判所刑事判例集51巻8号689頁など）．医行為は人の身体への侵襲を伴う行為であるから，原則的にこれを禁止しつつ，医師の免許をもつ者にかぎって許されている．なお，医行為には，医師のみがなしうる行為（絶対的医行為）と医師の指示の下になされる行為（相対的医行為）がある．たとえばチーム医療では，医師や看護師，技師などが話し合い，役割を分担し，患者の治療にあたるが，これは絶対的医行為と相対的医行為という秩序のなかで行われることになる．

公認心理師は相対的医行為の範囲でかかわることになろうが，医師（とくに精神科医師）と公認心理師との関係については，公認心理師法第42条第2項との関係で議論がある（➡ p.502 第24章1節参照）．

第2に，医師でなければ，医師またはこれに紛らわしい名称を使用してはならない（第18条）．医業は医師のみがなしうる独占業務であり，名称も独占される．

第3に，診療や治療の求めがあったときは，正当な理由がないかぎり拒むことはできない（第19条）．この規定は患者を保護するための規定であり，診療を拒否したことにより患者に損害を与えた場合は，医師の過失が推定される（千葉地方裁判所昭和61年7月25日判決，判例時報1220号118頁）．

第4に，診察をしないで治療をし，診断書や処方箋などを交付することが禁止されている（第20条）．

第5に，患者に対し治療上薬剤を調剤して投与する必要があると認めた場合は，患者などに対して処方箋を交付しなければならない（第22条）．

なお，医師は，診療をしたときは，遅滞なく診療に関する事項を診療録に記載しなければならない（第24条）．診療録の保管期間は5年であり（同条第2項），診察室や手術室，処置室，臨床検査施設に記録を備えておかなければならない（医療法第21条）．医療関係者と連携する際，公認心理師もさまざまな記録を記すことになるが，これらの法がその参考になろう．

3 ● 保健師助産師看護師法

本法は，保健師や助産師，看護師，准看護師の業務などを定めている．

保健師は保健指導に従事する（第2条）．指導対象は個人だけでなく地域も含まれ，公衆衛生の向上に寄与する．助産師は，助産や妊婦・褥婦（出産後の母体）・新生児の保健指導を行う（第3条）．看護師は，傷病者や褥婦に対する療養上の世話や診療の補助を行う（第5条）．准看護師は，医師，歯科医師，看護師の指示を受けて，傷病者や褥婦に対する療養上の世話や診療の補助を行う．いずれも免許制であるが，准看護師は都道府県知事の免許であり，それ以外はいずれも厚生労働大臣の免許である．

これら四者は，一部の例外を除き，医療行為が禁止されている．すなわち，主治の医師または歯科医師の指示があった場合を除くほか，診療機械を使用すること，医薬品について指示すること，医師または歯科医師が行うのでなければ衛生上危害を生じるおそれのある行為をしてはならない（第37条）．

2 精神保健

1. 精神保健福祉法（精神保健及び精神障害者福祉に関する法律）
①概要
「精神保健福祉法」は，2つの柱から構成されている．第1に，精神障害者の医療および保護を行うことである．第2に，精神障害者の社会復帰の促進，自立，社会経済活動への参加に対する支援を行うことである（第1条）．後者は福祉的側面であり，「障害者の社会的自立を目指す障害者の日常生活及び社会生活を総合的に支援するための法律」と密接に関係している．

精神保健福祉法の要となる組織が，精神保健福祉センター，地方精神保健福祉審議会および精神医療審査会である．

精神保健福祉センターは都道府県により設置される（第6条第1項）．主な業務としては，精神保健や精神障害者の福祉に関し，①知識の普及をはかり，調査研究を行うこと，②複雑または困難な相談および指導にあたること，③精神医療審査会の事務を行うこと，④精神障害者保健福祉手帳の交付申請に対する決定や自立支援医療費の支給に関する事務を行うこと，などである（第6条第2項各号）．

地方精神保健福祉審議会とは都道府県が条例により設置できる合議制の機関である（第9条第1項）．ここでは，精神保健福祉に関して，都道府県知事の諮問に答えるほか，都道府県知事に対し意見を申し述べることができる（第9条第2項）．

精神医療審査会とは，措置入院や医療保護入院を担当する精神科病院や指定病院の管理者からの定期的な報告や，精神科病院に入院中の者およびその家族などからの退院を求める請求や処遇改善措置を求める請求等に関する審査を行う（第12条）．都道府県に設置され，学識経験者5名から構成される合議体である（第13条，14条）．

②医療・保護
精神障害者に対する医療・保護の中心になるのは入院である．その入退院の判断に際し重要な役割を担うのが，精神保健指定医である．厚生労働大臣は，申請に基づき，職務に必要な知識や技能を有する者を，精神保健指定医（以下，指定医）に指定する（第18条第1項）．その条件とは，5年以上，診断または治療に従事した経験を有すること，3年以上，精神障害の診断または治療に従事した経験を有することなどであり，そのいずれにも該当しなければならない．

法が定める入院には以下のようなものがある（表1）．

第1に，任意入院である．病院の管理者は精神障害者本人の同意に基づいて入院が行われるよう努めなければならない（第20条）．

第2に，措置入院である（第29条以下）．警察官や検察官，保護観察所の長，矯正施設の長，精神科病院の管理者，心神喪失など医療観察法の指定通院医療機関の管理者および保護観察所の長からの通報や届出に基づいて，都道府県知事は調査のうえ，必要があると認めるときは，指定医に診察させなければならない（第23条，24条，25条，26条，27条）．

診察した精神保健指定医は，その者が精神障害者であり，かつ，医療および保護のため入院させなければ自傷他害のおそれがあるかどうかの判定を行わなけれ

ばならない(第28条の2).都道府県知事は,その者が精神障害者であり,かつ,自傷他害のおそれがあることについて,2名以上の指定医による診察の結果が一致したときは,その者を精神科病院などに入院させることができる(第29条).

第3に,医療保護入院である.精神科病院の管理者は,指定医による診察の結果,本人が精神障害者であり,かつ医療および保護のため入院の必要がある者であって,精神障害のため本人から同意を得ることができない場合は,家族等の同意があるときは,本人の同意がなくても入院させることができる(第33条).家族がいない場合は市区町村長の同意があればよい(第33条第3項).

第4に,応急入院である(第33条の7).精神科病院の管理者は,医療および保護の依頼があった者について,急速を要し,その家族の同意が得られない場合は,72時間を限度に,その者を入院させることができる.それが許されるのは,指定医の診察の結果,その者が精神障害者であり,ただちに入院させないと医療および保護をはかるうえで著しく支障をきたし,任意入院が行われる状態にない場合などである.

■ 表1 入院の形態

入院の形態	判定者	同意有無	特徴
任意入院	医師	本人の同意	・精神保健指定医の診察は不要
措置入院	指定医(2名)	不要	・対象は,自傷他害のおそれのある精神障害者 ・精神保健指定医2名の診断により決定,都道府県知事が措置
緊急措置入院	指定医(1名)	不要	・緊急性の高い場合,72時間以内に制限のうえ,措置
医療保護入院	指定医	家族等の同意	・対象は,自傷他害のおそれはないものの,任意入院を行う状態ではない精神障害者 ・精神保健指定医または特定医師の診断により決定 ・精神保健指定医の場合,72時間以内に制限され,特定医師の場合12時間以内に制限
応急入院	指定医	不要	・対象は,入院の必要がある精神障害者で,任意入院の状態になく,急を要し,家族等の同意が得られない状況にある者 ・精神保健指定医または特定医師の診断により決定 ・精神保健指定医の場合,72時間以内に制限され,特定医師の場合12時間以内に制限

(厚生労働省:医療保護入院制度について.
https://www.mhlw.go.jp/file/05-Shingikai-12201000-Shakaiengokyokushougaihokenfukushibu-Kikakuka/0000115952.pdf より2020年2月26日検索)

③社会復帰

精神障害者の社会復帰を支援するのは精神保健福祉士の任務である.精神保健福祉士の主な業務は,精神科病院において医療を受け,または,社会復帰促進のための施設を利用している精神障害者に対して,①障害者総合支援法に基づく地

域相談支援の利用に関する相談やその他社会復帰に関する相談に応じること，②助言，指導，日常生活への適応のために必要な訓練および援助を行うこと，である(精神保健福祉士法第2条)．精神保健福祉士は，精神保健福祉相談員として精神保健福祉センターなどに配置され，精神保健や精神障害者福祉の相談に応じ，精神障害者やその家族を訪問し必要な指導を行う(精神保健福祉法第48条第1項)．

精神障害者が社会復帰を行う際に必要なのが，精神障害者保健福祉手帳である．居住地の都道府県知事がその交付の審査にあたる．精神障害者保健福祉手帳には，精神障害の程度が記載される．その程度は，精神障害が日常生活に及ぼす影響をふまえ，3つの級に分類されている(精神保健福祉法施行令第6条)．精神障害状態については2年ごとに都道府県知事の認定を受けなければならない．

2 自殺対策基本法

1998（平成10)年に年間の自殺者が3万人を超え(3万2,863人)，2003（平成15)年にはその数がピークに達した(3万4,427人)．人口10万人あたりの自殺者数(自殺死亡率)も同年には40.0に達した．これを受けて，自殺者数の減少を目指して2006（平成18)年に制定されたのが，「自殺対策基本法」である．

自殺は個人の問題として考えられる傾向があったが，本法は，自殺は追い込まれて行われるものであるとの認識に立ち(第2条第2項)，自殺を社会的に防ぐことや自殺者の遺族への支援を行うことを目的としている(第1条)．

自殺対策の基本的理念として，個人が生きがいや希望をもって暮らせるよう，その妨げとなる諸要因を解消するための支援と，それを支え促進するための環境整備の充実に努めなければならない，としている．そのうえで自殺対策は，①自殺の背景には多様かつ社会的な要因があることをふまえ，精神保健的観点だけでなく，自殺の実態に即さなければならないこと，②自殺の事前予防，自殺発生の危機への対応，③自殺が発生した後，自殺が未遂に終わった後の事後対応，の段階に応じて，効果的でなければならないこと，④自殺対策は，保健，医療，福祉，教育，労働その他の関連施策との有機的な連携がはかられ，総合的に実施されなければならないこと，をふまえなければならないとしている(第2条)．

国には自殺総合対策大綱(第12条)を，都道府県および市町村には同大綱および地域の実情に即して自殺対策計画(第13条)を策定することが義務づけられている．

3 健康や医療を支える法律

1 健康増進法

急速な高齢化や疾病構造の変化をふまえ，国民の健康増進をはかるための措置を講ずることが本法の目的である(第1条)．国民は，健康な生活習慣の重要性を認識し，生涯にわたって自己の健康増進に努めなければならない(第2条)．また，国や都道府県，市町村，健康推進事業実施者，医療機関などは，相互に連携して健康増進を推進することに努めなければならない(第4条)．保健指導に関する業

務は，市町村が中核となって医師，歯科医師，薬剤師などが行う(第17条)．

2 ● 地域保健法および母子保健法

「地域保健法」は，後述する母子保健法をはじめ地域住民の健康増進およびその保持を目指す法である(第1条)．その中核的機関が保健所である(第5条第1項)．保健所は，地域の衛生や地域住民の心身の健康などに関することについて，企画や調整，指導を実施し，必要な事業を行う(第6条)．

「母子保健法」の目的は，母性や乳児，幼児の健康保持ならびにその増進をはかることである(第1条)．都道府県ならびに市町村が実施すべき主な施策として，妊産婦やその配偶者，乳幼児の保護者に対する保健指導(第10条)や新生児の訪問指導(第11条)，幼児，妊産婦や乳幼児などに対する健康診査(第12条第1項，第13条第1項)がある．市町村は妊娠を届け出た者に対して母子健康手帳を交付しなければならない(第16条)．市町村に設置が求められている母子健康包括センター(第22条)においては，母子の健康増進に関する実情を把握したり，母子保健の各種相談に応じたり，児童福祉機関と連絡調整に当たることなどが行われる．

3 ● 医療保険制度

「医療保険制度」とは，被保険者およびその被扶養者の疾病，負傷，死亡または出産の際に保険給付するものである．わが国の医療保険制度の特徴は，国民がすべてなんらかの医療保険に加入している点にある．1958年に制定された「国民健康保険法」に基づき，国民健康保険事業が1961年より開始された．これにより，農業従事者や個人事業主など国民の約3割に上るといわれた無保険者の問題が解消され，国民皆保険が実現した．

医療保険は，個人事業主や年金受給者，非正規雇用労働者などが加入する国民健康保険，中小企業で働く従業員などが加入する全国健康保険協会(協会けんぽ)，大企業で働く従業員などが加入する健康保険組合，公務員などが加入する共済組合，75歳以上の者が加入する後期高齢者医療制度[*2]，から成り立っている．

皆保険を実現するため，医療保険の財源には，保険料だけでなく税金も投入されている．医療費の個人負担割合は，6歳未満は2割，6歳以上70歳未満は3割，70歳以上は，現役なみの収入のある人は3割，そのほかは75歳までは2割，75歳以上は1割(現役なみ所得者は3割)である．

病院や調剤薬局などの保険医療機関は各保険組合から診療報酬の支払いを受けるが，保険医療機関からの診療報酬請求は審査支払機関(社会保険診療報酬支払基金，国民健康保険団体連合会)の審査を受けなければならない．

4 ● 介護保険制度

「介護保険法」は1997年に制定され，介護保険制度は2000年より実施されている．加齢に伴う疾病等により要介護状態となり，入浴，排せつ，食事等の介護，機能訓練ならびに看護および療養上の管理その他の医療を要する者等について，介護保険制度は，必要な保健医療サービスおよび福祉サービスに係る給付を行う

用語解説

＊2 後期高齢者医療制度
増加する高齢者の医療費を適正に負担し，国民皆保険制度を将来も維持するために，平成20年4月から開始された新たな医療保険制度．従来の「老人保健法」が改正され，同法に代わり，「高齢者の医療の確保に関する法律」が本制度の根拠法となっている．

(同法1条).

　介護保険導入前においては，老人福祉と老人医療において介護が提供されていた．しかし，介護目的で長期にわたり入院することが問題となったり，所得に応じた制度であったため中高額所得者の負担感が増したりするなどの問題が生じていた．そこで，高齢社会を想定し，社会全体で介護の負担を分かち合うため，同制度が創設された．

　財源は公費(税金など)と保険料から賄われ，それぞれ5割を負担する．利用者はどの程度の介護や支援が必要かの判定を受ける．その要介護度(1～5段階)や要支援度(1～2段階)に応じて必要なサービスを受ける．原則としてサービス等料の1割を負担する．

　介護サービスの主なものとして，訪問系(訪問介護，訪問看護など)，通所系(デイサービスなど)，短期滞在系(ショート・ステイなど)，住居系(有料老人ホームなど)，入所系(特別養護老人ホームなど)がある．要支援者に対しては，介護予防サービスが用意されている．

■ 参考文献
1) 厚生労働省：心神喪失者等医療観察法 1 心神喪失者等医療観察法の概要
　 https://www.mhlw.go.jp/stf/seisakunitsuite/bunya/hukushi_kaigo/shougaishahukushi/sinsin/gaiyo.html　より2020年2月4日検索
2) 手嶋豊：医事法入門．第4版，有斐閣，2015
3) 日本精神科病院協会監：精神保健福祉法の最新知識－歴史と臨床実務．3訂，中央法規出版，2015
4) 大谷實：新版 精神保健福祉法講義．第3版，成文堂，2017
5) 厚生労働省：公的介護保険制度の現状と今後の役割(平成30年度)
　 https://www.mhlw.go.jp/content/0000213177.pdf より2020年1月29日検索

24章 関係行政論

3 福祉分野に関する法

1 生活保護法

　生活に困窮しているすべての国民に対し，困窮の程度に応じ，必要な保護を行い，最低限度の生活を保障するのが，「生活保護法」の目的である(第1条)．生活保護制度の根拠となっているのが憲法第25条第1項の社会権である．これを受けて，生活保護は無差別平等の原則に基づいて行われ(第2条)，最低限度の生活を保障するものでなければならない(第3条)とされている．

　生活保護の種類としては，生活扶助，教育扶助，住宅扶助，医療扶助，介護扶助，出産扶助，生業扶助，葬祭扶助がある(第11条)．生活保護を実施する主な機関は福祉事務所である(第19条)．心身の状況に応じて生活保護者を保護する機関としては，救護施設，更生施設，医療保護施設，授産施設，宿所提供施設がある(第38条第1項)．

　なお，現に経済的に困窮し，最低限度の生活を維持することができなくなるおそれのある者に対する自立を促す法として，「生活困窮者自立支援法」がある．同法は，都道府県や市，福祉事務所を設置する町村に対し，生活困窮者に対する諸事業，すなわち自立相談支援事業や就労準備支援事業，就労訓練事業，住居確保給付金の支給，一時生活支援事業，家計相談支援事業，生活困窮世帯の子どもに対する学習支援事業，を講ずることを義務づけている．

2 児童福祉に関する法

1 児童福祉法

①目的

　第1条で，児童[*1]の権利が規定されている．すなわち，児童の権利とは，「児童の権利に関する条約」[*2]の精神にのっとり，①適切に養育されること，②その生活を保障されること，③愛され保護されること，④その心身の健やかな成長および発達，自立がはかられること，⑤そのほかの福祉を等しく保障されること，である．

　「児童の権利に関する条約」の精神，という文言は，2016（平成28）年の改正の際に新たに盛り込まれたものである．同条約によれば，児童は，人格の完全かつ調和のとれた発達のため，家庭環境の下で幸福，愛情および理解のある雰囲気のなかで成長すべき存在である(条約前文)とし，締約国は，すべての児童が生命に対する固有の権利を有することを認め，その生存および発達を可能な最大限の範囲において確保することが義務づけられている(条約第6条)．こうした児童という存在を，国民全体で支え，児童の保護者がその第一義的責任を負う(第2条第1項，2項)．

　国や地方公共団体は，児童が家庭において健やかに養育されるよう，保護者を支援するとともに，児童を家庭において養育することが困難である場合や，それが

📖 **用語解説**

＊1　児童
　児童とは18歳未満の者をいい，1歳未満を乳児，満1歳から小学校就学の始期に達するまでの者を幼児，小学校就学の始期から18歳に達するまでの者を少年，としている（児童福祉法第4条第1項）．

📖 **用語解説**

＊2　児童の権利に関する条約
　児童の権利を保障するために国際連合総会が1989年11月に採択した条約．わが国は1994年に批准している．

適当でない場合には，家庭における養育環境と同様の養育環境あるいはより良好な家庭的環境において児童が養育されるよう，必要な措置を講じなければならない(第3条の2)．

②児童相談所

保護を要する児童を発見した者は，市町村，福祉事務所[*3]，児童相談所へ通告しなければならない(第25条第1項)．通告を受けた場合，必要があると認めたときは，これらの機関はすみやかに児童の状況を把握しなければならない(第25条の6)．

要保護児童に対する児童福祉法による対応は，福祉事務所や市町村，児童相談所が担い，それぞれ役割を分担して行われている(図1)[1])．そして，福祉事務所や市町村のレベルで対応が可能なものについては，その段階で援助等がなされている．児童相談所も要保護児童に対する援助等の対応にあたっているが，次の点でほかの機関とは異なる．すなわち児童相談所は，要保護児童について，都道府県による最終的な福祉的措置を決める際に医学的，心理学的，教育学的，社会学的および精神保健上の資料を得る場である(第25条の7第1項第1号，第25条の8第1項第1号参照)だけでなく，児童虐待の防止のために重要な役割を果たしている(児童虐待の防止等に関する法律第8条第2項など)．さらに警察官から送致された触法少年(少年法第6条の6，第6条の7)や家庭裁判所の決定によ

用語解説

*3 福祉事務所(福祉に関する事務所)
　社会福祉法14条に定める組織．都道府県および市町村に条例を制定することにより設置される．児童福祉法は，担当業務に含まれる．

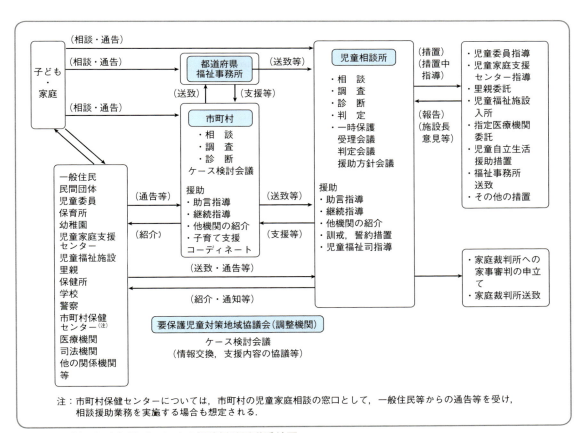

図1　市町村・児童相談所における相談援助活動系統図
(厚生労働省：児童相談所の運営指針について https://www.mhlw.go.jp/bunya/kodomo/dv-soudanjo-kai-zuhyou.html より2020年2月4日検索)

り児童福祉法による措置が相当とされた少年(少年法第18条第1項)への対応にもあたる(児童福祉法第26条1項,あわせて第33条以下も参照のこと).

児童相談所は都道府県により設置される(第12条1項).児童相談所の主な任務は,①児童に関する相談のうち専門的な知識や技術を必要とするものに応じること,②児童およびその家庭について,必要な調査を行い,ならびに医学的,心理学的,教育学的,社会学的,精神保健上の判定を行うこと,③②の調査や判定に基づき指導を行うこと,④児童を一時保護すること,⑤里親に関する業務を行うこと,⑥養子縁組の関係者の相談に応じ,それらに対して情報の提供,助言などを行うこと,である(第12条第2項,第11条第1項).

児童相談所では多様な職員が任務にあたっているが,ここでは児童福祉司(第13条,14条,15条)と児童心理司(厚生労働省の児童相談所運営指針第2章第4節17)を取り上げる.児童福祉司は,相談を受け,調査や判定などをふまえて,指導方針の策定にあたる.児童心理司は,児童などの心理学的調査ならびに判定を担当する.いずれも,地方上級公務員試験に合格し,地方公務員として採用されている者から採用される任用資格である.

③児童福祉施設

児童福祉法は,児童福祉施設として次のようなものを列挙している.

①助産施設(同法36条),②乳児院(37条),③母子生活支援施設(38条),④保育所(39条),⑤幼保連携型認定こども園(39条の2),⑥児童厚生施設(40条),⑦児童養護施設(41条),⑧障害児入所施設(42条),⑨児童発達支援センター(43条),⑩児童心理治療施設(43条の2),⑪児童自立支援施設(44条),⑫児童家庭支援センター(45条).さらに児童養護施設や児童自立支援施設を出た後も,その人が22歳まで社会的養護を受けることができる施設として,自立援助ホーム(6条の2第1項,33条の6の「児童自立生活援助事業」として)がある.

2 • 児童虐待の防止等に関する法律(児童虐待防止法)

児童に対して刑法上の犯罪(暴行罪,傷害罪,強制わいせつ罪など)を行うことは当然に禁止されている.しかし,それだけでなく,福祉的観点から児童を保護するために児童福祉法第34条第1項において禁止されている行為もある[*4].

児童虐待が,刑法や児童福祉法の規定に反することは明白である.しかしながら,家庭内という閉鎖された空間のなかで起こるため,事件の発見が遅くなるなどして,子どもが犠牲になることが少なくなかった.このため,児童への虐待はそれ自体禁止されるべきものであることを宣言すると同時に,児童虐待の予防,早期発見,虐待された児童への支援などを定めたのが本法である.

児童虐待とは,保護者が監護する児童(18歳未満)に対して以下のことを行うことをいう(第2条).①身体に外傷が生じ,または,そのおそれのある暴行を加えること,②わいせつな行為をすること,または,わいせつな行為をさせること,③保護者としての監護を著しく怠る行為(減食や放置,同居人による虐待),④児童に著しい心理的外傷を与える言動,である.そのうえで,何人も児童虐待をしてはならないと宣言している(第3条).親権者が,親権を根拠に,児童虐待にかかる暴行罪や傷害罪など犯罪を行うことは許されず,その責任を負う(第14条

用語解説

＊4　児童福祉法の禁止行為

児童に淫行をさせる行為や,児童の心身に有害な影響を与える行為を行う目的で児童を自己の支配下におく行為など,11行為が禁止されている.なお,児童買春,児童ポルノに係る行為等の規則及び処罰並びに児童の保護等に関する法律(児童買春・ポルノ処罰法)は,児童に対する性的搾取や性的虐待を防止するため,児童買春を禁止し,児童ポルノに関する行為を規制しており,児童をより手厚く保護している.

第2項).さらに,親権者がしつけのために体罰を加えることも禁止されている(第14条1項).

児童虐待を発見した者は,すみやかに,福祉事務所または児童相談所に通告しなければならない(第6条第1項).通告を受けた福祉事務所や児童相談所は児童福祉法の手続に従い,児童を保護するなどの措置をとる.

都道府県知事は,児童虐待が行われているおそれがあると認めるときは,児童委員や児童福祉に従事する職員をして,保護者の出頭を要求し調査や質問をすること(第8条の2),立入調査などをすることができ(第9条),こうした調査を正当な理由がなく保護者が拒んだ場合,地方裁判所または家庭裁判所,簡易裁判所の発する許可状により,児童の住所や居所に臨検し児童を捜索することができる(第9条の3).児童虐待を受けた児童を児童福祉法により施設に入所などさせ,または,一時保護している場合は,保護者との面会や通信を制限することができる(第12条).なお,児童とかかわる立場にある者は,児童相談所や福祉事務所から虐待された児童に関する資料や情報を提供するよう求められたときは,児童虐待の防止などのため相当な理由があるときは,その情報を提供することができる(第13条の4).

3 高齢者福祉に関する法

1・老人福祉法

心身の健康の保持および生活の安定のための措置を講じ,老人の福祉をはかることが本法の目的である(第1条).その基本理念は,老人を敬愛すると同時に,老人が生きがいをもてる生活を保障することである(第2条).

主たる事業は老人居宅生活支援事業である.この事業とは,65歳以上で,心身に障害があるため日常生活を送るのが困難な人たちの生活を支援する事業である(第5条の2第2項以下).老人居宅介護等事業,老人デイサービス事業,老人短期入所事業,小規模多機能型居宅介護事業,認知症対応型老人共同生活援助事業,複合型サービス福祉事業がある(第5条の2).老人福祉施設としては,老人デイサービスセンター,老人短期入所施設,養護老人ホーム,特別養護老人ホーム,軽費老人ホーム,老人福祉センター,老人介護支援センターがある(第5条の3).

中心となるのは市町村および福祉事務所であり(第5条の4,5),福祉事務所には福祉事務所長の指揮監督を受け,かつ,老人福祉の事務に当たる福祉主事を置かなければならない(第6条).

2・高齢者虐待防止法

65歳以上の高齢者に対する養護者や施設従事者による虐待を防止する目的で制定されたのが,「高齢者虐待の防止,高齢者の養護者に対する支援等に関する法律(高齢者虐待防止法)」である.身体的虐待,放置・放棄,心理的虐待,性的虐待,経済的虐待を,養護者や施設従事者に禁じている.施設従事者による虐待を防止するため,苦情制度を整えるよう事業者に義務づけている.他方で,養護者の負担を軽減する支援も市町村に義務づけている.

3 ● 新オレンジプラン

認知症対策も急務である．厚生労働省は「認知症施策推進総合戦略（新オレンジプラン）」を策定している．同プランによれば，①認知症への理解を深めるための普及・啓発の推進，②認知症の容態に応じた適時・適切な医療・介護等の提供，③若年性認知症への施策強化，④認知症の人の介護者への支援，⑤認知症を含む高齢者にやさしい地域づくり，⑥認知症の予防法，診断法，治療法，リハビリテーションモデル，介護モデル等の研究開発およびその成果の普及の推進，⑦認知症の人やその家族の視点の重視，を掲げている[2]．それだけでなく，認知症の人に適切な保険料サービス・福祉サービスを提供するため，国や地方公共団体に対し，認知症やその人の特性に応じた介護などの調査研究を義務づけている（介護保険法第5条の2）．

4　障害者福祉に関する法

1 ● 障害者基本法

もとの法律名は昭和45（1970）年に制定された「心身障害者基本対策法」である．平成5（1997）年の改正時にいまの名称に変更された．平成16（2004）年の同法改正においては，障害を理由とした差別を禁止することや障害者計画の策定を都道府県や市町村に義務づけることなどが法に盛り込まれた．平成19（2007）年に日本政府が国連の障害者権利条約に署名したことを受け，平成23（2011）年の同法改正において，障害者の社会生活を妨げる社会的障壁の除去に関する規定や国際協調に関する規定も盛り込まれた．

同法1条は，障害者の自立と社会参加を支援するための総合政策を実施するため，以下を定める．①障害の有無にかかわらず，等しく基本的人権を享有するかけがえのない個人として尊重されるものであるとの理念に立脚すること，②障害の有無によって分け隔てられることなく，相互に人格と個性を尊重し合いながら共生する社会を実現すること，③国や都道府県，市町村はその責務を負うこと．

なお，同法は障害者を，「身体障害，知的障害，精神障害（発達障害を含む．）その他の心身の機能の障害（以下「障害」と総称する．）がある者であって，障害及び社会的障壁により継続的に日常生活又は社会生活に相当な制限を受ける状態にあるもの」と定義づける（同法2条1号）．

2 ● 障害者福祉に関連する法律

障害者に対する福祉は，保護よりもその自立支援へ重点が移りつつある．

「障害者の日常生活及び社会生活を総合的に支援するための法律（障害者総合支援法）」とは，障害者および障害児が基本的人権を享有する個人としての尊厳にふさわしい日常生活または社会生活を営むことができるよう，必要な障害福祉サービスにかかる給付，地域生活支援事業その他の支援を総合的に行い，もって障害者および障害児の福祉の増進をはかる[*5]とともに，障害の有無にかかわらず国民が相互に人格と個性を尊重し安心して暮らすことのできる地域社会の実現に寄与することを目的とする（第1条）法律である．障害者や障害児が日常生活や社会生活を営むことへの支援に重点がおかれている．障害者とは，18歳以上の身

用語解説

＊5　障害福祉計画
　障害者総合支援法87条1項に基づき，障害福祉サービスや相談事業，地域生活支援事業を円滑に実施するために，市町村や都道府県に義務づけられた計画のことである．障害福祉サービスとは，居宅介護，重度訪問介護，同行援護，行動援護，療養介護，生活介護，短期入所，重度障害者等包括支援，施設入所支援，自立訓練，就労移行支援，就労継続支援，就労定着支援，自立生活援助及び共同生活援助である（同法5条1項）．地域生活支援事業とは，障害者が自立した生活を送ることができるようにするための諸事業である（同法77条）．障害福祉サービスを受けるにあたり成年後見制度の利用が必要な人への支援も含まれる．

体障害者や知的障害者，精神障害者(発達障害も含む)，および難病を患っている一定程度の障害を負う者をいう(第4条第1項).

「障害を理由とする差別の解消の推進に関する法律(障害者差別解消法)」は，社会的障壁，すなわち「障害がある者にとって日常生活又は社会生活を営む上で障壁となるような社会における事物，制度，慣行，観念その他一切のもの」(第2条第2号)を解消することを，国や地方公共団体，事業者に義務づける法律である．障害者が自立するための社会的条件を整える役割を同法は負っている．

「障害者虐待の防止，障害者の養護者に対する支援等に関する法律(障害者虐待防止法)」は，養護者や施設従事者，使用者から，身体的虐待，放棄・放置，心理的虐待，性的虐待，経済的虐待を防止するための法律であり(第1条)，市町村障害者虐待防止センターや都道府県障害者権利擁護センターがその主たる役割を担う(第32条第1項，第36条第1項).

3 ● 発達障害者支援法

自閉症，アスペルガー症候群その他の広汎性発達障害，学習障害，注意欠陥多動性障害その他これに類する脳機能の障害であって，その症状が通常低年齢において発現する障害をもつ人(同法2条1項)への支援政策を定める．発達障害者が基本的人権を享有する個人としての尊厳にふさわしい日常生活または社会生活を営むことができるよう，発達障害の早期発見や発達支援に対する国および地方公共団体の責務，学校教育における支援，発達障害者の就労の支援，発達障害者支援センターの指定などについて規定する(同法1条).

支援政策の基本理念として3点を掲げる(同法2条の2)．①発達障害者の支援は，すべての発達障害者が社会参加の機会が確保されることおよびどこで誰と生活するかについての選択の機会が確保され，地域社会において他の人々と共生することを妨げられないことを旨として，行われなければならないこと，②発達障害者の支援は，社会的障壁の除去に資することを旨として，行われなければならないこと，③発達障害者の支援は，個々の発達障害者の性別，年齢，障害の状態および生活の実態に応じて，かつ，医療，保健，福祉，教育，労働等に関する業務を行う関係機関および民間団体相互の緊密な連携の下に，その意思決定の支援に配慮しつつ，切れ目なく行うこと，である．

5 成年後見制度

認知症や知的障害，精神的障害などのため，自己の財産を十分に管理し得ない場面が想定される．自己の預貯金の管理や福祉・介護サービスの契約の締結などにおいて困難をきたすことも考えられる．また，そうした事情から詐欺や悪質商法の被害に遭いやすい．こうした人々の財産を法的に保護するのが成年後見制度である．事理を弁識する能力の程度に応じて，成年後見，保佐，補助の3つの区分がある．その能力を確かめるために，家庭裁判所の審判において精神鑑定や診断がなされる．

成年後見とは，精神上の障害により事理を弁識する能力を欠く常況にある者を

対象としている(民法第7条).人と人との取引は自由であるが(私的自治の原則),取引を行うためには,意思を形成する力,それを行為に表す力が備わっていなければならない(意思能力).事理を弁識する能力とは,意思能力があることを前提としたうえで,法律行為による利害得失を理解することができ,判断する力のことをいう.家庭裁判所は,本人,配偶者,四親等内の親族等の請求により,成年後見人をつけるか否かの審判を開始する.成年後見人がつけられた人(成年被後見人)は,日常用品の購入など日常生活に関する場合を除き,契約などを取り消す[*6]ことができる(民法第9条).

保佐とは,精神上の障害により,事理を弁識する能力が著しく不十分である者を対象としている(民法第11条).家庭裁判所は,本人,配偶者,四親等内の親族等の請求により,保佐人をつけるか否かの審判を開始する.保佐人がつけられた人(被保佐人)は,日常生活に関する場合を除き,預貯金を払い戻したり,借金をしたり,不動産の売買契約など,一定の重要な法律行為については保佐人の同意を必要とする(民法第13条第1項).

補助とは,精神上の障害により,事理を弁識する能力が不十分である者を対象としている.家庭裁判所は,本人,配偶者,四親等内の親族等の請求により,補助人をつけるか否かの審判を開始する(民法第15条).補助人をつけられた人(被補助人)は特定の法律行為について補助人の同意を得なければならない.しかしながら,成年被後見人や被保佐人と比べ,補助人の同意を要する法律行為は非常に限定されている(民法第17条第1項).

用語解説

*6 取消
　民法においては,法律関係の効果を否定する仕組みがある.取消とはいったん成立した法律関係をあとから解消することである.ちなみに,無効という制度もあり,この場合は最初から法律関係は効力を生じない.

■ 引用・参考文献
1) 厚生労働省:児童相談所の運営指針について
　　https://www.mhlw.go.jp/bunya/kodomo/dv-soudanjo-kai-zuhyou.htmlより2020年2月4日検索
2) 厚生労働省:認知症施策推進総合戦略(新オレンジプラン)
　　https://www.mhlw.go.jp/stf/houdou/0000072246.htmlより2020年2月4日検索
3) 厚生労働省政策統括官(統計・情報政策担当):平成29年我が国の人口動態―平成27年までの動向.p35,厚生労働統計協会,2017
4) 野崎和義:福祉法学.ミネルヴァ書房,2013
5) 新井誠ほか編:成年後見制度―法の理論と実務.第2版,有斐閣,2014
6) 山縣文治編:よくわかる子ども家庭福祉.第9版,やわらかアカデミズム・〈わかる〉シリーズ,ミネルヴァ書房,2014

4 ● 教育分野に関する法

24章
関係行政論

　1995年に学校臨床心理士（スクールカウンセラー）が公立学校へ導入されて以来，心理専門職への期待が教育分野において高まっている．いじめが起こった場合は被害者への支援が必要であり，刑事事件が起こった場合は当事者以外の児童や生徒の動揺を受け止めなければならない．不登校の児童・生徒への支援も必要である．さらに，障害をかかえている児童や生徒への配慮も欠かせない．
　ここでは，公認心理師が教育分野で活躍する際に，関係する法を概説するとともに，最近の動向も合わせて触れることにする．

1 教育権

　日本国憲法（以下，憲法）第26条は，教育を受ける権利と受けさせる義務について，その第1項で「すべて国民は，法律の定めるところにより，その能力に応じて，ひとしく教育を受ける権利を有する」と規定している．その第2項では「すべて国民は，法律の定めるところにより，その保護する子女に普通教育を受けさせる義務を負ふ．義務教育は，これを無償とする」としている．第2項を受けて民法第820条では，「親権を行う者は，子の利益のために子の監護及び教育をする権利を有し，義務を負う」としている．
　個人は自己の幸福を追求する権利を有している（憲法第13条）．すなわち，自分の人生を主体的に生きることともいえよう．そのためには，自ら学ぶことが権利として保障される必要がある．これを保障するのが教育権である．
　教育には2つの側面がある．1つは個人が社会のなかで生きていくようにする面であり，もう1つは個人の個性を活かしていく面である．そして，子どもの教育の責任をもつのは，第一義的には親であり，実際に子どもを学校へ通わせている．そこで，子どもの教育について誰がどこまで責任を負うのかが公教育において問題となる．国には，教育の機会均等をはかるために，義務教育制度を設けることが義務づけられている（教育基本法第5条）．最高裁は，親にも国にも教育内容を決定する自由があるが，子どもに誤った知識や偏った観念を教えることは教育権に反するとしている（最高裁大法廷昭和51年5月21日判決，最高裁判所刑事判例集30巻5号615頁）．
　バブル経済が崩壊した1990年代以降，貧富の格差が拡大し，とりわけ，子どもの貧困が問題となっている．それが子どもの学ぶ権利を害することがないよう，貧困家庭を支援しなければならない（➡ p.524 本節8項参照）．

2 教育基本法

　「教育基本法」（平成18年法律第120号）は，前述した教育権の規定を受けて定められている．なお，現行の「教育基本法」は旧教育基本法（昭和22年法律第

25号)の全部を改正したものである．第1条においては教育の目的を「教育は，人格の完成を目指し，平和で民主的な国家及び社会の形成者として必要な資質を備えた心身ともに健康な国民の育成を期して行わなければならない」と定めている．憲法第26条の規定を受けて，教育基本法の第4条では，教育の機会均等を実現するため，教育上差別されないこと，障害のある者にも教育の機会を保障すること，経済的理由により修学が困難な者に奨学の措置を講ずること，を定める．

現行の教育基本法の特徴は，以下の点を国や地方公共団体に義務づけたところにある．

- 国民一人ひとりが，生涯にわたって学習することができ，それを活かすことができる社会を実現する点(第3条)
- 障害のある者が，その障害の状態に応じ，十分な教育を受けられるよう配慮するべき点(第4条第2項)
- 家庭教育が重要であるとともに，家庭への支援策を講ずる点(第10条)
- 幼児期の教育に関する施策に努めるべき点(第11条)
- 学校と家庭，地域住民の相互の連携・協力に努めるべき点(第13条)

3 学校教育法

学校とは，幼稚園，小学校，中学校，義務教育学校(いわゆる小中一貫校)，高等学校，中等教育学校，特別支援学校，大学，高等専門学校である(第1条)．学校は，国，地方公共団体，私立学校法が定める学校法人のみが設置することができる(第2条)．

小学校には，校長(校務をつかさどり，所属職員を監督する)，教頭(校長を助け，校務を整理し，必要に応じて児童の教育をつかさどる)，教諭(児童の教育をつかさどる)，養護教諭(児童の養護をつかさどる)，事務職員を置き(第37条第1項)，副校長〔校長を助け，命を受けて校務をつかさどる(第37条5項)〕，主幹教諭(校長および教頭を助け，命を受けて校務の一部を整理し，児童の教育をつかさどる)，指導教諭(児童の教育をつかさどり，教諭その他の職員に対して，教育指導の改善および充実のために必要な指導および助言を行う)，栄養教諭(児童の栄養の指導および管理をつかさどる)のほか，必要な職員を置くことができる(第37条第2項)．これらは中学校にも準用されている．

高等学校には，校長，教頭，教諭，事務職員を置かなければならず，必要に応じて，副校長や主幹教諭，指導教諭，養護教諭，栄養教諭，養護助教諭，実習助手，技術職員などを置くことができる．

4 学校保健安全法

「学校保健安全法」の目的は，2つある．学校に在学する幼児や児童，生徒，学生(以下，児童生徒等)，職員の健康増進をはかるために学校における保健管理に必要な事項を定めること，第2に学校における安全を確保するために安全管理に関し必要な事項を定めることである(第1条，第2条)．

学校の設置者は，児童生徒等および職員の心身の健康の保持増進をはかるため，施設や設備，管理運営体制を整備充実させることに努めるものとする(第4条)．そのための計画を学校は策定し実施しなければならない(第5条)．

学校は，児童生徒等の心身の健康に関し健康相談を行う(第8条)．養護教諭やそのほかの職員は相互に連携して，健康相談や日常的な観察により，児童生徒等の心身の状況を把握し，健康上問題がある場合には，遅滞なく児童生徒等に対し必要な指導を行い，必要に応じ保護者に対して必要な助言を行う(第9条)．その際，学校は地域の医療機関などと必要に応じ連携をはかるよう努める(第10条)．

5 スクールカウンセラー

1・導入の経緯

スクールカウンセラーは，文部科学省(当時の文部省)が1995年4月より全国の公立の小学校，中学校，高等学校を対象に配置し，その活用のあり方について実践研究を実施してきた．公立学校は年々その数を増し，2014年度においては，全国の23,800校(同年度は計画値)に配置され，予算は41億円を超えている(計画値)[1]．

文部科学省は，いじめや不登校，貧困などによる児童生徒の心理的経済的問題を未然に防ぐために，児童生徒に対する教育相談の充実を打ち出している．私立学校に対しては日本臨床心理士資格認定協会が「私立学校臨床心理士(私学スクールカウンセラー)支援事業」を2010年から始め，2014年度までに106校がスクールカウンセラーを配置している．大学においても学生相談窓口に配置されることが多くなっている．

2・スクールカウンセラーの採用および業務[2]

スクールカウンセラーは，都道府県および政令指定都市が以下の要件のいずれかに該当する者から選考し採用する．

- 公認心理師
- 公益財団法人日本臨床心理士資格認定協会の認定に係る臨床心理士
- 精神科医
- 児童生徒の臨床心理に関して高度に専門的な知識および経験を有し，学校教育法第1条に規定する大学の学長，副学長，学部長，教授，准教授，講師(常時勤務をする者にかぎる)または助教の職にある者またはあった者
- 都道府県または指定都市が上記の各者と同等以上の知識および経験を有すると認めた者

また，スクールカウンセラーの主な業務としては，①児童生徒へのカウンセリング，②教職員や保護者に対する助言や指導，③授業観察や行事への参加を通じ，児童生徒間の関係や集団の状況の把握，④問題発生時に心理面および健康面の課題に関し，状況や要因を把握し，支援方法について立案すること，がある．

用語解説

＊1　守秘義務の限界

この問題について詳細かつ具体的に論じているものとして，出口治男：スクールカウンセリングにおける子どもの法的地位について．心理臨床の法と倫理（伊原千晶編），日本評論社，2012がある．

用語解説

＊2　いじめや不登校の対策

いじめや不登校など，児童生徒のさまざまな問題を解決するためには，教育相談機関による対応も重要である．地域には，教育相談所や教育支援センター（適応指導教室）などが設置され，生徒児童の抱える問題に関する相談が行われている．根拠となる法律は，「地方教育行政の組織及び運営に関する法律」の第30条である．

なお，教育支援センターについては，予算などの問題から設置していない自治体が約37％あり，スクールカウンセラーが定期的に配置されている施設が約29％にとどまるなど，不登校の生徒への支援は十分とは言えない状況にある．（文部科学省「教育支援センター（適応指導教室）に関する実態調査（令和元年5月13日）」 https://www.mext.go.jp/component/a_menu/education/detail/__icsFiles/afieldfile/2019/05/20/1416689_002.pdf より2020年2月4日検索．

3 ● スクールカウンセラーの守秘義務をめぐる問題と課題

公認心理師がスクールカウンセラーの職についた場合，次に示すような問題や課題が出てくると考えられる．たとえば，クライエントである児童や生徒から得た情報を守秘する義務を負うべきか，守秘義務を負うとするならば，その限界[＊1]はどこにあるのか，またスクールカウンセラーとクライエントである児童・生徒とのあいだに成立するカウンセリング契約とはどのようなものか，などである．

校長や教諭など学校関係者は児童や生徒がかかえている問題を解決しなければならない．それゆえ学校関係者はスクールカウンセラーが得た児童や生徒に関する情報を共有する必要がある．他方で，スクールカウンセラーには地方公務員法の守秘義務が課せられており（地方公務員法第34条第1項，第60条第2号），これに違反した場合は刑事罰が科せられる．

スクールカウンセラーの守秘義務に関しては，3つの考え方がありうる．

第1にスクールカウンセラーは学校関係者に児童や生徒の秘密をいっさい知らせるべきでないとする考え方である．これはカウンセラーとそのクライエントである児童や生徒との信頼関係を最重視する考え方に基づく．第2に児童や生徒が属する学校関係者までは，それらの情報を知らせてもよいとする考え方である．学校関係者は児童や生徒の問題解決にあたるのだから，この範囲までは児童や生徒の秘密は共有してよいが，外部に知らせることは守秘義務違反にあたるとする．第3にクライエントが自傷・他害するおそれがある場合には，学校関係者と秘密を共有してよいとする考え方である．スクールカウンセラーとクライエントである児童や生徒の信頼関係を重視しつつも，ごく例外的な場面において，その秘密を学校関係者と共有することを認める考え方である．

法的責任に直結する問題であるが，その根底には，スクールカウンセラーは学校関係者の一員として行動するべきなのか，それとも，公認心理師という専門職としての立場を保っていくべきなのか，いわば職業倫理が問われているといえよう．

6　いじめ防止対策推進法

文部科学省による平成30年度の「児童生徒の問題行動・不登校等生徒指導上の諸問題に関する調査結果について」によると，小学校や中学校，高等学校，特別支援学校において認知したいじめの件数は54万3,933件で，全学校の80.8％において発生している（図1）．いじめがエスカレートすると，被害児童・生徒が自殺するなど深刻な事態をまねく．また，不登校の生徒の数は小学校と中学校においては16万4,528人である（図2）．その背後には，いじめもさることながら，いじめ以外の要因，たとえば家庭や友人関係をめぐる問題などがある．

いじめについては，「いじめ防止対策推進法」や条例のレベルで対策[＊2]がとられるようになってきている．

「いじめ防止対策推進法」は，直接的にはいじめを防止するための法ではあるが，間接的にはいじめによる不登校も射程に入れている．同法によれば，いじめによって被害者の教育を受ける権利が著しく侵害され，それが被害者の心身の健全な成長および人格の形成だけでなく，生命や身体に対して重大な危険を生じさせるお

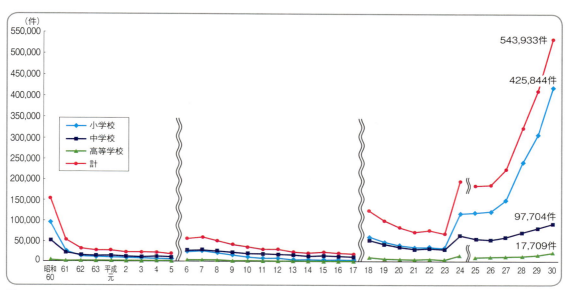

図1　いじめの認知（発生）件数の推移
平成5年度までは公立小・中・高等学校を調査，平成6年度からは特別支援学校（特別教育諸学校），平成18年度から国私立学校を含める．
平成17年度までは発生件数，平成18年度からは認知件数．
平成25年度からは高等学校に通信制課程を含める．
平成30年度の特別支援学校での認知件数は2,676件．
（文部科学省：平成30年度 児童生徒の問題行動・不登校等生徒指導上の諸課題に関する調査結果について https://www.mext.go.jp/content/1410392.pdf より2020年2月4日検索）

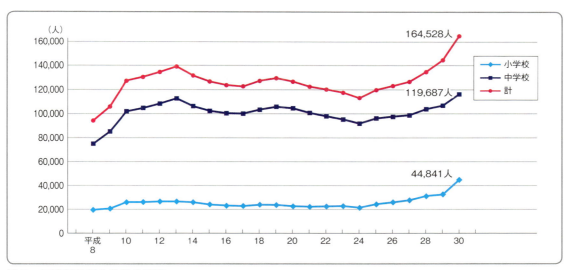

図2　不登校児童生徒数の推移
（文部科学省：平成30年度 児童生徒の問題行動・不登校等生徒指導上の諸課題に関する調査結果について https://www.mext.go.jp/content/1410392.pdf より2020年2月4日検索）

それがある，という認識に立ち，いじめを総合的かつ効果的に防止する対策をとることを目的としている（第1条）．また，同法はいじめを次のように定義づけている．すなわち，①被害者が在籍する学校に在籍するなど，被害者と一定の人間関係にあるほかの児童等が，被害者に対して行う心理的または物理的な影響を与える行為であって（インターネットを通じて行われるものも含む），②その行為に

よって被害者が心身に苦痛を感じているもの，である(第2条).

いじめを防止するために，国や地方公共団体に対策を義務づけるだけでなく，保護者に対してもいじめを行わないよう子どもを教育指導するよう求めている(第9条)．学校については，いじめを防止するための組織を置くとし，その組織には複数の教職員だけでなく，心理や福祉に関する専門的知識を有する関係者も加わるものとしている(第22条)．そして，いじめの「重大事態」を定義づけ，その際には，すみやかに事実関係を調査するよう学校設置者に対し義務づけている．

重大事態とは，①いじめにより被害者の生命や心身，財産に重大な被害が生じた疑いがある場合，②いじめにより被害者が相当の期間学校を欠席することを余儀なくされている疑いがある場合，としている(第28条)．

なお，不登校の児童や生徒に対しては，文部科学大臣の認可のもと，その実体に配慮した特別の教育課程を編成することを認めている(学校教育法施行規則第56条など)．

7 発達障害者支援法

「発達障害者支援法」は，発達障害のある人の心理的機能の適正な発達のために，さらに円滑な社会生活を送れるように支援する法律である．

このうち，18歳未満の発達障害児については，発達障害の児童などを早期に発見するとともに，発達の支援を保育面や教育面から行う．教育面[*3]においては，年齢や能力，特性をふまえ，発達障害児が十分な教育を受けることができるよう，個別の教育支援計画が作成される．この計画は，教育関係機関と医療，保健，福祉，労働などに関する業務を行う関係機関および民間団体との連携のもとに作成される(第8条第1項)．この業務は発達障害者支援センターが中核的役割を担う(第14条)．

用語解説

*3 教育面における発達障害者に対するそのほかの支援

通常の学級における教育では能力を伸ばすことが難しい児童や生徒のために，特別支援学級や，学級で教育を受けつつ特別の授業を受ける通級指導も，重要な役割を果たしている．

8 子ども・若者育成支援推進法，子どもの貧困対策推進法

1 ・子ども・若者育成支援推進法

子どもや若者を取り巻く生活環境は厳しさを増している．将来への不安が顕在化するなか，人生設計を立てることも容易ではなくなっている．このような環境において，子どもや若者の健やかな育成，子どもや若者が社会生活を円滑に営むことができるよう，さまざまな機関が連携して支援することを目的とする(第1条)のが，「子ども・若者育成支援推進法」である．

2 ・子どもの貧困対策推進法

子どもの相対的貧困率(**表1**)[*4]は長期的にみると増加傾向にある．大人1人で子どもを養っている家庭の相対的貧困率は約5割である．「学校教育法」第19条に基づく就学援助を受けている小学生と中学生は約143万人にのぼる〔2016(平成28)年〕．

用語解説

*4 相対的貧困率

等価可処分所得の中央値の半分の額(貧困線)を下まわる世帯員の割合のことをいう．2015(平成27)年の貧困線は122万円である．

■表1　貧困率の年次推移（→ p.416 図3参照）

	昭和60年	63	平成3	6	9	12	15	18	21	24	27
											(単位：%)
相対的貧困率	12.0	13.2	13.5	13.8	14.6	15.3	14.9	15.7	16.0	16.1	15.6
子どもの貧困率	10.9	12.9	12.8	12.2	13.4	14.4	13.7	14.2	15.7	16.3	13.9
子どもがいる現役世帯	10.3	11.9	11.6	11.3	12.2	13.0	12.5	12.2	14.6	15.1	12.9
大人が1人	54.5	51.4	50.1	53.5	63.1	58.2	58.7	54.3	50.8	54.6	50.8
大人が2人以上	9.6	11.1	10.7	10.2	10.8	11.5	10.5	10.2	12.7	12.4	10.7
											(単位：万円)
中央値(a)	216	227	270	289	297	274	260	254	250	244	245
貧困線(a/2)	108	114	135	144	149	137	130	127	125	122	122

注：1）平成6年の数値は，兵庫県を除いたものである
　　2）平成27年の数値は，熊本県を除いたものである
　　3）貧困率は，経済協力開発機構（OECD）の作成基準に基づいて算出している
　　4）大人とは18歳以上の者，子どもとは17歳以下の者をいい，現役世帯とは世帯主が18歳以上65歳未満の世帯をいう
　　5）等価可処分所得金額不詳の世帯員は除く

（厚生労働省：Ⅱ 各種世帯の所得等の状況．平成28年国民生活基礎調査の概要．https://www.mhlw.go.jp/toukei/saikin/hw/k-tyosa/k-tyosa16/dl/03.pdf より2020年2月4日検索）

「子どもの貧困対策推進法」は，子どもの貧困問題に対して国などの責務を明らかにし，対策を講じることにより，貧困にある子どもが健やかに育成される環境を整えるとともに，教育の機会均等をはかることを目的としている(第1条).

■引用・参考文献

1）文部科学省：スクールカウンセラー等活用事業
　https://www.mext.go.jp/component/a_menu/education/detail/__icsFiles/afieldfile/2014/11/14/1341643_1.pdf より2020年2月4日検索
2）文部科学省：スクールカウンセラー等活用事業実施要領，2018
　https://www.mext.go.jp/a_menu/shotou/seitoshidou/1341500.htm より2020年2月4日検索
3）文部科学省：平成30年度 児童生徒の問題行動・不登校等生徒指導上の諸課題に関する調査結果について
　https://www.mext.go.jp/content/1410392.pdf より2020年2月4日検索
4）厚生労働省：Ⅱ 各種世帯の所得等の状況．平成28年国民生活基礎調査の概要
　https://www.mhlw.go.jp/toukei/saikin/hw/k-tyosa/k-tyosa16/dl/03.pdf より2020年2月4日検索

24章 関係行政論

5 司法・犯罪分野に関する法

　司法制度は，個人と個人とのあいだを規律する民事法分野と犯罪と刑罰の運用にかかわる刑事法分野に大別される．ここでは刑事司法制度に焦点を絞り，解説を加えたい．

1 成人に対する刑事司法制度

　わが国の刑事司法制度は，行為者の犯行時の年齢が，満20歳以上（成人）か，20歳に満たない（少年）かで区別されている（少年法第2条第1項）．ここでは，前者を成人に対する刑事司法制度（図1），後者を少年に対する刑事司法制度（図2）とよぶことにする．

成人に対する刑事司法制度の特徴
①「法律なければ刑罰なし」

　成人が処罰されるのは，刑罰法規に違反する行為をなした場合に限られる．このことは，「法律なければ刑罰なし」という言葉によく表されている罪刑法定主義から導かれる．少年の場合は例外があり，後述するように，罪を犯す危険性がある場合（ぐ犯）も取り締まりの対象となる．刑罰法規とは，「〜（個別に規定されている犯罪）をした者は……それに対して設定されている刑罰（法定刑という）に処する」という形式で規定されている法規である[*1]．刑罰には，絞首により執行する「死刑」，刑事施設において刑務作業に服する「懲役」，刑事施設に収容される「禁錮」，財産が剥奪される「罰金」などがある（刑法第9条）．「刑罰は劇薬である」といわれるのは，刑罰が生命や自由，財産を剥奪する力をもっているからである．

②捜査機関

　XがYを殺したとしよう．大抵は，まずYの遺体が発見され，その発見者は警察へ通報するであろう．ここから，誰がYを死亡させたのかを特定する活動が始まる．その主体は警察と検察である（刑事訴訟法第189条第2項，第191条第1項）．これらを捜査機関とよぶ．最初に捜査を行うのは警察であることがふつうである．物的証拠を集めたり，多くの人々への聞き込みなどをすることにより，犯罪を犯した疑いのある人（被疑者）を特定する．被疑者を特定すると，その者を取り調べ（刑事訴訟法第198条第1項），証拠により被疑者が罪を犯したことが裏付けられたら，被疑者を検察官へ送る．

　検察官は，警察から送られてきた事件を法律的観点も含めて調べ直し，被疑者を刑事裁判にかけるか否かの判断をする．これは検察官に与えられた権限であり（国家訴追主義，刑事訴訟法第247条），すべては検察官の裁量に委ねられている（起訴裁量主義，刑事訴訟法第248条）．

　なお，捜査のあいだ，被疑者には弁護士がつけられる．弁護士は，捜査機関の活動から被疑者を守り，被疑者に法的助言を与える．こうして，「捜査機関対被

用語解説

[*1] 刑罰法規
　たとえば刑法は，殺人に対して「人を殺した者は，死刑又は無期若しくは5年以上の懲役に処する」（第199条）と定めている．

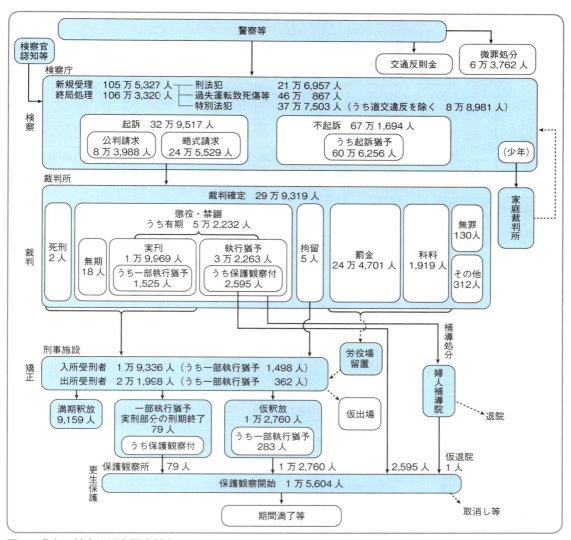

図1 成人に対する刑事司法制度
(法務省：平成30年版犯罪白書．2018．数値は，警察庁の統計，検察統計年報，矯正統計年報，保護統計年報による
http://hakusyo1.moj.go.jp/jp/65/nfm/n65_2_2_1_0_0.html より 2020 年 2 月 4 日検索)

疑者・弁護士」の対立関係のなかで捜査が展開される．

③公開の法廷で行われる刑事裁判

　刑事裁判は原則的に公開の法廷で行われる．被告人[*2]が罪を犯したことを立証する責任のある検察官と，被告人の立場を法的に防御する弁護士とのあいだで議論が展開され，この議論をふまえ，裁判所は，被告人が有罪か無罪か，有罪の場合には被告人にふさわしい刑はどの程度か，を判断する．

　なお，2009（平成21）年5月21日から，裁判員制度が導入されている．裁判員裁判とは，殺人や強盗殺人，傷害致死などの重大な事件の裁判を，プロの裁判官と市民から選ばれた裁判員とが協働して行う制度である．裁判員裁判は，原則として，裁判官が3名，裁判員が6名の計9名から構成される．その評決は，双方を含む多数決によって行われる．なお，裁判員の精神的負担[*3]が問題の1つとしてあげられている．

用語解説

*2　被告人

　捜査段階は被疑者（罪を犯した疑いのある者）とよばれるが，刑事裁判にかけられると被告人（判決を告げられる者）とよばれる．

用語解説

*3　裁判員の精神的負担

　死体など証拠写真を見る際の精神的負担，死刑か無期懲役かを判断する重圧などである．

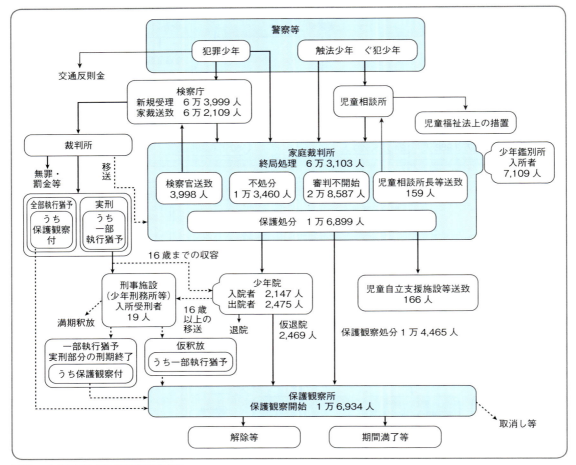

図2 少年に対する刑事司法制度
(法務省：平成30年版犯罪白書. 2018. 数値は，検察統計年報，司法統計年報，矯正統計年報，保護統計年報による
http://hakusyo1.moj.go.jp/jp/65/nfm/n65_2_3_2_1_0.html より2020年2月4日検索)

④再犯予防に努める刑務所・社会内処遇

　刑務所に収容される受刑者は，その性別や性格などに応じて分類され，各刑務所へ収容される．懲役では刑務作業が課されるが，受刑者特有の問題を解決するために，さまざまな更生プログラムが用意されている．そこで重要な役割を果たしているのが，法務教官や心理技官である．現場では再犯予防のために最大限の努力が払われている．しかし，満期で出所した受刑者のうち，再び刑事施設へ収容される者は約6割に上り，この問題をどう解決すべきかが問われている．

　刑の執行が猶予された者や仮釈放された者を対象に保護観察が行われる．保護観察とは社会内においてそれらの者の更生を目指す制度である．保護観察官や保護司[*4]がそれらの者と定期的に面会し，遵守事項などが守られているか確認したり，再犯予防のための働きかけをしたりする．更生緊急保護も重要である．刑務所を出所した者は社会生活を送ることになるが，親族などの支援が得られないことも多い．そこで，宿泊場所や金品などを一時的に提供するのが，緊急更生保護である．

　犯罪を行った者に対し，その社会復帰を支援するための施設としては以下のも

用語解説

＊4　保護観察官と保護司
　保護観察官が国家公務員であるのに対し，保護司は非常勤の国家公務員であり無給である．

のがある．①更生保護施設（ならびに自立準備ホーム）は，出所者および退院者などへ生活の拠点を一時的に提供する．そこでは，就職など新たな生活を築くための生活指導も行われる．②高齢者や障害者が出所・退院後に福祉サービスを円滑に受けることができるようにするために，厚生労働省とも連携して，地域生活定着支援センターが調整を行う．③自立更生促進センターは保護観察官がより関与を強め，出所・退院者の就労のために積極的に働きかける（現在，保護観察所と併設して，福島市と北九州市の2か所に設置）．

2　少年に対する刑事司法制度

1・保護主義

少年の刑事司法制度を担う法は「少年法」である．少年法第1条は，「この法律は，少年の健全な育成を期し，非行のある少年に対して性格の矯正及び環境の調整に関する保護処分を行うとともに，少年の刑事事件について特別の措置を講ずることを目的とする」としている．少年に対しては保護主義に則った対応をとるとともに，刑事事件となる場合においても特別の措置がとられるとしている．

2・少年に対する刑事司法制度の特徴

①家庭裁判所の審判に付される少年

少年の刑事司法制度の中核に位置づけられるのは家庭裁判所である．その審判に付される少年は以下の3つに分類される（第3条第1項）．

第1に罪を犯した少年である（犯罪少年）．第2に14歳に満たない少年で，刑罰法令に触れる行為をした少年である（触法少年＊5）．14歳に満たない者は刑事未成年者とされ（刑法第41条），刑事責任能力が否定されている．第3にぐ犯少年である．ぐ犯とは，少年の性格や環境に照らして，将来，罪を犯しまたは刑罰法令に触れる行為をするおそれのある少年をいう．

なお，触法少年や14歳未満のぐ犯少年＊6については，最初に，児童福祉法の手続きに回されることがある（第6条の6第1項）．この場合，都道府県知事または児童相談所長から送致を受けた場合にかぎり，家庭裁判所は審判に付することができる（第3条第2項）．

②家庭裁判所の調査

家庭裁判所の審判に付すべき少年を発見した者は家庭裁判所に通告しなければならない（第6条第1項，第42条第1項，全件送致主義）．そして，審判に付すべき少年があると思料するときは，家庭裁判所は事件の調査をしなければならない（第8条第1項）．調査は「なるべく，少年，保護者，又は関係人の行状，経歴，素質，環境などについて，医学，心理学，教育学，社会学そのほかの専門智識」を活用するよう努めなければならない（第9条）．

家庭裁判所による調査を担うのは，家庭裁判所調査官と少年鑑別所である．とくに審判の決定を下すために種々の情報を得る必要があると判断したとき，家庭裁判所は観護措置を決定する（第17条第1項）．観護措置には，家庭裁判所調査官の観護と，少年鑑別所への送致があるが，後者の場合がほとんどである．少年

＊5　触法少年
触法少年の場合は，警察が事件を調査し（少年法第6条の2第1項），一定の罪を犯したと思料する場合，あるいは，家庭裁判所の審判に付することが適当な場合は，少年を児童相談所長に送致しなければならない．

＊6　ぐ犯少年
ぐ犯少年について，警察官または保護者が，児童福祉法による措置が適当とした場合は，少年を直接，児童相談所へ通告することができる（少年法第6条第2項）．

鑑別所では，原則的に2週間のあいだ(第17条第3項)，少年の非行の背景にある事情を医学や心理学，教育学，社会学などの観点から明らかにしたうえで(少年鑑別所法第16条)，家庭裁判所の審判の際に，その者の処遇に資する適切な指針を与える(同第16条第1項)．

③家庭裁判所の審判

家庭裁判所調査官による調査や少年鑑別所における鑑別の所見などの調査をふまえて，家庭裁判所は少年に対する対応を決定する．

第1に「児童福祉法」による対応が妥当と判断した場合で，少年を都道府県知事または児童相談所長に送致する決定を行う(第18条)．第2に，家庭裁判所の審判に付することができず，または，それが相当でない場合で，審判不開始の決定をする(第19条第1項)．第3に，死刑または懲役，禁錮にあたる罪の事件について刑事処分が相当な場合は，少年を検察官へ送致(逆送ともいう)する決定を出す(第20条第1項)．とくに，16歳以上の少年が故意の犯罪行為によって人を死亡させた場合は，調査の結果，刑事処分以外の措置が相当と認める場合を除き，少年は検察官へ送致される(同条第2項)．第4に，家庭裁判所の審判を開始する決定である(第21条)．審判は，懇切を旨として和やかに行うとともに，非行のある少年については内省を促すものとしなければならない(第22条第1項)．なお，審判は非公開で行われる(同条第2項)．

審判の結果，都道府県知事または児童相談所長送致の決定，検察官送致の決定，不処分の決定をしなければならない(第23条)．これらの場合を除いて，家庭裁判所は保護処分を決定しなければならない(第24条第1項)．なお，保護処分を決定するために必要があるときは，家庭裁判所は家庭裁判所調査官の観察に付することができる(試験観察，第25条第1項)．

④保護処分

保護処分(第24条)には3つある．第1に，保護観察所の保護観察に付することである．少年を施設へ収容せず，従来どおりの生活を送らせるなかで，少年の更生をはかる．保護観察官や保護司が定期的に少年と面会する．

第2に，児童自立支援施設または児童養護施設への送致である．いずれも児童福祉法に基づく施設である．児童自立支援施設とは，不良行為をなし，または，そのおそれのある児童，家庭の生活環境上，生活指導を要する児童などの自立を支援する施設である(児童福祉法第44条)．児童養護施設とは，保護者のいない児童や虐待を受けている児童など養護を必要とする児童を入所させる施設である(同第41条)．

第3に，少年院への送致である．少年院は自由の制限を伴うため，刑務所と同じように理解されることが多いが，あくまでも将来の更生のための施設である．少年の処遇は「医学，心理学，教育学，社会学その他の専門知識および技術を活用」するとともに，在院者の性格，年齢，経歴，心身の状況および発達の程度，非行の状況，家庭環境，交友関係などの事情をふまえ，少年の最善の利益を考慮し，その者の特性に応じたものでなければならない(少年院法第15条第2項)．なお，少年院へはおおむね12歳以上から収容できる(同第4条第1項)．

⑤少年に対する刑罰の緩和

　家庭裁判所の決定により検察へ送致された少年の多くは，検察官によって，成人と同様に刑事裁判へ公訴提起される．現在の少年法においては，刑法の規定のとおり，14歳以上の少年に対し，刑事責任が追及され，刑罰が科される可能性がある．しかしながら，少年の特質をふまえ，少年に対する刑罰はいくつかの変更が加えられている．

　第1に，罪を犯すとき18歳に満たない者に対しては，死刑と無期刑が緩和される．死刑の場合は無期刑となる（第51条第1項）．無期刑の場合は有期の懲役または禁錮を科すことができる．この場合，10年以上20年以下の範囲において言い渡される（同条第2項）．

　第2に，少年に対して有期の懲役または禁錮でもって少年を処罰する際は，不定期刑が言い渡される（第52条第1項）．すなわち，刑の長期をまず定めるとともに，長期の2分の1を下回らない範囲において短期が定められる．

3　心神喪失者・心神耗弱者への対応

1 ● 刑事責任能力

　刑事責任能力とは，犯行時点において，被告人が自己の行為について是非善悪の判断を下すことができ，かつ，その判断に従って自己の行為を統制することができることである．具体的にいうと次のようになる．「刑法」の殺人罪（第199条）は私たちに「他人を殺すな」と要求する．要求された側は，通常は，他人を殺さない自由と他人を殺す自由を有する．そのなかで，規範意識を働かせて，他者を殺すことは悪いことであると判断し，この判断に従って殺すことをやめれば，他者の生命は守られる．

　しかし，犯行時に，重篤な精神疾患や心理的障害により行為選択の自由が失われたため，刑法の禁止要求が本人に届かず無意味となる場面がありうる．このようなことを想定しているのが刑法第39条の心神喪失および心神耗弱の規定である．前者の場合は無罪となり，後者の場合は刑を必ず減軽しなければならない．被害が発生しているのに無罪となったり刑が軽くなったりするのは納得できないとする意見もあろう．しかし，この場合は刑法による犯罪予防が無力なのであり，刑罰以外の対応がむしろ求められる．なお，刑事責任能力の有無は法的判断[*7]であるとされている．

　心神喪失者は無罪となり，心神耗弱者は刑が減軽されるが，それらの原因となった重大な精神疾患などが治癒されなければ，その者が自傷他害行為に出るおそれが残る．これに対応するため，以下の2つの制度が用意されている．

2 ● 精神保健福祉法による措置入院

　精神保健福祉法第24条第1項は，検察官が，精神障害者またはその疑いのある被疑者や被告人について，不起訴処分としたとき，または，裁判が確定したときは，すみやかに都道府県知事に報告しなければならない，としている．いずれも，対象者が心神喪失あるいは心神耗弱に陥っていると判断された場合である．

用語解説

＊7　責任能力の法的判断
　最高裁判所は責任能力の判断について，法律的判断であるとの立場をとっている（最高裁判所平成21年12月8日決定，最高裁判所刑事裁判集63〈11〉：2829）．もちろん，鑑定人の鑑定は尊重されるべきだが（最高裁判所平成20年4月25日判決，最高裁判所刑事判例集62〈5〉：1559），精神医学者でない法律家の目から見ても明らかに鑑定の前提に矛盾があったり，鑑定するべき点がなされていなかったりした場合は，鑑定に拘束されず，裁判所が自由に判断を下せる，という趣旨である．

心神喪失者・心神耗弱者への対応は，後述する「心神喪失者等医療観察法」が制定される以前においては，この措置入院のみであった．確かに，措置入院の入退院は指定医による精神医学的判断により決定され，そうした対応により大半の問題は解決されている．しかしながら，2001年6月に発生した大阪教育大学附属池田小学校事件の被告人に措置入院歴があったことから，措置入院制度だけに頼る現状に疑問がもたれるにいたった．これを機に，「心神喪失者等医療観察法」が成立し，2005（平成17）年〔なお一部は2004（平成16）年10月〕から施行された．

3 • 心神喪失者等医療観察法の概要（図3）

本法の対象行為は，放火や性犯罪，殺人，傷害，強盗などの犯罪である．検察官は，これらの行為を行った心神喪失者や心神耗弱者について，医療観察法による医療の必要性が明らかにないと認める場合を除き，地方裁判所に対し処遇の決定を申し立てなければならない（第33条）．

地方裁判所はこの申し立てに基づき，審判を行う．審判は，裁判官と精神保健審判員の合議制によって行われる．精神保健審判員は精神保健判定医（第6条）のなかから選ばれる．評決は両者が一致しなければならない．裁判官は，対象者について鑑定入院命令を出さなければならない（第34条）．処遇の要否を裁判所が決める際には，精神保健参与員の意見を聴くことができる．精神保健参与員は，精神保健福祉士や精神障害者の保健・福祉に関する専門知識および技術を有する

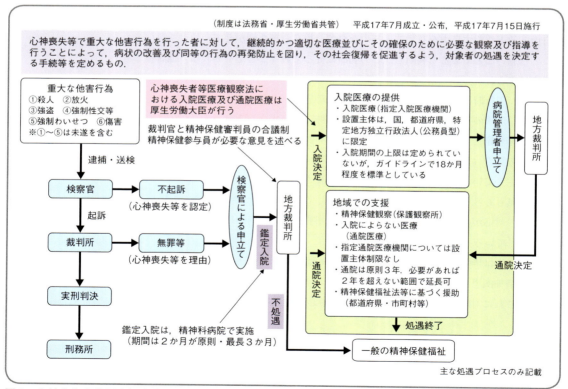

図3　心神喪失者等医療観察法のしくみ
（厚生労働省：心神喪失者等医療観察法 1 心神喪失者等医療観察法の概要
https://www.mhlw.go.jp/stf/seisakunitsuite/bunya/hukushi_kaigo/shougaishahukushi/sinsin/gaiyo.html　より2020年2月4日検索）

者から選任される(第15条).裁判所は,鑑定や対象者の生活環境を考慮し,治療の必要性の観点から,指定入院医療機関への入院命令,指定通院医療機関への通院命令,「心神喪失者等医療観察法」による医療を行わない旨の決定,などをしなければならない(第42条第1項)(最高裁判所平成19年7月25日決定,最高裁判所刑事判例集61巻5号563頁).なお,入院命令による入院後,その者を退院させるか治療を継続するかの判断も裁判所が行う.

通院決定や退院決定を受けた者は,社会復帰に向けて,精神保健観察に付される(第106条).精神保健観察は保護観察所によって行われ,社会復帰調整官が担当する.社会復帰調整官は主に精神保健福祉士によって担われている.

4 近年の刑事立法について

1 ●「ストーカー行為等の規制」等に関する法律(ストーカー規制法)

恋愛感情などのもつれが,その後の刑事事件(殺人や暴行など)へ発展することを防ぐために制定されたのが,「ストーカー規制法」である.

つきまとい行為等とは,特定者に対する恋愛感情などが満たされなかったことに対する怨念の感情を満たす目的で,被害者および社会生活において密接な関係を有する者に対し,待ち伏せしたり,面会や交際など義務のないことを要求したりすることなどをいう(第2条第1項).ファックスやメール送信もつきまとい行為の手段に含まれる(第2条第1項).つきまとい行為等を同一の相手に反復して行うことをストーカー行為としている.ただし,身体の安全や居住の平穏などを著しく害される不安を覚えさせるような行為に限定されているものもある(第2条第3項).

警察本部長等は,反復してつきまとい行為を行う者に対して,警告を発することができる(第4条).さらに都道府県公安委員会は,この者に対して禁止命令を発することができる(第5条).ストーカー行為をした者は,1年以下の懲役または100万円以下の罰金に処せられ(第18条),禁止命令等に違反してストーカー行為をした者は2年以下の懲役または200万円以下の罰金に処せられる(第19条第1項).

なお,国および地方公共団体は,ストーカー行為を行う者を更生させるための方法やその相手方の心身の健康を回復させるための方法の調査研究に努めなければならない(第10条).

2 ●配偶者からの暴力の防止及び被害者の保護に関する法律〔DV(ドメスティック・バイオレンス,配偶者からの暴力)防止法〕

配偶者からの暴力は,暴行罪や傷害罪など,刑法上の犯罪にあたる行為である.しかし,家庭内という密室内で行われるため発見が難しく,しかも,配偶者間で暴力と赦しの悪循環があることも指摘される.DV(ドメスティック・バイオレンス,配偶者からの暴力)法は,DVの防止とともに,被害者の保護と自立支援について定めている.

「配偶者からの暴力」とは,①配偶者からの身体に対する暴力で,その生命や身

体に危害を及ぼすもの，または②これに準ずる心身に有害な影響を及ぼす言動，である(第1条)．内閣総理大臣や国家公安委員会などはDVの防止とその被害者の保護のための施策の基本方針を定め(第2条の2)，これをふまえ，都道府県がその基本計画を定める(第2条の3)．DVの被害者の相談窓口となりその一時保護にあたるのが，「配偶者暴力相談支援センター」[*8]である(第3条)．被害者の心身の健康を回復させるため，医学的または心理学的な指導などを行うことも同センターの業務の1つである．

生命または身体に重大な危害を受けるおそれが大きいときは，裁判所は，被害者の申立てにより，配偶者に対し保護命令を発する(第10条)．被害者につきまとわないことや面会を強要することなど，さらに，子につきまとうこと等を禁ずる．保護命令に違反した者は，1年以下の懲役または100万円以下の罰金に処される(第29条)．

なお，加害者の更生や被害者の心身の健康を回復させるための方法に関する調査研究を推進することが国と地方公共団体に義務づけられている(第25条)．

3 ● 性犯罪改正

2017(平成29)年7月に，刑法典[*9]の性犯罪の規定が改正された．これに伴い，強姦罪が廃止されるなど性犯罪の考え方が根本的に変更され，性犯罪被害者の保護が，より広げられた．

新たに制定されたのは，強制性交等罪(刑法第177条前段)と監護者わいせつ・性交等罪(刑法第179条)である．強制性交等罪とは，13歳以上の者に対し，暴行または脅迫により，性交，肛門性交，口腔性交を行うことで，5年以上の有期懲役〔上限は懲役20年(刑法第12条)〕に処される犯罪である．性交等とは，男性器を腟や肛門，口腔へ入れる行為である．旧強姦罪では男性が自らの性器を腟へ挿入することのみが処罰対象とされていたが，新設の強制性交等罪においては，女性がそれらの性交を男性にさせる場合も処罰対象となる．さらに，男性間において強制性交が行われた場合においても本罪は成立する．

監護者わいせつ・性交等罪とは，18歳未満の者に対し，現に監護する者がその影響力に乗じて強制わいせつまたは強制性交等を犯す犯罪である．性犯罪のうち，監護者としての影響力を用いた場合は本罪で処罰される．

5 犯罪被害者等基本法

1995年(平成7年)に起こったオウム真理教による地下鉄サリン事件などをきっかけに，犯罪被害者を保護する思潮が高まってきた．それまでは，犯罪者のほうに関心が向けられてきた一方で，被害者に対する配慮はまったく欠けていた．

被害者は犯罪により心的外傷後ストレス障害(PTSD：post traumatic stress disorder)を抱えている実態が諸調査で明らかになり，被害によって受けた心理的・精神的打撃により，被害者のその後の社会生活に支障が生じていることがわかってきた．また，性犯罪の被害者を例にあげると，性犯罪による被害だけでなく，捜査機関や裁判所により再びその犯罪について尋ねられることによる2次被

*8 配偶者暴力相談支援センター

配偶者からの暴力を防止し，被害者を保護するために，被害者に対し次のような支援を行っている．①相談業務，②心身の健康を回復するための指導など，③緊急時における安全の確保ならびに一時保護を行うこと(DVシェルターともよばれる)，④被害者が自立して生活できるよう就業の促進や住宅の確保などについて援助すること，である．

*9 刑法典

1907年に制定された法律(明治40年法律第45号)で，刑罰法規の中核となるものである．一般的に「刑法」とよぶ場合は，この刑法典のことをさす．

害が生じることも明らかにされた．

　そこで，犯罪被害者(その遺族も含む)の権利を保護するとともに総合的な支援の方向を定めるため，2005（平成17)年4月に「犯罪被害者等基本法」が施行された．基本理念として，犯罪被害者は個人の尊厳が重んじられ尊厳にふさわしい処遇を受ける権利を有することが明確にされ(第3条第1項)，被害を受けてから再び平穏な生活を営むことができるよう，犯罪被害者への支援策が途切れることなく講じられること(第3条第3項)が示されている．そして，国や地方公共団体に対し，被害者の相談に応じること，損害賠償請求を支援すること，給付金支給制度の充実，心理的外傷に対する保健医療サービスや福祉サービスと提供すること，などを義務づけている．なお，犯罪被害による心理的外傷等の研究や被害者の心身の健康を回復させるための研究等も国や地方公共団体に義務づけている(第21条)．

■ **参考文献**
1) 法務省：平成30年版犯罪白書．2018
　　http://hakusyo1.moj.go.jp/jp/65/nfm/mokuji.html 2020年2月26日検索
2) 井田良：基礎から学ぶ刑事法，第6版．有斐閣，2017
3) 廣瀬健二：子どもの法律入門―臨床実務家のための少年法手引き，第3版．金剛出版，2017

24章
関係行政論

6 産業・労働分野に関する法

雇用環境や労働環境はさまざまに変化する．バブル経済の崩壊後，経済は低成長あるいは停滞期に入り，それが現在も継続している．雇用形態は，正規雇用と非正規雇用[*1]に分かれ，後者は労働者の約4割を占めるようになってきた．賃金自体も全体として伸び悩んでいる．他方で，人手不足は顕在化し，長時間労働が常態化している．共働き世帯においては家庭と仕事の両立という問題に直面している．精神的ストレスを伴う環境に人々はおかれている．過労死やハラスメントといった事件も，高度経済成長期にあっても現代にあっても，依然として発生している．

こうしたなか，労働者のメンタルヘルスに配慮することが制度化されてきた．さらに，労働により精神や心理面を患い労働災害と認定されるケースもあり，公認心理師の果たすべき役割が広がることが予想される．以下，産業労働に関する法について概観する．

1 労働権

日本国憲法（以下，憲法）第27条は，第1項で「すべて国民は，勤労の権利を有し，義務を負う」とし，その第2項では「賃金，就業時間，休息その他の勤労条件に関する基準は，法律でこれを定める」としている．また，憲法第28条では，「勤労者の団結する権利及び団体交渉その他の団体行動をする権利は，これを保障する」としている．

労働とは，労働者が自己の能力を会社等の組織のために提供し，会社等の使用者がその対価として賃金を支払う関係にある．しかしながら，この関係には労働者が「モノ」化されるおそれがつきまとう．労働関係を法的に規制する1つの意義は，労働者の「モノ」化を防ぎ，その人間性を確保する点にある[1]．それは，個人の尊厳を保障する憲法第13条の規定とも整合がとれる．

憲法第28条では，労働者の団結権，団体交渉権，団体行動権を規定し，労働条件などについて労働者が使用者と対等に話し合いをすることができるように保障している．もっとも，労働組合の組織率は全体的に低迷しており，労働者の側にも個人志向が高まっている現状がある．

2 労働に関する主な法律

1 労働基準法

「労働基準法」とは，労働条件の基本を定める法律である．同法は，労働者と使用者との合意を超えて，両者を規律する．同法は，総則，労働契約，賃金，労働時間，休憩，休日および年次有給休暇，安全および衛生，年少者，妊産婦等，技能者の養成，災害補償，就業規則，監督機関，罰則などの章からなる．

用語解説

[*1] **正規雇用と非正規雇用**

正規雇用とは，特定の企業においてフルタイムで働く直接かつ継続的な雇用関係である．非正規雇用はそれ以外の雇用関係（パートタイム，派遣，有期雇用など）のことをいう．

総則の第1条第1項には「労働条件は，労働者が人たるに値する生活を営むための必要を満たすべきものでなければならない」とし，その第2項では，同法に定める基準は最低のものであるから，それを低下させてはならず，むしろ向上をはからなければならない，としている．

「労働基準法」を遵守させるために，行政監督機関が用意されている．厚生労働省には労働基準局，都道府県の労働基準局，また，都道府県の労働基準局長のもとに労働基準監督署が設けられ，そこには労働基準監督官が置かれている．

同法では，使用者は原則として，1週間に40時間を超える労働，および1日に8時間を超える労働をさせてはならないとしている（第32条第1項，2項）．しかし，時間外労働や休日の労働は，例外的に認められている（第36条．いわゆる「36協定」*2）．最近では，「働き方改革」のスローガンのもと，裁量労働制の拡大や高度プロフェッショナル制度*3の導入の是非が国会において議論されている．時間外労働を認めるこうした諸政策が長時間労働や過労死を助長するのではないかという疑念も示されている．

2・労働組合法と労働関係調整法

「労働組合法」は，総則，労働組合，労働協約，労働委員会，罰則の章からなる．この法の目的は，①労働者が使用者との交渉において対等な立場に立つことを促進することにより労働者の地位を向上させること，②労働者がその労働条件について交渉するために自ら代表者を選出すること，その他の団体行動を行うために自主的に労働組合を組織し，団結することを擁護すること，③使用者と労働者との関係を規制する労働協約を締結するための団体交渉およびその手続を助成すること，にある（第1条）．

なお，労働委員会は，不当労働行為事件の審査や労働争議のあっせん，調停および仲裁を行う権限をもつ（第20条）．その手続きを定めるのが「労働関係調整法」である．

3・労働契約法

労働契約は，労働者が使用者に使用されて労働し，使用者がこれに対して賃金を支払うことについて，労働者および使用者が合意することである（第6条）．もととなるのは民法第623条（雇用に関する規定）である．具体的にいうと，労働者は，使用者の指揮命令に従って，職務に専念し，誠実に働く義務を負う．

使用者の指揮命令はあくまでも当事者間で交わした労働契約によらなければならない．したがって，労働者に対し嫌がらせを行ったり，あるいは，労働者の人格を侵害したりする命令は，権利濫用（第3条第5項）あるいは公序良俗違反（民法第90条）にあたり，無効である．労働者の側も，守秘義務や競合する他社と通じるようなことをしてはならない．

4・労働者派遣法

「労働者派遣事業の適正な運営の確保及び派遣労働者の保護等に関する法律」（労働者派遣法）の目的は，労働者派遣事業の適正な運営を確保することと，派遣労働

用語解説

*2 36協定
使用者と労働組合・労働者間で協定を結び，その書面を行政官庁に届け出た場合に認められる．

用語解説

*3 裁量労働制，高度プロフェッショナル制度
裁量労働制とは，仕事の遂行方法や手段，時間配分を使用者が具体的に指示することが困難な業務について，その遂行を労働者に委ねる制度．労働基準法第38条の3に規定されている．専門業務型と企画業務型がある．

高度プロフェッショナル制度（特定高度専門業務・成果型労働制）とは，一定の年収要件を満たし，職務の範囲が明確で高度な職業能力を有する労働者を対象として，時間外・休日労働協定の締結や時間外・休日・深夜の割増賃金の支払義務等の適用を除外する制度．

者の保護をはかることにある(第1条).派遣労働とは,派遣労働者が派遣事業者(派遣元)と雇用契約を結んだうえで,他社(派遣先)の指揮命令を受けて派遣先のために労働に従事させることである(第2条第1項第一号).港湾運送業務や建設業務,警備業務,医師や歯科医師などの医療関連業務以外の業務において,労働者派遣事業を行うことができる(第4条第1項,同法施行令第1条,第2条).

派遣元は,派遣元と有期で労働契約を結んでいる者を派遣先の組織単位に3年を超えて派遣することはできない(第35条の3).派遣元と期間を定めないで労働契約を結んでいる者などは,期間の制限はかからない(第40条の2,同条第1項第一号,第二号).また,日雇い派遣は禁止されている(第35条の4).

派遣労働者の雇用を安定させるために,①派遣先に3年間従事した有期の派遣労働者に対し,派遣元は直接雇用を派遣先に依頼したり,新たな派遣先の機会を提供したりすること,②派遣元は派遣労働者に対し教育訓練を実施すること,③派遣先に対し派遣労働者をより積極的に雇用する対策をとることをうながすこと,などを義務づけている.

なお,2020年4月から派遣労働者の同一労働・同一賃金[*4]を目指した施策がはじめられる.

用語解説

*4 派遣労働者の同一労働・同一賃金
　派遣先の通常労働者と派遣労働者との間に生じている待遇格差をなくすこと.派遣先の通常労働者との均等・均衡な待遇を図る方法と,派遣元と労働協定を結び待遇を改善する方法とがある.

5 ● 男女雇用機会均等法

女性の社会進出に伴い,雇用をめぐる差別を禁止し,女性労働者の権利をより確かなものにするために,男女雇用機会均等法(雇用の分野における男女の均等な機会及び待遇の確保等に関する法律)が1985年に制定された.幾度かの改正を経て,現行の男女雇用機会均等法は事業主に対し次のことを求める.

①雇用や募集において性別に関係なく均等に雇用の機会を与えること(第5条),②労働者の配置や昇進,降格,労働者の職種,退職勧奨,定年などにおいて,性別を理由とした差別的取り扱いをしてはならないこと(第6条),③婚姻や妊娠,出産などを理由とした不利益的取り扱いを禁止すること(第9条),④セクシャルハラスメントやマタニティーハラスメントがないよう,職場環境を整えること(第11条,第11条の2)などである.

なお,女性の管理職を一層増やすなど,雇用の分野における男女の均等な機会および待遇の確保の支障となっている事情を改善することを目的として女性労働者に対して特別な措置をとることが事業主に認められている(第8条,積極的差別是正措置〔アファーマティブ・アクション,ポジティブ・アクション〕).

もっとも,女性労働者をめぐっては,非正規雇用の割合が高いこと,男性よりも賃金が低めであること,妊娠出産後の離職(M字カーブ)など,解決されるべき課題が残っている.

6 ● 障害者雇用促進法

「障害者の雇用の促進等に関する法律」(障害者雇用促進法)は,①障害者の雇用義務などに基づく雇用促進などのための措置,②雇用分野における障害者と障害者でない者との均等な機会および待遇の確保,③障害者がその能力を発揮することができるようにするための措置,④職業リハビリテーションの措置,⑤障害者

の能力に適合する職業へ就職することを通じて自立を促進する措置，により障害者の職業の安定をはかることを目的としている(第1条)．「障害者の権利に関する条約」が定められ，2014（平成26）年2月19日よりわが国において効力が発生しているが，同法はこの条約の内容をふまえて改正が行われている．

同法は次のことを事業主へ義務づけている．①障害者に対する差別の禁止〔募集や採用，賃金などの待遇面(第34条，第35条)〕，②合理的配慮の提供義務〔障害者の特性に配慮した募集および採用，設備，援助など(第36条の2，同条の3)〕，③上記①②に関する紛争を自主的に解決することを目指す(第74条の4)と同時に，それが調わない場合は，都道府県労働局長が紛争調停委員会に調停を行わせること(第74条の7)，④従業員が一定数以上の規模の事業主に，従業員に占める障害者の割合を法定雇用率(民間企業は2.2%)以上にすることを義務づけること(第43条第1項)，などである．なお，④については，身体障害者や知的障害者だけでなく，2018（平成30）年4月1日からは精神障害者も対象となった．

3 労働安全衛生法と労働災害補償制度

1 ● 労働安全衛生法

同法は，職場における労働者の安全と健康を確保するとともに快適な職場環境の形成を促進することを目的としている．労働災害を防止するため，危害防止基準を確立し，その責任体制を明確にするとともに，自主的活動を促進する(第1条)．

厚生労働大臣は，労働政策審議会の意見を聴いて，労働災害防止計画を策定しなければならない(第6条)．事業者は，①安全衛生管理体制を確立すること(総括安全衛生管理者，安全管理者，衛生管理者，産業医などの選任)，②労働者を危険や健康障害から守るための措置を講ずること，③機械ならびに危険物，有害物の規制に従うこと，④労働者の健康の保持増進を行うこと，について義務を負う．

なお，労働者の精神・心理面のケアに関して，同法が2度にわたり改正されたことについて注意しなければならない．

第1に，時間外労働が1か月あたり100時間を超え，かつ，疲労の蓄積が認められる労働者について，その者の申し出により，医師による面接指導を受けることである(平成17年改正，第66条の8，労働安全衛生規則第52条の2以下)．面接指導を行った医師の意見を勘案し，事業者は，その労働者について，就業場所の変更や作業の転換，労働時間の短縮などの措置を講じなければならない．

第2に，労働者の心理的負担の程度を検査するストレスチェックを行うことが事業者に義務づけられた(平成26年改正)．調査は，医師，保健師，一定の研修を終了した歯科医師，看護師あるいは精神保健福祉士または公認心理師が行う(平成30年改正)．調査の結果を分析した結果，一定の労働者の集団にストレスの蓄積がみられる場合，事業者はその集団の負担を軽減する措置をとることに努めなければならない．また，ストレスの高い者に対しては，その申し出により，医師が指導を行わなければならない．

なお，厚生労働省は「労働者の心の健康の保持増進のための指針」[2]を策定し，

労働者のメンタルヘルスケアに向けた総合的対策を講じている．

2. 労働災害補償制度

「労働安全衛生法」は労働災害の予防を担うが，労働災害の事後対応を担うのが，労働災害補償制度である．この制度を支えるのが，「労働者災害補償保険法(以下，労災法)」である．

①労災法

「労災法」は，労働災害を業務災害(第7条第1項第一号)と通勤災害(第7条第1項第二号)に分けている．それらの災害，すなわち負傷，疾病，傷害，死亡に対応する．ここでは業務災害に絞って説明する．業務災害に関する保険給付は，①療養補償給付，②休業補償給付，③障害補償給付，④遺族補償給付，⑤葬祭料，⑥傷病補償給付，⑦介護補償給付，がある(第12条の8)．

業務災害が認められるためには，①業務遂行性，②業務起因性，が肯定されなければならない．業務遂行性とは，災害が業務内において生じたことをいう．出張や会社の行事もこれに含まれる．業務起因性とは，その災害の原因が業務にあることである．自然現象や犯罪はこれに含まれないが，地震や大雨など自然災害の現場での任務に従事する場合はこれに含まれる．

問題となるのは，業務上の疾病といえるかである．疾病が業務に起因しているかを判断しなければならない．労働基準法施行規則別表第一の二に業務に起因する疾病が類型化されている．2010(平成22)年の改正は「長時間労働による負担によって生じる脳・心疾患，心理的に過度の負担がかかる業務による精神及び行動の障害」が業務による疾病として加えられている．前者については過労死，後者については過労自殺が問題となっている．

②過労死，過労自殺

過労死(図1)や過労自殺(図2)はいまもなお社会問題となっている[3]．もちろん，その疾患が個人的疾患にからむため，その死が業務に起因するか(業務起因性)の判断が難しい場合も多いといわれている．しかし，裁判所は，業務によって，その個人的疾患が増悪し発症に至ったといえれば業務起因性を肯定している．

2014(平成26)年11月から，「過労死等防止対策推進法」も施行されている．同法は過労死を次のように定義づけている．①業務における過重な負荷による脳血管疾患もしくは心臓疾患を原因とする死亡，②業務における強い心理的負荷による精神障害を原因とする自殺による死亡，である．その他，過労による脳血管疾患や心臓疾患，精神障害も，本法の対象である．そのうえで，過労死等に関する調査研究を推進するとともに，過労死等の防止のための責務を国が負い，地方公共団体がそれを具体化すると同時に，事業主に対しても過労死等防止のため協力を求めている．

過労自殺についても，精神的心理的ストレスの反応には個人差があるため，その自殺が業務に起因しているかの判断が問題となる．厚生労働省は都道府県労働局長に対し「心理的負荷による精神障害の認定基準」を2011(平成23)年12月に通達している．それによると，国際疾病分類第10回修正版(IDC-10)第Ⅴ章「精神および行動の障害」に分類される精神障害(器質や有害物質に起因している場合

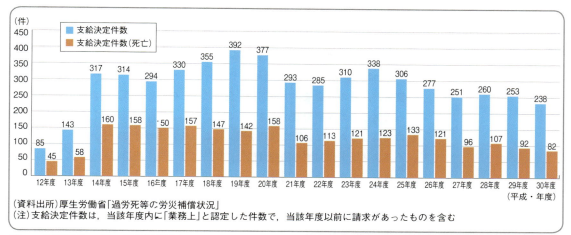

図1　過労死等に係る労災補償状況：脳・心臓疾患に係る支給決定（認定）件数の推移
(厚生労働省：令和元年版過労死等防止対策白書．2019
https://www.mhlw.go.jp/wp/hakusyo/karoushi/19/dl/19-2.pdf より 2020年2月4日検索)

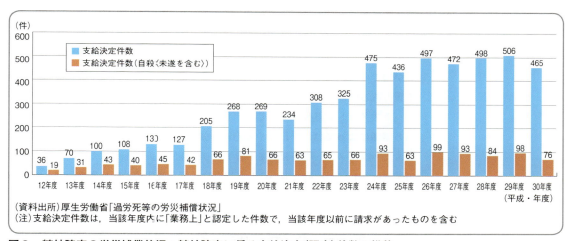

図2　精神障害の労災補償状況：精神障害に係る支給決定（認定）件数の推移
(厚生労働省：令和元年版過労死等防止対策白書．2019
https://www.mhlw.go.jp/wp/hakusyo/karoushi/19/dl/19-2.pdf より 2020年2月4日検索)

を除く）を対象疾患とし，①対象疾病を発病し，②その発病前おおむね6か月の間に，業務による強い心理的負荷が認められ，③業務以外の心理的負荷および個体側要因により対象疾病を発病したとは認められない，ことを認定基準として示している．この基準は「ストレス-脆弱性モデル」に依拠しているとしている．そして，②の「強い心理的負荷」とは，労働者個人を基準とするのではなく，一般的な同種の労働者を基準に決めるべきであるとしている．

4　職場におけるハラスメント

　ハラスメントとは，いじめや嫌がらせをさすが，これが職場で行われると深刻化する．職場におけるハラスメントに関する相談件数は，増加の一途をたどっている．ハラスメントにはさまざまな態様がありうるが，ここではセクシャル・ハ

ラスメントとパワーハラスメントを念頭におく．後者は上司と部下という地位の差違に依拠したものである．そして，上司が部下に，応じないと降格や減給をするなどと脅して性的関係を要求するケースもありうる．男女雇用機会均等法第11条では，事業主に対し，職場のセクシャル・ハラスメントへの対応によって労働者が，その労働条件に不利益を受けることのないよう，または，性的言動によって労働者の就業環境が害されることのないよう，相談に応じるとともに，適切に対応するために必要な体制を整えることを義務づけている．

　ハラスメントに対する法的責任は，民法に基づき，使用者，ハラスメントの加害者に対して次のように追及される．使用者に対しては，第1に，使用者責任に基づく損害賠償(民法第715条)である．使用者責任とは，ある事業のために他人を使用する者は，被用者がその事業の執行について第三者に加えた損害を賠償する責任を負うことである．

　具体的にいうと，従業員であるXが仕事中に，同じく従業員であるYにハラスメントを行った場合に，そのようなハラスメントが行われないようにする措置を使用者が怠ることである．なお，使用者がハラスメント防止のために相当な注意を払っていた場合は免責される．

　第2に，安全配慮義務違反に基づく損害賠償責任である．使用者はハラスメントが起こらない職場環境を作る義務を負っており，これを怠ることである．債務不履行あるいは不法行為として，その損害賠償責任を負う．

　ハラスメント加害者に対しては，不法行為損害賠償の民事責任を負うほか，行為の態様によっては，暴行罪や脅迫罪，強制わいせつ罪などの刑事責任も負う．なお，ハラスメント加害者が使用者であり，性的関係を拒まれたことなどにより労働者に対して不利益な扱いをした場合は，権利濫用や公序良俗違反によりその行為は無効であり，かつ，不法行為損害賠償の責任も負う．

5　ワーク・ライフ・バランス

　近年，仕事(ワーク)と生活(ライフ)を両立させることの重要性が説かれている(ワーク・ライフ・バランス)．共働き家庭が多数を占めるようになり，仕事と家事の両立をどうはかるべきかが各家庭において問題となっている．夫が働きすぎるため，妻のほうに子育てや家事の負担がかかることはありうる(もちろん，その逆の場合もある)．このようなことから，女性の社会進出が進まず，ひいては少子化の原因ともなりうる．また，親の介護と仕事をどう両立させたらよいか悩む例も少なくない．

　こうした問題をふまえて，労働契約法第3条第3項は「労働契約は，労働者及び使用者が仕事と生活の調和にも配慮しつつ締結し，又は変更すべきものとする」としている．

　また，育児休業や介護休業を労働者がとることができるよう，「育児休業，介護休業等育児又は家族介護を行う労働者の福祉に関する法律」が制定されている．同法の目的によれば，子の養育または家族の介護を行う労働者が，引き続き雇用され，または，再就職をしやすくすることにより，職業生活と家庭生活の両立に

寄与することを目指す(第1条).

　育児休業では，子が1歳になるまでのあいだ，子の養育のために休業できる．労働者とその配偶者が育児休業をとる場合は，子が1歳2か月になるまで休業できる(第9条の2)．そのほか，労働時間を短縮することや時間外労働の制限など，子育てに配慮した労働が行えるよう事業主に義務づけている．介護休業とは，負傷や疾病，身体もしくは精神の障害により要介護状態にある家族を介護するための休業である．

　育児休業や介護休業した者に対し不利益な取り扱いをしないよう，事業主に義務づけている(第10条，第16条など)．

■ 引用・参考文献
1) 厚生労働省：労働者の心の健康の保持増進のための指針
http://wwwhourei.mhlw.go.jp/hourei/doc/kouji/K151130K0020.pdf より2020年2月4日検索
2) 水町勇一郎：労働法，第6版．p10-15, 282, 有斐閣，2017
3) 厚生労働省：令和元年版過労死等防止対策白書，2019
http://www.mhlw.go.jp/wp/hakusyo/karoushi/19/dl/19-2.pdf より2020年2月4日検索

25章 力動論に基づく心理療法の理論と方法

1 力動論に基づく心理療法の理論と方法

この章で学ぶこと
- 力動論に基づく心理療法の歴史とその考え方
- 力動論に基づく心理療法の基本的技法
- 現代の力動的心理療法の発展とその技法

1 はじめに

フロイト p.7参照

フロイト Freud, S. によって19世紀末に確立された精神分析と、その後、彼の後継者たちによって修正・追加された理論と方法を総称して、力動論に基づく心理療法(以下、「精神力動アプローチ」)という。人の心と行動は、本人が意識していない「無意識的欲求」や「無意識的空想」から大きな影響を受けているという考え方である。

このような精神力動アプローチの特徴を包括的に列挙すると以下のようになる。

① 無意識の働きの重視
人間の無意識の領域には、過去の嫌な体験の記憶や、本人にとって都合が悪いために意識したくない衝動や恐怖感などがある。それらが形を変えて現れたり、意識の力が弱まったりしたときに思わぬ形で現れ、心身の問題や症状を形成する要因となっている。そのため、この無意識の領域を解明することが治療にとって非常に大切なこととなる。

② 人格や心の構造の局所論的とらえ方
欲望や衝動の中心である「イド」と、道徳や倫理観の中心である「超自我」、そしてこの2つを現実的に調整したり妥協させる「自我」などの力のせめぎ合いという局所論的なとらえ方。

③ 力動的な考え方
さまざまな心の部分が葛藤や抑圧、妥協を繰り返しながら成立しているという考え方。

④ 心的エネルギーという考え方
リビドーとよばれる心的エネルギーの移動や増減によって種々の精神現象や行動が生み出されると考える。この考え方の背景には当時、物理学において優勢だったエネルギー保存の法則[*1]の影響がみてとれる。

⑤ 人格と環境の相互関係の重視
人がどのように生まれてどのように育てられ、親や家族やそのほかの人々とどのような関係をもって生きてきたかを重視し、その人の理解も治療もそのような視点からされる。

⑥ 発達過程の重視
すべての精神現象が過去の体験に心理的な起源をもち、発達過程によって強く

用語解説

*1 エネルギー保存の法則
「独立系のエネルギーの総量は変化しない」という物理学における法則の1つ。たとえば、高い所にある物体は、落下によって位置エネルギーは減少するが、運動エネルギーをもち、ほかの物体を動かすことができることで、その和は常に一定であるというもの。

影響されると考える．そして乳幼児期に獲得された心の活動パターンは，いったんは消えたようにみえても，後に再び活動的になることがあると考える．

2 精神分析の歴史

19世紀のヨーロッパで流行し始めていた催眠現象に対して，その生理的側面ではなく心理的側面に注目したフロイトは，催眠治療から催眠浄化法（カタルシス）[*2]や煙突掃除療法ともいわれる方法や，さらに前額法[*3]を試みた．これらの方法により人は意識している心理的なもの以外のものをひそかに抱いており，ときにそれが本人の意思とは無関係に働きだすためにさまざまな症状が現れるということを確信していった．

この段階でフロイトは「本人が不快で耐えがたく感じていることを忘れてしまう」という心理機制に注目して「抑圧」と名づけた．

1890年代後半になると無意識の世界をさらに因果論的に科学的に説明しようとする「心的決定論」や，心のエネルギー論としての「リビドー論」を確立していった．

「心的決定論」とは，一見不思議に思われる人間のさまざまな言動や心理現象も，無意識のうちに決定されているので，無意識の世界を探求すればその原因がわかるという考え方である．このような考え方でフロイトはその後，夢や失錯行為（言い間違え，書き間違いなど）などの，これまで意味をなさないと考えられていた現象を因果論的に説明していった．つまり言い間違いや書き間違いは，その人の無意識の欲求が，失錯行為という形になって表現されたものであるという考え方である．

「リビドー論」はフロイトの精神分析を代表する考え方の1つである．リビドーという精神的・性的エネルギーが，どのような形で満たされたり，あるいは抑圧されたりしているかによって，さまざまな症状や問題行動が現れるとする考え方である．フロイトはこのような考え方から，患者の多くは性的な外傷体験によってリビドーが無意識のうちに抑圧されており，その抑圧されたリビドーが症状という形をとって現れているとした．そして，抑圧されたリビドーをその抑圧のもととなった外傷体験を想起させることで，過去の記憶の作用を解消させ，症状を消失させるという方法をとるようになった．

しかし，その後のフロイトは治療を重ねていくうちに外傷体験を想起しても症状が変わらないケースが多いという経験を重ねる．また，多くの事例で患者が語る外傷体験が事実ではなかったということが明らかになった．そのため外傷体験が事実であるかどうかということよりも，「患者本人が主観的にそのように体験している」ということが重要であるとして，「心的現実」という考え方とともに，「幻想説」に重きを置くようになったとされている．

精神分析の草創期における重要なことの1つとして，精神分析は主にヒステリー[*4]の患者の治療のために発展したという点があげられる．ヒステリー患者の葛藤や欲求・空想は，多くの場合性愛的な色彩を帯びている．そしてこのようなヒステリーの治療のためには，患者の表面的な訴えにとらわれることなく，その裏にある無意識的欲求や空想を明らかにしなければならない．また患者の訴え

＊2 催眠浄化法（カタルシス）

催眠状態で，それまで抑制していた情動を発散することにより，ヒステリー症状が消滅するというもの．

＊3 前額法

患者を寝かせ，目を閉じてもらい，治療者が額に手をあてて思い浮かんだことを語らせる方法．当初，催眠を使わずに行ったため，以降は催眠療法から大きく離れて精神分析の出発点となった．

＊4 ヒステリー

器質的病変はないにもかかわらず，運動麻痺や痙攣発作，失声や書字困難，嚥下障害が現れる運動障害と，感覚や視覚，聴覚が失われる知覚障害がある．現代では，転換性障害，身体表現性障害や解離性障害などの各項目に分けて診断されるが，精神分析の出発点となったという意味では，忘れてはならない病理現象である．

る主訴そのものを解決しようとしても，その裏にある葛藤や欲求に目を向けない限りは，症状は別の形をとって再び患者や治療者を苦しめることになるのである．

3　心の構造論

初期のフロイトは心は意識と前意識，無意識の三層構造になっていると考えた．しかし，その後1923年に「自我とエス」という論文によって，機能としての単位である「自我」と「エス」と「超自我」が主な構成要素であるという構造論に修正されていった．

超自我は主に両親などの養育者から教え込まれた，倫理や道徳，社会的ルールに代表されるような「○○すべき」という理想の追求や「△△してはいけない」などと禁止する機能の主体であるのに対して，エスは無意識の領域にあって，欲求充足的な「○○したい」という主体である．自我はその両者のバランスをはかりつつ現実のなかで適応していけるように調整する機能をもつ．これらがなかば無意識的に活動するという点が，精神分析の独自な考え方である（図1）．

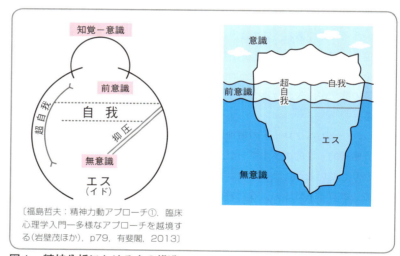

〔福島哲夫：精神力動アプローチ①．臨床心理学入門―多様なアプローチを越境する（岩壁茂ほか），p79，有斐閣，2013〕

図1　精神分析における心の構造

4　精神分析における発達論的パーソナリティ理論と防衛機制

精神分析においては，おもに成人の治療を行いながら，その成人の症状やそれにつながるパーソナリティの形成の原因となった出来事や，トラウマや幼児期の幻想についての理論を発展させていった．そして人間が生まれてから成人するまでにリビドーがどのように変化し，どのように満たされるかという観点から作られたのが発達論的パーソナリティ理論である．

この発達論的パーソナリティ理論には，「防衛機制」という考え方がセットとなっている．防衛機制とは，自我が無意識的に行う自分を守るための防衛のことで，心が傷つきすぎることのないように認知や言動を駆使して守るものである．この防衛が弱すぎると，心が傷つきすぎて健全な発達や行動をとれなくなるし，その反対に

防衛が強すぎても，パーソナリティの偏りとなりさまざまなトラブルにつながったり，社会生活が円滑に進まなかったりする．そのような意味で，発達論と防衛機制はそのまま，精神分析における病理論[*5]ともつながっているものである．

1 ▶ 口唇期（oral stage）

生後約18か月までの乳幼児期におけるリビドーは，唇の周辺で満たされる．この欲求充足行動は，成人してからの性行動としては，過食や多量飲酒などの問題行動にもつながるものと考えられる．たとえばパーソナリティとしては，以下のような両極端な性格特性を含む口唇性格を発展させる（**表1**）．

■ 表1　口唇期の欲求充足と口唇性格の主な特徴

	過剰だった場合	不足していた場合
性格傾向	楽観主義	悲観主義
	うぬぼれ	自己の過小評価
	操作性	受動性
	信じ込みやすさ	疑い深さ

> **用語解説**
>
> ***5　病理論**
>　広義には精神の異常や不適応の原因，治療法を探求するものであるが，精神分析の病理論では，とくにヒステリーや神経症の病理と治療法に詳しく，さらに現代ではパーソナリティ障害の病理と治療に詳しい．

例外はあるものの，原則としては口唇欲求が満たされにくかった場合は，**表1**の右側の性格傾向に，反対に安易かつ過剰に満たされた場合は左側の性格傾向になりやすいとされている．また一貫しない育て方をされた場合は，この両極端を行き来する場合もあると考えられる．

このような性格特性に加えて，口唇期への固着は，強いフラストレーションを感じたときに，さらに未熟で原始的な防衛にもとづいた傾向を表すとされる．それを**表2**に示す．

■ 表2　口唇性格のより原始的な防衛

防衛の種類	内　容
否認	満たされない欲求を閉め出すために目や口を閉じるかのように，なかったことにする防衛
投影	不快なものを吐き出すかのように，自分のなかの認めたくない感情や認知を相手に投げかけて，相手のものとする防衛
体内化	飲食物を取り入れるように，他者のイメージを自分の一部とする防衛．主に分離不安を防衛するために使う

以上のように，この発達段階に固着した人は，それだけで病気とはいえないまでも，依存的で世話されたいという欲求を強烈に抱えている．しかし，それゆえにその強い欲求をコントロールしなければならないということを，体験をもって学習しなければならないとされている．

2 ▶ 肛門期（anal stage）

生後18か月から3歳くらいまでの期間に相当する．これはちょうどトイレット・トレーニングの時期でもあり，肛門や大便で遊ぼうとする強い衝動に駆り立てられると同時に，社会のルールとの葛藤に直面する時期である．養育者が過剰に厳しかったり，逆に過保護である子どもは肛門期に葛藤をもち，固着する可能

性が高くなる．肛門期固着から生まれる両極端な性格傾向（肛門性格）は**表3**のような内容となる．

■ 表3　肛門期の欲求充足と肛門性格の特徴

	過保護だった場合	厳しすぎた場合
性格傾向	過剰に気前のよい	けちな
	ゆったりした	窮屈な
	従順な	頑固な
	乱暴な	几帳面な
	時間にルーズ	時間厳守

口唇性格と同様に，養育者の態度によって，過保護的だった場合は左側に，過剰に厳しくしつけられた場合は右側の性格傾向になると考えられる．また，対象となる物や領域によって，普段は几帳面な人が別の場面ではルーズになることもある．

このような性格傾向に加えて，肛門性格に特徴的な防衛を**表4**に示す．以下の防衛は口唇性格とは異なり，とくに強いフラストレーションがなくても，自然に発揮される防衛である．

■ 表4　肛門性格に特有の防衛

防衛の種類	内　容
反動形成	本当に望むこととは逆のことをする防衛．ときにそれが過剰だったり，わざとらしいことで他者にも把握される
打ち消し	本当の願望をはじめからなかったもののように打ち消す防衛
隔離（分離）	感情や感覚を切り離して，あえて機械的にあつかったり表現する防衛
知性化	感情や感覚が伴うような経験を，あえて知的で論理的な言葉で表現する防衛

肛門性格の人は時間厳守や整理整頓，完璧な仕事ぶりで周りから感謝や称賛を得るかもしれないが，長期的な視野に立ったときに，かえって効率的でなかったり消耗や混乱の元となったりもする．

3 ● 男根期（phallic stage）

3歳から6歳がこの段階に当たるとされている．この段階になると，男児も女児も性的願望は生殖器に焦点化されていると考えられる．異性に対する関心も高まり，性的好奇心が主に異性の親に対して向けられる．これがエディプス葛藤[*6]（oedipal conflict）である．男児は父親を敵視し，さらにその敵視の照らし返しとして恐怖を抱くようになる．この恐怖感は去勢不安（castration anxiety）とよばれ，父親に背いたら男根（ペニス）を切り落とされるのではないかという不安である．

女児はこの時期に父親を独占しようとして，母親の存在を敵視し，さらに自分にはペニスがないことに気づき，それを母親の欺きの結果だととらえるとしている．

この男根期の性格傾向（男根性格）の特徴を**表5**に示す．

用語解説

***6　エディプス葛藤**
　エディプス・コンプレックスともいう．異性の親を性愛的にも独占しようとして，同性の親に対して競争心や敵意，その反動としての恐怖を抱いたりする心の働き．主に男根期に形成され，神経症やヒステリーの原因になると考えられた．ギリシャ神話の「オイディプス王の悲劇」から命名された（オイディプスはエディプスと同一である）．
　また，フロイトは晩年の書『モーセと一神教』（渡辺哲夫訳，筑摩書房，2003）のなかで「十戒」で有名なユダヤ教の始祖とされるモーセについて，エディプス・コンプレックスによる「父殺し」をテーマに精神分析的に深く考察した．

エディプスとスフィンクス
（写真：PPS通信）

ミケランジェロのモーセ像
（写真：学研資料課）

表6にこの男根性格に特徴的な防衛である「退行」，そして，この性格にもみられるが，それ以外の一般成人にもよくみられる防衛をあげる．

■ 表5　男根期の欲求充足と男根性格の特徴

	過保護だった場合	過剰に拒否的だった場合
性格傾向	虚栄心のある	自己嫌悪の強い
	プライドの高い	謙遜しがち
	上品な	地味な
	うわついた	内気な
	社交的な	孤立ぎみ
	活発な	恥ずかしがりな

■ 表6　男根性格やそれ以降の段階に一般的な防衛

防衛の種類	内　容
退行	より早期の発達段階に戻ることによって，不安や葛藤から自分を守る防衛．いわゆる赤ちゃん返り
抑圧	「臭いものにフタ」のように，自我にとって不都合な欲求や葛藤を封じ込めて感じないようにする防衛
合理化	自分が満たされなかった欲求を「元々必要なかったんだ」というように，合理的な理由をつけて，自分が傷つかないようにする防衛
置き換え	特定の欲求や感情が本来向いていた相手とは別の対象に向ける防衛
昇華	本来の欲動を別のより適応的なもので発散したり，満たそうとするもの．たとえば，性的欲求をスポーツや勉学で発散しようとすること

4 ● 潜伏期（latency stage）

古典的精神分析においては，6歳から思春期（11，12歳）までは，新しい性欲の発達とは関係なく，性的な願望は抑圧された時期であるとされている．その意味でフロイトはこの時期を潜伏期と名づけた．

5 ● 性器期（genital stage）

口唇期，肛門期，男根期，そして潜伏期の困難を乗り越えると，次に来るのが，この性器期である．この段階になるとリビドーは生殖器に供給され，満たされることとなる．青年は性愛の対象と仕事の対象をみいだすことになる．フロイトは大人の条件として「愛することと働くこと」としたといわれているが，まさにこれが性器期の課題となるのである．

5　フロイト以降の精神力動アプローチ

フロイト以降の精神分析は，ひと言でいえば，より社会的文脈や関係性が重んじられる方向と，より幼児期早期に原因を探る方向へと発展していった．エリクソン Erikson, E. やホーナイ Horney, K.，サリヴァン Sullivan, H.，フロム Fromm, E.，ライヒマン Reichmann, F. などのネオフロイディアン（新フロイト派）とよばれる人たちに代表される発展は，社会的文脈と関係性を重んじる方向の1つである．

→ エリクソン p.247参照

→ サリヴァン p.3参照

▲フロム＝ライヒマン，フリーダ(1889-1957)
ドイツで生まれ育ち，ナチスによる迫害でアメリカに亡命した心理療法家，精神科医，心理学者フロム．エーリッヒと結婚後離婚．統合失調症への心理療法とその病因論が有名である．著書『積極的心理療法』（阪本健二訳，精神書房，1964）では，その温かい姿勢が心理療法の本質を伝える．（写真：PPS通信社）

またフロイトの末娘の**アンナ・フロイト** Freud, A. は自我の働きとその防衛機制を体系化し，「自我心理学」を確立した．さらに第二次世界大戦前のユダヤ人迫害によって多くの精神分析家がイギリスやアメリカに移住しており，アメリカに移住した学者たちを中心にして自我心理学派が形成された．この自我心理学派はフロイトの心的構造論をそのまま継承発展させながら，適応論と発達論を重んじ，早期母子関係や乳幼児の直接観察などを通じて，神経症や精神病の病因をフロイトの言うエディプス期（男根期とほぼ時期的に重なる）以前に求めた．ちなみにアンナ・フロイトは児童分析を創始して，遊戯療法を導入したという意味でも，大きな貢献を果たしている．

他方，イギリスにおいては**クライン** Klein, M. や**ウィニコット** Winnicott, D. による「対象関係論学派」が発展した．これはフロイトが生物学的本能を重視し，対象を本能の充足のための手段と考えるのに対して，自我は本来対象希求的であるとして，「対人関係の内在化（internalization）」を重んじた．その意味で，彼らは実在する外的対象と並んで心の中に形成される内的対象とのあいだで発展する内定対象関係を治療者―患者とのあいだでも重視する特徴がある．

アドラー p.318参照
ユング p.50参照

また，フロイトと決別した**アドラー** Adler, A. は「個人心理学」を，**ユング** Jung, C. は「分析心理学」を創出し，大きな影響力をもった．

1● アドラーの「個人心理学」

アドラーは，フロイトと行動をともにしていた1900年代初頭にすでに「器官劣等性」と「力への意志」という概念を導入した．これは身体の障害などによる劣等感を，「よりすぐれた存在になろう」とする力への意志によって克服し，社会全体もよりよいものにしていこうとする意志の追求である．その考えはさらにその後，目標追求性の理論によって一般化され，フロイトの原因論的な心理学から目的論的な心理学へと完全に脱皮したといわれる．その意味では，「個人心理学」という命名は「別々の個人」という意味ではなく，「これ以上分割できない全体として統合された1人の人」という意味の「個人」であり，アドラーの心理学全体が精神力動アプローチというより，人間性心理学に近いともいえる．

2● ユングの「分析心理学」

フロイトの古典的精神分析と比較して，以下のような特徴をもっている．

①人間の心の無意識的な領域の重要性を認める点では古典的精神分析と共通しているが，無意識のもつ補償機能（バランス機能）や創造性を認めるという点で，大きく異なる．その意味で，フロイトの提唱したリビドーや無意識を性的欲動という狭い意味でとらえずに，宗教性や霊性（スピリチュアリティ）をももったものとしてとらえる．無意識のもつこのような性質ゆえに，夢分析や箱庭療法，絵画療法が，そこに表現されたものの意識化や解釈を含まずとも，表現することのみでも治療として有効であると考える．

②人間の心の深層には個人が生まれ育つ過程で培ったり抑圧したりしてきた個人的な内容だけでなく，その家族や民族，国家，さらに人類全体に普遍的な内容も存在すると考え，これを集合的無意識とよぶ．また，集合的無意識のなかの

パターン化されたものを「元型(archetype)」とよび，神話や昔話，映画やファンタジー，さらには個人の夢のなかにも元型的イメージがみいだされるとする．
③人間の心を「意識と無意識」「内向性と外向性」「父なるものと母なるもの」「男性性と女性性」などの対極性をもった概念や，あり方のあいだのダイナミックな動きとしてとらえる．
④人間の心の中心機能を自我ではなく，「自己(self)」という独特の概念で考え，その「自己」がたち現れてくるプロセスを「自己実現」や「個性化の過程」とよぶ．
⑤心の全体性とバランスの回復を治療目標の重要な1つと考えるため，個人のなかの相反する要素の分化と統合や，普遍的なパターンからある程度自由になっていく「個性化の過程」が重んじられる．

3・北米大陸における精神力動的アプローチの発展

精神分析がヨーロッパから北アメリカに普及するにつれて，**フランク Frank, J.** も指摘するように，権威主義的な理論と治療態度から，上下関係のない親しみやすい態度になっていった．理論的にもそのような変化がみられるが，その代表が**コフート Kohut, H.** の「自己心理学」であるといえる．コフートは主に自己愛性パーソナリティ障害の治療に関して，古典的精神分析の修正を行った．

発達的に子どもは親からの「ミラーリング(mirroring：照らし返し，注目し尊重すること)」と，親を理想化する欲求の2つが満たされる必要があるとした．自己愛性パーソナリティ障害のクライエントはこの2つの欲求が満たされていないとして，セラピストがミラーリングを与え，理想化を引き受ける必要があるとした．

さらに，**カンバーグ Kernberg, O.** と**マスターソン Masterson, J.** は境界性パーソナリティ障害の治療のための理論を体系化して，その後の精神力動的アプローチの発展に大いに貢献した．また，短期力動療法や加速化体験力動療法(AEDP)などのセラピストの積極性と暖かさを強調する力動的なアプローチも発展し，隆盛を迎えつつある．

▲コフート，ハインツ
（1913-1981）
オーストリア出身の精神科医，精神分析学者．後にシカゴに移住．自己愛性パーソナリティ障害の治療に尽力し，その人格構造と治療プロセスを明らかにして，それまでの精神分析技法を結果的に共感的で温かいものにした自己心理学を提唱．
（写真：Picture alliance/アフロ）

6　力動的アプローチの基本的介入法

1・自由連想法

精神分析では基本的な技法として自由連想法を使う．これは「心に浮かんだことは恥ずかしいとかくだらない，あるいは失礼だと思っても，その気持ちも含めて言葉にして伝える」というものである．とくに古典的精神分析においては，クライエントは寝椅子に横たわりセラピストはそれをクライエントからは見えない位置にすわってひたすら傾聴する(図2)．これを1回45分～50分，週に4～5回行うのが正統的な精神分析である．現代においては，週1～2回，寝椅子を使わずに対面法で行うのが一般的になりつつある(図3)．

図2　古典的精神分析における傾聴法

図3　現代における傾聴法

2・抵抗分析と防衛分析

このようにすると，たとえはじめはなめらかに身辺のことや日常のことを語っ

ていたクライエントも，間もなく「何も話すことが浮かばない」とか，話題が核心に迫るにしたがって「話したくない」という気持ちになったり，無意識のうちに話がそれていったりしてしまう．これが抵抗である．あるいは，予約の時間に遅れてきたり，キャンセルするようになったりもする．このような遅刻やキャンセルは常識的には納得できる理由を伴っている場合でも，実は無意識的な抵抗の表現である場合も多い．

これらの抵抗を指摘し，無意識的に何を抑圧しているのか，何を恐れているのかなどについて問いかけていくのが抵抗分析である．また，この抵抗のなかに抑圧だけでなく，さまざまな防衛機制もみいだされるので，それも指摘することになる．これが防衛分析である．

3 ● 転移分析

分析が進むにつれて，クライエントはセラピストに対して何らかの感情を抱くようになる．「この分析家は怖くて権威的だ」という不安や恐怖か，あるいは反対に「何でも受け入れてくれる，優しい理想の母親のような人だ」という依存欲求かもしれない．このように「患者の人生早期の重要な他者を分析家に当てはめようとするもの」が転移である．このような転移が起こっていることを指摘し，扱っていくのが転移分析とよばれる作業である．

上記のような分析を通じて，自分が抑圧していたり，そのほかの防衛で意識化しないようにしていた欲動や幻想を洞察していくことで変容につながる．たとえば，去勢不安やエディプス葛藤が抑圧されたり置き換えられていたこと，あるいはそれが治療者に転移していたことを洞察して，これまで男性の教師や上司と衝突と回避を繰り返していた人も，これからはそのようなことはしなくても済むようになるのである．

4 ● 古典的精神分析の基本的介入技法

これまで古典的精神分析の典型的な分析内容を解説したが，以下にその内容の分析を可能にする基本的介入技法を紹介する．

①明確化（clarification）

クライエントが自由連想のなかで述べた曖昧な発言や抽象的な発言を，はっきりしたものにしていく介入である．多くの場合「○○ということですか？」という質問の形でされる．

②直面化（confrontation）

矛盾するような内容やクライエントが明らかにしたくないと感じていると思われる内容を，あえて疑問形で訊ね返すものである．たとえば，「辛い，辛い」という話を笑顔で続けるクライエントに「辛い辛いとおっしゃっているのに，ずっと笑顔なのはどうしてなんでしょう」と問いかける．これを適度に暖かく穏やかに質問するのは，かなり難しい場合もあるため，初心者は避けてしまうか強く指摘しすぎて，関係が悪化してしまいかねないという意味で，難度の高い技法であるといえる．

③解釈（interpretation）

クライエントの自由連想やふるまいからセラピストが得た理解を言葉にして伝える技法である．これも多くの場合，クライエントからの反論の余地を与えるために疑問形で伝えられる．

たとえば「あなたがそこまで怒っているのは，本当はとても傷ついているからなんでしょうか？」「あなたが人と話すときについつい自慢話になってしまうのは，もっとわかってほしいと思うからなんでしょうかね？」という伝え方である．これをさらにそのようになってしまったクライエントのこれまでの経緯を含めて，説明的な疑問文にする場合も多くみられる．

なお，日本語の「解釈」という言葉は「理解」という言葉に近いため「セラピストが心のなかで理解している」ということを解釈であると誤解する初心者もいるが，あくまでも「セラピストの理解をクライエントに言葉で伝える」というところまでを含んでいるのが，この解釈という技法である．

④徹底操作（working through）

過去の抑圧された無意識的願望・記憶を繰り返し言語化し，意識化することで再体験させていくというものである．これはもちろんスローガン的に唱えるという意味ではなく，自由連想のなかに関係するものがでてきたときに，そのつど言語化していくというものである．こうすることで単なる知的な理解や洞察ではなく，情動を伴った深い理解となり，クライエントがこれまで苦しめられてきた無意識的欲求の反復強迫(つまり自分でそれとは気づかずに，何回も同じような問題行動を繰り返してしまうこと)をやめられると考えられるのである．

ちなみにこの「徹底操作」という訳語はあまりにも堅く機械的な響きがあり，さらに主体がセラピスト側にあるかのような用語だが，本来はクライエントが主体なので，近年は「ワーキングスルー」と英語でよばれることが多い．

7 セラピーの流れ

次に，精神力動的アプローチの標準的な治療の流れを解説する．

1・アセスメント面接

まず，治療の申し込みや医療機関をはじめとするほかの機関からのリファーがされた場合，引き受けられるかどうかを検討した後に，ウェイティング・リストに載せるなり，アポイントを入れるなりして初回面接を迎えることになる．ここまではほかの心理療法と同様であるが，精神力動的アプローチの場合はさらに慎重に「分析可能性」について吟味することになる．この分析可能性についてはフロイト以来，さまざまな議論があり，精神病でないことや不安神経症(現在の不安障害)でないこと，さらには自分をある程度客観的に見つめる「観察自我」があることなど，種々の要素がある．

以下に解説するような作業同盟を作れることや治療構造を守れることなども，実際的にはとても重要な要素となる．

アセスメント面接においては問題の経緯や家族背景，生育歴などを数回にわ

たって傾聴するとともに，基本となっている発達の固着や防衛機制，背後にある精神力動的な構造についてもある程度推定する．さらにこのクライエントとこのセラピストとの組み合わせならどのような治療が展開するだろうと予測されるかまで含めた「クライエント―セラピスト関係のアセスメント」も大切である．その意味では「クライエントの病理のアセスメント」と「家族背景や発達を含めた力動のアセスメント」，さらには「今後予想される治療プロセスのアセスメント」などの多側面にわたるアセスメントが必要である（図4）．

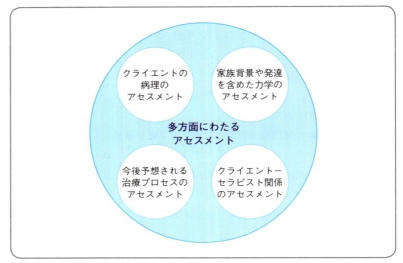

図4　多方面にわたるアセスメント

　以上のような面接をまず4～5回にわたって行うのが，通常の精神力動的アプローチにおけるアセスメント面接である．この際に当然ながら一般精神医学的な見立ても大切であるが，精神力動的アプローチにおけるアセスメントは，それよりもさらに重層的かつ多角的であるといえる．ただし一般的な医療機関や相談機関においては，このように時間をかけたアセスメント面接ができない場合も多い．その場合は，1～2回でアセスメント面接はすませて，それ以降は「セラピーをしながらのアセスメント」を進めていくこととなる．個人開業のような本格的な精神力動的アプローチのできる場所においても，たとえばユング派（分析心理学派）の場合は，上述の場合と同様にアセスメント面接を1～2回ですませて，その後は夢分析や箱庭療法を含む芸術療法などによって，分析とセラピー的はたらきかけとアセスメントを並行して行う場合も多い．

心理検査によるアセスメント

　アセスメント面接に並行して，心理検査を行うことも多い．精神力動的アプローチでは無意識の力動を知り，分析可能性や治療的退行の質などの治療展開をある程度予測し，目標設定を含めたケースフォーミュレーション（定式化・概念化とも呼ばれる）を立てるためにも，ロールシャッハテストなどの投映法検査を行うことが多い．ロールシャッハテストとSCT（文章完成法）とバウムテストやS-HTPなどの描画テストが一般的なテストバッテリー（テストの組み合わせ）とな

る（→ p.305 第15章3節参照）．

2・契約

　アセスメント面接で明らかになったことをふまえて，セラピストが把握した問題の概要とその背後にある力動，そしておおまかな目標を話し合って，治療に取り組むかどうかを決めていくのが治療契約である．ここにはもちろん時間枠や料金の契約も含まれる．治療の時間，空間，料金などの治療構造を一定に保つのは精神力動的アプローチの基本でもある．個人情報の取り扱いや守秘義務とその解除（自傷他害の具体的可能性が高い場合の家族への連絡など）の説明やキャンセル料の取り決めや治療の終結の仕方も含めて，近年は日本においても書面で契約書を交わすのが一般的である．

3・セラピーの開始とその後のプロセス

　アセスメント面接が終わり治療契約がすんだなら，自由連想法か夢分析や芸術療法に入るのが典型的な力動的アプローチである．以下，治療契約後の作業において大切な点をキーワードを中心に解説する．

①作業同盟

　治療同盟ともいう．自由連想法，夢分析，芸術療法は，クライエントのプライベートな領域に立ち入る侵襲性の高い技法であるので，クライエントの抵抗や不安，あるいはその反対に依存性を一気に高める可能性がある．それゆえ，「お互いに一定の心理的距離を保ちながら信頼関係のなかでしっかりと取り組んでいく」，あるいは「転移関係に流されずに，分析的作業を進めていく」という「作業同盟」とよばれる良好な関係が不可欠である．クライエントの症状や病態が重ければ重いほど，この作業同盟は重要であるし，反対にそれを安定的に維持するのも難しくなる．

②面接構造

　先に「セラピーの時間，空間，料金などの治療構造を一定に保つのは精神力動的アプローチの基本でもある」と述べたが，精神力動的アプローチではこのように治療構造という発想で，時間，空間，料金の一定性に注目する．そして，さらに治療者の中立性や受け身性を重んじて，できるだけそれを保とうとする．それは，このような治療構造に対してクライエントがどのような反応や抵抗を示すかをも分析の素材にするという意味からも重要である．

　この章の冒頭で述べたような抵抗分析や防衛分析，そして転移分析はクライエントが治療構造に対してどのように反応するかによって，それを素材として分析が可能になる場合も多いのである．

　たとえば，遅刻やキャンセルが治療への抵抗を示している場合も多いし，反対に必ず早めに来ることが強迫性や不安を示している場合もある．さらには，セラピストの受け身的中立的な態度を「批判的」ととるか「権威的」ととるか，あるいは「抱えてもらっている」と受け取ったり，さらには「もっともっと抱えてくれるはず」と期待したりもする．場合によっては，黙って傾聴しているセラピストを「全部わかってくれている理想の分析家」と理想化する場合もあれば，反対に「何もわかっていない無能な分析家」と感じているらしい反応をするということもある．

　このようにクライエントを「リラックスしていながら，満たされない」状況に置

くという治療構造への反応こそが、そのクライエントの基本的なパターンであり、そのパターンに取り組むことが、治療の基本的な作業となるのである．

③禁欲原則

クライエントもセラピストもともに節制—禁欲のうちに治療を進めていかなければならないという原則である．治療のなかでわき起こる転移や欲動を行動化するのではなく，あくまでも言葉で表現しながら内省していき，セラピストは「受け身性」，「中立性」[*7]，「治療者としての分別」を守り，さらにセラピストはスクリーンとしてクライエントの投影を受けるために，みずからの個性を隠しておくべきであるという「分析の隠れ身」を守らなくてはいけない．

④治療の中断と終結

一般に精神力動的アプローチによる治療は，長期間にわたる．2, 3年から4, 5年かかることも珍しくない．その経過の途中でセラピストが予期しない形での中断となることも実際には少なくない．終結の場合も症状や主訴の完全な解消がみられての終結の場合と，症状はまだ多少残っているが，その症状との付き合い方がつかめてきて終結する場合とがある．

また，基本的な対人関係スタイルや家族関係の変化をもって終結とする場合もある．これらも，クライエントとセラピストが十分に話し合って決める形となる．

⑤修正感情体験

アレクサンダー Alexander, F. によって行われた古典的精神分析からの修正の1つである．クライエントがこれまで積み重ねてきたトラウマティックな対人経験を，セラピストとのあいだでより健康的な関係へと修正するものである．

たとえば，これまで親や親しい人との関係で自分の気持ちを表明することを許されず，必死に我慢してとうとう爆発してしまい，かえって関係がこじれるというパターンを繰り返してきたクライエントがいるとする．そのクライエントがセラピストに対しても同様にふるまったときに，セラピストは落ち着いて温かく対応することによって「このセラピストはこれまで出会ってきた人と違う」という実感を得て，さらに「自分の気持ちを正直に話したほうがうまくいくんだ」という実感にまで至るのである．

⑥間主観性（inter subjectivity）

相互主観性や共同主観性ともいわれる現象学の用語であるが，クライエントとカウンセラーとの間の共生的二者関係の基礎概念となるものである．別の言い方をすれば，お互いに主観的なレベルで感じながら，影響を及ぼす関係のことである．

たとえば，脅えや恥，隠された欲求などをこの間主観的なレベルで感じ取りながら，セラピーに生かしていくのが現代の精神力動的アプローチの特徴ともいえる．

⑦投影同一化（projective identification）

対象関係論学派がとくに重んじる原始的防衛の1つである．古典的精神分析における投影という防衛機制が，主にクライエント1人が行う一者心理学としての防衛という理解であるのに対して，投影同一化は二者心理学的に「クライエントから投影されたものが，セラピストにコンテイン（抱え）され，それがセラピストに影響を

📖 **用語解説**

[*7] セラピストの中立性の悪影響

p.551でもふれたように近年の精神力動的アプローチにおいてはセラピストの中立性はかえって害をもたらす場合も多いとされ，AEDP（accelerated experiential dynamic psychotherapy：加速化体験力動療法）に代表されるような温かく積極的なセラピーのあり方が重視されつつある．

及ぼし，さらにそれに対してクライエントが反応する」という一連の反応を指す．

たとえば，クライエント自身が意識していない怒りをセラピストに投影して，さらにその怒りにクライエント自身が同一化する．これによってセラピストも怒り感情をかき立てられていくというのが，この投影同一化の特徴である．

このように徹底して，セラピスト–クライエントの関係性という視点ですべてをみていくのが，現代精神分析の特徴といえる．

⑧逆転移とその積極的活用

転移という現象や治療のなかでの転移の扱い方については，16章3節，5節でもすでに述べてきたが，転移はクライエントの側からセラピストに対して起こるものである．それとは逆にセラピストからクライエントに対して特別な思い入れとして起こるのが逆転移である．

この逆転移は転移と同様に，人生早期の重要な人物との関係を再現するという場合もあるが，セラピストの立場や専門性から考えると，特定のクライエントに対する「好き」「嫌い」という個人的な感情や，「なぜか特別にお世話したくなる」とか「なぜか親身になれない」などの反応であることが多い．

古典的精神分析においては，このような逆転移は厳に慎むべきものであり，このような逆転移が起こらないように，セラピストは訓練過程において自らも教育分析を受けるべきであるとされていた．

しかし現代の精神力動的アプローチでは，逆転移によっては治療的に使えるとされるようになってきている．それは前述の「好き」「嫌い」などの純粋に個人的なものはともかく，「なぜかお世話したくなる」とか「親身になれない」，あるいは「触れあえている気がしない」「過剰な期待を感じて，息苦しく感じる」などのセラピストの反応は，実はクライエントが無意識のうちにセラピストに投げ込んできている基本的対人関係であることが多いからである．これらを言語化してクライエントに伝えるかどうかは別として，クライエントの内的対象関係を理解するうえで貴重な素材となることは間違いない．

■参考文献
1）フロイトS：モーセと一神教（渡辺哲夫訳）．ちくま学芸文庫，1998
2）プロチャスカJほか：心理療法の諸システム—多理論統合的分析．第6版（津田彰ほか訳），金子書房，2010
3）フランクJほか：説得と治療—心理療法の共通要因（杉原保史訳）．金剛出版，2007
4）岩壁茂ほか：臨床心理学入門—多様なアプローチを越境する．有斐閣，2013

［初出］
本章は下記の書籍から抜粋し，加筆・修正し，再構成したものを掲載いたしました．
福島哲夫著，精神力動アプローチ①—学問の発展とそれを支えた研究者たち，p.69-91（有斐閣『臨床心理学入門—多様なアプローチを越境する』2013年）

26章 行動論・認知論に基づく心理療法の理論と方法

1 行動論・認知論に基づく心理療法の理論と方法

この章で学ぶこと
- 認知行動療法の理論的背景と代表的な理論
- 認知行動療法の行動的技法と認知的技法
- 認知行動療法の新たなアプローチ法

1 はじめに

認知行動療法（CBT：cognitive behavioral therapy）は、行動療法と認知療法が融合した治療パッケージである。認知行動療法は、その治療効果について実証的（科学的）に検証され、治療効果のエビデンス（証拠）[*1]も示されている。また、2010年に保険点数化され、認知療法ならびに認知行動療法に習熟した医師が一連の計画を作成し、その計画にしたがって、入院患者を除き30分以上の治療を実施した場合、1日につき420点を請求できる唯一の心理療法であった（ただし2020年より小児特定疾患カウンセリング料において公認心理師がカウンセリングした場合も保険点数が算定されることとなった）。

認知行動療法という用語は、**マイケンバウム Meichenbaum, D.** の著書[1]で初めて用いられたとされるものの、創始者を限定することはできず、行動療法や認知療法の臨床実践および研究の蓄積により体系化された心理的治療法といえる。認知行動療法には、環境と個人の相互作用や、個人内要因の相互作用を想定した心理モデルが基本的発想としておかれている。

このモデルでは、クライエントが有する問題は、単独で生じているのではなく、環境や認知、行動、身体的状況、感情状態と密接に関係しており、その悪循環により維持するとされる[2]。たとえば、認知的側面には認知療法的技法を適用し、行動的側面や感情状態、身体的状態には行動療法的技法を適用するなどしながら悪循環を断ち切ることが認知行動療法の目的となる。そして、最終的には、日常的にクライエントがセルフコントロールできる力を育成することも目的となる。

1 行動療法の歴史

行動療法は、1950年代に、問題行動の修正を目的とした介入法として体系化された。行動療法の起源は、**パヴロフ Pavlov, I.** の条件反射理論やソーンダイク **Thorndike, E.** の試行錯誤学習、S-R理論（stimulus-response theory，学習理論）を背景に有するワトソン **Watson, J.** による行動主義心理学など、人間を含めた生体の行動に焦点を当てた研究にさかのぼる。

行動療法が体系化された当時、**アイゼンク Eysenck, H.** は、治療効果が実証的に検討されていない精神分析的心理療法を批判し、心理療法の治療効果を実証する必要性を指摘した。著書『行動療法と神経症』（Behavior Therapy and the

---

用語解説

[*1] エビデンス（証拠）
2000年代以降、より有用な心理的介入の必要性が指摘され、科学者－実践家モデル（scientist-practitioner model）は、科学的な方法論を用いて実践活動を行うセラピストの重要性を示した。そして、セラピストの個人的な体験に基づく治療ではなく、実証的証拠（エビデンス）に基づく介入の必要性が指摘されている。したがって、臨床家は、実証的な研究者であることも要求される。科学者－実践家モデルでは、evidence based practice（p.290 第15章1節参照）を重視する。

▲マイケンバウム，ドナルド
（1940-）
アメリカの心理学者。ストレス免疫訓練の創案者。現在、ストレス免疫訓練は認知行動療法の1技法とされている。自著で「認知行動療法」という用語を初めて用いた人物である。（写真：Getty Images）

パヴロフ p.63参照
ワトソン p.63参照

Neuroses, 1960)で行動療法を紹介し，それが契機となり広く普及したとされている．なお，行動療法という用語自体は，**スキナー Skinner, B.** によって初めて使用された用語であり，**ウォルピ Wolpe, J.** によって「学習の原理やパラダイムを適用し，不適応的習慣を克服する方法」と定義づけられた．

以上のように，認知行動療法と同様に，行動療法の創始者も1人に限定することはできない．さまざまな研究者の臨床実践および研究の蓄積により体系化された心理的治療法である．

2 ● 認知療法の歴史

認知療法は，1960年代前半に，**ベック Beck, A.** によって創始された心理療法である．ベックは，当初，うつ病罹患者を対象とした研究をとおして，うつ病罹患者に特有な非論理的で破局的な思考が存在することを発見した．その非論理的で破局的な思考がパターン化することが，うつ病の症状が発現・維持する要因であるとし，パターン化した非論理的で破局的な思考を修正することを目的とした認知療法を開発するに至ったのである．

認知療法が開発された当時，行動療法の枠組みで行動的側面をターゲットとした研究が盛んに行われ，臨床実践や研究においても行動療法を用いたより実証的な取り組みが行われていた．こうしたなか，1960年代以降，ブラックボックスとして扱われていた認知的側面にターゲットを当てた認知心理学*2 が展開し，人間の思考や記憶について科学的に解明する時代に入ることとなる．

認知心理学の台頭により，これまで扱うことができなかった認知的側面を，心理学領域において扱うことができるようになり，こうした時代的背景が認知療法を生む一因となった．

なお，ベックによる認知療法以外にも，**エリス Ellis, A.** による論理情動行動療法（REBT：rational emotive behavior therapy）やマイケンバウムによるストレス免疫訓練なども，認知的側面に関与する方法であり，認知療法の近縁といえる．

2 認知行動療法の理論

認知行動療法を構成する行動療法および認知療法は，それぞれ理論的背景が存在し，その理論に基づき治療技法がまとめられている*3．ここでは，行動療法および認知療法の基礎となる代表的理論を紹介する．

1 ● 新行動 S-R 仲介理論（1950年代以降）

行動療法の基本的理論であり，最も歴史が長く，さまざまな不適応行動を修正する際に拠り所となる理論である．古典的条件づけ（classical conditioning）がベースとなり，パヴロフによる条件反射理論（➡ p.153 第9章1節参照）およびワトソンによる学習理論が代表的な理論である．

一方，ワトソンによる学習理論では，情動反応の条件づけの実験[3]をとおして，人間の反応（情動反応）を条件づける可能性について言及している．これは恐怖条件づけ*4 とよばれる．

➡スキナー p.64参照

➡ベック p.45参照

用語解説

*2　認知心理学

認知心理学では，人間の認知的側面（思考や記憶など）を情報処理の観点から整理することを試みた．たとえば，「記憶のメカニズム」（感覚記憶器・短期記憶器・長期記憶器）という発想は，記憶する場所をコンピュータのハードディスクになぞらえてとらえている．この発想により，従来と異なる観点から記憶のしくみを検討できるようになった．

用語解説

*3　行動療法と認知療法の基本的な考え方

たとえば，アイゼンクやウォルピを中心にまとめられた新行動 S-R 仲介理論，スキナーによる応用行動分析，バンデューラによる社会的学習理論などは行動療法の基本的な考え方である．また，認知療法については，ベックによる自動思考，スキーマを扱った考え方を中心に，同時期に提唱されたエリスによる ABC スキーマを扱った考え方やマイケンバウムによるストレス免疫訓練などが該当する．

用語解説

*4　恐怖条件づけ

恐怖条件づけの最中に回避できない状況を持続すると，回避行動の発現率が低下する．これは学習性無力感とよばれ，"逃げることさえもあきらめてしまっている"状況といえる．

用語解説

＊5 オペラント条件づけ

図3のように，ある行動の出現率を増大させる操作は強化，減少させる操作は罰とよばれ，それぞれ正と負に分類される．それぞれの意味を正しく理解し，行動形成を目指す必要がある．負の強化は罰と混同されがちであるが，「刺激を取り除くことで行動の出現率を増大させること」が負の強化である．たとえば，萎縮した子どもと保護者が同席しているとき，保護者が別室に移動することで子どもの活動量が増えるといった場合は，負の強化である．なお，学習には生物学的な基礎（制約）や準備性があり，ある学習への素養があり，準備が整っている場合，その学習は達成されやすくなる．

用語解説

＊6 報酬と動機づけ

報酬（強化子）は大きく，物理的なもの（たとえば，小遣い）と心理的なもの（たとえば，達成感）に分けることができる．物理的報酬で行動が喚起され持続する場合は外発的動機づけ，心理的報酬で行動が喚起され持続する場合は内発的動機づけとよぶ．一方で，報酬を得ることができても，成功した場合の原因帰属のしかたにより，その後の行動が左右される．たとえば，成功した際に物理的報酬を得ることができても，その理由を自分自身の要因ととらえることができなければ，達成感や有能感，自己効力感は高まらず，その後の行動は持続しない可能性もある．

バンデューラ p.158参照

この実験では，生後11か月のアルバート坊やに対し，白いうさぎを呈示することから始まる．はじめ，アルバート坊やは白いうさぎに接近する行動をみせる．次に，白いうさぎよりも小さい白いネズミ（白いうさぎに類似する刺激）を呈示するとともに，金棒を金槌で叩き大きな音を出す音刺激（恐怖刺激）を対呈示する．その後，白いうさぎを呈示すると，当初接近していた白いうさぎに対し恐怖反応が生じ，回避するように行動が変容することを示した（図2）．また，ねずみやうさぎのみならず白いものに対し恐怖反応が喚起される（般化される）ことも示し，「恐怖症」は情動反応が条件づけられている状態であることを主張した．

図2　アルバート坊やの実験

以上のような基本的な考え方に基づき，ウォルピやアイゼンクらにより新行動S-R仲介理論としてまとめられ，系統脱感作法，エクスポージャー法，フラッディング，曝露反応妨害法，条件性制止療法，嫌悪療法などの方法が開発されている．

2・応用行動分析（1970年代以降）

応用行動分析は，スキナーなどによるオペラント条件づけ＊5が背景に存在している．オペラント条件づけは，オペラント行動（自発的な行動）を強化する（報酬＊6を与える）ことで，オペラント行動を定着させる一連の手続きをさす．オペラント条件づけでは，正・負の強化，正・負の罰を用いて行動の出現率を変化させることが特徴である（図3）．とくに不適応的行動を減少させることや適応的行動を定着させる際，オペラント条件づけを背景とした応用行動分析が用いられる．

応用行動分析では，ある行動がどのような環境（先行する刺激）で喚起し，それがどのような刺激（後続する刺激）によって持続されているのか，その随伴性を分析する．随伴性とは「ともに変化する」という意味をもち，先行する刺激があるからこそ，ある行動が伴って生じ，ある行動に伴ってなんらかの刺激（報酬）を受けているためにその行動が持続すると考える（図4）．そして，このような随伴性を分析することを機能分析（行動分析）とよぶ．

随伴性を検討し，一般化する行動分析は実験行動分析とよばれ，問題行動の修正など，臨床場面へ適用することは応用行動分析とよばれる．また，機能分析はケース・フォーミュレーション（介入の計画や見通し，見立て）の中核に位置づけられるものでもある．とくにオペラント条件づけの考え方に基づき，シェイピング法やトークンエコノミー法などが開発されている．

3・観察学習と社会的学習理論（1960年代以降）

社会的学習理論は，バンデューラ Bandura, A. により提唱された理論である．

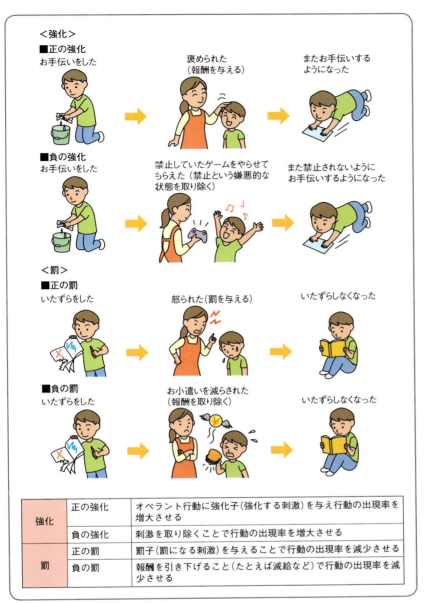

図3 強化と罰

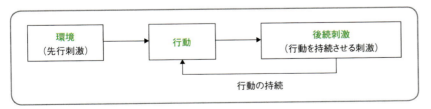

図4 機能分析

ここでは,直接的な強化(実際の報酬)を得ることがなくても,観察対象(他者)が強化される場面を観察することで,他者が強化された行動を自身も修得することができるという観察学習(モデリング)という概念がまとめられた.観察学習には,

注意・保持・運動再生・動機づけの過程が想定されている(図5).

図5　観察学習のプロセス

また，バンデューラは，個人の学習が成立する過程で，期待や予期，自己効力感の影響を指摘しており，これらの関係を理論化したものは，社会的学習理論(p.576 第27章図5参照)とよばれ，支援を実践する際や健康教育を実践するうえでも有用な理論として用いられている．

社会的学習理論では，先行要因(ある行動を喚起させる刺激)・結果要因(行動が喚起されることで何らかの結果が生じる)・認知要因(喚起された行動や行動の結果を認知する)の3要因が生じることで，行動が発現・維持されると想定している．また，行動が発現・維持されるためには，とくに先行要因(効力期待と結果予期)が重要であるとしている．

効力期待とは，「どの程度，その行動を持続できるかについての期待」であり，この期待が高い場合，行動が喚起される可能性は高い．また，自己効力感[*7]が高い場合，効力期待が高いことも示されており，ある行動を形成する際に，個人の自己効力感に関与することも必要不可欠である．さらに，結果期待とは，「この行動を持続することである結果を得ることができるという期待」であり，結果期待が高い場合，行動が持続し，定着する可能性が高い．

社会的学習理論に基づく技法としては，モデリング，セルフコントロール法，セルフモニタリング法[*8]などがあげられる．

4 ● ベック(認知療法)の理論 (1960年代前半～)

ベックは，問題が生じる背景として，自動思考やスキーマを想定している．ある環境における経験が，直接的に結果(問題)を引き起こしているわけではなく，ある環境における経験は，個人の偏った認知・認知の歪み(白黒二極思考やべき思考など)をとおし，その結果として破局的な自動思考が生じ，その自動思考が問題(感情や行動，身体的反応など)を作り上げるという一連のプロセスを想定している(図6).また，個人の偏った認知・認知の歪みは，スキーマ(誕生してから今に至るまでに形成される個人の価値基準)に影響を受けるとされる．

したがって，問題を解決するプロセスでは，問題を作り上げている自動思考や個人の偏った認知・認知の歪みを分析し，より適応的な認知の存在を確かめるとともに，それを日常生活で用いることが求められる．また，最終的にはスキーマについても，より適応的なものを探し，手に入れることを目指す．

自動思考や問題(感情や行動，身体的反応など)の分析を目的とした認知再構成法は，認知療法の代表的技法であり，セルフモニタリングなどを行いながら認知的側面に関与する．

＊7　自己効力感
セルフエフィカシー(self-efficacy)ともよばれる．自分自身が環境(他者を含む社会的環境)に影響を与えることができている実感をいう．たとえば，自分自身が工夫をして取り組んだ結果，周囲に高い評価を得ることができれば，自己効力感は高まる．また，自己効力感の高まりは，自尊感情や有能感の高まりと連動する．

＊8　セルフモニタリング
自分自身の行動や生理学的変化，心理学的変化などをモニタすることをセルフモニタリングとよぶ．たとえば，毎日起床後に体重計に乗り，体重を測定・記録するなどがセルフモニタリングの例である．

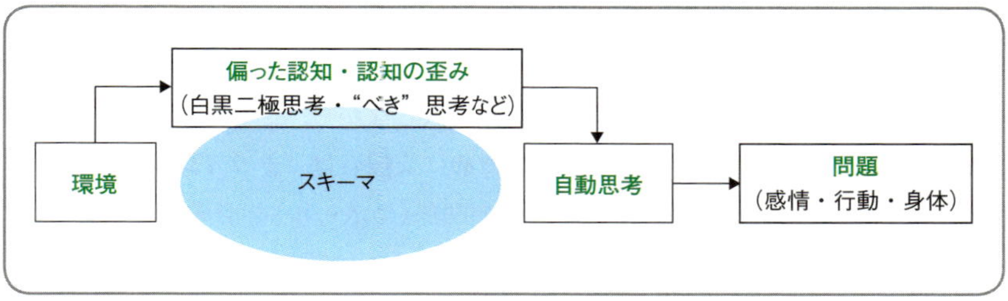

図6 認知療法の基本的発想

5 ● そのほかの認知療法にかかわる考え方
①エリスによる考え方（1950年代後半～）
　エリスは，ある環境における体験は，個人の信念(belief)をとおして問題につながるというプロセスを想定している．この信念が非合理的な信念(ib：irrational belief)である場合，問題が生じ，合理的な信念(rb：rational belief)へと修正することが求められる．そして，非合理的信念を合理的信念へと修正するために，論破・論駁(dispute)が行われる(図7)．

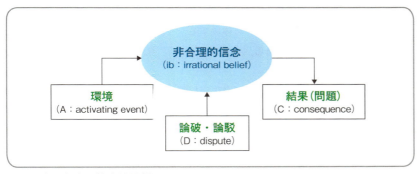

図7 論理療法の基本的発想

②マイケンバウムによる考え方（1977）
　マイケンバウムは，生物学的な免疫システムをストレスモデルに取り入れ，ストレス免疫訓練(stress inoculation training)を開発した．ストレス免疫訓練では，その初期に，ストレス理論についてクライエント自身が十分に理解することが求められる．そして，その後，「ストレスに対する免疫を高める」ことを目標に介入が行われ，ストレッサーに曝されている状況で，ストレス反応として生じる生理的覚醒を鎮める方法(たとえばリラクセーション法など)を用いて，ストレスに対処できることを学ぶ．ストレスは対処できないものではなく，自身の力でセルフコントロールすることが可能なものであることを学び，日常的に技法を適用することを目指す．

3　認知行動療法の技法

　認知行動療法では，実証的に検討され，介入効果が認められている行動的技法と認知的技法を用い，問題の改善を目指す．認知行動療法を実施することで，最終的には，クライエントの問題解決能力を向上させることや，問題をセルフコン

トロールしながらより適応的に生活することが目標となる．

　行動的技法ならびに認知的技法は多種多様なものが存在する．クライエントの状態やニーズに合った技法を効果的に取捨選択しながら，クライエントとともに問題解決に臨むことが必要となる．そのために支援者は，クライエントとの治療関係に最新の注意を払う必要がある．信頼関係（ラポール）を形成するとともに，インフォームド・コンセントを十分に行い，クライエントの治療へのモチベーションを維持することも不可欠である．

　認知行動療法は，すでに一定の効果が認められた技法のパッケージであることから，クライエントとの関係によらずとも治療効果が求められる方法と感じるかもしれない．しなしながら，ほかの心理療法と同様に，クライエントとの十分な理解や深い関係性があってはじめて効果が得られることも忘れてはならない．

1 ● 主に新行動 S-R 仲介理論（古典的条件づけ）がベースとなる行動的技法

①系統脱感作法

　たとえば，不安が強い場所では筋緊張が高まる．強度の弱い不安場面に直面し，筋緊張を体感した後，筋弛緩（不安に拮抗する体験）を行うことで，不安・緊張に対処する（脱感作する）方法．段階的に不安強度を上げ，最終的には最も不安が高まる場面でも対処可能であることを体験する．不安の強度を序列化する際，不安階層表[*9]を作成することもある．

②フラッディング

　最大の不安や緊張が喚起される刺激に直接曝す．ここでは不安や緊張に拮抗する行動（漸進的筋弛緩法や自律訓練法をはじめとしたリラクセーション法の適用）などはせず，不快な状態にそのまま曝す．

③エクスポージャー法

　不適応反応が喚起される刺激にそのまま曝す．したがって，系統的脱感作やフラッディングが包括される概念といえる．狭義では，恐怖反応が消えるまで，恐怖反応を引き起こす刺激に曝し続けることをさし，フラッディングと同様の概念であるが，刺激強度が弱いものから段階的に曝し続けることをエクスポージャーとよび，刺激強度が最大のものに曝し続けることをフラッディングとよぶことが多い．

④曝露反応妨害法

　不安や緊張が喚起される刺激に曝し（曝露し），通常生じる反応（たとえば，回避行動の出現など）を抑える方法．すなわち，曝露された刺激に対して何も対処せずに，その状況に留まるといった方法である．身体的反応や情動的反応が生じたとしても，一定時間経過することで，それらの反応は沈静化することを学習することが狙いとなる．

⑤条件性制止療法[*10]

　不適応反応を複数回繰り返すことと休憩を繰り返し行う．複数回繰り返すことで反応性抑制（不適応反応の出現率が減少すること）が生じ，反応性抑制が生じている状況と休憩とが結び付くことで，休憩時（すなわち何も反応していないとき）に不適応反応が生じなくなる．

＊9　不安階層表

　ある不安について，それを構成するいくつもの不安を列挙し，強度順に並べることで，不安を序列化する．作成の手順は，まず「最も不安を感じる場面」と「まったく不安を感じない場面（たとえば入浴中など）」を挙げ，その後，最も不安を感じる場面に類似する不安な場面をできるかぎりあげる．そして，すべての項目を一列に並べ，それぞれを100点満点で得点化する．得点化することで，とらえることができなかった不安がコントロール可能なものになることや，強度がわかっているためにその不安に対処するときに，クライエントが「ちょうどよい」と思える不安を選択できることなどの特徴がある．

＊10　条件性制止療法の例

　チック症状が出ているとき，意図的にチックと同様の反応を繰り返しながら休憩をとる．複数回反応を繰り返すことでチック症状が治まり（疲労の影響によりチックが治まる），その状況と休憩（何もしない状況）とが結び付くことで，何もしないときにもチック症状が出現しなくなる．

＊11　嫌悪療法の例

　タバコを吸うとまずく感じるようなアメを舐めて禁煙を促進する．

⑥嫌悪療法*11

不適応行動が生じる際，嫌悪的事象を呈示することで，不適応行動の出現率が低下することを目指す．この方法は，嫌悪条件づけを用いたものである．

2 ● 主に応用行動分析（オペラント条件づけ）がベースとなる行動的技法

①シェイピング法*12

スキナーにより提唱され，最終的に目指す行動（適応的行動）をスモールステップで段階的に形成（シェイピング）する方法である．手がかりとなる刺激を呈示すること（プロンプティング）で適応的行動を定着させ，その定着に伴って手がかりとなる刺激を除去する（フェーディング）ことで，手がかりがなくても適応的行動が持続するような手続きを含む．

②トークンエコノミー法*13

トークン（報酬につながるもの，一定のトークンを収集することでクライエントが希望する強化子を得ることができる）を与えることで適応的な行動の形成を行う．

③自己主張訓練（アサーション・トレーニング）

対人関係場面において過緊張や不安を感じる場合などで用いられる．クライエントに，実際に人前で自己主張することを求め，緊張や不安を感じても，十分に自己主張可能であることを学習させる．支援者とクライエントとの二者関係の場で練習を行うこともあれば，複数人の前で自己主張を求めることもある．いずれの環境においても，心理的安全性を確保したうえで実施される．また，自己主張を繰り返すことで，自身のことを伝えるスキルを手に入れるとともに，自己主張ができた事実と緊張や不安に対処できたという事実を強化子として，自己主張行動を獲得する．

④社会的技能訓練〔ソーシャルスキルトレーニング（SST）〕

リバーマン Liberman, R. によって提唱された訓練で，ソーシャルスキルトレーニング（SST：social skills training）ともよばれる[4]．問題行動が生じる原因の1つに「社会的スキルの不足」を挙げ，社会的スキルの獲得を目指す方法である．たとえば，心理的安全性が確保された集団のなかで，不足しているスキルを実行し，他者から強化されることでそのスキルを獲得できるといったものである．現代では，行動的側面と合わせて認知的側面へ関与する技法をプログラム化し，用いられることも多い．

3 ● 社会的学習理論がベースとなる行動的技法

①モデリング

バンデューラにより開発された方法で，他者が強化を受ける状況を観察することで自身の行動を形成する方法である．モデルとなる他者が強化を受けることは代理強化とよばれる．代理強化の対象であるモデルと，それを観察するクライエントとの類似度が高いほど，モデリングは成立しやすいとされる．

②セルフモニタリング法

クライエントが自身を客観的にモニタリングし，その結果を確認する（フィードバック）ことで，行動を形成する方法．自分自身の適応的行動やよい変化を客観的に観察することで自己効力感が高まり，適応的行動の持続やよりよい行動の

用語解説

＊12 シェイピング法の例

離席が目立つ子どもの着席行動を形成する場合，離席をするタイミングで刺激（強化子あるいは罰）を与え，着席する時間が持続するようになると刺激を取り除くなどが例としてあげられる．

用語解説

＊13 トークンエコノミー法の例

登校できた日にシールを与え，シールを30枚集めることができたら，子どもが設定したご褒美（強化子）を与える．

喚起につながる．行動以外に気分や感情など，心理的側面のモニタリングをすることも可能であり，社会的学習理論やオペラント条件づけ，その周辺の理論に基づく幅広い技法といえる．

③セルフコントロール法

クライエント自身の不適応的行動を抑制することや，適応的行動を維持することをセルフコントロール法とよぶ．セルフモニタリングをしながら，セルフコントロールを行うこともある．たとえば，毎日の食事量や体重をモニタリングし，その増減に応じて食事量や運動量がコントロールされることは，セルフコントロール法である．

4 ● 認知的側面に対処する技法，認知療法のプロセスと認知行動療法

現実のクライエントの問題をみると，認知的要因の問題のみならず，行動的な問題を呈していることが多い．たとえば，「自分の価値は低く，他者からは評価されることなどない」「だから，評価を高めるために痩せた身体を手に入れるべきである」といった認知的要素をクライエントが有している場合，不必要で不健康なダイエット行動が生じることがある．こうした不健康なダイエット行動は摂食障害へとつながる危険な行動であり，認知的側面と合わせて行動的側面にも関与することが求められる．

このように，臨床場面では，認知的側面・行動的側面の両者をターゲットとしたかかわりをもつことが多く，これは認知行動療法による支援といえる．ここでは，認知療法と認知行動療法を厳密に区別せず，認知療法・認知行動療法を用いるプロセスを紹介する．

①セッションの構造化とアジェンダの決定

認知療法・認知行動療法を実施する際，各セッションは，構造化され（時間を決め，面接の内容を整理する），それぞれアジェンダ〔agenda（セッションで扱う内容，議題）〕が設定される．そして，アジェンダは支援者のみならずクライエントとも共有され，同意を得たうえでセッションが開始される．アジェンダは柔軟に変えることも可能であり，クライエントのニーズに合わせて各セッションにおける最適なアジェンダを決定し，セッションが進められる．

クライエントのもつ問題は，単独で生じているのではなく，環境との相互作用や感情，身体的状態などと密接に関係し，維持されている．したがって，クライエントの状況に合わせて，行動的技法ならびに認知的技法を効果的に用い，問題解決をはかるが，セッション中に体験した技法を宿題（ホームワーク）として日常生活で用いることも求められる．セッション中にできる体験を日常生活で活かすことをとおして，クライエントのセルフコントロール能力を高めることも期待できる．

②自動思考の明確化と問題の定式化

認知的側面やクライエントが直面する環境，その環境に直面したときに生じるさまざまな反応（情動的反応や身体的反応など）をとらえ，それぞれの相互作用を明確化し，クライエントの問題が生じるプロセスを定式化する（これは問題の定式化とよばれる）．そして，その問題の背景にある，妥当ではなく，クライエントの苦しみを生んでいる「考え方」（認知的要因：自動思考やスキーマ）をみつけ

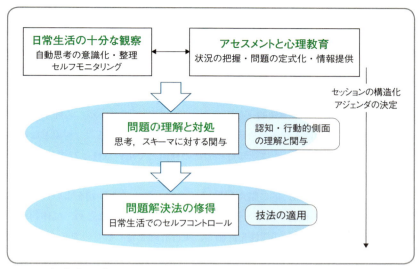

図8 認知療法のプロセス

るとともに，より健康的で妥当な「考え方」を身につけ，実生活で適用できることを目指す(図8).

③認知的側面に関与する方法

代表的な方法に認知再構成法がある．認知再構成法はコラム法などともよばれ，表1のような非機能的思考記録表(DTR：dysfunctional thought record)を用いる．認知再構成法は，「過度にネガティブな気分・感情と関連する認知(考えやイメージ)を再構成するためのスキル」とされている[5]．

認知再構成法は，問題が生じる状況を特定し，その状況でどのような気分・感情の変化が起こり，どのような自動思考が生じるかを特定することから始まる．

その後，自動思考とは異なる「より妥当(適応的)な思考」を考案し，それを使用することで，問題が生じている場面における気分・感情がどのように変化するか評定する．そして，「より妥当(適応的)な思考」を，ホームワークなどをとおして

■表1 非機能的思考記録表の例

出来事・状況	気分・感情	自動思考	理性的(妥当な)考え	結果
●友人から「ちょっと太ったんじゃない?」と言われた	●肥満への恐怖(80%) ●焦り(60%) ●不安(60%)	●痩せなくてはならない(80%) ●最低の評価をされた(70%) ●自分には価値がない(70%)	●現状健康的な体型だ(70%) ●ただ「太ったんじゃない」と言われただけで、そんなに気にすることはない(70%) ●体重が増えることで自分の価値は下がらない(80%)	●自動思考の確信度(60%) ●肥満への恐怖(60%) ●焦り(40%) ●不安(30%)
問題が生じる状況を明確化	その状況で生じている気分・感情を明確化し、その強さを評定	その状況で生じている自動思考を明確化し、その確信度を評定	自動思考とは異なる、妥当な考えを考案し、その考えを使えるか否か確信度を評定	妥当な考えを用いることができたときの気分・感情の強さを評定

実際に使用し，その結果を評価しながら，さらに妥当で適応的な思考を考案することができれば，それを使用する．最終的には，最も妥当かつ適応的で無理のない思考を日常生活で使用することを目指す．

認知再構成法とならんで，クライエントの認知的側面に関与する有効な手段として問題解決法がある．問題解決法は，「日常生活における現実的な諸問題によりよく対処するための，認知的／行動的な一連の問題解決スキル．心理学，とくに認知心理学等における問題解決研究が基礎となる」方法である[5]．対象となるものは認知・行動であり，とくに認知行動療法の枠組みで用いられる方法といえる．

問題解決法も，認知再構成法と同様に，ワークシートを用い，問題が生じる状況を明確化し，思考を適応的に整え（どのように考えるとこの問題をよい方向へ導くことができるか），問題が解決・改善したときのイメージをまとめ，具体的な解決方法とその有効性・実行可能性を評価し，実行計画を立てるものである（表2）．

認知構成法や問題解決法は，認知的側面に関与する有効な方法である．これらの方法に動的技法を上手に組み合わせて用いることで，より高い介入効果が望まれる．また，evidence based practice を重視するのであれば，それぞれの介入プロセスにおいて，測定を行い，介入効果を検証することも必要である．

■表2 問題解決法の例

問題が生じる状況	思考を整える	改善・解決状況のイメージ	具体的解決法	実行計画
●自分の境遇を考えているとき ●お酒が近くにあるとき	●自分の境遇は確かによくないけど，よく考えるとよい所もある ●お酒を飲まなくても嫌な考えから逃れることはできる	●自分に自信がもてる ●お酒に酔わないですむので，いろいろな仕事ができる	●自分のよい所を探す 有効性：40% 実行可能性：70% ●お酒を捨てる 有効性：90% 実行可能性：40% ●お酒以外のものを飲む 有効性：90% 実行可能性：80%	●次回のカウンセリングで自分の長所探しをする ●お酒の代わりにソーダ水を飲む

（問題が生じる状況を明確化／この思考を用いると問題の解決に進むだろうという思考／改善・解決したときのイメージ（メリット）／具体的な問題解決案と，その有効性と実行可能性を評価する／実行可能性の高いものから実際の生活で導入）

4　認知行動療法の第三世代

以上のように，1950年代以降を中心に提唱された行動療法は第一世代[*14]とよばれ，その後，1950年代後半から1960年代初頭にかけて提唱された認知療法や認知行動療法は第二世代とよばれる．そして，1990年代以降，弁証法的行動療法（DBT：dialectical behavior therapy）や眼球運動による脱感作と再処理（EMDR：eye movement desensitization and reprocessing），マインドフルネス認知療法（MBCT：mindfulness-based cognitive therapy），アクセプタンス・アンド・コミットメントセラピー（ACT：acceptance and commitment therapy）などが開発された．いずれも治療効果が認められており，認知行動療法の第三世代とよばれる．世代は分けられているものの，すべてが独立している

用語解説

*14　第一世代の行動療法

古典的条件づけやオペラント条件づけに基づく新行動 S-R 仲介理論や応用行動分析，社会的学習理論などに基づき，主に「行動」を修正する技法がまとめられた行動療法のことをいう．

わけではなく，より高い治療効果が得られるよう工夫され融合しているものもある．

1 ● 弁証法的行動療法

リネハン Linehan, M.[6)7)]による行動分析と認知行動療法を土台とした新しい行動療法的アプローチ法で，さまざまな認知行動的技法と禅が融合したものである[8)]．弁証法的行動療法では，4つの治療様式として，グループ・スキルトレーニング，個人療法，電話によるコンタクト，支援者に対するスーパービジョンがある．

グループ・スキルトレーニングはマインドフルネス(今ここでの気づき)，対人関係の有効性，感情調整，苦痛耐性の4つのスキルを身につける．集団で行い，週1回，2時間30分ほどの時間をかけて実施される．マインドフルネスのトレーニングでは今ここにとどまる必要性を醸成し，対人関係の有効性では他者との関係を円滑にする(自身の目標を達成する)ためのスキルを学ぶ．また，感情調整では苦痛な感情状態を変化させるスキルを学び，苦痛耐性では感情調整が困難な状況において折り合いをつけるスキルを学ぶ．

個人療法では，治療への動機づけを高めるとともに，グループ・スキルトレーニングで学んだスキルの習熟を狙いとして支援が行われる．また，セッションとセッションのあいだで，24時間という制限があるもののクライエントは電話による支援を受けることができる．これは，修得したスキルを日常生活で応用する際の助けとなる．また，クライエントの状態に影響される支援者のためにスーパービジョンの機会(週1回，3時間程度)が構造的に設けられているのも特徴的である．

思うように変容することができないクライエントに対して，4つの様式として構造化されたプログラムのなかで弁証法的な思考[*15]を用い，変容できないことを受容し，社会的集団で生活を送るうえで必要なスキルや思考の形態，行動を身につけることを目的とした心理療法といえる．

2 ● 眼球運動による脱感作と再処理
（EMDR：eye movement desensitization and reprocessing）

シャピロ Shapiro, F.[9)]によるもので，心的外傷後ストレス障害(PTSD：post traumatic stress disorder)に対する効果が認められている．

外傷体験後は言語的に説明可能な記憶(declarative memory)と意識することが難しく言語的にも説明できない記憶(non declarative memory)を保持することになる．言語的に説明可能な記憶は，一般の心理療法で「再処理」することができる．一方で，言語的に説明できない記憶は，再処理することが困難とされ，特別な方法が必要となる．

その方法として，シャピロは眼球運動を行うことで脳の両葉に急速な刺激を与え，言語的に説明できない記憶の再処理が促され，過去の悲惨な体験について認知的処理が可能になると考えた．また，EMDRでは，言語的に説明できない記憶と関連する身体感覚など，クライエントの認知的側面を重視する．

用語解説

＊15 弁証法的な思考
ある状況と対峙するある状況について，どちらかを選択するのではなく，両者を受け入れ，それらを超えた新たな方向性を導き出す思考法のこと．

用語解説

*16 脱中心化

「自分自身の考えと現実とは同等ではない」などといった気づきのこと．自分の凝り固まった考えに固執せず，そこから脱することをいう．

用語解説

*17 関係フレーム理論

関係フレーム理論では，言語的活動を行動ととらえ，それは文脈（日常生活における環境，他者との関係など）によって生成・変化すると考える．文脈のなかでできあがった言語的ルールは，場合によっては有害に働くこともある．たとえば，電車に乗るといった日常的な経験をするなかで，不安な場面に遭遇したとする．現実的に考えれば，「今日たまたま乗った電車」で不安になったにすぎない．しかし「私は電車に乗った」，「電車で不安を感じた」という言語的活動により，「私は（電車に乗ると）不安を感じる」という言語的ルールができあがる．そして，こうしたルールがACTで説明される心理的非柔軟性を導くと考えられる．

用語解説

*18 心理的非柔軟性

脆弱な自己知識，体験の回避，認知的フュージョン，回避の持続，価値の明確化の不足をさす．

3 マインドフルネス認知療法

マインドフルネス認知療法[10]は，反復性のうつ病に対する認知行動療法とマインドフルネス・ストレス低減法（MBSR：mindfulness-based stress reduction program）[11]との統合を目指すものである．認知を変容させることを目的とせず，思考や感情，身体感覚への気づき（マインドフルネスな気づき）やそれらとの関係性の変化を目的とする．この療法では，脱中心化*16を促進することが求められる．

具体的なマインドフルネス認知療法のプログラムは以下のとおりである．

まずは治療者との面接からはじまる．ここでは，クライエントにプログラムに参加するための必要事項を伝えるとともに，マインドフルネス認知療法や関連する知識を提供しながら心理教育が行われる．そして，最大12人程度の回復したうつ病患者がグループを構成し，計8回のセッション（毎週1回，2時間）を行い，脱中心化を促す体験をする．また，セッションのあいだには毎回ホームワークが課され，日常生活で感じられる，「今ここ」での身体感覚や思考，感情に対するマインドフルネスな気づき（無評価的な気づき）が促される訓練が行われる．

こうした体験をとおして，マインドレスな状況（たとえば，自動的で反芻される思考にとらわれている状況）から抜け出し，うつ病の再発防止を目指す．

4 アクセプタンス・アンド・コミットメントセラピー（ACT：acceptance and commitment therapy）

ACT[12]は，関係フレーム理論（RFT：relational frame theory）*17を基盤としてまとめられた心理的支援法である．ACTでは，クライエントの不適応状態の背景に，心理的非柔軟性*18を想定している．マインドフルネスな状態に誘導する方法（たとえば，メタファを用いた体験）を用いて，困難な私的事項を，評価・回避せずに受け入れ（acceptance），認知的フュージョン（私的事項，とくに認知的側面へのとらわれ）から脱フュージョンし，今ここで生きている価値や自分自身の価値を十分に味わう．また，ACTでは，価値を見出した際，それに付随する行動の喚起（commitment）を重要視する．価値にしたがった行動によりクライエントは行動のレパートリーを増やし，「今，この瞬間」におけるより健康的な生活を手に入れることができるといった発想をもつ治療法である．

■ 引用・参考文献

1）Meichenbaum D：Cognitive-behavior modification—an integrative approach. Plenum Publishers, 1977
2）デヴィッド・ウエストブルックほか：認知行動療法臨床ガイド（下山晴彦監訳）．p24, 金剛出版, 2012
3）Watson JB et al：Conditioned emotional reactions. 1920. Journal of Experimental Psychology 55（3），1-14, 1920
4）Liberman, R. P.：psychiatric rehabilitation of chronic mental patients. 実践的精神科リハビリテーション（安西信夫ほか監訳）．創造出版，1993
5）伊藤絵美：認知療法・認知行動療法カウンセリング初級ワークショップ，星和書店，2010
6）Linehan M：Cognitive-behavioral treatment for borderline personality disorder. Guilford Press, 1993
7）Linehan M：Skill training manual for treating borderline personality disorder. Guilford Press, 1993
8）Heard H et al：Dialectical behavior therapy: an integrative approach to the treatment of the borderline personality disorder. Journal of Psychotherapy, Integration 4: 55-82, 1994

9) Shapiro：Eye Movement Desensitization and Reprocessing: Basic principles, protocols, and procedures. EMDR—外相記憶を処理する心理療法（市井雅哉監訳）．二瓶社，2004
10) Segal ZV et al：Mindfulness-based cognitive therapy for depression. Guilford Press, 2001
11) Kabat-Zinn J：Full catastrophe living: the program of stress reduction clinic at the university of massachusetts medical center, Delta, 1990
12) Hays SC et al：Acceptance and commitment therapy: An experiential approach to behavior change. Guilford Press, 1999
13) Hays SC et al：Mindfulness and Acceptance. マインドフルネス＆アクセプタンス—認知行動療法の新次元（春木豊監修）．ブレーン出版，2005
14) 岩本隆茂ほか編：認知行動療法の理論と実際．培風館，1999
15) 武藤崇編著：アクセプタンス＆コミットメント・セラピーの文脈—臨床行動分析におけるマインドフルな展開．ブレーン出版，2006
16) 坂野雄二：認知行動療法．日本評論社，1998
17) Salkovskis PM：Trends in cognitive and behavioral Therapies. 認知行動療法—臨床と研究の発展（坂野雄二ほか監訳）．金子書房，1998
18) 下山晴彦編：認知行動療法—理論から実践的活用まで．金剛出版，2007
19) 下山晴彦監訳：認知行動療法臨床ガイド．金剛出版，2012
20) Sperry L：Handbook of diagnosis and treatment of DSM-IV-TR personality disorders. パーソナリティ障害—診断と治療のハンドブック（近藤喬一ほか監訳）．金剛出版，2012

27章 心の健康教育に関する理論と実践

1 心の健康教育に関する理論と実践

この章で学ぶこと
- 心の健康教育についての理論
- 心の健康教育の実践

1 心の健康教育とは

現代社会において，老若男女にかかわらず，心身の健康を保持・増進し，さまざまな疾患を予防することは急務となっている．心身の疾患を未然に防ぐためには，支援者として健康づくりに役立つリソースを提供することや健康保持・増進や疾患予防に関する教育を十分に行い，個人でパーソナリティや認知，行動を変容させ，「自ら健康になること（セルフコントロールできること）」は，心の健康教育の大きな目標である．そして，心の健康教育は生活の質（QOL：quality of life），ウェルビーイング[*1]を高めることにも寄与することから，多様な場面で実施されることが望まれる．

こうしたなか，本邦においても国民の健康づくりを支えることを目的に，官公庁が主導するさまざまな活動が行われてきた．たとえば，「健康日本21」は厚生労働省によるもので2007年に「健康日本21中間評価報告」，2010年には最終評価が公表された．そして，2013年からは「健康日本21（第二次）」として活動が継続されている．「健康日本21」では，栄養・食生活や身体活動・運動，休養・こころの健康づくりなど，9分野（栄養・食生活，身体活動・運動，休養・こころの健康づくり，たばこ，アルコール，歯の健康，糖尿病，循環器病，がん），計70の国民の健康増進の目標値が設定されている．

以上の9分野をみると，「休養・こころの健康づくり」のみならず，ほかの領域においても心理的側面を支援することが必要不可欠であるといえる．たとえば，運動習慣の形成や禁煙行動の持続では，臨床心理学や健康心理学領域で提唱される多様な理論を用いたアプローチが奏功する．

また，アルコールの問題（アルコール使用障害など）や薬物使用障害を支援する際，十分な心理アセスメントを行うとともに，クライエントのみならずクライエント家族への心理的支援が欠かせない．さらに，高ストレスと身体・心理的疾患との関係性も実証されており，病気にならない生活習慣を持続させるためにも心理学的アプローチは有効である．

一方，病気になることを未然に防ぐことと合わせて，健康な場合であってもより健康度を高めることを目指す活動は，ヘルスプロモーション（health promotion）とよばれる．ヘルスプロモーションは，「自らの健康を決定づける要因を，自らよりよくコントロールできるようにしていくこと」（オタワ憲章，1986年）と定義づけられ，こころの健康対策を担う重要な概念である．活動戦

用語解説

[*1] ウェルビーイング
身体的，精神的，社会的に良好な状態であることをさす．世界保健機関（WHO）による健康の定義と密接に関係する概念である．

略として，①健康な公共政策づくり，②健康を支援する環境づくり，③地域活動の強化，④個人生活技術の開発，⑤ヘルスサービスの方向転換の5活動をあげている．これらの活動をみると，個人の健康のみをターゲットとするのではなく，個人を取り巻く環境から整備することも求められる．

　また，個人を対象とした心の健康教育を実践する際，心理教育（情報を提供することによる知識教育など）（図1）をベースとしながら，ストレス・マネジメントやアンガーコントロールなどのスキルを修得し，それを個人の日常生活で使用することができるように方向付けることも支援者の役割[*2]である．そのためには，支援者が，心の健康にかかわる理論を十分に理解したうえで，わかりやすく伝え，具体的な体験ができる環境を整備するとともに，教育後のフォローアップも必要不可欠である．

　また，心の健康教育を実践する場は，発達段階によって異なる．たとえば，子どもの場合は学校，大人の場合は職場といった場が想定され，教育の形態としては，研修のようなプログラムの提供が想定できる．いずれにしても，教育の対象者にとって必要な内容を吟味し，有効なプログラムを開発することも支援者には必要である．そのためには，教育学や教育心理学の知識を蓄えることも大切である．

　加えて，健康を支援する支援者自身もヘルスプロモーションやストレス・マネジメントを実行することで心身の健康を保持・増進する必要もある．

図1　心理教育

用語解説

＊2　支援者の役割
　支援者の適性に合った支援を行うことが求められ，こうした方法をクロンバックは適性処遇交互作用とよんだ．これは学習者の適性と処遇（教材などの学習方法）との組み合わせが，学習効果に影響するという考え方であり，学習者の能力によって用いる教材や教育方法を取捨選択することで学習効果が異なるといったものである．

2　予防的観点からみた心の健康教育

　予防は，第一次予防・第二次予防・第三次予防の3種に分けられる[1]．第一次予防は，不調のない状態を維持するとともに不調のない状態から，より健康度の高い状態へ導くことをさす．第二次予防は，早期発見・早期対処を目指した予防であり，第三次予防は不調が生じている状態からの回復を促すことや，不調から回復した後，不調が再発することを防ぐ予防である．

　たとえば，学校におけるメンタルヘルスリテラシー教育（メンタルヘルスを高めるための基礎教育）や企業組織におけるストレス・マネジメント研修，また，労働者50人以上の事業場で実施されるストレスチェックは第一次予防を目指して行われる．なお，学校や職場の健康診断は第二次予防に該当する．そして，休職から職場復帰を果たした労働者の症状が再燃しないように行われる復職支援は，第三次予防に該当する．

　こうしたなか，心の健康教育は，第一次予防・第二次予防・第三次予防のすべてにおいて重要な役割を果たす．上述のとおり，第一次予防を教育や研修の段階で展開するのであれば，心の健康に関連する知識や技能を提供することで，その予防効果が高まることが期待できる．また，心理的不調を早期に発見し，産業保健スタッフや管理監督者などが職場で行うラインケア（➡ p.578 参照）は重要な第二次予防に該当するだろう．さらに，心理的不調を呈している状態から回復した個人に対して，日々の生活のなかでセルフコントロール方法を教示することは重要な第三次予防になる．

また，近年，Institute of Medicine（IOM）は，予防を「普遍的（全体的）予防」，「選択的予防」，「指示的（個人的）予防」に分類している．普遍的（全体的）予防は，健康を害するリスクの低い人に対する予防，選択的予防はリスクの高い人に対する予防，指示的（個人的）予防は，すでに健康を害している（発症している）人に対し，その状態から別の問題が発生しないことを目指した予防をさす[2]．

以上をみても，予防は集団に対するものから個人に対するものまで多様であり，健康状態やニーズに合わせた予防を実践することが求められる．

3 健康行動を保持増進する心理学的理論

心の健康を保持・増進するために，今現在の行動的問題を改善し，より健康度の高い生活習慣を身につけることも必要不可欠である．かねてより健康行動を発生・維持させることを目的にさまざまな理論が提唱されており，これらの理論をみると，知識の拡充や信念，意図などといった認知的側面に焦点を当てている点が共通している．ここでは，行動変容にかかわる代表的理論を紹介する．

1 • KAP モデル（knowledge, attitudes, and practices model）

KAP モデルは，1950年代から1960年代にかけて提唱されたもので，健康に関する知識（knowledge）が豊富になることで，健康に対する態度（attitudes）や望ましい生活習慣（practices）や健康行動が形成されるといった考え方をもつ理論である．健康にかかわる正確な情報の提示や啓発活動など，知識を伝承することに重点を置く健康教育は KAP モデルの目指す活動といえる．

2 • 健康信念モデル（health belief model）

ローゼンストック Rosenstock, I. が理論を提唱し[3]，ベッカー Becker, M. がその理論を発展させたもの[4]である．この理論は，個人の認知的側面に焦点を当て，自身の疾患などに対して，その知識をどのように認識しているか，健康行動を行った際に生じる効果についてどのように認識しているかなどにより，健康行動の出現が決定されるといった考え方をもつ（図2）．

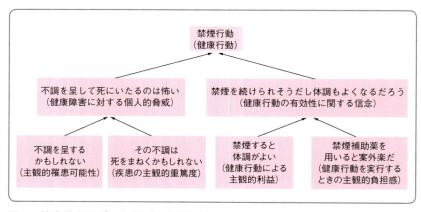

図2　健康信念モデルに基づく禁煙の例

たとえば，喫煙行動により不調が生じていたとしても，それを不調だと認識できていない状態では，禁煙行動は生じない．また，禁煙行動によって不調が改善したとしても，その改善を認識しない場合，禁煙行動は持続しない．このように，本理論は，健康行動の持続について，個人の認識（認知的側面）（図3）を重視している．

図3　個人の認識（認知的側面）

3 • 合理的行為理論 （theory of reasoned action）

フィッシュバイン Fishbein, M. とエイゼン Ajzen, I. が提唱したモデル[5]で，健康行動は，行動意図（behavioral intention）によって規定されるといった基本的考え方をもつ（図4）．本理論では，「行動信念」と「行動の結果に対する評価」が「行動に対する態度」につながり，「規範的信念」と「期待された行動に応えようとする動機」が「主観的規範」につながるとしている．

たとえば，禁煙をすべきであると認識し（行動信念），禁煙することでよい結果が得られる可能性を認識し（行動の結果に対する評価），禁煙行動を実行しようとする意識が高まる（行動に対する態度）．また，現代社会における禁煙の風潮などを認識し（規範的信念），その風潮に則って禁煙を実行しようとする（期待された行動に応えようとする動機）ことで，禁煙をするべきだという認識（主観的規範）が生まれる．そして，禁煙行動への意識の高まり（行動に対する態度）と禁煙をするべきだという認識（主観的規範）が，禁煙を実行する意図（行動意図）を導き，その結果として禁煙行動（健康行動）が発現するといったプロセスは，合理的行為理論で説明されるものである（図4）．

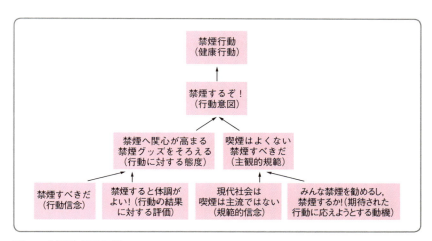

図4　合理的行為理論

4 • 社会的学習理論 （social learning theory）

バンデューラ Bandura, A. によって提唱された理論である[6]（図5）．本理論では，先行要因（ある行動を喚起させる刺激）・結果要因（行動が喚起されることで何らかの結果が生じる）・認知要因（喚起された行動や行動の結果を認知する）の3要因が生じることで，行動が発現・維持されることを想定している．また，行動が発現・維持されるためには，とくに先行要因（効力期待と結果予期）が重要

→バンデューラ p.158参照

図5 社会的学習理論

であるとされている.

　たとえば,「健康のために禁煙行動はどの程度できるだろうか」といった見積もりは効力期待であり,「禁煙行動をとることで健康を手に入れることができるだろう」といった見積もりは結果予期の例としてあげられる. また, 効力期待の高さと自己効力感(self-efficacy)の高さは相関し, 健康行動を持続させるうえで, 個人的心理内要因である自己効力感も要因として十分に扱う必要がある.

5 ● プリシード・プロシードモデル（PRECEDE-PROCEED model）

　グリーン Green, L. らによって提唱された理論[7]であり, ヘルスプロモーションの理念が取り入れられた理論である. 健康行動を維持するために, 個人的要因(認知的側面)のみならず, 環境や社会的な政策などといった要因を取り上げる必要があることが示され, 複合的な取り組みの重要性が示されている.

　PRECEDE は, predisposing, reinforcing and enabling constructs in educational/environmental diagnosis and evaluation（教育的・環境的診断と評価における前提・強化・実現要因）を意味し, 第1段階の社会診断, 第2段階の疫学診断, 第3段階の行動および環境診断, 第4段階の教育および組織診断, 第5段階の行政および政策診断の評価(診断)が行われる.

　一方, PROCEED は, policy, regulatory and organizational constructs in educational and environmental development（教育・環境開発における政策・法規・組織要因）であり, 第6段階の実行, 第7段階のプロセス評価, 第8段階の影響評価, 第9段階の結果の評価が行われる.

　本理論に基づく評価ツールは, 健康行動を発現・持続させる具体的取り組みについて, 個人の評価のみならず, 個人を取り巻く環境や社会的支持基盤の評価を行うことができるものとして活用できる.

6 ● 多理論統合モデル（TTM：transtheoretical model）

　プロチャスカ Prochaska, J. とディクレメンテ DiClemente, C. によって提唱された理論[8]であり, TTM と略称されることもある. 本理論では, 健康行動を発現・持続させるために, 5つのステージが想定され(表1), 健康行動をとる個人が, どのステージにあるのかを焦点化し, そのステージの特徴に適した支援(表2)を行うことで, 健康行動を発現させ維持させることを目指す(➡ p.334 第16章3節参照).

■ 表1 TTMによる5ステージ

無関心ステージ (precontemplation)	半年以上, 健康行動を行う意志がまったくない
関心ステージ (contemplation)	半年以内に健康行動を起こそうと思っている
準備ステージ (preparation)	1か月以内に健康行動を起こそうと思っている
実行ステージ (action)	半年未満で健康行動を実施している
維持ステージ (maintenance)	半年以上継続して健康行動を実施している

■ 表2 TTMステージにおける支援法

変化ステージ				
無関心	関心	準備	実行	維持
意識高揚	自己解放		偶発的事件の対処	
動的安堵			支援関係	
環境再評価			拮抗条件づけ	
			刺激コントロール	
	自己再評価		社会解放	

①意識高揚 (consciousness rising)	行動変容を勧める情報を得たり, 学んだりすること
②動的安堵 (dramatic relief)	非健康的な行動を続けることに対して, 恐れ, 不安, 心配といった否定的な感情をもつこと
③環境再評価 (environmental-reevaluation)	身近な社会環境や自然環境において, 非健康的な行動に対する否定的な影響や健康的な行動に対する肯定的な影響を認識すること
④自己再評価 (self-reevaluation)	行動を変容することは, 自分自身のアイデンティティにおいて重要な位置を占めると認識すること
⑤自己解放 (self-liberation)	行動を変える誓いを立てること
⑥偶発的事件の対処 (contingency management)	健康的な行動変容に対する報酬を増やし, 非健康的な行動に対する報償を減らすこと
⑦支援関係 (helping relationships)	健康的に行動を変容するためにソーシャルサポートを得たり, 求めたりすること
⑧拮抗条件づけ (counter conditioning)	非健康的な行動や認知を健康的なものに置き換えること
⑨刺激コントロール (stimulus control)	非健康的な行動を思い出したり, 引き起こすきっかけとなるものを取り除き, 健康的な行動を起こすように思い出すことや, きっかけとなるものを増やす
⑩社会解放 (social liberation)	社会的な規律が, 健康的な行動変容を支援する方向に変化していることを認識すること

(小笠原正志: 第2章健康行動のモデル. 健康教育概論 (日本健康心理学会編), p28-30, 実務教育出版, 2003)

7 • 行動計画理論 (theory of planned behavior)

エイゼンにより提唱された理論[10]で, 合理的行為理論をベースに発展させたものである. 合理的行為理論で想定されている「行動に対する態度」と「主観的規範」に加え, 行動計画理論では「コントロール統制感 (perceived behavioral control)」を想定している.

「コントロール統制感」は，コントロール信念（行動をどの程度コントロールできるかの認識）と知覚された力（実行可能性の見積もりの強さ）に影響される要因とされている．たとえば，「禁煙行動を続けられるかもしれない」（コントロール信念）と思いながらも，いざ実行するとなると「実行することは難しいだろう」（知覚された力）と見積もることで健康行動は発現しないなどといった例は，本理論から説明されるものである．

4 心の健康教育の実践

心の健康教育を実践する際，健康行動を発生・維持させることにかかわる各種理論に基づく具体的な支援や，認知行動療法（➡ p.324 第 16 章 1 節参照）をベースとした介入が求められる．心理的側面に対する健康教育（いわゆる心の健康教育）を行う際，心理教育的な知識教示や開発的な介入（たとえば，セルフケアが可能な方法の体験や修得）を行う必要がある．ここでは，心の健康教育の範囲や領域について概観する．

1 うつ病予防とストレス・マネジメント

うつ病の発症について，ストレス脆弱性モデルから考えると，ストレス状況下で対処することができないことがうつ病発症のトリガーになると考えられる．したがって，うつ病予防に際し，有益なストレス・マネジメントを行うことが求められる．こうしたなか，教育場面や産業場面をはじめ，さまざまな場面において，ストレスの問題を扱い，ストレスに上手に対処する方法が模索されている．たとえば，小学生や中学生を対象にメンタルヘルスを高めることを目的としたストレス・マネジメント研修，労働者を対象としたセルフケアなどがある．ラインケア[*3]研修においてもストレス・マネジメントの知識や方法を教示することが増え，改正「労働安全衛生法」（2015 年 12 月施行）により，労働者 50 人以上の組織ではストレスチェックテストを実施し，高ストレス者に対しては産業医面接を受けることを推奨する取り組みも国をあげて行われている．

こうしたなか，ストレス・マネジメントを実施する際，ストレス理論（たとえば，**ラザラス Lazarus, R.** と**フォルクマン Folkman, S.** の心理学的ストレス理論[*4]など）を十分に理解する知識教育を行い，ストレッサーを受けストレス反応が生じる心理的なメカニズムを十分に理解し，知識教育を踏まえたうえで実践的な方法を体験することがスタンダードなプロセスといえる．とくに実践的な方法を体験する際は，認知行動療法の枠組みで用いられる方法論や技法をアレンジして用いたり，リラクセーション法〔代表的な例としては漸進的筋弛緩法（**図 6**）や自律訓練法（**表 3**）がある〕や呼吸法などをプログラムに組み込み，最終的には，日常的にストレスのセルフコントロールが可能となることを目指す．

加えて，ストレスチェックを実施した際，個別にフィードバックすることと合わせて，集団分析をすることで，組織の特徴を示し，集団に対するストレス・マネジメント（たとえば，集団認知行動療法に基づく介入など）を実施することも効果的である．

用語解説

＊3 ラインケア
ラインケアは，職場の管理監督者（上司）から部下に対して行うケアや組織ぐるみで行う労働者ケアをさす．管理監督者は産業保健スタッフ（産業医や保健師，心理職など）と協働し，労働者や職場環境を健康にする重要な役割を担っており，精神疾患の理解をはじめ部下の不調に気づき，支援リソースにつなぐことも求められる．

用語解説

＊4 心理学的ストレス理論
ここでは，環境からの刺激を 2 段階で評価することが想定されている．1 段階目は「その刺激が脅威であるか否か」の評価であり，脅威でないと判断した場合はストレス反応は生じず，脅威であると判断した場合は 2 段階目の評価に移る．2 段階目の評価は「脅威的である刺激に対処できるか否か」の評価であり，対処可能（コーピング可能）であれば脅威であったとしてもストレス反応は生じない．そして，対処不可能と評価した場合，ストレス反応が生じる．認知的側面を扱った代表的ストレス理論である．

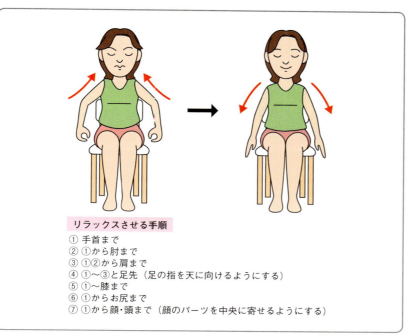

図6 漸進的筋弛緩法
身体部位ごとに段階的に力を入れ，力を抜く（力は2度抜く）ことで身体をリラックスさせる方法．

■ 表3 自律訓練法の公式（暗示文）

公式	練習	暗示文
背景公式		「気持ちが落ち着いている」
第1公式	重感練習	「右手が重たい」「左手が重たい」「右足が重たい」「左足が重たい」 右左の重さを感じたら「両手（足）が重たい」
第2公式	温感練習	「右手が温かい」「左手が温かい」「右足が温かい」「左足が温かい」 右左の温かさを感じたら「両手（足）が温かい」
第3公式	心臓調整練習	「心臓が静かに規則正しく打っている」
第4公式	呼吸調整練習	「とても楽に息をしている」
第5公式	腹部温感練習	「お腹が温かい」
第6公式	額部冷涼感練習	「額が涼しい」

公式（暗示文）を繰り返し，身体感覚の変化（重感や温感）を感じることで，自律神経系のバランスが整い，心理的な平静が導かれる方法．

2・喫煙・飲酒

　喫煙や飲酒などへの過度の依存は注目すべき行動的問題であるとともに，心理的側面からの支援が必要不可欠な問題である．こうした過度の依存は，嗜癖（アディクション）とよばれ，とくにアルコール依存については，DSM–5[10]で説明されるように，精神疾患として支援することが求められる．

　たとえば喫煙は，行動の形成と薬物（ニコチン）への依存から成立している行動であり，禁煙行動を発生・維持させるためには，心理学的アプローチ（行動療法や認知行動療法などを用いた支援）と生物学的アプローチ（禁煙薬[*5]を用いた支

用語解説

*5 禁煙薬
　喫煙や飲酒を抑制する際，生物学的側面に対するアプローチとして嫌悪条件づけは代表的方法である．
　ここでは，喫煙時，飲酒時に「まずく感じる」体験を生じさせることで，行動の出現率を低下させる．

援)の両者を並行して実施する必要がある．

また，TTM の観点から，喫煙者のステージを見きわめ，的確な支援を選択することも求められる．また，禁煙行動が持続している段階では，フォローアップを継続的に行う必要もある．一方，飲酒，とくにアルコール依存の場合は，アルコールに依存せざるを得ない状況の正確なアセスメントも欠かすことができない．

アルコールが体内に取り込まれると，アルコール脱水素酵素により分解されアセトアルデヒドに変化する．アセトアルデヒドは有害物質であり，アセトアルデヒド脱水素酵素のはたらきにより酢酸に変化するものの，アセトアルデヒド脱水素酵素を超えるアセトアルデヒド(すなわち大量の飲酒)は中毒症状を引き起こす．また，大量の飲酒によりアルコールへの耐性が高まることで，酒量が増し，アルコールの効果がなくなるとき，禁断症状(脈拍亢進，発汗，いらいら，頭痛など)が出現する．

このように，アルコールの摂取は身体にダメージを与えるものの，アルコールへの依存のきっかけは，心理的側面が関与していることも少なくない．たとえば，職業生活や家庭生活のなかで，自身の存在価値が認められないような経験をするとき，そこで生じる否定的感情に対処するための方策(アルコールにより麻痺状態になる)としてアルコールを大量に摂取し，習慣化し，依存の状態に陥るといったプロセスも想定できる．

したがって，ここでは，どのような環境で，どのような行動が喚起され，その行動を持続する要因は何かなどを同定するために，行動分析を行う．また，アルコール依存のクライエントを取り巻く家族などの環境が，依存の状態を作り出しているとするのであれば，家族教室を開催し，知識教育をはじめ，家族同士が問題を共有するための環境を提供すること(ピア・カウンセリングを大枠とした支援)も有効である．加えて，習慣化された飲酒行動をコントロールするために，行動療法や認知行動療法の適用，クライエント自身の想いを十分に受け止めるカウンセリングアプローチも必須である．

3 ● 摂食行動・睡眠

健康的な生活を送るうえで，栄養に偏りがない食生活や十分な睡眠は必要不可欠である．肥満と生活習慣病，過度の痩せ志向，睡眠にまつわる問題などは，現代的な問題ともいえ，心身の健康度を保持・増進するために心の健康教育を拡充する必要がある．

肥満に対するアプローチとしては，行動変容(摂食行動の改善や運動行動の増進)が求められる．行動変容を促す行動カウンセリングでは，5つのアプローチが有効であるとされる(表4)．このアプローチのうち，行動変容に役立つ情報提供は，心の健康教育のなすべき役割であるといえるだろう．

また，「痩せている方が美しい」という社会文化的影響を受け，とくに思春期・青年期の女性を中心に過度のダイエット行動を示す者も少なくない．こうした問題行動が重篤化することで，摂食障害の診断基準[*6]に合致する心理・行動的問題が出現することも危惧される．

過度のダイエット行動は健康を阻害する行動的問題であるものの，背景には，

＊6 摂食障害の診断基準
DSM-5では，異食症，反芻性障害，回避性・制限性食物摂取障害，神経性無食欲症，神経性大食症，むちゃ食い障害などで特定される哺育と摂食の障害と，特定不能な哺育と摂食の障害に分類される．思春期・青年期女性を中心とした過度のダイエット行動が契機となる食行動異常は，とくに神経性無食欲症・神経性大食症であり，心理的支援が必要不可欠である．

■ 表4 行動カウンセリングの5つのアプローチ

1	クライエントのアセスメント（assess）
2	行動変容に役立つアドバイス（情報提供，教育的支援）（advice）
3	目標の立案とクライエントの同意（agree）
4	目標達成を目指す行動の支援（assist）
5	行動持続時の調整とフォローアップ（arrange）

「痩せているほうが美しい」すなわち「痩せることで他者から高い評価を受ける自分を手に入れたい」という欲求があると考えることができる．したがって，痩せることを目的に行われるダイエット行動が健康を害する問題行動である場合，行動療法などに基づく行動的側面のコントロールと合わせて，自尊感情の低さや他者評価を高めることを求める心境などを十分に汲み取るカウンセリング的アプローチが有効である．

さらに，肥満に対しては栄養教育を行うことや肥満が引き起こす弊害について知識を提供することも有効であり，痩せについては，低年齢化していることからも，幼少期からの摂食障害予防教育が求められる．

また，現代社会において，睡眠の問題を抱えるクライエントも少なくない．たとえば，DSM-5[11]では，睡眠の問題[*7]について，睡眠-覚醒障害群として扱われており，障害として支援することが求められている．睡眠-覚醒障害群では，その下位カテゴリとして，睡眠障害（眠ることができない障害），過眠障害（寝すぎてしまう障害），ナルコレプシー（眠気をコントロールすることができない障害）などがあり，社会生活を送るうえで弊害が生じる障害であるといえる．

睡眠障害には，薬物療法（睡眠導入剤の投与）や心理療法の適用が有効であるとされ，適切な睡眠衛生に関する教育も有効である．睡眠衛生とは，適切な睡眠時間や高い睡眠の質を確保することをさす．われわれはサーカディアンリズム（概日リズム）という生体リズムにより生活している．サーカディアンリズムは約24時間であり，1日の24時間とは完全にマッチせず，光刺激や内臓への刺激（朝食の摂取など）により，現実の時間である24時間周期に合わせている．こうしたリズムのズレが睡眠障害を引き起こすとされており，睡眠の環境，すなわち睡眠衛生を整えることは必要不可欠であるといえる．睡眠衛生をターゲットとした心理的側面に対する教育では，睡眠のメカニズムに関する知識教示や入眠できないときの対処法（リラクセーション法など）の教示などが有効であると考えられる．

4 ● 女性を対象とした健康教育

女性の身体には周期性（月経サイクル）が存在し，妊娠や出産などを経験するといった生物学的特徴がある．周期性は，ストレスなど心理社会的影響を受けることで乱れ，心身の不調を呈することもある．

たとえば月経前症候群（PMS：premenstrual syndrome）では，胸の張りやめまい，頭痛，身体のほてりなどといった身体症状に加えて，イライラや落ち込み，不安，絶望感，不安定さなどの心理的症状が現れる．こうした場合に，心理的症

用語解説

*7 睡眠の問題に関わる診断基準[10]

DSM-5では，不眠障害や過眠障害，ナルコレプシーなどが含まれるカテゴリーである．近年，睡眠に関する問題を抱えるクライエントも少なくなく，QOLを高めるためにも健康教育的支援が必要不可欠である．

状に対する支援が必要となる．また，妊娠や出産に関してはマタニティブルーや産後うつなど，心理的不調と密接に関連した症状もあり，妊娠出産時における心理的支援も欠かすことができない．

さらに，中年期に入ると，卵巣からのエストロゲンとプロゲステロンの分泌が減り，卵巣の機能低下に伴う排卵頻度の減少が生じ，閉経にいたる．そして，閉経の時期に近づくとホルモンバランスが乱れ，心身の不調を呈する場合があり，更年期障害（ほてり，のぼせ，血圧の変化，動悸，耳鳴り，微熱，頭痛，倦怠感，うつ状態，不安，神経過敏，集中力の低下など）とよばれる．

以上のような女性特有の心理的不調に対して，たとえば，認知療法や認知行動療法を適用することで，状態が改善されることも期待できる．そのためにも，不調を呈するクライエントに対して，身体的ケアやカウンセリングを行うとともに，日常生活で用いることができる簡易的な方法を情報として提示し，不調時に活用できる準備態勢を整えることも求められる．

5 発達と健康教育

「健康日本21」では，人間の発達を6段階（幼年期・少年期・青年期・壮年期・中年期・高年期）に分類し，各発達段階における健康に関する特徴をまとめている（**表5**）．ここでは，6段階の発達段階において，心の健康教育をどのように実施すべきか，その概要について紹介する．

1 ● 幼少期と心の健康教育

幼少期は，心身とも著しい発達がみられ，人格や身体の発育と合わせて，基本的生活習慣や社会性を獲得する重要な時期である．大人は，子どもの発達を見守り，とくに養育を担う大人は，子どもとの愛着*8（アタッチメント）関係を築くことも必要不可欠である．また，この時期では，食事の習慣や睡眠習慣など基本的生活習慣を形成する時期であることから，発達年齢に合った食生活や睡眠リズムを意識した生活を送ることも求められる．

したがって保護者に対して，幼少期にあたる子どもの発達に関する知識や，栄養教育，睡眠教育などを実施することで，子どもの心身の健康度を高める支援を実践することが必要である．

＊8 愛着
　ボウルビィによる概念であり，養育者と子どもとの情愛的な結びつきや養育・被養育の関係のなかで行われる行動（愛着行動）や感情のやりとりをさす．愛着は，①特定他者を区別しない段階，②特定他者に対して特異的反応をするものの，養育者がいなくても泣くことはないような段階，③明らかな愛着行動（身体接触など愛着を求める行動）を特定他者（とくに養育者）へ向ける段階，④養育者への身体的接触を必要としない段階の4段階に分けられる．また，愛着を得ることができる他者を基地（愛着基地）として活動の幅を広げる（p.184, 248, 259参照）．

■ 表5　健康日本21による発達段階とその特徴

発達段階	特徴
幼年期（0〜4歳）	生理的機能の自立，人格・習慣の獲得
少年期（5〜14歳）	社会参加への準備，精神神経機能の発達
青年期（15〜24歳）	生殖機能の完成，大人への移行期
壮年期（25〜44歳）	仕事，子育てなど活動期，身体的機能の充実
中年期（45〜64歳）	身体機能が低下，身体障害の増加，がんや心疾患の増加
高年期（65歳〜）	人生の完成期，老化，健康問題が増加

2 • 少年期と心の健康教育

　少年期は，とくに義務教育により，学校という環境において1日の大半を過ごす時期である．ここでは，社会的ルールのもと，セルフコントロールを行い，同年代・異年代の他者とのコミュニケーションも求められる．

　この時期の健康教育としては，小・中学生を対象としたストレス・マネジメント研修やアンガーコントロール研修などの取り組みが行われている．そして，思春期には身体的な発達が急速に進み，心理的発達とのアンバランスが生じる可能性もあることから，個別に開発的カウンセリング（自己実現をうながすカウンセリング）を適用したり，道徳・性教育などの教育の場面を活用するなど，心理的側面の発達に寄与する教育を実施することが望まれる．

3 • 青年期と心の健康教育

　青年期は大人への移行期であるとされ，自我も成熟し，独り立ちをはじめる時期である．**エリクソン Erikson, E.** は誕生から老年期までの発達を8段階に分類し，各発達段階に「乗り越えるべき課題」と「乗り越えられないときに生じる危機（クライシス）」を想定した（**表6**）が，彼によれば，青年期はアイデンティティの確立が課題となり，アイデンティティの拡散（アイデンティティクライシス）が危機となるという[12)13)]．したがって，自己イメージを扱うような心理的支援も必要である．

→エリクソン p.247参照

　また，将来のキャリアを築く初歩の段階であるともいえ，自身の将来を十分に考えることができるキャリア教育や職業選択にかかわる情報提供を行うことも欠かせない．加えて，この時期は，非行や薬物摂取の問題，喫煙行動や飲酒の問題などについて要支援になる可能性がある時期でもあり，各種問題に対する情報を提供し，問題行動が発生する以前に啓発することも必要である．

■ 表6　エリクソンの発達段階の課題と危機

時期	課題	危機
I. 乳児期	信頼	不信
II. 幼児前期	自律性	恥，疑惑
III. 遊戯期（幼児後期）	積極性	罪悪感
IV. 学齢期（学童期）	生産性	劣等感
V. 青年期	自我同一性の確立	自我同一性の拡散
VI. 初期成人期（成人前期）	親密さ	孤立
VII. 成人期	生殖性	自己吸収
VIII. 成熟期（老年期）	完全性	絶望

4 • 壮年期と心の健康教育

　壮年期にあたる年齢において，精神障害（精神疾患が発症した後，日常生活を害するような機能的障害が生じている状態）における労災認定の件数が多いという報告がある（**図7**）．たとえば，うつ病予防やストレス関連疾患予防（第一次予防）ならびに早期発見・早期対処（第二次予防），回復後の支援（第三次予防）が求められる．ここでは，職場におけるメンタルヘルスケア（セルフケア・ラインケア）な

ど拡充するための教育も必要不可欠である．

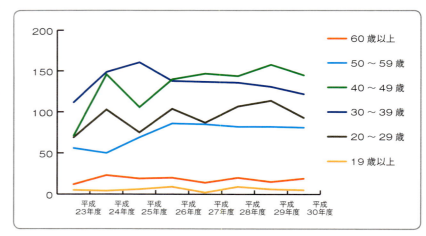

図7　精神障害の年齢別労災支給決定件数の推移
(厚生労働省：報道発表資料 過労死等の労災補償状況，2012から2019のデータを参考に作成)

5 • 中年期と心の健康教育

中年期には身体機能の衰えやボディ・イメージの変化(容姿や体型の変化)，身体的障害や病気の増加が課題となる時期である．身体的機能の低下や身体的障害については運動習慣を定着させる取り組みが求められる．たとえば，行動療法的やTTMに基づくアプローチは有効である．

また，子どもが巣立ち夫婦2人きりの生活になることや職業上の役割の変化や退職が間近になるなど生活環境の大きな変化を体験することも特徴である．したがって，身体的健康のみならず環境面やライフキャリアを対象とした支援も必要である．また，女性の場合は更年期障害を体験する時期であり，女性特有の支援を遂行することも求められる．

6 • 老年期と心の健康教育

老年期は，人生の完成期であり，余生を楽しむとともに新たな知識を獲得し，日々発達する時期ともいえる．この時期は，身体的機能の低下や健康問題に直面し，少なからず生活上の困難さを抱える時期でもある．また，老年期特有のストレスを抱えることもあり，うつ状態を呈する場合や不眠や不定愁訴を訴える場合もある．自殺する高齢者の増加も指摘されており，老年期特有の心理的特徴や加齢のメカニズムをとらえたうえで，個別の支援を行うとともに，地域における包括的な支援も必要不可欠である．

たとえば，生涯教育という枠組みのなかで，定期的な教育の機会を設けることで，知識の獲得を促進することができる．また，健康教育の機会を提供しうるとともに，地域社会とのつながりを維持する有効な手段ともなる．

■ 引用・参考文献

1) Caplan G：Principles of preventive psychiatry. Tavistock Publications Ltd, 1964.
2) Muñoz RF：Institute of Medicine report on prevention of mental disorders. Summary and commentary. American Psychologist 51（11）：1116-1122, 1996
3) Rosenstock IM：Why people use health services. The Milbank Quarterly 44（3）：1107-1108, 1966
4) Becker MH：The health belief model and personal health behavior. Health Education Monographs 2：324-508, 1974
5) Martin F et al：Belief, attitude, intention, and behavior—an introduction to theory and research. Addison-Wesley, 1975
6) Bandura A：Self-efficacy：toward a unifying theory of behavior change. Psychological Review 84（2）：191-215, 1977
7) Green LW：Health education planning—a diagnostic approach. Mayfield Pub Co, 1979
8) Prochaska JO et al：Stages and processes of self-change of smoking：toward an integrative model of change. Journal of Consulting and Clinical Psychology 51（3）：390-395, 1983
9) 日本健康心理学会編：健康心理学基礎シリーズ④ 健康教育概論．実務教育出版，2003
10) Ajzen I：The theory of planned behavior. Organizational Behavior and Human Decision Processes 50（2）：179-211, 1991
11) American Psychiatric Association 編，日本精神神経学会 日本語版用語監，髙橋三郎ほか訳：DSM-5 精神疾患の診断・統計マニュアル，第5版，医学書院，2014
12) エリク・H・エリクソン：アイデンティティとライフサイクル（西平直ほか訳）．誠心書房，2011
13) エリク・H・エリクソン：自我同一性—アイデンティティとライフ・サイクル（小此木啓吾訳編）．誠心書房，1982
14) 森和代ほか編：よくわかる健康心理学．ミネルヴァ書房，2012
15) 島井哲志ほか編：健康心理学・入門—健康なこころ・身体・社会づくり．有斐閣，2009
16) 山蔦圭輔：ベーシック健康心理学（Basic Health Psychology）—臨床への招待．ナカニシヤ出版，2015

付録

■ 公認心理師試験出題基準（令和元年版）対照表

大項目	中項目	小項目（掲載ページ）
1 公認心理師としての職責の自覚	（1）公認心理師の役割	・公認心理師法（2） ・公認心理師の定義（3）
	（2）公認心理師の法的義務及び倫理	・信用失墜行為の禁止（10），秘密保持義務（11），関係者等との連携等（11），資質向上の責務（12） ・倫理的ジレンマ（12） ・多重関係（19）
	（3）心理に関する支援を要する者（以下「要支援者」という.）等の安全の確保と要支援者の視点	・リスクアセスメント（28） ・危機介入（28） ・自殺の予防（6, 28）
	（4）情報の適切な取扱い	・秘密保持義務（11, 25），個人情報保護法関連5法（502），専門家間の情報共有（29），業務に関する記録の適切な保管（353），インフォームド・コンセント（21），プライバシー保護（78）
	（5）保健医療，福祉，教育その他の分野における公認心理師の具体的な業務	・心理検査（32） ・心理療法（38） ・チーム医療（33） ・虐待への対応（34） ・カウンセリング（35）
2 問題解決能力と生涯学習	（1）自己課題発見と解決能力（39）	
	（2）生涯学習への準備	・心理職の成長モデル（41） ・スーパービジョン（47）
3 多職種連携・地域連携	多職種連携・地域連携の意義及びチームにおける公認心理師の役割	・保健医療，福祉，教育，司法・犯罪，産業・労働との連携（53） ・家族との連携（53） ・自己責任と自分の限界（59） ・支援に関わる専門職と組織（54）
4 心理学・臨床心理学の全体像	（1）心理学・臨床心理学の成り立ち	・要素主義（62），ゲシュタルト心理学（63），精神分析学（64），行動主義（63），新行動主義（64） ・認知心理学（64），認知神経科学（64） ・科学者－実践者モデル〈scientist-practitioner model〉（7, 75） ・生物心理社会モデル［biopsychosocial model〈BPS〉］（53, 313） ・精神力動アプローチ（73, 544），認知行動アプローチ（73, 325），人間性アプローチ（183） ・ナラティブ・アプローチ（73） ・社会構成主義（73）
	（2）人の心の基本的な仕組みとその働き	・感覚（62），知覚（62） ・記憶（62），学習（64），言語（161），思考（63） ・動機づけ（171），感情（64），情動（64） ・個人差（64） ・社会行動（218） ・発達（66）
5 心理学における研究	（1）心理学における実証的研究法	・心理学における研究倫理（85） ・人を対象とする医学系研究に関する倫理指針（77） ・実験法（81），調査法（82），観察法（84），検査法（84），面接法（84） ・実践的研究（87）
	（2）心理学で用いられる統計手法	・分散分析（117），因子分析（112），重回帰分析（119），多変量解析（114），構造方程式モデリング（120） ・テスト理論（111），メタ分析（114）
	（3）統計に関する基礎知識	・尺度水準（96），度数分布（98），代表値（98），散布度（99），相関係数（102） ・仮説検定（106），点推定（105），区間推定（105），ノンパラメトリック検定（106） ・確率と確率分布（105），標本分布（104）

大項目	中項目	小項目（掲載ページ）
6 心理学に関する実験	（1）実験計画の立案	・文献研究（122），リサーチ・クエスチョン（122），仮説（123），目的（123），手続（123） ・実験参加者（123） ・刺激（122），材料（122），装置（122）
	（2）実験データの収集とデータ処理	・実験法（128），調査法（82），観察法（128），検査法（122），面接法（84） ・データ解析（131）
	（3）実験結果の解釈と報告書の作成	・結果（135），考察（136） ・引用方法と引用文献（136）
7 知覚及び認知	（1）人の感覚・知覚の機序及びその障害	・心理物理学（128） ・明るさと色の知覚（137），空間（運動，奥行き）の知覚（138），物体とシーンの知覚（138） ・音と音声の知覚（138） ・味覚（141），嗅覚（140），触覚（139） ・体性感覚（139），自己受容感覚（139），多感覚統合（141） ・注意（146），意識（205） ・知覚の可塑性（144） ・脳機能計測技術（145）
	（2）人の認知・思考の機序及びその障害	・ワーキングメモリ（147），短期記憶（147），長期記憶（147） ・推論（演繹的推論，帰納的推論）（150） ・思考（151），問題解決（149） ・意思決定（151） ・潜在記憶（148），プライミング（148） ・記憶障害（152）
8 学習及び言語	（1）人の行動が変化する過程	・初期学習（157）（刻印づけ〔164〕，臨界期〔164〕，生得的解発機構〔156〕） ・古典的条件づけ（153），オペラント条件づけ（155） ・恐怖条件づけ（156），嫌悪条件づけ（579） ・馴化（153），脱馴化（153） ・般化（154），弁別（154），転移（159） ・逃避学習（156），回避学習（156） ・試行錯誤（157），洞察学習（157），潜在学習（157），社会的学習（159）（観察〔158〕，モデリング〔158〕） ・学習の生物学的基礎（153）
	（2）言語の習得における機序	・意味論（165），語用論（165），統語論（165），音韻論（161），形態論（161） ・認知言語学（161），社会言語学（161） ・ナラティブ（162），談話（165），会話（165） ・文法獲得（162）（普遍文法〔162〕，生成文法〔162〕，言語獲得装置〔162〕，言語獲得支援システム〔162〕） ・語彙獲得（162）（共同注意〔161〕，認知的制約〔162〕） ・言語獲得過程（161）（クーイング〔161〕，喃語〔161〕，一語期〔162〕，二語期〔162〕，多語期〔162〕） ・失語症（163）（Wernicke 失語〔163〕，Broca 失語〔163〕） ・ディスレクシア（読字障害）（163）
9 感情及び人格	（1）感情に関する理論と感情喚起の機序	・感情に関する神経科学（172） ・認知的評価理論（178），構成主義理論（171），次元論（172），基本感情論（172） ・感情の進化（175） ・感情の機能（175） ・感情（168），情動（168），気分（168）
	（2）感情が行動に及ぼす影響	・感情と表出行動（175） ・感情と認知（175） ・感情と社会・文化（175） ・感情の発達（178），感情の個人差（180）（感情特性〔180〕） ・感情と心身の健康（180） ・感情制御（180） ・動機づけ（180） ・感情と情報処理（177）
	（3）人格の概念及び形成過程	・人格（181），パーソナリティ（181），性格（181），気質（184） ・状況論（183），相互作用論（183），社会的認知理論（183） ・一貫性論争（183）（人間－状況論争〔183〕） ・人格の形成過程（184）（連続性と変化〔184〕，遺伝要因〔184〕，環境要因〔184〕）

大項目	中項目	小項目（掲載ページ）
	（4）人格の類型，特性	・類型論（188），特性論（188） ・5因子モデル（190） ・語彙アプローチ（190），ナラティブ・アプローチ（73, 182），人間性心理学的アプローチ（183） ・個人差（181），測定（182），検査（182），アセスメント（182） ・パーソナリティ障害（191）
10 脳・神経の働き	（1）脳神経系の構造と機能	・中枢神経（195）（ニューロン〔200〕，グリア〔200〕，シナプス〔200〕，脳脊髄液〔199〕），末梢神経（195） ・機能局在（205）（大脳皮質〔206〕，辺縁系〔206〕，視床〔206〕，視床下部〔206〕） ・自律神経（196）（交感神経〔196〕，副交感神経〔196〕） ・睡眠（206），摂食行動（207），性行動（197），サーカディアンリズム（207），情動行動（205） ・神経伝達物質（198）（受容体〔198〕，グルタミン酸〔198〕，GABA〔198〕，アセチルコリン〔198〕，ノルアドレナリン〔198〕，ドパミン〔198〕，セロトニン〔198〕，オピオイド類〔198〕）
	（2）記憶，感情等の生理学的反応の機序	・意識（205），知覚（205），記憶（207），感情（209） ・体温（210），皮膚電位図（210），筋電図（210），心電図（210） ・脳波（210），事象関連電位（211） ・局所脳血流変化（210）
	（3）高次脳機能の障害と必要な支援	・失語（212），失行（214），失認（213） ・記憶障害（214），遂行機能障害（216），注意障害（215），社会的行動障害（216） ・高次脳機能障害の原因（212） ・リハビリテーション（217），生活訓練（217），就労移行支援（217）
11 社会及び集団に関する心理学	（1）対人関係並びに集団における人の意識及び行動についての心の過程	・個人内過程（218），集団過程（218） ・コミュニケーション（218），社会的スキル（219），対人ストレス（218） ・親密な対人関係（218） ・社会的影響（222） ・社会的ジレンマ（238），社会的アイデンティティ（224），社会的ネットワーク（222） ・ソーシャル・ネットワーク（331），ソーシャル・サポート（220） ・集合現象（218） ・集団（218），組織（453）
	（2）人の態度及び行動	・社会的自己（232），自己過程（232），態度（227），帰属（229） ・社会的感情（228），社会的動機（220） ・社会的認知（227），対人認知（233），印象形成（233），社会的推論（231） ・対人行動（235），対人的相互作用（235）
	（3）家族，集団及び文化が個人に及ぼす影響	・結婚（238），夫婦関係（238），家族関係（238） ・育児（238），養育信念（238），家族の情動的風土（238） ・不適切な教育（401） ・家庭内暴力（328），夫婦間暴力〈DV，IPV〉（407） ・家族システム論（237） ・家族療法（323） ・生態学的システム論（323） ・個人主義（242），集団主義（242），文化的自己観（241） ・異文化適応（242），異文化間葛藤（241）
12 発達	（1）認知機能の発達及び感情・社会性の発達	・Piagetの発達理論（249），Vygotskyの発達理論（160） ・知能指数（264），知能の構造（多重知能）（271） ・心の理論（254），メンタライゼーション（66） ・共感性（255），向社会的行動（255），協調性（270） ・感情制御（254），自己制御（254） ・道徳性（255），規範意識（255） ・実行機能（271） ・素朴理論（253） ・感情知性（179）

大項目	中項目	小項目（掲載ページ）
	（2）自己と他者の関係の在り方と心理的発達	・アタッチメント（248），内的作業モデル（260） ・気質と環境（244） ・相互規定的作用モデル〈transactional model〉（244） ・社会化と個性化（261） ・仲間関係（249，260），友人関係（249），異性関係（263） ・自己概念（258），自己意識（258），自我同一性（263） ・ジェンダーとセクシャリティ（性的指向，性自認）（225）
	（3）生涯における発達と各発達段階での特徴	・生涯発達の遺伝的基盤（244） ・ライフサイクル論（247） ・胎児期（248），乳児期（248），幼児期（248），児童期（249），青年期（249），成人期（250），中年期（250），老年期（269） ・恋愛（250），結婚（250），家族形成（250） ・職業意識とライフコース選択（250） ・親としての発達（250） ・中年期危機（250） ・生成継承性〈generativity〉（247）
	（4）非定型発達	・神経発達症群／神経発達障害群（264） ・自閉スペクトラム症／自閉症スペクトラム障害〈ASD〉（264） ・注意欠如多動症／注意欠如多動性障害〈AD/HD〉（266） ・限局性学習症／限局性学習障害〈SLD〉（264） ・発達性協調運動症／発達性協調運動障害（268） ・Asperger症候群（268） ・知的能力障害（264） ・アタッチメント障害（268） ・早産，低出生体重児（268） ・成長障害〈FTT〉（器質性，非器質性）（268） ・非定型発達に対する介入及び支援（281）
	（5）高齢者の心理社会的課題と必要な支援	・平均寿命（273），健康寿命（273），加齢のメカニズム（273） ・加齢による心身機能の変化（271） ・社会的離脱（270），活動持続（271），補償を伴う選択的最適化（271） ・喪失と悲嘆（269），独居・孤独（269），社会的サポート（ソーシャルコンボイ）（269） ・認知症（271），日常生活動作〈ADL〉（271），介護（273），被介護（273） ・生活の質［quality of life〈QOL〉］（473，572），ウェルビーイング（572），エイジングパラドクス（271） ・サクセスフルエイジング（273）（高齢者就労［273］，社会的参加［273］）
13 障害者(児)の心理学	（1）身体障害，知的障害及び精神障害	・国際障害分類〈ICIDH〉（274），国際生活機能分類〈ICF〉（274） ・精神疾患の診断分類・診断基準〈ICD-10，DSM-5〉（264，277） ・アセスメント（283） ・発達障害（264） ・障害者の日常生活及び社会生活を総合的に支援するための法律〈障害者総合支援法〉（278），発達障害者支援法（277），精神保健及び精神障害者福祉に関する法律〈精神保健福祉法〉（277）
	（2）障害者（児）の心理社会的課題と必要な支援	・合理的配慮（278） ・リハビリテーション（483） ・療育（309），特別支援教育（279） ・就労支援（278），ソーシャルスキルトレーニング〈SST〉（286，309） ・応用行動分析（284），認知行動療法（285），TEACCH（285） ・ペアレント・トレーニング（284）
14 心理状態の観察及び結果の分析	（1）心理的アセスメントに有用な情報（生育歴や家族の状況等）とその把握の手法等	・テストバッテリー（302），アセスメント（288） ・ケース・フォーミュレーション（288） ・機能分析（288） ・インフォームド・コンセント（290） ・診断的評価（293），精神疾患の診断分類・診断基準〈ICD-10，DSM-5〉（277，313） ・半構造化面接（292） ・インテーク面接（290），査定面接（288） ・司法面接（440） ・生物心理社会モデル［biopsychosocial model〈BPS〉］（313）
	（2）関与しながらの観察（293）	

大項目	中項目	小項目（掲載ページ）
	（3）心理検査の種類, 成り立ち, 特徴, 意義及び限界	・自然観察法（294）, 実験観察法（294） ・質問紙法（298）, 投影法（298）, 描画法（298）, 作業検査法（300）, 神経心理学的検査（212） ・知能検査（300） ・発達検査（301）
	（4）心理検査の適応, 実施及び結果の解釈（304）	・実施上の留意点（306）
	（5）生育歴等の情報, 行動観察, 心理検査の結果等の統合と包括的な解釈（312）	
	（6）適切な記録, 報告, 振り返り等（303）	
15 心理に関する支援（相談, 助言, 指導その他の援助）	（1）代表的な心理療法並びにカウンセリングの歴史, 概念, 意義及び適応	・心理療法（318） ・精神力動理論（319）, 認知行動理論（324）, 人間性アプローチ（322）, 集団療法（323）
	（2）訪問による支援や地域支援の意義	・アウトリーチ（327）（多職種による訪問支援〔327〕） ・緩和ケア（330）, 終末期ケア（グリーフケアを含む.）（330） ・自殺の予防（332） ・災害時における支援（328） ・地域包括ケアシステム（330） ・コミュニティ・アプローチ（329）, コンサルテーション（330）
	（3）要支援者の特性や状況に応じた支援方法の選択, 調整	・援助要請（333） ・カウンセリング（347）, 転移（349）, 逆転移（349） ・エビデンスベイスト・アプローチ（315） ・生物心理社会モデル［biopsychosocial model〈BPS〕］（313） ・エンパワメント（402） ・ナラティブ・アプローチ（73）, ストレングス（329）
	（4）良好な人間関係構築のためのコミュニケーション	・共感的理解（344）, 傾聴（344）, 作業同盟（555）
	（5）心理療法及びカウンセリングの適用の限界	・効果研究（348）, メタ分析（348） ・動機づけ面接（351） ・負の相補性〈negative-complementarity〉（349）
	（6）要支援者等のプライバシーへの配慮	・個人情報の保護に関する法律〈個人情報保護法〉（502）, 個人の尊厳と自己決定の尊重（370）, インフォームド・コンセント（370）
16 健康・医療に関する心理学	（1）ストレスと心身の疾病との関係	・生活習慣と心の健康（364）（生活習慣病〔364〕, ストレス反応〔359〕）, ライフサイクルと心の健康（366） ・ストレス症状（359）（うつ症状〔365〕, 依存〔360,382〕, 燃え尽き症候群〈バーンアウト〉〔363〕を含む.） ・心身症（363）（タイプA型行動パターン〔363〕, アレキシサイミア〈失感情症〉〔363〕を含む.） ・予防の考え方（Caplanモデル）（411）
	（2）医療現場における心理社会的課題と必要な支援	・精神疾患（494） ・遺伝性疾患（477）, 遺伝カウンセリング（477） ・がん（472）, 後天性免疫不全症候群〈AIDS〉（372）, 難病（477） ・チーム医療と多職種連携（371）, リエゾン精神医学〈精神科コンサルテーション〉（372） ・生活の質［quality of life〈QOL〉］（473）
	（3）保健活動における心理的支援	・発達相談（379） ・うつ（374, 381）, 自殺対策（381）, 職場復帰支援（380） ・依存症（薬物, アルコール, ギャンブル等）（328, 382） ・認知症高齢者（409） ・ひきこもり（382）
	（4）災害時等の心理的支援	・心理的応急処置〈サイコロジカル・ファーストエイド〉（388） ・心のケアチーム（392）, 災害派遣精神医療チーム〈DPAT〉（385） ・支援者のケア（392）

大項目	中項目	小項目（掲載ページ）
17 福祉に関する心理学	（1）福祉現場において生じる問題とその背景	・少子高齢化（393），貧困（401） ・知的障害（274），身体障害（274），精神障害（274） ・要保護児童（513），養育困難（400） ・身体的虐待（381, 407），性的虐待（381, 407），ネグレクト（381），心理的虐待（381） ・夫婦間暴力〈DV，IPV〉（401） ・認知症（216, 409），高齢者虐待（411）
	（2）福祉現場における心理社会的課題と必要な支援方法	・愛着形成の阻害（408），誤学習（403），衝動制御困難（403），感情調節困難（403） ・心的外傷後ストレス障害〈PTSD〉（387, 569），解離（387），喪失（391），二次障害（403） ・子育て支援（405），環境調整（393），虐待への対応（407），社会的養護（400），里親（401），養子縁組（401, 514） ・障害受容（403），障害者支援（402），合理的配慮（402），共生社会（402），ノーマライゼーション（402） ・統合的心理療法（334），心理教育（331） ・専門職・行政・団体等の役割と連携（402, 403, 406）
	（3）虐待，認知症に関する必要な支援	・アウトリーチ（多職種による訪問支援）（398） ・包括的アセスメント（405），リスクアセスメント（397） ・親子関係調整（401），家族支援（397, 401），家族再統合（401），回想法（410），生活の中の治療（401） ・改訂版長谷川式簡易知能評価スケール〈HDS-R〉（409） ・ミニメンタルステート検査〈MMSE〉（409）
18 教育に関する心理学	（1）教育現場において生じる問題とその背景	・内発的動機づけ（419），外発的動機づけ（419） ・自己効力感（562） ・原因帰属（419） ・適性処遇交互作用（419） ・学力（416） ・学習性無力感（559） ・不登校（425），いじめ（426），非行（423） ・教師－生徒関係（424） ・学習方略（417） ・進路指導（419），キャリアガイダンス（419）
	（2）教育現場における心理社会的課題と必要な支援	・学習障害〈LD〉（264） ・スクールカウンセリング（425） ・教育関係者へのコンサルテーション（429），学校におけるアセスメント（429） ・チーム学校（427） ・学生相談（425） ・教育評価（423）
19 司法・犯罪に関する心理学	（1）犯罪，非行，犯罪被害及び家事事件に関する基本的事項	・少年非行（430） ・裁判員裁判（435） ・医療観察制度（435） ・犯罪被害者支援（439） ・面会交流（437）
	（2）司法・犯罪分野における問題に対して必要な心理的支援	・非行・犯罪の理論（437） ・非行・犯罪のアセスメント（437） ・施設内処遇と社会内処遇（444） ・反抗挑戦性障害（487），素行障害（487），反社会性パーソナリティ障害（192, 486） ・被害者の視点を取り入れた教育（441） ・動機づけ面接法（443） ・司法面接（440）
20 産業・組織に関する心理学	（1）職場における問題に対して必要な心理的支援	・過労死・過労自殺（541），ハラスメント（448），労働災害（540） ・職場復帰支援（448），障害者の就労支援（37），キャリアコンサルティング（449） ・ダイバーシティ（451），ワーク・ライフ・バランス（542），両立支援（451）（仕事と家庭〔380〕，治療と仕事〔451〕），ワーク・エンゲイジメント（380） ・労務管理でのコンサルテーション（450） ・職場のメンタルヘルス対策（380）

大項目	中項目	小項目（掲載ページ）
	（2）組織における人の行動	・リーダーシップ（457） ・安全文化（459） ・動機づけ理論（454） ・組織風土と文化（459）
21　人体の構造と機能及び疾病	（1）心身機能，身体構造及びさまざまな疾病と障害	・解剖学（460），生理学（460） ・加齢（身体，心理，精神機能の変化）（471） ・主要な症候（めまい，倦怠感，呼吸困難等）（471）
	（2）心理的支援が必要な主な疾病	・がん（472），難病（477） ・遺伝性疾患（477） ・後天性免疫不全症候群〈AIDS〉（372） ・脳血管疾患（473） ・脳卒中後遺症（474），循環器疾患（464），内分泌代謝疾患（480） ・依存症（薬物，アルコール，ギャンブル等）（477） ・移植医療（476），再生医療（477） ・サイコオンコロジー〈精神腫瘍学〉（472） ・緩和ケア（477），終末期ケア（472）（グリーフケアを含む．〔405，473〕）
22　精神疾患とその治療	（1）代表的な精神疾患の成因，症状，診断法，治療法，経過，本人や家族への支援	・主な症状と状態像（抑うつ〔484〕，不安〔486〕，恐怖〔486〕，幻覚〔482〕，妄想〔482〕等） ・精神疾患の診断分類・診断基準〈ICD-10，DSM-5〉（479） ・症状性を含む器質性精神障害〔479〕 　（F0，ICD-10のコード番号，本中項目において以下同じ） ・精神作用物質使用による精神及び行動の障害（F1）（481） ・統合失調症，統合失調型障害及び妄想性障害（F2）（482） ・気分（感情）障害（F3）（483） ・神経症性障害，ストレス関連障害及び身体表現性障害（F4）（484） ・生理的障害及び身体的要因に関連した行動症候群（F5）（485） ・成人のパーソナリティ及び行動の障害（F6）（486） ・精神遅滞［知的障害］（F7）（485） ・心理的発達の障害（F8）（487） ・小児期及び青年期に通常発症する行動並びに情緒の障害，特定不能の精神障害（F9）（487） ・行動観察（313），評定尺度（82） ・知能検査（313），神経心理学的検査（212），脳波検査（210），神経画像検査（211），発達検査（301），認知機能検査（212） ・薬物療法（488），作業療法（271），心理療法（289） ・地域移行（494），自助グループ（482） ・アドヒアランス（494）
	（2）向精神薬をはじめとする薬剤による心身の変化	・薬理作用（488） ・薬物動態（488） ・有害事象（488），副作用（488）（錐体外路症状〔488〕，抗コリン作用〔490〕，依存耐性〔481〕，賦活症候群〔490〕等） ・向精神薬（488）（抗うつ薬〔489〕，抗不安薬〔489〕，睡眠薬〔489〕，抗精神病薬〔488〕，気分安定薬〔489〕，抗認知症薬〔490〕，精神刺激薬〔489〕等） ・薬剤性精神障害（488）
	（3）医療機関への紹介	・精神科等医療機関へ紹介すべき症状（494）
23　公認心理師に関係する制度	（1）保健医療分野に関する法律，制度	・医療法（505），医療計画制度（505） ・高齢者の医療の確保に関する法律（379） ・精神保健及び精神障害者福祉に関する法律〈精神保健福祉法〉（507） ・自殺対策基本法（509） ・健康増進法（509） ・地域保健法（510），母子保健法（510） ・民法（501）（説明義務〔501〕，注意義務〔501〕，過失〔501〕） ・医療保険制度（510），介護保険制度（510） ・医療の質（497），医療事故防止（505），院内感染対策（505）

大項目	中項目	小項目（掲載ページ）
	（2）福祉分野に関する法律，制度	・児童福祉法（512） ・老人福祉法（515） ・児童虐待の防止等に関する法律〈児童虐待防止法〉（514） ・障害者の日常生活及び社会生活を総合的に支援するための法律 　〈障害者総合支援法〉（516），障害福祉計画（516） ・発達障害者支援法（517） ・障害を理由とする差別の解消の推進に関する法律 　〈障害者差別解消法〉（517） ・障害者虐待の防止，障害者の養護者に対する支援等に関する法律 　〈障害者虐待防止法〉（517） ・障害者基本法（516） ・高齢者虐待の防止，高齢者の養護者に対する支援等に関する法律 　〈高齢者虐待防止法〉（515） ・配偶者からの暴力の防止及び被害者の保護に関する法律〈DV防止法〉（533） ・生活保護法（512） ・生活困窮者自立支援法（512） ・配偶者暴力相談センター（444, 534），児童相談所（513），福祉事務所（512）， 　地域包括支援センター（413）
	（3）教育分野に関する法律，制度	・教育基本法（519），学校教育法（520） ・学校保健安全法（520） ・いじめ防止対策推進法（522） ・教育相談所（522），教育支援センター（522） ・特別支援教育（279），通級（279）
	（4）司法・犯罪分野に関する法律，制度	・刑法（526），少年法（526） ・心神喪失等の状態で重大な他害行為を行った者の医療及び観察等に 　関する法律〈医療観察法〉（532） ・犯罪被害者等基本法（534） ・保護観察制度（528） ・裁判員裁判（527） ・国際的な子の奪取の民事上の側面に関する条約〈ハーグ条約〉（437） ・家庭裁判所（529），保護観察所（530），少年鑑別所（529）， 　少年院（530），児童自立支援施設（530） ・更生保護施設（529），地域生活定着支援センター（529）， 　自立援助ホーム（514），自立更生促進センター（529）
	（5）産業・労働分野に関する法律，制度	・労働基準法（536），労働安全衛生法（539），労働契約法（537） ・障害者の雇用の促進等に関する法律〈障害者雇用促進法〉（538） ・雇用の分野における男女の均等な機会及び待遇の確保等に関する法律 　〈男女雇用機会均等法〉（538） ・労働者派遣事業の適正な運営の確保及び派遣労働者の保護等に関する法律 　〈労働者派遣法〉（537） ・労働者の心の健康の保持増進のための指針（539） ・心理的負担による精神障害の認定基準（541） ・ストレスチェック制度（449）
24 その他（心の健康教育に関する事項等）	（1）具体的な体験，支援活動の専門知識及び技術への概念化，理論化，体系化（573）	
	（2）実習を通じた要支援者等の情報収集，課題抽出及び整理（57, 60）	
	（3）心の健康に関する知識普及を図るための教育，情報の提供（572）	・健康日本21（572），こころの健康対策（573） 　［うつ病（578），薬物依存症（328, 482）， 　心的外傷後ストレス障害〈PTSD〉（387, 534）］ ・自殺の予防（328） ・心理教育（573） ・支援者のメンタルヘルス（573）

付録

公認心理師法（平成二十七年法律第六十八号）　　平成29年9月25日施行

目次
第一章
　総則（第一条―第三条）
第二章
　試験（第四条―第二十七条）
第三章
　登録（第二十八条―第三十九条）
第四章
　義務等（第四十条―第四十五条）
第五章
　罰則（第四十六条―第五十条）
附則

第一章　総則
（目的）
第一条　この法律は、公認心理師の資格を定めて、その業務の適正を図り、もって国民の心の健康の保持増進に寄与することを目的とする。

（定義）
第二条　この法律において「公認心理師」とは、第二十八条の登録を受け、公認心理師の名称を用いて、保健医療、福祉、教育その他の分野において、心理学に関する専門的知識及び技術をもって、次に掲げる行為を行うことを業とする者をいう。
　一　心理に関する支援を要する者の心理状態を観察し、その結果を分析すること。
　二　心理に関する支援を要する者に対し、その心理に関する相談に応じ、助言、指導その他の援助を行うこと。
　三　心理に関する支援を要する者の関係者に対し、その相談に応じ、助言、指導その他の援助を行うこと。
　四　心の健康に関する知識の普及を図るための教育及び情報の提供を行うこと。

（欠格事由）
第三条　次の各号のいずれかに該当する者は、公認心理師となることができない。
　一　成年被後見人又は被保佐人
　二　禁錮以上の刑に処せられ、その執行を終わり、又は執行を受けることがなくなった日から起算して二年を経過しない者
　三　この法律の規定その他保健医療、福祉又は教育に関する法律の規定であって政令で定めるものにより、罰金の刑に処せられ、その執行を終わり、又は執行を受けることがなくなった日から起算して二年を経過しない者
　四　第三十二条第一項第二号又は第二項の規定により登録を取り消され、その取消しの日から起算して二年を経過しない者

第二章　試験

(資格)

第四条　公認心理師試験(以下「試験」という。)に合格した者は、公認心理師となる資格を有する。

(試験)

第五条　試験は、公認心理師として必要な知識及び技能について行う。

(試験の実施)

第六条　試験は、毎年一回以上、文部科学大臣及び厚生労働大臣が行う。

(受験資格)

第七条　試験は、次の各号のいずれかに該当する者でなければ、受けることができない。

一　学校教育法(昭和二十二年法律第二十六号)に基づく大学(短期大学を除く。以下同じ。)において心理学その他の公認心理師となるために必要な科目として文部科学省令・厚生労働省令で定めるものを修めて卒業し、かつ、同法に基づく大学院において心理学その他の公認心理師となるために必要な科目として文部科学省令・厚生労働省令で定めるものを修めてその課程を修了した者その他その者に準ずるものとして文部科学省令・厚生労働省令で定める者

二　学校教育法に基づく大学において心理学その他の公認心理師となるために必要な科目として文部科学省令・厚生労働省令で定めるものを修めて卒業した者その他その者に準ずるものとして文部科学省令・厚生労働省令で定める者であって、文部科学省令・厚生労働省令で定める施設において文部科学省令・厚生労働省令で定める期間以上第二条第一号から第三号までに掲げる行為の業務に従事したもの

三　文部科学大臣及び厚生労働大臣が前二号に掲げる者と同等以上の知識及び技能を有すると認定した者

(試験の無効等)

第八条　文部科学大臣及び厚生労働大臣は、試験に関して不正の行為があった場合には、その不正行為に関係のある者に対しては、その受験を停止させ、又はその試験を無効とすることができる。

2　文部科学大臣及び厚生労働大臣は、前項の規定による処分を受けた者に対し、期間を定めて試験を受けることができないものとすることができる。

(受験手数料)

第九条　試験を受けようとする者は、実費を勘案して政令で定める額の受験手数料を国に納付しなければならない。

2　前項の受験手数料は、これを納付した者が試験を受けない場合においても、返還しない。

(指定試験機関の指定)

第十条　文部科学大臣及び厚生労働大臣は、文部科学省令・厚生労働省令で定めるところにより、その指定する者(以下「指定試験機関」という。)に、試験の実施に関する事務(以下「試験事務」という。)を行わせることができる。

2　指定試験機関の指定は、文部科学省令・厚生労働省令で定めるところにより、試験事務を行おうとする者の申請により行う。

3　文部科学大臣及び厚生労働大臣は、前項の申請が次の要件を満たしていると認めるときでなければ、指定試験機関の指定をしてはならない。

一　職員、設備、試験事務の実施の方法その他の事項についての試験事務の実施に関する計画が、試験事務の適正かつ確実な実施のために適切なものであること。

二　前号の試験事務の実施に関する計画の適正かつ確実な実施に必要な経理的及び技術的な基礎を有するも

のであること。
4 　文部科学大臣及び厚生労働大臣は、第二項の申請が次のいずれかに該当するときは、指定試験機関の指定をしてはならない。
　一　申請者が、一般社団法人又は一般財団法人以外の者であること。
　二　申請者がその行う試験事務以外の業務により試験事務を公正に実施することができないおそれがあること。
　三　申請者が、第二十二条の規定により指定を取り消され、その取消しの日から起算して二年を経過しない者であること。
　四　申請者の役員のうちに、次のいずれかに該当する者があること。
　　イ　この法律に違反して、刑に処せられ、その執行を終わり、又は執行を受けることがなくなった日から起算して二年を経過しない者
　　ロ　次条第二項の規定による命令により解任され、その解任の日から起算して二年を経過しない者

（指定試験機関の役員の選任及び解任）
第十一条　指定試験機関の役員の選任及び解任は、文部科学大臣及び厚生労働大臣の認可を受けなければ、その効力を生じない。
2 　文部科学大臣及び厚生労働大臣は、指定試験機関の役員が、この法律（この法律に基づく命令又は処分を含む。）若しくは第十三条第一項に規定する試験事務規程に違反する行為をしたとき又は試験事務に関し著しく不適当な行為をしたときは、指定試験機関に対し、当該役員の解任を命ずることができる。

（事業計画の認可等）
第十二条　指定試験機関は、毎事業年度、事業計画及び収支予算を作成し、当該事業年度の開始前に（指定を受けた日の属する事業年度にあっては、その指定を受けた後遅滞なく）、文部科学大臣及び厚生労働大臣の認可を受けなければならない。これを変更しようとするときも、同様とする。
2 　指定試験機関は、毎事業年度の経過後三月以内に、その事業年度の事業報告書及び収支決算書を作成し、文部科学大臣及び厚生労働大臣に提出しなければならない。

（試験事務規程）
第十三条　指定試験機関は、試験事務の開始前に、試験事務の実施に関する規程（以下この章において「試験事務規程」という。）を定め、文部科学大臣及び厚生労働大臣の認可を受けなければならない。これを変更しようとするときも、同様とする。
2 　試験事務規程で定めるべき事項は、文部科学省令・厚生労働省令で定める。
3 　文部科学大臣及び厚生労働大臣は、第一項の認可をした試験事務規程が試験事務の適正かつ確実な実施上不適当となったと認めるときは、指定試験機関に対し、これを変更すべきことを命ずることができる。

（公認心理師試験委員）
第十四条　指定試験機関は、試験事務を行う場合において、公認心理師として必要な知識及び技能を有するかどうかの判定に関する事務については、公認心理師試験委員（以下この章において「試験委員」という。）に行わせなければならない。
2 　指定試験機関は、試験委員を選任しようとするときは、文部科学省令・厚生労働省令で定める要件を備える者のうちから選任しなければならない。
3 　指定試験機関は、試験委員を選任したときは、文部科学省令・厚生労働省令で定めるところにより、文部科学大臣及び厚生労働大臣にその旨を届け出なければならない。試験委員に変更があったときも、同様と

する。

4　第十一条第二項の規定は、試験委員の解任について準用する。

（規定の適用等）

第十五条　指定試験機関が試験事務を行う場合における第八条第一項及び第九条第一項の規定の適用については、第八条第一項中「文部科学大臣及び厚生労働大臣」とあり、及び第九条第一項中「国」とあるのは、「指定試験機関」とする。

2　前項の規定により読み替えて適用する第九条第一項の規定により指定試験機関に納められた受験手数料は、指定試験機関の収入とする。

（秘密保持義務等）

第十六条　指定試験機関の役員若しくは職員（試験委員を含む。次項において同じ。）又はこれらの職にあった者は、試験事務に関して知り得た秘密を漏らしてはならない。

2　試験事務に従事する指定試験機関の役員又は職員は、刑法（明治四十年法律第四十五号）その他の罰則の適用については、法令により公務に従事する職員とみなす。

（帳簿の備付け等）

第十七条　指定試験機関は、文部科学省令・厚生労働省令で定めるところにより、試験事務に関する事項で文部科学省令・厚生労働省令で定めるものを記載した帳簿を備え、これを保存しなければならない。

（監督命令）

第十八条　文部科学大臣及び厚生労働大臣は、この法律を施行するため必要があると認めるときは、指定試験機関に対し、試験事務に関し監督上必要な命令をすることができる。

（報告）

第十九条　文部科学大臣及び厚生労働大臣は、この法律を施行するため必要があると認めるときは、その必要な限度で、文部科学省令・厚生労働省令で定めるところにより、指定試験機関に対し、報告をさせることができる。

（立入検査）

第二十条　文部科学大臣及び厚生労働大臣は、この法律を施行するため必要があると認めるときは、その必要な限度で、その職員に、指定試験機関の事務所に立ち入り、指定試験機関の帳簿、書類その他必要な物件を検査させ、又は関係者に質問させることができる。

2　前項の規定により立入検査を行う職員は、その身分を示す証明書を携帯し、かつ、関係者の請求があるときは、これを提示しなければならない。

3　第一項に規定する権限は、犯罪捜査のために認められたものと解釈してはならない。

（試験事務の休廃止）

第二十一条　指定試験機関は、文部科学大臣及び厚生労働大臣の許可を受けなければ、試験事務の全部又は一部を休止し、又は廃止してはならない。

（指定の取消し等）

第二十二条　文部科学大臣及び厚生労働大臣は、指定試験機関が第十条第四項各号（第三号を除く。）のいずれかに該当するに至ったときは、その指定を取り消さなければならない。

2　文部科学大臣及び厚生労働大臣は、指定試験機関が次の各号のいずれかに該当するに至ったときは、その指定を取り消し、又は期間を定めて試験事務の全部若しくは一部の停止を命ずることができる。

一　第十条第三項各号の要件を満たさなくなったと認められるとき。

二　第十一条第二項(第十四条第四項において準用する場合を含む。)、第十三条第三項又は第十八条の規定による命令に違反したとき。

三　第十二条、第十四条第一項から第三項まで又は前条の規定に違反したとき。

四　第十三条第一項の認可を受けた試験事務規程によらないで試験事務を行ったとき。

五　次条第一項の条件に違反したとき。

(指定等の条件)

第二十三条　第十条第一項、第十一条第一項、第十二条第一項、第十三条第一項又は第二十一条の規定による指定、認可又は許可には、条件を付し、及びこれを変更することができる。

2　前項の条件は、当該指定、認可又は許可に係る事項の確実な実施を図るため必要な最小限度のものに限り、かつ、当該指定、認可又は許可を受ける者に不当な義務を課することとなるものであってはならない。

(指定試験機関がした処分等に係る審査請求)

第二十四条　指定試験機関が行う試験事務に係る処分又はその不作為について不服がある者は、文部科学大臣及び厚生労働大臣に対し、審査請求をすることができる。この場合において、文部科学大臣及び厚生労働大臣は、行政不服審査法(平成二十六年法律第六十八号)第二十五条第二項及び第三項、第四十六条第一項及び第二項、第四十七条並びに第四十九条第三項の規定の適用については、指定試験機関の上級行政庁とみなす。

(文部科学大臣及び厚生労働大臣による試験事務の実施等)

第二十五条　文部科学大臣及び厚生労働大臣は、指定試験機関の指定をしたときは、試験事務を行わないものとする。

2　文部科学大臣及び厚生労働大臣は、指定試験機関が第二十一条の規定による許可を受けて試験事務の全部若しくは一部を休止したとき、第二十二条第二項の規定により指定試験機関に対し試験事務の全部若しくは一部の停止を命じたとき又は指定試験機関が天災その他の事由により試験事務の全部若しくは一部を実施することが困難となった場合において必要があると認めるときは、試験事務の全部又は一部を自ら行うものとする。

(公示)

第二十六条　文部科学大臣及び厚生労働大臣は、次の場合には、その旨を官報に公示しなければならない。

一　第十条第一項の規定による指定をしたとき。

二　第二十一条の規定による許可をしたとき。

三　第二十二条の規定により指定を取り消し、又は試験事務の全部若しくは一部の停止を命じたとき。

四　前条第二項の規定により試験事務の全部若しくは一部を自ら行うこととするとき又は自ら行っていた試験事務の全部若しくは一部を行わないこととするとき。

(試験の細目等)

第二十七条　この章に規定するもののほか、試験、指定試験機関その他この章の規定の施行に関し必要な事項は、文部科学省令・厚生労働省令で定める。

第三章　登録

(登録)

第二十八条　公認心理師となる資格を有する者が公認心理師となるには、公認心理師登録簿に、氏名、生年月日その他文部科学省令・厚生労働省令で定める事項の登録を受けなければならない。

(公認心理師登録簿)
第二十九条　公認心理師登録簿は、文部科学省及び厚生労働省に、それぞれ備える。
(公認心理師登録証)
第三十条　文部科学大臣及び厚生労働大臣は、公認心理師の登録をしたときは、申請者に第二十八条に規定する事項を記載した公認心理師登録証(以下この章において「登録証」という。)を交付する。
(登録事項の変更の届出等)
第三十一条　公認心理師は、登録を受けた事項に変更があったときは、遅滞なく、その旨を文部科学大臣及び厚生労働大臣に届け出なければならない。
2　公認心理師は、前項の規定による届出をするときは、当該届出に登録証を添えて提出し、その訂正を受けなければならない。
(登録の取消し等)
第三十二条　文部科学大臣及び厚生労働大臣は、公認心理師が次の各号のいずれかに該当する場合には、その登録を取り消さなければならない。
　一　第三条各号(第四号を除く。)のいずれかに該当するに至った場合
　二　虚偽又は不正の事実に基づいて登録を受けた場合
2　文部科学大臣及び厚生労働大臣は、公認心理師が第四十条、第四十一条又は第四十二条第二項の規定に違反したときは、その登録を取り消し、又は期間を定めて公認心理師の名称及びその名称中における心理師という文字の使用の停止を命ずることができる。
(登録の消除)
第三十三条　文部科学大臣及び厚生労働大臣は、公認心理師の登録がその効力を失ったときは、その登録を消除しなければならない。
(情報の提供)
第三十四条　文部科学大臣及び厚生労働大臣は、公認心理師の登録に関し、相互に必要な情報の提供を行うものとする。
(変更登録等の手数料)
第三十五条　登録証の記載事項の変更を受けようとする者及び登録証の再交付を受けようとする者は、実費を勘案して政令で定める額の手数料を国に納付しなければならない。
(指定登録機関の指定等)
第三十六条　文部科学大臣及び厚生労働大臣は、文部科学省令・厚生労働省令で定めるところにより、その指定する者(以下「指定登録機関」という。)に、公認心理師の登録の実施に関する事務(以下「登録事務」という。)を行わせることができる。
2　指定登録機関の指定は、文部科学省令・厚生労働省令で定めるところにより、登録事務を行おうとする者の申請により行う。
第三十七条　指定登録機関が登録事務を行う場合における第二十九条、第三十条、第三十一条第一項、第三十三条及び第三十五条の規定の適用については、第二十九条中「文部科学省及び厚生労働省に、それぞれ」とあるのは「指定登録機関に」と、第三十条、第三十一条第一項及び第三十三条中「文部科学大臣及び厚生労働大臣」とあり、並びに第三十五条中「国」とあるのは「指定登録機関」とする。
2　指定登録機関が登録を行う場合において、公認心理師の登録を受けようとする者は、実費を勘案して政令で定める額の手数料を指定登録機関に納付しなければならない。

3 　第一項の規定により読み替えて適用する第三十五条及び前項の規定により指定登録機関に納められた手数料は、指定登録機関の収入とする。

（準用）
第三十八条　第十条第三項及び第四項、第十一条から第十三条まで並びに第十六条から第二十六条までの規定は、指定登録機関について準用する。この場合において、これらの規定中「試験事務」とあるのは「登録事務」と、「試験事務規程」とあるのは「登録事務規程」と、第十条第三項中「前項の申請」とあり、及び同条第四項中「第二項の申請」とあるのは「第三十六条第二項の申請」と、第十六条第一項中「職員（試験委員を含む。次項において同じ。）」とあるのは「職員」と、第二十二条第二項第二号中「第十一条第二項（第十四条第四項において準用する場合を含む。）」とあるのは「第十一条第二項」と、同項第三号中「、第十四条第一項から第三項まで又は前条」とあるのは「又は前条」と、第二十三条第一項及び第二十六条第一号中「第十条第一項」とあるのは「第三十六条第一項」と読み替えるものとする。

（文部科学省令・厚生労働省令への委任）
第三十九条　この章に規定するもののほか、公認心理師の登録、指定登録機関その他この章の規定の施行に関し必要な事項は、文部科学省令・厚生労働省令で定める。

第四章　義務等

（信用失墜行為の禁止）
第四十条　公認心理師は、公認心理師の信用を傷つけるような行為をしてはならない。

（秘密保持義務）
第四十一条　公認心理師は、正当な理由がなく、その業務に関して知り得た人の秘密を漏らしてはならない。公認心理師でなくなった後においても、同様とする。

（連携等）
第四十二条　公認心理師は、その業務を行うに当たっては、その担当する者に対し、保健医療、福祉、教育等が密接な連携の下で総合的かつ適切に提供されるよう、これらを提供する者その他の関係者等との連携を保たなければならない。

2 　公認心理師は、その業務を行うに当たって心理に関する支援を要する者に当該支援に係る主治の医師があるときは、その指示を受けなければならない。

（資質向上の責務）
第四十三条　公認心理師は、国民の心の健康を取り巻く環境の変化による業務の内容の変化に適応するため、第二条各号に掲げる行為に関する知識及び技能の向上に努めなければならない。

（名称の使用制限）
第四十四条　公認心理師でない者は、公認心理師という名称を使用してはならない。

2 　前項に規定するもののほか、公認心理師でない者は、その名称中に心理師という文字を用いてはならない。

（経過措置等）
第四十五条　この法律の規定に基づき命令を制定し、又は改廃する場合においては、その命令で、その制定又は改廃に伴い合理的に必要と判断される範囲内において、所要の経過措置（罰則に関する経過措置を含む。）を定めることができる。

2 　この法律に規定するもののほか、この法律の施行に関し必要な事項は、文部科学省令・厚生労働省令で定める。

第五章　罰則

第四十六条　第四十一条の規定に違反した者は、一年以下の懲役又は三十万円以下の罰金に処する。

2　前項の罪は、告訴がなければ公訴を提起することができない。

第四十七条　第十六条第一項(第三十八条において準用する場合を含む。)の規定に違反した者は、一年以下の懲役又は三十万円以下の罰金に処する。

第四十八条　第二十二条第二項(第三十八条において準用する場合を含む。)の規定による試験事務又は登録事務の停止の命令に違反したときは、その違反行為をした指定試験機関又は指定登録機関の役員又は職員は、一年以下の懲役又は三十万円以下の罰金に処する。

第四十九条　次の各号のいずれかに該当する者は、三十万円以下の罰金に処する。

一　第三十二条第二項の規定により公認心理師の名称及びその名称中における心理師という文字の使用の停止を命ぜられた者で、当該停止を命ぜられた期間中に、公認心理師の名称を使用し、又はその名称中に心理師という文字を用いたもの

二　第四十四条第一項又は第二項の規定に違反した者

第五十条　次の各号のいずれかに該当するときは、その違反行為をした指定試験機関又は指定登録機関の役員又は職員は、二十万円以下の罰金に処する。

一　第十七条(第三十八条において準用する場合を含む。)の規定に違反して帳簿を備えず、帳簿に記載せず、若しくは帳簿に虚偽の記載をし、又は帳簿を保存しなかったとき。

二　第十九条(第三十八条において準用する場合を含む。)の規定による報告をせず、又は虚偽の報告をしたとき。

三　第二十条第一項(第三十八条において準用する場合を含む。)の規定による立入り若しくは検査を拒み、妨げ、若しくは忌避し、又は質問に対して陳述をせず、若しくは虚偽の陳述をしたとき。

四　第二十一条(第三十八条において準用する場合を含む。)の許可を受けないで試験事務又は登録事務の全部を廃止したとき。

附　則　抄

(施行期日)

第一条　この法律は、公布の日から起算して二年を超えない範囲内において政令で定める日から施行する。ただし、第十条から第十四条まで、第十六条、第十八条から第二十三条まで及び第二十五条から第二十七条までの規定並びに第四十七条、第四十八条及び第五十条(第一号を除く。)の規定(指定試験機関に係る部分に限る。)並びに附則第八条から第十一条までの規定は、公布の日から起算して六月を超えない範囲内において政令で定める日から施行する。

(受験資格の特例)

第二条　次の各号のいずれかに該当する者は、第七条の規定にかかわらず、試験を受けることができる。

一　この法律の施行の日(以下この項及び附則第六条において「施行日」という。)前に学校教育法に基づく大学院の課程を修了した者であって、当該大学院において心理学その他の公認心理師となるために必要な科目として文部科学省令・厚生労働省令で定めるものを修めたもの

二　施行日前に学校教育法に基づく大学院に入学した者であって、施行日以後に心理学その他の公認心理師となるために必要な科目として文部科学省令・厚生労働省令で定めるものを修めて当該大学院の課程を修了したもの

三 施行日前に学校教育法に基づく大学に入学し、かつ、心理学その他の公認心理師となるために必要な科目として文部科学省令・厚生労働省令で定めるものを修めて卒業した者その他その者に準ずるものとして文部科学省令・厚生労働省令で定める者であって、施行日以後に同法に基づく大学院において第七条第一号の文部科学省令・厚生労働省令で定める科目を修めてその課程を修了したもの

四 施行日前に学校教育法に基づく大学に入学し、かつ、心理学その他の公認心理師となるために必要な科目として文部科学省令・厚生労働省令で定めるものを修めて卒業した者その他その者に準ずるものとして文部科学省令・厚生労働省令で定める者であって、第七条第二号の文部科学省令・厚生労働省令で定める施設において同号の文部科学省令・厚生労働省令で定める期間以上第二条第一号から第三号までに掲げる行為の業務に従事したもの

2 この法律の施行の際現に第二条第一号から第三号までに掲げる行為を業として行っている者その他その者に準ずるものとして文部科学省令・厚生労働省令で定める者であって、次の各号のいずれにも該当するに至ったものは、この法律の施行後五年間は、第七条の規定にかかわらず、試験を受けることができる。

一 文部科学大臣及び厚生労働大臣が指定した講習会の課程を修了した者

二 文部科学省令・厚生労働省令で定める施設において、第二条第一号から第三号までに掲げる行為を五年以上業として行った者

3 前項に規定する者に対する試験は、文部科学省令・厚生労働省令で定めるところにより、その科目の一部を免除することができる。

(受験資格に関する配慮)

第三条 文部科学大臣及び厚生労働大臣は、試験の受験資格に関する第七条第二号の文部科学省令・厚生労働省令を定め、及び同条第三号の認定を行うに当たっては、同条第二号又は第三号に掲げる者が同条第一号に掲げる者と同等以上に臨床心理学を含む心理学その他の科目に関する専門的な知識及び技能を有することとなるよう、同条第二号の文部科学省令・厚生労働省令で定める期間を相当の期間とすることその他の必要な配慮をしなければならない。

(名称の使用制限に関する経過措置)

第四条 この法律の施行の際現に公認心理師という名称を使用している者又はその名称中に心理師の文字を用いている者については、第四十四条第一項又は第二項の規定は、この法律の施行後六月間は、適用しない。

(検討)

第五条 政府は、この法律の施行後五年を経過した場合において、この法律の規定の施行の状況について検討を加え、その結果に基づいて必要な措置を講ずるものとする。

(試験の実施に関する特例)

第六条 第六条の規定にかかわらず、施行日の属する年においては、試験を行わないことができる。

成年被後見人等の権利の制限に係る措置の適正化等を図るための関係法律の整備に関する法律（令和元年六月十四日法律第三十七号）

第百四条　公認心理師法(平成二十七年法律第六十八号)の一部を次のように改正する。

　第三条第一号を次のように改める。

一　心身の故障により公認心理師の業務を適正に行うことができない者として文部科学省令・厚生労働省令で定めるもの

公認心理師法第 42 条第 2 項に係る主治の医師の指示に関する運用基準について

29文科初第1391号
障発0131第3号
平成30年1月31日

各都道府県知事　殿

文部科学省初等中等教育局長
髙　橋　道　和

（印影印刷）

厚生労働省社会・援護局
障 害 保 健 福 祉 部 長
宮　嵜　雅　則

（印影印刷）

公認心理師法第 42 条第 2 項に係る主治の医師の指示に関する運用基準について

　公認心理師法（平成 27 年法律第 68 号）第 42 条第 2 項に係る主治の医師の指示に関する運用基準については、別添のとおりとしたので、通知する。
　ついては、適正な実施に遺憾なきを期されるとともに、都道府県教育委員会、管内市区町村、関係団体等に周知願いたい。

［本件担当］
文部科学省初等中等教育局健康教育・食育課
　電話：03-5253-4111（内線 4950）
厚生労働省社会・援護局障害保健福祉部
　精神・障害保健課　公認心理師制度推進室
　電話：03-5253-1111（内線 3113、3112）

1

別　添
　　　　　公認心理師法第 42 条第 2 項に係る主治の医師の指示に関する運用基準

1．本運用基準の趣旨
　　公認心理師法（平成 27 年法律第 68 号。以下「法」という。）においては、「公認心理師は、その業務を行うに当たっては、その担当する者に対し、保健医療、福祉、教育等が密接な連携の下で総合的かつ適切に提供されるよう、これらを提供する者その他の関係者等との連携を保たなければならない」（法第 42 条第 1 項）とされているほか、「心理に関する支援を要する者に当該支援に係る主治の医師があるときは、その指示を受けなければならない」（同条第 2 項）とされている。
　　本運用基準は、公認心理師が法第 2 条各号に定める行為（以下「支援行為」という。）を行うに当たり、心理に関する支援を要する者（以下「要支援者」という。）に、法第 42 条第 2 項の心理に関する支援に係る主治の医師（以下単に「主治の医師」という。）がある場合に、その指示を受ける義務を規定する法第 42 条第 2 項の運用について、公認心理師の専門性や自立性を損なうことのないようにすることで、公認心理師の業務が円滑に行われるようにする観点から定めるものである。

2．基本的な考え方
　　公認心理師は、その業務を行うに当たって要支援者に主治の医師があるときは、その指示を受けなければならないこととされている（法第 42 条第 2 項）。
　　これは、公認心理師が行う支援行為は、診療の補助を含む医行為には当たらないが、例えば、公認心理師の意図によるものかどうかにかかわらず、当該公認心理師が要支援者に対して、主治の医師の治療方針とは異なる支援行為を行うこと等によって、結果として要支援者の状態に効果的な改善が図られない可能性があることに鑑み、要支援者に主治の医師がある場合に、その治療方針と公認心理師の支援行為の内容との齟齬を避けるために設けられた規定である。
　　もとより、公認心理師は、要支援者の状況の正確な把握に努めているものであるが、特に要支援者に主治の医師がある場合には、要支援者の状況に関する情報等を当該主治の医師に提供する等により、公認心理師が主治の医師と密接に連携しながら、主治の医師の指示を受けて支援行為を行うことで、当該要支援者の状態の更なる改善につながることが期待される。
　　なお、これまでも、心理に関する支援が行われる際には、当該支援を行う者が要支援者の主治の医師の指示を受ける等、広く関係者が連携を保ちながら、要支援者に必要な支援が行われており、本運用基準は、従前より行われている心理に関する支援の在り方を大きく変えることを想定したものではない。

3．主治の医師の有無の確認に関する事項
　　公認心理師は、把握された要支援者の状況から、要支援者に主治の医師があることが合理的に推測される場合には、その有無を確認するものとする。

2

主治の医師の有無の確認をするかどうかの判断については、当該要支援者に主治の医師が存在した場合に、結果として要支援者が不利益を受けることのないよう十分に注意を払い、例えば、支援行為を行う過程で、主治の医師があることが合理的に推測されるに至った場合には、その段階でその有無を確認することが必要である。
　　　主治の医師に該当するかどうかについては、要支援者の意向も踏まえつつ、一義的には公認心理師が判断するものとする。具体的には、当該公認心理師への相談事項と同様の内容について相談している医師の有無を確認することにより判断する方法が考えられる。なお、そのような医師が複数存在することが判明した場合には、受診頻度や今後の受診予定等を要支援者に確認して判断することが望ましい。また、要支援者に、心理に関する支援に直接関わらない傷病に係る主治医がいる場合に、当該主治医を主治の医師に当たらないと判断することは差し支えない。
　　　また、主治の医師の有無の確認は、原則として要支援者本人に直接行うものとする。要支援者本人に対する確認が難しい場合には、要支援者本人の状態や状況を踏まえ、その家族等に主治の医師の有無を確認することも考えられる。いずれの場合においても、要支援者の心情を踏まえた慎重な対応が必要である。

4．主治の医師からの指示への対応に関する事項
（1）　主治の医師からの指示の趣旨
　　　主治の医師からの指示は、公認心理師が、主治の医師の治療方針とは異なる支援行為を行うこと等によって要支援者の状態に効果的な改善が図られないこと等を防ぐため、主治の医師と公認心理師が連携して要支援者の支援に当たることを目的とするものである。
　　　主治の医師からの指示は、医師の掌る医療及び保健指導の観点から行われるものであり、公認心理師は、合理的な理由がある場合を除き、主治の医師の指示を尊重するものとする。
　　　具体的に想定される主治の医師からの指示の内容の例は、以下のとおりである。
　　・　要支援者の病態、治療内容及び治療方針について
　　・　支援行為に当たっての留意点について
　　・　直ちに主治の医師への連絡が必要となる状況について　　　等
（2）　主治の医師からの指示を受ける方法
　　　公認心理師と主治の医師が、同一の医療機関において業務を行っている場合、主治の医師の治療方針と公認心理師の支援行為とが一体となって対応することが必要である。このため、公認心理師は、当該医療機関における連携方法により、主治の医師の指示を受け、支援行為を行うものとする。
　　　公認心理師と主治の医師の勤務先が同一の医療機関ではない場合であって、要支援者に主治の医師があることが確認できた場合は、公認心理師は要支援者の安全を確保する観点から、当該要支援者の状況に関する情報等を当該主治の医師に提供する等、当該主治の医師と密接な連携を保ち、その指示を受けるものとする。

その際、公認心理師は、要支援者に対し、当該主治の医師による診療の情報や必要な支援の内容についての指示を文書で提供してもらうよう依頼することが望ましい。

また、公認心理師が、主治の医師に直接連絡を取る際は、要支援者本人（要支援者が未成年等の場合はその家族等）の同意を得た上で行うものとする。

（3） 指示への対応について

公認心理師が、心理に関する知識を踏まえた専門性に基づき、主治の医師の治療方針とは異なる支援行為を行った場合、合理的な理由がある場合は、直ちに法第42条第2項に違反となるものではない。ただし、この場合においても、当該主治の医師と十分な連携を保ち、要支援者の状態が悪化することのないよう配慮することとする。

なお、公認心理師が主治の医師の指示と異なる方針に基づき支援行為を行った場合は、当該支援行為に関する説明責任は当該公認心理師が負うものであることに留意することとする。

公認心理師が主治の医師から指示を受ける方法は、（2）に示すとおり、公認心理師と主治の医師との関係等に応じて適切なものである必要があるが、指示の内容には要支援者の個人情報が含まれることに十分注意して指示を受けることとする。

公認心理師は、主治の医師より指示を受けた場合は、その日時、内容及び次回指示の要否について記録するものとする。

公認心理師が所属する機関の長が、要支援者に対する支援の内容について、要支援者の主治の医師の指示と異なる見解を示した場合、それぞれの見解の意図をよく確認し、要支援者の状態の改善に向けて、関係者が連携して支援に当たることができるよう留意することとする。

（4） 主治の医師からの指示を受けなくてもよい場合

以下のような場合においては、主治の医師からの指示を受ける必要はない。
・ 心理に関する支援とは異なる相談、助言、指導その他の援助を行う場合
・ 心の健康についての一般的な知識の提供を行う場合

また、災害時等、直ちに主治の医師との連絡を行うことができない状況下においては、必ずしも指示を受けることを優先する必要はない。ただし、指示を受けなかった場合は、後日、主治の医師に支援行為の内容及び要支援者の状況について適切な情報共有等を行うことが望ましい。

（5） 要支援者が主治の医師の関与を望まない場合

要支援者が主治の医師の関与を望まない場合、公認心理師は、要支援者の心情に配慮しつつ、主治の医師からの指示の必要性等について丁寧に説明を行うものとする。

5．その他留意すべき事項
（1） 公認心理師は、主治の医師からの指示の有無にかかわらず、診療及び服薬指導をすることはできない。
（2） 本運用基準は適宜見直しを行っていくものとする。

＜参照条文＞
○公認心理師法（平成二十七年法律第六十八号）（抄）
　（定義）
第二条　この法律において「公認心理師」とは、第二十八条の登録を受け、公認心理師の名称を用いて、保健医療、福祉、教育その他の分野において、心理学に関する専門的知識及び技術をもって、次に掲げる行為を行うことを業とする者をいう。
　一　心理に関する支援を要する者の心理状態を観察し、その結果を分析すること。
　二　心理に関する支援を要する者に対し、その心理に関する相談に応じ、助言、指導その他の援助を行うこと。
　三　心理に関する支援を要する者の関係者に対し、その相談に応じ、助言、指導その他の援助を行うこと。
　四　心の健康に関する知識の普及を図るための教育及び情報の提供を行うこと。
　（連携等）
第四十二条　公認心理師は、その業務を行うに当たっては、その担当する者に対し、保健医療、福祉、教育等が密接な連携の下で総合的かつ適切に提供されるよう、これらを提供する者その他の関係者等との連携を保たなければならない。
2　公認心理師は、その業務を行うに当たって心理に関する支援を要する者に当該支援に係る主治の医師があるときは、その指示を受けなければならない。

INDEX

人名

アーノルド Arnold, M. 171, 175
アイゼンク Eysenck, H.
　　　　　............... 181, 190, 347, 558
アクスライン Axline, V. 322
アッシュ Asch, S. 233, 239
アドラー Adler, A. 318, 550
アリエス Ariès, P. 166
アリストテレス 62
アルダーファ Alderfer, C. 454
アレクサンダー Alexander, F. 556
アンナ・フロイト Freud, A.
　　　　　......................... 318, 550
イザード Izard, C. 171
岩壁茂 92
ヴィーク Wieck, H. 480
ヴィゴツキー Vygotsky, L. .. 160, 164
ウィトマー Witmer, L. 63, 69
ウィニコット Winnicott, D. 550
ウェーバー Weber, E. 145
ウェクスラー Wechsler, D. 64
ウェステン Westen, D. 349
ウェルトハイマー Wertheimer, M.
　　　　　................................ 63
ウェルマン Wellman, H. 66
ウォーフ Whorf, B. 165
ウォルピ Wolpe, J. 559
ウォンポールド Wampold, B. 348
ヴルーム Vroom, V. 454
ヴント Wundt, W. 62, 68
エイゼン Ajzen, I. 575
エインズワース Ainsworth, M. 259
エクマン Ekman, P. 170, 171, 175
エビングハウス Ebbinghaus, H.
　　　　　............................ 62, 208
エリクソン Erikson, E.
　　　　　....................... 247, 270, 583
エリス Ellis, A. 73, 74, 559
オーキーフ O'Keeffe, J. 208
オートニー Ortony, A. 168
オーリンスキー Orlinsky, D. 50
オルポート Allport, G. 51, 181
小此木啓吾 44
ガイ Guy, J. 43
カズディン Kazdin, E. 92
カルーソ Caruso, D. 179
ガレノス Galenus 62, 188
河合隼雄 7, 49
川喜田二郎 88
カンバーグ Kernberg, O. 551
木下康仁 90
ギブソン Gibson, J. 132

キャッテル Cattell, J. 69, 296
キャッテル Cattell, R. 190, 269
キャッテル Cattell, J. M. 63
キャノン Cannon, W.
　　　　　.................... 169, 210, 359
キャプラン Caplan, G. 330
ギルフォード Guilford, J. 297
グッドマン Goodman, P. 454
クラーク Clark, M. 219
クライン Klein, M. 318, 550
グリーン Green, L. 576
クリューバー Klüver, H. 210
グレイ Gray, J. 190
グレイザー Glaser, B. 89
クレッチマー Kretschmer, E.
　　　　　.................... 188, 453, 484
クレペリン Kraepelin, E. 296, 483
グロス Gross, J. 179
クロニンジャー Cloninger, C. 190
ゲージ Gage, P. 209
ケーラー Köhler, W. 63
ケリー Kelly, H. 230
ケリー Kelly, J. 183
コーチン Korchin, S. 2
コービン Corbin, J. 89
ゴールドマン Goleman, D. 179
コールバーグ Kohlberg, L. 255
コーン Cohn, N. 281
コスタ Costa, P. 190, 453
コフート Kohut, H. 551
コフカ Koffka, K. 63
ゴルトン Galton, F. 297
ザイアンス Zajonc, R. 171
サイモン Simon, H. A. 65
サイモンズ Symonds, P. 186
サミュエル・J・ベック 302
サリヴァン Sullivan, H. .. 3, 293, 549
サロヴェイ Salovey, P. 179
ジェームズ James, W.
　　　　　.................... 169, 210, 231
ジェームズ，ウィリアム 169
シェリフ Serif, M. 224
シェルドン Sheldon, W. 189
シフニオス Sifneos, P. 180
下田光造 484
シモン Simon, Th. 296
シャイエ Schaie, K. 269
ジャクソン Jackson, S. 43
シャクター Schachter, S. 170
シュナイダー Schneider, K. 483
シュプランガー Spranger, E. 189
シュルツ Schultz, D. 51
シュワルツ Schwarz, N. 177

シュワルツァー Schwarzer, R. 362
ショーン Schön, D. 39
ジョーンズ Jones, E. 229
ジョン・E・エクスナー 302
シンガー Singer, J. 170
ズービン Zubin, J. 362
スウィフト Swift, J. 334
スキナー Skinner, B.
　　　　　........... 64, 73, 155, 183, 559
スキナー，バラス 64
スキャモン Scammon, R. 246
スコヴィル Scoville, W. 208
スコウフォルト Skovholt, T. 41
ストラウス Strauss, A. 89
ストラップ Strupp, H. 349
ストロロウ Stolorow, R. 40
スラブソン Slavson, S. 323
セリエ Selye, H. 359
ソーンダイク Thorndike, E.
　　　　　.................... 69, 155, 558
ダーウィン Darwin, C. 175
ターナー Turner, J. 225
ターマン Terman, L. 64
タジフェル Tajifel, H. 225
ダマシオ Damasio, A. 177
チェス Chess, S. 184
チョムスキー Chomsky, N. A.
　　　　　........................... 65, 162
デイヴィス Davis, K. 229
ディクレメンテ DiClemente, C. .. 576
ティチナー Titchener, E. B. 63
デカルト 62
テレンバッハ Tellenbach, H. 484
テンドラー Tendler, A. 298
土居健郎 6
トーマス Thomas, A. 184
トールマン Tolman, E. 64
トムキンス Tomkins, S. 170
ドロター Drotar 281
ドンダース Donders, F. 128
ナイサー Neisser, U. 65
鍋田恭孝 350
ニューウェル Newell, A. 65
ネイサー Neisser, D. 132
ノークロス Norcross, J. 334
ハーヴィガースト Havighurst, R.
　　　　　........................... 247, 270
パーヴィン Pervin, L. 181
バーキン Bergin, A. 348
ハーズバーグ Herzberg, F. 454
パーソンズ Parsons, F. 69, 296
パーテン Parten, M. 261
バード Bard, P. 169, 210

INDEX

バーネット Barnett, J. ········· 43
パールズ Pearls, F. ········· 51, 318
ハイダー Heider, F. ········· 227
バウアー Bower, G. ········· 76
ハウス House, R. ········· 457
パヴロフ Pavlov, I. ········· 63, 558
パブロフ，イワン ········· 63
ハサウェイ Hathaway, S. ········· 297
バック Buck, R. ········· 175
パペッツ Papez, J. ········· 210
ハムナー Hamnerha, W. ········· 454
ハル Hull, K. ········· 64
バルデス Baltes, P. ········· 269
バレット Barrett, L. F. ········· 172
バロン＝コーエン Baron-Cohen, S. ········· 66
バンデューラ Bandura, A. ········· 158, 183, 560, 575
ビアーズ Beers, C. ········· 69
ピアジェ Piaget, J. ········· 164, 249
ビオン Bion, W. ········· 323
ビネー Binet, A. ········· 64, 70, 296
ビネー，アルフレッド ········· 64
ヒポクラテス Hippocrates ········· 62, 188
ビューシー Bucy, P. ········· 210
ビュートラー Beutler, L. ········· 336
平木典子 ········· 48
フィードラー Fiedler, F. ········· 457
フィッシュバイン Fishbein, M. ········· 575
フェスティンガー Festinger, L. ········· 228
フェヒナー Fechner, G. ········· 62, 128, 145
フェレンツィ Ferenzi, S. ········· 43, 44
フォーガス Forgas, J. ········· 177
フォナギー Fonagy, P. ········· 66
福島哲夫 ········· 41, 334
フライダ Frijda, N. ········· 168
フランク Frank, J. ········· 551
フランクル Frankl, V. ········· 51
フリードマン Friedman, A. ········· 454
フリードランダー Friedlander, M. ········· 47
ブリッジ Bridges, K. ········· 254
ブルーナー Bruner, J. S. ········· 162
ブルーノ・クロッパー ········· 302
フレドリクソン Fredrickson, B. ········· 178
フロイト Freud, S. ········· 6, 43, 64, 171, 182, 543
フロイト，ジークムント ········· 7
ブロイラー Bleuler, E. ········· 483
ブロードベント Broadbent, D. ········· 146
プロチャスカ Prochaska, J. ········· 334, 576

フロム Fromm, E. ········· 51, 549
ベイトソン Bateson, G. ········· 323
ペイン Payne, A. ········· 298
ベック Beck, A. ········· 44, 45, 73, 318, 559
ヘッブ Hebb, D. ········· 209
ヘルムホルツ Helmholtz, H. ········· 62
ヘンリー Henry, W. ········· 349
ボウルビィ Bowlby, J. ········· 248, 259
ボーエン Bowen, M. ········· 324
ホーナイ Horney, K. ········· 549
ホームズ Holmes, T. ········· 360
ホール Hall, G. S. ········· 63
ホックシールド Hochschild, A. ········· 43
ポルトマン Portmann, A. ········· 248
ボンヘッファー Bonhoeffer, K. ········· 480
マーカス Markus, H. ········· 241
マーシャ Marcia, J. ········· 250
マイケンバウム Meichenbaum, D. ········· 558
マクレイ McCrae, R. ········· 190, 453
マクロード McLeod, J. ········· 87
マスターソン Masterson, J. ········· 551
マスラック Maslach, C. ········· 43
マズロー Maslow, A. ········· 51, 183, 454
マッキンリー McKinley, J. ········· 297
マレー Murray, H. ········· 297
ミシェル Mischel, W. ········· 183
ミニューチン Minuchin, S. ········· 324
ミラー Miller, G. A. ········· 65
ミルズ Mills, J. ········· 219
ミルナー Milner, B. ········· 208
メイヤー Mayer, J. ········· 179
森田正馬 ········· 74
モレノ Moreno, J. ········· 323
ヤーキーズ Yerkes, R. ········· 296
ヤーロム Yalom, I. ········· 323
ヤング Young, J. ········· 44
ユング Jung, C. ········· 49, 50, 51, 189, 453, 550
吉本伊信 ········· 74
ライヒマン Reichmann, F. ········· 549
ラザルス Lazarus, A. ········· 336
ラザルス Lazarus, R. ········· 168, 171, 178, 361
ラッセル Russell, J. ········· 172
ランゲ Lange, C. ········· 169
ランバート Lambert, M. ········· 348
リネハン Linehan, M. ········· 569
リバーマン Liberman, R. ········· 565
ルーサンス Luthans, F. ········· 454
ルドゥー LeDoux, J. ········· 173
レイエ Rahe, R. ········· 360

レヴィン Lewin, K. ········· 63, 249, 457
ローゼンストック Rosenstock, I. ········· 574
ローゼンツァイク Rosenzweig, S. ········· 297
ローゼンバーグ Rosenberg, M. ········· 233
ロールシャッハ Rorschach, H. ········· 297
ロジャーズ Rogers, C. ········· 51, 73, 74, 183, 318, 343
ロスバート Rothbart, M. ········· 184
ロック ········· 62
ロンスタット Rønnestad, M. ········· 41
ワトソン Watson, J. ········· 63, 73, 183, 558

欧文

2要因説 ········· 454
3色説 ········· 138
「4枚カード」問題 ········· 150
5因子性格検査 ········· 190
6期発達モデル ········· 42
16F 人格検査 ········· 182
16PF ········· 190
21 トリソミー ········· 486
36 協定 ········· 537
α 係数 ········· 111
ABA ········· 157
ACT ········· 570
ADHD ········· 264, 266
　―に対する支援 ········· 283
　―の定義 ········· 266
administrative スーパービジョン ········· 48
AEDP ········· 351
affect ········· 168
affect infusion model ········· 177
affect-as-information ········· 176
agreeableness ········· 190
AIM の概念図 ········· 178
alexithymia ········· 180
amator ········· 6
American Psychological Association ········· 29
amygdala ········· 173
ANOVA モデル ········· 230
APA ········· 29, 479
applied behavior analysis ········· 157
ASD ········· 487
attention-deficit/hyperactivity disorder ········· 264
attractive style ········· 47
AUDIT ········· 157
autonomic nervous sysytem ········· 196

611

INDEX

β波 ……………………………………… 210
BAS ……………………………………… 190
BBB ……………………………………… 200
BBS 会 …………………………………… 444
BDI ……………………………………… 300
BDI-Ⅱ …………………………………… 306
Beck Depression Inventory ……… 300
Beck Depression Inventory-Second
　Edition …………………………… 306
behavioral activation system …… 190
behavioral and psychological
　symptoms of dementia ………… 217
behavioral inhibition sysytem …… 190
bio-psycho-social model …………… 69
BIS ……………………………………… 190
BIS/BAS 尺度 ………………………… 190
blood-brain barrier …………………… 200
BPS ………………………………………… 69
BPSD …………………………………… 217
broaden-and-build theory ………… 178
　―の図式 ……………………………… 179
Broca 失語 ……………………………… 163
CBT ……………………………………… 324
　―の治療全体の流れ ……………… 326
central nervous system …………… 195
CKD ……………………………………… 469
clinical psychology …………………… 68
CMI ……………………………………… 300
CNS ……………………………………… 195
coalition ……………………………… 237
cognitive appraisal ………………… 171
cognitive behavioral therapy …… 324
cognitive therapy scale ……………… 44
conditioned response ……………… 154
conditioned stimulus ………………… 154
conscientiousness …………………… 190
control group ………………………… 123
cooperativeness ……………………… 191
Cornel Medical Index ……………… 300
correspondent inference model … 229
covariation model …………………… 230
CR ……………………………………… 154
cranial nerves ………………………… 199
CS ……………………………………… 154
CT ……………………………………… 211
CTRS ……………………………………… 44
CTS ……………………………………… 44
δ波 ……………………………………… 210
dark triad ……………………………… 191
debriefing …………………………… 126
deception …………………………… 126
developmental origins of health and
　disease ……………………………… 248

Developmental Social-Pragmatic
　………………………………………… 284
difference limen ……………………… 128
difference threshold ………………… 128
DMAT …………………………………… 385
DOHaD ………………………………… 248
double blind ………………………… 125
DPAT …………………………………… 385
drop out ……………………………… 349
DSM ……………………………… 313, 479
DSM-5 …………… 266, 271, 277, 479
　―による 10 種類のパーソナリティ
　　障害 ………………………………… 192
　―によるパーソナリティ障害 … 191
　―によるパーソナリティ障害の代替
　　モデル ……………………………… 192
DSP ……………………………………… 284
DV ………………………………… 54, 533
　―防止法 ……………………………… 533
EAP ……………………………………… 446
Early Intensive Behavioral Intervention
　………………………………………… 284
Early Start Denver Model ………… 285
EBP ………………………………………… 76
EIBI ……………………………………… 284
elaboration likelihood model …… 229
ELM …………………………………… 229
EMDR ………………………………… 569
emotion ……………………………… 168
emotional intelligence ……………… 179
emotional labour ……………………… 43
emotional quotient ………………… 180
EPSP …………………………………… 201
EQ ……………………………………… 180
ERG モデル …………………………… 454
ESDM ………………………………… 285
evidence based practice …… 76, 290
excitatory postsynaptic potential
　………………………………………… 201
experiential or narrative case study
　………………………………………… 93
experimental group ………………… 123
extraversion …………………………… 190
false belief task ………………………… 66
fight-or-flight response …………… 173
fMRI ……………………………… 145, 211
FTT ……………………………………… 268
F 分布 …………………………… 105, 107
γ-アミノ酪酸 ………………………… 201
gamma-aminobutyric acid ……… 201
General Health Questionnaire … 300
GHQ …………………………………… 300
grounded theory approach ………… 89

GTA ……………………………………… 89
　―の種類 ……………………………… 90
GVHD …………………………………… 477
harm avoidance ……………………… 190
HDS-R …………………………… 212, 301
HIV 感染者 …………………………… 328
HPA axis ……………………………… 173
HTP テスト …………………………… 299
hypothalamus ………………………… 173
IBS ……………………………………… 314
ICD ……………………………………… 479
ICD-10 …………………………… 271, 479
ICF ……………………………………… 274
ICIDH …………………………………… 274
idiographic approach ……………… 181
inhibitory postsynaptic potential
　………………………………………… 201
intelligence quoitent ……………… 264
International Classification of
　Functioning, Disability and Health
　………………………………………… 274
International Classification of
　impairments, Disabilities and
　Handicaps ………………………… 274
interpersonally sensitive style …… 47
intersubjectivity ……………………… 40
Iowa Gambling Task ……………… 178
IQ ………………………………… 64, 264
IRE 構造 ……………………………… 165
irritable bowel syndrome ………… 314
ISD ……………………………………… 313
JART …………………………………… 212
K-ABC ………………………………… 286
KAP モデル …………………………… 574
Kaufman Assessment Battery for
　Children …………………………… 286
KH コーダーの分析例 ………………… 94
KJ 法 ……………………………………… 88
　―の手順 ……………………………… 89
Klüver-Bucy syndrome …………… 173
knowledge of results ……………… 159
KR ……………………………………… 159
LAD ……………………………………… 162
language acquisition device …… 162
language acquisition support system
　………………………………………… 162
LASS …………………………………… 162
LD ………………………………… 264, 286
learning disorders …………………… 264
LGBT …………………………… 328, 331
M-GTA …………………………………… 89
　―の分析ワークシート ……………… 90
M.I.N.I. ………………………………… 306

INDEX

machiavellianism ······················ 191
MBTI ··· 253
Mental Resarch Institute ············ 324
mentalization-based therapy ········ 67
mere exposure effect ················· 171
MIM ·· 286
Minnesota Multiphasic Personality
　Inventory ································ 297
MJCA ··· 441
MMPI ···························· 182, 297, 300
MMSE ································ 212, 301
MMT ··· 336
MOCA-J ····································· 212
modified grounded theory approach
　··· 89
mood ··· 168
mood congruent effect ··············· 176
mood state dependent effect ······ 176
mood-maintenance and repair model
　·· 177
MRI ································ 182, 211, 324
Multilayer Instruction Model ······· 286
multimodal therapy ····················· 336
narcissism ································· 191
narrative approach ····················· 182
negative complementary ············ 349
NEO-FFI ···································· 190
NEO-PI-R ·································· 190
　―人格検査 ······························ 182
neuro-cultural model ·················· 175
neuroticism ································ 190
neutral stimulus ·························· 154
NIOSH ······································· 451
　―職業性ストレスモデル ········ 451
NoFTT ······································· 268
nomothetic approach ·················· 181
non-organic failure to thrive ······· 268
Non-REM ·································· 485
novelty seeking ··························· 190
NS ··· 154
nucleus accumbens ··················· 173
openness to experience ············· 190
organic failure to thrive ·············· 268
organization skills training ·········· 283
outcome-oriented case study ······· 93
P-F スタディ ················ 182, 297, 298
PAC 分析 ····································· 93
parasympathetic nerve ··············· 196
PCA ··· 51
PCAGIP 法 ································· 50
PDD ································· 264, 266
PECS ··· 284
PEP ··· 336

peripheral nervous system ········ 195
persistence ································ 191
person centered approach ·········· 51
person-centered approach group
　incident process 法 ················· 50
pervasive developmental disorders
　·· 264
PFA ··· 388
Picture Exchange Communication
　System ··································· 285
Picture-Frustration Study ··········· 297
PM 理論 ····································· 457
PNA ··· 176
PNS ··· 195
point of subjective equality ········ 128
positive-negative asymmetry ····· 176
practitioner ···································· 7
pragmatic case study ·················· 93
prescriptive eclectic ···················· 336
profession ····································· 6
PSE ··· 128
psychology ································· 62
psychopathy ······························ 191
psychophysics ··························· 128
PTSD ··· 387
p 値 ·· 107
QOL ··· 300
Quality of Life ···························· 300
randomized controlled trial ····· 81, 82
RCT ······································ 81, 82
reflection ····································· 40
reflective functioning ··················· 67
reflective practitioner ··················· 39
REM ··· 485
Revised NEO Personality Inventory
　·· 182
reward dependence ··················· 190
Rey-Osterrieth Complex Figure Test
　·· 215
ROCFT ······································ 215
S-O-R 理論 ································· 73
S-R 理論 ····································· 73
SAS ··· 464
SCID ··· 306
scientist ·· 7
scientist-practitioner model
　··································· 7, 39, 75
SCT ·································· 182, 298
SDI ·· 300
SDS ··· 306
SD 法 ·· 82
selective serotonin reuptake inhibitors
　·· 203

self ·· 231
self-directedness ······················· 191
Self-rating Depression Scale
　································· 300, 306
self-schema ······························· 232
self-serving bias ························ 231
self-transcendence ···················· 191
SEM ··· 121
semantic differential 法 ················ 82
SEP ··· 336
SLE ··· 468
SNS ··· 46
social comparison theory ··········· 233
social referencing ······················· 175
social skill training
　··························· 32, 159, 286, 309
somatic marker ·························· 178
somatic marker hypothesis ········ 177
somatic nervous system ············ 196
SST ··· 32, 159, 286, 309, 323, 500
stimulus threshold ····················· 128
Structural Equation Modeling ····· 121
syatematic eclectic psychotherapy
　·· 336
sympathetic nerve ····················· 196
TADS ·· 49
TAS-20 ······································ 180
task-oriented style ······················· 47
TAT ···························· 182, 297, 298
TCI ·· 191
TEACCH プログラム ·················· 285
technical expert ··························· 39
technology-assisted distance
　supervision ····························· 49
temperament ····························· 184
Temperament and Character
　Inventory ································ 191
The Sixteen Personality Factor
　Questionnaire ························ 182
Thematic Apperception Test ······ 297
theory of mind ····························· 66
theory-oriented case study ·········· 93
TK 式診断的新親子関係検査 ······ 186
Toronto Alexithymia Scale ········· 180
Treatment and Education of Autistic
　and Related Communication
　Handicapped Children ··········· 285
TTM ··· 576
type-oriented eclectic therapy ···· 337
T グループ ································· 323
t 検定 ································ 107, 115
　―の帰無仮説 ························· 116
t 分布 ································ 105, 107

613

INDEX

unconditioned response……………153
unconditioned stimulus……………153
UR……………………………………153
US……………………………………153
visual cliff…………………………175
WAB…………………………………212
WAIS-Ⅳ……………………………300
Wechsler Intelligence Scale for Children, Forth Edition……286
Wernicke 失語………………………163
Western Aphasia Battery …………213
WHO……………………………271, 479
WISC-Ⅳ………212, 286, 300, 306
　—の下位検査項目………………301
WMS-R ウェクスラー記憶検査 …215
W 型問題解決モデル………………88
Y-G 性格検査…………………182, 300
Zoom…………………………………49
z 値…………………………………100
Z 得点………………………………100
θ波……………………………………210
χ^2 検定………………………114, 115

あ行

アーリースタートデンバーモデル
　………………………………………285
アイオワギャンブリング課題……178
愛着…………………………184, 248, 582
愛着形成段階………………………259
愛着形成の前段階（準備段階）……259
愛着行動のカテゴリー………………259
アイデンティティ…………………250
アイデンティティ拡散（混乱）……250
アイデンティティ達成……………250
曖昧さに耐える態度………………40
アウトリーチ……327, 329, 330, 356
アカシジア…………………………488
アクシデント………………………61
悪循環………………………………316
悪性症候群…………………………489
アクセプランス・アンド・コミットメントセラピー………………570
アゴニスト…………………………203
アサーション………………………325
アサーション・トレーニング……565
アストロサイト……………………201
アスペルガー症候群…………267, 268
アセスメント………35, 312, 345, 441
アセスメント面接…………………553
アセチルコリン………………198, 203
遊びの型……………………………261
　—の年齢的変化…………………262

アタッチメント………………184, 248
アッシュの線分実験………………240
アドヒアランス……………………365
アトモキセチン塩酸塩……………284
アナフィラキシーショック………468
アニミズム…………………………249
アパシー……………………………215
甘味…………………………………142
アメリカ心理学会…………………29
アメリカ精神医学会………………479
アメンチア…………………………480
アルコール依存症…………………481
アルコール使用障害…………157, 481
　—のスクリーニングテスト……157
アルコール精神病…………………481
アルコール性認知症………………271
アルコールによる精神障害………481
アルゴリズム………………………149
アルツハイマー型認知症
　……………………271, 272, 474
アルツハイマー病…………………216
アルバート坊やの実験…………64, 560
アレキシサイミア…………………180
アレルギー…………………………468
アロスタシス反応…………………365
安全文化……………………………459
アンタゴニスト……………………203
安定性………………………………130
言い換え……………………………344
家・木・人テスト…………………299
医学的診断…………………………312
育児休業……………………………542
維持・悪化論………………………314
意識…………………………………319
意志決定……………………………454
意思決定……………………………151
医師法………………………………505
いじめ………………………………522
いじめ防止対策推進法……………522
移植片対宿主病……………………477
異性関係……………………………263
遺族のケア…………………………473
依存…………………………………382
依存症………………………………477
依存性パーソナリティ障害………192
一元配置分散分析…………………118
一語期………………………………162
一次予防……………………………37
一要因分散分析……………………118
一卵性双生児………………………184
一卵性双生児／二卵性双生児の類似性
　………………………………………185
一貫性…………………………130, 230

一貫性論争…………………………183
一対比較法…………………………82
一般改善指導………………………441
一般型………………………………246
一般遵守事項………………………435
一般性………………………………47
　—の担保…………………………76
一般病院……………………………374
遺伝……………………………184, 244
遺伝診療……………………………372
遺伝と環境の影響…………………185
イド…………………………………319
異文化間葛藤………………………241
異文化間心理学……………………241
意味記憶……………………………148
　—の障害…………………………215
意味性認知症………………………215
意味プライミング…………………149
医療…………………………………367
医療観察制度………………………435
医療観察法…………………………373
医療機関への紹介…………………493
医療計画制度………………………505
医療現場……………………………367
医療水準……………………………16
医療スタッフ………………………375
医療提供施設………………………367
医療法…………………………367, 505
医療保険制度…………………355, 510
医療保護入院…………………494, 508
医療倫理の 4 原則…………………371
因果関係……………………………122
因果スキーマ………………………231
因子…………………………………113
因子間相関…………………………113
インシデント………………………61
因子の命名…………………………113
因子パターン………………………113
因子負荷量…………………………113
因子分析……………………………112
飲酒…………………………………579
印象形成……………………………233
インスリン抵抗性…………………365
インテーク面接……………………290
院内感染予防策……………………61
院内レクリエーション……………32
インフォームド・アセント………78
インフォームド・コンセント
　……………18, 21, 29, 30, 78, 306
　—の具体的内容…………………22
ウイスコンシン・カード分類検査
　………………………………………216
ウェイティングリスト法…………82

ウェクスラー式の検査 …………300	オキシトシン ………………207	会話の公準………………165
上方向コミュニケーション ……455	奥行き手がかり ……………138	カウンセラーとクライエントの関係性
ウェルニッケ失語 ……………163	オペラント条件づけ	…………………………322
ウェルビーイング ……………572	………………73, 155, 560, 565	カウンセラーに必要な純粋性 ……50
内田クレペリン精神作業検査	親子関係の発達………………259	カウンセラーの基本的態度……322
…………………………182, 300	親子並行面接 …………………35	カウンセリング ………………71
うつ病………………………271	親の養育態度 ………………187	―同意書の例 …………23
うつ病予防……………………578	オリゴデンドロサイト ………201	―の限界………………347
ウナギの育ち …………………41	オン・ザ・ジョブ・トレーニング‥58	カウンセリングマインド …………5
うなずき ……………………344	音圧 …………………………139	カウンターバランス……………125
うま味…………………………42	音韻論 ………………………161	科学者―実践家モデル‥7, 39, 57, 75
運動学習 ………………………59	音楽心理学 …………………164	科学的研究の要件………………80
運動器 ………………………470	音声言語 ……………………161	下丘 …………………………206
運動失認 ……………………144	音声チック …………………163	蝸牛 …………………………138
運動性（表出性）失語 ………212	スーパービジョンの重要性 ……47	学外実習………………………58
運動チック …………………163	音波 …………………………139	格差拡大 ………………………46
運動ニューロン ……………200		核磁気共鳴画像 ………………211
英知 …………………………270	**か 行**	学習 …………………………153
絵カード交換式コミュニケーション	外因反応型…………………480	学習障害……………………264
システム ………………285	絵画統覚検査 ………297, 298, 299	学習性無力感 ………………158
エクスナー法 ………………302	絵画欲求不満テスト…182, 298, 299	学習理論 ………………………73
エクスポージャー ……………317	回帰分析 ……………………119	確証バイアス ………………150
エクスポージャー法 …………564	階級 …………………………98	拡張―形成理論の図式 ………179
エゴグラム …………………300	解決能力 ……………………39	カクテルパーティ現象 ………146
エコラリア……………………284	外言 …………………………164	獲得の敏感期 ………………163
エス ……………………319, 546	外向型 ………………………189	獲得の臨界期 ………………163
エディプス・コンプレックス ……319	外向性 ………………………190	学内学習 ………………………58
エディプス葛藤 ………………548	介護休業 ……………………542	確認的因子分析 ………………113
エネルギー保存の法則 ………544	外国語副作用 ……………147, 164	確率 …………………………105
エピジェネティクス……………248	介護保険制度 ………………510	―の過大評価 …………317
エピソード記憶 ………………148	介在ニューロン ……………200	確率分布 ……………………105
―の障害 ………………215	解釈 …………………308, 553	確率変数 ……………………105
エビデンス ……………315, 558	解釈的態度 …………………343	隠れカリキュラム ……………160
エビデンス・ベイスト ………8	外集団 ………………………224	学歴 …………………………292
エビデンスに基づく介入 ……76	外出支援………………………278	仮現運動………………………138
エリクソンの発達段階 ………247	階層的コーディング …………91	家事事件 ……………430, 436, 444
演繹 ……………………………88	回想法 …………………………58	過剰一般化 …………………151
演繹的推論 …………………150	外側溝 ………………………207	下垂体 ………………………206
エンカウンター・グループ ……323	外側膝状体 …………………137	仮説演繹的思考 ……………253
円環的因果律 ……………238, 323	改訂版長谷川式簡易知能評価スケール	仮説的構成概念 ………………83
円環モデル …………………172	…………………………212, 301	仮説の生成・検証 ……………316
情動の― ………………172	外的帰属………………………229	家族 …………………………237
演技性パーソナリティ障害 …192	外的妥当性 …………………126	―というシステム ……237
援助契約 ………………………21	ガイドライン …………………17	―の発達課題 …………238
援助行動 ……………………235	海馬 …………………………206	―の表出性 ……………238
遠心性神経 …………………196	外胚葉型 ……………………189	家族教育 ………………………33
延髄 ……………………205, 206	開発的カウンセリング ……69, 294	家族システム …………………324
エンドポイント ………………316	回避学習 ……………………156	家族ライフサイクル……………239
エンパワーメント ……………329	回避性 ………………………193	家族ライフサイクル論 ………238
塩味 …………………………142	回避性パーソナリティ障害 …192	家族療法 ……………………323
応急入院 ……………………494, 508	開放システム ………………323	―の理論 ………………324
オウム返し……………………284	解離症状 ……………………387	家族歴 ……………………291, 312
応用行動分析 ‥‥157, 284, 560, 565		可塑性 ………………………144

615

INDEX

課題分析	93
片側検定	107
カタルシス	298, 545
価値の6類型	189
過鎮静	489
学会発表	50
学校アセスメント	35
学校教育法	520
学校におけるメンタルヘルス	382
学校保健	378
学校保健安全法	520
活性化拡散モデル	148
カット・オフ・ポイント	300
葛藤	223
葛藤モデル	319
家庭裁判所	432, 529
家庭裁判所調査官	36, 432, 529
家庭訪問	330
カテゴリカルモデル	191
カテゴリ制約	162
寡動	467
可能性の過大評価	317
過敏性腸症候群	314, 466
カプサイシン	142
過分極	202
加法混色	138
辛味	142
加齢	471
過労死	540
過労自殺	540
過労死等防止対策推進法	540
肝炎	466
感音性難聴	144
感覚運動段階	251
感覚器	470
感覚記憶	147
間隔尺度	97
感覚性（受容性）失語	212
感覚ニューロン	200
がん患者	472
眼球運動による脱感作と再処理	569
眼球の構造	137
環境	184, 244
環境調整	328
関係者の相談	5
関係フレーム理論	570
肝硬変	466
監護権	437
監護者わいせつ・性交等罪	534
観護措置	432
観察	289
観察学習	158, 159, 560
観察者バイアス	294

観察法	81, 84
がんサバイバー	38
慣習的な水準	256
間主観性	40, 556
感受性訓練	323
感情	168, 254, 316
—の2要因説	170
—の基礎	168
—の機能	175
—の構成要素	168, 169
—の個人差	180
—の制御	178
—の中枢説	169
—の定義	168
—の認知説	171, 175
—の発達	254
—の反映	344
—の末梢説	169
—の理論	168
感情が行動に及ぼす影響	176
感情喚起の機序	168
感情混入モデル	177
感情情報（機能）説	176
感情制御のプロセスモデル	179
感情体験	169
感情知性	179
感情ネットワークモデル	176
感情労働	43
感染症予防策	61
肝臓	465
観測度数	115
観測変数	121
桿体	137
顔面フィードバック仮説	170
関与しながらの観察	3, 293
関連性の公準	165
緩和医療	374
緩和ケア	330, 374
記憶	165
記憶機能の障害	214
記憶機能の評価	214
記憶の障害	152
記憶バイアス	176
気管支	464
気管支喘息	465
危機	250, 331
危機介入	331
危機対応	331
棄却域	108
企業内カウンセラー	446
「きく」力	344
危険率	110
疑似相関	103

気質	184, 244
器質性発達障害	268
気質理論	184
技術的熟達者	39
記述統計	96
基準関連妥当性	112, 130, 131
帰属	229
帰属のエラー	231
期待効果	234
期待説	454
期待度数	115
個別性	47
喫煙	579
吃音	163
拮抗失行	214
キティー・ジェノビーズ事件	235
機能局在	144, 205
機能性身体症候群	363
機能性ディスペプシア	363
機能的核磁気共鳴画像法	145
帰納的推論	150, 151
機能的非識字	167
機能分析	313
気分	168
気分安定薬	489
気分維持修復動機	177
気分一致効果	176
気分障害	271, 483
—の年代別患者数	272
気分状態依存効果	176
技法折衷アプローチ	336
基本味	142
基本感情説	171
基本感情論	171
基本的信頼	247
基本的信頼感	248
帰無仮説	107
記銘力の検査	215
虐待	28, 268, 381
—の連鎖	160
逆転移	41, 349, 557
客観性	92
逆向性健忘	152, 215
キャノン＝バード説	169
キャリアコンサルティング	449
キャリーオーバー効果	83
ギャング・グループ	249, 263
ギャンブラーの錯誤	151
嗅覚	140
嗅覚障害	144
嗅球	140
救急集団外傷	385
嗅上皮の構造	141

INDEX

救心性神経 … 196	業務独占 … 2	刑事責任 … 500
急性アルコール中毒 … 481	共有環境 … 184	刑事責任能力 … 531
急性ジストニア … 488	協力雇用主 … 444	経時的安定性 … 181
急性ストレス性障害 … 387	極限法 … 129, 145	形態維持 … 238
吸啜反射 … 248	虚血性心疾患 … 464	形態発生変化 … 238
橋 … 205, 206	ギルフォード性格検査 … 297	傾聴 … 75
教育・訓練・経験に基づく専門的能力 … 17	記録 … 353, 355	系統脱感作法 … 564
教育カウンセリング … 49	禁煙薬 … 579	系統的事例研究法 … 92, 93
教育基本法 … 519	緊急支援 … 331	系統的折衷アプローチ … 336
教育権 … 519	緊急事態 … 28	系統的脱感作法 … 155
教育活動 … 33	緊急措置入院 … 494	軽度認知障害 … 216
教育支援センター … 58	禁欲原則 … 556	刑の一部執行猶予制度 … 443
教育測定運動 … 70	クーイング … 161	刑罰法規 … 526
教育分析 … 49	区間推定 … 105	刑法典 … 534
―に関する研究 … 50	具体的思考段階 … 251	刑務所 … 36, 528
―を受けることの必要性 … 50	具体的操作期 … 249	ケース・カンファレンス … 28
教育分野 … 34	ぐ犯少年 … 430, 529	ケースフォーミュレーション … 288, 315
教育歴 … 292	くも膜 … 199	ゲシュタルト心理学 … 63
強化 … 155	くも膜下腔 … 199	ゲシュタルト要因 … 142
強化（学習）説 … 454	クライエント－心理師関係 … 19	ゲシュタルト療法 … 318
境界越え行動 … 20	クライエントの浄化 … 298	血液 … 462
境界性 … 193	グラウンデッド・セオリー・アプローチ … 89	血液脳関門 … 200
境界性パーソナリティ障害 … 192	グリア細胞 … 200	結果の知識 … 159
強化子 … 155	グリーフケア … 330	血管 … 463
強化スケジュール … 156	クリニカルスーパービジョン … 48	血管性疾患 … 216
共感 … 75, 255	クリニック … 374	結晶性知能 … 269
共感的理解 … 343, 344	クリューバー・ビューシー症候群 … 173, 210	原因焦点型 … 179
共起ネットワーク分析 … 94	グルーピング … 142	原因論 … 314
狭義の心身症 … 350	―の要因 … 143	嫌悪療法 … 564
教室談話 … 165	グループ・スーパービジョン … 49	研究対象者に対する配慮 … 77
凝集性 … 456	グループ・ダイナミックス … 456	研究に関する指針について … 77
矯正教育 … 434	グループアプローチ … 32	研究法の種類 … 80
行政上の制裁を受ける責任 … 500	クレッチマーの気質類型 … 189, 453	研究法の長所と短所 … 81
矯正処遇 … 442	グローバリズム … 46	研究倫理 … 85
矯正心理学 … 430	クロス集計表 … 101	心理学における― … 85
強制性交等罪 … 534	クロニンジャーの気質と性格に関するモデル … 190	―の目的 … 77
協調性 … 270	クロンバックのα係数 … 130	元型論 … 321
共通性 … 113	群 … 118	健康信念モデル … 574
協同 … 218, 315	群化 … 142	健康増進法 … 509
協動 … 340	計画立案 … 122	言語獲得支援システム … 162
協同遊び … 261	実験の― … 122	言語獲得装置 … 162
共同注意 … 161	経験説 … 62	言語獲得 … 161
共同的関係 … 219	経験への開放性 … 190, 270	―の過程 … 161
協同的実証主義 … 325	警告義務 … 27, 354	―の障害 … 212
協働・連携するための力 … 345	経済型 … 189	―の評価 … 212
強迫性 … 193	警察 … 36, 430, 439	言語コード論 … 166
強迫性パーソナリティ障害 … 192	形式的操作段階 … 249, 251	言語コミュニケーション … 165
恐怖症 … 347	刑事裁判 … 527	言語遮蔽効果 … 165
恐怖条件づけ … 155, 559	刑事司法制度 … 526	言語性記憶の検査 … 215
共分散 … 102	刑事収容施設法 … 441	言語性知能 … 269
共分散構造分析 … 121		言語相対性仮説 … 165
共変モデル … 230		顕在記憶 … 148

INDEX

検査結果報告書 ……………… 310
検査者の態度 ………………… 308
検察官 …………………………… 432
検察庁 …………………… 432, 439
検査法 ……………………… 81, 84
検査用紙の保管 ………………… 78
幻肢 …………………………… 144
幻肢痛 ………………………… 475
原始的否認 …………………… 320
原始的防衛機制 ……………… 320
原始反射 ……………………… 248
現症 …………………………… 312
現象学的分析 …………………… 93
検証的因子分析 ……………… 113
現象的場 ………………………… 74
減衰モデル …………………… 146
現代人の抱える孤独 …………… 46
検定統計量 …………………… 107
　　　—の確率分布 ………… 108
検定の誤り …………………… 110
検定力 ………………………… 110
現病歴 ………………………… 291
健忘症 ………………………… 215
権力型 ………………………… 189
語彙爆発の時期 ……………… 162
故意犯 ………………………… 503
行為・動作の障害 …………… 214
行為・動作の評価 …………… 214
行為者−観察者バイアス …… 231
合意性 ………………………… 230
行為のなかで省察 ……………… 39
行為のなかの知 ………………… 39
抗うつ薬 ……………………… 489
効果検証班 …………………… 445
効果量 ………………………… 110
交感神経 ………………… 196, 461
　　　—の経路 …………… 197
交感神経系 …………………… 173
交換的関係 …………………… 219
後期高齢者医療制度 ………… 510
後期選択モデル ……………… 146
高機能自閉症 ………………… 267
高機能自閉症の定義 ………… 268
公共客観性 ……………………… 80
公共の利益 ……………………… 28
攻撃行動 ……………………… 236
高血圧 ………………………… 464
膠原病 ………………………… 468
交互作用 ……………………… 118
高次脳機能障害 ……………… 212
　　　—の原因 …………… 212
　　　—の症状 …………… 212
　　　—への支援 ………… 217

恒常性 ………………………… 142
　　　大きさの— ………… 142
甲状腺 ………………………… 467
甲状腺機能低下症 …………… 468
恒常法 …………………… 129, 145
口唇期 …………………… 319, 547
構成 …………………………… 214
構成概念妥当性 …… 112, 130, 131
更生緊急保護 ………………… 434
構成主義 ……………………… 172
構成失行 ……………………… 214
構成障害 ……………………… 214
抗精神病薬 …………………… 488
向精神薬 ……………………… 488
更生保護 ………………… 440, 443
更生保護施設 ………………… 444
更生保護女性会 ……………… 444
厚生労働省 ………………… 11.36
構造化面接 ………………… 84, 292
構造派理論 …………………… 324
構造方程式モデリング ……… 120
構造論 ………………………… 319
公的自己意識 ………………… 232
抗てんかん薬 ………………… 489
行動 …………………………… 316
行動・認知行動アプローチ … 73
行動遺伝学 ……………… 184, 244
行動観察 ……………………… 312
行動観察法 …………………… 128
行動計画理論 ………………… 577
行動主義 …………………… 63, 153
行動主義心理学 ………………… 73
行動主義的アプローチ ……… 183
行動症状 ……………………… 217
行動的介入の組み合わせ …… 283
行動的クラス・マネジメント … 283
行動的仲間介入 ……………… 283
行動的ペアレント・トレーニング
　　　………………………… 283
行動賦活系 …………………… 190
行動分析 ……………………… 313
行動分析学 …………………… 155
行動抑制系 …………………… 190
行動療法 ……………………… 558
高度プロフェッショナル制度 … 537
公認心理師 ……………………… 2
　　　—が業務として目指すこと … 40
　　　—に求められる資質 … 40
　　　—の具体的専門性 … 289
　　　—の職責 ………………… 3
　　　—の職務 ………………… 3
　　　—の定義 ………………… 3
　　　—の独自性 ……………… 2

　　　—の法的義務 …………… 9
　　　—の法的責任 ………… 500
　　　—の役割 …………… 2, 56
公認心理師秘密漏示罪 ……… 502
公認心理師法 …………… 9, 499
抗認知症薬 …………………… 490
後脳 …………………………… 205
　　　—の構造 …………… 205
後輩いじめ …………………… 160
広汎性発達障害 … 264, 266, 487
抗不安薬 ……………………… 489
後腹膜臓器 …………………… 466
興奮性シナプス後電位 ……… 201
公平説 ………………………… 454
硬膜 …………………………… 199
肛門期 …………………… 319, 547
公立教育相談所 ………… 34, 35
効率的な学習 ………………… 156
合理的行為理論 ……………… 575
合理的配慮 …………………… 278
高齢化社会 …………………… 269
高齢期 ………………………… 269
　　　—の危機 …………… 270
　　　—の特徴 …………… 269
　　　—の発達課題 ……… 270
高齢社会 ……………………… 269
高齢者虐待 …………………… 381
高齢者虐待防止法 ……… 353, 515
高齢者への虐待 ………………… 28
高齢者への心理的支援 ……… 391
誤嚥性肺炎 …………………… 464
コーシャス・シフト ………… 240
コース立方体組み合わせテスト … 212
コーディング …………………… 96
コーピング ……………… 179, 361
コールバーグの道徳性の発達段階
　　　………………………… 256
コーンの障害受容のプロセス … 282
五感の障害 …………………… 143
呼吸器 ………………………… 464
国際疾病分類 ………………… 479
国際障害分類 ………………… 274
国際生活機能分類 …………… 274
黒質 …………………………… 206
告訴 …………………………… 504
黒胆汁質 ……………………… 188
心の科学 ………………………… 62
心の健康教育 ………………… 572
心の構造 ……………………… 319
心の構造論 …………………… 546
心の理論 …………………… 66, 254
固執 …………………………… 191
個人差研究 ……………………… 64

618

個人主義 242
個人情報 353
　—の保護に関する法律 29, 502
個人情報保護法（個人情報の保護に
　関する法律） 352
個人心理学 550
個人心理療法 327
個人スーパービジョン 49
個人的アイデンティティー 232
個人的無意識 321
個人内過程 218
誤信念課題 66, 254
個人の利益 28
コスモロジー 92
個性化 261
個性記述的アプローチ 181
こだわり 266
骨肉腫 470
古典的条件づけ 153, 564
古典的精神分析 552
古典的テスト理論 111
子ども・若者育成支援推進法 524
子どものパーソナリティ 186
子どものパーソナリティ特性 187
子どもの貧困対策推進法 525
子どもへの心理的支援 390
誤認知 224
個別性 316
コミュニケーション 218, 340, 455
コミュニケーション・ツールの変化 46
コミュニケーション機能 175
コミュニケーション能力 56, 344
　専門的職業人の— 345
コミュニケーションの障害 266
コミュニケーション派理論 324
コミュニティ・アプローチ 55, 327, 356
コミュニティ心理学 327, 329
語用論 165
コラム法 325, 567
コルサコフ症候群 152
混合型タイプ 266
混合性難聴 144
コンサルタント 330
コンサルティ 330
コンサルテーション 5, 21, 35, 330, 355
コントロール幻想 231
コンパレータ仮説 155
コンピュータ断層撮影 211
根本的な帰属の誤り（エラー） 231

さ 行

サーカディアンリズム 207
サーバント・リーダーシップ 458
再アセスメント 316
災害 384
災害・紛争等緊急時における精神保健・
　心理社会的支援に関するIASCガ
　イドライン 388
災害サイクル 384
災害時における支援 328
災害対策基本法 384
災害派遣医療チーム 385
災害派遣精神医療チーム 385
猜疑性パーソナリティ障害 192
最近接発達領域 160
再現可能性 133
再検査法 130
サイコオンコロジー 472
サイコドラマ 323
サイコパシー傾向 191
再生医療 477
採択域 108
再テスト法 111
裁判員裁判 435, 527
裁判員制度 435, 527
裁判員メンタルヘルスサポート窓口 436
裁判官 432
裁判所 36, 440
裁判心理学 430
裁判における情報開示 356
最頻値 99
細胞体 200
催眠浄化法 545
債務不履行 500
在留外国人への心理的支援 391
裁量労働制 537
作業検査法 182, 300
作業同盟 555
サクセスフルエイジング 273
作動記憶 147
サブタイプ化 235
差別 235
サポート・ネットワーキング 331
サリーとアンの誤信念課題 67, 254
残遺症状 483
参加者間配置 124
参加者内配置 124
産業・労働分野 36
産業保健 378
三項関係 161
三項随伴性 157

算術平均 98
参照機能 175
産褥期うつ病 485
産褥期精神病 485
三次予防 37
散布図 101
散布度 99
サンプリング 103
サンプル 103
サンプルサイズ 103
酸味 142
シアトル縦断研究 269
シェイピング法 565
ジェームズ＝ランゲ説 169
支援者に対するケア 195
支援者の態度 343
ジェンダー 225
支援にかかわる専門職と組織 54
自我 319, 546
視覚 137
視覚・運動ゲシュタルトテスト 299
視覚構成 214
視交叉上核 207
視覚障害 143, 276
視覚性記憶検査 215
視覚性失認 213
視覚的断崖 175
視覚の働き 137
自我心理学 320
自我同一性 250
色覚異常 143
色覚障害 143
磁気共鳴機能画像法 211
識字率 166
子宮頸がん 469
子宮体がん 469
事業場のための労働者の心の健康づく
　りのための指針 380
刺激閾 128
次元説 172
次元論 172
自己 258
自己愛傾向 191
自己愛性 193
自己愛性パーソナリティ障害 192
自己意識 258
自己意識的感情 172
自己イメージ 75
思考 316
試行錯誤学習 155
思考のクセ 317
自己開示 218, 219, 235
自己概念 232, 258

619

INDEX

自己課題発見	39
自己過程	232
自己記入式尺度	314
自己研鑽	46
自己構造	75
自己効力感	159, 562
自己志向	191
自己実現傾向	183
自己実現モデル	454
自己主張	262
自己主張訓練	565
自己スキーマ	232
自己制御	254
自己制御機能	262
自己責任	59
自己中心性	252, 255
自己注目	232
自己超越	191
自己調整機能	164
自己呈示	218, 220
自己特性論	181
自己の構造	232
自己の発達	258
自己剽窃	79
自己分化	324
自己奉仕的(高揚)バイアス	231
自己免疫性疾患	468
自己抑制	262
自己理論	73, 74, 75
視差	138
自殺	27, 28, 46, 381
―についての危険	28
―の危険因子	381
―の予防	328
―の予防教育	332
自殺死亡率の推移	46
自殺対策基本法	509
四肢切断患者	475
資質向上の責務	9, 12, 17
支持的態度	343
視床	206
視床下部	173, 206, 207
市場主義経済	46
システム論的家族療法	323
ジスト	138
施設内処遇	434
施設入所	278
自然観察	293
自然観察法	84
シゾイドパーソナリティ障害	192
持続的エクスポージャー	155
自尊感情	233
自尊感情尺度	233

肢体不自由	276
肢体不自由者更生施設	34
下方向コミュニケーション	455
疾患別心理療法的アプローチ	338
実験観察	293
実験群	123
実験結果報告書の例	133
実験参加者	81
―の配置	124
実験参加者効果	125, 126
実験室実験	81
実験者効果	125
実験衝動診断学	299
実験神経症	154
実験的観察法	84
失見当識	152
実験の人工性	132
実験の非日常性	132
実験法	81
実行機能の障害	216
実行機能の評価	216
失行症	214
失語症	163, 212
実質臓器	465
実習生への教育	33
実習の意義	57
実証的研究法	80
失書症	212
実践家	39
実践指向事例研究	93
実践的な証拠に基づく介入	76
質的研究法	76, 87, 93
質的データ	290
質的変数	96, 114
失読症	212
失認症	213
実念論	249
質の公準	165
質問紙実験	81, 82
質問紙法	81, 82, 128, 129, 182, 298
私的自己意識	232
視点の分散	41
指導	4
児童	512
自動化	147
児童期	249
児童虐待	28, 46, 381
児童虐待防止法	353, 514
自動思考	325
児童自立支援施設	36, 432, 530
児童心理司	36
児童相談所	34, 36, 54, 513

児童中心療法	322
児童の権利に関する条約	512
児童発達支援センター	278
児童福祉司	36
児童福祉施設	514
児童福祉法	276, 278, 512
児童福祉法28条事件	436
児童養護施設	34, 530
シナプス	200
シナプス間隙	200
死人テスト	158
自発的回復	154
事物全体制約	162
事物の多義性	92
渋味	142
自分の限界	59
自閉症スペクトラム障害	487
自閉性障害(自閉症)	266
自閉スペクトラム症	277, 487
自閉性障害の基本症状	267
司法・犯罪分野	35
司法制度	526
司法面接	440
社会化	261
社会学的理論	438
社会型	189
社会言語学	161
社会構成主義	73
感情の―	171
社会心理学	161, 218
社会性	255
―の障害	266
―の発達	255
社会的アイデンティティー	224, 232
社会的アイデンティティー理論	225
社会的学習理論	159, 183, 560, 575
社会的カテゴリー化	225
社会的感情	228
社会的技能訓練	565
社会的機能説	236
社会的交換理論	235
社会的行動障害	216
社会的再適応評価尺度	360
社会的参照	175
社会的弱者	328
社会的ジレンマ	238, 240
社会的浸透理論	235
社会的推論	231
社会的スキル	263
社会的促進	222
社会的手抜き	222
社会的動機	220
社会的ネットワーク	222

INDEX

社会的バイオフィードバック	175
社会的排斥	222
社会的バイタリティー	270
社会的比較理論	233
社会的抑制	222
社会内処遇	434
社会ネットワーク	273
社会を明るくする運動	443
尺度水準	96
弱化	155
―の使用	158
弱化子	155
就学移行支援	217
従業員支援プログラム	446
宗教型	189
集合現象	218
集合的無意識	321
囚人のジレンマ	240
従属変数	81, 122, 123
集団意思決定	238
集団過程・行動	218
集団間葛藤	224
集団極性化	240
集団手技	242
集団心理学	218
集団浅慮	240
集団的独語	164
集団内葛藤	223
集団力学	63
集団療法	323
集団療法特有の11の治療因子	323
執着気質	484
集中内観	74
自由度	115
周波数	139
周辺症状	217
周辺人	249
周辺特性	234
終末期ケア	330
自由連想法	320, 551
就労移行支援	217
就労支援	32, 278
主観的等価点	128
主治医	11
樹状突起	200
主訴	291, 312
主題統覚検査	182
主題内容効果	150
シュナイダーの一級症状	483
首尾一貫性	181
守秘義務	25, 353, 522
樹木画テスト	182
受容	75

主要5因子性格検査	190
手話	161
シュワン細胞	201
準委任契約	501
順位法	82
馴化	153
循環器	463
循環気質	189, 484
順序効果	125
順序尺度	97
純粋語聾	214
純粋失読	214
順応	142
瞬目	163
生涯学習	46
障害児	276, 278
障害児支援	278
障害児相談支援	278
障害児通所支援	278
障害児入所施設	278
障害者	278
―への虐待	28
障害者・障害児支援 エビデンスに基づく―	283
障害者・障害児心理学	274
障害者・障害児の心理的特徴	281
障害者基本法	516
障害者虐待防止法	354, 517
障害者雇用促進法	538
障害者差別解消法	277, 517
障害者支援	278
障害者就労支援センター	34
障害者総合支援法	278, 516
障害受容	281
障害総合支援法	276
障害の分類	276
生涯発達心理学	269
障害福祉計画	516
消化管	465
消化器がん	466
消化器系	465
上丘	206
消去	154, 156
状況主義アプローチ	183
状況即応モデル	457
状況との対話	39
状況論	183
証言拒絶権	503
条件刺激	154
条件性制止療法	564
条件反応	154
証拠	558
症状性精神障害	480

情緒的サポート	222
情緒不安定性	190
情動	168
―の中枢起源説	210
―の末梢起源説	210
情動焦点型コーピング	179
衝動性	266
情動知能	179
情動発散説	236
少年院	36, 433, 530
少年鑑別所	36, 433, 529
少年サポートセンター	430
少年事件	430, 440
少年相談専門職員	36
少年法	430, 529
小脳	205, 206
情報的サポート	221
剰余変数	122, 123
初回面接	290
初学者の成長・発達のプロセス	42
書記言語	166
初期選択モデル	146
触2点弁別閾	128, 139
処遇指針の立案	441
職業指導運動	70
職業性ストレスモデル	451
職業倫理	12, 14, 315
―とジレンマ	12
―の7原則	13, 352
職業倫理的な秘密	30
職場	446
―におけるハラスメント	540
―のメンタルヘルス	380
職場復帰支援	448
触法少年	430, 529
職歴	292
助言	4
初語	161
女性生殖器	469
女性相談センター	54
触覚	139
触覚障害	144
初頭効果	234
処方箋折衷療法	336
自律訓練法	366, 578
自律神経系	172, 196, 461
―の機能	196
―の働き	196
自律的道徳	255
事例研究法	91
事例検討会	50, 355
ジレンマ課題	256
新オレンジプラン	516

621

INDEX

進化 ……………………………… 175
人格 ……………………………… 181
　―の概念 ……………………… 181
　―の形成過程 ………………… 184
　―の成熟性 …………………… 51
　―の超越性 …………………… 51
人格検査 ………………………… 84
進化発達心理学 ………………… 254
新奇性追求 ……………………… 190
神経 ……………………………… 466
神経科学
　感情に関する― …………… 172
神経核 …………………………… 200
神経型 …………………………… 246
神経症 …………………………… 484
神経症傾向 ……………………… 190
神経症性障害 …………………… 484
神経心理学的検査 ……………… 212
神経節 …………………………… 200
神経伝達物質 ………… 198, 203
神経認知障害 …………………… 271
神経認知領域 …………………… 216
神経文化モデル ………………… 175
親権 ……………………………… 437
親権喪失 ………………………… 436
親権停止 ………………………… 436
新行動 S-R 仲介理論 …… 559, 564
新行動主義 ……………………… 64
人工論 …………………………… 249
人事訴訟事件 …………………… 437
心神耗弱者 ……………………… 531
心身症 ………………… 314, 363
心神喪失者 ……………………… 531
心神喪失者等医療観察法 ……… 532
心身二元論 ……………………… 62
心身の健康 ……………………… 178
新生児期 ………………………… 248
心臓 ……………………………… 463
腎臓 ……………………………… 469
深層演技 ………………………… 43
心臓疾患者 ……………………… 476
深層心理学 ……………………… 318
身体 ……………………………… 316
身体科医療提供施設 …………… 372
身体化障害 ……………………… 374
身体緊張型 ……………………… 189
身体障害 ………………………… 276
　―の種類別数 ………………… 276
身体障害者更生相談所 ………… 34
身体障害者手帳 ………………… 278
身体障害者福祉法 ……………… 276
身体信号 ………………………… 178
身体性をそなえた行為 ………… 92

身体的自己 ……………………… 258
身体発達の方向性 ……………… 245
診断的態度 ……………………… 343
心的エネルギー ………………… 171
心的外傷後ストレス障害 … 71, 387
心的装置 ………………………… 319
　―とその働き ………………… 319
心的側面 ………………………… 73
審判事件 ………………………… 436
審美型 …………………………… 189
心不全 …………………………… 464
シンボリズム …………………… 92
信用失墜行為の禁止 ………… 9, 10
信頼関係 ……………… 290, 342
　―の形成 …………… 298, 299
信頼区間 ………………………… 105
信頼性 ………………… 111, 130
　―と妥当性の関連 …………… 131
信頼度 …………………………… 105
心理アセスメント …… 288, 375
心理カウンセリング …………… 375
　―の流れ ……………………… 312
心理学 …………………………… 62
　―の語源 ……………………… 62
　―の誕生 ……………………… 62
　―のデータ …………………… 96
　―の成り立ち ………………… 62
心理学実験 ……………………… 122
心理学的構成理論 ……………… 172
心理学的ストレス理論 ………… 578
心理学的理論 …………………… 438
心理教育 ……………… 331, 332
心理検査 ………………………… 312
　―のおおまかな流れ ………… 304
　―の限界 ……………………… 302
　―の実施 …………… 289, 306
　―の適用 ……………………… 304
　―の手順 ……………………… 307
　―の成り立ち ………………… 296
心理検査実施後 ………………… 308
心理査定 ………………………… 288
心理師 …………………………… 312
心理実習 ……………………… 57, 58
心理実践実習 ………………… 57, 58
心理師の自己研鑽 ……………… 46
心理師の不在 …………………… 18
心理社会的ストレス …………… 360
心理尺度 ………………………… 112
心理症状 ………………………… 217
心理職の成長モデル …………… 41
心理性的発達段階 ……………… 320
心理性的発達段階説 …………… 319
心理治療契約 …………………… 501

心理的・行動的形質 …………… 185
心理的ウェルビーイング ……… 180
心理的応急処置フィールド・ガイド
　………………………………… 388
心理的応急処置 ………………… 388
心理的概念 ……………………… 83
心理的決定論 …………………… 545
心理的ストレッサー …………… 316
心理性的発達段階 ……………… 319
心理的対人援助 ………………… 315
心理的非柔軟性 ………………… 570
心理的リアクタンス …………… 228
心理物理学 ……………………… 145
心理物理学的測定法 …………… 128
心理療法 ………… 289, 318, 375
　―の限界 ……………………… 347
　―の効果 ……………………… 347
　―の歴史 ……………………… 318
膵炎 ……………………………… 466
遂行機能障害症候群の行動評価 … 216
遂行機能の障害 ………………… 216
遂行機能の評価 ………………… 216
水準 …………………… 118, 124
膵臓 ……………………………… 465
推測統計 ……………… 103, 104
錐体 ……………………………… 137
錐体外路 ………………………… 488
錐体外路症状 …………………… 488
推定 ……………………………… 104
推定量 …………………………… 104
髄膜 ……………………………… 199
睡眠 ……………………………… 580
睡眠時無呼吸症候群 …………… 464
睡眠障害 ………………………… 485
睡眠薬 …………………………… 489
推論 ……………………………… 150
スーパーバイズ ………………… 305
スーパービジョン …… 21, 43, 355
　心理臨床における― ………… 47
　―の形態 ……………………… 49
　―の種類 ……………………… 48
　―の進め方 …………………… 49
　―の素材 ……………………… 49
　―の必要性 …………………… 47
スーパービジョン・レベルの違い … 48
数理心理学 ……………………… 155
スキーマ療法 …………………… 351
スキナー箱 …………… 64, 155
スキナーボックス ……………… 64
スクールカウンセラー …… 34, 521
スクールカウンセリング ……… 34
スクリーニング検査 …………… 212
ステレオタイプ ………………… 234

622

INDEX

ステロイドの使用による精神症状 ……476
ストーカー規制法 ……533
ストーカー行為 ……533
ストループ効果 ……167
ストループテスト ……216
ストレス ……358
　―の認知的評価理論 ……178
ストレス・マネジメント ……578
ストレス学説 ……359
ストレス脆弱性モデル ……362
ストレスチェック ……37
ストレスチェック制度 ……380, 449
ストレッサー ……359
ストレングス ……329
ストレンジ・シチュエーション法 ……84
頭脳緊張型 ……189
スピリチュアルな苦痛 ……473
刷り込み ……164
生育歴 ……291, 312
性格 ……181
成果指向事例研究 ……93
生活介護 ……278
生活訓練 ……217, 278
生活習慣病 ……364
生活保護法 ……512
性器期 ……319, 549
正規雇用 ……536
正規分布 ……105, 106
性行動 ……197
誠実性 ……190, 270
性自認 ……225
静止膜電位 ……201
生殖型 ……246
生殖器 ……469
精神衛生運動 ……70
精神科医療提供施設 ……372
精神科診療所 ……374
精神科入院 ……494
精神科病院 ……373
精神科リエゾンチーム ……372
精神鑑定 ……435
成人期 ……250
精神交互作用 ……74
精神疾患 ……479
精神腫瘍学 ……472
精神障害 ……277
　―の診断・統計マニュアル ……479
精神障害者生活支援センター ……34
精神障害者保健福祉手帳 ……277, 278
精神遅滞 ……485
精神病性 ……193
精神物理学 ……62, 145

精神物理学的測定法 ……128, 129
精神分析 ……319, 350, 545
精神分析学 ……64, 68
精神分析的アプローチ ……182, 319
精神保健 ……379
成人保健 ……379
精神保健福祉士 ……508
精神保健福祉法 ……277, 507, 531
精神力動アプローチ ……73, 544
精神力動理論 ……319
　感情の― ……171
精神力動論的アプローチ ……182
生成文法の理論 ……65, 162
生態学的システム ……323
生態学的妥当性 ……126
生体のリズム ……460
精緻化見込みモデル ……229
性的指向 ……225
性的多重関係 ……20
性的マイノリティー ……328, 331
生得説 ……62
青年期 ……249
成年後見制度 ……436, 517
性の指向の多様化 ……46
正の相関関係 ……101
正の転移 ……159
性犯罪 ……534
性犯罪再犯防止指導 ……442
生物－心理－社会モデル ……53, 69, 314
生物学的基礎 ……172
生物学的理論 ……438
精密コード ……166
生理的早産 ……248
整理トレーニング ……283
世界観 ……92
赤核 ……206
脊髄損傷患者 ……475
責任の分散 ……235
責務相反 ……78
セクシャリティー ……225
セクシャル・ハラスメント ……37, 542
接近―回避 ……175
節後神経 ……198
被害相談窓口 ……439
摂食行動 ……580
摂食障害 ……580
節前神経 ……198
絶対音感 ……164
絶対臥褥 ……74
絶対的秘密保持 ……26
説得 ……228
折半法 ……111, 130

絶望感 ……270
説明する力 ……345
説明と同意 ……78
説明変数 ……82
セラピーの効果要因の比率 ……348
セルフケア ……37
セルフコントロール法 ……566
セルフハンディーキャッピング方略 ……220
セルフモニタリング ……313, 562
セルフモニタリング法 ……565
前意識 ……319
前額法 ……319, 545
全か無かの法則 ……202
前慣習的な水準 ……256
善管注意義務 ……501
全強化 ……156
宣言的記憶 ……148
先行焦点型感情制御 ……179
前向性健忘 ……152
全国被害者支援ネットワーク ……439
潜在学習 ……157
潜在記憶 ……148
潜在変数 ……121
全身性エリテマトーデス ……468
漸進的筋弛緩法 ……366, 578
全人的なケア ……53, 54
前操作（自己中心的）段階 ……251
戦争神経症 ……71
選択性緘黙 ……163, 282
選択的セロトニン再取り込み阻害薬 ……203
選択的注意 ……146
選択的透過性 ……201
選択的認知 ……235
前頭前野腹内側皮質 ……174
前頭側頭型認知症 ……215, 271
前頭葉 ……174
先読症 ……212
前脳 ……206
　―の構造 ……206
潜伏期 ……319, 549
せん妄 ……473
全盲 ……143
専門家の倫理 ……352
専門職 ……6, 12
相関 ……101
相関関係 ……101
相関係数 ……102
臓器移植 ……476
早期完了 ……250
早期集中行動介入 ……284
相互規定的作用モデル ……244

623

INDEX

相互協調的自己観 …………… 241, 242
相互独立的自己観 …………… 241, 242
相互排他性制約 ………………………… 162
捜査機関 …………………………………… 526
捜査心理学 ………………………………… 430
操作的段階 ………………………………… 251
操作的定義 …………………………………… 80
喪失 ……………………………………………… 269
双生児法 …………………………………… 244
想像力の障害 …………………………… 266
相対的貧困率 …………………………… 525
相対度数 ……………………………………… 98
相談 ………………………………………………… 4
相談支援 …………………………………… 278
相貌失認 ………………………… 144, 214
早漏 ……………………………………………… 197
ソーシャル・サポート …… 220, 331
ソーシャルスキル ……… 218, 220
　　―の3要素 ……………………… 220
　　―を測定するための尺度 …220
ソーシャルスキル・トレーニング
　　………… 32, 159, 286, 309, 323
ソーシャルネットワーク ……… 331
側坐核 …………………………………………… 173
即時再生 …………………………………… 214
測定可能性 ……………………………………… 80
組織 ……………………………………………… 453
　　―の変化 …………………………… 458
組織行動学 ……………………………… 453
組織風土 …………………………………… 459
組織文化 …………………………………… 459
措置入院 ……………… 494, 507, 531
素朴理論 …………………………………… 254
ソマティック・マーカー仮説 …177
損害回避 …………………………………… 190
ソンディー・テスト ……………… 299

た 行

ダークトライアド ……………………… 191
第1次視覚野 …………………………… 137
第1次体性感覚野 …………………… 139
第1次聴覚野 …………………………… 139
第1次予防 ………………………………… 331
第1種少年院 …………………………… 434
第2次性徴 ………………………………… 249
第2次体性感覚野 …………………… 139
第2種少年院 …………………………… 434
第3種少年院 …………………………… 434
第3次予防 ………………………………… 332
第1反抗期 ………………………………… 249
第一種の誤り …………………………… 110
体液 ……………………………………………… 462

対応推論理論 …………………………… 229
対応表 ……………………………………………… 78
対応分析 ……………………………………… 94
大学院における実習科目 ……… 57
体格−気質関連説 …………………… 188
大学における実習科目 …………… 57
体験・ナラティブ指向事例研究 …93
第三の労働形態 …………………………… 43
胎児期 ………………………………………… 248
代謝 ……………………………………………… 467
対象関係論 ……………………………… 320
対照群 ………………………………………… 123
対象者の相談 ……………………………… 4
対象の永続性 ………………………… 251
対人葛藤 …………………………………… 223
対人葛藤方略 ………………………… 223
対人関係 ………………………… 218, 219
　　親密な― ………………………… 219
対人行動 …………………………………… 218
対人ストレス ………………………… 218
対人的相互作用 ……………………… 235
対人認知 …………………………………… 233
対人魅力 …………………………………… 218
体性感覚 …………………………………… 139
体性感覚野の構造 ………………… 140
胎生期 ………………………………………… 248
体性神経系 ……………………………… 196
代替行動分化強化 ………………… 158
代諾者 ……………………………………………… 78
態度 ……………………………………………… 227
　　―の3成分 …………………… 227
第二種の誤り ………………………… 110
第2次予防 ………………………………… 332
大脳交連 …………………………………… 207
大脳の側性化 ………………………… 205
大脳皮質 …………………………………… 206
大脳皮質指数 ………………………… 213
対比 ……………………………………………… 142
代表性ヒューリスティック …… 150
代表値 ……………………………………………… 98
体部位再現性 ………………………… 139
タイプ志向折衷療法 …………… 337
代理貨幣 …………………………………… 158
代理強化 ………………………… 158, 159
対立 ……………………………………………… 193
対立仮説 …………………………………… 107
ダウン症候群 ………………………… 486
他覚的所見 ……………………………… 313
多感覚統合 ………………… 141, 143
多血質 ………………………………………… 188
多元的無知 ……………………………… 235
多語期 ………………………………………… 162
他殺 ……………………………………………………… 27

多重関係 ……………………………………… 19
多重比較 …………………………………… 118
多職種カンファレンス ……………… 60
多職種による訪問支援 …… 330, 356
多職種の分類 …………………………… 54
多職種連携 ………………………… 53, 55
多世代理論 ……………………………… 324
多層指導モデル ……………………… 286
脱価値化 …………………………………… 320
脱慣習的な水準 ……………………… 256
脱馴化 ………………………………………… 153
脱水 ……………………………………………… 462
脱中心化 ………………………… 253, 570
脱分極 ………………………………………… 201
脱抑制 ………………………………………… 193
脱抑制型対人交流障害 ………… 268
多動性 ………………………………………… 266
妥当性 ……………………………… 130, 302
　　―の種類 ………………………… 112
田中ビネー知能検査Ⅴ ………… 306
他人の手徴候 ………………………… 214
タブラ・ラサ ……………………………… 62
ダブル・バーレル質問 ……………… 83
ダブルバインド仮説 …………… 324
タラソフ原則 …………………………… 28
タラソフ事件 …………………………… 27
他律的道徳 ……………………………… 255
多理論統合モデル ………………… 576
単一回答法 ………………………………… 82
単一事例実験 ……………………… 81, 82
単回帰分析 ……………………………… 119
　　―と重回帰分析のイメージ …119
単眼性手がかり ……………………… 138
短期記憶 …………………………………… 147
　　―の障害 ………………………… 214
男根期 ……………………………… 319, 548
探索的因子分析 …………… 113, 114
胆汁質 ………………………………………… 188
単純接触効果 ………………………… 171
男女雇用機会均等法 …………… 538
男性生殖器 ……………………………… 469
胆石症 ………………………………………… 466
タンニン …………………………………… 142
胆嚢 ……………………………………………… 465
地域支援 …………………………………… 327
地域包括ケアシステム …… 330, 379
地域保健 …………………………………… 378
地域保健法 ……………………………… 510
地域連携 ………………………… 53, 54, 55
チームアプローチ …………………… 53
チーム医療 ………………………… 53, 371
チーム学校 ………………………… 35, 53
チーム内守秘義務 …………………… 29

INDEX

遅延再生 215
チェンジトーク 443
知覚運動協応 159
知覚的補完 143
知識 148
チック 282
チック症 163
知的機能の簡易評価日本語版 212
知的障害 277, 485
知的障害者更生相談所 34
知的障害者福祉法 277
知能検査 84
知能指数 64, 264
知能の種類 270
遅発性ジスキネジア 488
地方更生保護委員会 434
チャイルド・マルトリートメント 248
着衣失行 214
着衣障害 214
着座不能 488
チャム・グループ 263
チャンク 148
注意 146
　—の障害 151
　—のスポットライト 146
　—の標準 16
注意機能の障害 215
注意機能の評価 215
注意欠陥／多動性障害 264 266
　—の定義 266
注意欠如多動症 277
注意資源 147
中央値 98
中核症状 216
中心溝 207
中心特性 234
中枢起源説 169
中枢神経系 195
中枢神経系脳部位 173
中枢神経刺激薬 489
中枢性失書 213
中性刺激 154
中断 349
中年期 250
中年期危機 250
中脳 206
　—の構造 206
中脳視蓋 206
中脳水道灰白質 206
中胚葉型 189
聴覚 138
聴覚・言語障害 276

聴覚障害 144
聴覚性失認 214
長期記憶 147, 148
　—の分類 148
超高齢社会 269
調査的面接 292
調査票 96
調査法 81, 82
超自我 319, 546
聴衆抑制 235
聴神経 139
調整法 129, 145
調停事件 436
跳躍伝導 203
調和性 190, 270
直線的因果律 238
直面化 552
治療契約 555
治療的カウンセリング 69, 294
治療同盟 555
追体験可能性 80
対麻痺 475
通過症候群 480
通告義務 353
通状況的一貫性 181
通報義務 354
つなぎモデル 41
定位行動 259
デイケア 32, 58
定言三段論法 150
抵抗 320
抵抗分析 551
提示順序効果 234
定性的研究 80
ディメンショナルモデル 192
定量的研究 80
データの切片化 90
適応指導教室 35
適応的機能 175
テキスト・マイニング 93
テストバッテリー 84, 305, 313
デセプション 126
手続き記憶の障害 215
手続き的記憶 148
徹底操作 553
デブリーフィング 77, 126, 308
転移 320, 349
転移神経症 347
転移分析 552
伝音性難聴 144
てんかん 480
点推定 105
伝導性失語 212

添付文書 488
同意書 21
同一労働・同一賃金 538
同意文書 78
投影性同一化 320, 556
投影法 182, 297, 298
同化 142
動機づけ 454
動機づけ面接 373
動機づけ面接法 443
道具的サポート 221
道具の強迫的使用 214
統計的仮説検定 106, 108, 116
　—における誤り 110
統計量 104
統合失調型 193
統合失調型パーソナリティ障害 192
統合失調症 482
動作性知能 269
洞察 157
洞察学習 157
闘士型 188
統制群 82, 123
闘争ー逃走反応 173
同調 238
道徳性 255
道徳的判断 255
糖尿病 468
糖尿病腎症 469
逃避学習 156
島皮質 177
登録の取り消し 10
トークンエコノミー法 565
トークンの使用 158
特異的発達障害 487
読字障害 163
独自性 113
特性 188
特性因子論 73
特性論 188
特定生活指導 443
特別改善指導 441
特別支援教育 35, 279
特別支援教育の制度 279
特別遵守事項 435
特別な支援 268
匿名化 78
匿名加工情報 78
独立変数 81, 122, 123
　—と剰余変数の交絡 123
度数 97
度数分布表 98
トップダウン・リーダーシップ 458

625

INDEX

トップダウン処理 …………………… 138
ドメスティック・バイオレンス
　…………………………………… 54, 533
トランスアクショナル・モデル … 361
取消 ………………………………… 518
努力－報酬不均衡モデル ………… 451
トレイルメイキングテスト ……… 216
泥棒洞窟実験 ……………………… 224

な 行

内観 …………………………………… 62
内観道場 …………………………… 74
内観療法 …………………………… 74
内言 ………………………………… 164
内向型 ……………………………… 189
内集団 ……………………………… 224
内省機能尺度 ……………………… 67
内臓緊張型 ………………………… 189
内的帰属 …………………………… 229
内的作業モデル …………………… 260
内的準拠枠 ………………………… 75
内的衝動説 ………………………… 236
内的整合性 ………………………… 130
内的妥当性 ………………………… 126
内胚葉型 …………………………… 189
内部障害 …………………………… 276
内分泌 ……………………………… 467
内分泌系 …………………………… 461
内容的妥当性 ………… 111, 130, 131
仲間関係 …………………………… 260
ながら会議 ………………………… 61
ナトリウム－カリウムポンプ … 201
ナラティブ ………………………… 162
ナラティブ・アプローチ …… 73, 182
喃語 ………………………………… 161
難聴 ………………………………… 144
難病 ………………………………… 477
軟膜 ………………………………… 199
苦味 ………………………………… 142
二語期 ……………………………… 162
二次障害 …………………………… 282
二重拘束仮説 ……………………… 324
二重貯蔵モデル …………………… 147
二重投稿 …………………………… 79
二重盲検法 …………………… 125, 126
二次予防 …………………………… 37
日常の観察 ………………………… 294
日常内観 …………………………… 74
乳児期 ……………………………… 248
ニューロン …………………… 198, 200
　―の機能 …………………………… 200
　―の構造 …………………………… 200
　―の電気的活動 ………………… 202
　―の電気的活動の特徴 ………… 202
二卵性双生児 ……………………… 184
任意入院 …………………………… 494
人間－状況論争 …………………… 183
人間性心理学 ………………… 73, 74, 183
人間性心理学的アプローチ … 183, 322
人間中心療法 ……………………… 51
認知的一貫性（斉合成）理論 …… 227
妊娠 ………………………………… 485
認知機能の発達 …………………… 251
認知言語学 ………………………… 161
認知行動療法 ………………… 318, 324
　―のアプローチ ………………… 325
　―の背景 ………………………… 325
認知再構成法 ………………… 325, 567
認知症 ……………… 216, 271, 474, 479
　―に伴う行動・心理症状 ……… 217
　―の検査 ………………………… 301
認知神経科学 ……………………… 65
認知心理学 ………… 65, 73, 161, 559
認知的アプローチ ………………… 183
認知的均衡理論 …………………… 227
認知的再体制化 …………………… 317
認知的ストレス理論 ……………… 361
認知的制約 ………………………… 162
　―の有用性 ……………………… 162
認知的評価 ………………………… 171
認知的不協和理論 ………………… 228
認知のゆがみ ……………………… 317
認知評価理論 ……………………… 171
認知リハビリテーション ………… 217
認知療法 …………… 73, 318, 324, 559
　―のアプローチ ………………… 325
　―の背景 ………………………… 325
認知療法尺度 ……………………… 44
ネガティビティー・バイアス …… 234
ネグレクト ………………………… 268
粘液質 ……………………………… 188
粘着気質 …………………………… 189
脳器質疾患者 ……………………… 473
脳機能計測 ………………………… 145
脳機能神経系の生理学的変化 …… 210
脳血管障害 ………………………… 466
脳血管性うつ病 …………………… 474
脳血管性認知症 ………… 271, 272, 474
脳血栓 ……………………………… 466
脳神経 ……………………………… 198
　―の構造 ………………………… 195
　―の分類 …………………… 195, 198
脳脊髄液 …………………………… 199
脳塞栓 ……………………………… 466
脳卒中後うつ病 …………………… 474
脳波 ………………………………… 210
脳波測定 …………………………… 145
脳梁 ………………………………… 207
ノルアドレナリン ………………… 198
ノンバーバル行動 ………………… 313
ノンパラメトリック検定 ………… 106
ノンレム睡眠 ……………………… 485

は 行

パーキンソン症状 ………………… 488
パーキンソン病 ……………… 467, 474
把握反射 …………………………… 248
パーソナリティ ……………… 181, 453
　―の5大因子 …………………… 453
　―の測定 ………………………… 182
　―の定義 ………………………… 181
　―の発達 ………………………… 184
　―のビッグファイブ理論 ……… 112
パーソナリティー変容のための6条件
　………………………………………… 322
パーソナリティ機能の構成要素 … 193
パーソナリティ検査 ……………… 182
パーソナリティ障害 ……………… 486
パーソナリティ障害 ……………… 191
パーソナルコンストラクト理論 … 183
パーティンの子どもの遊びの型 … 261
バーンアウト ……………………… 43
肺 …………………………………… 464
バイアス …………………………… 294
肺炎 ………………………………… 464
媒介変数 …………………………… 123
肺がん ……………………………… 464
配偶者 ……………………………… 533
　―への虐待 ……………………… 28
配偶者暴力 ………………………… 382
配偶者暴力相談支援センター
　…………………………………… 444, 534
ハイリスクアプローチ …………… 387
ハインツのジレンマ課題 ………… 256
バウムテスト ……………………… 299
パヴロフの犬 ……………………… 153
パヴロフの条件反射理論 ………… 154
破壊的権利付与 …………………… 160
破局視 ……………………………… 317
白内障 ……………………………… 471
曝露反応妨害法 …………………… 564
曝露療法 …………………………… 317
はげまし …………………………… 344
派遣労働者 ………………………… 538
箱庭療法 …………………………… 321
パス ………………………………… 121
パス・ゴール理論 ………………… 457

INDEX

パス係数	121
パス図	121
外れ値	99
バソプレッシン	207
パチニ小体	139
波長	137
白血病	463
発信行動	259
発達	244, 582
——に影響を与える要因	244
——の個人差	246
——の順序性	245
——の側面	244
——の方向性	245
——の連続性	245
発達・社会的語用論モデル	284
発達曲線	246
発達検査	84
発達障害者支援法	277, 517, 524
発達障害の主な分類	265
発達性協調運動症	268
発達性ディスレクシア	163
発達段階	246
発達論的パーソナリティ理論	546
罰の使用	158
鼻	470
バビンスキー反射	248
パフォーマンス	92
パペッツの回路	210
場面緘黙	163
場面想定法	82
ハラスメント	37, 540
パラメータ	104
パラメトリック検定	106
バランス理論	227
——の考え方	228
ハローワーク	34
パワーハラスメント	37, 542
般化	154, 156
半構造化面接	85
犯罪	430
犯罪少年	430, 529
犯罪心理学	430
犯罪被害	430
犯罪被害者	439, 534
犯罪被害者等基本法	534
反社会性	193
反社会性パーソナリティ障害	192
反省的実践家	39
半側空間無視	151, 214
反対色説	138
判定機能	175
汎適応症候群	359
反応時間測定法	128
反応焦点型感情制御	179
反応性アタッチメント障害	268
ピア・グループ	263
ピアジェによる認知機能の発達段階	251
ピアジェの道徳性の発達段階	255
ピアソンの積率相関係数	102
被蓋	206
被害者支援制度	439
被害者心理学	430
被害者保護制度	440
比較行動学	164
光の波長範囲	138
非寛容の社会	46
引きこもり	46, 382
非器質性発達障害	268
非機能的思考記録表	567
非共有環境	184
鼻腔の構造	141
非言語コミュニケーション	284
非行	430
非行・犯罪の理論	437
非行少年	430
非構造化面接	85, 292
非行の要因	433
被告人	527
被災者	386
肘掛け椅子の心理学	62
ヒステリー	347, 545
ヒストグラム	98
非正規雇用	536
非性的多重関係	20
非宣言的記憶	148
非専門家	6, 329, 356
被措置児童等虐待	503
悲嘆	269
ピック病	271
ビッグファイブ	453
ビッグファイブモデル	190
否定的感情	193, 291, 292
非同調行動	456
1人遊び	261
人を対象とする医学系研究に関する倫理指針	77
避難者	386
泌尿器	469
ビネー式知能検査	300
皮膚の触覚受容器	140
ヒポコンデリー気質	74
肥満型	188
秘密	30
秘密保持	25, 352
——の例外状況	26, 355, 356
秘密保持義務	9, 11, 25
秘密を第三者に伝える場合	353
ヒューリスティック	149
評価的態度	343
描画法	182
表示規則	175
標準意欲評価法	215
標準化	100, 300
標準化回帰係数	120
標準言語性対連合学習検査	215
標準高次動作性検査	214
標準失語症検査	213
標準失語症検査補助テスト	213
標準注意検査法	215
標準得点	100
標準偏差	99
病床	368
表情フィードバック仮説	170
剽窃	79
表象	340
表層演技	43
表象的思考段階	251
評定法	82
病的パーソナリティ特性	193
標本	103
——の大きさ	103
標本抽出	103
標本分布	104
標本平均	104
表面的妥当性	130, 131
病理論	547
開かれた質問	344
比率尺度	98
比例尺度	98
敏感期	164
貧血	463
不安階層表	564
不安ヒステリー	347
フィードバック	308
フィードラー理論	457
フィネアス・ゲージの例	174
フィルターモデル	146
フェヒナーの法則	145
副交感神経	196, 461
——の経路	197
副交感神経系	173
福祉	367
福祉事務所	513
福祉的支援　障害者・障害児が受けられる——	278
福祉分野	33
——における公認心理師の役割	33

INDEX

副腎 … 467	平均値 … 98	法律なければ刑罰なし … 526
腹話術効果 … 143	並行遊び … 261	暴力 … 381, 533
婦人相談所 … 34	平行検査法 … 130	ボウルビィーの愛着行動の発達過程 … 260
不整脈 … 464	平行テスト法 … 111	補完 … 143
不注意 … 266	米国労働安全衛生研究所 … 451	保健 … 367
不注意優勢型タイプ … 266	併存的妥当性 … 112	保健医療スタッフへの研修 … 33
不適切な養育 … 248	ベーチェット病 … 480	保健活動 … 377
不登校 … 46, 314, 522	ベック（認知療法）の理論 … 562	保健師助産師看護師法 … 506
負の相関関係 … 101	ヘルシンキ宣言 … 77, 370	保護観察 … 434, 528
負の相互作用 … 349	辺縁系 … 210	保護観察官 … 36, 434, 528
負の相補性 … 349	偏回帰係数 … 120	保護観察所 … 434
部分強化 … 156	偏見 … 235	保護義務 … 27
不偏推定量 … 104	偏差 … 99	保護司 … 36, 434, 528
普遍性 … 92	偏差値 … 100	保護主義 … 529
不偏性 … 104	弁証法的行動療法 … 569	保護処分 … 432, 530
普遍的無意識 … 321	変数 … 96	ポジティブ・メンタルヘルス … 37
不偏分散 … 104	偏相関係数 … 103	ポジティブ感情 … 178
不法行為 … 500	ベンダー・ゲシュタルト・テスト … 299	─の拡張 … 178
プライバシーの保護 … 78	扁桃体 … 173, 206, 210	母子並行面接 … 322
プライバシーへの配慮 … 352	ベントン視覚記銘検査 … 215	母子保健 … 379
プライミング … 148	ペンフィールドの地図 … 140	母子保健法 … 510
フラッシュバック … 387	弁別 … 154, 156	母集団 … 103
フラッディング … 564	弁別閾 … 128	─への一般化可能性 … 132
プリシード・プロシードモデル … 576	弁別刺激 … 156	補償を伴う選択的な最適化 … 271
プレイセラピー … 35, 309	弁別性 … 230	母数 … 104
プロアクティブコーピング理論 … 362	返報性 … 219	ポストアセスメント … 290
ブロイラーの基本症状 … 482	保育所等訪問支援 … 278	細長型 … 188
ブローカ失語 … 163, 212	法 … 14	保存概念 … 252
プログラム学習 … 157	─と職業倫理 … 14	勃起不全 … 197
プロスペクト理論 … 151	─と倫理 … 500	ボトムアップ処理 … 138
プロフェッショナリズム … 6	防衛機制 … 320, 546	ポピュレーションアプローチ … 387
プロフェッショナルスーパービジョン … 48	防衛分析 … 551	母分散 … 104
プロフェッション … 6	放課後デイサービス … 274	母平均 … 104
文化心理学 … 160	包括的思考 … 242	ホメオスタシス … 207
分割表 … 101	包括的処理様式 … 242	本能的行動 … 156
文化的自己観 … 241	傍観者効果 … 235	
文献研究 … 122	棒グラフ … 98	**ま 行**
分散 … 99	膀胱直腸障害 … 475	
分散分析 … 107, 117	報告書作成 … 132	マイスナー小体 … 139
文章完成テスト … 182	報告書の構成 … 134	マイノリティー … 328
文章完成法 … 292, 982, 997	報酬 … 155	マインドフルネス認知療法 … 569
分析心理学 … 242, 320, 550	─と動機づけ … 560	マガーク効果 … 143
分析的思考 … 242	報酬依存 … 190	マキャベリアニズム … 191
分析的処理様式 … 242	法則定立的アプローチ … 181	マタニティー・ブルー … 485
分析ワークシート … 90	法的義務 … 9	街並失認 … 214
分布 … 98	法的な秘密 … 30	末梢起源説 … 169
文法獲得 … 162	法務技官 … 36, 433	末梢神経系 … 195
分類化 … 225	法務省 … 36	末梢性失書 … 213
分裂 … 320	法務省式ケースアセスメントツール … 441	末梢性失読 … 212
分裂気質 … 188	訪問支援 … 327, 329	マッチング … 73
分裂ポジション … 320	訪問相談 … 330	マネジメントスーパービジョン … 48
ペアレント・トレーニング … 285	法律（医療に関する）… 368	マネジメント能力 … 56

マルチモード療法 …… 336	メンタルヘルス不調者 …… 447	要約 …… 344
慢性腎臓病 …… 469	申し送り …… 60	抑圧 …… 545
ミエリン髄鞘 …… 201	盲点 …… 137	抑うつ患者 …… 176
味覚 …… 141	網膜の構造 …… 137	抑うつポジション …… 320
味覚嫌悪学習 …… 156	網膜部位再現 …… 137	抑制性シナプス後電位 …… 201
味覚障害 …… 144	網様体 …… 206	横方向コミュニケーション …… 455
味覚地図 …… 142	燃え尽き …… 43	予測的妥当性 …… 112
ミクログリア …… 201	モーズレイ人格目録 …… 182	欲求階層説 …… 183
未成年後見人 …… 436	モーズレイ性格検査 …… 182	欲求説 …… 454
見立て …… 288	モード …… 99	予防 …… 328, 329, 331
三ツ山課題 …… 252	目的変数 …… 82	四気質説 …… 62, 188
ミニメンタルステート検査 …… 212, 301	目標修正的強調関係 …… 260	四体液説 …… 62, 188
ミネソタ多面人格目録 …… 182, 297	目標設定モデル …… 454	
実のなる木 …… 299	モデリング …… 158, 565	**ら 行**
耳 …… 470	模倣行為 …… 214	来談者中心療法 …… 69, 73, 74, 318, 322
──の構造 …… 139	モラトリアム …… 250	来談歴 …… 291
脈絡叢 …… 199	森田神経症 …… 74	ライフサイクル論 …… 247
ミュラー・リヤー錯視 …… 128	森田療法 …… 74	ライン・マネジメントスーパービジョン …… 48
味蕾 …… 141, 144	モルフォジェネシス …… 238	ラインケア …… 37, 578
「みる」力 …… 345	モルフォスタシス …… 238	ラザルス−ザイアンス論争 …… 171
民事責任 …… 500, 501	モロー反射 …… 248	ラザルスのマルチモード療法 …… 337
無意識 …… 64, 319	問題飲酒 …… 157	ラポール …… 290
無菌室 …… 477	問題解決型コーピング …… 179	──の形成 …… 298, 299
無作為抽出 …… 103	問題解決志向 …… 314	ランダム化比較試験 …… 81, 82
無作為割付 …… 125	問題解決法 …… 568	ランダムサンプリング …… 103
無条件刺激 …… 153	問題箱実験 …… 155	ランビエ絞輪 …… 203
無条件反応 …… 153	問題歴 …… 312	リーダーシップ …… 55, 457
無髄神経 …… 203		リーダーシップスタイル …… 457
無相関 …… 101	**や 行**	利益相反 …… 78
無動 …… 467	薬物依存 …… 482	理解的態度 …… 343
眼 …… 470	薬物依存離脱指導 …… 442	力動的心理療法 …… 544
明確化 …… 344, 552	役割構成レパートリー検査 …… 183	力動論 …… 544
明確な愛着段階 …… 259	役割取得 …… 255	リサーチ・クエスチョン …… 92, 113, 122
名義尺度 …… 96, 114	有意 …… 107	離散型確率変数 …… 105
名称独占 …… 2	有意確率 …… 107	リスキー・シフト …… 240
名称不正使用罪 …… 504	有意差 …… 107	リスクアセスメント …… 28
命令倫理 …… 14	有意水準 …… 107	リスク回避 …… 151
メチルフェニデート塩酸塩 …… 284	遊戯療法 …… 322	リスク追及 …… 151
メディア …… 340	友人関係 …… 219	リスクマネジメント …… 27, 28
メディアン …… 98	有髄神経 …… 203	リスボン宣言 …… 370
メランコリー親和型性格 …… 484	誘導運動 …… 138	理想化 …… 320
メルケル盤 …… 139	夢分析 …… 321	理想追及倫理 …… 14
免疫 …… 468	ユングの類型論 …… 189	離脱 …… 193
免疫系 …… 461	ユング派の分析心理学 …… 350	リッカート法 …… 82, 128, 129, 219
面会交流 …… 437	養育手帳 …… 278	リテラシー …… 166, 167
面会交流支援団体 …… 445	要因 …… 118, 124	リバーミード行動記憶検査 …… 215
面接 …… 289	要因計画 …… 124	リハビリテーション …… 217
面接構造 …… 555	要求度−コントロール−サポートモデル …… 451	リビドー …… 171
面接法 …… 81, 84	幼児期 …… 248	リビドー論 …… 545
メンタライゼーション …… 66	要素主義 …… 62	
──に基づく治療 …… 67	様態の公準 …… 165	
メンタルフレンド …… 330		

INDEX

リファー……………………………… 18
　—の時期…………………………… 18
リフレーミング…………………… 324
流言………………………………… 218
流動性知能………………………… 269
利用可能性ヒューリスティック… 150
両側検定…………………………… 107
両眼視差…………………………… 138
両眼性手がかり…………………… 138
両側性転移………………………… 160
量的データ………………………… 290
量的変数…………………………… 96
量の公準…………………………… 165
緑内障……………………………… 471
リラプス・プリベンション・モデル
　…………………………………… 442
理論型……………………………… 189
理論指向事例研究………………… 93
理論的説明………………………… 80
リワーク…………………………… 374
臨界期……………………………… 164
臨床研究…………………………… 50
臨床心理学………………………… 68
　—の誕生………………………… 68
臨床心理学的地域援助…………… 329
臨床心理面接……………………… 71
臨床の知…………………………… 92
臨床面接…………………………… 292
リンパ型…………………………… 246
倫理規程…………………………… 14
倫理指針…………………………… 77
類型………………………………… 188
類型論……………………… 188, 321, 453
ルージュ課題……………………… 258
ルフィニ小体……………………… 139
レーヴン色彩マトリックス検査… 212
レジリエンス……………………… 387
レスコーラ＝ワグナー・モデル… 155
レスポンデント条件づけ…… 153, 154
レビー小体型認知症…… 271, 272, 474
レビー小体病……………………… 216
レム睡眠…………………………… 485
レム睡眠行動異常症……………… 475
恋愛関係…………………………… 263
連携………………………………… 9, 11
連合………………………………… 154, 237
連合遊び…………………………… 261
連合学習…………………………… 153
連合型失認………………………… 214
練習効果…………………………… 125
連続型確率変数…………………… 105
連続聴効果………………………… 143
労災法……………………………… 540

老人福祉法………………………… 515
老人保健…………………………… 379
労働安全衛生法…………………… 539
労働関係調整法…………………… 537
労働基準法………………………… 536
労働組合法………………………… 537
労働契約法………………………… 537
労働権……………………………… 536
労働災害補償制度………………… 540
労働者……………………………… 536
労働者派遣法……………………… 537
老年期の特徴……………………… 269
老老介護…………………………… 273
ロービジョン……………………… 143
ロールシャッハテスト… 182, 297, 299
ロジャーズの6条件……………… 322
ロジャーズ派のカウンセリング… 350
論文執筆…………………………… 50
論理情動行動療法………………… 73
論理性……………………………… 92
論理的思考………………………… 253

わ 行

ワーキングスルー………………… 553
ワーキングメモリの障害………… 214
ワーク・エンゲイジメント……… 380
ワーク・ライフ・バランス… 37, 542
ワークモチベーション…………… 454
若手スタッフへの教育…………… 33

公認心理師必携テキスト 改訂第2版

2018年 4月25日	初版	第1刷発行
2018年 5月29日	初版	第4刷発行
2020年 4月 1日	改訂第2版	第1刷発行
2023年 6月14日	改訂第2版	第2刷発行

監　修	福島　哲夫
発行人	土屋　徹
編集人	小袋　朋子
発行所	株式会社Gakken 〒141-8416　東京都品川区西五反田2-11-8
印刷製本	凸版印刷株式会社

●この本に関する各種お問い合わせ先
本の内容については，下記サイトのお問い合わせフォームよりお願いします．
https://www.corp-gakken.co.jp/contact/
在庫については　　Tel 03-6431-1234（営業）
不良品（落丁，乱丁）については　Tel 0570-000577
　学研業務センター　〒354-0045　埼玉県入間郡三芳町上富279-1
上記以外のお問い合わせは　Tel 0570-056-710（学研グループ総合案内）

©T. Fukushima 2020 Printed in Japan
●ショメイ：コウニンシンリシヒッケイテキストカイテイダイニハン
本書の無断転載，複製，複写（コピー），翻訳を禁じます．
本書に掲載する著作物の複製権・翻訳権・上映権・譲渡権・公衆送信権（送信可能化権を含む）は株式会社Gakkenが管理します．
本書を代行業者等の第三者に依頼してスキャンやデジタル化することは，たとえ個人や家庭内の利用であっても，著作権法上，認められておりません．

本書に記載されている内容は，出版時の最新情報に基づくとともに，臨床例をもとに正確かつ普遍化すべく，著者，編者，監修者，編集委員ならびに出版社それぞれが最善の努力をしております．しかし，本書の記載内容によりトラブルや損害，不測の事故等が生じた場合，著者，編者，監修者，編集委員ならびに出版社は，その責を負いかねます．
また，本書に記載されている医薬品や機器等の使用にあたっては，常に最新の各々の添付文書や取り扱い説明書を参照のうえ，適応や使用方法等をご確認ください．

株式会社Gakken

JCOPY〈出版者著作権管理機構　委託出版物〉
本書の無断複写は著作権法上での例外を除き禁じられています．複写される場合は，そのつど事前に，出版者著作権管理機構（電話 03-5244-5088，FAX 03-5244-5089，e-mail：info@jcopy.or.jp）の許諾を得てください．

学研グループの書籍・雑誌についての新刊情報・詳細情報は，下記をご覧ください．
学研出版サイト　https://hon.gakken.jp/